Bourgogne et Angleterre

UNIVERSITE LIBRE DE BRUXELLES

TRAVAUX DE LA

FACULTE DE PHILOSOPHIE ET LETTRES

TOME XXX

BOURGOGNE ET ANGLETERRE

RELATIONS POLITIQUES ET ECONOMIQUES ENTRE LES PAYS-BAS BOURGUIGNONS ET L'ANGLETERRE

1435-1467

par

MARIE-ROSE THIELEMANS

Docteur en Philosophie et Lettres
Conservateur aux Archives Générales du Royaume

PRESSES UNIVERSITAIRES
DE BRUXELLES

1966

*à la mémoire
de
mon Maître
Paul Bonenfant*

PREFACE

Nos contrées ont, au cours du moyen âge, entretenu des relations particu-
lièrement étroites avec l'Angleterre. Une véritable symbiose s'était créée entre
le pays producteur de laine et la région transformatrice. On sait combien
ces liens étaient puissants et quelle influence ils exercèrent sur la politique
flamande.

Petit à petit la situation se transforma : l'industrie drapière prit son essor
en Angleterre. Dès le milieu du XIVᵉ siècle, en corollaire, les exportations de
laine anglaise diminuèrent et Henri Pirenne a pu dire qu'au XVᵉ siècle
« la laine anglaise s'était faite si rare qu'il fallut se résigner à y suppléer de
plus en plus par des laines espagnoles [1] ».

Les draps anglais se répandirent par toute l'Europe et concurrencèrent les
fabrications bourguignonnes. Si bien que M.J.A. Van Houtte a émis l'avis
que le grand marché d'Anvers devait, entre autres, son développement à la
vente des draps anglais par les marchands aventuriers aux Hanséates [2]. Dès
lors, si les opinions de ces deux historiens se vérifiaient, on pouvait se
demander dans quelle mesure l'économie bourguignonne était encore tribu-
taire de l'Angleterre et quelle influence le nouvel équilibre commercial avait
pu exercer sur les relations politiques ? Et cela d'autant plus que, dans un
ouvrage récent, M. P. Bonenfant a montré qu'au moment de la conclusion
du traité de Troyes, l'Angleterre se posait en demandeur sur le plan des
relations économiques avec la Flandre [3].

Nous avons choisi comme cadre chronologique l'époque qui s'étend de la
conclusion du traité d'Arras à la mort de Philippe le Bon car elle offre
l'avantage de montrer, en une période de trente-deux ans, l'évolution
complète de la politique bourguignonne dans ses rapports avec l'Angleterre.
Il faut donc, dans notre titre, entendre le mot Bourgogne dans le sens d'États
du duc de Bourgogne. Or, si les relations politiques sont essentiellement

---

[1] H. PIRENNE, *Histoire de Belgique*, 3ᵉ éd., Bruxelles, 1922, t. II, p. 416.

[2] J.A. VAN HOUTTE, « La genèse du grand marché international d'Anvers à la fin du
Moyen Age », *R.B.P.H.*, t. XIX, 1940, pp. 107-126.

[3] P. BONENFANT, *Du meurtre de Montereau au traité de Troyes*, Bruxelles, 1958,
pp. 12 et 182; P. BONENFANT, « Les traits essentiels du règne de Philippe le Bon »,
Verslagen van het Historisch Genootschap gevestigd te Utrecht, 74ste deel, 1960, p. 5.

du ressort des gouvernements, les rapports économiques en revanche se traitent entre particuliers. Ce sont spécialement les habitants des pays de par-deçà qui se trouvaient en contacts commerciaux avec les Anglais; c'est donc à eux que s'applique, dans ce travail, la dénomination de « Bourguignons », c'est-à-dire sujets du duc de Bourgogne.

Les relations politiques ont été jusqu'à présent les plus étudiées mais tous les ouvrages qui relatent, par le détail, les événements ont été écrits du point de vue français ou anglais; aucun ne s'est particulièrement attaché au rôle du duc de Bourgogne. La magistrale Histoire de Charles VII *de G. Du Fresne de Beaucourt [4] reste, malgré son âge, un travail de qualité, supérieur à plus d'un point de vue au* Louis XI et l'Angleterre *de J. Calmette et G. Périnelle [5] tandis que, du côté anglais, le meilleur exposé est celui de C.L. Scofield [6] dans* The life and reign of Edward IV, *œuvre bien charpentée et bien informée.*

Un travail récent a été consacré aux relations commerciales de la Hollande et de la Zélande avec l'Angleterre; son auteur, Mlle N.J. Kerling [7], a commis l'erreur d'étudier séparément, pour le xve siècle tout au moins, les activités de deux des principautés bourguignonnes alors que, nous espérons le démontrer, on ne peut les séparer de leurs voisines [8].

Les sources de l'histoire des relations politiques et économiques anglo-bourguignonnes sous Philippe le Bon sont très nombreuses et particulièrement dispersées.

Nous dirons peu de choses des chroniques presque toutes d'origine bourguignonne; elles ont été souvent mises à profit et leur apport ne constitue pas la partie neuve de notre travail. Monstrelet et Chastellain dominent le lot; ils ont été souvent de fidèles observateurs et leurs témoignages se trouvent aujourd'hui recoupés par d'autres sources [9].

Parmi les publications de textes, deux recueils se signalent spécialement : les Foedera *de T. Rymer [10] et les* Bronnen *de H.J. Smit [11]. Rymer, on le sait,*

---

[4] G. Du Fresne de Beaucourt, *Histoire de Charles VII*, 6 vol., Paris, 1885-1892.

[5] J. Calmette et G. Périnelle, *Louis XI et l'Angleterre*, 1461-1483, Paris, 1930.

[6] C.L. Scofield, *The life and reign of Edward the fourth*, Londres, 1923.

[7] N.J. Kerling, *Commercial relations of Holland and Zeeland with England from the late 13th century to the close of the middle ages*, Leyde, 1954.

[8] Nous ne citons ici que les ouvrages généraux d'une valeur historique incontestable. Nous avons écarté les travaux vieillis et ceux, pleins de mérite, qui ne s'attachent qu'à l'un des aspects traités, du point de vue politique ou économique, dans ce travail.

[9] L'œuvre de Chastellain constitue une source originale pour la période dont nous nous occupons.

[10] T. Rymer, *Foedera...*, t. VIII à XI, Londres, 1708 à 1711.

[11] H.J. Smit, *Bronnen tot de geschiedenis van den handel met Engeland, Schotland en Ierland, 1150-1485*, 2 vol., La Haye, 1928.

a édité une immense collection de pièces diplomatiques dont la consultation est indispensable à quiconque aborde l'histoire d'Angleterre. Smit a fait un excellent et très long travail: il a recueilli, dans les archives anglaises et néerlandaises, une quantité de documents concernant le commerce entre l'Angleterre, la Hollande et la Zélande; on peut dire que peu de documents lui ont échappé.

Mais la majorité de la documentation est inédite; elle se trouve éparpillée dans quinze dépôts d'archives situés dans quatre pays.

Les comptes de la Recette Générale des Finances *existent au complet aux Archives départementales du Nord, à Lille; ils ont été microfilmés par les soins du Fonds National de la Recherche scientifique. Nous avons largement utilisé ces microfilms, mais nous avons également consulté quelques comptes originaux à Lille et les cinq comptes originaux que possèdent les Archives Générales du Royaume. Les acquits de ces comptes sont également divisés entre les dépôts de Lille et de Bruxelles. C'est dans les comptes de la* Recette Générale des Finances *que sont mentionnées toutes les ambassades échangées entre le duc de Bourgogne et le roi d'Angleterre; ces renseignements se caractérisent par leur précision chronologique. Bien souvent, les Membres de Flandre furent invités à prendre part à ces contacts; aussi, peut-on compléter les données de la* Recette Générale des Finances *par la lecture des comptes des villes flamandes et du Franc de Bruges. Ceux-ci reposent soit aux Archives Générales du Royaume, dans le fonds de la Chambre des Comptes, soit dans les archives urbaines, comme à Gand, ou aux Archives de l'Etat à Bruges pour le Franc. Les villes brabançonnes ne participèrent pas aux négociations mais leurs représentants, comme ceux des autres villes des Pays-Bas, furent convoqués lorsqu'on envisageait la prohibition des draps anglais. Les comptes de Bruxelles et d'Anvers sont perdus; ceux de Louvain ont été conservés dans les archives communales et sont d'autant plus précieux qu'ils ne furent pas exploités pour l'édition des* Actes des Etats Généraux [12]; *il en est de même pour les comptes de la ville de Malines.*

Les instruments diplomatiques, les pouvoirs des ambassadeurs, leurs instructions, les traités, trêves et entrecours sont dispersés dans les archives anglaises, françaises et belges. La majeure partie a été éditée, dès le dix-huitième siècle, par Rymer: il reste néanmoins quelques inédits dans le fonds des documents diplomatiques de l'Echiquier *à Londres et dans celui du* Trésor de Flandre *dispersé entre les dépôts de Lille, Bruxelles et Gand.*

Le fonds des Treaty Rolls *au Public Record Office, malgré son titre, ne contient qu'incidemment des traités ou pouvoirs; il concerne plus spécialement les licences et sauf-conduits commerciaux; il portait jadis le nom de* French Rolls.

---

[12] J. Cuvelier, J. D'Hondt et R. Doehaerd, *Actes des Etats Généraux des anciens Pays-Bas*, Bruxelles, 1948.

Nous avons ensuite étudié le complexe commercial des Bouches de l'Escaut dans ses rapports avec l'Angleterre; nous avons voulu montrer la nature des relations qu'entretenaient les marchands aventuriers avec les foires de Brabant, Bruges et Middelbourg. Nous avons analysé les privilèges des Anglais à Anvers. Nous avons essayé d'esquisser un tableau de la présence bourguignonne en Angleterre tant sur le plan de l'émigration que sur celui du commerce.

Le problème des transports, des bateaux, de leur armement a alors été abordé. Nous avons tenté de dresser des statistiques du mouvement du port de Londres et proposé des chiffres relatifs au tonnage des unités bourguignonnes. Nous avons décrit les courants économiques qui liaient les ports anglais et bourguignons. A côté de ces faits positifs, il nous est apparu nécessaire d'envisager les entraves aux relations maritimes : la course et la piraterie.

Nous nous sommes aussi attachée à décrire les méthodes commerciales utilisées par les Anglais et les Bourguignons : la monnaie, le crédit, les associations de marchands ont tour à tour fixé notre intérêt. Nous avons essayé de définir l'importance des relations économiques anglo-bourguignonnes en tâchant de déterminer la valeur du courant commercial vers nos pays par rapport à la balance économique anglaise. Après avoir ainsi analysé les bases mêmes des relations commerciales, nous avons étudié, dans une dernière partie, les étapes du retour à l'alliance anglo-bourguignonne. La position de Philippe le Bon, du comte de Charolais et de Louis XI dans la guerre civile anglaise ont fait l'objet d'un exposé approfondi. Nous avons successivement examiné la politique yorkiste du dauphin et du duc de Bourgogne, la médiation de Philippe le Bon entre Louis XI et Edouard IV, le passage du comte de Charolais du parti des Lancastres à celui des Yorks et la conclusion d'une alliance entre Edouard IV et l'héritier de Bourgogne. Nous avons enfin tenté de dégager les grandes lignes des relations anglo-bourguignonnes en déterminant l'influence réciproque qu'ont exercée l'un sur l'autre les domaines politique et économique. On trouvera en annexe l'édition de quelques pièces justificatives ainsi qu'une série de tableaux statistiques et de cartes.

Il nous reste un agréable devoir à remplir, celui de remercier tous ceux qui nous ont aidée, soutenue et encouragée dans l'élaboration de ce travail qui fut présenté pour l'obtention du grade de docteur en philosophie et lettres, groupe histoire, à l'Université Libre de Bruxelles.

Nous ne savons comment exprimer notre gratitude au Directeur de cette thèse, Monsieur le Professeur P. Bonenfant, qui, pendant de longues années, n'a cessé de nous conseiller et de guider nos pas. Nous avons aussi une dette de reconnaissance envers tous nos professeurs de l'Université Libre de Bruxelles à qui nous devons notre formation historique et particulièrement envers Monsieur le Professeur J. de Sturler qui a mis à notre disposition ses profondes connaissances de l'histoire économique anglaise. Nous tenons également à témoigner notre reconnaissance à Monsieur Ph. Grierson, professeur aux Universités de Bruxelles et de Cambridge, qui nous a prodigué ses conseils pour la rédaction du chapitre relatif à l'histoire monétaire.

Nous voudrions remercier spécialement les membres de la Commission culturelle anglo-belge et de la Commission Royale d'Histoire qui nous ont permis d'effectuer plusieurs séjours de recherches au Public Record Office à Londres.

Que dire enfin de l'amabilité de nos collègues archivistes et bibliothécaires qui, tant en Belgique qu'en Angleterre, en France qu'aux Pays-Bas, se sont empressés de faciliter notre tâche?

Enfin, nous voudrions remercier particulièrement Monsieur E. Sabbe, Archiviste Général du Royaume, sans la grande compréhension duquel ce travail n'aurait pu voir le jour.

Juin 1963.

SIGLES

A.D.C.O.	:	Archives départementales de la Côte d'Or, à Dijon.
A.D.N.	:	Archives du Nord, à Lille.
A.E.B.	:	Archives de l'Etat, à Bruges.
A.E.G.	:	Archives de l'Etat, à Gand.
A.G.R.	:	Archives Générales du Royaume, à Bruxelles.
A.R.A.	:	Algemeen Rijksarchief, à La Haye.
A.V.A.	:	Archives de la Ville d'Anvers.
A.V.B.	:	Archives de la Ville de Bruges.
A.V.G.	:	Archives de la Ville de Gand.
A.V.L.	:	Archives de la Ville de Louvain.
A.V.M.	:	Archives de la Ville de Malines.
A.V.N.	:	Archives de la Ville de Nieuport.
B.C.R.H.	:	Bulletin de la Commission Royale d'Histoire.
B.N.	:	Bibliothèque Nationale, à Paris.
C.C.	:	Chambre des Comptes.
C.P.	:	Certificaten en Procuratiën.
G.A.B.O.Z.	:	Gemeente Archief van Bergen-op-Zoom.
H.v.H.	:	Hof van Holland.
P.K.	:	Privilegekamer.
P.R.O.	:	Public Record Office, à Londres.
R.B.P.H.	:	Revue Belge de Philologie et d'Histoire.
R.G.F.	:	Recette Générale des Finances.
R.R.	:	Rentbrieven en Recognitiën.
S.C.	:	Sentences Civiles.
S.R.	:	Schepenregisters.

SOURCES MANUSCRITES UTILISEES

ANVERS

ARCHIVES DE LA VILLE D'ANVERS (A.V.A.).

I. *Schepenregisters*, années 1435-1467, n°s 24-71.
II. *Privilegekamer*, n° 79 (Groot Pampieren Privilegieboeck), n°s 1046-1051 (ancien-nement Handel en Scheepvaart, n°s 5101-5106).
III. *Chartes*, années 1430-1467.

BERGEN-OP-ZOOM

ARCHIVES COMMUNALES DE BERGEN-OP-ZOOM (G.A.B.O.Z.).

I. *Rentbrieven en Recognitiën*, R 279 à R 285, années 1432-1434, 1439-1442, 1442-1445, 1445-1449, 1454-1457, 1460-1462, 1465-1468.
II. *Certificaten en Procuratiën*, années 1465-1471.
III. *Comptes de la ville*, années 1435-1438, 1443-1445, 1450.
IV. *Privilegieboeken* : C^A, 1347-1597, L^{Ac}.
V. *Ordonnanciënboeken.*
VI. *Commissie van Breda* (archives seigneuriales).

BRUGES

ARCHIVES DE L'ETAT à BRUGES (A.E.B.).

Comptes du Franc de Bruges, années 1438-1440.

ARCHIVES DE LA VILLE DE BRUGES (A.V.B.).

Registres des Sentences Civiles, 1436-1469.

BRUXELLES

ARCHIVES GENERALES DU ROYAUME (A.G.R.).

I. *Acquits de Lille*, acquits de la Recette générale des Finances, liasses et cartons n°s 1147-1151.
II. *Cartes et Plans*, n° 351.

III. *Chambres des Comptes.*
   1º *Recette Générale des Finances,* années 1437-1440, nºˢ 46953-46956; année 1464-1465, nº 1922.
   2º *Comptes de la ville de Bruges,* années 1429-1440, 1441-1467, nºˢ 32482-32519.
   3º *Comptes de la ville d'Ypres,* années 1429-1467, nºˢ 38654-38691.
   4º *Comptes du Franc de Bruges,* années 1429-1438, 1440-1442, 1444-1467, nºˢ 42548-42578.
   5º *Comptes de la Recette générale de Brabant,* années 1436-1440, nºˢ 2410 et 2411.
   6º *Comptes du tonlieu des laines anglaises traversant le Brabant vers la Lombardie,* années 1435-1467, nº 23249.
   7º *Comptes des aides de Brabant,* années 1436-1441, nº 15722.
   8º « *Informations sur les excès commiz par les serviteurs du souverain et autres officiers de Flandre* », 1441-1442, nº 1246.
   9º *Registres aux ordonnances,* nº 132.
   10º *Compte du tonlieu de Damme,* nº 22597.
   11º *Compte du tonlieu d'Anvers,* nº 22361.
   12º *Comptes des droits de sceaux,* nºˢ 20355-20361.
IV. *Chartes de Brabant,* années 1436-1467.
V. *Conseil de Brabant,* sentences, années 1445-1467, nºˢ 525-529.
VI. *Manuscrits Divers,* notes prises par Gachard dans la collection Bréquigny, nº 1722.
VII. *Trésor de Flandre,* années 1435-1467, 1ʳᵉ et 2ᵉ séries.
VIII. *Assistance publique de Louvain,* nºˢ 1257-1260.
IX. *Audience.*
   Chartes et cédules du sceau de l'Audience, années 1435-1467.

DIJON

ARCHIVES DEPARTEMENTALES DE LA COTE D'OR (A.D.C.O.).

Trésor des Chartes, nº B 11926.

GAND

ARCHIVES DE L'ETAT A GAND (A.E.G.).

Trésor de Flandre, supplément, nºˢ 685 et 688.

ARCHIVES DE LA VILLE DE GAND (A.V.G.).

I. *Chartes,* années 1435-1467.
II. *Comptes de la ville de Gand,* années 1435-1467.

LA HAYE

ALGEMEEN RIJKSARCHIEF (A.R.A.).

I. *Hof van Holland.*
  Memorialen : 14 mémoriaux du greffier Jan Rosa, 1428-1447; 6 mémoriaux du greffier Jacob Bossaert, 1447-1463; 4 mémoriaux du greffier Willem van Zwieten, 1463-1466; tables : nºˢ 266a, 266b, 266c.
II. *Leenkamer,* nº 74 (registrum appunctuamentorum).

LILLE

ARCHIVES DEPARTEMENTALES DU NORD (A.D.N.).

Chambre des Comptes, série B.

1º *Trésor des Chartes*, nᵒˢB 306/15780, 15780bis, 15822bis, 15839.

B 322/22008,
B 328/16154,
B 526/18294,
B 571/15666,
B 572/15735,
B 573/15739, 15743 1 à 12, 15752, 21227, 15831,
B 575/16040, 16033,
B 584/17872 1 à 31, 16519 1 à 4,
B 861/15824, 16016.

2º *Recette Générale des Finances*, comptes et acquits, années 1435-1467, nᵒˢ B 1954-2064.

3º *Lettres reçues et dépêchées*, nᵒˢ B 17655-17701, 18843, 20133, 20178.

4º *Registres aux chartes*, nᵒˢ B 1605 et 1606.

5º *Chambre aux deniers des ducs de Bourgogne*, nº B 3375.

LONDRES

PUBLIC RECORD OFFICE (P.R.O.).

I. *Chancellerie (C).*

1º *Treaty Rolls* (anciennement French Rolls), C 76/118 à 151.

2º *Chancery Miscellanea*, C 47.

3º *Early Chancery Proceedings*, C 1, bundles 19/486, 29/317.

II. *Echiquier* (E).

1º *King's Remembrancer, various accounts*, E 101,
Foreign merchants, bundles 128/30 à 38.
Wardrobe accounts, bundles 409/2, 409/6, 409/12, 192/13.

2º *King's Remembrancer, Memoranda Rolls*, E 159/212 à 244.

3º *Lord Treasurer's Remembrancer*, foreign accounts, E 364.
Forfeiture and seizure, bundle 91.

4º *Diplomatic Documents*, E 30.

5º *Customs Accounts*, E 122.
Boston, 10/1, 10/4, 10/5, 10/7;
Chichester, 34/17, 34/19, 34/21, 34/23, 34/25, 34/26;
Exeter et Dartmouth, 40/35, 40/36, 40/10;
Ipswich, 161/25, 176/6, 52/44, 52/46, 52/47, 52/48;
Kingston-upon-Hull, 61/71, 62/2;
Hull et Scarborough, 62/3, 62/4, 62/5, 62/7, 62/9;
Londres, 73/7, 73/9, 73/10, 73/12, 73/20, 73/23, 73/25, 76/34, 77/3, 76/38, 203/2, 203/3, 81/21, 76/47, 203/4, 76/48, 194/18, 194/17, 77/4, 194/14;
Lynn, 96/37, 96/40, 96/41, 96/42, 97/3, 97/2, 97/4, 97/7, 97/18;
Newcastle, 107/53, 107/56, 107/57;
Plymouth et Fowey, 114/1, 114/2;
Poole, 119/2, 119/4, 119/5, 119/6, 119/8, 119/9;
Sandwich et Douvres, 127/18, 127/24, 208/1, 127/26, 127/27, 128/1, 128/2,

128/4, 128/5, 128/6, 128/8, 128/9;
Scarborough, 134/9;
Southampton, 201/1, 141/23, 141/24, 141/25, 140/62, 141/29, 141/31, 141/33, 141/35, 209/8, 142/2, 142/3;
Yarmouth, 194/9, 216/7, 151/75, 151/77, 151/79, 152/3, 152/4, 152/6.

III. *Special collections* (S.C.).
Ancient correspondence, S.C. 1, vol. LXVII.

LOUVAIN

ARCHIVES DE LA VILLE DE LOUVAIN (A.V.L.).

I. *Comptes de la ville de Louvain,* années 1429-1467, n°s 5048-5093.
II. *Ordonnances de la draperie,* n° 722.
III. *Serments et ordonnances,* n° 725.
IV. *Acte du 25 août 1428,* n° 736.

MALINES

ARCHIVES DE LA VILLE DE MALINES (A.V.M.).

I. *Comptes de la ville de Malines,* années 1429-1467.
II. *Ordonnances du magistrat,* n°s 1, 2 et 3.

NIEUPORT

ARCHIVES DE LA VILLE DE NIEUPORT (A.V.N.).

Keurboek, n° 445.

PARIS

BIBLIOTHEQUE NATIONALE (B.N.).

I. *Fonds français.*

n° 1278 : Recueil de pièces historiques sur les affaires de Bourgogne de 1306 à 1490, composé pour l'usage des ducs de Bourgogne.

n° 4054 : Recueil de lettres et pièces originales et de copies de pièces relatives aux querelles de la France et de l'Angleterre de 1308 à 1531.

n° 5040 : Recueil de pièces diplomatiques de la seconde moitié du xve siècle relatives la plupart aux rapports entre la France et la Bourgogne.

n° 5041 : Recueil de pièces relatives principalement aux rapports de la France et de la Bourgogne sous Charles VII et Louis XI.

n° 5044 : Recueil de pièces relatives principalement à la Bourgogne, au Portugal et à l'Allemagne de 1343 à 1575.

nᵒˢ 6963 à
6974 : Papiers de l'abbé Le Grand sur l'histoire de Louis XI.
n° 6963 - t. IV   - Pièces originales.
n° 6964 - t. V   -   »   »
n° 6965 - t. VI   - Pièces historiques, copies 1423-1443
n° 6966 - t. VII   -   »   »   » 1446-1452
n° 6967 - t. VIII   -   »   »   » 1453-1461
n° 6968 - t. IX   -   »   »   » 1461
n° 6969 - t. X   -   »   »   » 1462
n° 6970 - t. XI   -   »   »   » 1463
n° 6971 - t. XII   -   »   »   » 1464
n° 6972 - t. XIII   -   »   »   » 1465
n° 6973 - t. XIV   -   »   »   » 1466
n° 6974 - t. XV   -   »   »   » 1467

nᵒˢ 20420-20422 : Chartes de Louis XI, originaux et quelques copies.

n° 20976 : Recueil de lettres, pièces ou extraits concernant les envoyés et ambassadeurs de France à l'étranger, t. I.

n° 20980 : Recueil de pièces originales et copies concernant les ambassadeurs étrangers en France (xivᵉ-xviiiᵉ s.).

n° 22439 : Lettres originales de Philippe le Bon et d'Isabelle de Portugal.

nᵒˢ26060-26091 : Quittances et pièces diverses relatives aux règnes de Charles VII et Louis XI, 1435-1467.

II. *Nouvelles acquisitions.*

n° 6215 : Recueil de pièces relatives aux rapports diplomatiques de la France avec l'Angleterre depuis 1200 jusqu'en 1439.

Nᵒˢ 7628-7635 : Collection de copies de pièces sur l'histoire de France connue sous le nom de Portefeuilles de Fontanieu, formée par Gaspard-Moyse de Fontanieu (†1767), de 1433 à 1470, par ordre chronologique des règnes.

III. *Collection Moreau.*

nᵒˢ 1425-1426 : Recueil de pièces originales des archives du comté de Flandre remises en 1772 au Cabinet des Chartes par Pfeffel, t. III, nᵒˢ 77-159, années 1419-1448; t. IV, nᵒˢ 160-213, années 1450-1691.

BALDWIN (J.), *The King's Council in England during the middle ages*, Oxford, 1903.

BARANTE (H.G. de), *Histoire des ducs de Bourgogne de la Maison de Valois (1364-1477)*, éd. L.P. Gachard, 2 vol., Bruxelles, 1838.

BARTIER (J.), *Charles le Téméraire*, Bruxelles, 1944.

BARTIER (J.), « Filips de Goede en de vestiging van de Bourgondische staat », *Algemene Geschiedenis der Nederlanden*, t. III, 1951, pp. 253-271 (la partie relative à la rébellion de Gand en 1451-1453 est due à H. VAN WERVEKE).

BARTIER (J.), *Légistes et gens de finances au XVe siècle. Les conseillers des ducs de Bourgogne Philippe le Bon et Charles le Téméraire*, Mémoires de l'Académie royale de Belgique, Classe des Lettres, t. L, Bruxelles, 1955. Index, additions et corrections, Bruxelles, 1957.

BASIN (Th.), *Histoire de Charles VII*, éd. Ch. Samaran, 2 vol., Paris, 1933-1934.

BEEKMAN (A.A.), *Geschiedkundige Atlas van Nederland. De Bourgondische tijd*, éd. Commissie voor den Geschiedkundigen Atlas van Nederland, La Haye, 1915.

BENSE (J.), *Anglo-Dutch relations from the earliest times to the death of William the Third*, La Haye, 1925.

BERGMANS (P.), « Jean Lefèvre de Saint-Remy », *Biographie Nationale*, t. XI, 1890-1891, col. 666-675.

BIGWOOD (G.), *Le régime juridique et économique du commerce de l'argent dans la Belgique du moyen âge*, 2 vol., Académie Royale de Belgique, Classe des Lettres, Mémoires, collection in-8°, 2e s., t. XIV, Bruxelles, 1921-1922.

BINDOFF (S.T.), *The Scheldt question to 1839*, Londres, 1945.

BISCARO (G.), « Il banco Filippo Borromei e compagni di Londra (1436-1439) », *Archivio Storico Lombardo*, 1913, pp. 37-126, 283-386.

BITTMANN (K.), « La campagne lancastrienne de 1463 », *R.B.P.H.*, t. XXVI, 1948, pp. 1059-1083.

BLADES (W.), *The life and typography of William Caxton, England's first printer with evidence of his typographical connection with Colard Mansion the printer at Bruges*, Londres, 2 vol., 1861-1863.

BLOCKMANS (F.), « De erfstrijd tussen Vlaanderen en Brabant in 1356 », *Bijdragen en Mededelingen van het Historisch Genootschap gevestigd te Utrecht*, 1955, t. LXIX, pp. 11-16.

BLOCKMANS (F.), « Van wanneer dateren de Antwerpse jaarmarkten ? », *Handelingen van het zeventiende Vlaams Filologencongres*, Leuven, 1-3 september 1947.

BLOK (P.J.), *Geschiedenis van het Nederlandsche Volk*, t. I, 3e éd., Leyde, 1923.

BLOK (P.J.), *Philips de Goede en de Hollandsche Steden in 1436*, Mededeelingen der Koninklijke Akademie van Wetenschappen, afdeeling Letterkunde, Deel 58, Amsterdam, 1924.

BLOK (P.J.), *Verslag aangaande een voorloopig onderzoeken in Engeland naar de archivalia belangrijk voor de geschiedenis van Nederland*, La Haye, 1891.

BONENFANT (P.), « Actes concernant les rapports entre les Pays-Bas et la Grande-Bretagne de 1293 à 1468, conservés au château de Mariemont », *B.C.R.H.*, t. CIX, 1945, pp. 59-125.

BONENFANT (P.), « Etat bourguignon et Lotharingie », *Académie Royale de Belgique, Bulletin de la Classe des Lettres et des Sciences morales et politiques*, 5e s., t. XLI, 1955, pp. 267-282.

BONENFANT (P.), *Du meurtre de Montereau au traité de Troyes*, Mémoires de l'Académie royale de Belgique, Classe des Lettres, t. LII, fasc. 4, Bruxelles, 1958.

Bonenfant (P.), « L'origine des surnoms de Philippe le Bon », *Annales de Bourgogne*, t. XVI, 1944, pp. 100-103.

Bonenfant (P.), « L'origine du titre de duc de Brabant », *Annales du Congrès Archéologique et Historique de Tournai*, 1949, pp. 1-9.

Bonenfant (P.), *Philippe le Bon*, Bruxelles, 1943, 3e éd., 1955.

Bonenfant (P.), « Les traits essentiels du règne de Philippe le Bon », *Verslagen van het Historisch Genootschap gevestigd te Utrecht*, 74ste deel, 1960, pp. 10-28.

Bonenfant (P.) et Stengers (J.), « Le rôle de Charles le Téméraire dans le gouvernement de l'Etat bourguignon en 1465-1467 », *Annales de Bourgogne*, t. XXV, 1953, pp. 7-29 et 118-133.

Borchgrave (E.), « Simon de Fourmelles », *Biographie Nationale*, t. VII, 1880, col. 214-217.

Borgnet (A.), « Le sac de Dinant par Charles le Téméraire », *Annales de la Société archéologique de Namur*, t. III, 1853, pp. 1-92.

Bormans (S.), *Cartulaire de la commune de Dinant*, 3 t., Namur, 1880-1882.

Boutruche (R.), « Bulletin historique de l'histoire de France », *Revue Historique*, t. CCXIX, 1955, pp. 47-80 et t. CCXXIV, 1960, pp. 99-133.

Bridbury (A.R.), *England and the salt trade in the later middle ages*, Londres, 1955.

Brooke (G.C.), *English coins from the seventh century to the present day*, Londres, 1932; réédition en 1952.

Brouwers (D.), « Analectes dinantais », deuxième série, *Annales de la Société archéogique de Namur*, t. XXXVIII, 1927, pp. 245-288.

Brouwers (D.), « Les marchands batteurs de Dinant à la fin du xve siècle », *B.C.R.H.*, t. LXXVII, 1909, pp. 113-143.

Brown (R.), *Calendar of state papers and manuscripts relating to English affairs existing in the archives and collections of Venice and in other libraries of Northern Italy*, vol. I, 1202-1509, Londres, 1864.

Brugmans (H.), *Verslag en onderzoek naar archivalia in Engeland*, La Haye, 1895.

The Brut or the Chronicles of England, édit. F.W.D. Brie, 2 vol., Londres, 1906-1908.

Burwash (D.), *English merchant shipping, 1460-1540*, Toronto, 1947.

C

Calendar of Close Rolls, Henry VI, vol. II, *1429-1435*, Londres, 1933; vol. III, *1435-1441*, Londres, 1937; vol. IV, *1441-1447*, Londres, 1937; vol. V, *1447-1454*, Londres, 1947; vol. VI, *1454-1461*, Londres, 1947; *Edward IV*, vol. I, *1461-1468*, Londres, 1949.

Calendar of Fine Rolls, vol. XVI, *Henry VI, 1430-1437*, Londres, 1936; vol. XVII, *Henry VI, 1437-1445*, Londres, 1937; vol. XVIII, *Henry VI, 1445-1452*, Londres, 1939; vol. XIX, *Henry VI, 1452-1461*, Londres, 1940; vol. XX, *Edward IV, 1461-1471*, Londres, 1949.

Calendars of the French Rolls (Actuellement Treaty Rolls), *48th Annual Report of the Deputy Keeper of the Public Record Office*, 1887, pp. 217-451.

Calendar of Patent Rolls, Henry VI, vol. I, *1422-1429*, Londres, 1901; vol. II, *1429-1436*, Londres, 1907; vol. III, *1436-1441*, Londres, 1907; vol. IV, *1441-1446*, Londres, 1908; vol. V, *1446-1452*, Londres, 1910; vol. VI, *1452-1461*, Londres, 1911; *Edward IV, 1461-1467*, Londres, 1897.

Calmette (J.), *Chute et relèvement de la France sous Charles VI et Charles VII*, Paris, 1945.

Calmette (J.), *L'Elaboration du monde moderne*, Paris, 1934.

CALMETTE (J.), *Le grand règne de Louis XI*, Paris, 1938.

CALMETTE (J.), *Les grands ducs d'Occident*, Paris, 1949.

CALMETTE (J.), « Le mariage de Charles le Téméraire et de Marguerite d'York », *Annales de Bourgogne*, t. I, 1929, fasc. III, pp. 193-214.

CALMETTE (J.) et DEPREZ (E.), *L'Europe occidentale de la fin du XIVe siècle aux guerres d'Italie : La France et l'Angleterre en conflit*, Paris, 1937 (Histoire générale publiée sous la direction de G. Glotz, *Histoire du moyen âge*, t. VII, 1re partie).

CALMETTE (J.) et PÉRINELLE (G.), *Louis XI et l'Angleterre, 1461-1483*, Société de l'Ecole des Chartes, t. XI, Paris, 1930.

The Cambridge medieval history, 8 vol., Cambridge, 1936.

CANAT DE CHIZY (M.), *Documents pour servir à l'histoire de Bourgogne*, t. I, Chalon-sur-Saône, 1863.

CAPGRAVE, *Liber de illustribus Henricis*, éd. F.C. Hingeston, Rolls Series, Rerum Britannicarum Medii Aevi Scriptores, Londres, 1858.

CARTELIERI (O.), « Philippe le Bon et le roi de France en 1430-1431 », *Annales de Bourgogne*, t. I, 1929, pp. 78-83.

CARUS-WILSON (E.M.), « The effects of the acquisition and of the loss of Gascony on the English wine trade », dans *Medieval merchant venturers*, Londres, 1954 (Il s'agit de la réimpression d'un article paru dans le *Bulletin of the Institute of Historical Research*, vol. XXI, 1948).

CARUS-WILSON (E.M.), « La guède française en Angleterre, un grand commerce au moyen âge », *Revue du Nord*, t. XXXV, no 138, avril-juin 1953, pp. 89-105.

CARUS-WILSON (E.M.), « The Iceland trade », *Studies in English trade in the fifteenth century*, éd. E. Power et M.M. Postan, Londres, 1933, pp. 155-182.

CARUS-WILSON (E.M.), « The Iceland venture », dans *Medieval merchant venturers*, Londres, 1954, pp. 98-142.

CARUS-WILSON (E.M.), *Medieval merchant venturers, collected studies*, Londres, 1954.

CARUS-WILSON (E.M.), « The origins and early development of the merchant adventurers' organization in London, as shown in their own medieval records », *Economic History Review*, t. IV, 1933, pp. 147-176.

CARUS-WILSON (E.M.), « The overseas trade of Bristol », *Studies in English trade in the fifteenth century*, éd. E. Power et M.M. Postan, Londres, 1933, pp. 183-246.

CARUS-WILSON (E.M.), *The overseas trade of Bristol in the later middle ages*, Bristol Record Society Publications, vol. VII, 1937.

CHAMPION (P.), *Vie de Charles d'Orléans, 1394-1465*, Paris, 1911.

CHAMPION (P.) et DE THOISY (P.), *Bourgogne-France-Angleterre au traité de Troyes. Jean de Thoisy, évêque de Tournai, chancelier de Bourgogne, membre du Conseil du Roi, 1350-1433*, Paris, 1943.

CHAMPOLLION-FIGEAC (A.), *Lettres des rois, reines et autres personnages des cours de France et d'Angleterre depuis Louis VII jusqu'à Henri IV tirées des archives de Londres par Bréquigny*, t. II, Collection de documents inédits, Paris, 1847.

CHAPLAIS (P.), « Documents concernant l'Angleterre et l'Ecosse anciennement conservés à la Chambre des Comptes de Lille », *Revue du Nord*, t. XXXVIII, 1956, pp. 185-210.

CHARTIER (J.), *Chronique de Charles VII*, éd. Valet de Viriville, Paris, 1847.

CHASTEL DE LA HOWARDRIE (P.A. du), *Notices généalogiques tournaisiennes, dressées sur titres*, 3 vol., Tournai, 1881-1887.

CHASTELLAIN (G.), *Œuvres*, éd. Kervyn de Lettenhove, 8 vol., Bruxelles, 1863-1866.

CHOMEL (V.) et EBERSOLT (J.), *Cinq siècles de circulation internationale vue de Jougne*, Ecole pratique des Hautes Etudes, VIᵉ section, Collection Ports, Routes et Trafics, t. II, Paris, 1951.

CIPOLLA (C.), DHONDT (J.), POSTAN (M.M.), WOLFF (P.), « Rapport collectif d'anthropologie et de démographie, moyen âge », *Rapports du IXᵉ Congrès international des Sciences historiques*, Paris, 1950, pp. 55-80.

CLAPHAM (sir John), *A concise economic history of Britain from the earliest times to a.d. 1750*, Cambridge, 1949.

CLERCQ (Jacques du), *Mémoires, 1448-1467*, éd. de Reiffenberg, 4 vol., Bruxelles, 1823; éd. J.A. Buchon, 4 vol., Paris, 1824-1829.

COMINES (P. de), *Mémoires, 1464-1498*, éd. B. de Mandrot, 2 vol., Paris, 1901-1903.

COMMINES (P. de), *Mémoires (1464-1498)*, éd. Godefroy et Lenglet du Fresnoy, 4 vol., Paris, 1747.

COMMYNES (P. de), *Mémoires, 1464-1498*, éd. Melle Dupont, 3 vol., Paris, 1840-1847.

COMMYNES (P. de), *Mémoires*, éd. J. Calmette, Les Classiques de l'histoire du moyen âge, 3 vol., Paris, 1924-1925.

COORNAERT (E.), « Les bourses d'Anvers aux xvᵉ et xviᵉ siècles », *Revue Historique*, t. CCXVII, 1957, pp. 20-28.

COORNAERT (E.), « Caractères et mouvement des foires internationales au moyen âge et au xviᵉ siècle », *Studi in onore di Armando Sapori*, Milan, 1957, t. I, pp. 357-371.

COORNAERT (E.), *Un centre industriel d'autrefois : la draperie sayetterie d'Hondschoote*, xivᵉ-xviiiᵉ s., Paris, 1930.

COORNAERT (E.), « Draperies rurales, draperies urbaines; l'évolution de l'industrie flamande au moyen âge et au xviᵉ siècle», *R.B.P.H.*, t. XXVIII, 1950, I, pp. 60-98.

COORNAERT (E.), « L'Etat et les Villes à la fin du moyen âge; la politique d'Anvers », *Revue Historique*, t. CCVII, 1952, pp. 185-210.

COORNAERT (E.), *Les Français et le commerce international à Anvers, fin du xvᵉ-xviᵉ siècle*, 2 vol., Paris, 1961.

COORNAERT (E.), « La genèse du système capitaliste : grand capitalisme et économie traditionnelle à Anvers au xvᵉ s. », *Annales d'Histoire, Economies, Sociétés*, t. VIII, 1936, pp. 127-139.

COORNAERT (E.), *Une industrie urbaine du xivᵉ au xviiiᵉ s., l'industrie de la laine à Bergues-Saint-Winoc*, Paris, 1930.

COORNAERT (E.), « Le rayonnement d'Anvers dans le Nord de la France au xviᵉ siècle », *Revue du Nord*, t. XLI, n° 164, pp. 251-263.

COORNAERT (E.), « Les routes commerciales d'Angleterre en Italie au xviᵉ siècle », *Annales de Géographie*, t. XXXVI, 1927, pp. 158-169.

CORNELISSEN (J.), *Uit de geschiedenis van Bergen-op-Zoom in de xvᵉ eeuw*, Bergen-op-Zoom, 1923.

COSNEAU (E.), *Le connétable de Richemont, Arthur de Bretagne, 1393-1458*, Paris, 1886.

COSNEAU (E.), *Les grands traités de la guerre de Cent Ans*, Paris, 1889.

COUSSEMAKER (F. de), « Thierry Gherbode, secrétaire et conseiller des ducs de Bourgogne et comtes de Flandre Philippe le Hardi et Jean sans Peur, et premier garde des chartes de Flandre, 13 . .-1421, Etude biographique », *Annales du Comité flamand de France*, t. XXVI, 1901-1902, pp. 175-385.

COVILLE (A.), *L'Europe occidentale de 1270 à 1380, deuxième partie : 1328 à 1380*,

Histoire générale publiée sous la direction de G. Glotz, *Histoire du moyen âge*, t. VI, Paris, 1941.

CRAEYBECKX (J.), *Un grand commerce d'importation : Les vins de France aux anciens Pays-Bas (xiiie-xvie siècles)*, Paris, 1958.

CRAEYBECKX (J.), « Quelques grands marchés de vin français dans les anciens Pays-Bas et le Nord de la France à la fin du moyen âge et au xvie siècle », *Studi in onore di Armando Sapori*, Milan, 1957, t. II, pp. 846-882.

CUNNINGHAM (W.), *The growth of English industry and commerce during the early and middle ages*, Cambridge, 1910.

CUVELIER (J.), *Les dénombrements de foyers en Brabant (xive-xve siècles)*, Commission royale d'Histoire, Bruxelles, 1912.

CUVELIER (J.), *Inventaire des archives de la ville de Louvain*, 3 vol., Louvain, 1929.

CUVELIER (J.), DHONDT (J.) et DOEHAERD (R.), *Actes des Etats Généraux des anciens Pays-Bas, actes de 1427 à 1477*, Commission royale d'Histoire, collection in-4°, Bruxelles, 1948.

D

DADIZEELE (Jean de), *Mémoires, 1431-1481*, éd. Kervyn de Lettenhove, Bruges, 1850.

DAENELL (E.), *Die Blütezeit der Deutschen Hanse, 1370-1474*, Berlin, 2 vol., 1905-1906.

DARBY (H.C.), *An historical geography of England before A.D. 1800*, Oxford, 1951.

DARDEL (E.), *La pêche harenguière en France*, Paris, 1941.

DAUMET (G.), *Calais sous la domination anglaise*, Arras, 1902 (Publications de l'Académie d'Arras).

DE BLÉCOURT (A.S.) et MEIJERS (E.M.), *Memorialen van het Hof (den Raad) van Holland, Zeeland en West-Friesland, van den secretaris Jan Rosa*, Deelen I, II en III, Haarlem, 1929.

DEGRYSE (R.), « Le convoi de la pêche à Dunkerque au xve et au xvie siècles », *Revue du Nord*, t. XXXIII, n° 130 et 131, 1951, pp. 117-127.

DEGRYSE (R.), « De konvooieering van de Vlaamsche visschersvloot in de xve en xvie eeuw », *Bijdragen voor de Geschiedenis der Nederlanden*, tweede deel, 1948, pp. 1-24.

DEGRYSE (R.), « De Vlaamse haringvisserij in de xve eeuw », *Handelingen van het Genootschap « Société d'Emulation » te Brugge*, t. LXXXVIII, 1951, pp. 116-133.

DEGRYSE (R.), *Vlaanderens haringbedrijf in de middeleeuwen*, Anvers, 1944.

DEGRYSE (R.), « Vlaanderens haringvisscherij in de middeleeuwen », *Handelingen van het Genootschap « Société d'Emulation » te Brugge*, t. LXXXII, 1939.

DEHAISNES et FINOT (J.), *Inventaire sommaire des archives départementales antérieures à 1790. Nord. Archives civiles*, Série B, t. I, 2e éd., 1re partie, Lille, 1899; 2e partie, Lille, 1906; t. IV, Lille, 1881; t. VIII, Lille, 1895.

DELPIT (J.), *Collection générale des documents français qui se trouvent en Angleterre*, Paris, 1847.

DENUCÉ (J.), *De loop van de Schelde van de zee tot Rupelmonde in de xve eeuw*, Anvers, 1933.

DE POERCK (G.), *La draperie médiévale en Flandre et en Artois, Technique et terminologie*, t. I : *La Technique;* t. II : *Glossaire français;* t. III : *Glossaire flamand*, Rijksuniversiteit te Gent, werken uitgegeven door de Faculteit van Wijsbegeerte en Letteren, fasc. 110-112, Bruges, 1951.

DEPREZ (E.), *Etudes de diplomatique anglaise, 1272-1485*, Paris, 1908.

DEPT (G.G.), « Etude critique sur une grande inondation marine à la côte flamande

(19 novembre 1404) », *Etudes dédiées à la mémoire d'Henri Pirenne*, Bruxelles, 1937, pp. 105-124.

DE RIDDER (A.), « Philippe Pot », *Biographie Nationale*, t. XVIII, 1905, col. 74-76.

DEROISY (A.), « Les routes terrestres des laines anglaises vers la Lombardie », *Revue du Nord*, t. XXV, n° 97, janvier-mars, 1939, pp. 40-60.

DE ROOVER (R.), « Een en ander over Jan Ympyn Christoffels, den schrijver van de eerste Nederlandsche handleiding over het koopmansboekhouden », *Tijdschrift voor Geschiedenis*, 52ste jaargang, 1937, pp. 163-179.

DE ROOVER (R.), *L'évolution de la lettre de change*, XIVe-XVIIIe siècle, Paris, 1953.

DE ROOVER (R.), *Jan Ympyn, essai historique et technique sur le premier traité flamand de comptabilité*, Anvers, 1928.

DE ROOVER (R.), *Money, banking and credit in mediaeval Bruges, Italian merchant-bankers, Lombards and money changers; A study in the origins of banking*, Cambridge, The Mediaeval Academy of America, Massachusetts, 1948.

DE ROOVER (R.), *Oprichting van het Brugse filiaal van het bankiershuis der Medici*, Mededelingen van de Koninklijke Vlaamse Akademie van België, Klasse der Letteren, t. XV, n° 8, 1953.

DE SAGHER (H.E.), « Vlaanderen en Engeland », Londres, 1916-1917 *(De Stem uit België*, III, pp. 1377, 1390, 1446, 1456, 1457, 1475, 1484, 1595).

DE SAGHER (H.E. et J.H.), VAN WERVEKE (H.), WIJFFELS (C.), *Recueil de documents relatifs à l'histoire de l'industrie drapière en Flandre, deuxième partie : le Sud-Ouest de la Flandre depuis l'époque bourguignonne*, 2 vol., Commission royale d'Histoire, Collection in-4°, Bruxelles 1951-1961.

DE SAGHER (H.E.), « L'immigration des tisserands flamands et brabançons en Angleterre sous Edouard III », *Mélanges d'histoire offerts à Henri Pirenne*, Bruxelles, 1926, t. I, pp. 109-126.

DESCHAMPS DE PAS (L.), *Essai sur l'histoire monétaire des comtes de Flandre de la maison de Bourgogne et description de leurs monnaies d'or et d'argent*, Paris, 1863.

DES MAREZ (G.), *La lettre de foire à Ypres au XIIIe s.*, Mémoires couronnés de l'Académie Royale de Belgique, t. LX, 1901.

DE SMEDT (O.), « De Engelsche handel te Antwerpen in de jaren 1305-1505 », *Bijdragen tot de Geschiedenis*, t. XV, 1923, pp. 530-541.

DE SMEDT (O.), *De Engelsche natie te Antwerpen in de XVIe eeuw (1496-1582)*, 2 t., Anvers, 1950-1954.

DE SMEDT (O.), « Inleidende studies tot de geschiedenis van den Engelschen handel met Antwerpen in de middeleeuwen», *Vlaamsche Arbeid*, jaargang 16, 1926, pp. 92-98 et 166-180.

DE SMET (J.), « Le dénombrement des foyers en Flandre en 1469 », *B.C.R.H.*, t. IC, 1935, pp. 105-150.

DE SMET (J.J.), *Corpus Chronicorum Flandriae*, 4 vol., Bruxelles, 1837.

DE SMET (J.J.), « Pierre Bladelin », *Biographie Nationale*, t. II, 1868, col. 445-447.

DESPARS (N.), *Cronijcke van den lande ende graefscepe van Vlaenderen (405-1492)*, éd. J. De Jonghe, 4 vol., Bruges, 1840-1842.

DE STURLER (J.), *Les relations politiques et les échanges commerciaux entre le duché de Brabant et l'Angleterre au moyen âge. L'étape des laines anglaises en Brabant et les origines du port d'Anvers*, Paris, 1936.

DEVILLERS (L.), « Guillaume de Lalaing », *Biographie Nationale*, t. XI, 1890-1891, col. 97-98.

DEVILLERS (L.), *Inventaire des archives des commanderies belges de l'ordre de Saint-Jean de Jérusalem ou de Malte*, Mons, 1876.

DEVON (F.), *Issues of the Exchequer, Henry III - Henry VI*, Londres, 1837.

DE WITTE (A.), *Histoire monétaire des ducs de Brabant*, 3 vol., Anvers, 1894-1900.

DICKINSON (J.G.), *The congress of Arras, a study in medieval diplomacy*, Oxford, 1955.

DILIS (E.), *Les courtiers anversois sous l'Ancien Régime*, Anvers, 1910.

DION (R.), *Histoire de la vigne et du vin en France, des origines au xixe siècle*, Paris, 1959.

DIXMUDE (Jan van), *Dits de cronike ende genealogie van den prinsen ende graven van den Foreeste van Buc dat heet Vlaenderlant (836-1436)*, éd. J.J. Lambin, Ypres, 1839.

DIXMUDE (Olivier van), *Merkwaerdige gebeurtenissen vooral in Vlaenderen en Brabant (1377-1443)*, éd. J.J. Lambin, Ypres, 1835.

DOEHAERD (R.), *Comptes du tonlieu d'Anvers, 1365-1404*, Commission royale d'Histoire, Collection in-8°. Bruxelles, 1947.

DOEHAERD (R.), *L'expansion économique belge au moyen âge*, Bruxelles, 1946.

DOEHAERD (R.) et KERREMANS (Ch.), *Les relations commerciales entre Gênes, la Belgique et l'Outremont, d'après les archives notariales génoises, 1400-1440*, Institut Historique belge de Rome, Etudes d'Histoire économique et sociale, vol. V, Rome-Bruxelles, 1952.

Dokumenten voor de geschiedenis van prijzen en lonen in Vlaanderen en Brabant, xve-xviiie eeuw, publiés sous la direction de C. Verlinden, Rijksuniversiteit te Gent. Werken uitgegeven door de Faculteit van de Letteren en Wijsbegeerte, n° 125, Bruges, 1959.

DOURSTHER (H.), *Dictionnaire universel des poids et mesures*, Bruxelles, 1840.

DOUTREPONT (G.), *La littérature française à la cour des ducs de Bourgogne*, Paris, 1909.

DUBOIS (M.), « Textes et fragments relatifs à la draperie de Tournai au moyen âge », *Revue du Nord*, t. XXXII, 1950, pp. 144-164; 219-235.

DU FRESNE DE BEAUCOURT (G.), *Histoire de Charles VII*, 6 vol., Paris, 1885-1892.

DUMONT (J.), *Corps universel diplomatique*, 8 vol., Amsterdam, 1726-1731.

DUVIVIER (Ch.), « L'Escaut est-il flamand ou brabançon ? », *Académie Royale de Belgique, Bulletin de la Classe des Lettres*, 1899, pp. 721-768.

DYNTER (Edm. de), *Chronicon ducum Brabantiae (-1442)*, éd. P.F.X. de Ram, 3 vol., Bruxelles, 1854-1860.

E

EDLER (F.), « Attendance at the fairs of Bergen-op-Zoom », *Sinte Geertruydtsbronne*, 1936.

EHRENBERG (R.), « Maklers, Hosteliers und Börse in Brügge vom XIII bis zum XVI Jahrhundert », *Zeitschrift fur das gesamte Handelsrecht*, t. XXX, 1885.

ENLART (C.), *Manuel d'archéologie française, deuxième partie, Architecture civile et militaire, t. II, Architecture militaire et navale*, 2e édition revue et augmentée par Jean Verrier, Paris, 1932.

ENNO VAN GELDER (H.) et HOC (M.), *Les monnaies des Pays-Bas bourguignons et espagnols, 1434-1713*, Amsterdam, 1960.

ESCOUCHY (Mathieu d'), *Chronique, 1444-1461*, éd. G. Du Fresne de Beaucourt, 3 vol., Paris, 1863.

ESPINAS (G.), *La draperie dans la Flandre française au moyen âge*, 2 vol., Paris, 1923.

ESPINAS (G.) et PIRENNE (H), *Recueil de documents relatifs à l'histoire de l'industrie drapière en Flandre*, Commission royale d'Histoire, Collection in-4°, 4 vol., Bruxelles, 1906-1924.

F

FAVRESSE (F.), « Le complexe des métiers du tissage à Bruxelles », *R.B.P.H.*, t. XXVI, 1948, 1-2, pp. 60-84.

FAVRESSE (F.), « Les débuts de la nouvelle draperie bruxelloise appelée aussi draperie légère, fin du XIVe s. - 1443 », *R.B.P.H.*, t. XXVIII, 1950, pp. 461-477.

FAVRESSE (F.), « Note et documents sur l'apparition de la « nouvelle draperie » à Bruxelles, 1441-1443 », *R.B.P.H.*, t. XXV, 1947, pp. 143-167.

FLEMING (J.A.), *Flemish influence in Britain*, 2 vol., Glasgow, 1930.

FLENLEY (R.), « London and foreign merchants in the reign of Henry VI », *English Historical Review*, t. XXV, 1910, pp. 644-655.

FOTHERINGHAM (J.G.), « William, lord Hastings », *Dictionary of National Biography*, t. XXV, 1891, pp. 148-149.

FRIS (V.), « Le Bâtard de Renty », *Biographie Nationale*, t. XIX, 1907, col. 143-146.

FRIS (V.), « La Cronycke van den lande ende graefscepe van Vlaenderen de Nicolas Despars », *B.C.R.H.*, 5e série, t. XI, 1901, pp. 545-565.

FRIS (V.), « Documents gantois concernant la levée du siège de Calais en 1436 », *Mélanges Paul Frédéricq*, Bruxelles, 1904; pp. 245-258.

FRIS (V.), *Essai d'une analyse des Commentarii sive Annales Rerum Flandricarum de J. de Meyere*, Gand, 1908.

FRIS (V.), *Histoire de Gand*, 2e éd., Gand, 1930.

FRIS (V.), « Ontleding van drij Vlaamsche kronijken », *Annales de la Société d'Histoire et d'Archéologie de Gand*, t. III, 1898, pp. 135-174.

FRIS (V.), « Note sur la densité de la population de Gand du XIVe siècle à nos jours », *Bulletin de la Société d'histoire et d'archéologie de Gand*, 1909, pp. 165-171.

FRIS (V.), « Philippe de Ternant », *Biographie Nationale*, t. XXIV, 1926-1929, col. 705-708.

FRIS (V.), « Roland d'Uutkerke », *Biographie Nationale*, t. XXV, 1930-1932, col. 1020-1025.

FRIS (V.), *Schets van den economischen toestand van Vlaanderen in het midden der XVe eeuw*, Gand, 1900.

FRUIN (R.), « Het Archief der stad Reimerswaal » dans *Rijksarchiefdepot in de provincie Zeeland*, La Haye, 1897.

G

GACHARD (L.P.), *La Bibliothèque Nationale de Paris. Notices et extraits de manuscrits qui concernent l'histoire de Belgique*, 2 vol., Bruxelles, 1875-1877.

GACHARD (L.P.), *Collection de documents inédits concernant l'histoire de Belgique*, 3 vol., Bruxelles, 1833.

GACHARD (L.P.), *Rapport sur différentes séries de documents concernant l'histoire de Belgique qui sont conservés dans les archives de l'ancienne Chambre des Comptes de Flandre, à Lille*, 2 vol., Bruxelles, 1841.

GACHARD (L.P.), *Rapport sur les documents concernant l'histoire de Belgique qui existent dans les dépôts littéraires de Dijon et de Paris*, Bruxelles, 1843.

GACHARD (L.P.), PINCHART (A.) et NELIS (H.), *Inventaire des archives des Chambres des Comptes, précédé d'une notice historique*, 6 vol., Bruxelles, 1837-1931.

GAILLARD (A.), *Le Conseil de Brabant*, 3 vol., Bruxelles, 1898-1902.

GAIRDNER (J.), « Richard Beauchamp », *Dictionary of National Biography*, t. IV, 1885, p. 31.

GAIRDNER (J.), « Thomas Beckington », *Dictionary of National Biography*, vol. IV, 1885, pp. 86-87.

GAIRDNER (J.), *The Paston Letters, a.d. 1422-1509*, introduction and 3 vol., Edimbourg, 1910.

GAIRDNER (J.), « Richard, duke of York », *Dictionary of National Biography*, vol. XLVIII, 1896, pp. 176-184.

GANDHILLON (R.), *Politique économique de Louis XI*, Paris, 1941.

GARDAUNS, « Diderich von Mörs », *Allgemeine Deutsche Biographie*, t. V, 1887, pp. 179-182.

GÉNARD (P.), *Anvers à travers les âges*, 2 vol., Bruxelles, 1888-1892.

GILLIODTS VAN SEVEREN (L.), *Cartulaire de l'ancien consulat d'Espagne à Bruges (1280-1777)*, Bruges, 2 vol., 1901-1902.

GILLIODTS VAN SEVEREN (L.), *Cartulaire de l'ancienne Estaple de Bruges, 863-1492*, 4 vol., Bruges, 1904-1906.

GILLIODTS VAN SEVEREN (L.), *Cartulaire de l'ancien grand tonlieu de Bruges faisant suite au Cartulaire de l'ancienne Estaple*, 2 vol., Bruges, 1908-1909.

GILLIODTS VAN SEVEREN (L.), *Coutume du Bourg de Bruges*, 3 vol., Bruxelles, 1883-1885.

GILLIODTS VAN SEVEREN (L.), *Inventaire des archives de Bruges, 1248-1497*, 7 vol., Bruges, 1871-1878.

GIRARD (A.), « La guerre monétaire (XIVᵉ-XVᵉ siècles) », *Annales, Economies, Sociétés*, t. II, 1940, pp. 205-218.

GIUSEPPI (M.S.), *A guide to the manuscripts preserved in the Public Record Office*, 2 vol., Londres, 1923-1924.

GÖBEL (H.), *Wandteppiche, I. Die Niederlande*, Leipzig, 1923.

GOETHALS (F.V.), *Dictionnaire généalogique et héraldique des familles nobles du royaume de Belgique*, 4 vol., Bruxelles, 1849-1852.

GOLLUT (L.), *Les Mémoires historiques de la république séquanoise*, éd. Ch. Duvernoy et Emm. Bousson de Mairet, Arbois, 1846.

GORIS (J.A.), *Etude sur les colonies marchandes méridionales (Portugais, Espagnols, Italiens), à Anvers de 1488 à 1567, Contribution à l'histoire du capitalisme moderne*, Louvain, 1925.

GOTTSCHALK (M.K.E.), *Historische geographie van Westelijk Zeeuws-Vlaanderen*, 2 vol., Assen, 1955-1958.

GOTTSCHALK (M.K.E.), « Het verval van Brugge als wereldmarkt », *Tijdschrift voor Geschiedenis*, 66ste jaargang, 1953, pp. 1-26.

GOTTSCHALK (M.K.E.) et UNGER (W.S.), « De oudste kaarten der waterwegen tusschen Brabant, Vlaanderen en Zeeland », *Tijdschrift van het Koninklijk Nederlandsch Aardrijkskundig Genootschap*, deel LXVII, 1950, n° 2, pp. 146-169.

GRAS (N.S.B.), *The early English customs system*, Harvard Economic Studies, vol. XVIII, Cambridge, Massachusetts, 1918.

GRAS (N.S.B.), *The evolution of the English cornmarket from the twelfth to the eighteenth century*, Cambridge, Massachusetts, 1926.

GRAY (H.L.), « English foreign trade from 1446 to 1482 », *Studies in English trade in the fifteenth century*, éd. E. Power et M.M. Postan, Londres, 1933, pp. 1-38.

GRAY (H.L.), « Tables of enrolled customs and subsidy accounts, 1399 to 1482 », *Studies in English Trade in the fifteenth century*, éd. E. Power et M.M. Postan, Londres, 1933, pp. 321-360.

Gregory's Chronicle, 1189-1469, éd. James Gairdner, *Historical Collection of a citizen of London, in the fifteenth century*, Camden Society, Londres, 1876.

GRUEBER (H.A.), *Handbook of the coins of Great Britain and Ireland in the British Museum*, Londres, 1899.

GRUEL (G.), *Cronique de Artus III, duc de Bretagne*, à la suite de l'édition de Th. Basin par Godefroid, Paris, 1661.

GRUNZWEIG (A.), *Correspondance de la filiale de Bruges des Médicis*, Commission Royale d'Histoire, Collection in 8°, Bruxelles, 1931.

GUILLAUME (Général), « Antoine de Croÿ », *Biographie Nationale*, t. IV, 1873, col. 524-527.

GUILLAUME (Général), « Jean de Croÿ », *Biographie Nationale*, t. IV, 1873, col. 559-562.

H

HAGEDORN (B.), *Die Entwicklung der wichtigsten Schiffstypen bis ins 19. Jahrhundert*, Veröffentlichungen des Vereins für Hamburgische Geschichte, Band I, Berlin, 1914.

HAKLUYT (R.), *Principal navigations, voyages, trafiques and discoveries of the English*, éd. J. Masefield, Londres, 1927.

HARDY (J.), « John Holland », *Dictionary of National Biography*, t. XXVII, 1891, pp. 148-150.

HARRISS (G.L.), « The Struggle for Calais. An aspect of the rivalry between Lancaster and York », *English Historical Review*, vol. LXXV, n° 294, 1960, pp. 30-53.

HARWARD (W.I.), « The financial transactions between the Lancastrian government and the merchants of the Staple from 1449 to 1461 », *Studies in English trade in the fifteenth century*, éd. E. Power et M.M. Postan, Londres, 1933, pp. 293-320.

HECKSCHER (E.F.), *Mercantilism*, 2 vol., Londres, 1955.

HEERS (J.), « Types de navires et spécialisation des trafics en Méditerranée au moyen âge », dans M. Mollat, *Le navire et l'économie maritime du moyen âge au XVIIIᵉ s., principalement en Méditerranée*, Paris, 1959.

HEINSIUS (P.), *Das Schiff der Hansischen Frühzeit, Quellen und Darstellungen zur Hansischen Geschichte*, Herausgegeben von Hansischen Geschichtsverein, Neue Folge, Band XIV, Weimar, 1956.

HÉLIOT (P.), *Histoire de Boulogne et du Boulonnais*, Lille, 1937.

HINDS (A.D.), *Calendar of State papers and manuscripts relating to English affairs, existing in the archives and collections of Milan*, Londres, 1912.

HINTZEN (J.D.), *De kruistochtplannen van Philips de Goede*, Rotterdam, 1918.

HIRSCHAUER (C.), *Les Etats provinciaux d'Artois de leurs origines à l'occupation française*, 1340-1640, 2 vol., Paris-Bruxelles, 1923.

History of the earl of Warwick surnamed the Kingmaker, Londres, 1708.

HÖHLBAUM (K.), *Hansische Urkundenbuch*, 3 vol., Halle, 1882-1886.

HOLMES (G.A.), « The Libel of English Policy », *The English Historical Review*, vol. LXXVI, n° 299, avril 1961, pp. 193-216.

HOMMEL (L.), *Chastellain*, Bruxelles, 1945.

HOMMEL (L.), *Marguerite d'York, ou la duchesse Junon*, Paris, 1959.

HOMMEL (L.), *Marie de Bourgogne ou le Grand Héritage*, 4e éd., Bruxelles, 1951.

HUGUET (A.), *Aspects de la Guerre de Cent Ans en Picardie maritime, 1400-1480*, Mémoire de la Société des Antiquaires de Picardie, 1e partie, t. XLVIII, 1941 et t. L, 1944.

HUNT (W.), « Henry Beaufort », *Dictionary of National Biography*, vol. IV, 1885, pp. 41-48.

HUNT (W.), « John, duke of Bedford », *Dictionary of National Biography*, vol. XXIX, 1892, pp. 427-433.

HUNT (W.), « Henry Bourchier », *Dictionary of National Biography*, t. VI, 1886, p. 10.

HUIZINGA (J.), *Le déclin du moyen âge*, traduction de J. Bastin, Paris, 1932.

HURRY (J.B.), *The woadplant and its dye*, Londres, 1930.

J

JACOB (E.F.), « Archbishop John Stafford », *Transactions of the Royal Historical Society*, Fifth Series, vol. 12, 1962, pp. 1-23.

JAL (A.), *Glossaire nautique. Répertoire polyglotte de termes de marine anciens et modernes*, 2 vol., Paris, 1849.

JANSMA (T.S.), « Holland en Zeeland onder de Bourgondische hertogen, 1433-1477 », *Algemene geschiedenis der Nederlanden*, t. III, 1951, pp. 313-343.

JANSMA (T.S.), « Philippe le Bon et la guerre hollando-wende (1438-1441) », *Revue du Nord*, t. XLII, no 165, janvier-mars 1960, pp. 5-18.

JANSMA (T.S.), « De privileges van de Engelsche Natie te Bergen-op-Zoom, 1469-1555 », *Bijdragen van het Historisch Genootschap gevestigd te Utrecht*, 1929, pp. 41-103.

JANSMA (T.S.), *Het vraagstuk van Hollands welvaren tijdens hertog Philips van Bourgondië*, Groningue, 1950.

JESSOP (A.), « Thomas Brown », *Dictionary of National Biography*, vol. VII, 1886, p. 29.

JORIS (A.), « Les moulins à guède dans le comté de Namur pendant la seconde moitié du XIIIe s. », *Le Moyen Age*, 1959, pp. 253-278.

K

KENDALL (P.), *Warwick the Kingmaker*, Londres, 1957.

KERLING (N.J.M.), *Commercial relations of Holland and Zeeland with England from the late 13th century to the close of the middle ages*, Leyde, 1954.

KERLING (N.J.M.), « Relations of English merchants wit Bergen-op-Zoom, 1480-1481 », *Bulletin of the Institute of Historical Research*, vol. XXXI, no 84, novembre 1958, pp. 130-140.

KERVYN DE LETTENHOVE (J.), *Chroniques relatives à l'histoire de Belgique sous la domination des ducs de Bourgogne*, 3 vol., Bruxelles, 1870-1876.

KERVYN DE LETTENHOVE (J.), « Notes sur quelques manuscrits des bibliothèques d'Angleterre », *Bulletin de l'Académie royale de Belgique*, 2e série, t. XX, 1865, pp. 876-895 et t. XXI, 1866, pp. 37-64 et 169-184.

KERVYN DE LETTENHOVE (J.), « Programme d'un gouvernement constitutionnel en Belgique au XVe siècle », *Bulletin de l'Académie royale de Belgique*, 2e série, t. XIV, 1862, pp. 218-250.

KETNER (E.), *Handel en scheepvaart van Amsterdam in de XVe eeuw*, Leyde, 1946.

KINGSFORD (C.L.), « William de le Pole », *Dictionary of National Biography*, t. XLVI, 1896, pp. 50-56.

KINGSFORD (C.L.), « John Stafford », *Dictionary of National Biography*, vol. LIII, 1898, pp. 454-455.

KINGSFORD (C.L.), « Robert Stillington », *Dictionary of National Biography*, t. LIV, 1898, pp. 378-379.

KINGSFORD (C.L.), *Stonor Letters and Papers, 1290-1483*, Camden Society, third series, vol. XXIX-XXX, Londres, 1919.

KLEINCLAUSZ (A.), *Histoire de Bourgogne*, Paris, 1909.

KUSKE (B.), *Quellen zur Geschichte des Kölner Handels und Verkehrs im Mittelalter*, 4 vol., Bonn, 1918-1934, Gesellschaft für Rheinische Geschichtskunde.

L

LAENEN (G.), *Geschiedenis van Mechelen tot op het einde der middeleeuwen*, 2e éd., Malines, 1934.

LAGRANGE (Baronne A. DE), « Itinéraire d'Isabelle de Portugal, duchesse de Bourgogne », *Annales du Comité flamand de France*, t. XLII, Lille, 1938.

LAIRD CLOWES (G.S.), Sailing ships, Londres, 1930.

LAMEERE (Eug.), *Le grand Conseil des ducs de Bourgogne de la Maison de Valois*, Bruxelles, 1900.

LANDER (J.R.), « The Yorkist Council and administration, 1461-1485 », *English Historical Review*, vol. LXXIII, no 286, january 1958, pp. 27-46.

LANGLOIS (Ch. V.) « Documents relatifs à l'histoire de France au Public Record Office à Londres », *Archives des Missions scientifiques et littéraires*, choix de rapports et instructions, t. XX, 3e série, Paris, 1889.

LANNOY (B. DE), *Hugues de Lannoy*, Bruxelles, 1957.

LANNOY (B. DE) et DANSAERT (G.), *Jean de Lannoy le Bâtisseur, 1410-1493*, Paris-Bruxelles, 1938.

LAURENT (H.), « Crise monétaire et difficultés économiques en Flandre aux XIVe et XVe siècles », *Annales d'Histoire économique et sociale*, t. V, 1933, pp. 156-160.

LAURENT (H.), *Un grand commerce d'exportation au moyen âge. La draperie des Pays-Bas en France et dans les pays méditerranéens, XIIe-XVe siècles*, Paris, 1935.

LECESNE (E.), *Le congrès d'Arras en 1435*, Mémoires de l'Académie des sciences, lettres et arts d'Arras, IIe série, t. VII, Arras, 1875.

LECOY DE LA MARCHE (A.), *Le Roi René*, 2 vol., Paris, 1873.

LEE (S.), « William Caxton », *Dictionary of National Biography*, t. IX, 1887, pp. 381-389.

LEE (S.), « Walter, lord Hungerford », *Dictionary of National Biography*, t. XXVIII, 1891, pp. 225-259.

LEE (S.), « Robert, lord Moleyns and Hungerford », *Dictionary of National Biography*, t. XXVIII, 1891, pp. 256-257.

LEE (S.), « John de Sutton », *Dictionary of National Biography*, t. XVI, 1888, pp. 107-109.

LEE (S.), « John de Vere », *Dictionary of National Biography*, t. LVIII, 1899, p. 240.

LEEMANS-FEYGNAERT (L.), *Isabelle de Portugal*, Mémoire de Licence de l'Université libre de Bruxelles, 1947 (manuscrit).

LEFEVRE DE SAINT-REMY (J.), *Chronique, 1400-1444*, éd. Fr. Morand, 2 vol., Paris, 1876-1881.

LEMAIRE (L.), *Bibliographie de l'histoire de Dunkerque*, Dunkerque, 1929.

LE ROY (A.), « Jean VIII de Heinsberg », *Biographie Nationale*, t. VIII, 1884-1885, col. 874-882.

LESTOQUOY (J.), *Histoire des territoires ayant formé le département du Pas de Calais sous la direction de ...*, Arras, 1946.

LIAGRE (L.), « Le commerce de l'alun en Flandre au moyen âge », *Le Moyen Age*, t. LXI, 4ᵉ série, nº 1-2, 1955, pp. 176-206.

« Libel of English Policy » dans Th. Wright, *Political Poems and Songs...*, Rolls Series, Rerum Britannicarum Medii aevi scriptores, t. II, Londres, 1861 (Cité dans l'édition : G. Warner, *The Libelle of Englyshe Polycye, a poem on the use of sea power, 1436*, Oxford, 1926).

LICHTERVELDE (P. DE), *Un grand commis des ducs de Bourgogne, Jacques de Lichtervelde, seigneur de Coolscamp*, Bruxelles, 1943.

LINGELBACH (W.E.), « The international organization of the merchant adventurers of England », *Transactions of the Royal Historical Society*, New Series, t. XVI, 1902.

LINTUM (C. TE), *De merchant adventurers in de Nederlanden. Een bijdrage tot de geschiedenis van den Engelsche handel met Nederland*, La Haye, 1905.

LONCHAY (H.), « Louis de Bourbon », *Biographie Nationale*, t. XII, 1892-1893, col. 466-490.

LOT (F.), *Les armées et l'art de la guerre au moyen âge en Europe et dans le Proche-Orient*, t. II, Paris, 1946.

LYELL (L.) et WATNEY (P.D.), *Acts of court of the mercer's company*, Londres, 1936.

M

MACDONNAL (G.R.), « John Fortescue », *Dictionary of National Biography*, t. XX, 1889, pp. 42-45.

MALDEN (H.E.), *The Cely papers*, Camden Society, third series, vol. I, Londres, 1900.

MALO (H.), *Les corsaires dunkerquois et Jean Bart*, t. I, des origines à 1662, Paris, 1912.

MANDROT (B. DE), *Dépêches des ambassadeurs milanais en France sous Louis XI et François Sforza*, 3 vol., Paris, 1916-1920.

MANSI (J.), *Sacrorum conciliorum nova et amplissima collectio*, 53 vol., Paris, 1901-1927.

MARR BÄR, « Rhabanus von Helmstadt », *Allgemeine Deutsche Biographie*, t. XXVII, 1888, pp. 74-77.

MARCHE (Olivier DE LA), *Mémoires, 1435-1488*, éd. H. Beaune et J. d'Arbaumont, 4 vol., Paris, 1884-1888.

MARÉCHAL (J.), *Bijdragen tot de geschiedenis van het bankwezen te Brugge*, Bruges, 1955.

MARÉCHAL (J.), « La colonie espagnole à Bruges du xivᵉ au xviᵉ siècle », *Revue du Nord*, t. XXXV, 1953, pp. 5-40.

MARÉCHAL (J.), « Le départ de Bruges des marchands étrangers, xvᵉ et xviᵉ siècles », *Handelingen van het Genootschap « Société d'Emulation » te Brugge*, 1951, t. LXXXVIII, pp. 26-74.

MARÉCHAL (J.), « Het internationaal karakter van de Brugsche handelsbeurs », *Bijdragen voor de Geschiedenis der Nederlanden*, t. I, 1946, pp. 84-90.

MARQUANT (R.), *La vie économique à Lille sous Philippe le Bon*, Bibliothèque de l'Ecole des Hautes Etudes, fasc. 277, Paris, 1940.

MARTÈNE (E.) et DURAND (U.), *Thesaurus novus anecdotorum*, Paris, 1717.

MARTÈNE (E.) et DURAND (U.), *Veterum scriptorum et monumentorum amplissima collectio*, 9 vol., Paris, 1724-1733.

MARTENS (M.), « La correspondance de caractère économique échangée par Francesco Sforza, duc de Milan, et Philippe le Bon, duc de Bourgogne, 1450-1466 », *Bulletin de l'Institut Historique belge de Rome*, fasc. XXVII, volume jubilaire publié à l'occasion du cinquantième anniversaire de l'Institut de Rome (1902-1952), Bruxelles-Rome, 1952, pp. 221-234.

MARTENS (M.), « Les Maisons de Medici et de Bourgogne au XVe siècle », *Le Moyen Age*, t. LXV, 1950, pp. 115-124.

MAS LATRIE (L. DE), *Le droit de marque et le droit de représailles au moyen âge*, Paris, **1875.**

MAUPOINT (Jean), *Journal parisien*, éd. Fagniez, Paris, 1878.

MEIJERS (E.M.), *Des Graven Stroom*, Mededeelingen der Koninklijke Nederlandsche Akademie van Wetenschappen, afdeeling Letterkunde, nieuwe reeks, deel 3, n^r 4, Amsterdam, 1940.

MEILINK (P.A.), « Dagvaarten van de Staten-Generaal, 1427-1477 », *Bijdragen voor de Geschiedenis der Nederlanden*, t. V, afl. 3-4, 1950-1951, pp. 198-212.

MEILINK (P.A.), « Holland en het conflikt tusschen Philips de Goede en zijn zoon, 1463-1464 », *Bijdragen voor Vaderlandsche Geschiedenis en Oudheidkunde*, 7e série, t. V, 1934, pp. 129-152 et t. VI, 1935, pp. 49-66.

MERTENS (F.H.) et TORFS (K.L.), *Geschiedenis van Antwerpen*, 8 vol., Anvers, 1845-1853.

MEYERUS (J.), *Commentarii sive annales rerum Flandricarum* (-1477), Anvers, 1561.

MIROT (L.) et DEPREZ (E.), « Les ambassades anglaises pendant la guerre de Cent Ans, catalogue chronologique », *Bibliothèque de l'Ecole des Chartes*, 1898, t. LIX, pp. 550-577 (cité d'après le tiré à part).

MOLINIER (A.), *Les sources de l'histoire de France des origines aux guerres d'Italie, Manuel de Bibliographie historique*, 6 vol., Paris, 1901-1906.

MOLL (W.), *De rechten van den heer van Bergen-op-Zoom*, Groningue, 1915.

MOLLAT (M.), *Le commerce maritime normand à la fin du moyen âge*, Paris, 1952.

MOLLAT (M.), « Recherches sur les finances des ducs Valois de Bourgogne », *Revue historique*, t. CCXIX, 1958, pp. 284-321.

MOLLAT (M.), JOHANSEN (P.), POSTAN (M.), SAPORI (A.) et VERLINDEN (C.), « L'économie européenne aux deux derniers siècles du moyen âge », *Relazioni*, vol. VI, Relazioni generali e supplementi : Xe Congrès des Sciences historiques, Rome, 1955.

MONSTRELET (Enguerrand DE), *Chronique, 1400-1444*, éd. L. Doüet d'Arcq, Société de l'Histoire de France, 6 vol., Paris, 1857-1862; éd. J.A.C. Buchon, Panthéon littéraire, Choix de chroniques et mémoires relatifs à l'Histoire de France, Paris, 1875.

MOREMBERT (T. DE), « Louis de Bar », *Dictionnaire de Biographie française*, t. V, 1951, col. 134.

N

NEF (J.N.), *The rise of the British coal industry*, Londres, 1932.

NICOLAS (Sir Harris), *Proceedings and ordinances of the Privy Council of England*, vol. IV-V-VI, Londres, 1835-1838.

NICOLAS (J.), *L'argent des principautés belges pendant le moyen âge et la période moderne*, 2 t., Namur, 1933.

NIERMEYER (J.F.), « Een vijftiende-eeuwse handelsoorlog; Dordrecht tegen de boven-landse steden, 1442-1445 », *Bijdragen en mededelingen van het Historisch Genootschap gevestigd te Utrecht*, 66e deel, Utrecht, 1948, pp. 1-59.

O

OLECHNOWITZ (K.F.), *Der Schiffbau der Hansischen Spätzeit*, Weimar, 1960.

OMAN (C.), *The coinage of England*, Oxford, 1931.

OMAN (C.), *The history of England from the accession of Richard II to the death of Richard III*, Londres, 1918.

OMAN (C.), *Warwick the Kingmaker*, Londres, 1891.

OWEN (L.V.D.), *The connections between England and Burgundy during the first half of the fifteenth century*, Stanhope Essay, Oxford, 1909.

P

PALGRAVE (Fr.), *The ancient kalendars and inventories of the treasury of his Majesty's Exchequer with other documents illustrating the history of that repository*, Record Commission, 3 vol., Londres, 1836.

PAPEBROCHIUS (D.), *Annales Antwerpienses ab urbe condita ad annum 1700*, éd. F. Mertens et E. Buschmann, 5 vol., Anvers, 1845-1848.

PARDESSUS (J.M.), *Collection de lois maritimes antérieures au* XVIIIᵉ *s.*, t. I. Paris, 1828.

PARMENTIER (R.A.), *Indices op de Brugsche poorterboeken*, 2 t., Bruges, 1938.

PAULI (R.), *Geschichte von England*, Gotha, 1858.

PELHAM (R.A.), « Medieval foreign trade : Eastern ports », dans H.C. DARBY, *An historical geography of England before A.D. 1800*, Oxford, 1951, pp. 298-329.

PERROY (Ed.), *La Guerre de Cent Ans*, 2ᵉ éd., Paris, 1945.

PIOT (Ch.), *Inventaire des archives de Léau*, s.l., s.d.

PIRENNE (H.), « Les dénombrements de la population d'Ypres au xvᵉ siècle, 1412-1506 », *Vierteljahrschrift fur Sozial- und Wirtschaftsgeschichte*, t. I, 1903.

PIRENNE (H.), « Dinant dans la Hanse teutonique », *Annales de la Fédération archéologique et historique de Belgique*, 1903, t. II, pp. 523-546.

PIRENNE (H.), *Histoire de Belgique*, t. II, 3ᵉ éd., Bruxelles, 1922.

PIRENNE (H.), « Philippe le Bon », *Biographie Nationale*, t. XVIII, 1903, col. 220-250.

PIRENNE (H.), « Nicolas Rolin », *Biographie Nationale*, t. XIX, 1907, col. 828-839.

PLANCHER (Dom), *Histoire générale et particulière de Bourgogne*, t. IV, par Dom Merle, Dijon, 1781.

POCQUET DU HAUT JUSSÉ (B.A.), « Anne de Bourgogne et le testament de Bedford », *Bibliothèque de l'Ecole des Chartes*, t. XCV, 1934, pp. 284-326.

POCQUET DU HAUT JUSSÉ (B.A.), « Le connétable de Richemont, seigneur bourguignon », *Annales de Bourgogne*, t. VII, 1935, pp. 309-336 et t. VIII, 1936, pp. 7-30 et 106-138.

POCQUET DU HAUT JUSSÉ (B.A.), *Deux féodaux, Bourgogne et Bretagne*, Paris, 1935.

POCQUET DU HAUT JUSSÉ (B.A.), *François II, duc de Bretagne et d'Angleterre, 1458-1488*, Paris, 1929.

POELMAN (H.A.), *Bronnen tot de Geschiedenis van den Oostzeehandel*, Rijksgeschiedkundige publicatiën, La Haye, t. I et II, 1917, nᵒˢ 35, 36.

POLLARD (A.F.), « Henry Beaufort, duke of Somerset », *Dictionary of National Biography*, supplément, t. I, 1901, pp. 157-158.

POLLARD (A.F.), « Ralph Cromwell », *Dictionary of National Biography*, supplément, t. II, 1901, pp. 90-92.

PONTUS HEUTERUS, *Rerum Burgundicarum libri VI; Ponti Heuteri Delfii Opera Historica omnia*, Louvain, 1651.

POST (R.R.), « Philips de Goede », *Nederlandsch Biographisch Woordenboek, 1937*, col. 721-727.

POSTAN (M.M.), « Partnership in English medieval commerce », dans *Studi in onore di Armando Sapori*, Milan, 1957, t. I, pp. 519-549.

Postan (M.M.), « Some economic evidence of declining population in the later middle ages », *The Economic History Review*, 2e série, II, 1950, pp. 221-246.

Posthumus (N.W.), *Bronnen tot de geschiedenis van de Leidsche textielnijverheid, 1333-1795*, Rijksgeschiedkundige publicatiën, 8, 14, 18, 22, 39, 49, La Haye, 1910-1922.

Posthumus (N.W.), *De geschiedenis van de Leidsche lakenindustrie*, 3 vol., La Haye, 1908-1939.

Potvin (Ch.), *Ghillebert de Lannoy, Œuvres*, Louvain, 1878.

Potvin (Ch.), « Hugues de Lannoy, 1384-1456 », *B.C.R.H.*, 4e série, t. VI, 1878-1879, pp. 117-146.

Power (E.E.), « The English wool trade in the reign of Edward IV », *Cambridge Historical Journal*, t. II, 1926, pp. 17-35.

Power (E.E.), « The wool trade in the fifteenth century », *Studies in English trade in the fifteenth century*, éd. E. Power et M.M. Postan, Londres, 1933, pp. 39-90.

Power (E.) and Postan (M.M.), *Studies in English trade in the fifteenth century*, Londres, 1933.

Prims (F.), *Geschiedenis van Antwerpen*, t. VI, en 3 parties, Anvers, 1936-1937.

Prior (W.H.), « Notes on the weights and measures of medieval England », *Bulletin du Cange*, t. I, 1924, pp. 77-97 et 140-170.

Pusch (G.), *Staatliche Münz und Geldpolitik in den Niederlanden unter den Burgundischen Herrschern, besonders unter Kaiser Karl V*, Munich, 1932.

Q

Quicke (F.), « Het Burgondisch tijdvak : staatkundige geschiedenis », dans *Geschiedenis van Vlaanderen*, t. III, [Bruxelles, 1938].

R

Ramsay (G.D.), « The smuggler's trade, a neglected aspect of English commercial development », *Transactions of the Royal Historical Society*, 5th series, vol. II, 1952, pp. 131-157.

Ramsay (J.H.), *Lancaster and York, 1399-1485*, 2 vol., Oxford, 1892.

Reddaway (T.F.), « The London goldsmiths circa 1500 », *Transactions of the Royal Historical Society*, 5th series, vol. XII, pp. 49-62.

Reiffenberg (Baron de), *Histoire de l'ordre de la Toison d'Or*, Bruxelles, 1830.

[Reilhac (A. de)], *Jean de Reilhac, secrétaire, maître des comptes, général des finances et ambassadeur des rois Charles VII, Louis XI et Charles VIII, documents pour servir à l'histoire de ces règnes de 1455 à 1499*, 3 vol., Paris, 1886-1889.

Renouard (Y.), « La capacité du tonneau bordelais au moyen âge », *Annales du Midi*, t. LXV, 1953, pp. 395-403.

Renouard (Y.), « Recherches complémentaires sur la capacité du tonneau bordelais au moyen âge », *Annales du Midi*, t. LXVIII, 1956, pp. 195-207.

Rich (E.E.), « The mayors of the Staple », *The Cambridge Historical Journal*, vol. IV, 1932, pp. 137-142.

Riezler, « Ludwig VII, Herzog von Bayern », *Allgemeine Deutsche Biographie*, t. XIX, 1884, pp. 502-508.

Rigg (J.M.), « William Lyndwood », *Dictionary of National Biography*, vol. XXXIV, 1895, pp. 340-342.

ROGERS (J.E.T.), *A history of agricultural prices in England*, 4 t., Oxford, 1866-1882.

RONCIERE (Ch. DE LA), *Histoire de la marine française*, t. II, 1900.

Rotuli Parliamentorum, ut et petitiones et placita in Parliamento, etc., 6 vol., Londres, 1767-1777.

ROUSSEAU (F.), « La Meuse et le pays mosan en Belgique », *Annales de la Société Archéologique de Namur*, t. XXXIX, 1930, pp. 1-245.

ROYE (Jean DE), *Journal de Jean de Roye connu sous le nom de Chronique Scandaleuse (1460-1483)*, éd. B. de Mandrot, 2 vol., Paris, 1894-1896.

RUDDOCK (A.A.), *Italian merchants and shipping in Southampton, 1270-1600*, Oxford, 1951.

RUSSEL (J.C.), *British medieval population*, Albuquerque, 1948.

RYMER (Th.), *Foedera, conventiones, litterae et cujuscumque generis acta publica inter reges Angliae et alios quosvis imperatores, regis etc. ab anno 1101 usque ad nostra tempora*, 20 vol., Londres, 1704-1735.

S

SABBE (E), *Anvers, métropole de l'Occident, 1492-1566*, Bruxelles, 1951.

SABBE (E), *De Belgische vlasnijverheid, I : De Zuidnederlandsche vlasnijverheid tot het verdrag van Utrecht*, Rijksuniversiteit te Gent, werken uitgegeven door de Faculteit van Wijsbegeerte en Letteren, fasc. 95, Bruges, 1943.

SALZMAN (L.F.), *English industries of the middle ages*, Oxford, 1923.

SALZMAN (L.F.), *English trade in the middle ages*, Oxford, 1931.

SCAMMEL (G.V.), « English merchant shipping at the end of the middle ages », *Economic History Review*, 2nd series, t. XIII, 1961, pp. 327-341.

SCAMMELL (G.V.), « Shipowning in England, c. 1450-1550 », *Transactions of the Royal Historical Society*, 5th series, vol. XII, 1962, pp. 104-122.

SCHANZ (G.), *Englische Handelspolitik gegen das Ende des Mittelalters mit besonderer Berücksichtigung des Zeitalters der beiden ersten Tudors Heinrich VII und Heinrich VIII*, 2 t., Leipzig, 1881.

SCHNEIDER (F.), *Der Europäische Friedenskongress von Arras (1435), die Friedenspolitik Papst Eugens IV und das Basler Konzil*, Greiz, 1919.

SCHOLLIERS (E.), *Loonarbeid en honger. De levensstandaard in de xve en xvie eeuw te Antwerpen*, Anvers 1960.

SCHULTE (A.), *Geschichte der grossen Ravensburger Handelsgesellschaft, 1380-1530, Deutsche Handelsakten des Mittelalters und der Neuzeit*, herausgegeben durch die Historische Kommission bei der Bayerischen Akademie der Wissenschaften, 3 vol., Stuttgart-Berlin, 1923.

SCHULZ (F.), *Die Hanse und England von Eduards III bis Heinrichs VIII Zeit*, Berlin, 1911.

SCOFIELD (C.L.), *The life and reign of Edward the fourth*, Londres, 1923.

SCOFIELD (C.L.), « The movements of the earl of Warwick in the summer 1464 », *English Historical Review*, 1906, octobre, pp. 732-737.

SCOTT (E.) et GILLIODTS VAN SEVEREN (L.), *Le Cotton manuscrit Galba B. I., Documents pour servir à l'histoire des relations entre l'Angleterre et la Flandre de 1431 à 1473*, Commission Royale d'Histoire, Collection in 4°, Bruxelles, 1896.

SHARPE (R.R.), *Calendar of letter books A-L, circa 1275- Temp. Henry VII*, Londres, 1899-1912.

SHAW (W.A.), *Histoire de la monnaie, 1252-1894*, Paris, 1896.

SLOOTMANS (K.), « Arrest en overval als belemmeringen van de Bergse jaarmarktvrijheid », *Oudheidkundige Kring de Ghulden Roos*, Roosendaal, jaarboek n^r 19, 1959, pp. 93-143.

SLOOTMANS (K.), *Bergen-op-Zoom, de stad der markiezen*, Amsterdam, 1949.

SLOOTMANS (K.), « Bergen-op-Zoomsche jaarmarkten en de bezoekers uit Zuid-Nederland », voordracht gehouden op het Philologen congres, Leuven, 7 april 1934, *Sinte Geertruydtsbronne*, t. XI, 1934, n° 3.

SLOOTMANS (K), « Bosschenaren op de Bergen-op-Zoomsche jaarmarkten », *Maandschrift Opbouw*, t. I, 1941.

SLOOTMANS (K.), « De historische plaats die Bergen-op-Zoom heroveren wil », *Roeping, maandschrift voor verdieping van leven en kultuur*, t. X, 1931-1932.

SLOOTMANS (K.), « Huiden en pelzen op de jaarmaarkt van Bergen-op-Zoom », *Land van mijn Hart*, 1952, pp. 100-108.

SLOOTMANS (K.), « Invloed van tollen op de Bergse vrije jaarmarkten », *Varia historica Brabantica*, 1962, pp. 85-144.

SLOOTMANS (K.), « Jaarmarktvrijheid en ambachtskeure te Bergen-op-Zoom », *Sinte Geertruydtsbronne*, t. XIII, 1936, n°s 3, 4.

SLOOTMANS (K.), *Jan metten Lippen, zijn familie en zijn stad*, Rotterdam-Antwerpen, 1945.

SLOOTMANS (K.), « Meekraphandel op de jaarmarkten van Bergen-op-Zoom », *Oudheidkundige kring de Ghulden Roos*, Roosendaal, jaarboek n^r 18, 1958.

SLOOTMANS (K.), « De verhouding Antwerpen - Bergen-op-Zoom in het verleden », *Sinte Geertruydtsbronne*, t. X, 1933, n° 3.

SLOOTMANS (K.), « Wijnvaarthandel en wijnhandel tusschen Frankrijk en de Noordelijke Nederlanden in de tweede helft der xv^e eeuw », *Historisch Tijdschrift*, Jaargang 4, 1925.

SMIT (H.J.), « Amsterdams handel met Engeland in de Middeleeuwen », *Historische opstellen opgedragen aan prof. Dr. H. Brugmans ter gelegenheid van zijn 25-jarig jubileum als hoogleeraar aan de universiteit van Amsterdam, door zijn leerlingen, vrienden en vereerders*, Amsterdam, 1929.

SMIT (H.J.), *Bronnen tot de geschiedenis van den handel met Engeland, Schotland en Ierland*, t. I, *1150-1435;* t. II : *1435-1485*, Rijksgeschiedkundige Publicatiën, n°s 65, 66, La Haye, 1928.

SNELLER (W.S.), « De Hollandsche korenhandel in het Somme-gebied in de xve eeuw », *Bijdragen van vaderlandsche Geschiedenis en Oudheidkunde*, 6de reeks, vol. II, 1925.

SNELLER (W.), *Walcheren in de vijftiende eeuw*, Utrechtsche bijdragen voor Letterkunde en Geschiedenis, deel X, Utrecht, 1916.

STAVELOT (Jean DE), *Chronique (1400-1449)*, éd. A. Borgnet, Bruxelles, 1861.

STEIN (H.), *Olivier de la Marche, poète et diplomate bourguignon*, Bruxelles, 1888.

STEIN (H.), « Un diplomate bourguignon au xve siècle : A. Haneron », *Bibliothèque de l'Ecole des Chartes*, 1937, pp. 282-303.

STEIN (W.), « Die Hanse und England beim Ausgang des Hundertjährigen Krieges », *Hansische Geschichtsblätter*, Band XXVI, 1921.

STEIN (W.), « Die Hanse und England; ein Hansisch-Englischer Seekrieg », *Pfingsblätter des hansischen Geschichtsvereins*, Blatt I, 1905.

STEIN (W.), *Hansische Urkundenbuch*, t. VIII, *1451-1463;* t. IX, *1464-1467*, Leipzig, 1899-1900.

STEIN (W.), « Die Merchant Adventurers in Utrecht, 1464-1467 », *Hansische Geschichtsblätter*, 1899, pp. 179-189.

STENGERS (J.), « Sur trois chroniqueurs », *Annales de Bourgogne*, t. XVIII, fasc. 2, Dijon, 1946, pp. 122-130.

STEVENSON (J.), *Letters and papers illustrative of the wars of the English in France*, Rolls Series, 2 vol. (vol. 2 en deux parties), Londres, 1861-1864.

STEVENSON (J.), *Narratives of the expulsion of the English from Normandy, 1449-1450*, Rerum Britannicarum medii aevi scriptores, Londres, 1863.

STROUVE, « Adolf von Berg », *Allgemeine Deutsche Biographie*, t. I, 1875, pp. 96-98.

STUBBS (W.), *Histoire constitutionnelle de l'Angleterre*, éd. française de Lefebvre et Petit-Dutaillis, 3 vol., Paris, 1907-1927.

T

TAIT (J.), « John Mowbray », *Dictionary of National Biography*, vol. XXXIX, 1894, pp. 222-225.

TAIT (J.), « George Neville », *Dictionary of National Biography*, t. XL, 1894, pp. 252-257.

TAIT (J.), « Richard Neville, earl of Salisbury », *Dictionary of National Biography*, t. XL, 1894, pp. 279-283.

TAIT (J.), « Richard Neville, earl of Warwick », *Dictionary of National Biography*, t. XL, 1894, pp. 283-296.

TAIT (J.), « William Neville », *Dictionary of National Biography*, t. XL, 1894, pp. 304-306.

TAIT (J.), « Humphrey Stafford », *Dictionary of National Biography*, vol. LIII, 1898, pp. 451-453.

TAIT (J.), « John Talbot », *Dictionary of National Biography*, t. LV, 1898, pp. 319-323.

TAIT (J.), « Antony Woodville », *Dictionary of National Biography*, t. LXII, 1900, pp. 410-413.

TAIT (J.), « Richard Woodville », *Dictionary of National Biography*, vol. LXII, 1900, pp. 414-415.

TAVERNE (A. DE LA), *Journal de la paix d'Arras*, éd. André Bossuat, Arras, 1936.

THIELEMANS (M.-R.), « Les Croÿ, conseillers des ducs de Bourgogne », *B.C.R.H.*, t. CXXIV, 1959, pp. 1-145.

THIELEMANS (M.-R.), « Une lettre missive inédite de Philippe le Bon concernant le siège de Calais », *B.C.R.H.*, t. CXV, 1950, pp. 285-286.

THRUPP (S.L.), « The grocers of London, a study of distributive trade », *Studies in English Trade in the fifteenth century*, éd. E. Power et M.M. Postan, Londres, 1933, pp. 247-292.

THRUPP (S.L.), *The merchant class of mediaeval London*, 1300-1500, Chicago, 1948.

THRUPP (S.L.), « A survey of the alien population of England in 1440 », *Speculum*, vol. XXXII, 1957, pp. 262-273.

TIPPING (H.A.), « Edmond Beaufort », *Dictionary of National Biography*, vol. IV, 1885, pp. 38-39.

TOMLINS (T.E.), RAITHBY (J.), CALEY (J.), ELLIOT (W.), *The Statutes of the Realm*, 12 vol., Londres, 1910-1928.

TOUSSAINT (J.), *Les relations diplomatiques de Philippe le Bon avec le concile de Bâle, 1431-1449*, Université de Louvain, Recueil de travaux d'Histoire et de Philologie, 3e série, 1942.

TOUT (T.F.), *Chapters in the administrative history of mediaeval England*, Publications of the University of Manchester, Historical series, t. 24, 25, 48, 49, 57, 64, 6 vol., Manchester, 1920-1933.

TOUT (T.F.), « Humphrey, duke of Gloucester », *Dictionary of National Biography*, vol. XXVIII, 1891, pp. 241-248.

TOUT (T.F.), « John Kemp », *Dictionary of National Biography*, vol. XXX, 1892, pp. 384-388.

Tout (T.F.), « Richard Neville », *Dictionary of National Biography*, vol. XL, 1894, pp. 279-283.

U

Unger (W.S.), *Bronnen tot de geschiedenis van Middelburg in den landsheerlijken tijd*, Rijksgeschiedkundige Publicatiën, nos 54, 61, 75, La Haye, 1923-1931.

Unger (W.S.), « De Hollandsche graanhandel en graanhandelpolitiek in de middeleeuwen », *De Economist*, 1916.

Unger (W.S.), *Middelburg als handelstad, xiie-xvie eeuw*, Archief uitgegeven door het Zeeuwsch genootschap der Wetenschappen, 1935.

Unger (W.S.), *De Tol van Iersekeroord, Documenten en rekeningen, 1321-1572*, Rijksgeschiedkundige Publicatiën, kleine serie, n° 29, La Haye 1939.

V

Vaesen (J.), *Lettres de Louis XI, roi de France*, 11 vol., Paris, 1883-1909.

Valat (G.), « Nicolas Rolin, chancelier de Bourgogne », *Mémoires de la Société Eduenne*, nouvelle série t. XL, 1912, pp. 73-145; t. XLI, 1913, pp. 1-73; t. XLII, 1914, pp. 53-148.

Vallet de Viriville, *Histoire de Charles VII*, 3 vol., Paris, 1862-1865.

Van Arenbergh (E.), « Jean Chevrot », *Biographie Nationale*, t. IV, 1873, col. 73.

Van Arenbergh (E.), « Pierre de Goux », *Biographie Nationale*, t. VIII, 1884-1885, col. 164-168.

Van Arenbergh (E.), « Simon de Lalaing », *Biographie Nationale*, t. XI, 1890-1891, col. 125-131.

Van Arenbergh (E.), « Jean de Luxembourg », *Biographie Nationale*, t. XII, 1892-1893, col. 581-590.

Van Arenbergh (E.), « Jean de Luxembourg, bâtard de Saint-Pol », *Biographie Nationale*, t. XII, 1892-1893, col. 590-598.

Van Arenbergh (E.), « Louis de Luxembourg », *Biographie Nationale*, t. XII, 1892-1893, col. 617-621.

Van Brakel (S.), « Die Entwicklung und Organisation der Merchant Adventurers », *Vierteljahrschrift fur Sozial und Wirtschaftsgeschichte*, t. V, 1907, pp. 401-432.

Van Bruyssel (E.), « Rapport sur les recherches dans les archives et bibliothèques d'Angleterre », *B.C.R.H.*, 2e série, t. XII, 1859, pp. 12-82; 3e série, t. I, 1860, pp. 93-138; t. III, 1862, pp. 79-118; t. IV, 1863, pp. 173-190; t. VIII, 1866, pp. 133-263.

Van Cauwenbergh (E.), *Les pèlerinages expiatoires et judiciaires dans le droit communal de la Belgique au moyen âge*, Recueil des travaux de la Faculté de Philologie et Lettres de l'Université de Louvain, fasc. 48, Louvain, 1922.

van den Bergh, *Handboek der Middelnederlandse geographie*, derde druk, aangevuld en omgewerkt door Dr. A.A. Beekman en H.J. Moerman, La Haye, 1949.

van der Kloot - Meyburg (B.W.), « Bijdrage tot de geschiedenis van de meekrapcultuur in Nederland », *Economisch-Historisch Jaarboek*, t. XVIII, 1934, pp. 59-153.

Vander Linden (H.), *Itinéraires de Philippe le Bon, duc de Bourgogne (1419-1467) et de Charles, comte de Charolais (1433-1467)*, Commission Royale d'Histoire, Collection in 4°, Bruxelles, 1940.

Van Dooren (P.J.), *Inventaire des archives de la ville de Malines*, 4 vol., Malines, 1859-1866.

Van Duysse (P.) et De Busscher (E.), *Inventaire analytique des chartes et documents appartenant aux archives de la ville de Gand, 1070-1792*, Gand, 1867.

van Gelder (H.) et Hoc (M.), *Les monnaies des Pays-Bas bourguignons et espagnols, 1434-1713*, Amsterdam, 1960.

VAN HOUTTE (J.A.), « Anvers aux XVe et XVIe siècles, expansion et apogée », *Annales, Economies, Sociétés, Civilisations,* t. XVI, n° 2, 1961, pp. 248-278.

VAN HOUTTE (J.A.), « Bruges et Anvers, marchés « nationaux » ou « internationaux », du XIVe au XVIe siècle », *Revue du Nord,* t. XXXIV, 1952, n° 134, pp. 89-108.

VAN HOUTTE (J.A.), « Les foires dans la Belgique ancienne », dans *La Foire, recueil de la société Jean Bodin,* t. V, Bruxelles, 1953, pp. 175-205.

VAN HOUTTE (J.A.), « La genèse du grand marché international d'Anvers à la fin du moyen âge », *R.B.P.H.,* t. XIX, 1940, pp. 87-126.

VAN HOUTTE (J.A.), « Makelaars en waarden te Brugge van de XIIIe tot de XVIe eeuw », *Bijdragen voor de geschiedenis der Nederlanden,* deel V, 1950, pp. 1-30 et 177-197.

VAN HOUTTE (J.A.), « Die Städte der Niederlande im Übergang vom Mittelalter zur Neuzeit », *Rheinische Vierteljahrblätter,* Jahrgang 27, Heft 1/4, 1962, pp. 50-68.

VAN LIMBURG-BROUWER (P.A.S.), *Boergoensche charters,* La Haye, 1869.

VAN MIERIS (F.), *Groot charterboek der graven van Holland, van Zeeland en heeren van Friesland,* 4 vol., Leyde, 1753-1756.

VAN RIJSWIJCK (B.), *Geschiedenis van het Dordsche stapelrecht,* La Haye, 1900.

VAN UYTVEN (R.), « La Flandre et le Brabant, « terres de promission » sous les ducs de Bourgogne », *Revue du Nord,* t. XLIII, n° 172, octobre-décembre 1961, pp. 281-317.

VAN UYTVEN (R.), *Stadsfinanciën en stadsekonomie te Leuven van de XIIe tot het einde der XVIe eeuw,* Verhandelingen van de Koninklijke Vlaamse Academie voor Wetenschappen, Letteren en Schone Kunsten van België, Klasse der Letteren, jaargang XXIII, n^r 44, 1961.

VAN UYTVEN (R.), « Een statistische bijdrage tot de geschiedenis van de linneninvoer in Engeland in de laatste jaren der XIVe eeuw, in het bijzonder van uit de Nederlanden », *Bijdragen tot de Geschiedenis,* 3^e reeks, 13^e deel, afl. 1, 44^e jaargang, 1961, pp. 31-41.

VAN WERVEKE (H.), « Het bevolkingscijfer van de stad Gent in de veertiende eeuw », *Miscellanea historica in honorem Leonis Van der Essen Universitatis catholicae in oppido Lovaniensi jam annos XXXV professoris,* Louvain, 1947, pp. 345-354.

VAN WERVEKE (H.), *Bruges et Anvers. Huit siècles de commerce flamand,* Bruxelles, 1944.

VAN WERVEKE (H.), « La densité de la population belge au cours des âges », *Studi in onore di Armando Sapori,* Milan, 1957, t. II, pp. 1423-1432.

VAN WERVEKE (H.), « Essor et déclin de la Flandre », *Studi in onore di Gino Luzzato,* Milan, 1949, pp. 152-160.

VAN WERVEKE (H.), « De rechten van den graaf van Vlaanderen op de Schelde aan de Brabantsche grens, XIVe eeuw », *Bijdragen tot de Geschiedenis,* XXIste jaargang, 1930, pp. 224-236.

VAN WERVEKE (H.), « De Engelschen in de ambachten van Oostburg en Ysendijke in 1436 », *Annales de la Société d'émulation de Bruges,* t. LXXIV, 1931, pp. 183-188.

VARENBERGH (E.), *Histoire des relations diplomatiques entre le comté de Flandre et l'Angleterre au moyen âge,* Bruxelles, 1874.

VAZQUEZ DE PRADA, *Lettres marchandes d'Anvers,* 4 t., Paris, 1961.

VERACHTER (F.), *Inventaire des anciennes chartes, privilèges et autres documents conservés aux archives de la ville d'Anvers, 1193-1856,* Anvers, 1860.

VERBEEMEN (J.), « De demografische evolutie van Mechelen, 1370-1800 », *Handelingen van de Koninklijke Kring voor Oudheidkunde, Letteren en Kunst van Mechelen,* t. LVII, 1953, pp. 63-97.

VICKERS (V.K.), *Humphrey, duke of Gloucester,* Londres, 1907.

VLIETINCK (E.), *Eene bladzijde uit de geschiedenis der stad Nieuwpoort*, Ostende, 1889.

VLIETINCK (E.), *Het oude Oostende*, Ostende, 1897.

VLIETINCK (E.), « Le siège de Calais et les villes de la côte flamande », *Annales de la Société d'Emulation de Bruges*, 5ᵉ série, t. III, 1890, pp. 91-101.

VOGEL (W.), *Geschichte der Deutschen Seeschiffahrt*, I Band, *Von der Urzeit bis zum Ende des* xv. *Jahrhunderts*, Berlin, 1915.

VOGEL (W.), « Zur Grösse der Europäischen Handelsflotten im 15., 16. und 17. Jahrhundert », *Forschungen und Versuche zur Geschichte des Mittelalters und der Neuzeit, Festschrift Dietrich Schärer*, Iena, 1915, pp. 268-333.

VON DER ROPP (G.), *Hanserecesse, 1431-1476, Recesse und andere Akten der Hansetage*, zweite Abteilung, Leipzig, 1876-1892.

W

WARNKOENING (G.) et GHELDOLF (A.), *Histoire de la Flandre et de ses institutions civiles et politiques jusqu'à l'année 1305*, 5 vol., Bruxelles, 1835-1864.

WAUTERS (A.), « Guillaume Fillastre », *Biographie Nationale*, t. VII, 1880-1883, col. 61-70.

WAUTERS (A.), « Hugues de Lannoy », *Biographie Nationale*, t. XI, 1890-1891, col. 322-325.

WAVRIN (J. DE), *Chronique*, éd. Melle Dupont, 3 vol., Paris, 1858-1863.

WAVRIN (J. DE), *Chronique*, Rolls series, Rerum Britannicarum medii aevi scriptores, éd. W. Hardy et E.C. Hardy, 8 vol., Londres, 1864-1891.

WECKERLIN (J.B.), *Le drap « escarlate » au moyen âge, essai sur l'étymologie et la signification du mot écarlate et notes techniques sur la fabrication de ce drap de laine au moyen âge*, Lyon, 1905.

WEISS (R.), « Humphrey, duke of Gloucester, and Tito Livio Frulovisi », dans *Fritz Saxl 1890-1948, a volume of memorial essays from his friends in England*, éd. D.J. Gordon, Londres, 1957, pp. 218-277.

WHEELER (J.), *A treatise of commerce by John Wheeler, secretary of the society of Merchants Adventurers of England, 1601*, edited with an introduction and notes by G.B. Hotchkiss, New York, 1931.

WIJFFELS (C.), *Inventaris van de oorkonden der graven van Vlaanderen, chronologisch gerangschikt supplement*, Rijksarchief te Gent, 1958.

WILLE, « Ludwig III, Pfalzgraf », *Allgemeine Deutsche Biographie*, t. XIX, 1884, pp. 569-571.

WILLIAMS (D.T.), « Medieval foreign trade : Western ports », dans H.C. DARBY, *An historical geography of England before A.D. 1800*, Oxford, 1951, pp. 266-297.

WILLIAMS (G.), *Official correspondence of Thomas Bekynton, secretary of king Henry VI and bishop of Bath and Wells*, 2 vol., Londres, 1872.

WISKERK (C.), « De geschiedenis van het meekrapbedrijf in Nederland », *Economisch-Historisch Jaarboek*, t. XXV, 1952, pp. 1-144.

WITHOF (J.), *De tafels van den Heiligen Geest te Mechelen*, Koninklijke Kring voor Oudheidkunde van Mechelen, t. XX et XXI, 1928.

WOLFF (P.), *Commerces et marchands de Toulouse (vers 1350-1450)*, Paris, 1954.

WOODFORDE (C.), *English stained and painted glass*, Oxford, 1954.

WORCESTER (William of), « Annales Rerum Anglicarum », dans J. STEVENSON, *Letters and papers...*, t. II, 2ᵉ partie, Londres, 1864.

Wright (Th.), *Political poems and songs relating to English History composed during the period from accession of Edward III to that of Richard III,* Rolls series, Rerum Britannicarum medii aevi scriptores, 2 vol., Londres, 1859-1861.

Y

Yans (M.), « Waleran de Wavrin », *Biographie Nationale,* t. XXVII, 1938, col. 132-136.

Z

Zellfelder (A.), *England und das Basler Konzil mit einem Urkundenanhang,* Historische Studien, Heft 113, Berlin, 1913.

INTRODUCTION

LA SITUATION POLITIQUE ET LES RELATIONS ECONOMIQUES ENTRE L'ANGLETERRE ET LA BOURGOGNE AVANT LE TRAITE D'ARRAS

A. — LES RELATIONS POLITIQUES [1]

Le traité d'Arras de 1435 marqua un tournant dans les relations anglo-bourguignonnes; il rompit une entente vieille de quinze ans et bouleversa l'équilibre des forces en présence. La Bourgogne, placée entre la France et l'Angleterre, fit pencher définitivement la balance en faveur de Charles VII. Le rêve de la double monarchie des Lancastres avait vécu.

Le meurtre de Jean sans Peur au pont de Montereau avait poussé Philippe le Bon à prendre ouvertement parti pour les Anglais [2]. N'a-t-on pas soupçonné son père, trop hâtivement semble-t-il, d'avoir conclu quelque accord secret avec Henri V [3] ?

Ce n'est pas sans mûres réflexions que le jeune duc de Bourgogne conclut le traité de Troyes (1420). Il avait mesuré prudemment les conséquences de son geste; si le désir de venger la mort de son père influença sa décision, les préoccupations politiques n'y étaient pas étrangères. La conviction qu'il s'agissait de la politique du moindre mal l'emporta : n'était-ce pas la seule manière de s'opposer victorieusement au parti armagnac et de garder une influence prépondérante en France ? L'assurance du roi d'Angleterre que seule une union personnelle s'établirait entre les deux couronnes avait fortement pesé sur la décision de Philippe le Bon. Toujours soucieux de l'opinion publique, le duc n'ignorait pas que Paris fatigué de la guerre de même que

---

[1] En ce chapitre liminaire, nous n'apporterons rien de neuf du point de vue purement politique. Nous nous contenterons d'un rapide exposé rendu particulièrement aisé grâce à l'existence des remarquables travaux de MM. Bonenfant, Du Fresne de Beaucourt et de Mme Dickinson. Pour les pourparlers économiques, nous avons recouru aux sources, les études qui leur sont consacrées étant trop sommaires.

[2] Ce problème a été magistralement traité par notre maître M. le professeur P. BONENFANT dans *Du meurtre de Montereau au traité de Troyes*, Mémoires de l'Académie royale de Belgique, Classe des Lettres, t. LII, fasc. 4, Bruxelles, 1958.

[3] IDEM, *ibidem*, p. 10.

ses propres sujets accueilleraient avec soulagement le rétablissement de la paix[4].

Les circonstances seules avaient dicté sa conduite. Il n'en resta pas moins toute sa vie un prince français sans aucune sympathie particulière pour les Anglais[5].

Henri V précéda de peu Charles VI dans la tombe; les couronnes de France et d'Angleterre échurent à un enfant à peine âgé de quelques mois, Henri VI[6]. Son oncle, le duc de Bedford, homme politique éclairé et ferme[7], prit la régence en France en son nom. Ainsi l'autonomie promise par Henri V fut-elle respectée. Depuis le traité de Troyes, la France était scindée en deux parties : l'une sous l'obédience anglaise, l'autre sous l'autorité du dauphin, fils de Charles VI.

Une telle situation préoccupa rapidement le pape Martin V[8] : animé du désir d'entreprendre une croisade, il lui fallait d'abord rétablir la concorde entre les princes chrétiens. Dès 1422, il entretint une correspondance en faveur de la paix avec la cour d'Angleterre, le dauphin, les ducs de Bourgogne et de Bretagne[9]. Il envoya comme légat en France, le duc Louis de Bar, évêque de Verdun[10], pour activer la réconciliation et inciter le duc de Savoie, Amédée VIII, à s'entremettre entre les adversaires[11]. Ce dernier

---

[4] J.G. Dickinson, *The congress of Arras, a study in medieval diplomacy*, Oxford, 1955, p. 8, souligne que le duc négligeait rarement les sentiments populaires de ses sujets dont les intérêts opposés n'étaient jamais qu'assoupis.

[5] P. Bonenfant, *Du meurtre*, pp. 180-184; P. Bonenfant, « Les traits essentiels du règne de Philippe le Bon », *Verslagen van het Historisch Genootschap gevestigd te Utrecht*, 74ste deel, 1960, pp. 10-28.

[6] Henri V était mort le 31 août 1422 et Charles VI, le 21 octobre de la même année; Henri VI était né le 6 décembre 1421.

[7] Jean, duc de Bedford, troisième fils de Henri IV (1389-1435)), fut le véritable continuateur de la politique de son frère en France; voir sa biographie par W. Hunt, dans *Dictionary of National Biography*, vol. XXIX, 1892, pp. 427-433.

[8] Otto Colonna, élu à Constance en 1417; son accession au trône pontifical marqua la fin du Grand Schisme. Sur le rôle pacificateur de la papauté en Europe, voir les intéressantes remarques de J.G. Dickinson, *opus cit.*, t. II, pp. 78-79.

[9] Jean V ou VI dit le Bon ou le Sage (1389-1442), fils de Jean IV ou V dit le Vaillant.

[10] Louis de Bar s'était démis de son duché, en 1419, au profit de René d'Anjou, son petit-neveu. Il était aussi cardinal au titre des Douze Apôtres. Voir sa notice biographique par T. de Morembert, *Dictionnaire de Biographie française*, t. V, 1951, col. 134.

[11] G. Du Fresne de Beaucourt, *opus cit.*, t. II, pp. 315-316. Amédée VIII, duc de Savoie, avait épousé Marie de Bourgogne, sœur de Jean sans Peur; il fut élu pape, en 1439, par le concile de Bâle brouillé avec le pape Eugène IV; il renonça à cette dignité en 1449. L'histoire le connaît sous le nom de l'anti-pape Felix V.

convoqua une conférence à Bourg-en-Bresse où furent représentés le dauphin et le duc de Bourgogne [12].

Les ambassadeurs de Philippe le Bon exposèrent les exigences de leur maître : le dauphin se repentirait publiquement du meurtre de Jean sans Peur; les assassins seraient châtiés; des fondations pieuses seraient érigées; le duc serait dispensé, tant que vivrait Charles VII, de l'hommage de ses fiefs français; enfin, pour le dédommager des frais supportés pendant la guerre, il recevrait des terres et seigneuries « *contigües à ses pays* » [13].

Ce sont déjà les avantages que le traité d'Arras concédera, douze ans plus tard, au duc de Bourgogne. Pour l'instant, celui-ci était trop lié avec les Anglais pour répondre à la bonne volonté que l'ambassade française manifestait à l'égard de ses propositions : au moment même où s'ouvraient les conférences de Bourg-en-Bresse, était signé le contrat de mariage entre le régent Bedford et Anne de Bourgogne, sœur de Philippe le Bon [14].

Pourtant, à la fin de 1423, Amédée de Savoie, rencontrant, à Chalon, le duc de Bourgogne et son beau-frère le comte de Richemont [15], les persuada de travailler à la conclusion de la paix; Philippe le Bon informa de cette entrevue le duc de Bedford et les autres partisans de l'Angleterre [16].

Aussi, les conférences se suivirent-elles au cours de l'année 1424. A Nantes, la reine Yolande de Sicile [17], à la tête d'une ambassade française, définit, avec les représentants du duc de Bretagne, les concessions que le dauphin était prêt à accorder à Philippe le Bon. A Chambéry, Français et Bourguignons se soumirent à la médiation d'Amédée VIII; les négociations aboutirent à la conclusion d'une trêve [18].

Ainsi, le duc de Bourgogne se rapprochait par étapes successives du dauphin; son mariage avec Bonne d'Artois l'y poussait davantage car la nouvelle duchesse était fort bien disposée en faveur de la cause française [19].

---

[12] G. Du Fresne de Beaucourt, *opus. cit.*, t. II, pp. 318-319.

[13] Document édité par G. Du Fresne de Beaucourt, *opus cit.*, t. II, pp. 324-326.

[14] G. Du Fresne de Beaucourt, *opus cit.*, t. II, p. 332; Ch. Potvin, « Hugues de Lannoy, 1384-1456 », *B.C.R.H.*, 4e série, t. VI, 1878-1879, p. 119.

[15] Arthur de Bretagne, comte de Richemont, second fils de Jean VI; il venait d'épouser, à Dijon, Marguerite de Bourgogne, sœur de Philippe le Bon. Il devint duc de Bretagne en 1456. Voir à son sujet : E. Cosneau, *Le connétable de Richemont*, Paris, 1886.

[16] G. Du Fresne de Beaucourt, *opus cit.*, t. II, p. 352; E. Cosneau, *opus cit.*, p. 76.

[17] Belle-mère de Charles VII, veuve de Louis II d'Anjou et fille de Jean 1er d'Aragon.

[18] G. Du Fresne de Beaucourt, *opus cit.*, t. II, pp. 353-358.

[19] Bonne d'Artois était veuve de Philippe de Nevers, fils de Philippe le Hardi, et fille de Philippe d'Artois, comte d'Eu, et de Marie de Berry. G. Du Fresne de Beaucourt, *opus cit.*, t. II, p. 359.

Et les conférences se succédèrent à Mâcon et à Montluel [20]; petit à petit, Philippe semblait se détacher du parti anglais, car un événement grave avait altéré ses relations avec les Lancastres. Jacqueline de Bavière venait d'épouser Humphrey de Gloucester et celui-ci s'apprêtait à disputer les principautés de sa femme à son premier mari, le duc Jean IV de Brabant. Cette ingérence anglaise dans la zone d'influence bourguignonne portait ombrage à Philippe le Bon. Bedford n'approuvait pas les menées de son frère et tenta, en vain, d'apaiser le duc par d'importantes cessions territoriales, tandis que Gloucester occupait le Hainaut et défiait en duel le duc de Bourgogne. Cependant, le pape fit de nouveaux efforts de pacification et le différend anglo-bourguignon s'apaisa grâce à l'habileté de Bedford et à l'inconstance de Gloucester qui se désintéressa rapidement de Jacqueline et de sa cause [21].

Peu de temps après, le parti français perdit son plus ferme soutien auprès de Philippe le Bon en la personne de la duchesse Bonne [22].

Jean, duc de Bretagne, et son frère, le comte de Richemont, prirent alors la direction des tentatives de rapprochement entre Français et Bourguignons; elles se suivirent sans résultat appréciable [23]. Mais le duc de Bretagne, ne se trouvant pas récompensé de ses efforts par le dauphin, passa dans le camp anglais [24].

Sur le plan militaire, la situation tourna au profit des Français. Jeanne d'Arc débloqua Orléans. La Pucelle invita Philippe le Bon au sacre de Reims, mais le duc ne répondit pas à sa lettre [25]. Il envoya cependant une ambassade chargée de féliciter Charles VII à l'occasion de son couronnement et de lui présenter des offres de paix. A la même époque, Jeanne d'Arc lui écrivit pour le pousser à se réconcilier avec le roi. Aussi, à Reims même, débutèrent des tractations qui se poursuivirent à Arras en présence du duc; les délégués d'Amédée de Savoie servaient d'intermédiaires.

[20] G. Du Fresne de Beaucourt, *opus cit.*, t. II, pp. 360-361; à Mâcon, fin 1424, à Montluel, fin 1425.

[21] V.K. Vickers, *Humphrey, duke of Gloucester*, Londres, 1907, constitue une excellente biographie. Voir aussi *Dictionary of National Biography*, vol. XXVIII, 1891, pp.241-248, art. de T.F. Tout. Fils de Henry IV, Gloucester avait un caractère impétueux et ne s'accordait ni avec Bedford ni avec le cardinal Beaufort. Il était à la tête de la faction extrémiste du Conseil. Il est d'autre part connu comme amateur d'art et mécène. Il mourut en 1447.

Bedford donna à Philippe le Bon les villes et châtellenies de Péronne, Roye et Montdidier et les villes et bailliages de Tournai, Mortagne et Saint-Amand et une rente annuelle de trois mille livres (G. Du Fresne de Beaucourt, *opus cit.*, p. 363).

[22] Le 17 septembre 1425 (G. Du Fresne de Beaucourt, *opus cit.*, t. II, p. 371).

[23] G. Du Fresne de Beaucourt, *opus cit.*, t. II, pp. 371-389; E. Cosneau, *opus cit.*, pp. 115, 129.

[24] G. Du Fresne de Beaucourt, *opus cit.*, t. II, p. 389.

[25] Idem, *ibidem*, t. II, p. 403.

Une fois de plus, ces tentatives de rapprochement n'aboutirent pas [26]. Avec le concours de sa femme, Bedford parvint, à force d'habileté, à retenir Philippe dans l'alliance anglaise en lui confiant la lieutenance générale du royaume [27].

Bipartites jusqu'alors, les négociations s'élargirent et devinrent tripartites. On projeta d'ouvrir, en avril 1430, des conférences à Auxerre; des cardinaux désignés par le pape devaient y paraître comme médiateurs; des délégués français, anglais et bourguignons devaient y prendre part. Ces conférences ne furent pas tenues [28], car, entre-temps, Philippe le Bon préparait activement ses noces avec Isabelle de Portugal, nièce du cardinal Beaufort, toute disposée à soutenir la cause des Lancastres auxquels l'unissaient des liens de famille très étroits [29].

Ainsi, le duc était-il toujours en bonnes relations avec les Anglais. Le pape reprit alors son projet de réconciliation franco-anglaise. Peu de temps avant sa mort, il envoya en France, comme médiateur, Nicolas Albergati, cardinal de Sainte-Croix [30]. Eugène IV [31], qui succéda à Martin V, poursuivit la même politique; au cours de l'année 1431, le cardinal poussa fort loin ses conversations [32]. Il réunit à Auxerre, en 1432, les ambassadeurs des trois parties : c'était la première prise de contact entre les Français et les Anglais. L'année suivante, on se rencontra à Seine-Port et à Corbeil [33].

A cette époque, Philippe le Bon semblait s'éloigner de ses alliés anglais :

---

[26] G. Du Fresne de Beaucourt, *opus cit.*, t. II, pp. 404-411.

[27] Idem, *ibidem*, t. II, p. 412.

[28] Idem, *ibidem*, t. II, pp. 413, 416, 419.

[29] Isabelle était la fille de Jean 1er de Portugal et de Philippine de Lancastre, sœur du cardinal Beaufort.

Isabelle fit escale en Angleterre lors de son long voyage du Portugal en Flandre : H. Nicolas, *Proceedings and ordinances of the privy Council of England*, vol. IV, Londres, 1835, p. 9. Le mariage eut lieu le 8 janvier 1430.

Henri Beaufort, cardinal-prêtre de Saint-Eusèbe en 1426, évêque de Winchester en 1404, fils légitimé de Jean de Gand, excellent financier, politique avisé, partisan de la paix avec la France. Il mourut en 1447. Voir sa biographie dans *Dictionary of National Biography*, vol. IV, 1885, pp. 41-48, art. de W. Hunt.

[30] Concernant le rôle joué par Albergati dans les négociations de paix, voir J.G. Dickinson, *opus cit.*, pp. 82 et suivantes. Albergati présida le concile de Bâle lorsque celui-ci prit une allure antipontificale; il obtint une bulle transférant le concile à Ferrare et créa ainsi un nouveau schisme. Il fut canonisé en 1745.

[31] Gabriel Condolmieri, élu en 1431. Eugène IV appelait de tous ses vœux une croisade; la paix entre les princes chrétiens était donc une nécessité absolue; voir J.D. Hintzen, *De kruistochtplannen van Philips de Goede*, Rotterdam, 1918, et F. Schneider, *Der Europäische Friedenskongress von Arras (1435), die Friedenspolitik Papst Eugens IV und das Basler Konzil*, Greiz, 1919, pp. 151-159 (Instructions aux ambassadeurs envoyés au Congrès d'Arras).

[32] G. Du Fresne de Beaucourt, *opus cit.*, t. II, pp. 438-441.

[33] Idem, *ibidem*, t. II, pp. 446-454.

il avait soigneusement évité d'aller saluer Henri VI pendant le séjour de celui-ci en France au moment de son couronnement; la mort de sa sœur et le remariage trop rapide du duc de Bedford avaient singulièrement refroidi ses relations avec les Lancastres [34]. Cependant, le concile de Bâle avait reçu du pape la mission de s'occuper de la réconciliation des princes des maisons de France et d'Angleterre. Il suggéra la médiation conjuguée d'un de ses représentants, du cardinal de Sainte-Croix et du duc de Savoie [35].

Une réunion préparatoire au congrès pour la paix se tint en janvier 1435 à Nevers [36]. Le duc de Bourgogne, le duc de Bourbon [37] et le comte de Richemont s'y rencontrèrent. On y décida d'organiser une conférence à Arras entre les adversaires et de demander la médiation du cardinal de Sainte-Croix, délégué du Saint Père, et du cardinal de Chypre [38], représentant le concile. Les envoyés de Charles VII y firent de la bonne besogne : ils persuadèrent, par des arguments « matériels », certains des conseillers les plus écoutés du duc de la nécessité d'une entente entre Charles VII et Philippe le Bon [39].

Celui-ci s'engagea d'ailleurs à tout tenter pour se réconcilier avec le roi de France, même si Henri VI n'était pas décidé à signer la paix [40]. Le Congrès d'Arras s'ouvrit en juillet 1435. La délégation anglaise était conduite par le cardinal Beaufort [41], les ambassadeurs français par le duc de Bourbon [42] et le comte de Richemont, tandis que Philippe le Bon assistait en personne aux débats [43].

On s'aperçut rapidement que les points de vue des adversaires étaient irréconciliables. Les Anglais demeuraient irréductiblement opposés à l'abandon

---

[34] J.G. DICKINSON, opus cit., p. 121; G. DU FRESNE DE BEAUCOURT, opus cit., t. II, p. 455. Cinq mois après la mort d'Anne de Bourgogne, il épousa Jacqueline de Luxembourg, nièce de Louis de Luxembourg, chancelier de France pour Henri VI. Elle épousa en secondes noces Richard Woodville et fut mère d'Elisabeth, femme d'Edouard IV.

[35] J.G. DICKINSON, opus cit., pp. 86 et suivantes; J. TOUSSAINT, Les relations diplomatiques de Philippe le Bon avec le concile de Bâle, 1431-1449, Louvain, 1942, pp. 73-88.

[36] G. DU FRESNE DE BEAUCOURT, opus cit., t. II, pp. 514-518; E. COSNEAU, opus cit., pp. 218-219.

[37] Charles 1er, duc de Bourbon et d'Auvergne, mort en 1456, avait épousé, en 1425, Agnès de Bourgogne, sœur de Philippe le Bon. Il était frère utérin de Bonne d'Artois.

[38] J.G. DICKINSON, opus cit., pp. 89-91 et 94-95.
Hugues de Lusignan, cardinal de Palestrina, connu sous le nom de cardinal de Chypre, était le représentant de son neveu, le roi de Chypre, Jean II, au concile de Bâle.

[39] M.-R. THIELEMANS, « Les Croÿ, conseillers des ducs de Bourgogne », B.C.R.H., t. CXXIV, 1959, pp. 71-73.

[40] G. DU FRESNE DE BEAUCOURT, opus cit., t. II, p. 516.

[41] J.G. DICKINSON, opus cit., pp. 20-52, traite de la composition de l'ambassade anglaise; cet honneur avait d'abord été offert à Philippe le Bon qui l'avait refusé. Bedford à ce moment était au plus mal; il mourut d'ailleurs le 14 septembre 1435.

[42] J.G. DICKINSON, opus cit., pp. 1-20, traite de la composition de l'ambassade française.

[43] J.G. DICKINSON, opus cit., pp. 53-77, fait un remarquable exposé relatif aux tendances des représentants bourguignons.

par leur souverain des prérogatives royales en France. Or, le fond de la discussion portait sur cette question qui était le pivot de la diplomatie anglaise [44]. Le 30 août, la rupture était virtuellement consommée et Nicolas Albergati n'envisageait plus que la conclusion d'une paix séparée franco-bourguignonne. A ce propos, des commissions spéciales avaient été remises aux médiateurs [45] et aux ambassadeurs français. Celles de ces derniers étaient très proches des termes mêmes du traité [46], ce qui laisse supposer que les jeux étaient faits dès avant le congrès.

Une fraction importante du Conseil ducal était d'ailleurs totalement acquise à la réconciliation. Citons, au nombre de ceux qui désiraient un accord avec Charles VII, trois des conseillers les plus écoutés : le chancelier Rolin, Antoine et Jean de Croÿ, et encore les seigneurs de Baucignies, de Ternant, de Crèvecœur, de Humbercourt et Gui Guilbaut [47].

[44] J.G. DICKINSON, *opus cit.*, p. 142.
Nous n'entrerons pas dans le détail des propositions et contrepropositions des deux parties; à ce sujet voir F. SCHNEIDER, *opus cit.*, pp. 123-150 : protocole anglais.

[45] La commission du concile aux cardinaux-légats était valable à la fois pour traiter d'une paix séparée et d'une paix générale (cf. J.G. DICKINSON, *opus cit.*, pp. 90-91), tandis qu'Albergati avait deux commissions différentes pour les mêmes objets (IDEM, *ibidem*, p. 2).

[46] J.G. DICKINSON, *opus cit.*, pp. 2-3; elles reprenaient les points traités à Nevers et n'étaient autres que les exigences présentées par les Bourguignons dès 1423, voir p. 54.

[47] Rolin et les Croÿ jouèrent un rôle important dans les tractations secrètes entre les Français et les Bourguignons (J.G. DICKINSON, *opus cit.*, p. 172). Tous les conseillers cités furent d'ailleurs récompensés par Charles VII; voir spécialement M.-R. THIELEMANS, « Les Croÿ », pp. 71-86.
J.G. DICKINSON (*opus cit.*, p. 65) remarque, en ne citant que Rolin et Antoine de Croÿ, que ces conseillers étaient originaires du Nord-Est et de Bourgogne (ce qui était inexact pour Antoine de Croÿ) et étaient plus attirés vers la France que ceux du Nord-Ouest, liés plus étroitement à l'Angleterre pour les besoins du commerce. Cette opinion nous paraît hasardeuse : ces conseillers avaient simplement été achetés par Charles VII; les préoccupations économiques leur étaient bien étrangères. Au sujet des dons reçus par les conseillers bourguignons, voir J. BARTIER, *Légistes et gens de finances au xve siècle : Les conseillers des ducs de Bourgogne Philippe le Bon et Charles le Téméraire*, Mémoires de l'Académie royale de Belgique, Classe des Lettres, t. L, Bruxelles, 1955, pp. 117-124 (dons offerts par le duc lui-même) et 133-135.
Pour Nicolas Rolin, voir G. VALAT, «Nicolas Rolin, chancelier de Bourgogne», *Mémoires de la Société Eduenne*, nouvelle série, t. XL, 1912, pp. 73-145, t. XLI, 1913, pp. 1-73, t. XLII, 1914, pp. 53-148 et *Biographie Nationale*, t. XIX, 1907, col. 828-839, article de H. PIRENNE qui souligne l'avidité du chancelier; nommé en 1422, il fut écarté des affaires en 1458 et mourut en 1462. Pour Antoine de Croÿ, voir *Biographie Nationale*, t. IV, 1873, col. 524-527, article du Général GUILLAUME; pour Jean de Croÿ, IDEM, *ibidem*, col. 559-562 et M.-R. THIELEMANS, « Les Croÿ », pp. 9-15.
Jean de Hornes, seigneur de Baucignies (massacré par le Flamands en 1436; voir sa biographie par F.V. GOETHAELS, *Dictionnaire généalogique et héraldique des familles nobles du royaume de Belgique*, Bruxelles, 1850, t. III, p. 225), Philippe de Ternant (*Biographie Nationale*, t. XXIV, 1926-1929, col. 705-708, art. de V. FRIS), Jacques de Crèvecœur, Jean de Brimeu, seigneur de Humbercourt, et Gui Guilbaut, receveur général des finances, étaient tous conseillers et chambellans.

Le seul obstacle à éviter était le serment de fidélité prêté par Philippe le Bon au Traité de Troyes. Aussi s'acharna-t-on à démontrer sa non-validité selon une argumentation plus ou moins spécieuse [48].

Le 21 septembre, dans l'église de l'abbaye de Saint-Vaast, les deux parties apposèrent leurs sceaux aux actes du traité et jurèrent de l'observer; en même temps, Jean Tudert, doyen de Paris, se repentit publiquement, au nom du roi, du meurtre de Jean sans Peur.

La paix d'Arras était une véritable victoire pour Philippe le Bon. Charles VII s'imposait d'humiliants sacrifices pour l'attirer dans son camp : fondations pieuses et expiatoires pour la mort de Jean sans Peur, cessions territoriales importantes, notamment celle des villes de la Somme (avec faculté de rachat pour le roi à n'importe quel moment), concessions juridiques et politiques exceptionnelles; parmi celles-ci figurait pour Philippe le Bon la dispense personnelle, jusqu'à la mort de Charles VII, de son serment de vassalité [49]. Habilement, le duc de Bourgogne s'était rendu aux désirs de paix de la papauté et du concile et, « *par humanité et bontée innée* » [50], il avait consenti à se réconcilier avec Charles VII. Profitable obéissance qui lui valait une telle récompense et sauvegardait son honneur en l'absolvant d'avoir parjuré le serment de Troyes !

B. — LES RELATIONS ECONOMIQUES

La même évolution se dessinait sur le plan des relations économiques. Le bouleversement des conditions des échanges depuis la deuxième moitié du XIVe siècle s'accentuait : l'industrie anglaise du drap prenait une extension de plus en plus grande tandis que les exportations de laine s'amoindrissaient. Le premier tiers du XVe siècle vit s'étendre le protectionnisme des principautés néerlandaises contre l'introduction des draps anglais et l'établissement à l'Etape de la laine à Calais d'une réglementation défavorable à la draperie

---

[48] Chaque cardinal était accompagné d'un casuiste réputé chargé d'écarter cette difficulté. Dans la suite d'Albergati se trouvait à cet effet Ludovic de Garsiis, chanoine de Bologne et auditeur à la Chambre apostolique (J.G. DICKINSON, *opus cit.*, p. 85), et dans celle du cardinal de Chypre, Guillaume Hugues, archidiacre de Metz; voir aussi F. SCHNEIDER, *opus cit.*, pp. 47-55.
    Un bon exemple de cette argumentation se trouve dans le rapport du chancelier Rolin publié par F. SCHNEIDER, *opus cit.*, pp. 185-208.

[49] E. COSNEAU, *Les grands traités de la guerre de Cent Ans*, Paris, 1889, pp. 116-151.

[50] Dom E. MARTÈNE et Dom U. DURAND, *Veterum scriptorum et monumentorum amplissima collectio*, 9 vol., Paris, 1724-1733, t. VIII, col. 861-862 : « *Acquievit sua humanitate et innata bonitate consiliis et mandatis sanctae matris ecclesiae, pacemque, quantum in se fuit, praefato regno dedit* » (lettre du cardinal de Chypre à Henri VI annonçant la conclusion du traité d'Arras : 26 septembre 1435).

des Pays-Bas. Ces deux problèmes dominent cette période et c'est l'impuissan-
ce à leur donner une solution équitable pour les deux parties qui entraîna le
relâchement des liens commerciaux. Cela d'autant plus que les foires de
Brabant devenaient le centre de distribution des draps anglais sur le continent
et qu'un florissant courant d'exportation de produits manufacturés gagnait
l'Angleterre depuis les villes des Bouches de l'Escaut : Bruges, Anvers,
Bergen-op-Zoom et Middelbourg.

L'entrecours anglo-flamand datait de 1407 et il avait été régulièrement
prorogé jusqu'à la Toussaint 1420 [51]. Après la conclusion du traité de Troyes,
il ne fut plus renouvelé [52]. Les Flamands, sujets de Henri VI, roi d'Angleterre et de France, jouissaient, de ce fait, de la liberté commerciale avec toutes
les possessions de la double monarchie.

Le trafic avec le duché de Brabant, les comtés de Hollande et de Zélande
n'était réglé par aucun instrument; il reposait seulement sur les anciennes
alliances de ces principautés avec l'Angleterre. Cependant, en 1418, Jacqueline
de Bavière interdit la vente des draps anglais en Hollande et en Zélande [53].

Un mouvement xénophobe, dirigé contre la concurrence étrangère, se
développa à Londres en 1426. Il fallut interdire de molester les marchands
flamands [54]. La piraterie sévit également et l'on prit des mesures pour

---

[51] Les meilleurs exposés des pourparlers anglo-flamands se trouvent dans P. BONENFANT,
De meurtre, pp. 10-13; F. DE COUSSEMAKER, « Thierry Gherbode, secrétaire et conseiller
des ducs de Bourgogne et comtes de Flandre Philippe le Hardi et Jean sans Peur, et premier
garde des chartes de Flandre, 13..-1421 », *Annales du Comité flamand de France*, t. XXVI,
1901-1902, pp. 175-385 et P. DE LICHTERVELDE : *Un grand commis des ducs de Bourgogne,
Jacques de Lichtervelde, seigneur de Coolscamp*, Bruxelles, 1943, pp. 235-238. L'entrecours
datait du 10 mars 1407 (T. RYMER, *Foedera*, Londres, 1709, t. VIII, pp. 469-477); il fut
prolongé pour trois ans le 10 juin 1408 (IDEM, *ibidem*, t. VIII, pp. 530-535), puis pour
cinq ans le 27 mai 1411 (IDEM, *ibidem*, t. VIII, p. 687), pour un an le 22 mai 1416
(IDEM, *ibidem*, t. IX, p. 352), le 31 juillet 1417 jusqu'à Pâques 1419 (IDEM, *ibidem*,
t. IX, pp. 476-478), le 8 juillet 1419 jusqu'à la Toussaint 1419 (IDEM, *ibidem*, t. IX,
pp. 784-785), le 12 janvier 1420 jusqu'à la Toussaint 1420 (IDEM, *ibidem*, t. IX,
pp. 843-846).

[52] Deux tractations, l'une de 1429, l'autre de 1433 sont signalées dans C. WIJFFELS,
*Inventaris van de oorkonden der graven van Vlaanderen, chronologisch gerangschikt sup-
plement*, Rijksarchief te Gent, 1958, p. 161, n° 685 et p. 162, n° 688. Il s'agit d'erreurs :
ces actes sont en réalité le premier de 1515 et le second de 1495.

[53] E. SCOTT et L. GILLIODTS VAN SEVEREN, *Le Cotton manuscrit Galba B.I., Documents
pour servir à l'histoire des relations entre l'Angleterre et la Flandre de 1431 à 1473*,
Bruxelles, 1896, p. 384. Au sujet des conséquences économiques de la prohibition des
draps, voir p. 207.

[54] T. RYMER, *opus cit.*, t. X, p. 360 : 14 juillet 1426; au même moment, une ambassade de Philippe le Bon, conduite par Hugues de Lannoy, se trouvait à Londres
(H. NICOLAS, *opus cit.*, t. III, p. XXX, p. 200); voir aussi p. 302 n. 740.

l'arrêter [55]; une ordonnance dut rappeler que les Flamands étaient sujets du roi et promettre de leur rendre justice [56].

Deux ans plus tard, à l'intervention du cardinal Beaufort et du duc de Bedford, la roi spécifia à nouveau que les Flamands jouissaient de la pleine liberté commerciale en qualité de sujets. La Hollande et la Zélande furent incluses dans le bénéfice de cet acte en vertu de leur ancienne amitié [57].

Quelques jours plus tard, Philippe le Bon prohibait l'introduction des draps anglais en Hollande et Zélande [58]. Le duc de Brabant, Philippe de Saint-Pol, de son côté, convoqua les représentants des villes de Brabant à Louvain, dans l'intention d'interdire ces mêmes draps dans les duchés de Brabant et de Limbourg et le pays d'Outre-Meuse [59]. Le 25 août 1428, le duc de Brabant bannissait les draps et fils de laine anglais de ses Etats [60]. Peu après, lors d'une réunion pendant la foire de Saint-Bavon à Anvers, les délégués des villes du Brabant, de Hollande, de Zélande et de Frise — réunion à laquelle participèrent des délégués de Malines, Maastricht et Saint-Trond — déterminèrent les modalités d'application de la prohibition [61]. Nous nous trouvons donc en présence d'une politique concertée des ducs de Bourgogne et de Brabant auxquels se joignit au moins une ville liégeoise [62].

---

[55] H. Nicolas, opus cit., t. III, p. XXXI, p. 208 : 27 juillet 1426; T. Rymer, opus cit., t. X, p. 367 : 30 juillet 1426; Calendar of Patent Rolls, 1422-1429, p. 359 : 14 mai 1426.

[56] T. Rymer, opus cit., t. X, pp. 361-363 : 17 juillet 1426. L'année suivante, des instructions étaient données à des ambassadeurs anglais pour poursuivre ce but (T. Rymer, opus cit., t. X, p. 390 : 16 mars 1427).

[57] T. Rymer, opus cit., t. X, p. 403 : 1er juillet 1428; H. Nicolas, opus cit., t. III, p. XLI, pp. 304-309 : 11 juillet 1428; R.R. Sharpe, Calendar of letter book K, Londres 1911, p. 92 : 1er juillet 1428.

[58] H.J. Smit, Bronnen tot de geschiedenis van den handel met Engeland, Schotland en Ierland, eerste deel, 1150-1485, La Haye, 1928, t. I, p. 627, n° 1012 : 25 juillet 1428; F. van Mieris, Groot charterboek der graven van Holland, van Zeeland en heeren van Friesland, Leyde, 1753-1756, t. IV, p. 923; P.A.S. van Limburg-Brouwer, Boergoensche charters, La Haye, 1869, p. 1; N.W. Posthumus, Bronnen tot de geschiedenis van de Leidsche textielnijverheid, 1333-1795, La Haye, 1910-1922, t. I, p. 102; W.S. Unger, Bronnen tot de geschiedenis van Middelburg in den landsheerlijken tijd, La Haye, 1923, t. II, p. 216; A.S. De Blécourt et E.M. Meijers, Memorialen van het Hof (den Raad) van Holland,Zeeland en West-Friesland van den secretaris Jan Rosa, deelen I, II, III, Haarlem, 1929, p. 39, n° 70.

[59] A.V.L., Comptes de Louvain, n° 5044, f° 11 : 12 août 1428, envoi de messagers par Louvain aux villes d'Aarschot, Bois-le-Duc, Tirlemont, Léau, Diest et même Saint-Trond au Pays de Liège.

[60] A.V.L., n° 736; aucune clause ne parle du maintien du transit des draps anglais par les Hanséates; l'acte d'application, qui fait suite à l'acte de prohibition, n'est pas daté.

[61] A.V.L., Comptes de Louvain, n° 5044, f°s 33 v° et 38 : 29 août et 18 septembre 1428.

[62] Nous n'avons retrouvé de traces que concernant Saint-Trond mais l'acte d'application parle des villes liégeoises au pluriel.

On peut y voir l'influence des villes drapières comme Leyde et Malines [63]. En Flandre, l'interdiction des draps anglais datait des premières années du XIVe siècle et l'Angleterre la considérait comme un fait accompli [64]. Ainsi, tout au long de la côte de Gravelines à la Frise, les draps se trouvaient bannis; la route traditionnelle des Hanséates vers la vallée du Rhin, le Brabant, le Limbourg, l'Outre-Meuse et même Saint-Trond leur était fermée.

L'ordonnance n'eut que peu d'effet, semble-t-il; les Anglais ne réagirent pas; seuls, les Colonais s'inquiétèrent [65] des entraves mises à la liberté des foires, à Anvers notamment. Ce n'est qu'en 1430, et pour des motifs tout à fait différents, que les Anglais boycottèrent le marché d'Anvers. Ils exigèrent que les marchands de toile se conformassent aux prescriptions sur les dimensions des pièces édictées par les Membres de Flandre [66].

La situation des acheteurs de laine anglaise se détériora la même année. Une ordonnance particulièrement défavorable aux intérêts bourguignons fut publiée, en 1429, à l'Etape de Calais [67]. Elle provoquait un renchérissement des laines, désastreux pour l'industrie des pays de par-deçà, et entraînait le drainage du numéraire. Aux premiers effets du nouveau règlement, les villes flamandes s'empressèrent d'entrer en contact avec le cardinal de Winchester et les marchands de l'Etape [68]. Le duc, lui aussi, partagea l'inquiétude générale : ses conseillers dirigèrent les débats des Membres de Flandre [69]. Une

---

[63] Des délégués de Leyde se rendirent à Malines, en 1427, pour discuter du projet de prohibition (N.W. Posthumus, *De geschiedenis van de Leidsche lakenindustrie*, 3 vol., La Haye, 1908-1939, t. I, p. 253).

[64] Voir p. 203.

[65] B. Kuske, *Quellen zur Geschichte des Kölner Handels und Verkehrs im Mittelalter*, 4 vol., Bonn, 1918-1934, t. I, p. 258, n° 757 : 22 novembre 1428.
Le tonlieu d'Ierseke eut cependant à souffrir de la situation : « *die Ingelsche cooplieden die mercten mit horen laken niet wel versouken en dorren* » (H.J. Smit, *opus cit.*, t. I, p. 631, n° 1019). L'ordonnance était tournée de la façon suivante : « *die meeste hoop van de coopmannen vorseid hare goeden zenden 't Antworpen waert uut Vlaenderen ende oick als sij uter zee comen bi der Honten, ende die goede vandane wederom bringhen in 't Swin of dair si se hebben willen* » (H.J. Smit, *opus cit.*, t. I, p. 641, n° 1030 : entre 30 septembre 1429 et 30 septembre 1430). Les draps anglais arrivaient donc aux foires, malgré l'interdiction, et cela par la Flandre. Pour l'influence réelle de cette prohibition sur les exportations, voir p. 208.

[66] H. Nicolas, *opus cit.*, t. IV, pp. IX et 55; T. Rymer, *opus cit.*, t. X, p. 471; A.G.R., *Comptes du Franc*, C.C. n° 42549, f°s 12, 14, 15 v°, 17 v° : 17 septembre, 18 octobre, 9 novembre, 3 décembre 1430; voir aussi p. 225.

[67] Voir plus loin le chapitre consacré au commerce de la laine, p. 171.

[68] A.G.R., *Comptes de Bruges*, C.C. n° 32485, f° 57 v° : 20 décembre 1430. En juin 1431, des députés des Membres de Flandre furent également envoyés à Calais : A.G.R., *Comptes d'Ypres*, C.C. n° 38655, f°s 13 et 13 v° : 14 et 28 juin; *Comptes du Franc*, C.C. n° 42549, f° 43 : 25 juin.

[69] A.G.R., *Comptes du Franc*, C.C. n° 42549, f° 28 v° : 18 juin 1431.

action concertée avec les autres principautés bourguignonnes s'avérait
nécessaire.

Une réunion des Etats Généraux se tint à Anvers, à Malines puis à
Bruxelles, en octobre et novembre 1431, en présence des délégués flamands,
brabançons, malinois, hollandais et zélandais et à la demande expresse de la
ville de Gand. On reprit l'idée de prohiber, en représailles, les draps anglais
dans tous les pays de par-deçà; les Membres de Flandre en discutèrent même
avec les Hanséates [70]. La visite que fit à Bruges, au début de 1432 [71], le
cardinal Beaufort, éveilla quelque espoir d'apaisement [72]; il revint l'année
suivante et Bruges en profita pour lui faire accompagner une délégation
qui se rendait à Calais [73]. Ces démarches restèrent vaines et il fallut convoquer à nouveau les Etats Généraux, successivement à Termonde, Lierre,
Gand et Bruges, d'octobre 1433 à juin 1434 [74].

---

[70] J. CUVELIER, J. DHONDT et R. DOEHAERD, Actes des Etats Généraux des anciens
Pays-Bas, actes de 1427 à 1477, Bruxelles, 1948, t. I, pp. 8-11. Voir aussi A.G.R., Comptes
d'Ypres, C.C. n° 38655, f°s 15 v°, 16 v°, 17 v°, 42 v° : 9 septembre, 8, 10 octobre et
21 novembre 1431; Comptes du Franc, C.C. n° 42549, f°s 34 et 45 v° : 14 septembre et
11 octobre 1431; A.V.L., Comptes de Louvain, n° 5053, f°s 20 et 20 v°, 34 et 34 v°, 42 :
13 septembre, 12 et 13 octobre, 23 novembre 1431; H.J. SMIT, opus cit., t. I, p. 646,
n° 1038; A.G.R., Comptes de Bruges, C.C., n° 32486, f° 58 : 12 décembre 1431; Comptes
du Franc, C.C., n° 42550, f° 12 : 31 décembre 1431.
Une réunion, où se trouvaient les Louvanistes et les Malinois, à Anvers, et dont nous
ignorons les autres participants, avait également abordé le problème en novembre (A.V.M.,
Comptes de Malines, 1431-1432 : 28 novembre 1431; A.V.L., Comptes de Louvain, n° 5053,
f° 42 : 23 novembre 1431).

[71] L. GILLIODTS VAN SEVEREN, Inventaire des archives de Bruges, 1248-1497, 7 vol.,
Bruges, 1871-1878, t. V, p. 9.

[72] Cependant, à la fin de l'année, on reprit les discussions : A.G.R., Comptes d'Ypres,
C.C. n° 38656, f° 16 v° : 25 octobre, 26 novembre 1432; les Quatre Membres allèrent
à Anvers puis à Bruxelles, auprès du duc, à ce sujet.

[73] A.G.R., Comptes de Bruges, C.C. n° 32487, f° 69 : 21, 24 et 26 mai 1433.

[74] Termonde : A.V.L., Comptes de Louvain, n° 5056, f° 16 v° : 4 octobre 1433. Le
Brabant, la Flandre et Malines n'ayant pu se mettre définitivement d'accord, le duc
convoqua en outre, à Lierre, la Hollande et la Zélande (H.J. SMIT, opus cit., t. I, p. 654,
n° 1054 : 12 octobre 1433).
Lierre : A.G.R., Comptes du Franc, C.C. n° 42552, f° 28 : 29 octobre 1433; A.V.M.,
Comptes de Malines, 1433-1434 : début novembre 1433; A.V.L., Comptes de Louvain,
n° 5056, f° 31 : 4 novembre 1433.
Termonde : A.V.L., Comptes de Louvain, n° 5056, f° 41 : 15 janvier 1434.
Gand : A.V.L., Comptes de Louvain, n° 5056, f° 53 : 5 mars 1434; J. CUVELIER,
J. DHONDT, R. DOEHAERD, opus cit., t. I, pp. 12-14.
Bruges : J. CUVELIER, J. DHONDT, R. DOEHAERD, opus cit., t. I, pp. 15-16; A.V.L.,
Comptes de Louvain, n° 5056, f°s 74 v°, 75 : 3 et 6 mai 1434.
Gand : A.V.L., Comptes de Louvain, n° 5056, f° 75 : 12 juin 1434; A.G.R., Comptes
de Bruges, C.C. n° 32488, f° 71 v° : 15 juin 1434; Comptes du Franc, C.C. n° 42552,
f° 31 : 7 mars 1434; N.W. POSTHUMUS, Bronnen, 1333-1480, p. 129, n° 113 :
11 juin 1434; W. S. UNGER, Bronnen, t. II, p. 309, n° 220 : 27 octobre 1433.

Cette fois, les Membres de Flandre, annoncèrent, par écrit, aux Osterlins l'intention du duc de prohiber bientôt l'importation des draps anglais. Ils leur demandèrent de bien vouloir renoncer temporairement au bénéfice de leur privilège de transit[75]. Après une dernière tentative auprès de l'Angleterre[76] et l'accord des villes hanséatiques[77], Philippe le Bon publia, le 19 juin 1434, la première ordonnance prohibant les draps anglais dans toutes les principautés bourguignonnes[78]. La nouvelle simultanée de l'interdiction par les Hanséates non seulement de la draperie anglaise mais aussi de celle fabriquée à base de laine anglaise, venait d'atteindre la Flandre. La décision avait été prise le 5 juin, à Lubeck, pour protester contre la suspension des privilèges hanséatiques en Angleterre[79].

La réaction anglaise se fit attendre sept mois. A la mi-février 1435, le Conseil désigna une ambassade pour traiter d'un entrecours avec la Flandre et de la modification des ordonnances prises à l'Etape[80], quinze ans après les derniers pourparlers de l'espèce ! L'Angleterre, prévoyant que la Bourgogne allait lui échapper, comprit aussitôt la nécessité de s'accommoder avec elle sur le plan commercial. Les discussions commencèrent à Calais[81].

En juillet 1435, Beaufort reçut, lui aussi[82], pouvoir pour entamer des négociations, mais il était trop tard... la partie était jouée.

La puissance de la Maison de Bourgogne atteignait son apogée; elle constituait vraiment la troisième force de la chrétienté et, de ce fait, devenait l'arbitre de la situation.

La volte-face de Philippe le Bon, préparée de longue date, était accomplie : les amis d'hier étaient les ennemis de demain.

---

[75] Entrevue entre les Membres de Flandre et les Osterlins à ce sujet : A.G.R., *Comptes d'Ypres*, no 38557, fo 19 : 16 octobre 1433.
Lettre des Membres de Flandre : G. VON DER ROPP, *Hanserecesse 1431-1476, Recesse und andere Akten der Hansetage*, zweite Abteilung, Leipzig, 1876-1892, t. I, pp. 132-133, no 191 (20 octobre 1433) et pp. 134 et 136 (22 octobre 1433).
[76] A.G.R., *Comptes du Franc*, C.C. no 42552, fo 29 : 5 décembre 1433; *Comptes d'Ypres*, C.C. no 38658, fos 8, 12 vo et 13 : 7 décembre 1433. Ambassade des Quatre Membres conduite par le conseiller ducal Goswin le Sauvage, qui reçut en remerciement 100 livres des Membres de Flandre.
[77] G. VON DER ROPP, *opus cit.*, t. I, p. 173, no 268, réunion à Rastenburg et Elbing : 26 février - 2 mars 1434.
[78] G. SCHANZ, *Englische Handelspolitik gegen das Ende des Mittelalters*, Leipzig, 1881, t. II, p. 657, no 171; Ch. PIOT, *Inventaire des archives de Léau*, s.l., s.d., p. 26, no 81; H.J. SMIT, *opus cit.*, t. I, p. 660, no 1065.
[79] G. VON DER ROPP, *opus cit.*, t. I, p. 202, no 321.
[80] T. RYMER, *opus cit.*, t. X, p. 605 : 14 février 1435. Pour apprécier l'influence exacte de la prohibition sur les exportations anglaises voir p. 208.
[81] A.G.R., *Comptes de Bruges*, C.C. no 32489, fos 67 et 68 : 31 mars et 17 avril 1435; *Comptes d'Ypres*, C.C. no 38659, fo 9 : 2 avril 1435.
[82] T. RYMER, *opus cit.*, t. X, p. 619 : 15 juillet 1435.

PREMIERE PARTIE

LES CONSEQUENCES
DE LA CONCLUSION DU TRAITE D'ARRAS

LES CONSEQUENCES IMMEDIATES
DU TRAITE D'ARRAS

Quelques jours après la signature du traité d'Arras [1], deux ambassadeurs du duc de Bourgogne, le roi d'armes Toison d'Or, c'est-à-dire le chroniqueur Jean Lefèvre de Saint-Remy [2], et le héraut Franche-Comté, accompagnés d'un envoyé des cardinaux, le dominicain Nicolas Jacqueti [3], prirent la route d'Angleterre. Ils étaient chargés d'annoncer la conclusion du traité et de présenter les dernières offres de Charles VII à ses adversaires. Philippe le Bon se rangeait ici au côté des médiateurs car « *il n'entendoit point de avoir guerre a luy ne a ses voisins mais se vouloit employer, de tout son povoir, au bien de la paix generale* » [4].

Mission sans espoir ! Le duc ne l'ignorait pas : un article du traité d'Arras ne prévoyait-il pas que Charles VII eût à secourir Philippe le Bon si les Anglais l'attaquaient « *a l'occasion de ce present accord* » [5] ? La position de neutralité entre les deux couronnes était un idéal inaccessible [6].

Les ambassadeurs étaient porteurs de deux lettres destinées à Henri VI.

---

[1] ANTOINE DE LA TAVERNE, *Journal de la paix d'Arras*, édition André Bossuat, Arras, 1936, p. 88 : 20 septembre 1435.

[2] Jean Lefèvre de Saint-Remy (1396-1468) fut le premier roi d'armes de la Toison d'Or, créé au deuxième chapitre de celle-ci à Saint-Omer, en 1431; voir P. BERGMANS, *Biographie Nationale*, t. XI, 1890-1891, col. 666-675 et Introduction au t. II de JEAN LEFÈVRE DE SAINT-REMY, *Chronique*, 1400-1444, éd. Fr. Morand, 2 vol., Paris, 1876-1881.

[3] Du couvent de Dijon : voir A. DE LA TAVERNE, *opus cit.*, p. 88; J. LEFÈVRE DE SAINT-REMY, *opus cit.*, t. II., p. 362; Doms E. MARTÈNE et U. DURAND, *opus cit.*, t. VIII, col. 689.

[4] J. LEFÈVRE DE SAINT-REMY, *opus cit.*, t. II, p. 364.

[5] E. COSNEAU, *Les grands traités*, p. 145, article 31 du traité d'Arras.

[6] Il était impensable que les Anglais, durement touchés par la volte-face de Philippe le Bon, acceptassent d'ultimes propositions françaises de la main de celui qu'ils considéraient comme un traître.

L'une émanait du duc [7], l'autre du cardinal de Chypre [8]; elles étaient accompagnées d'un vidimus des offres françaises. Toutes deux expliquaient la conclusion d'un accord séparé par le désir de rétablir la paix, et prônaient les dernières offres arrachées aux ambassadeurs français. Celles-ci étaient plus larges, sur un point, que celles faites à Arras car la question de l'hommage du roi d'Angleterre, pour ses fiefs français, était traitée avec plus de délicatesse [9].

Cette concession importante avait été insérée sur l'avis du Conseil bourguignon [10].

Dès leur arrivée à Douvres, les ambassadeurs furent gardés à vue,

---

[7] E. MARTÈNE et U. DURAND, *opus cit.*, t. VIII, col. 863; J. MANSI, *Sacrorum conciliorum nova et amplissima collectio*, 53 vol., Paris, 1901-1927, t. XXX, pp. 952-953; J. TOUSSAINT, *Les relations diplomatiques de Philippe le Bon avec le concile de Bâle, 1431-1439*, Louvain, 1942, p. 102, note 5.

[8] E. MARTÈNE et U. DURAND, *opus cit.*, t. VIII, col. 861; J. MANSI, *opus cit.*, t. XXX, pp. 950-951; Hugues de Lusignan, d'accord avec le cardinal de Sainte-Croix, écrivait que les propositions françaises leur avaient paru à tous deux « *magnae, rationabiles et merito acceptandae* ». Cependant, elles avaient été repoussées par la délégation anglaise. En conséquence, ils avaient insisté auprès du duc de Bourgogne pour qu'il fasse la paix avec Charles VII. Ils envoyaient maintenant à Henri VI les dernières offres françaises et le suppliaient de les accepter. Hugues de Lusignan expédiait en même temps une missive au cardinal Beaufort pour qu'il appuyât ses vues. Voir E. MARTÈNE et U. DURAND, *opus cit.*, t. XXX, col. 950. Les trois lettres étaient datées du 26 septembre à Arras.

[9] E. MARTÈNE et U. DURAND, *opus cit.*, t. VIII, col. 864-868; J. MANSI, *opus cit.*, t. XXX, p. 953. J.G. DICKINSON (*opus cit.*, p. 236) donne en appendice toutes les éditions et les manuscrits du texte.

Voici les offres en question : si Henri VI renonce à toutes ses prérogatives de roi de France, Charles VII lui laissera, sous réserve de l'hommage, la jouissance de la Normandie, de la Guyenne et de la partie de la Picardie occupée par les Anglais. Les anciens possesseurs de fiefs, tant laïcs qu'ecclésiastiques, devront être rétablis dans leurs droits et le duc d'Orléans sera libéré moyennant une rançon raisonnable. Comme le roi d'Angleterre n'est âgé que de quatorze ans, et que, selon la coutume anglaise, il n'atteindra sa majorité qu'à vingt et un ans, il ne sera pas tenu de ratifier le traité pendant les sept années de sa minorité. Lorsqu'il sera majeur, il ne le fera que si les clauses lui agréent. En cas d'acceptation, Henri VI pourra se dispenser de l'hommage en le faisant prêter par son fils aîné; ainsi, le titre de duc de Normandie restera attaché à la personne du prince héritier (il eût été difficile d'obtenir l'hommage de Henri VI qui avait été couronné roi de France, cf. J. LEFÈVRE DE SAINT-REMY, *opus cit.*, t. II, p. 363). Si les cardinaux, ou le duc de Bourgogne, reçoivent notification de l'accord du gouvernement anglais, avant le premier janvier 1436, on fixera une réunion à Arras, à Cambrai ou à Valenciennes vers Pâques.

[10] J. LEFÈVRE DE SAINT-REMY, *opus cit.*, p. 363; E. MARTÈNE et U. DURAND, *opus cit.*, t. VIII, col. 863; Philippe le Bon, dans sa lettre à Henri VI, fait allusion aux efforts qu'il a déployés dans ce sens.

dépouillés de leur courrier et conduits sous escorte à Londres[11]. Ils n'obtinrent pas d'audience du roi. Cependant, le Conseil[12] se réunit en présence de Henri VI.

Les deux factions rivales du duc de Gloucester et du cardinal Beaufort[13] se réconcilièrent pour accabler Philippe le Bon. Lord Cromwell[14], trésorier d'Angleterre, lut au roi la lettre du duc de Bourgogne adressée « *au très illustre et puissant prince notre cousin Henri, roi d'Angleterre* ». Le jeune Henri VI fut si durement touché « *que les larmes luy saillirent hors des yeulx* »[15]. Le duc montrait l'évolution de sa politique en refusant à Henri VI, pour la première fois, la qualité de roi de France et de suzerain. Cependant, il ne faisait aucune allusion directe à la rupture de l'alliance. Lors d'une seconde réunion, que tint le Conseil pour décider des représailles à prendre

[11] Ils traversèrent la Manche de Calais à Douvres où on les consigna dans leurs logements. Le receveur des « coutumes » de Sandwich avait reçu l'ordre d'envoyer les lettres saisies au roi et à son Conseil (J. STEVENSON, *Letters and papers illustrative of the wars of the English in France*, Rolls Series, 2 vol., vol. 2 en deux parties, Londres, 1861-1864, t. II, 1re partie, p. X, note 3). En route pour Londres, un officier d'armes et un clerc du trésorier d'Angleterre vinrent se joindre à leur escorte; on les installa dans la capitale « *en l'ostel d'un cordouanier* ». Pour aller à la messe, on les confiait à la garde de hérauts ou de poursuivants qui les fouillèrent souvent. Ils craignaient pour leur vie et même Toison d'Or fut menacé d'être noyé. Voir les récits de l'ambassade dans E. DE MONSTRELET, *Chronique, 1400-1444*, éd. L. Douët d'Arcq, 6 volumes, Paris, 1857-1862, t. V, pp. 191-194, et par un des acteurs, J. LEFÈVRE DE SAINT-REMY, *opus cit.*, t. II, pp. 363-364 et p. 377.

[12] J. H. RAMSAY (*Lancaster and York*, 1399-1485, 2 vol., Oxford, 1892, t. I, p. 475) en se basant sur J. DE WAVRIN (*Chronique*, éd. W. Hardy et E. C. Hardy, Rolls Series, Rerum Britannicarum medii aevi scriptores, 8 vol., Londres, 1864-1891, t. VII, p. 97 : « *conseil... ou estoient le cardinal de Wincestre, le duc de Glocestre et pluiseurs autres princes et prelatz deglise avec grant nombre de notables hommes et bourgois* »), pense que la chose s'était passée devant le Parlement; ceci semble peu probable car la version de Wavrin est copiée sur celle de Monstrelet (voir à ce sujet, J. STENGERS, « Sur trois chroniqueurs », *Annales de Bourgogne*, t. XVIII, fasc. 2, 1946) qui dit : « *Toutefois, le tresorier d'Angleterre, a cuy les lettres dessus-dictes avoient esté baillés, assembla devant le roy, le cardinal de Wincestre, le duc de Glocestre, et pluiseurs aultres princes et prelats, avec le conseil royal la estant, et grand nombre de nobles hommes aussy la estans et la monstra les lettres que le duc de Bourgongne avoit envoyé au roy et a son conseil* » (E. DE MONSTRELET, *opus cit.*, t. V, pp. 191 et 192).

[13] Au sujet des discussions au sein du Conseil, voir J. BALDWIN, *The King's Council in England during the middle ages*, Oxford, 1903. Beaufort et Gloucester étaient présents.

[14] Ralph Cromwell, nommé trésorier en 1433, le resta jusqu'en 1443 : partisan de Beaufort, il était un des négociateurs du traité de Troyes. Il prit part à la défense de Calais en 1436 : J. BALDWIN, *opus cit.*, p. 171, note 2. Voir A.F. POLLARD dans *Dictionary of National Biography*, suppl. vol. II, 1901, pp. 90-92.

[15] E. DE MONSTRELET, *opus cit.*, t. V, p. 192; E. MARTÈNE et U. DURAND, *opus cit.*, t. VIII, col. 863 : « *Illustrissimo ac potentissimo principi ac consanguineo nostro Henrico, regi Angliae* ». Philippe le Bon parle de Charles VII comme de « *monseigneur le roi* » (*domini mei regis*).

contre la Bourgogne, alors que les avis étaient partagés quant à l'opportunité d'une attaque soudaine ou d'une sommation, arriva la nouvelle de la cession des villes de la Somme à Philippe le Bon. Comme ces villes faisaient partie du domaine royal, Henri VI considérait qu'elles lui appartenaient en propre [16]. On décida immédiatement de ne pas répondre au duc. Le chancelier [17] se borna à congédier sèchement Toison d'Or malgré son insistance pour obtenir une réponse écrite [18]. Nicolas Jacqueti reçut une lettre destinée au cardinal de Chypre; Henri VI faisait savoir qu'il convoquerait le Parlement pour discuter des propositions qui lui étaient parvenues [19]. Lors du retour des ambassadeurs, Philippe le Bon écrivit à Hugues de Lusignan que le roi d'Angleterre se proposait d'expédier des missives entachant leur honneur à tous deux; il lui demandait de lui en envoyer une copie si elles tombaient entre ses mains [20]. Les lettres en question, publiées par Rymer [21], ne sont qu'un manifeste donnant connaissance de la bulle du 17 juillet 1435 qui certifiait qu'aucun prince français ne serait délié de ses serments. Les cardinaux et le duc y répondirent par la ratification pontificale du traité d'Arras [22]. Lorsque le bruit de la réconciliation franco-bourguignonne se répandit dans le peuple de Londres, la réaction fut violente; on s'empara de marchands bourguignons et on en massacra quelques-uns [23]. Les pouvoirs publics firent aussitôt cesser l'émeute et traduire les coupables en justice [24].

L'ambassade était encore à Londres lorsque s'ouvrit, le 10 octobre, la session du Parlement [25]. Le chancelier John Stafford, y prit la parole; il fit

[16] E. DE MONSTRELET, opus cit., t. V, p. 193; J.H. RAMSAY (opus cit., t. I, p. 476, note 5) nous apprend qu'il n'y avait même pas de garnison anglaise dans ces villes dont l'allégeance était toute nominale.

[17] John Stafford, évêque de Bath and Wells, élu le 12 mai 1425; grâce à l'influence de Beaufort, nommé chancelier le 4 mars 1432; il devint, en 1443, archevêque de Canterbury; il fut partisan du mariage angevin en 1445. Il mourut en 1452. Voir la biographie récente de E.F. JACOB, « Archbishop John Stafford », Transactions of the Royal Historical Society, Fifth series, volume 12, 1962, pp. 1-23, et C.L. KINGSFORD, dans Dictionary of National Biography, vol. LIII, 1898, pp. 454-455.

[18] J. LEFÈVRE DE SAINT-REMY, opus cit., t. II, pp. 363-364 et 377; E. DE MONSTELET, opus cit., t. V, pp. 193-194.

[19] E. MARTÈNE et U. DURAND, opus cit., t. VIII, col. 869; J. TOUSSAINT, opus cit., p. 102, note 6. Datée du 6 octobre, elle fut lue au concile le 7 janvier 1436.

[20] E. MARTÈNE et U. DURAND, opus cit., t. VIII, col. 871-872; J. MANSI, opus cit., t. XXX, p. 960 : Hesdin, 6 novembre 1435.

[21] T. RYMER, opus cit., t. X, p. 625 : 12 novembre 1435.

[22] J.G. DICKINSON, opus cit., p. 238 : 5 janvier 1436. La ratification du concile était antérieure (5 novembre 1435) : J. TOUSSAINT, opus cit., p. 103.

[23] E. DE MONSTRELET, opus cit., t. V, pp. 192-193; J. LEFÈVRE DE SAINT-REMY, opus cit., t. II, p. 378.

[24] H. NICOLAS, opus cit., t. IV, p. 331.

[25] Rotuli Parliamentorum, ut et petitiones et placita in Parliamento, 6 vol., Londres, 1767-1777, t. IV, p. 481.

l'historique du congrès d'Arras, soulignant la volonté de paix du roi, et fit valoir les offres présentées par les Anglais à l'adversaire dont les ambassadeurs, au contraire, avaient agi « *non en zélateurs de la paix mais plutôt en partisans de la guerre* [26] ». La tentative de réconciliation ayant échoué, le duc de Bourgogne, dit le chancelier, « *s'empressa de se tourner avec toutes ses forces contre notre dit seigneur le roi* » [27] en concluant un traité avec l'adversaire de France. Aussi demandait-il au Parlement des aides financières pour la poursuite de la guerre en Normandie et pour la défense des positions anglaises proches de la Flandre. Répondant à son appel, le Parlement vota les subsides le 23 décembre [28].

L'Angleterre tout entière — roi, Conseil, Parlement et peuple — se dressait contre la trahison du duc de Bourgogne. La haine s'exprima même en poèmes venimeux, d'une belle envolée populaire : « *Remember the Philippe...* », « *Souviens-toi, Philippe, des bontés du roi Henri V qui volait à ton secours lorsque tu étais en détresse* ». Le duc avait oublié tout cela; aussi n'était-il plus « *qu'un créateur de nouvelle trahison, qu'un trouble-paix* », un « *capitaine de couardise* » et un « *reproche vivant pour toute la chevalerie* » [29].

Une campagne dans le même sens fut entreprise en Normandie. Des lettres expliquant la position de Henri VI à Arras circulaient dès le 15 octobre, par ordre du gouvernement de Rouen, pour être lues « *en sermons généraulx* » [30]. Cependant, une délégation normande [31], animée de tout autres sentiments, arriva à Londres en décembre. Envoyée principalement au nom des Etats, elle présenta un vibrant plaidoyer pour la paix, se plaignit des maux incessants d'une guerre qui ravageait le pays depuis plus de vingt ans, se réjouit des propositions françaises faites à Arras qui laissaient la Normandie sous la suzeraineté anglaise. Ici, on perçoit que les députés y eussent volontiers souscrit. Puisque les conditions de l'adversaire de France s'étaient

---

[26] « *non ut pacis set potius guerrarum zelatores* ».

[27] « *contra dictum dominum nostrum regem totis viribus satagit adherere* ».

[28] *Rotuli Parliamentorum*, t. IV, p. 486; W. STUBBS, *Histoire constitutionnelle de l'Angleterre*, éd. française de Lefebvre et Petit-Dutaillis, 3 vol., Paris, 1907-1927, p. 139.

[29] Th. WRIGHT, *Political poems and songs relating to English history composed during the period from accession of Edward III to that of Richard III*, 2 vol., Londres, 1859-1861, t. I, p. 148. Poème écrit sans doute par un auteur dont la langue maternelle n'était pas l'anglais (p. XXII).

[30] J. STEVENSON, *opus cit.*, t. II, 1re partie, préface, p. VIII; appendix to the preface, p. XLVI : lettre de Jean de Montgomery, bailli de Caux.

[31] A. CHAMPOLLION-FIGEAC, *Lettres des rois, reines et autres personnages des cours de France et d'Angleterre*, vol. II, Paris, 1847, pp. 431-437. La délégation comprenait deux bacheliers en théologie (Jean Périer et Pierre Morice), un conseiller normand (le sire de Saône), l'écuyer Simon de la Motte, maître Jean Varrot, le procureur de Rouen et maître Louis Gallet, échevin de Paris (ce dernier fut chargé plus tard par l'Angleterre de plusieurs missions diplomatiques sur le continent, voir pp. 369 n. 17, 398.

avérées inacceptables, ils demandaient l'envoi, sous le commandement d'un
prince du sang, d'une forte armée et, en même temps, d'être exonérés des
dépenses nécessitées par cette expédition. La réponse reprit les arguments
connus de la version anglaise. Une phrase cependant mérite attention;
parlant des offres françaises, le roi déclarait : « *noble et honourable cuer
d'omme de raison ne devroit penser a nous conseillier de les accepter* ». C'était
un blâme non dissimulé de la tendance par trop pacifique de la délégation
normande qui, cependant, obtenait satisfaction sur le second point de sa
pétition; une armée, sous le commandement du duc d'York [32], s'embarquerait
pour la France avant la fin de l'année et le Parlement de Londres avait
pourvu à son entretien. Des intentions aussi belliqueuses méritaient une
attention particulière; aussi, à la même époque, Philippe le Bon et son
Conseil demandèrent-ils à Hugues de Lannoy, seigneur de Santes, un « *Avis
sur la guerre avec les Anglois* [33] ».

Hugues de Lannoy [34] était un habitué des négociations anglo-
bourguignonnes et faisait partie, au sein du Conseil ducal, de la fraction
anglophile; il était probablement l'auteur d'un mémoire proanglais présenté
à Philippe lors du congrès d'Arras [35]. Néanmois, il n'envisageait d'autre
possibilité que la guerre. Le traité d'Arras avait trop mécontenté l'Angleterre
et les richesses des pays bourguignons étaient trop tentantes.

[32] Richard, duc d'York (1411-1460), servit en France en 1436-1437; lieutenant du
roi en France de 1440 à 1445 et lieutenant du roi en Irlande de 1445 à 1447; banni de
fait, en opposition avec Marguerite d'Anjou, il fut élu protecteur par les lords pendant les
accès d'irresponsabilité de Henri VI, en vertu de ses droits au trône. Il réclama la couronne
en 1460 et mourut la même année au siège de Wakefield Castle; voir J. Gairdner,
Dictionary of National Biography, t. XLVIII, 1896, pp. 176-184.

[33] Ch. Potvin, publié en annexe à « Hugues de Lannoy », pp. 127-138. Dès son exorde,
il nous apprend que « *cest avis est fait a la noble et bonne correction de vous mon tres
redoubté seigneur monseigneur le duc et de vostre noble conseil* ».

[34] Potvin attribue avec justesse le document à Hugues de Lannoy; en effet, il figure
dans un manuscrit de la famille de Lannoy et est signé Santes. Par contre, sa datation de
l'hiver 1436 est inexacte; G. Du Fresne de Beaucourt (*opus cit.*, t. III, p. 78, note 3)
le date d'octobre 1435; la pièce est certainement antérieure au 1er janvier 1436 et peut-être
au retour de l'ambassade de Toison d'Or car elle envisage le cas où l'Angleterre repousserait
les offres françaises. Hugues de Lannoy (1386-1456) fut envoyé en ambassade plusieurs fois
en Angleterre, à Rome, et en Espagne; il alla même en Moscovie et en Terre Sainte. Il fut
envoyé par Philippe le Bon à Henri V sur son lit de mort; il fut créé chevalier de la Toison
d'Or au premier chapitre de l'ordre et fut gouverneur de Hollande et de Zélande
(1435-1440). Biographie vieillie de A. Wauters, *Biographie Nationale*, t. XI, 1890-1891,
col. 322-325, mais non encore entièrement remplacée par B. de Lannoy, *Hugues de
Lannoy*, Bruxelles, 1957, biographie avec documents.

[35] Publié par F. Schneider (*opus cit.*, pp. 185-191) qui l'attribue à W. Sprever;
J.G. Dickinson (*opus cit.*, pp. 242-244) l'attribue à Hugues de Lannoy avec plus de
raison; l'auteur y expose les inconvénients de la guerre avec les Anglais pour le commerce
flamand, tout comme dans l'« *Avis sur la guerre avec les Anglois* ».

Obnubilé par le précédent de Jacques van Artevelde, il craignait que les Anglais ne décidassent les Flamands à conclure une paix économique séparée, en privant ainsi Philippe le Bon de leur aide pécuniaire. Les Anglais, massant des troupes à Calais et au Crotoy, pourraient faire des incursions aux frontières et provoqueraient des soulèvements populaires; ils pourraient aussi subsidier une expédition impériale aux limites du Brabant et de la Hollande. Tels étaient les principaux dangers.

Il proposait des remèdes : il faudrait élaborer contre les Anglais un plan militaire concerté franco-bourguignon et nouer des alliances sur terre et sur mer avec la Castille et l'Ecosse.

A l'intérieur même des pays bourguignons, le duc devrait rendre visite à la Flandre, rassurer la population sur la question des relations commerciales, exposer les propositions françaises repoussées par les Anglais, et ordonner aux Flamands de renouveler leurs équipements militaires. Philippe le Bon se rendrait également en Picardie et en Artois; il demanderait à la chevalerie du pays de se tenir prête à prendre les armes contre les Anglais de Calais et du Crotoy, réunirait les nobles et les bonnes villes, et nommerait un capitaine-général. On pourrait aussi attirer les sympathies de l'empereur en remplissant sa cassette, et entretenir de bonnes relations avec les principautés voisines.

Enfin, un petit service d'espionnage fonctionnant en Angleterre serait utile, tandis qu'il faudrait veiller au bon ordre des finances et à l'équipement de l'armée en artillerie.

Ce souci de l'opinion flamande plana longtemps encore sur la politique anglo-bourguignonne. Philippe le Bon prit toujours soin de la ménager; il ne sollicitait l'avis de ses autres sujets que fort rarement. Le duc, en effet, était victime du « complexe du comte de Flandre ». La Flandre était le berceau de sa Maison aux Pays-Bas; les yeux tournés vers le passé, il savait ce qu'il en coûtait de négliger les intérêts économiques de cette principauté; le Conseil ducal, lui aussi, craignait les réactions trop vives des grandes cités flamandes. Connaissant la force de l'opinion publique, le duc s'efforça toujours de s'appuyer sur elle et n'épargna rien en ce sens. Cependant, les temps avaient changé et la Flandre n'était plus, nous le verrons, le pôle des relations anglo-bourguignonnes, mais on l'ignorait toujours à la cour comme dans la principauté, et la tradition se poursuivait.

La Flandre justifia d'ailleurs les inquiétudes d'Hugues de Lannoy. La menace anglaise pesait sur le comté; les Membres de Flandre discutèrent de la garde du pays [36] et de la protection de la côte [37].

---

[36] A.G.R., *Comptes du Franc*, C.C. nº 42553, fº 13 : réunion à Bruges, le 2 novembre 1435.

[37] A.G.R., *Comptes d'Ypres*, C.C. nº 38659, fº 13 vº : le 14 novembre 1435.

Des bourgeois [38] de Gand, munis de lettres de marque, arrêtèrent à Biervliet, trois bâtiments anglais dont les capitaines portaient des sauf-conduits délivrés par le prince à la demande des Quatre Membres; aussitôt ces derniers s'émurent, « *car ceux de Flandre ne sont pas partisans d'une guerre entre l'Angleterre et la Flandre* » [39] et envisagèrent la restitution totale des biens confisqués; les échevins du Franc décidèrent d'informer le duc et de faire une enquête. On dut s'arranger car on ne trouve nulle autre trace de l'incident. La Flandre affirma d'une façon plus péremptoire encore son désir de garder de bonnes relations avec l'Angleterre lorsqu'elle envoya des députés auprès du duc, à Bruxelles, pour l'inviter à visiter le comté (elle appuyait ainsi l'avis d'Hugues de Lannoy) et pour « *le prier que la Flandre reste neutre et en paix avec les deux couronnes car c'est une contrée commerçante* » [40].

Les événements se précipitèrent et le duc eût été bien incapable de les arrêter. Dès décembre, le Conseil anglais s'empressa de tisser un réseau d'alliances contre Philippe le Bon.

Il s'attaqua tout d'abord aux sujets mêmes du duc; il envoya des lettres, datées du 14 décembre, à quinze villes de Hollande et de Zélande [41]. Il leur demandait de conserver les relations amicales qui les unissaient à l'Angleterre et de définir leur position en cas de guerre. Avoir choisi ces cités hollandaises et zélandaises était judicieux : elles n'étaient passées que récemment sous l'autorité bourguignonne, mais les villes zélandaises entretenaient, nous le verrons, les rapports les plus étroits avec l'Angleterre. Elles firent, malgré tout, preuve de loyalisme et envoyèrent les lettres au duc en le priant d'y répondre lui-même. Cependant, les bateaux zélandais et hollandais

---

[38] A.G.R., *Comptes du Franc*, C.C. n⁰ 42553, f⁰ 24 v⁰ : 11 novembre 1435 : réunion des Membres à Gand; f⁰ 24 v⁰ : 20 novembre 1435; f⁰ 14 : 24 et 25 novembre 1435; A.G.R., *Comptes d'Ypres*, C.C. n⁰ 38659, f⁰ 13 v⁰ : 20 novembre 1435.

[39] « *die van Vlaendren gheene beghouders en worden van orloghe tusschen Ingheland ende Vlaendren* » : A.G.R., *Comptes du Franc*, C.C. n⁰ 42553, f⁰ 24 v⁰ (11 novembre 1435).

[40] A.G.R., *Comptes du Franc*, C.C. n⁰ 42553, f⁰ 25 (29 novembre 1435) : « *te biddene dat hem ghelieven wilde dat tlant van Vlaendren in payse stonde ende nuetrael tusschen den tween cronen ghemerct dat een land van coopmanscepen es* ».

[41] E. SCOTT et L. GILLIODTS VAN SEVEREN, *opus cit.*, p. 428; E. DE MONSTRELET, *opus cit.*, t. V, p. 206; F. VAN MIERIS, *opus cit.*, t. IV, p. 1071; P.A.S. VAN LIMBURG-BROUWER, *opus cit.*, pp. 27 et 29. Cette lettre fut adressée aux magistrats de Haarlem, Delft, Gouda, Amsterdam, Rotterdam, Schiedam, Arnemuiden, Leyde, Zierikzee, Middelbourg, La Brielle, Geervliet, Heenvliet, Vere (citée deux fois sous les noms de Campveer et de Veer). Les lettres avaient été confiées à John Middleton, marchand anglais fixé depuis longtemps à Middelbourg.
Les villes restèrent en liaison avec le duc pendant tout le mois de février : H.J. SMIT, *opus cit.*, t. II, p. 677, n⁰ 1095. Il y eut plusieurs réunions des villes et de la noblesse à ce sujet. Le 30 janvier, une lettre du roi d'Angleterre fut examinée par le magistrat de Middelbourg (H.J. SMIT, *opus cit.*, t. II, p. 689, n⁰ 1096).

continuèrent à fréquenter les ports anglais pendant toute la durée du conflit. La démarche anglaise atteignit certainement son but. Jacqueline de Bavière reçut également une communication; elle y répondit par une lettre de bonne amitié [42]. La comtesse avait perdu toute influence et le souvenir de l'abandon de Gloucester ne pouvait plaider la cause anglaise auprès d'elle. Si l'Angleterre espérait raviver la lutte entre Jacqueline et Philippe le Bon, ses espoirs furent déçus.

Aucune autre principauté bourguignonne ne fut atteinte par la diplomatie anglaise [43]. Les Flamands, sujets de Henri VI, furent d'office considérés comme félons et, dès mars, leurs navires ne relâchèrent plus dans les ports d'Outre-Manche [44]. Hugues de Lannoy avait évalué avec justesse les conséquences économiques de la situation en Flandre.

Une ambassade s'employa à rallier à la cause anglaise les principautés situées à l'Est des possessions de Philippe le Bon et même l'empereur [45]. Celui-ci fut sollicité le premier; l'effet ne fut pas immédiat, mais, en 1437, Sigismond poussa le landgrave de Hesse, descendant des anciens ducs de Brabant, à envahir le Limbourg; il fut repoussé par les paysans sans que Philippe le Bon eût à intervenir [46]. Les prévisions de l'« *Avis sur la Guerre*

---

[42] E. DE MONSTRELET, *opus cit.*, t. V, p. 209; J. LEFÈVRE DE SAINT-REMY, *opus cit.*, t. II, pp. 377-378; E. SCOTT et L. GILLIODTS VAN SEVEREN, *opus cit.*, p. 425 : lettre du 14 décembre 1436 adressée en même temps à F. van Borselen; H. NICOLAS, *opus cit.*, t. IV, p. 334 : remerciements de Henri VI à ce sujet, le 23 mars.

[43] J. MEYERUS (*Commentarii sive annales rerum Flandricarum*, Anvers, 1561, p. 324) parle de letttres envoyées à Gand; N. DESPARS (*Cronijcke van den lande ende graefscepe van Vlaenderen*, 1405-1492, éd. de Jonghe, 4 vol., Bruges, 1840-1842, t. II, p. 34) a repris également cette version dont on ne trouve aucune trace dans les chroniques contemporaines. La chronique de Despars n'est qu'un pastiche rédigé en flamand de l'œuvre de Meyerus; voir V. FRIS, « La Cronijcke van den lande ende graefscepe van Vlaenderen de Nicolas Despars », *B.C.R.H.*, 5e série, t. XI, 1901, pp. 545-565.

[44] P.R.O., C.A., E 122/73/7.

[45] Sigismond de Luxembourg (1436-1467), élu roi des Romains en 1411, entreprit l'expédition de Nicopolis, réprima plusieurs révoltes en Hongrie et fut en compétition pour la couronne impériale avec Ladislas, roi de Naples, reconnu empereur par la papauté. Stephen Wilton et Robert Clifton furent envoyés en ambassade : T. RYMER, *opus cit.*, t. X, p. 626 et H. NICOLAS, *opus cit.*, t. IV, p. 308. A leur retour, ils tombèrent entre les mains des gens de Philippe le Bon en traversant le Brabant; ils furent emprisonnés du 25 avril au 10 mai 1436 : L. MIROT et E. DEPREZ, « Les ambassades anglaises pendant la guerre de Cent Ans, catalogue chronologique », *Bibliothèque de l'Ecole des Chartes*, t. LIX, Paris, 1898, p. 82, no DCXL; J. STEVENSON, *opus cit.*, t. II, p. IX, note 4; E. DE MONSTRELET, *opus cit.*, t. V, p. 205; voir les conséquences de cette arrestation p. 133. Pierre Cousin fut envoyé, en novembre 1437, en Hainaut (sic) pour négocier leur libération (P.R.O., *Treaty Rolls*, C. 76/120/m 10 : 19 novembre 1437).

[46] P. BONENFANT, *Philippe le Bon*, 3e éd., Bruxelles, 1955, p. 58; H. PIRENNE, *Histoire de Belgique*, t. II, p. 249; J. CALMETTE, *Les grands ducs d'Occident*, Paris, 1949, p. 215. Frédéric IV le Pacifique, landgrave de Hesse (1385-1439), avait envoyé, en septembre 1437,

avec les Anglois » se vérifièrent ainsi avec quelque retard. L'ambassade se rendit aussi auprès de l'archevêque de Cologne, de son frère, le comte de Meurs [47], et du prince-évêque de Liège [48], sans que nous connaissions l'issue de ces tentatives. Arnaud, duc de Gueldre [49], lui adressa une aimable réponse qui ne l'empêcha pas d'accompagner son allié Philippe le Bon au siège de Calais [50].

Un prince se laissa séduire par des avantages très réels : Louis, comte palatin du Rhin [51].

Sur le plan des accords économiques, l'Angleterre rechercha un rapprochement avec la Hanse qui avait prohibé le commerce des draps anglais; la crainte de la fermeture du débouché bourguignon exigeait le rétablissement des relations normales avec les Osterlins, même à des conditions onéreuses. Aussitôt, les marchands, par voie d'une pétition parlementaire, protestèrent

des lettres aux Etats pour réclamer la possession du Brabant (A.V.L., n° 5062, f° 37 et n° 5065, f° 36; A.G.R., *Recette générale de Brabant*, C.C. n° 2411, f° 57 v°). Le chroniqueur E. DE DYNTER *(Chronicon ducum Brabantiae*, éd. P.F.X. de Ram, t. III, Bruxelles, 1860, p. 522) fait le récit de cette tentative d'invasion.

[47] Voir les pouvoirs, pour offrir une pension à l'archevêque de Cologne, donnés par Henri VI à Robert Clifton et Stephen Wilton (T. RYMER, *opus cit.*, t. X, pp. 626-627 : 15 décembre 1435). Thierry de Meurs, archevêque de Cologne (1414-1463), fut plus un guerrier qu'un évêque ou même un homme d'Etat (voir GARDAUNS dans *Allgemeine Deutsche Biographie*, t. V, 1887, pp. 179-182); Frédéric III, comte de Meurs et de Saerwerden, dit Waleran, mort en 1436.

[48] Jean VIII de Heinsberg (1419-1455); son règne fut dominé par des conflits sociaux à Liège et des démêlés avec Philippe le Bon qui le força à abdiquer en faveur de son neveu Louis de Bourbon (voir A. LE ROY, dans *Biographie Nationale*, t. VIII, 1884-1885. col. 874-882).

[49] Arnaud choisi par les Etats de Gueldre comme duc, le 25 juin 1423 (voir G. WILLIAMS, *Official Correspondence of Thomas Bekynton, secretary of king Henry VI and bishop of Bath and Wells*, 2 vol., Londres, 1872, t. I, p. 104, n° LXXX : réponse datée du 6 juin).

[50] G. WILLIAMS, *opus cit.*, t. I, p. 125, n° XCV.

[51] T. RYMER, *opus cit.*, t. X, pp. 633-634 : 1er mars 1436; à la suite de négociations poursuivies à Heidelberg, en septembre 1435, on lui accordait, en plus des milles marcs de pension annuelle octroyée par Henri V, une pension de douze cents marcs payables à Bruges ou Calais. Louis III, comte palatin du Rhin (1410-1436), avait épousé en premières noces Blanche d'Angleterre, fille de Henri IV; il avait ainsi conservé des attaches avec l'Angleterre (voir WILLE, dans *Allgemeine Deutsche Biographie*, t. XIX, 1884, pp. 569-571). Signalons qu'à une date non précisée, des marins bourguignons remirent à La Haye à Philippe le Bon « *pluseurs lettres et instructions que le roy d'Angleterre escripvoit au pappe, l'empereur et a pluseurs seigneurs d'Allemaigne* ». (A.D.N., R.G.F., n° B, 1957, f° 276 v°). Philippe le Bon séjourna à La Haye du 6 au 17 avril et du 21 au 23 du même mois (H. VANDER LINDEN, *Itinéraires de Philippe le Bon, duc de Bourgogne (1419-1467) et de Charles, comte de Charolais (1433-1467)*, Bruxelles, 1940, pp. 153-154).

violemment. Ils ne pouvaient admettre qu'on accordât, à l'encontre de la Grande Charte [52], les mêmes privilèges aux Hanséates qu'aux Anglais.

D'autres démarches furent peut-être tentées auprès de l'archevêque de Trêves, du duc de Berg et même d'un prince bourguignon, le comte de Nevers [53].

La réplique de Philippe le Bon sur le même terrain s'avéra faible; l'activité bourguignonne se réduisit à quelques tentatives du côté écossais, contrecarrées d'ailleurs par la conclusion d'une trêve entre l'Angleterre et l'Ecosse [54]. Hugues de Lannoy ne semble donc pas avoir été suivi par le duc et son Conseil.

Sur le plan militaire, les deux partis ne restaient pas inactifs.

Le Conseil anglais, avec l'assentiment du Parlement, décida de « *mettre sus une trés grosse et puissante armee et la plus grosse qui, de memore d'omme, passa dela la mer, laquelle sera de II mille cent lances et IX mille archiers a tout le moins* » [55]. Un contingent partirait dès le premier janvier, si le vent le permettait; il serait suivi par un autre commandé par Thomas Beaumont; puis viendrait le gros des troupes sous le commandement du duc d'York

---

[52] T. RYMER, *opus cit.*, t. X, p. 627 : 17 décembre 1435. Ambassadeurs : Richard Woodville, lieutenant de Calais, John Stokes, Richard Bokeland, Richard Selling, Thomas Borowe; E. DAENELL, *Die Blütezeit der Deutschen Hanse, 1370-1474*, Berlin, 1905, t. II, p. 11; *Rotuli Parliamentorum*, t. IV, p. 493; G. VON DER ROPP, *opus cit.*, t. I, p. 491.
   Richard Woodville, premier comte Rivers, était le père d'Elisabeth, femme d'Edouard IV; il ne se rallia au parti yorkiste qu'après la bataille de Towton; décapité, en 1472, après la défaite d'Edouard à Edgecot (voir J. TAIT, *Dictionary of National Biography*, t. LXII, 1900, pp. 414-415).

[53] J. LEFÈVRE DE SAINT-REMY, *opus cit.*, t. II, p. 377; Rhabanus von Helmstadt (1430-1439), évêque de Spire, puis archevêque de Trêves (voir MAR BÄR, dans *Allgemeine Deutsche Biographie*, t. XXVII, 1888, pp. 74-77). Adolphe de Berg (1408-1437) fut en lutte constante avec Arnaud de Gueldre pour la possession du duché de Gueldre (voir STROUVE, dans *Allgemeine Deutsche Biographie*, t. I, 1875, pp. 96-98). Charles 1er de Bourgogne (1414-1464), cousin de Philippe le Bon, fils de Philippe de Nevers et de Bonne d'Artois.

[54] Les Membres de Flandre s'occupèrent de cette question le 19 février et le 26 avril; fin mai, Philippe le Bon envoya des lettres closes à Jacques 1er (A.G.R., *Comptes du Franc*, C.C. no 42553, fos 17 et 19; *Comptes de Bruges*, C.C. no 32490, fo 45 vo). Le roi Jacques d'Ecosse avait désigné un ambassadeur pour proroger la trêve avec l'Angleterre, dès le 24 novembre 1434 (T. RYMER, *opus cit.*, t. X, p. 599).
   Notons qu'un poème politique anglais nous montre le duc s'adressant au roi d'Ecosse comme à un allié (Th. WRIGHT, *opus cit.*, t. II, p. XXXVII et 150).

[55] A. CHAMPOLLION-FIGEAC, *opus cit.*, t. 2, pp. 429-430 et 439.

et des comtes de Salisbury [56], de Suffolk [57] et de Mortain [58]. Fin janvier, aucune mesure n'avait encore été prise [59]; d'ailleurs, on ne se préoccupa de trouver les sommes nécessaires à l'expédition qu'au mois de février. Le Conseil privé s'adressa à une série de personnes et de villes [60]; le cardinal Beaufort répondit à son appel en avançant vingt-six mille livres [61].

On s'empressa de nommer, le 1er octobre 1435, Richard Woodville lieutenant de Calais [62]; un mois plus tard, le duc de Gloucester reçut le titre de lieutenant de Calais, Picardie, Flandre et Artois [63].

Cependant, la garnison de Calais, sans renfort, tenta un coup de main sur Ardres qu'elle prit par complicité [64]. Aussi, les Quatre Membres de Flandre s'émurent-ils; ils discutèrent de la prochaine descente des Anglais, parlèrent d'une flotte croisant au large et menaçant les villes côtières. Ils prirent, en présence de conseillers du duc, des mesures de défense en renforçant les garnisons [65].

Sur mer aussi, Anglais et Bourguignons se livrèrent à la guerre de course.

---

[56] Richard Neville (1400-146.), fils de Ralph Neville et de Joan Beaufort, fille de Jean de Gand, beau-frère du duc d'York, partisan du cardinal Beaufort, plus tard un des chefs du parti yorkiste, père de Warwick (J. TAIT, *Dictionary of National Biography*, vol. XL, 1894, pp. 279-283).

[57] William de le Pole (1396-1450), comte puis duc de Suffolk en 1448, principal ennemi du duc de Gloucester et du duc d'York, artisan des trêves de Tours en 1445, impopulaire à cause de la cession du Maine et de l'Anjou à la France; lors de la reprise de la guerre avec la France, il fut discrédité; il fut accusé par les Communes; Henri VI tenta de le sauver en le bannissant, mais il fut décapité en mer; voir C.L. KINGSFORD, *Dictionary of National Biography*, t. XLVI, 1896, pp. 50-56.

[58] Edmond Beaufort, comte de Mortain et d'Harcourt, puis duc de Somerset (1404-1455), rival des ducs d'York et de Gloucester, principal soutien de Marguerite d'Anjou (W. STUBBS, *opus cit.*, t. III, p. 140; H.A. TIPPING, dans *Dictionary of National Biography*, t. IV, 1885, pp. 38-39).

[59] A. CHAMPOLLION-FIGEAC, *opus cit.*, t. II, pp. 438-441.

[60] H. NICOLAS, *opus cit.*, t. IV, p. 483. Les Communes avaient voté un impôt fort lourd sur le revenu; c'était une nouveauté à l'époque. Elles avaient autorisé le Conseil à garantir un emprunt de 100.000 livres (W. STUBBS, *opus cit.*, t. III, p. 139).

[61] T. RYMER, *opus cit.*, t. X, p. 632 : 20 février 1436.

[62] T. RYMER, *opus cit.*, t. X, pp. 623-624 : 1er octobre 1435. Plus tard, Woodville fut remplacé par Sir John Radcliff (*The Brut or the Chronicles of England*, éd. F.W.D. Brie, 2 vol., Londres, 1906-1908, t. II, p. 573).

[63] *Rotuli Parliamentorum.* t. IV, p. 483 : 29 octobre 1435; T. RYMER, *opus cit.*, t. X, p. 624 : 1er novembre 1435.

[64] E. DE MONSTRELET, *opus cit.*, t. V, p. 204; J. LEFÈVRE DE SAINT-REMY, *opus cit.*, t. II, p. 378 : « *Les malfaiteurs qui le devoient avoir livré sont és mains de mon trés redoubté seigneur* ». Ardres, France, département du Pas-de-Calais.

[65] A.G.R., *Comptes d'Ypres*, C.C. n° 38660, f° 9 v° : 2, 13 et 19 janvier 1436; f° 10 : 29 janvier; *Comptes du Franc*, C.C. n° 42553, f° 25 v° : 2 janvier; f° 15 v° : 16 janvier; f° 16 : 27 janvier; *Comptes de Bruges*, C.C. n° 32490, f° 42 v° : 4 janvier.

L'acte de Henri V contre les briseurs de trêve fut suspendu; les biens amis furent déclarés de bonne prise, à condition d'avoir été enlevés en territoire ennemi [66]. Un pirate notoire, évadé du château de Douvres, William Morfote, reçut son pardon et une lettre de course [67]. Philippe le Bon faisait de même pour Johan Johanson de Noordwijk qui avait longtemps ravagé les côtes anglaises et écossaises; il était à la tête de douze navires embusqués aux bouches de la Meuse et entendait faire de Vere son port d'attache [68].

Dès le mois de novembre, la course avait commencé; cinq nefs revenant du Portugal [69], lourdement chargées de vin, de figues et de raisins secs, furent prises sur les bancs de Goodwin par trois navires anglais. Les biens appartenaient à des marchands flamands, génois et portugais. Les avoirs flamands et génois, cinq mille six cents pièces de vin, ainsi que leurs contrats furent confisqués. Une lettre adressée à la duchesse de Bourgogne fut ouverte et lue, puis remise aux Portugais chargés de la porter à destination.

Les Anglais ne cachèrent pas qu'ils étaient « *capitaines de guerre par la mer encontre les ennemis de nostre soveraign seigneur roy d'Engleterre* ». Ils déclarèrent que les Flamands étaient leurs ennemis depuis le traité d'Arras : « *Cestoit guerre ouverte et de sang avec le pays de Flandre* ». Ils agissaient, dirent-ils, par ordre du roi et la moitié du butin reviendrait au duc de Gloucester. Rentrés au pays, les marchands flamands s'adressèrent à Philippe le Bon [70]. Fin janvier, la cour anglaise s'émut et donna des ordres pour la poursuite des « pirates » qui avaient saisi les biens à l'encontre de l'amitié existant entre le roi et les Flamands [71].

Le 19 février [72], le duc écrivit à Henri VI une lettre dans laquelle il

[66] J.H. Ramsay, *opus cit.*, t. I, p. 482; T.E. Tomlins, J. Raithby, J. Caley, W. Elliot, *The Statutes of the Realm*, 12 vol., Londres, 1910-1928, t. II, p. 293, session parlementaire du 10 octobre 1435.

[67] *Rotuli Parliamentorum*, t. IV, p. 489, Morfote était l'auteur des actes de piraterie dont nous avons parlé pour l'année 1426 (voir p. 57).

[68] G. von der Ropp, *opus cit.*, t. I, p. 462; Noordwijk, Pays-Bas, province de Hollande méridionale.

[69] Il s'agissait de nefs portugaises.

[70] A.D.N., B. 571, n° 15665, témoignage des capitaines portugais : 12 janvier 1436; cédules des capitaines anglais : 3 décembre 1435; lettre de Philippe le Bon du 18 janvier 1436; vidimus par le Magistrat de Bruges, le 26 décembre 1436, reconnaissant avoir reçu les cédules. L'arraisonnement eut lieu le 17 novembre 1435; les marchands restèrent prisonniers à Falmouth pendant quinze jours. Les marchands flamands lésés étaient Pierre Dop et Jacques le Bos de Bruges.

[71] *Calendar of Patent Rolls* (1429-1436), p. 527 : 28 janvier 1436. Toutes les personnes impliquées dans l'affaire devaient être gardées en prison jusqu'à nouvel ordre.
A une date antérieure au mois de décembre 1436, les Bourguignons s'étaient emparés eux aussi d'un navire portugais venant d'Angleterre chargé de biens anglais et qui avait mouillé en rade de L'Ecluse (A.D.N., n°s B. 1959/57368 et 57422, B 1957, f° 267 v° : A. de Bach, chevalier et chambellan reçut 200 L. pour le butin de ce navire, le 8 décembre 1436).

[72] B.N., *Fonds français*, n° 1278, f° 116; voir pièce justificative n° 1.

énumérait ses griefs à l'égard de l'Angleterre; il y faisait allusion à
l'arraisonnement. La réponse du roi affirmait : « *Ce n'a pas esté fait de nostre
adveu ne voulenté mais a nostre grant desplaisance* »; elle déclarait qu'une
enquête avait été menée avant l'intervention du duc, faisait état de lettres
écrites aux marchands lésés et au magistrat de Bruges, prétendait que le duc
de Gloucester était innocent et que les biens avaient été restitués, et, enfin,
offrait aux Flamands de « *leur faire administrer bonne justice* » [73].

Malgré les dénégations officielles, il ne fait pas de doute que les agresseurs
étaient de véritables corsaires, encouragés certainement par la suspension du
statut de Henri V, et non des pirates. L'influence de Gloucester semble
aussi probable; son caractère impétueux est bien connu. Lorsque le premier
choc fut passé, et, sans doute, sous la pression de la faction pacifiste du
cardinal Beaufort, le Conseil de Henri VI sembla prendre conscience de la
puissance bourguignonne. Il se rendit compte que l'Angleterre allait se
donner un puissant ennemi alors qu'elle éprouvait déjà tant de difficultés à
repousser les assauts de l'adversaire de France. Ce revirement se situe entre
le 14 décembre 1435 [74] et le 29 janvier 1436.

En effet, bien que la guerre semblât inévitable, l'Angleterre fit une
démarche curieuse auprès de Philippe le Bon : Louis de Luxembourg [75],
chancelier de France pour Henri VI, fut chargé d'écrire à son frère Jean [76],
premier chambellan du duc, que, si ce dernier n'attaquait ni le roi ni ses
alliés, il n'aurait en revanche rien à craindre des Anglais. La lettre était datée
du 29 janvier; elle arriva le 8 février à destination; dès le 10, le duc fit
répondre par Jean Chevrot [77] qu'il « *n'avoit encore déliberé d'entendre au*

---

[73] H. Nicolas, *opus cit.*, t. IV, pp. 329-334 : la réponse est du 17 mars.
[74] Voir envoi de lettres aux villes hollandaises et zélandaises.
[75] Louis de Luxembourg, mort à Hatfield en 1443, évêque de Thérouanne en 1415,
chancelier de France pour Henri VI en 1425, archevêque de Rouen le 19 octobre 1436,
cardinal-prêtre des Quatre-Saints-Couronnés (église de Rome) le 20 octobre 1439;
voir E. Van Arenbergh, *Biographie Nationale*, t. XII, 1892-1893, col. 617-621.
[76] Jean de Luxembourg, comte de Ligny et de Guise, né vers 1391, mort en 1441;
il captura et livra Jeanne d'Arc, et ne prêta pas le serment au traité d'Arras (E. Van
Arenbergh, *Biographie Nationale*, t. XII, 1892-1893, col. 581-590).
[77] Jean Chevrot était alors archidiacre de Vulgacin en l'église de Rouen, mais il était
en compétition pour le siège épiscopal de Tournai avec Jean de Harcourt. Il obtint
l'évêché du pape Eugène IV, le 5 novembre 1436, mais ne put en prendre possession avant
la fin de 1438. Conseiller très écouté de Philippe le Bon, il n'était pas partisan de la
réconciliation avec la France, bien qu'il fût, l'année suivante, au nombre de ceux qui
poussèrent au siège de Calais. Il eut une activité multiforme au sein du Conseil ducal et
nous le retrouvons s'occupant à plus d'une reprise des relations avec l'Angleterre. Voir
une excellente biographie dans J. Bartier, *opus cit.*, t. I, pp. 310-324.
L'article de E. Van Arenbergh, dans *Biographie Nationale*, t. IV, 1873, col. 73, est
vieilli.
Remarquons que, le 28 janvier, Henri VI avait pris des mesures pour poursuivre les
« pirates » qui avaient attaqué les bateaux portugais. Les deux actions sont donc de la
même date et marquent réellement une victoire temporaire du parti du cardinal Beaufort.

contenu desdites lettres »[78]. Philippe remit également des écrits dans ce sens où il reprenait ses reproches envers l'Angleterre.

En revanche, auprès de Philippe le Bon, les conseillers francophiles et belliqueux l'emportèrent; Nicolas Rolin, Jean Chevrot, Antoine et Jean de Croÿ, Pierre de Bauffremont, le seigneur de Ternant, Jean de Hornes, Jacques de Crèvecœur, Jean de Brimeu et Gui Guilbaut[79] contrebalancèrent victorieusement l'influence des Luxembourg et des Lannoy. Ils insistèrent sur la faiblesse des Anglais, promesse d'une campagne courte et victorieuse. Le 19 février 1436, Philippe le Bon envoya à Henri VI, une sorte de déclaration de guerre[80]. La réponse du roi d'Angleterre[81] reprenait point par point les griefs du duc tout en les réfutant. « *Guerre ouverte et de sancg* » n'a jamais sévi contre les Flamands; au contraire, des ordonnances protègent les sujets bourguignons prouvant le souci du roi de les épargner[82]; les cargaisons de bateaux capturés par les pirates ont été restituées[83] à leurs propriétaires. Les missives envoyées aux villes de Hollande et de Zélande n'étaient que des lettres de bonne amitié[84]; le désir de conclure une alliance avec l'empereur fait suite à une longue tradition[85]; jamais les Anglais n'ont tenté de s'emparer d'Ardres[86]; quant aux levées de troupes, c'est bien le droit de l'Angleterre d'en recruter, d'ailleurs au vu et au su de tous, et ce n'est pas précisément là un fait nouveau[87].

---

[78] G. Du Fresne de Beaucourt (*opus cit.*, t. III, p. 79 et note 2) et J.H. Ramsay, (*opus cit.*, t. I, p. 483) se basant sur E. de Monstrelet (*opus cit.*, t. V, p. 209) prétendent que l'ouverture fut faite par Philippe le Bon et puis repoussée par le même. Plus loin (pp. 377-379), Monstrelet transcrit une « *letttre d'excusation* » de Jean de Luxembourg aux chevaliers de la Toison d'Or réunis le 30 novembre 1440 à Saint-Omer (Baron de Reiffenberg, *Histoire de l'ordre de la Toison d'Or*, Bruxelles, 1830, p. 24) par laquelle il se défend d'avoir caché la démarche de son frère Louis auprès de Philippe le Bon et donne des précisions sur l'affaire.

[79] Cette liste comprend les noms des conseillers ayant reçu des avantages pécuniaires de Charles VII pour avoir favorisé la cause française à Nevers et Arras (voir pp. 54-55) et les partisans du siège de Calais (voir p. 97).

Pierre de Bauffremont, seigneur de Charny, avait épousé en secondes noces une fille bâtarde de Philippe le Bon, Marie de Bourgogne; il était célèbre pour son faste (voir J. Bartier, *opus cit.*, t. I, pp. 231-232).

[80] B.N., *Fonds français*, n° 1278, f° 116; voir pièce justificative n° 1.

[81] H. Nicolas, *opus cit.*, t. IV, pp. 329-334 (texte de la lettre datée du 17 mars 1436); analyse dans E. Scott et L. Gilliodts van Severen, *opus cit.*, pp. 431-435; E. de Monstrelet, t. V, p. 211.

[82] Voir p. 68.

[83] Voir p. 78.

[84] Voir p. 72.

[85] Voir p. 73.

[86] Voir p. 76.

[87] Voir p. 75.

Dénégations inutiles : Philippe le Bon avait déjà réuni plusieurs « *grans consaulx* » pour décider de la conduite de la guerre [88].

La faction francophile régnait en maître sur le Conseil : elle voulait attaquer le bastion anglais de Calais et n'était sans doute que le porte-parole de Charles VII. D'autres « *gens saiges et anciens* » pensaient qu'une aide française dans une telle entreprise n'était qu'illusoire et craignaient de trop exposer les principautés bourguignonnes. Certains membres du Conseil n'avaient pas été convoqués; les anglophiles avaient été soigneusement oubliés : les Luxembourg [89], Hugues de Lannoy, le vidame d'Amiens [90], les seigneurs d'Antoing [91], de Saveuse [92] et de Mailly [93] étaient absents; leurs objections éventuelles étaient ainsi écartées. On décida de s'emparer de Calais et du comté de Guines en demandant l'appui de la Flandre et de la Hollande.

En enlevant Calais, on porterait aux Anglais un coup mortel. Ne disait-on pas que l'empereur Sigismond avait conseillé à Henri V, lors de son séjour en Angleterre, en 1416, de garder fermement Douvres et Calais comme ses « *deux yeux pour surveiller le détroit* » [94]. Position politique et militaire de choix, Calais était aussi l'Etape de la laine et, de ce fait, une source importante de revenus pour la couronne d'Angleterre. Aussi, était-il aisé d'intéresser les Flamands à sa conquête, eux qui, depuis cinq ans, ne cessaient de se plaindre des étapiers et de leurs ordonnances [95]. Au lieu de « neutraliser » les Flamands selon les conseils de Lannoy [96], Philippe le Bon en fit les principaux ennemis de l'Angleterre.

Dès le 5 mars, le duc arriva à Gand [97]; le 8, il réunit le magistrat au grand complet et fit prononcer un discours décisif par son grand bailli de

---

[88] E. DE MONSTELET, *opus cit.*, t. V, p. 213.

[89] Notamment Jean de Luxembourg, bâtard de Saint-Pol (1400-1466); au 4e Chapitre de la Toison d'Or, en 1435, à Bruxelles, il demanda quelle conduite il devait tenir, car il avait prêté hommage au roi d'Angleterre pour la terre de Montmorency (voir E. VAN ARENBERGH, *Biographie Nationale,* t. XII, 1892-1893, col. 590-598).

[90] Raoul d'Ailly.

[91] Jean de Melun, seigneur d'Antoing, chambellan du duc, gouverneur de Douai, connétable de Flandre, mort en 1484.

[92] Philippe de Saveuse, capitaine d'Amiens et d'Artois, mort en 1468.

[93] Jean II, seigneur de Mailly.

[94] « *As youre tweyne eyne te kepe the narowe see* » (*The Libelle of Englyshe Polycye, a poem on the use of sea-power,* éd. G. Warner, Oxford, 1926, p. 2).

[95] Voir pp. 59-61, 171.

[96] Voir p. 71.

[97] A.V.G., *Comptes de Gand,* 1435-1436, fo 36 vo. Ce même jour, les députés du Franc partent pour Gand pour prendre part à la réunion des Quatre Membres : « *Omme de bewaernesse vander stede van Greveninghe ende andre plaetsen up de frontiere jeghen d'Inghelsche* » (A.G.R., *Comptes du Franc,* C.C., no 42553, fo 26 vo). Elle eut lieu le 6 : G. VON DER ROPP, *opus cit.*, t. 1, p. 471.

Flandre, Colard de Commines[98], qui retraça l'histoire des relations avec l'Angleterre et insista sur les griefs de son prince. Le duc n'envisageait d'autre moyen de se défendre que de reprendre « *son paternel patrimoine et heritage, qui est sa ville de Calais* »[99], d'autant plus qu'elle portait préjudice à la Flandre, car « *la laine d'Angleterre est mise si hault que les marchans n'y peuvent prouffiter et que plus estre, il faut payer ung tiers de buillon et bailler deux phelippes pour ung noble. Par lesquelles institucions et ordonnances la monnoie de nostre trés redoubté seigneur seroit en voye de aller a neant et son pays estre sans gaignage*[100] ».

Le grand bailli tenta de persuader les Gantois que l'intérêt de la Flandre guidait principalement le duc. Aussi, leur demanda-t-il d'aider leur seigneur à prendre Calais autrement que par une aide financière, « *car il* (le duc) *ayme mieulx vostre service que ce que vous luy donnissiez ung million d'or* ». Le duc attendait une réponse pour le lendemain et appuya personnellement la requête du grand bailli de quelques mots. Le jour suivant, à midi, Philippe le Bon reçut l'accord de la ville de la bouche du pensionnaire[101].

Le discours si adroit de Colard de Commines avait emporté l'adhésion des Gantois, alors qu'en novembre, ils s'étaient montrés très attachés à la paix[102]. L'allusion aux odieuses ordonnances de l'Etape, la crainte d'un appauvrissement en or et la peur du chômage avait entraîné la décision. Cependant, le grand bailli avait parlé de l'emploi de plus en plus fréquent des laines d'Espagne et d'Ecosse qui « *se commenchoient a rigler selon l'englesse et que l'on aceptoit bien prés lesdictes laines autant que l'on soulloit faire les englesses* »[103]. L'attachement à la source traditionnelle d'approvisionnement

---

[98] J. Lefèvre de Saint-Remy (*opus cit.*, t. II, pp. 374-381) donne le texte du discours; il s'agit sans doute d'une paraphrase; l'allocution a probablement été prononcée en flamand. E. de Monstrelet (*opus cit.*, t. V, p. 214) en donne un résumé et attribue le discours à Goswin le Sauvage, conseiller de Flandre, qui aurait répété ce que Colard de Commines aurait déjà fait savoir auparavant. Le discours a été prononcé par le souverain bailli de Flandre, qui, à cette date, était Colard et non Jean de Commines, comme le prétend G. du Fresne de Beaucourt (*opus cit.*, t. III, p. 75, note 4); Colard avait succédé à son frère le 2 octobre 1435 (A.D.N, n° B 1605, f° 23 v°). La réunion eut lieu dans le local de la Collace « *en la presence des eschevins des deux bans, ensemble les deux doyens et tous les aultres doyens et juréz et le membre de bourgeoisie* » (J. Lefèvre de Saint-Remy, *opus cit.*, t. II, p. 374).

[99] J. Lefèvre de Saint-Remy, *opus cit.*, t. II, p. 378. Philippe le Bon revendiquait Calais comme faisant partie du comté d'Artois (E. de Monstrelet, *opus cit.*, t. V, p. 214). La terre de Marck, autrement dit Calais, appartenait au Boulonnais, bien que coupée de celui-ci par le prolongement occidental du comté de Guines. Le Boulonnais entra dans la mouvance de l'Artois en 1192 et Marck en 1261 (P. Héliot, *Histoire de Boulogne et du Boulonnais*, Lille, 1937, p. 86).

[100] J. Lefèvre de Saint-Remy, *opus cit.*, t. II, p. 378. Voir le chapitre consacré au commerce de la laine, p. 171.

[101] J. Lefèvre de Saint-Remy, *opus cit.*, t. II, p. 380.

[102] Voir p. 72.

[103] J. Lefèvre de Saint-Remy, *opus cit.*, t. II, p. 379.

se maintenait malgré la diminution sensible de l'emploi de la laine anglaise [104].

Aussi, ne faut-il pas s'étonner du renouvellement de l'ordonnance de prohibition des draps anglais. Le duc se trouvait à Gand [105] lorsque des messagers de la ville furent envoyés en Brabant, Hainaut, Hollande et Zélande, pour la publier; des lettres spéciales furent expédiées aux foires d'Anvers et de Bergen-op-Zoom [106]. Les exportations de draps anglais subirent une baisse considérable due principalement à l'état de guerre [107].

Le duc se rendit en personne à Bruges; il pria les délégués de Bruges, d'Ypres et du Franc de l'appuyer comme ceux de Gand [108].

Philippe le Bon gagna alors la Hollande où il sollicita un secours en hommes, bateaux, munitions et argent. On lui promit cent navires, une aide de soixante mille ridders et de l'artillerie, ainsi que des troupes, qui ne furent jamais levées; le duc n'exigea d'ailleurs pas l'exécution de ces engagements; il se borna à enregistrer, en août, un double refus de la Hollande et de la Zélande de prendre part à la guerre, à moins d'être personnellement attaquées [109].

[104] Voir p. 167.

[105] H. VANDER LINDEN, opus cit., pp. 155-156.

[106] A.V.G., Comptes de Gand, 1435-1436, f⁰ 26 v⁰ et 29 : aux dates du 22 mai, 13 juin et 6 juillet 1436. Les messagers de Gand arrivèrent le 9 juin à Middelbourg (H.J. SMIT, opus cit., t. II, p. 680, n⁰ 1096), au moment de l'émeute (voir p. 83). Dès le 27 mai, ils parcouraient la Hollande et la Zélande à ce sujet : H.J. SMIT, opus cit., t. II, p. 678, n⁰ 1095.

[107] Voir p. 208.

[108] Nous ne possédons aucun détail sur la demande présentée aux Brugeois. Les Yprois prièrent le duc de venir exposer sa requête en personne dans leur ville (A.G.R., Comptes d'Ypres, C.C. n⁰ 38660, f⁰ 11 : 15 mars 1436). Philippe se contenta d'y envoyer les seigneurs de Halewyn et de Heine et maîtres Simon de Fourmelles et Guillaume de Zadelaire, conseillers de Flandre (O. VAN DIXMUDE, Merkwaerdige gebeurtenissen vooral in Vlaenderen en Brabant, 1377-1443, éd. J.J. Lambin, Ypres, 1835, p. 147). La délégation du Franc comprenait vingt-cinq personnes; le 15 au soir, elles se réunirent à l'auberge et le 16, dans la Chambre du Franc; on leur exposa le motif de la convocation; le 17, on le leur répéta en présence du duc; le lendemain, elles réfléchirent et consultèrent les notables et gentilshommes du pays et discutèrent de la meilleure manière de donner satisfaction au prince (A.G.R., Comptes du Franc, C.C. n⁰ 42553, f⁰ 17 v⁰ : 15 mars 1436).

[109] P.J. BLOK, Philips de Goede en de Hollandsche Steden in 1436, Mededeelingen der Koninklijke Akademie van Wetenschappen, afdeeling Letterkunde, Deel 58, Amsterdam, 1924, p. 7; P.A.S. VAN LIMBURG-BROUWER, opus cit., p. 29, n⁰ 573 et pp. 31, 32, 35; F. VAN MIERIS, opus cit., t. IV, pp. 1076-1078; E. DE MONSTRELET, opus cit,. t. V, p. 216. Hornes demanda un allégement de sa quote-part dès le 25 août 1436. Un an plus tard, il restait encore 20.000 ridders à verser. Les Etats s'étaient réunis à La Haye au début d'avril. Des patentes de corsaires furent également enregistrées. Le 25 juillet 1438, le duc promettait à Middelbourg et Haarlem de restituer les sommes levées comme aide pour le siège de Calais (P.A.S. VAN LIMBURG-BROUWER, opus cit., p. 45 et B. DE LANNOY, opus cit., pp. 246-247, documents).

En mars 1437, Hugues de Lannoy remontra encore aux Etats qu'il leur faudrait prendre position contre l'Angleterre ou tout au moins mettre en défense Walcheren à leurs propres frais, car il ne faudrait pas compter sur le duc pour le faire [110]. Si la Hollande et la Zélande ne se considéraient pas en état de guerre, elles n'en étaient pas moins des possessions de Philippe le Bon, ennemi de l'Angleterre. Toujours très attentif à l'opinion publique, surtout dans une principauté nouvellement acquise, le duc évitait de heurter de front les intérêts économiques de ses nouveaux sujets, beaucoup plus liés encore à l'Angleterre que les Flamands.

Au Brabant, le duc demanda seulement des aides financières; les Etats consentirent à engager des domaines et notamment le tonlieu d'Anvers, le tout pour la somme de 70.000 philippus [111]. La ville d'Anvers leva pour 4.000 philippus de rentes qu'elle offrit au duc qui, en échange, la dispensa de payer 1.000 florins qu'elle lui devait pour des charges diverses [112]. La participation brabançonne était particulièrement faible, mais s'explique aisément : le duché n'utilisait que fort peu de laine d'Etape mais était en revanche le centre de distribution des draps anglais sur le continent. Il faut rapprocher l'attitude de la Hollande et du Brabant d'un incident survenu à Middelbourg en Zélande et constituant une preuve indéniable de l'impopularité de la guerre avec l'Angleterre. Un bateau anglais à destination d'Anvers fut saisi par le bailli; les passagers furent arrêtés et les biens confisqués; le peuple ouvrit les portes de la prison et força les autorités, sous menace de mort [113], à rendre les marchandises. Le duc comprit la leçon et l'on peut affirmer que la Flandre fut la seule principauté bourguignonne effectivement belligérante.

Une ville cependant, Malines, de sa propre initiative, offrit des troupes au duc, bien que ses finances fussent sérieusement obérées et qu'elle dût

---

[110] B. DE LANNOY, *opus cit.*, pp. 248-249, documents.

[111] A.G.R., *Chartes de Brabant* : 8 juin 1436; *Comptes des Aides du Brabant*, C.C. nº 15722, fº 1 vº : compte de 1438 rendu par Pierre vander Eycken. Les Etats se réunirent le 1er mai à Bruxelles, le 1er juin à Anvers pour consentir à l'engagère (A.V.L., *Comptes de Louvain*, nº 5060, fºs 91 vº et 96).

[112] F. VERACHTER, *Inventaire des anciennes chartes, privilèges et autres documents conservés aux archives de la ville d'Anvers*, 1193-1856, Anvers, 1860, p. 108, nº CCCXLVI : 15 août 1436. Des rentes viagères furent vendues en Brabant. Voir A.D.N., R.G.F., nº B 1957, fº 286 vº.

[113] Ce fait se passa la semaine avant la Pentecôte (12 juin 1436) : J. VAN DIXMUDE, *Dits de cronike ende genealogie van den prinsen ende graven van den Foreeste van Buc, dat heet Vlaenderlant*, 836-1436, éd. J.J. Lambin, Ypres, 1839, p. 316; W. SNELLER, *Walcheren in de vijftiende eeuw*, Utrechtsche Bijdragen voor Letterkunde en Geschiedenis, Utrecht, 1916, deel X, p. 34. Le receveur Jan Rijm fut même tué (H.J. SMIT, *opus cit.*, t. II, p. 678, nº 1095, n. 1; B. DE LANNOY, *opus cit.*, pp. 248-249).

consentir à des emprunts pour supporter les frais exigés par l'expédition [114]. Ville drapière utilisant uniquement de la laine anglaise, elle était poussée par son ressentiment à l'égard de l'Etape.

La Bourgogne accorda un emprunt de quelque milliers de livres et 870 hommes de troupes [115].

Le clergé et le tiers état d'Artois accordèrent en mai et juin le subside que leur demandait le comte d'Etampes au nom de Philippe le Bon, puis le refusèrent après la défaite. En septembre, une délégation des bonnes villes qui s'était rendue auprès du duc à Gand consentit à fournir un secours d'une demi-aide par mois de siège [116]. Le duc fit publier, au mois de mai, la levée de l'arrière-ban à Péronne, Montdidier, Roye et Lihons [117].

La Flandre fit des préparatifs de guerre avec enthousiasme [118] : les magistrats des grandes villes prirent ordonnances sur ordonnances pour activer la mobilisation [119]; dans la fièvre de ces préparatifs, des querelles naissaient, des rixes se produisaient, des émeutes même éclataient [120], bien qu'on eût défendu de vider des querelles personnelles [121]. Le bruit courut à

---

[114] Philippe le Bon accorda l'autorisation de créer une rente viagère de 400 L. de gros tournois sur une seule personne, A.V.M., *Registre aux octrois*, t. I, f⁰ 10, 20 mars : « *de leur bonne et franche voulenté avant que de par nous en ayent esté requis* »; A.V.M., *Comptes de Malines*, 1435-1436, f⁰ˢ 156-161; J. VAN DIXMUDE, *opus cit.*, p. 49. Malines aurait envoyé 600 hommes.

[115] M. CANAT DE CHIZY, *Documents inédits pour servir à l'histoire de Bourgogne*, Chalon-sur-Saône, 1863, pp. 374-375. Au bailliage de Chalon, gens d'église et bourgeois fournirent 1069 livres, la ville de Mâcon 400 livres; les nobles furent aussi taxés et le chancelier Rolin engagea sa vaisselle. Le chapitre de Mâcon prêta 100 livres qui ne lui furent restituées qu'en mars 1461 (A.D.N., *R.G.F.*, n⁰ B 2045, f⁰ 229).

[116] C. HIRSCHAUER (*Les Etats provinciaux d'Artois de leurs origines à l'occupation française, 1340-1640*, Paris-Bruxelles, 1923, 2 vol., t. II, p. 27) n'indique pas si la délégation avait été envoyée ou demandée. La demi-aide s'élevait à 7.000 francs.

[117] B.N., *Fonds français*, n⁰ 2858. Ces trois villes sont situées dans le département de la Somme.

[118] Beaucoup de Flamands trouvaient même les préparatifs trop lents : E. DE MONSTRELET, *opus cit.*, t. V, p. 215. *Le Brut* (t. II, p. 572) rapporte qu'à Bruges se vendaient des « *painted cloths* » représentant à l'avance la victoire flamande devant Calais et que, dans la même ville, se jouaient des saynètes dans lesquelles le cardinal Beaufort apparaissait sous un jour défavorable. Le bruit courait aussi qu'on s'emparerait des laines de l'Etape et les partagerait entre soi.

[119] A Gand notamment, on fit le recensement des armes et équipements militaires dont on interdit l'exportation; on remit les peines à des pèlerinages après le siège; on réquisitionna le charroi : E. DE MONSTRELET, *opus cit.*, t. V, pp. 232-233. Chaque village connaissait le nombre d'hommes qu'il devait fournir et chaque ménage sa cote dans la taille levée spécialement pour le siège : E. DE MONSTRELET, *opus cit.*, t. V, pp. 232-233. Voir le rôle des tailles pour la section des Carmes à Bruges : L. GILLIODTS VAN SEVEREN, *Inventaire*, t. V, p. 114.

[120] E. DE MONSTRELET, *opus cit.*, t. V, p. 234.

[121] E. DE MONSTRELET, *opus cit.*, t. V, p. 232; O. VAN DIXMUDE, *opus cit.*, p. 148.

Bruges que les Hanséates étaient partisans des Anglais; aussitôt la foule se rua et massacra, dit-on, plus de quatre-vingts Osterlins. A la suite de cet événement, la Hanse déplaça ses comptoirs à Anvers et ne revint à Bruges qu'en 1438 [122].

Les Quatre Membres se réunissaient chaque semaine [123], parfois même en présence des conseillers de Philippe le Bon.

[122] G. von der Ropp, *opus cit.*, t. I, p. 503; t. II, pp. 2, 5, 8 et 45; a.g.r., *Comptes du Franc*, C.C. n° 42553, f° 27 v° : 31 mai 1436; E. Daenell, *opus cit.*, t. I, p. 377. Déjà le 31 mai, les Hanséates se plaignaient de ne plus pouvoir se rendre de Flandre à Calais ou en Angleterre (G. von der Ropp, *opus cit.*, t. I, p. 493).

Dès le mois de juin 1436, ils avaient conclu des accords avec Anvers, la Hollande et la Zélande, pour y trouver refuge s'ils devaient fuir la Flandre (G. von der Ropp, *opus cit.*, t. I, p. 529 : 24 juin 1436).

Voir aussi la lettre écrite par le concile de Bâle à la ville d'Ypres pour la prier d'intervenir en faveur des victimes hanséates de Bruges (G. von der Ropp, *opus cit.*, t. I, p. 505 : 30 octobre 1436).

[123] a.g.r., *Comptes du Franc*, C.C. n° 42553,
f° 17 v° : 11 mars à Bruges; le Franc, Bruges et les conseillers ducaux;
f° 26 v° : 22 mars à Gand; les Quatre Membres et les conseillers ducaux;
f° 18 : 2 avril à Bruges; le Franc seul;
f° 27 : 2 avril à Gand; les Quatre Membres;
f° 18 v° : 10 avril à Bruges; le Franc seul;
f° 27 : 12 avril à Gand; les Quatre Membres et les conseillers ducaux;
f° 27 : 14 avril en Hollande, auprès du duc; le Franc et Bruges;
f° 19 : 26 avril à Bruges; le Franc seul;
f° 27 v° : 2 mai à Gand; les Quatre Membres et les conseillers ducaux;
f° 27 v° : 9 mai à Gand; les Quatre Membres et les conseillers ducaux;
f° 27 v° : 16 mai à Nieuport, Furnes, Bergues, Bourbourg, Gravelines, Dunkerque; les Quatre Membres et les conseillers ducaux;
f° 19 v° : 17 mai à Bruges; le Franc seul;
f° 20 : 30 mai à Bruges; le Franc seul;
f° 28 : 31 mai à Gand; les Quatre Membres.
a.g.r., *Comptes de Bruges*, C.C. n° 32490,
f° 45 : 22 mars à Gand; les Quatre Membres;
f° 46 : 2 avril à Gand; les Quatre Membres;
f° 46 v° : 12 avril à Gand; les Quatre Membres;
f° 47 : 27 avril en Hollande auprès du duc; Bruges;
f° 47 v° : 2 mai à Gand; les Quatre Membres;
f° 47 v° : 10 mai à Gand; les Quatre Membres.
a.g.r., *Comptes d'Ypres*, C.C. n° 38660,
f° 11 v° : 22 mars à Gand; les Quatre Membres;
f° 12 v° : 11 avril à Gand; les Quatre Membres;
f° 13 : 25 avril à Bruges; les Quatre Membres;
f° 13 v° : 10 mai à Gand; les Quatre Membres;
f° 13 v° : 17 mai dans le Veurneambacht, à Dunkerque et Gravelines avec les délégués des Quatre Membres;
f° 14 : 23 mai à Bruges; les Quatre Membres;
f° 14 : 30 mai à Gand; les Quatre Membres.
a.v.g., *Comptes de Gand*, 1435-1436,
f° 25 et f° 25 v° : 25 avril et 15 mai, messagers envoyés à Gravelines, Dunkerque et Bourbourg.

Ils discutaient de l'organisation de l'armée, de la défense des villes frontières et de la côte, de la protection de la population et du comté pendant l'expédition. Le sujet le plus débattu était le conflit qui opposait Ypres au Franc de Bruges (ce dernier prétendait occuper, dans les milices communales, le troisième rang revendiqué par Ypres). L'entente ne régnait pas entre Bruges et L'Ecluse; aussi fut-il décidé que les bourgeois de cette dernière ville resteraient en armes dans leurs murs pour résister à une attaque éventuelle, au lieu de suivre les Brugeois à la guerre [124]. Sur les quais du grand port flamand flânait une foule de chômeurs. Des navires avaient été préparés pour être coulés dans le port de Calais; le meilleur d'entre eux était échoué au milieu du Zwijn [125]. L'aide maritime de l'Espagne ne se réalisait pas et les Hanséates refusaient de prêter leurs bateaux [126].

Parallèlement, la propagande se développait en Angleterre; des envoyés royaux parcouraient les comtés pour obtenir des avances de fonds. Ils exaltaient la valeur de Calais, rappelaient « *quel joyau est ladite ville de Calais pour ce royaume* », quel profit en retiraient les sujets du roi par le commerce de l'Etape, « *quel boulevard et quelle défense* » elle représentait, combien il avait fallu de sang versé, de vies perdues et d'argent dépensé pour la réduire en l'obéissance du roi [127].

Des arguments de même nature étaient employés de part et d'autre : on faisait appel à la fois aux instincts mercantiles et au loyalisme des populations. Pour la seconde fois, depuis la rupture du traité d'Arras, le cardinal Beaufort prêta à la Couronne la grosse somme de 9.000 livres pour la conduite de la guerre [128]. Le roi emprunta cent mille marcs dont dix mille furent fournis

---

[124] L. GILLIODTS VAN SEVEREN, *Inventaire*, t. V, p. 116. Les villes d'Ostende et de Nieuport demandèrent également d'être exemptées du service militaire (voir E. VLIETINCK, « Le siège de Calais et les villes de la côte flamande », *Annales de la Société d'émulation de Bruges*, 5e série, t. III, 1890, pp. 94-95).

[125] « *de Vlamynge hadden schepe gereet im Swene umme de haven to senken, darvan is dat beste im schonesten vam Swene vorsunken* » : G. VON DER ROPP, *opus cit.*, t. II, p. 6, 1er août; le même texte cite le chiffre probablement exagéré de 4.000 chômeurs. Le 20 août, Philippe le Bon ordonnait à la Chambre des Comptes de rabattre 85 livres de la Recette Générale des Finances, à payer aux échevins de Bruges pour frais de renflouement du navire en question, qui avait été construit à L'Ecluse (A.D.N., n° B 1955/157.007).

[126] G. VON DER ROPP, *opus cit.*, t. I, p. 504 : 16 juin 1436.

[127] H. NICOLAS, *opus cit.*, t. IV, p. 352b; T. RYMER, *opus cit.*, t. X, p. 648 : « *What a preciouse jeuell the saide towne of Calais is to this reame* », « *what a bolewarke and defense* ».

[128] T. RYMER, *opus cit.*, t. X, p. 649 : 23 juillet 1436.

par la ville de Londres [129]. Le duc de Gloucester demanda de l'aide à tous les seigneurs tant spirituels que temporels et chacun s'empressa de le satisfaire [130].

Plusieurs ordonnances furent publiées réglant le commerce des armes et des vivres [131], octroyant un équipement aux volontaires [132], réquisitionnant des navires pour le transport des troupes entre Sandwich et Calais [133] et enfin, nommant le duc de Gloucester lieutenant du roi en France pour le commandement de l'armée [134]. La ville de Londres envoya des provisions, des armes et de l'artillerie à Calais [135].

On peut opposer d'un côté l'unité de l'opinion en Angleterre et de l'autre l'activité tumultueuse de la Flandre, les réactions différentes des principautés bourguignonnes, l'une trop enthousiaste, les autres plutôt réticentes.

Alors que les Bourguignons et les Anglais précipitaient la mobilisation de leurs forces, les escarmouches se succédaient depuis quelques mois déjà aux frontières de la marche de Calais. Au cours d'un raid vers Boulogne, les Anglais brûlèrent un bateau dans le port, et les faubourgs de la ville [136]. En mai, sous la conduite du comte de Mortain, ils firent une incursion vers Gravelines et Bourbourg, pillant et incendiant les villages; à « Loo » — il s'agit de Looberghe ou de Loon —, la population entière périt brûlée et asphyxiée dans l'église où elle avait trouvé refuge. Les troupes anglaises furent poursuivies par les Flamands appelés à la rescousse au son du tocsin. Les capitaines flamands, Wulfrand de Heuchy, Georges de Wez, Thierry d'Hazebrouck et Philippe Lampreel, conseillèrent la retraite devant la supériorité numérique de l'ennemi; taxant leur prudence de lâcheté, leurs troupes ne les suivirent pas; les milices de Cassel qui faisaient partie du

---

[129] *The Brut*, t. II, p. 468.

[130] *The Brut*, t. II, p. 574.

[131] T. RYMER, *opus cit.*, t. X, p. 648 : 5 juillet 1436; *Letter book K*, pp. 205 et 206, le même jour : ordre aux marchands d'envoyer des vivres à Calais pour l'armée du duc de Gloucester prête à partir.

[132] T. RYMER, *opus cit.*, t. X, p. 646 : 18 juin 1436; ils pourront aussi garder tout le butin qu'ils prendront; *Letter book K*, p. 205.

[133] J. STEVENSON, *opus cit.*, t. I, p. XV, note 4. Les troupes devaient arriver à Sandwich le 22 juillet 1436; T. RYMER, *opus cit.*, t. X, p. 647; *Letter book K*, p. 206; *The Brut*, t. II, p. 575.

[134] T. RYMER, *opus cit.*, t. X, p. 651 : 7 juillet 1436.

[135] *The Brut*, t. II, p. 468.

[136] E. DE MONSTRELET, *opus cit.*, t. V, p. 231; J. DE WAVRIN, *opus cit.*, t. VII, p. 148; *The Brut*, t. II, p. 575. Le comte de Mortain était à leur tête.

contingent flamand se firent tailler en pièces et, si l'on en croit les chroniqueurs, laissèrent trois cents morts sur le terrain [137].

Les Quatre Membres reçurent ces mauvaises nouvelles au cours d'une réunion tenue à Gand; ils envoyèrent aussitôt des députés au duc, à Bruxelles, pour le prier de venir examiner la situation en Flandre; en même temps, ils désignèrent des délégués chargés d'inspecter, avec les représentants du prince, les places de Gravelines, Bourbourg, Dunkerque, Furnes et Nieuport [138].

Le coup de main anglais avait montré l'insuffisance de la garnison de Gravelines bien que, depuis le début de l'année, on s'en préoccupât et qu'elle eût été renforcée, mais faiblement, en avril [139]. Signe alarmant : les hommes n'avaient pas obéi à leurs chefs; cette indiscipline se manifesta encore souvent au cours des mois qui suivirent; elle est une des causes de l'inefficacité des troupes flamandes.

Une expédition de représailles fut organisée par Jean de Croÿ, grand bailli de Hainaut. Il rassembla, sur les frontières de Picardie et du Boulonnais, des troupes évaluées par Monstrelet à quinze cents hommes. Elles partirent une nuit de Le Wast pour « mener coure » devant Calais; un éclaireur leur apprit au point du jour qu'un gros parti anglais (près de deux mille hommes) était sorti de la forteresse. Les Bourguignons leur donnèrent la chasse mais eurent le dessous et furent obligés de se réfugier sous les murs d'Ardres [140].

---

[137] E. DE MONSTRELET, opus cit., t. V, p. 231; J. DE WAVRIN, opus cit., t. VII, p. 148; O. VAN DIXMUDE, opus cit., p. 148; J. VAN DIXMUDE, opus cit., p. 316; A. DE BUDT, dans KERVYN DE LETTENHOVE, Chroniques relatives à l'histoire de Belgique sous la domination des ducs de Bourgogne, 3 vol., Bruxelles, 1870-1876, t. I, p. 248; Le Livre des Trahisons de France dans KERVYN DE LETTENHOVE, opus cit., t. II, p. 210; Th. WRIGHT, opus cit., t. II, p. XXXVIII; The Brut, t. II, p. 575. En récompense de cette action, le comte de Mortain reçut la Jarretière. L'action eut lieu le 14 mai. Loon et Looberghe font toutes les deux partie de l'arrondissement de Dunkerque.

[138] A.G.R., Comptes du Franc, C.C. nº 42553, fº 27º vº : 16 mai; fº 19 vº : 17 et 23 mai; A.V.G., Comptes de Gand, 1435-1436, fº 25 vº : 15 mai; A.G.R., Comptes d'Ypres, nº 38660, fº 13 vº : 17 mai; fº 14 : 23 mai.

[139] A.G.R., Comptes du Franc, C.C. nº 42553, fºs 19, 26 vº, 27 : 1er, 5, 11, 22 mars, 2, 14 et 26 avril; Comptes d'Ypres, C.C. nº 38660, fºs 12 vº et 13 : 11 et 25 avril; Comptes de Bruges, C.C. nº 32490, fº 47 : 27 avril.

[140] E. DE MONSTRELET, opus cit., t. V, p. 235; J. DE WAVRIN, opus cit., t. VIII, pp. 150-155. Les chiffres des forces en présence sont sans doute trop élevés. The Brut (t. II, p. 576) évalue les Picards à quatre mille hommes. Participaient à l'expédition : Wale-ran, seigneur de Wavrin (conseiller et chambellan, amiral de la flotte du Levant lors de l'expédition contre les Turcs en 1444, voir M. YANS, Biographie Nationale, t. XXVII, 1938, col. 132-136), Baudot de Noyelles (seigneur de Catheu et de Tilloloy, conseiller et chambellan, gouverneur de Péronne, chevalier de la Toison d'Or, mort en 1461), Louis et Guichart de Thiembronne, Robert de Saveuse, le seigneur d'Eule et le bâtard de Renty (qui joua un rôle important lors du siège de Gand en 1452; V. FRIS, Biographie Nationale, t. XIX, 1907, col. 143-145).

Le Wast, France, département du Pas-de-Calais, arrondissement de Boulogne.

Le climat dans lequel se déroulèrent les préparatifs du siège de Calais et l'inconsistance de la résistance bourguignonne devant les sorties des garnisons anglaises n'étaient pas de bon augure pour la conduite future de la guerre.

Les faiblesses relevées au cours de ces mois ne firent que s'aggraver et furent à l'origine de la défaite.

LE SIEGE DE CALAIS

La majeure partie des troupes recrutées pour le siège de Calais se composait de milices communales, selon le désir exprimé par Philippe le Bon à Gand.

C'était plutôt une innovation, si l'on excepte le siège de Ham où Jean sans Peur fut abandonné par les communiers flamands en 1411 [141]; les différentes armées réunies jusqu'alors par les ducs de Bourgogne se composaient essentiellement de milices féodales et de bien peu de mercenaires [142]. Pour investir une ville, il fallait de l'infanterie, des pionniers et de l'artillerie, plutôt que de la cavalerie. Philippe le Bon réédita l'erreur de son père : il s'adressa, lui aussi, aux communes flamandes, d'autant plus que la proximité géographique plaidait pour l'emploi des milices urbaines [143].

Gand avait promis, si l'on en croit Monstrelet, dix-sept mille hommes [144]. La population de la ville à ce moment ne pouvait excéder quarante à cinquante mille âmes [145] et même si l'on y ajoute les habitants du plat pays, l'exagération est manifeste. Il faut donc restreindre les chiffres de trente mille

---

[141] H. Pirenne, *Histoire de Belgique*, t. II, p. 349. Similitude frappante : à leur retour, les communiers ne voulurent pas déposer les armes, comme en 1436. Ham, France, dép. Somme, arr. Péronne.

[142] F. Lot, *Les armées et l'art de la guerre au moyen âge en Europe et dans le Proche-Orient*, 2 vol., Paris, 1946, t. II, pp. 91-95.

[143] Nous n'avons pas trouvé de traces du paiement des milices communales dans les comptes des villes ni dans le compte de la Recette générale des Finances; le compte de la Recette générale de Flandre pour cette année est perdu.

[144] E. de Monstrelet, *opus cit.*, t. V, p. 233. Le charroi aurait dépassé d'un tiers celui envoyé au siège de Ham.

[145] Nous ne possédons qu'une évaluation pour la population gantoise au xve siècle, celle de V. Fris (« Note sur la densité de la population de Gand du xive siècle à nos jours », *Bulletin de la Société d'histoire et d'archéologie de Gand*, 1909, pp. 165-171), qui accorde à la ville 20.000 habitants au maximum, chiffre trop bas, semble-t-il, malgré la régression de la population, si on le compare au chiffre de 56.000 âmes obtenu pour le xive siècle par H. van Werveke (« Het bevolkingscijfer van de stad Gent in de veertiende eeuw », *Miscellanea historica in honorem Leonis van der Essen Universitatis catholicae in oppido Lovaniensi jam annos XXXV professoris*, 1947, pp. 345-354).

hommes d'armes, fixé par le chroniqueur [146] pour l'ensemble des troupes flamandes, et sourire devant l'évaluation de cent cinquante mille combattants bourguignons donnée par les Anglais après leur victoire [147].

Il semble que l'estimation d'Olivier van Dixmude (dix mille soldats sans compter les auxiliaires) soit plus raisonnable [148], surtout si on la compare aux troupes anglaises dont le nombre nous est connu. L'armée du duc de Gloucester, qui débarqua après le siège, comptait, en effet, d'après les états de paiements, 6.916 archers et 683 hommes d'armes, sans compter les troupes levées à leurs frais par les villes [149]. La garnison de Calais comptait, en 1435, au moment où Gloucester en devint lieutenant, moins de 600 hommes [150]. Par la suite, un contingent de trois mille hommes conduit par le comte de Mortain et destiné à la Normandie, fut détourné vers Calais [151] où il arriva au cours de la semaine de la Passion [152]. Si l'on considère les milices flamandes et les troupes envoyées d'Angleterre pour débloquer la ville, on constate que les deux armées étaient particulièrement nombreuses pour l'époque [153]. Sir John Radcliffe, désigné comme lieutenant de Calais par le duc de Gloucester, avait fait édifier des fortifications en terre autour de Calais et avait fait

[146] E. DE MONSTRELET, *opus cit.*, t. V, p. 241; J. DE WAVRIN, *opus cit.*, t. VII, p. 160; Th. BASIN, *Histoire de Charles VII*, éd. Ch. Samaran, 2 vol., Paris, 1933-1934, p. 241 : 40.000 hommes sans auxiliaires plus 2.000 ou 3.000 Picards et gens de la Maison de Philippe le Bon.

[147] *The Brut*, t. II, p. 576; J. STEVENSON, *opus cit.*, t. II, p. XIV, note 2.

[148] O. VAN DIXMUDE, *opus cit.*, p. 150.

[149] J. STEVENSON, *opus cit.*, t. II, pp. XLIX-XL. Les évaluations données ici par les chroniqueurs oscillent entre 10.000 (E. DE MONSTRELET, *opus cit.*, t. V, p. 263; J. DE WAVRIN, *opus cit.*, t. VII, p. 200) et 50.000 (« William of Worcester », dans J. STEVENSON, *opus cit.*, t. II, 2e partie, p. 458), 15.000 (T. BASIN, *opus cit.*, p. 247) et 40.00 hommes (*Gregory's Chronicle, 1189-1469*, éd. J. Gairdner, *The historical collections of a citizen of London in the fifteenth century*, Camden Society, Londres, 1876, p. 179).

[150] *Rotuli Parliamentorum*, t. IV, p. 483.

[151] *The Brut*, t. II, p. 574.

[152] *The Brut*, t. II, p. 468. Le 26 avril, un courrier partait porter la nouvelle de l'arrivée du comte de Mortain à Philippe le Bon alors en Hollande (A.D.N., R.G.F., no B 1957, fo 456 vo).

[153] D'après E. LOT (*opus cit.*, t. II, p. 14), à Azincourt, les Anglais n'étaient pas plus de 6.000 et les Français moins nombreux; au siège d'Orléans, les Anglais comptaient 3.500 hommes, la garnison française moins de 1.000 (IDEM, *ibidem*, pp. 29 et 46); à Formigny, 4.000 Anglais pour 3.000 Français (IDEM, *ibidem*, p. 81); à Othée, l'armée bourguignonne comprenait environ 3.200 hommes (IDEM, *ibidem*, p. 98).

F. LOT signale (p. 95) l'effectif de 5 hommes envoyés par la confrérie de Saint-Georges d'Audenarde et une revue de 794 hommes (p. 101) pour le siège de Calais. Ces chiffres sont certainement incomplets et fragmentaires. Un fait est certain : l'armée bourguignonne fut considérée comme très nombreuse par les contemporains alors que les troupes du duc de Gloucester, fortes de plus de 7.500 hommes, n'ont suscité aucun commentaire.

renforcer les défenses des châteaux de Guines, Balinghem, Hames, Sangatte, Marck et Oye [154]. Les habitants de Calais qui n'étaient pas Anglais durent prêter serment à Henri VI; ceux qui ne le firent pas gagnèrent la Flandre. De même, les gens qui résidaient aux confins de l'enclave de Calais furent invités à se retirer dans les forteresses et à détruire leurs maisons; beaucoup préférèrent gagner la Picardie ou la Flandre [155].

Philippe le Bon assuré d'une importante participation flamande ne rassembla pas la moitié de ses « gens d'armes » de Picardie [156]; il n'accepta pas le secours d'un contingent du connétable de Richemont [157], et se contenta de l'appui de quelques troupes picardes, hennuyères et boulonnaises, que l'on peut évaluer à environ trois mille hommes [158], de détachements bourguignons [159], de quelques bateaux flamands et de navires variés réquisitionnés, tout en dispensant la flotte hollandaise du service [160].

---

[154] The Brut, t. II, p. 573.

[155] The Brut, t. II, p. 574.

[156] E. DE MONSTRELET, opus cit., t. V, p. 246 : une grande partie fut renvoyée lors des revues.

[157] G. GRUEL, Cronique de Artus III, duc de Bretagne, à la suite de l'édition de T. Basin, par Godefroid, Paris, 1661, p. 209; E. DE MONSTRELET, opus cit., t. V, p. 240.

[158] Les Picards sont souvent cités, notamment par T. BASIN (opus cit., t. I, p. 241) et les Hennuyers et Boulonnais par E. DE MONSTRELET (opus cit., t. V, p. 246). Jean de Croÿ, Jean de Mailli, Jean de Nassau, Bourgeois, seigneur d'Inchi, Jean de Brimeu, seigneur de Humbercourt, Baudot de Noyelles, Wallerand de Wavrin, Philippe de Saveuse, Philibert de Vendre, Antoine de Vaudrey, Arnould de Mouchi, Jean, seigneur de Créquy, Dreux, seigneur d'Humières et de Buzencourt, Robert Doncock, seigneur de Neufville, Louis Bournel, seigneur de Thiembronne, Simon de Lalaing, Philibert de Ternant, Jean de Luxembourg, seigneur de Haubourdin, Hugues de Hames, Jacques de Brimeu, Jean de la Trémoille, seigneur de Dour, Jean de Rochefort, Jacques de la Hamaide, Eustache de Vertaing, Harpin de Ricamez, Alure de Bach, Godefroid de Pensent, Adrien, seigneur de Strelon, Jean de Barbançon, Jean, seigneur d'Auxy, Jean de Fribourg et Neufchastel amenèrent des troupes. A la revue du 16 juillet, Baudot de Noyelles acquitta 2.155 payes et demi. Un homme d'armes avait droit à une paye entière, un « homme de trait » à une demi-paye, un chevalier bachelier à deux payes, un chevalier banneret à quatre payes. Les contingents étaient généralement formés de deux tiers d'hommes de trait pour un tiers d'hommes d'armes; c'est ainsi que l'on peut évaluer l'ensemble des troupes amenées par les seigneurs à environ trois mille hommes. A titre d'exemple, Jean de Croÿ avait amené quatre chevaliers bannerets, douze chevaliers bacheliers, quatre cent soixante-quinze hommes d'armes, neuf cent soixante-dix hommes de trait. Voir A.D.N., R.G.F., n° B 1957, f°s 460 v°-474 et A.D.N., n° B 1960/57515.

[159] Le duc ordonna à Jean, comte de Fribourg, gouverneur et capitaine général de Bourgogne, d'armer 870 hommes pour les mener au siège de Calais (M. CANAT DE CHINY, Documents pour servir à l'histoire de Bourgogne, t. I, Chalon-sur-Saône, 1863, p. 374 : lettre datée de Gand, 4 juin 1436). Une bombarde fut même amenée de Dijon : « Oratio ad Pium papam de Philippo duce Burgundie » dans KERVYN DE LETTENHOVE, opus cit., t. II, p. 152.

[160] Le 17 mai 1436, Philippe le Bon libérait du service les bateaux hollandais qu'il avait fait armer pour l'expédition (H.J. SMIT, opus cit., t. II, p. 672 et P.A.S. VAN LIMBURG-BROUWER, opus cit., p. 31).

Le duc tint à passer personnellement en revue les milices avant leur départ : le 9 juin, il était à Gand [161], le 11, à Bruges [162] et le 14, à Ypres [163].

Les Gantois remontèrent la Lys jusqu'à Merville [164], puis reprirent la route de terre. En chemin, ils détruisirent les moulins de Thierry d'Hazebrouck et de Georges de Wez, en représailles de leur fuite devant les Anglais, le mois précédent [165].

Le duc les rejoignit à Drincham, en compagnie du connétable de Richemont; pour faire honneur aux Gantois, ils prirent une collation dans la tente de ceux-ci. Ils passèrent, le 25 juin, toute l'armée flamande en revue entre Bourbourg et Loon [166]. Les troupes franchirent l'Aa sur un pont spécialement construit et pénétrèrent en territoire ennemi. La campagne allait s'ouvrir [167].

---

[161] La revue eut lieu au Marché du Vendredi, par une chaleur étouffante; elle dura de huit heures du matin jusqu'après none. Les Gantois étaient suivis par ceux de leur châtellenie (Lochristi, Nevele) et 500 hommes du comté d'Alost, les hommes de Renaix, Grammont, Termonde. Ils étaient commandés par Colard de Commines. On disait qu'il y avait à la « montre » mille huit cents cavaliers et douze mille fantassins. Plus tard, les troupes de Courtrai et d'Audenarde vinrent se joindre à eux (O. VAN DIXMUDE, opus cit., p. 148; J. VAN DIXMUDE, opus cit., p. 318; E. DE MONSTRELET, opus cit., t. V, pp. 238-239; « Le Livre des Trahisons de France », dans KERVYN DE LETTENHOVE, opus cit., p. 210).

[162] Les contingents de Damme, Oostburg, Aardenburg, Torhout, Ostende, Oudenburg, Monikenrede, Hoeke, Blankenberge, Gistel et Dixmude suivaient les milices brugeoises qui attendirent en vain les soldats de L'Ecluse. Le seigneur de Steenhuis était leur capitaine. Le 12 juin, les unités du Franc oriental vinrent se joindre aux Brugeois; elles étaient sous les ordres du seigneur de Merkem (O. VAN DIXMUDE, opus cit., p. 148; J. VAN DIXMUDE, opus cit., p. 319; E. DE MONSTRELET, opus cit., t. V, p. 239).

[163] Les hommes de Warneton, Merkem, Cassel et Bailleul suivaient ceux d'Ypres; Colard de Commines remercia la ville au nom de Philippe le Bon; Jean de Commines commandait les Yprois (O. VAN DIXMUDE, opus cit., pp. 148-149; E. DE MONSTRELET, opus cit., t. V, p. 239).

[164] Ils logèrent la première nuit à Deinze et Petegem et établirent ensuite leur camp à Wervicq, à l'abbaye de Beaupré, à La Gorgue. Les équipements et approvisionnements avaient été embarqués sur des bateaux (E. DE MONSTRELET, opus cit., t. V, p. 239; « Le Livre des Trahisons de France », p. 211).

[165] E. DE MONSTRELET, opus cit., t. V, p. 240.

[166] E. DE MONSTRELET, opus cit., t. V, pp. 240-241; O. VAN DIXMUDE, opus cit., p. 149. Les troupes de Bruges, d'Ypres et du Franc rejoignirent les Gantois à Gravelines : « Le Livre des Trahisons de France », p. 211.

Richemont était venu négocier une éventuelle délivrance du roi René (E. COSNEAU, Le Connétable, p. 257).

[167] O. VAN DIXMUDE, opus cit., p. 319; The Brut, t. II, p. 576.

Les châteaux d'Oye [168] et de Marck [169] se rendirent rapidement; le partage du butin suscita des querelles au sein des milices et des tentatives de vol. L'armée prit enfin position devant Calais le 9 juillet; elle avait mis près d'un mois à y parvenir sans trouver cependant de résistance devant elle.

Le duc s'était installé au Nord, près des dunes; les Gantois se trouvaient à sa gauche; au Sud s'étaient établis les trois autres Membres et les Picards appuyés à la côte [170].

Quelques engagements eurent lieu avec des fortunes diverses [171]. C'est ainsi que La Hire, venu visiter le duc, fut blessé à la jambe [172] et que Philippe le Bon lui-même manqua d'être tué [173].

---

[168] Le siège fut mis le 29 juin; la place se rendit le lendemain. Le capitaine et deux de ses compagnons eurent la vie sauve; une cinquantaine de défenseurs (soixante et un d'après le Brut) furent pendus; après le pillage, qui suscita des querelles entre les Gantois et les gens du Franc, le château fut incendié et rasé (O. van Dixmude, *opus cit.* p. 149; E. de Monstrelet, *opus cit.*, t. V, p. 241; J. van Dixmude, *opus cit.*, p. 48; « Le Livre des Trahisons de France », p. 211; *The Brut*, t. II, pp. 576-577).
Il faut considérer les chiffres donnés par les chroniqueurs avec une certaine méfiance, car, en 1435, au moment de la nomination de Gloucester comme lieutenant de Calais, la garnison du château d'Oye comprenait un lieutenant à cheval, quatre hommes d'armes et vingt archers; celle de Marck, un lieutenant, quatre hommes d'armes dont un à cheval, seize archers dont un à cheval (*Rotuli Parliamentorum*, t. IV, p. 483).
[169] Les troupes s'établirent, le 2 juillet, devant Marck qui se rendit trois jours (six jours d'après le Brut) plus tard. Cent quatre prisonniers furent envoyés à Gand pour être échangés contre des captifs bourguignons. Quelques Brabançons, Flamands et Hollandais faisant partie de la garnison furent décapités. On tenta de voler le butin, la nuit; les voleurs furent pris, jugés et condamnés à être bannis de Flandre pour cinquante ans. Le château fut démoli par des ouvriers et maçons venus de Saint-Omer (O. van Dixmude, *opus cit.*, p. 149; J. van Dixmude, *opus cit.*, p. 319; E. de Monstrelet, *opus cit.*, t. V, pp. 243-244; « Le Livre des Trahisons de France », p. 211; a.g.r., *Comptes du Franc*, C.C. n° 42553, f° 29 : 25 juillet et *Comptes d'Ypres*, C.C. n° 38660, f° 15 v° : 29 juillet; a.d.n., n° B 1960/57546; *R.G.F.*, n° B 1957, f° 265; *The Brut, opus cit.*, pp. 577-578).
[170] O. van Dixmude, *opus cit.*, p. 150; J. van Dixmude, *opus cit.*, p. 320; M.R. Thielemans, « Une lettre missive inédite de Philippe le Bon concernant le siège de Calais », *B.C.R.H.*, t. CXV, 1950, p. 291; *The Brut*, t. II, p. 578.
Le duc disposait de plusieurs « *patrons peints* » de la ville de Calais; ceux-ci avaient été réalisés par deux peintres, Jehan de Hustevene et le Gantois Colin des Prez (a.d.n., *R.G.F.*, n° B 1957, f° 315 v°).
[171] Notamment : défaite des Anglais lors d'un coup de main des Brugeois et des Picards; revers des Brugeois, le 25 juillet; enlèvement de bétail par les deux partis (J. van Dixmude, *opus cit.*, p. 320; O. van Dixmude, *opus cit.*, p. 150; Th. Wright, *opus cit.*, pp. 154-155; E. de Monstrelet, *opus cit.*, t. V, p. 245).
[172] E. de Monstrelet, *opus cit.*, t. V, p. 245. Etienne de Vignoles, plus connu sous le nom de La Hire (1390-1441), grand capitaine de la Guerre de Cent Ans, fut le compagnon de Jeanne d'Arc. Il donna son nom au valet de cœur des cartes à jouer.
[173] E. de Monstrelet, *opus cit.*, p. 245; J. van Dixmude, *opus cit.*, p. 320. Les deux versions sont différentes. Le fou du duc, Jean Desplateaux, protégea Philippe le Bon et fut fait prisonnier (a.d.n., n° B 1959/57367 : 24 août). Des nobles de l'entourage du prince furent blessés devant Calais, notamment Geoffroy de Thoisy, panetier du duc, et Antoine de Vaudrey (a.d.n., n° B 1959/57441 : 1er août; *R.G.F.*, n° B 1957, f° 288).

Jean de Croÿ, avec les Boulonnais et quelques Hennuyers, après avoir livré combat aux Anglais, fut envoyé devant Guines. Deux détachements de cette troupe prirent l'un le fort de Balinghem, l'autre celui de Sangatte. Jean de Croÿ, avec le gros de ses effectifs, obligea la garnison de Guines à abandonner la ville et à se retirer dans la forteresse [174].

Après avoir éloigné les meilleurs éléments de son armée, le duc se rendit compte qu'il ne fallait pas faire fond sur la combativité des milices flamandes qui se distinguaient surtout par leur indiscipline. Aussi, ne fit-il pas sommer la garnison anglaise par son roi d'armes [175].

Les troupes commençaient à murmurer; elles s'en prenaient aux conseillers de Philippe le Bon et aux commandants de la flotte, à Jean de Hornes, seigneur de Baucignies, et au commandeur de la Morée, car celle-ci tardait à faire son apparition [176]. C'était effectivement là un sérieux inconvénient, car, chaque jour, des vaisseaux anglais débarquaient à Calais soldats, vivres et équipements [177]. Le duc, pour calmer les esprits, leur fit savoir que des vents contraires retenaient les navires. C'est à ce moment, le 18 juillet, que Pennebrook, le héraut du duc de Gloucester, vint défier Philippe le Bon. Selon l'usage, il le somma d'attendre son adversaire avant de livrer bataille : Humphrey ne pouvait fixer la date de son arrivée, vu la fortune des vents, mais, si le duc n'était pas au rendez-vous, il le poursuivrait jusque dans ses Etats. Philippe répondit qu'on le trouverait là où il était. Il se rendit le lendemain dans la tente des Gantois, où les délégués des Quatre Membres lui promirent d'attendre la venue du duc de Gloucester [178].

[174] E. DE MONSTRELET, *opus cit.*, t. V, p. 247; « Le Livre des Trahisons de France », p. 211; *The Brut*, t. II, pp. 578-579.

[175] M.-R. THIELEMANS, « Une lettre missive inédite de Philippe le Bon », pp. 291-292.

[176] Le 22 juin seulement, Jean de Hornes avait publié à Ostende l'ordonnance défendant aux marins de prendre la mer. Le 25, R. Knibbe fit savoir au magistrat que tous les marins et pêcheurs devaient se rendre à L'Ecluse auprès de l'amiral (E. VLIETINCK, *opus cit.*, p. 94).

Frère Foucault de Rochechouart, de l'ordre de Saint-Jean de Jérusalem, était, en 1436, commandeur de la Morée, de Flandre et de Hainaut, conseiller et chambellan de Philippe le Bon (A.D.N., *R.G.F.*, n° B 1957, f° 250 v° et L. DEVILLERS, *Inventaire des archives des commanderies belges de l'ordre de Saint-Jean de Jérusalem ou de Malte*, Mons, 1876, pp. XIII, 65 et 125).

[177] E. DE MONSTRELET, *opus cit.*, pp. 247-248. Jean de Hornes fut accusé, après la levée du siège, d'avoir été payé par les Anglais. Il fut attaqué dans les dunes alors qu'il chevauchait en petite compagnie; grièvement blessé à la tête, il fut transporté à Ostende, puis à Bruges où il mourut quinze jours plus tard (E. DE MONSTRELET, *opus cit.*, t. V, p. 269; J. VAN DIXMUDE, *opus cit.*, p. 323; A.G.R., *Comptes de Bruges*, C.C. n° 32490, f° 53 v°; A.G.R., *Comptes du Franc*, C.C. n° 42553, f° 21 v° : 13 août; A.V.L., *Comptes de Louvain*, n° 5062, f° 7 v° : 13 août 1436).

[178] E. DE MONSTRELET, *opus cit.*, t. V, p. 249; M.-R. THIELEMANS, « Une lettre missive... », p. 292; A.D.N., *R.G.F.*, n° B 1957, f° 275 v°. Gilles van de Woestijne, conseiller au Conseil de Flandre, prit la parole devant les Gantois au nom du duc.

La flotte arriva enfin le 25 juillet. Du rivage, Philippe la vit venir. La flotte était formée d'un ensemble de navires disparates réquisitionnés pour une durée de quinze jours, au port de L'Ecluse. Elle comprenait douze bateaux flamands : huit hourques et quatre baleinières; neuf navires appartenant à Philippe le Bon : trois baleinières, une barge, les deux navires amiraux qui arboraient des voiles à la devise du commandeur de la Morée et de Jean de Hornes et battaient pavillon bourguignon; une nave portugaise et un bateau anglais capturés en mer; neuf bateaux bretons : une hourque, une galiote, deux barges et cinq nefs; une hourque et une baleinière espagnoles; une cogge et deux hourques allemandes; deux caraques, une génoise et une vénitienne. En plus des équipages, quatorze cent dix hommes d'armes montaient les navires sous le commandement de Jean de Hornes. Ces troupes s'étaient montrées indisciplinées dès avant le départ; la duchesse avait dû prier Jan van Ryssele et d'autres députés gantois de se rendre à L'Ecluse « *pour aidier a appaisier les gens d'armes estans illec et trouver moyen de les mettre és vaisseaulx pour avancer l'armee par mer* ». Le soir, à marée haute, la flotte coula dans le port quatre ou cinq bateaux chargés de pierres maçonnées et ancrées de plomb; le lendemain, elle en fit sombrer deux autres. Malheureusement, à marée basse, les navires restèrent échoués sur le sable à faible profondeur: la population de Calais, hommes et femmes, les démolit sous le feu du canon.

Le 27 juillet, les nefs se retirèrent par une mer démontée; l'arrivée de l'escadre ennemie était imminente et les Bourguignons ne se sentaient pas capables de lui résister [179].

Cette fois, le mécontentement fut général [180]; la flotte avait montré son inefficacité totale : elle était apparue trop tard, avait coulé hâtivement quelques vieux bateaux dans le port et s'était empressée de retourner au plus vite. Elle n'avait en fait ni bloqué la ville, ni rendu la rade inutilisable, ni attendu l'ennemi pour engager le combat.

Cependant, Philippe le Bon prit des dispositions pour résister à l'arrivée des troupes anglaises; il lança une proclamation à « *tous ses nobles gens de guerre* », qu'il appela sous les armes pour répondre au défi de Gloucester. Il fit part de ses projets aux membres de son Conseil, aux capitaines et aux

---

[179] O. VAN DIXMUDE, *opus cit.*, p. 150; E. DE MONSTRELET, *opus cit.*, t. V, pp. 250-252; J. DE WAVRIN, *opus cit.*, t. VII, pp. 175-179; *The Brut*, t. II, p. 579; A.D.N., *R.G.F.*, nº B 1957, fos 237 vº et 430-448. On attendait la venue des Anglais pour le 30 ou 31 juillet. (M.-R. THIELEMANS, « Une lettre missive... », p. 294). Les Bourguignons coulèrent un grand et vieux crayer, une grande nef dite « *passagier* », une grande busse, deux « *docghes* » basses, une petite busse et une autre busse; elles avaient été maçonnées de briques et mises à la mer à Slijpe (A.D.N., *R.G.F.*, nº B 1957, fos 439 vº, 440).

[180] Les Flamands rappelaient qu'on leur avait promis que le siège serait mené sur terre et sur mer (E. DE MONSTRELET, *opus cit.*, t. V, p. 252).

représentants des communes, et, enfin, choisit son champ de bataille[181]. Le siège se poursuivit néanmoins. Les Gantois avaient soigneusement construit une bastille en bois, près de la ville, sur une éminence, pour pouvoir espionner à loisir les Anglais; elle avait déjà résisté victorieusement à une attaque lorsque, le 28 juillet, elle fut enlevée par l'ennemi. Le comte de Mortain et lord Camois, à la tête d'une masse de cavaliers ayant chacun un archer en croupe, se ruèrent à l'assaut. Le duc lui-même s'était porté au secours de la bastille, mais en vain[182].

Le moral des Gantois était déjà miné par l'insuccès de la flotte; cette fois, ils crièrent à la trahison et, sans consulter les autres Membres, ils décidèrent de se retirer. Ils accusaient les conseillers ducaux qui avaient préconisé le siège et les menaçaient de mort. Le duc eut beau les supplier de rester, leur montrant que leur départ les déshonorerait autant que lui, rien n'y fit. Il leur demanda d'opérer leur retraite en ordre le lendemain, sous sa conduite; les Gantois refusèrent aussi[183]. Le duc, à qui nous devons un récit de ces événements qu'il envoya après la levée du siège à son beau-frère Richemont, pour lui demander secours, se disait convaincu que les autres Membres seraient demeurés à leur poste si les Gantois ne leur avaient pas donné le mauvais exemple[184].

Les troupes qui restaient à la disposition de Philippe le Bon ne lui permettaient pas de poursuivre le siège. Le duc fut donc contraint de songer à la retraite[185].

La débandade était complète du côté flamand. Les Gantois mirent le feu à leur camp en criant : « *tout tray ! tout tray ! al verade !... ghaue, ghaue a nos maisons* »[186]. Ils voulurent massacrer les conseillers ducaux qui s'étaient déclarés pour l'expédition : Antoine de Croÿ dut fuir vers Guines sous un déguisement; Baudot de Noyelles, Jean de Brimeu et d'autres encore étaient suspects à leurs yeux[187]. Le 28 juillet au soir, les Flamands plièrent bagage,

---

[181] E. DE MONSTRELET, *opus cit.*, t. V, p. 252. Le 27 juillet, la duchesse faisait écrire cent lettres aux nobles flamands pour les inviter à rejoindre l'armée devant Calais (A.D.N., R.G.F., n° B 1957, f° 317).

[182] E. DE MONSTRELET, *opus cit.*, t. V, pp. 250 et 253; O. VAN DIXMUDE, *opus cit.*, p. 150; J. VAN DIXMUDE, *opus cit.*, p. 50; *Gregory's Chronicle*, pp. 178-179; « Le Livre des Trahisons de France », p. 211; *The Brut*, t. II, p. 580.

[183] O. VAN DIXMUDE, *opus cit.*, p. 151; E. DE MONSTRELET, *opus cit.*, pp. 254-256; T. BASIN, *opus cit.*, pp. 244-245; « Le Livre des Trahisons de France », p. 211. Le récit de la levée du siège vue du côté anglais se trouve dans le *Brut*, t. II, p. 581.

[184] M.-R. THIELEMANS, « Une lettre missive... », p. 294; O. VAN DIXMUDE, p. 151, prétend que les autres Membres offrirent de rester.

[185] M.-R. THIELEMANS, « Une lettre missive... », p. 295.

[186] « Le Livre des Trahisons de France », pp. 211-212 : « *comme ils disoient a Hem* ».

[187] E. DE MONSTRELET, *opus cit.*, t. V, pp. 255-256; J. DE WAVRIN, *opus cit.*, t. VII, p. 185.

imités par les marchands qui suivaient l'armée. Ils laissèrent derrière eux un amoncellement de vivres, d'armes et de munitions et abandonnèrent même de gros engins [188]. Les Brugeois tirèrent leur artillerie à bras d'hommes jusqu'à Gravelines [189].

Une horde indisciplinée prit le chemin de Gravelines. Les meilleures troupes, sous le commandement du duc et des nobles, formaient l'arrière-garde pour protéger la retraite. Philippe le Bon rappela de Guines Jean de Croÿ et son détachement pour grossir l'effectif de ses fidèles [190].

A Gravelines, on tint conseil : il fut décidé de garnir les frontières, tandis que Philippe le Bon se retirerait vers Lille pour lever des troupes [191]. Le duc s'adressa une dernière fois aux Flamands; devant leur refus d'attendre les Anglais, il leur donna congé le 31 juillet [192].

Alors, faisant plus de chemin en un jour qu'elles n'en avaient fait en dix à l'aller, les milices rentrèrent chez elles.

Les Gantois, bien que pressés d'arriver avant le renouvellement de la loi à l'Assomption [193], refusèrent de pénétrer dans la ville à moins qu'on ne leur accordât une robe, comme c'était la coutume pour récompenser les troupes combattantes; on la leur refusa en arguant de leur mauvaise conduite [194].

A Bruges, la situation était plus grave encore : les troupes déclarèrent qu'elles ne rentreraient dans leurs murs qu'à diverses conditions. Elles exigeaient que le duc restaurât les prérogatives de la ville sur L'Ecluse et le Franc. Le 12 août, enfin, elles consentirent à pénétrer dans la cité. Cependant, les troubles continuèrent, et, devant l'hostilité du reste de la Flandre, comme devant celle du prince, Bruges capitula le 14 mars 1438, près de deux ans après l'expédition de Calais [195].

---

[188] E. DE MONSTRELET, opus cit., t. V, p. 256; T. BASIN, opus cit., t. V, p. 245; J. VAN DIXMUDE, opus cit., p. 50; « Le Livre des Trahisons de France », p. 212; Gregory's Chronicle, p. 179; The Libelle of Englyshe Polycye, éd. G. Warner, p. 15.

[189] J. DE WAVRIN, opus cit., t. VII, p. 188.

[190] E. DE MONSTRELET, opus cit., t. V, pp. 256-257; The Brut, t. II, pp. 581-582; The Libelle of Englyshe Polycye, éd. G. Warner, p. 18. La garde de Gravelines fut confiée à quelques nobles : les seigneurs de Créquy et de Saveuse, Simon et Sanche de Lalaing, Philibert de Vendre, etc. (E. DE MONSTRELET, opus cit., t. V, p. 259).

[191] E. DE MONSTRELET, opus cit., t. V, p. 258; T. BASIN, opus cit., t. I, p. 247.

[192] E. DE MONSTRELET, opus cit., t. V, p. 259.

[193] « Le Livre des Trahisons de France », p. 212.

[194] E. DE MONSTRELET, opus cit., t. V, pp. 259-260.

[195] Le 12 août, les Brugeois acceptèrent aussi d'envoyer des contingents à L'Ecluse et Oostburg, voir p. 104; O. VAN DIXMUDE, opus cit., p. 151; J. VAN DIXMUDE, opus cit., p. 320; H. PIRENNE, Histoire de Belgique, t. II, p. 354. L'écoutète du duc fut assassiné; la ville fut gouvernée par un magistrat révolutionnaire pendant plusieurs mois. Le 21 mai 1437, en traversant la ville, le duc échappa de justesse aux insurgés. Philippe le Bon abolit un certain nombre de privilèges de la ville.

Quant aux Yprois, ils se contentèrent, avant de faire leur entrée, d'exiger certains avantages du magistrat; on leur demanda de mettre leurs desiderata par écrit pour être dûment examinés; ils se déclarèrent alors satisfaits [196].

A Calais, la joie était à son comble : la garnison se rua vers le camp abandonné et s'empressa de s'emparer des biens laissés par les Flamands : canons, armes diverses, équipements et vivres [197]. Le comte de Mortain s'était couvert de gloire avant l'arrivée du duc de Gloucester, son ennemi juré; il avait accompli le miracle de déloger une formidable armée avec une poignée de défenseurs.

Cet exploit fut plus d'une fois chanté en Angleterre [198], tandis que les Flamands ne recueillaient que des quolibets railleurs; Jean de Stavelot rapporte qu'on se gaussa d'eux jusqu'en cour de Rome [199].

Cependant, la situation de Philippe le Bon était extrêmement difficile. Il s'était d'abord rendu à Arras où il convoqua les députés des Quatre Membres pour aviser [200]. En même temps, il lançait des ordres de mobilisation en Bourgogne [201]; il faisait également expédier d'Arras et d'Aire, où il séjourna du 1er au 3 août, sept cent dix-huit lettres aux nobles et gens de guerre d'Artois, Picardie, Hainaut, Flandre et Brabant [202]. Enfin, de Lille, où il arriva le 13 août, il publia un manifeste enjoignant à tous les gens de guerre de ses pays de par-deçà d'être prêts à résister aux Anglais [203].

C'est aussi de Lille qu'il adressa une lettre au connétable de Richemont pour lui demander son aide, si cela ne portait pas préjudice à l'action de l'armée royale. Combien cette démarche dut-elle coûter à Philippe le Bon qui avait refusé le contingent que lui proposait le même Richemont avant le siège ? Au travers de cette missive, on perçoit le violent ressentiment du duc à l'égard des Gantois sur qui il faisait retomber tout le poids de l'échec, en passant sous silence la carence de la flotte [204]. De Lille également il faisait écrire « xl paires de lettres en latin » à « plusieurs princes et seigneurs des pais

---

[196] O. van Dixmude, opus cit., p. 151.

[197] E. de Monstrelet, opus cit., t. V, p. 258; Gregory's Chronicle, p. 179; T. Basin, opus cit., t. I, p. 245.

[198] J. Stevenson, opus cit., p. XXXVIII; The Brut, t. II, pp. 582-584.

[199] Jean de Stavelot, Chronique (1400-1449), éd. A. Borgnet, Bruxelles, 1861, p. 377.

[200] A.G.R., Comptes du Franc, C.C., no 42553, fo 29 : 4 août; A.G.R., Comptes de Bruges, no 32490, fo 52 vo : 7 août. Des représentants du magistrat et de tous les métiers allèrent à Arras; ils discutèrent notamment des motifs qui les retenaient en dehors de la ville.

[201] M. Canat de Chizy, opus cit., t. I, p. 375. Ordre à tous les nobles d'être à la revue qui devait se tenir à L'Abergement-les-Seurres, le 12 août, pour se rendre aux environs de Thérouanne; le 22 août, demande qu'ils se rendent pour le 15 septembre au même endroit.

[202] A.D.N., R.G.F., no B 1957, fos 313 et 313 vo. Nous possédons un exemple de ces lettres expédié à Englebert, comte de Nassau, seigneur de Breda et de Grimbergen (F. van Mieris, opus cit., p. 1083; P.A.S. van Limburg-Brouwer, opus cit., p. 33).

[203] E. de Monstrelet, opus cit., t. V, p. 260; J. de Wavrin, opus cit., t. VII, p. 203.

[204] M.-R. Thielemans, « Une lettre missive... », pp. 285-289.

*d'Allemaigne et d'Italie sur le fait de son armée et advenue de Calaiz affin
de iceulx acertener et informer de la verité du fait »* [205].

Il fallait faire vite; le duc de Gloucester était sur le point de s'embarquer
à Sandwich avec une forte armée [206]. Confiant dans la victoire, il s'était fait
octroyer le comté de Flandre [207], tandis que Jean, sire de Beaumont, obtenait
le comté de Boulogne [208].

Sous le commandement de l'amiral d'Angleterre, le comte de
Huntingdon [209], l'escadre anglaise, forte de plusieurs centaines de bateaux,
arriva à Calais dans la première semaine d'août [210]. Les capitaines tinrent
longuement conseil sous la présidence du duc de Gloucester. On divisa les
troupes en trois corps : un contingent renforça la garnison; un autre, sous
le commandement de Gloucester, s'enfonça vers la Flandre; un troisième,
plus faible, se dirigea vers la Picardie; enfin, les navires, vidés de leurs
troupes, semèrent la panique le long des côtes [211].

De Calais, le duc de Gloucester partit pour Gravelines; les seigneurs restés
dans la place organisèrent fiévreusement la défense [212]. Les troupes anglaises,
presque toutes montées, n'étaient encombrées que de peu de charroi et
d'engins [213].

Elles firent mine d'attaquer la forteresse mais passèrent entre Gravelines
et Bourbourg, puis obliquèrent vers la côte pour permettre à la flotte de
veiller sur leur marche. Elles évitèrent les villes de Dunkerque et de Bergues

---

[205] A.D.N., *R.G.F.*, n° B 1957, f° 314.

[206] D'après la *Gregory's Chronicle* (p. 179), Gloucester s'embarqua le 26 juillet à Sandwich.

[207] T. RYMER, *opus cit.*, t. X, p. 652 : 30 juillet.

[208] T. RYMER, *opus cit.*, t. X, pp. 649 et 652 : pétition du 27 juillet et concession du même jour.

[209] John Holland, comte de Huntingdon, puis duc d'Exeter (1395-1447), se distingua particulièrement au cours des campagnes de France; voir J. HARDY, *Dictionary of National Biography*, t. XXVII, 1891, pp. 148-150.

[210] J. VAN DIXMUDE, *opus cit.*, p. 321 : 360 bateaux; G. VON DER ROPP, *opus cit.*, t. II, p. 8, 15 août : 300 bateaux; F. VAN MIERIS, *opus cit.*, t. IV, p. 1084 (repris par H. J. SMIT, *opus cit.*, t. II, p. 677, n° 1095, n. 2) : 200 bateaux; V.K. VICKERS, *opus cit.*, p. 251, donne le 3 août comme date de départ de Gloucester de Calais, pour son raid en Flandre. Les capitaines de l'armée étaient, outre Gloucester, le duc d'York et les comtes de Mortain et de Huntingdon.
Un récit encore inédit de l'expédition de Gloucester se trouve dans le poème « *Humfroidos* » de Tito Livio Frulovisi; il est d'allure essentiellement panégyrique à l'égard du duc de Gloucester; voir R. WEISS, « Humphrey, duke of Gloucester and Tito Livio Frulovisi » , dans *Fritz Saxl, 1890-1948, a volume of memorial essays, from his friends in England*, éd. D.J. Gordon, Londres, 1957, pp. 218-227.

[211] J. VAN DIXMUDE, *opus cit.*, p. 322; *The Brut*, t. II, p. 470.

[212] J. DE WAVRIN, *opus cit.*, t. VII, p. 201.

[213] O. VAN DIXMUDE, *opus cit.*, p. 151.

bien protégées par leurs murs [214]. Une poignée d'hommes sortit de Gravelines; ces maigres effectifs, après avoir laissé une garde au château de Drincham, se mirent à rôder sur les arrières anglais, espérant attaquer quelques traînards; le chroniqueur Jean de Wavrin faisait partie de ce détachement. L'initiative n'eut aucun résultat pratique [215].

Gloucester pilla, incendia, dévasta des villages tels que Quaëdypre, Bambecque, Haringe [216]. Seule une résistance sporadique se manifesta; une troupe d'Ypres rejoignit vers Bambecque, le 11 août, les milices du Métier de Furnes, mais, comme les Anglais étaient déjà arrivés à Poperinge, le contingent se trouva tourné et les soldats s'enfuirent; quelques-uns restèrent et ne furent pas épargnés. Les habitants de Reningelst se portèrent en vain au secours de Poperinge [217]; ils furent en grande partie massacrés.

Le 15 août, à Poperinge, le duc de Gloucester donna une grande fête; il mit alors la localité à sac et puis l'incendia : l'église et 2.500 maisons furent détruites. De là, il poussa vers Bailleul à qui il fit subir le même sort, n'épargnant que l'abbaye Saint-Antoine où il avait logé. Les Anglais reprirent le chemin de Calais par Hazebrouck, Morbecque et Wallon Cappel [218]. Les milices des métiers de Cassel et de Bergues auraient désiré les attaquer mais le souverain bailli de Flandre leur donna l'ordre de n'en rien faire, car les troupes ducales devaient les intercepter avant qu'ils n'arrivassent à Saint-Omer; entre-temps, ils avaient dévasté Renescure et Blendecques [219]. Trois corps de troupes bourguignons attendaient le moment propice pour attaquer les Anglais. Leur action ne put se développer car la discipline de l'ennemi ne laissa aucune prise à leur action de harcèlement. Ces trois groupes étaient

[214] J. DE WAVRIN, *opus cit.*, t. VII, p. 201; J. VAN DIXMUDE, *opus cit.*, p. 321. Wavrin signale que la flotte, craignant la venue d'une escadre ennemie, se retira à Calais; de fait, elle poursuivit sa route le long des côtes.

[215] J. DE WAVRIN, *opus cit.*, t. VII, pp. 201 et 202. Le détachement bourguignon était conduit par les seigneurs de Créquy et de Saveuse.

[216] J. VAN DIXMUDE, *opus cit.*, p. 322. Quaëdypre, France, département du Nord, arrondissement Dunkerque, canton Bergues; Bambecque, arrondissement Dunkerque, canton Hondschoote; Haringe, dépendance de Roesbrugge, Flandre occidentale, arrondissement Ypres, ch. l. canton.

[217] O. VAN DIXMUDE, *opus cit.*, pp. 151-152. Reningelst, province Flandre occidentale, arrondissement Ypres, canton Poperinge.

[218] J. VAN DIXMUDE, *opus cit.*, p. 322; O. VAN DIXMUDE, *opus cit.*, p. 152; E. DE MONSTRELET, *opus cit.*, t. V, p. 26; J. DE WAVRIN, *opus cit.*, t. VII, p. 203; « Le Livre des Trahisons de France », p. 212; *The Libelle of Englyshe Polycye*, éd. G. Warner, p. 13; A.D.N., *R.G.F.*, n° B 1605, f° 21 v° : 25 octobre 1436; Philippe le Bon exempta les habitants de Poperinge de toutes charges pendant dix ans pour leur permettre de relever leurs ruines. V.K. VICKERS (*opus cit.*, p. 252), attribue le sac de Poperinge au comte de Huntingdon.

[219] J. DE WAVRIN, *opus cit.*, t. VII, p. 204; E. DE MONSTRELET, *opus cit.*, t. V, p. 263; J. VAN DIXMUDE, *opus cit.*, p. 51. Renescure : France, département du Nord, arrondissement Hazebrouck; Blendecques : France, département du Nord, arrondissement Saint-Omer.

un détachement sorti de Gravelines, comprenant le chroniqueur Jean de Wavrin, la garnison de Saint-Omer conduite par le seigneur de Saveuse et enfin, la troupe de Jean de Croÿ, qui, du château d'Arques, guettait les Anglais [220].

Se sachant observé, Gloucester poursuivit prudemment sa route par Eperlecques, Tournehem, Ardres et Guines [221]. Il était encombré d'un abondant butin et traînait du bétail qui souffrait de la soif, tandis que ses troupes manquaient de pain. Il emmenait aussi comme otages des garçonnets de moins de onze ans [222]. Les populations touchées par la guerre s'étaient réfugiées dans les localités de la vallée de la Lys, à Wervicq et à Commines et, plus loin, à Lille, d'où le duc pouvait voir brûler ses villes et ses campagnes [223].

Le duc de Gloucester rentra à Calais [224] sans encombre; il avait dévasté la West-Flandre sans être inquiété. Si, comme le dit son biographe, il ne fit pas preuve de stratégie en n'exploitant pas ses avantages, il ne faut pas oublier que ses troupes n'étaient enrôlées que pour une campagne d'un mois [225]; aussi se réembarqua-t-il peu de temps après son retour à Calais. Il repartit avec tout son butin ne laissant sur le continent que ses prisonniers.

Un deuxième contingent anglais quitta Calais, vers la même époque que l'expédition de Gloucester, pour ravager les limites de la Picardie. Thomas Kyriell [226] et lord Fauconberg [227] rassemblèrent à Neufchâtel-en-Bray [228]

---

[220] J. DE WAVRIN, opus cit., t. VII, pp. 204-205. Selon Wavrin, ces faits se seraient passés le 15 août (il dit par erreur « Nostre Dame septembre » : le 8 septembre) ce qui est en contradiction avec les témoignages de J. VAN DIXMUDE (opus cit., p. 322) et O. VAN DIXMUDE (opus cit., p. 152), qui situent les Anglais à Poperinge à ce moment.

[221] E. DE MONSTRELET, opus cit., p. 264; J. DE WAVRIN, opus cit., t. VII, p. 205. Eperlecques, Tournehem, Ardres : France, département Pas-de-Calais, arrondissement Saint-Omer.

[222] E. DE MONSTRELET, opus cit., t. V, p. 264; J. VAN DIXMUDE, opus cit., p. 322.

[223] O. VAN DIXMUDE, opus cit., p. 152; J. DE WAVRIN, opus cit., t. VII, p. 203.

[224] J. DE WAVRIN, opus cit., t. VII, p. 205; « Le Livre des Trahisons de France », p. 212. V.K. VICKERS (opus cit., p. 253) situe son départ de Calais au 24 août; or, la flotte quitta le 23 au soir les Bouches de l'Escaut pour Calais (voir p. 105). L'embarquement de Gloucester doit donc être postérieur de quelques jours. Le duc fut largement défrayé de ses frais par le roi : il toucha 5.000 marcs prélevés sur la dîme du clergé de la province de Canterbury (Calendar of Patent Rolls preserved in the Public Record Office, Henri VI, 1436-1441, Londres, 1907, p. 27 : 5 novembre 1436).

[225] V.K. VICKERS, opus cit., p. 254.

[226] Thomas Kyriell, fameux capitaine anglais, fut le vaincu de Formigny en 1450.

[227] William Neville, baron Fauconberg, puis duc de Kent (mort en 1463), oncle de Warwick, fut l'un des principaux lords yorkistes; voir J. TAIT, Dictionary of National Biography, t. XL, 1894, pp. 304-306.

[228] Neufchâtel-en-Bray, France, département de la Seine-Maritime, arrondissement Dieppe, chef-lieu canton.

des troupes évaluées par Monstrelet à un millier d'hommes, évaluation trop généreuse pour la médiocrité de l'action. Ils passèrent la Somme à la Blanquetaque [229], logèrent à Forest-l'Abbaye [230], prirent le château de Labroie-sur-Authie [231], où ils restèrent trois jours. Cette forteresse, qui appartenait au vidame d'Amiens, n'était guère défendue et le pays était mal gardé. Les Anglais purent donc, sans trouble, piller la région terrorisée, emmener de nombreux prisonniers et rentrer encombrés de butin par le même chemin [232].

Ce n'était là qu'une première diversion lancée vers le Sud pour permettre au raid de Gloucester de développer toute son efficacité; bien plus concluante fut la seconde qui empêcha les Flamands de porter secours à leurs concitoyens attaqués par le duc. La flotte anglaise, vidée de ses troupes, croisa le long des côtes flamandes semant la panique [233]. Le 8 août, elle était en vue d'Ostende; le 10, elle débarqua quelques minces effectifs qui pillèrent et incendièrent les villages de Groede, Kadsand, Schoondijk, Gaternisse, Nieuwkerke et Wulpen [234]. A cette nouvelle, sans se concerter, les milices du Franc occidental (Eklo, Aardenburg, Oostburg) et les gens de L'Ecluse se portèrent à la rencontre des Anglais; les deux groupes flamands s'aperçurent, se prirent mutuellement pour l'ennemi, et, convaincus de leur infériorité numérique, s'enfuirent chacun de leur côté [235].

Le tocsin avait appelé les hommes aux armes en Flandre; hâtivement, on rassembla quelques troupes [236]. En Hollande et en Zélande, on établit une sorte de télégraphe pour alerter les habitants à l'approche des Anglais [237],

---

[229] Gué sur la Somme, près de Noyelles-sur-Mer.

[230] Forest-l'Abbaye : France, département Somme, arrondissement Abbeville.

[231] Labroie-sur-Authie : département Pas-de-Calais, arrondissement Montreuil.

[232] E. DE MONSTRELET, *opus cit.*, t. V, p. 264. Une note rapide concernant l'expédition de Gloucester est donnée par *The Libelle of Englyshe Polycye*, éd. G. Warner, pp. 15-16.

[233] E. DE MONSTRELET, *opus cit.*, t. V, p. 264; J. VAN DIXMUDE (*opus cit.*, p. 322), prétend que plus de six mille hommes se trouvaient à bord de la flotte; pour le nombre de navires, voir p. 100.

[234] Toutes ces localités sont situées aux Pays-Bas, province de Zélande, arrondissement Middelbourg. Voir E. VLIETINCK, *opus cit.*, p. 97 et L. VAN WERVEKE, « De Engelschen in de ambachten van Oostburg en Ysendijke in 1436 », *Annales de la Société d'émulation de Bruges*, t. LXXIV, 1931, pp. 183-188.

[235] J. VAN DIXMUDE, *opus cit.*, p. 323; O. VAN DIXMUDE, *opus cit.*, pp. 152-153.

[236] Quatre mille hommes d'après J. VAN DIXMUDE (*opus cit.*, p. 323), chiffre probablement trop élevé. Le 10 août, un messager de Louvain portait à Bruxelles des lettres de la ville d'Anvers, adressées au magistrat de Louvain, annonçant « dat d'Inghelsche te water laghen in Vlaenderen » (A.V.L., *Comptes de Louvain*, n° 5062, f° 7 v°).

[237] F. VAN MIERIS, *opus cit.*, t. IV, p. 1084; pour signaler la présence de la flotte ennemie la nuit, on établit des feux le long des côtes; pendant le jour l'alerte était donnée par le tocsin; les villes hollandaises se réunirent pour discuter de la question (P.A.S. VAN LIMBURG-BROUWER, *opus cit.*, p. 34 : 11 août; A.S. DE BLÉCOURT et E. MEIJERS, *opus cit.*, pp. 231 et 232, n°ˢ 430 et 439; p. 233, n° 441).

tandis que la flotte ennemie était ravitaillée journellement par les gens de Middelbourg toujours aussi anglophiles [238]; pour les en empêcher, le comte d'Ostrevant dut occuper militairement la ville [239]. Les Hollandais et Zélandais avaient d'ailleurs, en ce mois d'août, refusé deux fois de se porter contre les Anglais sans être eux-mêmes attaqués [240].

La tactique anglaise était excellente : l'effet recherché fut immédiatement atteint et Philippe le Bon lui-même fut dupe de la manœuvre. A la demande de la duchesse, les Brugeois envoyèrent des effectifs, le 12 août, à Oostburg et, de là, un contingent à L'Ecluse pour combattre l'ennemi sur mer. A L'Ecluse, une partie seulement des Brugeois fut admise à pénétrer dans la cité; les autres, transis de froid, passèrent un jour et une nuit sous une pluie battante, à l'extérieur des murs. Cet incident ne manqua pas d'exciter encore l'hostilité qui opposait les deux villes, d'autant plus que le capitaine de la place, Roland d'Uutkerke [241], renvoya les Brugeois, parce qu'il ne disposait pas de bateaux pour attaquer les Anglais [242].

Une autre démarche fut tentée auprès des Gantois par le duc lui-même. D'Arras il écrivit au pensionnaire des échevins de la Keure, Gilles de Clercq, que la duchesse lui donnerait des ordres en son nom pour diriger les milices contre l'ennemi. Il était lui-même trop occupé à lever des troupes pour se déplacer, et n'osait envoyer ses conseillers parlant le flamand car il craignait le ressentiment de la population contre eux. Il chargea de la même mission, à Bruges, Simon de Fourmelles [243], Goswin le Sauvage [244] et Guillaume de Zadelaire.

---

[238] J. van Dixmude, opus cit., pp. 325-326; P.J. Blok, opus cit., p. 11; B. de Lannoy, opus cit., p. 247, documents.

[239] H.J. Smit, opus cit., t. II, p. 677, note 2. Frank van Borselen, comte d'Ostrevant, quatrième et dernier époux de Jacqueline de Bavière.

[240] P.J. Blok, opus cit., t. II, pp. 11 et 16; P.A.S. van Limburg-Brouwer, opus cit., p. 35; A.S. De Blécourt et E. Meijers, opus cit., p. 232, n° 440. Réunion des Etats à La Haye, le 11 août, à la demande du gouverneur H. de Lannoy.

[241] Conseiller et capitaine de guerre au service de Jean sans Peur et de Philippe le Bon; il fit partie du Conseil de régence en 1423 et joua un rôle important dans la répression de la révolte de Bruges (V. Fris, Biographie Nationale, t. XXV, 1930-1932, col. 1020-1025).

[242] J. van Dixmude, opus cit., p. 325.

[243] Chargé à de nombreuses reprises de négocier avec les Anglais. Il commença sa carrière comme pensionnaire de la ville de Gand; il fut conseiller d'Antoine de Bourgogne, duc de Brabant, et fit partie de l'ambassade qui se rendit à Prague pour négocier le mariage de ce prince avec Elisabeth de Görlitz. Troisième président du Conseil de Flandre en 1409, il était membre de la famille d'Ailly et fidèle serviteur de Jean sans Peur et de Philippe le Bon, il encourut plus d'une fois l'hostilité des Gantois; voir E. de Borchgrave, Biographie Nationale, t. VII, 1880, col. 214-217 et P. Bonenfant, Du Meurtre, p. 61.

[442] Goswin le Sauvage ou De Wilde, conseiller au Conseil de Flandre en 1440, président en 1444.

Le 16 août, devant la Collace, Gilles de Clercq, fit part des instructions qu'il venait de recevoir de la duchesse. Sans doute exhorta-t-il les Gantois à « *garder les methes et termes de leur païs et leurs propres possessions et biens, leurs privileges, leurs franchises et libertéz, leur vie et la vie de leurs femmes et enfants, et l'honneur et bonne renommee de leur posterité* ». Le duc les attendait, le 10 août, aux environs d'Ypres où il comptait passer ses troupes en revue, car il voulait chasser les Anglais du « *Westland* ». Ce discours fut sans effet; le seul effort militaire de Gand, en ce moment, fut l'envoi d'une centaine d'archers à Biervliet et Boekhoute [245].

La flotte anglaise resta quinze jours à l'embouchure de l'Escaut; enfin, profitant de vents favorables, elle se retira le 23 août [246]. Gloucester allait se rembarquer; la campagne était finie, mais la Flandre restait pantelante. Où était l'outrecuidance des Gantois qui, au départ de l'expédition, déclaraient : « *Nous sçavons bien que puis que les Anglois sçauront que messeigneurs de Gand sont en armes et a puissance pour venir contre eulx qu'ilz ne les attendront pas et a esté trés grand negligence que la navire que doibt venir par mer n'a esté assise avant qu'on les approuchast adfin qu'ilz ne s'en peussent fuyr* » [247].

Manque de confiance dans les chefs, indiscipline, querelles entre Ypres et le Franc, entre Bruges et L'Ecluse, tout avait concouru à la défaite. Philippe le Bon n'avait pas fait preuve de l'autorité nécessaire pour imposer ses vues; il avait été dépassé par les événements. Toutes les sources s'accordent unanimement à charger les Flamands; cependant, la cause déterminante de l'échec de la campagne fut la carence de la flotte.

Lorsque Philippe le Bon rendit visite aux Gantois [248], qui ne voulaient pas désarmer après que l'ennemi se fut retiré, on lui demanda pourquoi le blocus n'avait pas été établi par mer devant Calais et pourquoi la flotte anglaise n'avait pas été brûlée. Il répondit à la première question que les navires avaient été poussés vers la côte et s'étaient trouvés en danger d'être pris par les Anglais; il ajoutait : «*Avec ce les Hollandois qui lui avoient promis une ayde et accordee pour furnir ladicte navire, luy avoient failly de promesse* ». En outre, si la flotte anglaise n'avait pas été brûlée, c'est que les navires destinés à cette opération avaient été retenus par des vents défavorables

---

[245] V. Fris, « Documents gantois concernant la levée du siège de Calais en 1436 », *Mélanges Paul Frédéricq*, Bruxelles, 1904, pp. 245-258.

[246] J. van Dixmude, *opus cit.*, pp. 324-326; O. van Dixmude, *opus cit.*, p. 153. Le jour même du retrait de la flotte, les Membres de Flandre avaient décidé de lui opposer des bateaux d'Ostende et de Nieuport (E. Vlietinck, *opus cit.*, pp. 98-99).

[247] E. de Monstrelet, *opus cit.*, t. V, p. 242.

[248] En septembre 1436; c'est à ce moment que furent rédigées les « *Instructions touchant la paix de France et d'Angleterre* », voir p. 111.

à L'Ecluse, leur port d'attache[249]. Philippe oubliait qu'il avait renvoyé la flotte hollandaise, mais il soulignait la lenteur du recouvrement de l'aide. Le duc lui-même reconnaissait implicitement que les Flamands ne portaient pas seuls la responsabilité de la défaite, qui était née plutôt de l'inefficacité de la flotte composite envoyée devant Calais, tandis que les Hollandais et Zélandais avaient réussi à ne pas engager leurs bâtiments dans le conflit[250].

Les troupes bourguignonnes ne furent pas plus heureuses devant la place du Crotoy. Investie dès le printemps, la ville fut prise au début de juillet 1436, mais le château resta toujours aux mains des Anglais; l'annonce de l'arrivée du duc de Gloucester fit lever le siège à la fin du mois. Pendant une année, le pays d'alentour fut constamment menacé. En octobre 1437, la garnison du Crotoy, privée de soutien, criait famine; aussi, Philippe le Bon fit-il bloquer par mer la baie de la Somme et élever une bastille contre la forteresse. Apprenant cela, les Anglais envoyèrent un détachement de secours sous le commandement de lord Talbot; il avança en dévastant la contrée; pris de peur, les Bourguignons se replièrent sur Rue avant même d'être attaqués[251].

Malgré la défaite militaire de Philippe le Bon, le bruit d'une prochaine invasion flamande se répandit en Angleterre. En février 1437, les districts côtiers reçurent l'ordre de se tenir prêts à résister[252]. Deux faits contribuèrent peut-être à accréditer cette rumeur : le duc avait adressé des instructions, dont nous ignorons le contenu, aux capitaines des villes côtières[253]. Quelques jours plus tard, seize navires, provenant de ces ports et montés par trois mille hommes, au dire du délégué de la Hanse à Bruges, vinrent mouiller dans le Zwijn, avec l'intention, disait-on, de croiser au large de La Haye[254]

---

[249] E. DE MONSTRELET, *opus cit.*, t. V, p. 266.

[250] Cependant, les dépenses pour l'armée de mer payées par le duc montaient à la somme considérable de 16.769 livres, 19 sols, 10 deniers de gros (A.D.N., *R.G.F.*, n° 1957, f° 450).

[251] A. HUGUET donne un récit circonstancié des événements dans : *Aspects de la Guerre de Cent Ans en Picardie maritime, 1400-1480*, Mémoire de la Société des Antiquaires de Picardie, Amiens, t. XLVIII, 1941; t. L, 1944; t. XLVIII, pp. 230-267.

[252] *Calendar of Patent Rolls, 1436-1441*, p. 86 : 28 février 1437.

[253] A.G.R., *R.G.F.*, C.C. n° 46953, f° 107 v° : 26 février 1437. Des lettres furent envoyées aux capitaines de Biervliet, L'Ecluse, Nieuport, Dunkerque, Gravelines, Boulogne et aussi Ardres « *pour aucunes choses secrètes et qu'ils feissent bonne garde de leurs places* ». On pourrait plutôt croire que Philippe redoutait une invasion anglaise. Signalons les fréquents appels financiers de Philippe le Bon aux Etats d'Artois pour la défense du pays contre les Anglais, de janvier 1437 à mai 1439 : C. HIRSCHAUER, *opus cit.*, t. II, pp. 27-28.

[254] G. VON DER ROPP, *opus cit.*, t. II, p. 105 : 7 mars; les bateaux étaient arrivés la veille.

et de barrer le chemin aux bateaux dont la destination était l'Angleterre. Il semble que cette interprétation populaire n'était que l'extériorisation de la rancœur des Flamands contre les Hollandais qui poursuivaient leurs relations avec l'ennemi.

Philippe le Bon eut-il jamais l'intention de débarquer sur les côtes anglaises ? Nous l'ignorons, mais il projeta certainement d'inonder Calais en ouvrant les digues, entreprise tout aussi hasardeuse. Le comte d'Etampes s'aperçut rapidement de l'inanité de cette tentative; aussi se contenta-t-il de démolir le château de Sangatte et le pont de Milay [255].

Le bilan des opérations était catastrophique pour la Bourgogne, tandis que l'Angleterre, malgré la chevauchée victorieuse de Gloucester, n'avait réussi qu'à maintenir ses positions. Les hostilités n'avaient apporté aucune solution aux problèmes politiques; elles avaient en outre accentué la détérioration des liens commerciaux. Une seule porte restait ouverte : celle des négociations.

---

[255] E. DE MONSTRELET, *opus cit.*, t. V, pp. 353-354; A.G.R., *R.G.F.*, C.C. nᵒ 46954, fᵒˢ 113 et 114; A.D.N., *R.G.F.*, nᵒ B 2020, fᵒ 319 : Antoine de Croÿ faisait partie de l'expédition.

DEUXIEME PARTIE

LE REGIME
DE L'ENTRECOURS ET DES TREVES

LA MEDIATION BOURGUIGNONNE ENTRE LA FRANCE
ET L'ANGLETERRE ET LA CONCLUSION D'UN ENTRECOURS

Au retour du siège de Calais, le problème des rapports anglo-bourguignons se posa à nouveau et, cette fois, sous un jour particulièrement défavorable pour le duc.

Hugues de Lannoy, toujours lui, rédigea des « *Instructions touchant la paix de France et d'Angleterre* »[1]. Il y faisait le point de la situation; son opposition à l'expédition lui permettait d'exposer clairement les remèdes. Le rapport, daté du 10 septembre 1436, fut écrit lors d'un séjour de Philippe le Bon à Gand[2].

Hugues de Lannoy évoqua en premier lieu le climat trouble qui régnait alors en Flandre : la guerre grevait lourdement le budget; il fallait lever des aides et ni les Flamands, ni les autres sujets du duc n'y consentiraient; privés de tout approvisionnement en laine « *il fait a doubter qu'ils* (les Flamands) *pouroient prendre aucuns très mauvais appointemens avecq vos ennemis* » (ceux du duc), d'autant plus que les Anglais s'apprêtaient à fréter une flotte pour interdire tout commerce entre les deux pays, et que les Hollandais et les Zélandais continueraient à trafiquer avec les Anglais, « *ce qu'il fait fort a doubter qu'ils vouldront fere* ». Ces prédictions se vérifièrent rapidement; la laine ne parvint plus en Flandre; le chômage sévit dans l'industrie drapière; les Hollandais et les Zélandais continuèrent à commercer avec l'Angleterre malgré les efforts déployés par le duc pour le leur interdire[3].

---

[1] KERVYN DE LETTENHOVE, « Programme d'un gouvernement constitutionnel en Belgique au quinzième siècle », *Bulletin de l'Académie royale de Belgique*, 2e série, t. XIV, Bruxelles, 1862, pp. 218-250. L'éditeur donne une date fautive (février 1436) due à une erreur de lecture, et ne tente pas d'identifier l'auteur.

Ch. POTVIN (*Ghillebert de Lannoy, Œuvres*, Louvain, 1878) rend à l'œuvre son titre original et sa date exacte; il l'attribue à Hugues de Lannoy d'après les indications du manuscrit et ne semble pas connaître l'édition de Kervyn. G. DU FRESNE DE BEAUCOURT (*opus cit.*, t. III, p. 83, n. 1) fait de même tout en ignorant Potvin et en citant Kervyn.

[2] H. VANDER LINDEN, *opus cit.*, p. 160.

[3] P.J. BLOK, *opus cit.*, p. 16; H.J. SMIT, *opus cit.*, t. II, p. 672, n° 1084 : 17 mai 1436; p. 673, n° 1087 : 4 juin 1436 (interdiction spéciale pour Kampen, ville hanséatique); A.S. DE BLÉCOURT et E.M. MEIJERS, *opus cit.*, p. 215, n° 401; p. 220, n° 411; P.A.S. VAN LIMBURG-BROUWER, *opus cit.*, p. 35; A.S. DE BLÉCOURT et E.M. MEIJERS, *opus cit.*, p. 234, n° 444 : le duc constatait, le 10 mars 1437, que toutes les interdictions étaient restées lettre morte. Au sujet de la poursuite des relations commerciales, voir p. 208.

Finalement, Philippe le Bon dut admettre tacitement la poursuite des relations. En témoignage, on peut citer l'incident survenu en novembre 1437 : des vaisseaux anglais arrivèrent à Arnemuiden ayant à leur bord des prisonniers flamands capturés en mer; les échevins de Middelbourg et le receveur de Zélande menèrent des pourparlers pour obtenir la libération des captifs tout comme si la Zélande était une terre neutre [4]. Malgré tout leur désir de ne pas entrer en guerre avec l'Angleterre, Hollandais et Zélandais souffraient de la situation. Leur draperie chômait et leur flotte était menacée par les ennemis de l'Angleterre, c'est-à-dire les Français, les Bretons, les Espagnols et même les Flamands. Une délégation des villes, venue présenter ses doléances, fut plutôt mal reçue par le duc [5]. De leur côté, les Anglais affectèrent de traiter uniquement les Flamands en ennemis, comme sujets rebelles de Henri VI, roi de France [6].

La Flandre était la plus vulnérable des principautés bourguignonnes; elle était en effet à deux doigts de la révolte. En entretenant au sein des Etats de Philippe le Bon une dualité d'intérêts, les Anglais pratiquaient la politique de diviser pour régner. Plus tard, en novembre 1437, Gand tenta d'entrer en rapport direct avec le cardinal Beaufort; le duc donna l'ordre à Parent Fave, bailli de l'eau à L'Ecluse, d'intercepter [7] les lettres envoyées par la ville.

Le passé tumultueux de la Flandre impressionnait encore Hugues de Lannoy lorsqu'il déclarait : « *Onques depuis que les gueres se meurent entre le roy de France et le roi Edeward d'Engleterre pour la couronne de France, les Flamans ne furent si obeissans à leur prince qu'ils avoient esté paravant* ». Aussi concluait-il qu'il n'existait qu'un remède : la paix entre la France et l'Angleterre. Pour y parvenir, il fallait garnir les forteresses frontières, « *mettre* (les Flamands) *hors de leurs armeures a leurs mestiers et ouvrages accoustumés* », leur demander cependant leur appui, tout comme celui des princes du sang et alliés de Philippe le Bon, et, enfin, réunir les fonds nécessaires.

Le duc trouverait chez les deux adversaires un véritable désir de paix. En considérant le manque d'autorité de Charles VII et la misère du peuple, la plupart des nobles, les gens d'église et les bonnes villes y applaudiraient.

En Angleterre, une partie du Conseil regrettait le refus des offres françaises;

---

[4] H.J. SMIT, *opus cit.*, t. II, p. 688, n° 1113 : 25 novembre 1437.

[5] B. DE LANNOY, *opus cit.*, p. 248, documents.

[6] Les sauf-conduits délivrés pendant les hostilités aux Hollandais et aux Zélandais, par Henri VI, spécifiaient toujours qu'aucun bien ou marchand flamand ne pouvait se trouver à bord (H.J. SMIT, *opus cit.*, t. II, p. 675, n° 1090 : 7 août 1436; p. 676, n° 1093 : 10 août 1436; p. 676, n° 1094 : 17 octobre 1436).

[7] A.G.R., *R.G.F.*, C.C. n° 46954, f° 96 v°. Entre août 1436 et août 1437 (sans spécification de date plus précise), un délégué gantois, Aelbrecht van Plest, se rendit trois fois en Angleterre (A.V.G., *Comptes de Gand*, n° 400/15, f° 164).

ici Hugues de Lannoy fait sans doute allusion aux démarches des Luxembourg. Les entraves mises au commerce, l'effort trop important consenti lors du siège de Calais, tout cela n'incitait pas les Anglais à poursuivre la lutte; en outre, ils s'apercevaient que « *plus y mettent et plus y perdent* ».

A la veille de l'expédition de Gloucester, les Anglais avaient envoyé une ambassade en France pour traiter de la paix et de la délivrance de Charles d'Orléans [8]; c'était sans doute une simple action de diversion pour enlever à Philippe le Bon l'aide éventuelle de Charles VII, mais cette démarche marquait néanmoins le désir de reprendre les pourparlers moins d'un an après le congrès d'Arras.

Philippe le Bon possédait, s'il faut en croire l'auteur des « *Instructions* », trois atouts majeurs pour favoriser l'entente. Il devrait rendre la liberté au roi René, prisonnier depuis cinq ans à Dijon; il s'attirerait ainsi les bonnes grâces de la reine Yolande et de Charles d'Anjou et, grâce à eux, parviendrait jusqu'au roi. Depuis mai 1436, des négociations étaient en cours; elles aboutirent le 7 février 1437 [9]. Ensuite, il serait de bonne tactique de rendre les villes de la Somme, sans exiger le prix du rachat; ce sacrifice pourrait servir à compenser la perte qu'éprouverait Charles VII en laissant la Normandie à Henri VI. L'idée n'était pas nouvelle car le duc avait signé, le 30 septembre 1435, une sorte de post-scriptum au traité d'Arras : si les Anglais acceptaient les offres apportées par Toison d'Or, Philippe remettrait à Charles VII les villes de la Somme sans contrepartie; la clause du rachat ne jouerait qu'en cas de refus [10]. Enfin, il faudrait s'employer à la libération du duc d'Orléans, prisonnier en Angleterre depuis Azincourt; le duc y gagnerait sa reconnaissance éternelle et s'attacherait ainsi plusieurs grands seigneurs. Ce fut là, nous le verrons, un des buts essentiels de la politique bourguignonne au cours des années suivantes. Ces suggestions visaient uniquement à se concilier le camp français; de fait, Philippe le Bon ne retint des libérations de René d'Anjou et de Charles d'Orléans qu'un prestige moral qui fortifia sa position en France.

Du côté anglais, Hugues de Lannoy ne relevait aucune manœuvre à tenter. En conclusion, il donnait des conseils de politique intérieure : refréner les dépenses, racheter le domaine engagé, épargner au peuple les impôts trop lourds, consulter les Etats, s'entourer de bons conseillers; ce dernier point était sans doute une allusion à l'éloignement du seigneur de Santes des réunions qui décidèrent du siège de Calais. Ces considérations rendent parfois un son très dur pour le duc. L'auteur insistait encore une fois sur la nécessité de rendre les Flamands à leurs occupations et de faire aussi « *courrir marchandises* » dans tous les Etats bourguignons.

[8] T. RYMER, *opus cit.*, t. X, p. 642 : 20 mai 1436.

[9] G. DU FRESNE DE BEAUCOURT, *opus cit.*, t. III, p. 85.

[10] E. COSNEAU, *Le Connétable de Richemont*, p. 554.

L'interpénétration des domaines politique et économique apparaît en pleine lumière. La ligne que suivra la Bourgogne au cours des années ultérieures est ainsi définie dès l'échec du siège de Calais.

La politique personnelle du duc devra composer avec les nécessités économiques par crainte des troubles et du tarissement des ressources financières.

Un important texte anglais date lui aussi de la fin de l'année 1436; il s'agit du « Libelle of Englyshe Polycye » [11]. L'auteur de ce long poème d'inspiration politico-économique est inconnu. Son dernier éditeur, G. Warner, en attribue la paternité à un clerc du Conseil privé, Adam Moleyns, qui devint par la suite évêque de Chichester, mais cette opinion a été récemment combattue par M.G.A. Holmes à l'aide d'arguments sérieux [12]. En près de douze cents vers, le « Libelle » esquisse la conduite que devrait suivre l'Angleterre pour ruiner le commerce flamand et s'affermir tant sur le plan économique que politique. Cela nous vaut une description systématique des échanges commerciaux entre l'Angleterre, les pays bourguignons, la péninsule ibérique, l'Italie, la Hanse, la Bretagne, l'Irlande, l'Ecosse et même l'Islande. L'auteur en conclut que le salut et la prospérité de l'Angleterre résident dans la maîtrise de la mer et particulièrement de la « narowe see », c'est-à-dire du Pas de Calais, lieu de passage obligé de tous les bateaux à destination des Pays-Bas. Le « Libelle of Englyshe Polycye » rompt, de ce fait, avec la politique continentale menée jusqu'alors, montre quelle force l'Angleterre pouvait tirer de sa position insulaire et, par là, anticipe sur la politique pratiquée un siècle plus tard par la Grande Elisabeth. Il est manifeste que l'auteur du « Libelle » était un partisan du duc de Gloucester, désireux d'exploiter au maximum les avantages acquis sur la Flandre. Cependant, à l'époque, l'Angleterre ne disposait pas des moyens d'appliquer de telles suggestions car elle ne possédait pas une flotte suffisante; de plus, la faction du cardinal Beaufort préférait mener une politique plus conciliante.

---

[11] Le *Libelle* a été publié pour la première fois en 1598 par R. HAKLUYT dans ses *Principal navigations, voyages, trafiques and discoveries* qu'il faut consulter dans l'édition J. Masefield, Londres, 1927. T. WRIGHT publia le texte à nouveau en 1861 dans le deuxième volume (pp. 157-205) de ses *Political Poems and Songs;* W. HERTZBERG en donna une édition, en 1878, accompagnée d'une traduction allemande (*The Libelle of Englishe Policye, 1436*, Leipzig, 1878); enfin, Sir George WARNER publia une édition définitive (*The Libelle of Englyshe Polycye, a poem on the use of sea-power, 1436*, Oxford, 1926) accompagnée de notes.

[12] *The Libelle of Englyshe Polycye*, éd. G. Warner, pp. XI-XLVI; G.A. HOLMES, « The Libel of English Policy », *The English Historical Review*, vol. LXXVI, nº 299, avril 1961, pp. 193-216. Le principal argument de G.A. Holmes consiste dans le fait qu'Adam Moleyns est reconnu comme un partisan du cardinal Beaufort alors que le poème émane d'un partisan du duc de Gloucester. Voir une biographie de Moleyns par W. HUNT dans *Dictionary of National Biography*, t. XXXVIII, 1894, pp. 131-133 et les amendements à celle-ci donnés par G. Warner (pp. XL-XLII).

En fait, les événements se déroulèrent à peu de choses près, non pas selon les vues exposées dans le « *Libelle* », mais selon le schéma des « *Instructions* » et cela d'autant plus que leur auteur, Hugues de Lannoy, fut chargé de la première prise de contact entre la Bourgogne et l'Angleterre.

Dès septembre 1436, les villes drapières émirent le désir de se procurer à nouveau de la laine à Calais. Ypres [13], puis Malines [14], s'enquirent à ce sujet auprès de Philippe le Bon. En janvier 1437, les villes de Hollande dépêchèrent au duc, qui se trouvait alors à Lille, des délégués conduits par Jacob Bossaert, pour obtenir la faculté d'acheter et de transporter de la laine en Hollande [15].

Aussi, dès janvier, Philippe le Bon avait-il envoyé un émissaire en Angleterre, Henri de Fin dit Sans Pitié [16]. Il semble avoir réussi dans ses démarches puisque, à la mi-avril, les Quatre Membres s'assemblèrent à Audenarde avec des conseillers ducaux. Ils choisirent leurs représentants pour négocier à Calais et parlèrent de la mission d'un certain Jan Populisque en Angleterre [17]. Le 13 mai à Arras, les mêmes problèmes furent agités devant le Conseil princier par des délégués de Gand, Bruges et Ypres [18].

Le 30 mai, enfin, les Yprois demandèrent au capitaine de Gravelines s'il n'existait aucune possibilité de se procurer de la laine à Calais [19].

Le 14 juillet 1437, Henri VI délivrait à Colard de Commines un sauf-conduit qui l'autorisait à se rendre en pèlerinage auprès des reliques de saint Thomas Becket [20]. Un doute nous effleure sur le but réel de ce voyage. En effet, quelques mois plus tard, Hugues de Lannoy, alors gouverneur de Hollande, recevait une autorisation semblable, mais une minute de ce

---

[13] A.G.R., *Comptes d'Ypres*, C.C. n° 38660, f° 18 et 18 v° : 16 septembre et 24 octobre 1436.

[14] A.V.M., *Comptes de Malines*, 1436-1437, f°s 168 et 168 v°, 169 et 169 v° : 10 janvier, 16 février et 22 avril 1437.

[15] H.J. SMIT, *opus cit.*, t. II, p. 686, n° 1110 : les villes hollandaises et zélandaises envoyèrent aussi à une date indéterminée, entre le 16 novembre 1436 et le 16 novembre 1437, une délégation conduite par Henri Utenhove, pour être autorisées à commercer avec l'Angleterre.

[16] A.G.R., *R.G.F.*, C.C. n° 46953, f° 104 v° : 22 janvier 1437 (« *pour aucunes choses secretes* »).

[17] A.G.R., *Comptes d'Ypres*, C.C. n° 38661, f° 13 et 13 v° : 14, 20 et 28 avril 1437; A.G.R., *Comptes de Bruges*, C.C. n° 32491, f° 91 : 15 avril; A.V.G., *Comptes de Gand*, n° 400/15, f° 95 v° : 14 avril 1437.

[18] A.G.R., *Comptes d'Ypres*, C.C. n° 38661, f° 13 v° : 13 mai 1437.

[19] A.G.R., *Comptes d'Ypres*, C.C. n° 38661, f° 14.

[20] T. RYMER, *opus cit.*, t. X, p. 673. On condamnait parfois certains coupables à effectuer un pèlerinage à saint Thomas de Canterbury. Ainsi Dirk van Bareneste fut condamné, le 9 septembre 1439, par le Conseil de Hollande à une telle peine; le 3 avril, il était déjà de retour (A.R.A.,, *H.v.H.*, Memoriaal B. 1, f°s 44 v° et 153 v°).

document, datée du 12 novembre 1437, porte la mention que le bénéficiaire eût préféré qu'on indiquât « *qu'iceluy saufconduit lui fust ottroyé et donné affin de traittier et appointier pour les pays de Hollande et Zeelande touchant la seurté et communication de marchandise* » [21]. Après de multiples démarches [22], Hugues de Lannoy et Henri Utenhove obtinrent, le 7 mars 1438 seulement, un sauf-conduit non modifié [23]. Le Conseil anglais ne désirait manifestement pas étaler au grand jour ses tractations avec Philippe le Bon.

Le 12 mai, l'ambassade fut reçue par le Conseil privé présidé par le duc de Gloucester [24]. Hugues de Lannoy, à la tête d'une délégation des villes hollandaises et zélandaises, traita de la consolidation des relations commerciales entre les deux contrées.

L'ambassade s'en prit d'abord au taux excessif des douanes, expliquant par là et la fraude et la diminution des revenus du roi. Les Hollandais et les Zélandais réclamèrent à leur profit l'application du tarif préférentiel dont jouissaient les Hanséates et promirent de châtier toute fraude qui viendrait à leur être connue. Ils se plaignirent aussi de la corruption des fonctionnaires des douanes. Ils proposèrent que dorénavant la moitié des biens confisqués en Angleterre aille au roi d'Angleterre et l'autre moitié, au duc de Bourgogne. Si le fraudeur était Hollandais ou Zélandais, on exigerait au profit du roi d'Angleterre le double du montant des droits qu'il aurait dû acquitter. Ils demandèrent la rédaction d'un traité de commerce qui assurerait la libre circulation des marchands et des navires. Si les biens des marchands hollandais ou zélandais étaient saisis en Angleterre, pour cause de guerre, de fraude de douane, ou s'ils étaient capturés en mer, la municipalité du lieu prendrait les biens sous sa garde jusqu'au moment où des « *pleiges* » suffisants offriraient leur garantie; l'affaire serait alors jugée et, si le marchand hollandais ou zélandais était absous, des réparations lui seraient dues. Le marchand pourrait toutefois récuser la justice locale au profit de la juridiction

---

[21] P.R.O., *Chancery Miscellanea*, C 47/28/11 : le seigneur de Santes aurait voulu qu'Henri Utenhove reçût également un sauf-conduit semblable.

[22] Fin décembre, Hugues de Lannoy envoyait au duc à Arras des lettres qu'il avait reçues d'Angleterre; il faisait partir Jan de Jonge pour Londres, le 28 décembre; le 17 janvier enfin, Jan Wypenoirt, dit Rosencrans, gagnait aussi l'Angleterre; à son retour, avec Jan de Jonge, il se rendit, sur ordre d'Hugues de Lannoy, auprès de Philippe le Bon à Douai avec Henri Utenhove et Jan Rose (25 février - 21 mars) : H.J. SMIT, *opus cit.*, t. II, pp. 708-710, n° 1141. Rosencrans était un marchand colonais; voir à son sujet B. KUSKE, *opus cit.*, t. III, pp. 12-30, n° 1.

[23] H.J. SMIT, *opus cit.*, t. II, p. 691, n° 1118. Le duc avait emprunté sept cents nobles aux villes de Hollande et de Zélande pour payer l'ambassade; voir aussi P.A.S. VAN LIMBURG-BROUWER, *opus cit.*, p. 45; W.S. UNGER, *opus cit.*, t. II, p. 14 et B. DE LANNOY, *opus cit.*, p. 126.

[24] H. NICOLAS, *opus cit.*, t. V, p. 95 : décision prise le 9 mai de les faire paraître devant le Conseil. Les ambassadeurs étaient partis le 25 avril; ils rentrèrent le 6 juin (H.J. SMIT, *opus cit.*, t. II, pp. 708-710, n° 1141 et pp. 710-711, n° 1143).

du maire et des « *aldermen* » de Londres. Si des garants suffisants n'étaient pas trouvés, la municipalité continuerait à assumer la garde des biens jusqu'à l'issue de l'action judiciaire. Les Hollandais et Zélandais seraient placés sous la protection du roi et jouiraient de trêves sur terre et sur mer en Angleterre; les sujets de Henri VI obtiendraient les même facilités dans les deux comtés. Les contrevenants seraient punis selon leurs délits [25].

A leur retour, les ambassadeurs vinrent faire, à Douai, rapport sur leur mission à Philippe le Bon; ils poursuivirent aussi leurs pourparlers à Calais [26]. Les contrepropositions anglaises insistaient sur la liberté totale du commerce en Hollande, Zélande et Frise pour les sujets anglais, sur la juridiction marchande en cas de contestation commerciale ou d'arrêt de biens, sur la répression de la fraude, sur l'abolition du droit de bris et sur les pièces d'identité exigées des Hollandais, Zélandais et Frisons pour éviter de les confondre avec les Flamands [27].

Au même moment, ceux-ci suppliaient en vain le duc et la duchesse de reprendre les conversations [28]. Gand s'adressa même directement à Hugues de Lannoy en Angleterre [29] et les Membres de Flandre tentèrent de renouer les relations par l'intermédiaire des Hanséates, mais Philippe le Bon s'y opposa [30]. Il préférait établir d'abord des contacts par le truchement de la Hollande et de la Zélande, qui n'avaient jamais marchandé leur sympathie à l'égard de l'Angleterre, plutôt que d'essuyer un refus en plaidant la cause flamande. Pour amadouer l'adversaire, Philippe le Bon délivra, pour la première fois depuis les hostilités, des sauf-conduits à des marchands anglais trafiquant avec la Hollande et la Zélande [31]. En revanche, une réunion des représentants des villes de Flandre, Hollande et Zélande, à propos des draps anglais [32], resta sans suite, sans doute pour ne pas fausser les négociations en cours. Aucun traité cependant ne fut signé par Hugues de Lannoy. L'atmosphère avait été pourtant assez favorable, et l'on peut croire aussi que le gouverneur de Hollande, dont on connaît les opinions, n'avait pas négligé les intérêts de son maître sur le plan politique.

Au même moment d'ailleurs, se négociait une trêve entre Bourguignons et Anglais. On était entré en relation avec le gouvernement de Rouen dès

[25] H.J. SMIT, *opus cit.*, t. II, p. 694, n° 1125; p. 697, n° 1126; p. 710, n° 1143; le délégué de Middelbourg était Heynric Oelerts.

[26] H.J. SMIT, *opus cit.*, t. II, p. 708, n° 1141.

[27] H.J. SMIT, *opus cit.*, t. II, p. 706, n° 1139.

[28] A.G.R., *Comptes de Bruges*, C.C. n° 32491, f°s 102 et 105 v° : 26 mars et 29 juin 1438; A.G.R., *Comptes d'Ypres*, C.C. n° 38662, f°s 11 v°, 13 v° : 16 avril, 22 et 29 juin 1438.

[29] A.V.G., *Comptes de Gand*, n° 400/15, f° 185 : 12 mai 1438.

[30] G. VON DER ROPP, *opus cit.*, t. II, p. 182 : 9 juillet 1438.

[31] H.J. SMIT, *opus cit.*, t. II, p. 704, n° 1137 : 29 et 31 juillet 1438.

[32] H.J. SMIT, *opus cit.*, t. II, p. 707, n° 1141 : 15 juin 1438.

le mois d'avril [33] et, en juillet, une conférence se tint à Ardres entre Robert
de Saveuse, capitaine de Gravelines, Jean du Plessis et Philippe de Nanterre [34]
d'une part, et les commandants des garnisons de Calais et de Guines de
l'autre. C'est seulement après la levée du siège de L'Ecluse par les Brugeois
que les négociateurs, sur l'ordre du duc, englobèrent la Flandre dans les trêves.
Il semble, en effet, que Philippe le Bon, mécontent de l'insubordination de ses
sujets, les aurait primitivement exclus de ces pourparlers [35].

Les premiers pas en vue de la réconciliation étaient faits. Henri Utenhove,
qui avait accompagné Hugues de Lannoy peu auparavant, partit pour
l'Angleterre, le 25 août 1438, sur l'ordre de Philippe le Bon, « *pour le fait de
la marchandise des pais de Flandres, Hollande et Zellande et autres
affaires* » [36]. Cette fois, la Flandre, elle aussi, était comprise dans les
conversations et on envisageait officiellement de s'occuper d'« *autres affaires* »
que des échanges commerciaux. Enfin, Samson de Lalaing, envoyé spécial
de la duchesse auprès du cardinal Beaufort [37], se rendit à Londres à la fin
du mois de novembre.

Les tractations furent longues puisque Henri Utenhove n'exposa que le
onze novembre [38] les résultats de sa mission devant le duc, Hugues de Lannoy
et les délégués des Membres de Flandre. Dès le retour de l'ambassadeur, la
duchesse avait expédié des lettres à son oncle le cardinal Beaufort [39]. Il semble
donc qu'Utenhove ait proposé à Londres, en plus de la conclusion d'un
entrecours, la médiation d'Isabelle de Portugal et du cardinal en vue de la
conclusion d'une paix générale. Charles VII devait être tenu au courant de ces
pourparlers puisqu'il envoya en décembre une ambassade pour traiter avec
les Anglais [40].

---

[33] A.G.R., *R.G.F.*, C.C. n⁰ 46954, f⁰ 118 v⁰ : 21 avril 1438, mission de Toison d'Or.

[34] Voir la notice qu'a consacrée à ce juriste d'origine bourguignonne J. BARTIER,
opus cit., pp. 384-387.

[35] A.G.R., *R.G.F.*, C.C. n⁰ 46954, f⁰ˢ 78 et 79 : 20 et 29 juillet, « *A Willequin Crobe,
chevaucheur de la dite escurie, pour le dit jour du dit lieu* (20 juillet de Saint-Omer)
*et de par mondit seigneur avoir hastivement porté lettres devers messire Robert de
Saveuse, maistre Philippe de Nanterre et maistre Jehan du Plesseys a Ardre eulz signiffier
que le siege qui estoit devant L'Ecluse estoit levé et qu'ilz compreissent le pais de
Flandres és treves qu'ilz parlementoient avec les Anglois* ». La paix avec Bruges avait
été signée dès le 4 mars; nous n'avons pas trouvé d'autre source attestant la levée du
siège de L'Ecluse en juillet.

[36] A.G.R., *R.G.F.*, C.C. n⁰ 46955, f⁰ 165. Le 8 septembre, Henri VI donnait un sauf-
conduit à Henri Utenhove accompagné de sept personnes, lui permettant de sortir
d'Angleterre puis d'y revenir (P.R.O., *Treaty Rolls*, C 76/121/m19).

[37] P.R.O., *Treaty Rolls*, C 76/121/m. 16, sauf-conduit de retour à la date du 21 décembre; il avait reçu, le 21 novembre, un sauf-conduit d'aller valable pour deux mois
(T. RYMER, *opus cit.*, t. X, p. 716).

[38] A.G.R., *R.G.F.*, C.C. n⁰ 46955, f⁰ 112 v⁰ : 31 octobre 1438; f⁰ 114 : 7 novembre 1438.

[39] A.G.R., *R.G.F.*, C.C. n⁰ 46955, f⁰ 113 v⁰ : 2 novembre 1438.

[40] Voir p. 119.

La duchesse se rendit rapidement à Bruges pour arrêter, de concert avec les Quatre Membres, les points à débattre avec l'Angleterre [41].

Cette fois, les événements prenaient bonne tournure; le duc en profita pour demander l'accord des Membres de Flandre pour la création d'un tonlieu à Gravelines sur les laines anglaises; le tarif serait fixé à un noble par sac [42].

Isabelle restait en relation avec Londres [43]; le cardinal était impatiemment attendu à Calais; le duc se tenait au courant des événements, de même que les villes flamandes [44].

Henri Beaufort arriva probablement sur le continent au milieu de décembre [45]; la première conférence de Gravelines allait s'ouvrir.

L'ambassade anglaise était de qualité : le cardinal était accompagné de l'archevêque d'York, de Nicolas Byllesdon, doyen de Salisbury, de Stephen Wilton, de William Sprever, de Robert Whitingham, trésorier de Calais, et de John Raynewell, maire de l'Etape [46]. Au contraire, l'ambassade française était de peu d'importance : elle comprenait Renaud Girard, seigneur de Bazoges, conseiller et maître d'hôtel, et Robert Mallière, conseiller, maître

---

[41] E. Scott et L. Gilliodts van Severen, *opus cit.*, p. 440 : 19 et 21 novembre 1438; A.E.B., *Comptes du Franc*, n° 172, f° 13 : 19 novembre 1438, f° 13 v° : 21 novembre 1438. Guillaume de Zadelaire, Colard de Commines et Goswin le Sauvage furent envoyés à Ypres pour annoncer la bonne nouvelle (A.G.R., *R.G.F.*, C.C. n° 46955, f° 167 v° : 14-20 novembre 1438).

[42] A.G.R, *R.G.F.*, n° 46956, f° 128 v° : 15-20 novembre 1438. Goswin le Sauvage et Guillaume de Zadelaire furent envoyés à Ypres pour présenter la chose. A.G.R., *Comptes d'Ypres*, C.C. n° 38662, f° 16 v°: 20 novembre et f° 9 v° : 21 décembre 1438; A.E.B., *Comptes du Franc*, n° 172, f° 13 v° : 21 décembre 1438.

[43] Voir ci-dessus la mission de Samson de Lalaing, p. 118.

[44] A.G.R., *R.G.F.*, C.C. n° 46955, f°s 114 v°, 117 v°, 119 : 19 novembre, 7 et 13 décembre 1438; A.G.R., *Comptes de Bruges*, C.C. n° 32492, f° 73 : 5 décembre 1438.

[45] C'est à la mi-décembre que les Membres de Flandre envoyèrent leurs délégués à Gravelines (A.E.B., *Comptes du Franc*, n° 172, f° 25 v° : 17 décembre 1438).

[46] T. Rymer, *opus cit.*, t. X, p. 713 : pouvoirs du 23 novembre pour traiter d'un entrecours anglo-flamand; le même jour, pouvoirs donnés à Nicolas Byllesdon, sir Thomas Rempston, lieutenant de Calais, William Sprever, Robert Whitingham, trésorier de Calais, et John Raynewell, maire de l'Etape, de traiter avec les représentants des villes de Hollande, de Zélande et de Frise (Idem, *ibidem*, t. X, p. 714); toujours le 23 novembre, pouvoirs à Henri Beaufort de délivrer des sauf-conduits aux plénipotentiaires venant à Calais (Idem, *ibidem*, t. X, p. 715); L. Mirot et E. Deprez, *opus cit.*, pp. 550-577, n° DCXLIV. John Kemp (1380-1454) fut tour à tour évêque de Rochester, Chichester et Londres, archevêque d'York, puis de Canterbury, cardinal et chancelier (1426-1432, 1450), partisan de Beaufort, puis lancastrien (voir T.F. Tout, *Dictionary of National Biography*, t. XXX, 1892, pp. 384-388). W.A.J. Archbold (*Dictionary of National Biography*, t. XLVIII, 1896, p. 10) a consacré une courte biographie à Sir Thomas Rempstom (†1458), homme de guerre.

des comptes et secrétaire [47]. Le comte de Richemont était à Saint-Omer d'où il pouvait surveiller les négociations [48]. Isabelle de Portugal était entourée des deux spécialistes des questions anglaises — le gouverneur de Hollande, Hugues de Lannoy, et Henri Utenhove —, de l'évêque de Tournai, Jean Chevrot, des seigneurs de Crèvecœur et de Roubaix et du secrétaire Gauthier de la Mandre [49]. Les Membres de Flandre avaient envoyé une délégation nombreuse [50] ainsi que les villes hollandaises d'Haarlem, Delft, Leyde, et zélandaise de Middelbourg [51].

Après un échange de messages entre le cardinal et la duchesse, les rencontres eurent lieu dans un camp entre Marck et Oye, « *sur le grand chemin de Calais à Gravelingues* ».

Il s'agissait de fixer le lieu d'une prochaine entrevue et surtout les modalités du passage de Charles d'Orléans en France. Le cardinal proposa d'amener le duc à Cherbourg; les Français demandaient qu'il vînt à Rouen, à Touques, à Nantes, à Vernon ou encore à Gisors [52]. On tomba finalement

---

[47] E. DE MONSTRELET, *opus cit.*, t. V, p. 353; J. DE WAVRIN, *opus cit.*, t. VII, pp. 251-253; G. DU FRESNE DE BEAUCOURT (*opus cit.*, t. III, p. 103), considère que la décision d'admettre des ambassadeurs français aux discussions fut prise, à la conférence même, par le cardinal et la duchesse; en tout cas, le même auteur (IDEM, *ibidem*, t. III, p. 103, n° 5) signale que Renaud Girard était déjà parti rejoindre Philippe le Bon le 14 décembre, date approximative à laquelle le cardinal débarquait à Calais. A.G.R., *R.G.F.*, C.C. n° 46955, f° 120 v° : lettre de Philippe le Bon à la duchesse au sujet de la venue des ambassadeurs français en décembre.

[48] E. COSNEAU, *Le connétable*, p. 289.

[49] A.G.R., *Comptes d'Ypres*, C.C. n° 38663, f° 9, 21 décembre 1438 : mention de Jean Chevrot, des seigneurs de Roubaix et de Santes; A.G.R., *R.G.F.*, C.C. n° 46955, f° 126 v° : paiement de Jacques de Crèvecœur; f° 126 : paiement de Gauthier de la Mandre; f° 120 v° : mention de Jean Chevrot; A.E.B., *Comptes du Franc*, n° 172, f° 14 v°, 9 février 1439 : mention de Jean Chevrot; H.J. SMIT, *opus cit.*, t. II, p. 710, n° 1143; p. 718, n° 1155 : mention de Hugues de Lannoy et de Henri Utenhove, de deux secrétaires hollandais, Andries vander Cruuce et Jan Rose. Henri Utenhove devint conseiller en 1440 (G. AUBRÉE, *Mémoires pour servir à l'histoire de France et de Bourgogne*, Paris, 1729, p. 184). Gauthier de le Mandre était secrétaire depuis 1433; il devint conseiller et garde de l'épargne (G. AUBRÉE, *opus cit.*, pp. 184-197). Il fut également prévôt de l'église Notre-Dame de Bruges (J. BARTIER, *opus cit.*, p. 69, n. 3).

[50] A.V.G., *Comptes de Gand*, n° 400/15, f° 241 v° : les délégués étaient Jacob van den Hane, Pieter Heys, Symoen Borluut, échevins, le pensionnaire Jan van Rysele et le « presentmeester » Jan de Raad. A.G.R., *Comptes de Bruges*, C.C. n° 32492, f° 73 : les délégués étaient Jacob Braderyc, Fay Joris, Lodewijc Halle, Richard Vliecsinder et maître Clays Lancbart. A.G.R., *Comptes d'Ypres*, C.C. n° 38663, f° 9 v° : les délégués étaient Joris Paelding, avoué, Joos Bryde, échevin, et le pensionnaire maître Florent Wielant. A.E.B., *Comptes du Franc*, n° 172, f° 25 v° et E. SCOTT et L. GILLIODTS VAN SEVEREN, *opus cit.*, p. 440 : les délégués étaient Lodewyc van Caloen, Roeland van Caloen et maître Pieter Mathys.

[51] H.J. SMIT, *opus cit.*, t. II, p. 710, n° 1143 : le délégué pour Middelbourg était Heynric Rose.

[52] Touques : France, département du Calvados; Vernon et Gisors : France, département de l'Eure.

d'accord pour offrir aux deux rois le choix entre Cherbourg et la Marche de Calais. Les conditions imposées au duc d'Orléans obligeaient en fait Charles VII à envoyer ses ambassadeurs à Calais. Le duc aurait dû payer vingt-six mille nobles pour frais de voyage, s'il se rendait à Cherbourg, et douze mille nobles supplémentaires par mois, s'il y restait plus de trois mois. En revanche, Henri VI se chargeait de toute la dépense si la convention avait lieu dans la Marche de Calais. L'influence de la médiation d'Isabelle de Portugal est certaine; la Bourgogne avait tout avantage, pour contrôler les discussions, à insister pour qu'elles se tinssent sur ses frontières. On décida d'ouvrir le congrès le 8 mai, s'il avait lieu à Calais [53], et on conclut une trêve, valable deux mois, le 11 février 1439, pour garantir le calme et la paix à la réunion. La frontière du territoire « neutralisé » suivait le cours de l'Aa, de Gravelines à Saint-Omer, soit l'ancienne délimitation du Boulonnais, et le tracé de la « *cauchie Brunehaut* », la voie romaine en direction de Boulogne. Clause importante : les sujets de Philippe le Bon et d'Henri VI étaient autorisés à pénétrer en territoire ennemi s'ils étaient porteurs de sauf-conduits; cet article rétablissait en fait les échanges avec l'Etape. Parmi les conservateurs de la trêve, auxquels il fallait s'adresser pour obtenir un sauf-conduit, on relève le nom du maire de l'Etape et du capitaine de Gravelines [54]. Henri VI et Charles VII donnèrent leur accord [55] pour tenir

---

[53] B.N., *Fonds Français, Nouvelles acquisitions*, n° 6215, f° 93 v° : 31 janvier 1439; E. DE MONSTRELET, *opus cit.*, t. V, p. 353; H. NICOLAS, *opus cit.*, t. V, p. 346; J. DE WAVRIN, (*opus cit.*, t. VII, pp. 251-253) a transformé Cherbourg en Bourbourg. Isabelle de Portugal devait soumettre ce choix aux deux rois avant le 7 ou tout au moins le 15 mars.

[54] P.R.O., *Diplomatic Documents*, E 30/448 original (copie : E 30/1072, f°ˢ 1-5); O. VAN DIXMUDE, *opus cit.*, pp. 165-166. La trêve fut publiée à Ypres le 3 mars. Le 16 février et le 5 mars des messages envoyés au roi et au duc de Bourgogne annonçaient la nouvelle (A.G.R., *R.G.F.*, C.C. n° 46955, f° 88 v° et n° 46956, f° 147). Les Flamands, à l'annonce de la conclusion de la trêve, s'empressèrent de remercier la duchesse par un don de sept mille ridders: ils lui envoyèrent également une délégation à Bruxelles (A.V.G., *Comptes de Gand*, n° 400/15, f° 241 v° : 23 février 1439; A.G.R., *Comptes de Bruges*, C.C. n° 32492, f° 75 : 20 février 1439; *Comptes d'Ypres*, C.C. n° 38663, f° 11 et 11 v° : 20 février et 7 mars 1439; A.E.B., *Comptes du Franc*, f°ˢ 26 et 26 v° : 20 février, 17 et 24 mars 1439).

[55] L'acte d'accord de Henri VI est daté du 4 mars (T. RYMER, *opus cit.*, t. X, p. 718). Isabelle de Portugal reçut cet accord le 20 mars et en accusa réception le 22, mais, à cette époque, elle n'avait pas encore eu de nouvelles de Charles VII (B.N., *Fonds français, Nouvelles acquisitions*, n° 6215, f°ˢ 95 v° - 96). L'acte d'accord de Charles VII porte la date du 10 mars; le roi prévoyait que ses ambassadeurs ne pourraient arriver à la convention avant le 20 mai (IDEM, *ibidem*, f°ˢ 93 v° - 94 v°); le roi avait pris cette décision malgré l'opposition de ses conseillers : le duc de Bourbon, le maréchal de La Fayette et Jacques de Chabannes (M. d'ESCOUCHY, *Chronique, 1444-1461*, éd. G. Du Fresne de Beaucourt, 3 vol., Paris, 1863, t. III, Preuves, p. 5). La duchesse fit part de l'acquiescement de Charles VII à Henri VI par une lettre du 3 avril qui n'arriva à destination, en même temps que celle du 22 mars, que le 19 avril (B.N., *Fonds français, Nouvelles acquisitions*, n° 6215, f°ˢ 96 v° - 97 v°).

la réunion dans la Marche de Calais. Le temps imparti était malheureusement
dépassé. Le roi de France se trouvait alors à Limoges; le chemin était long
jusqu'aux pays bourguignons et de là en Angleterre. Henri VI, ayant
attendu en vain la réponse de son adversaire, autorisa ses conseillers à
retourner dans leurs terres; aussi dut-il les rappeler lorsqu'il reçut des
nouvelles favorables [56]. Il accorda alors les sauf-conduits demandés par
Charles VII, pour les ambassadeurs français [57], en réclama pour les siens
et manda à ses officiers qu'il avait délivré un sauf-conduit général aux
Français [58]. Il promit aussi que le duc d'Orléans traverserait la Manche
avant le 31 août [59]. Le 7 avril, Charles VII, de son côté, avait délivré les
pouvoirs de traiter de la paix générale à une ambassade nombreuse et importante, à la tête de laquelle se trouvaient le duc de Bourgogne, le comte de
Vendôme, le chancelier Renaud de Chartres et le bâtard d'Orléans [60].

Les pourparlers d'ordre économique avaient progressé parallèlement; Jean
Chevrot, Hugues de Lannoy, Henri Utenhove, le seigneur de Roubaix et
Gauthier de la Mandre, accompagnés des délégués flamands, hollandais
et zélandais, s'étaient rendus à Calais où ils avaient examiné les questions
commerciales en présence du cardinal et des délégués anglais, parmi lesquels

---

[56] B.N., *Fonds français, Nouvelles acquisitions*, nº 6215, fᵒˢ 97 vᵒ - 99 : mai 1439.

[57] Des sauf-conduits étaient demandés pour les ducs de Bourbon et d'Alençon, pour les
comtes de Richemont, Pardiac et Vendôme, pour Charles d'Anjou, le bâtard d'Orléans,
le maréchal de La Fayette, le chancelier de Chartres, le président Jean Rabateau et pour
cinq cents personnes de leur suite. Henri VI délivra le sauf-conduit en question le 8 mai
(T. RYMER, *opus cit.*, t. X, 720-722).

[58] B.N., *Fonds français, Nouvelles acquisitions*, nº 6215, fᵒˢ 99 - 100 vᵒ.

[59] Henri VI envoyait en même temps John Sutton, John Popham et Stephen Wilton,
pour fixer définitivement, de concert avec la duchesse de Bourgogne, le lieu exact où se
tiendrait la convention. Les instructions des ambassadeurs anglais proposaient trois solutions : la première, celle qui fut adoptée, préconisait un endroit, le long de la côte entre
Calais et Gravelines, à deux lieues de la première de ces villes et à une de l'autre; la
deuxième envisageait un lieu entre Ardres et Guines, la dernière un emplacement entre
Ardres et Fiennes ou encore Boulogne. Les ambassadeurs anglais devaient aussi régler
la question des serments que devraient prêter les plénipotentiaires. Il fallait de plus décider
que seuls les gens couverts par les sauf-conduits pourraient communiquer avec les
négociateurs; il faudrait interdire l'approche d'autres personnes à moins de deux lieues de
l'endroit où se tiendrait la conférence; enfin, les envoyés du roi avaient mission de
proposer d'étendre la trêve sur mer depuis L'Ecluse jusqu'à Boulogne pour les côtes
bourguignonnes, et d'Orwell à Winchester pour les côtes anglaises (B.N., *Fonds français,
Nouvelles acquisitions*, nº 6215, fᵒ 100 vᵒ; fᵒ 102 : 8 mai 1439; fᵒˢ 102 vᵒ à 104 vᵒ).

[60] Dom U. PLANCHER, *Histoire générale et particulière de Bourgogne*, 4 vol., Dijon,
1739-1781, t. IV (par Dom MERLE), Preuves, nº CLXIII; H. NICOLAS, *opus cit.*,
pp. 346-349.

se trouvaient probablement des représentants de la corporation de l'Etape [61]. Deux réunions furent préconisées, l'une à La Haye, l'autre à Londres, pour fixer les compensations pour les dommages subis par les Anglais, Hollandais et Zélandais [62].

Enfin, une ambassade partit fin mars, pour Londres, sur l'ordre du duc et de la duchesse. Elle était conduite par Henri Utenhove et se composait de représentants de Philippe le Bon, Guillaume de Lalaing, Gauthier de la Mandre et Jean Rosencrans, et des Membres de Flandre. L'ordre du jour des travaux comprenait entre autres : la conclusion d'un entrecours, l'abolition du droit d'épave en Flandre, la suppression du paiement des laines à l'Etape en « bullion » [63], la fixation d'indemnités réclamées par les Anglais, du chef d'arrestations de marchands et de la destruction des forteresses lors de l'expédition de Calais, et l'amélioration du système de l'Etape [64]. Les Anglais jugèrent que les pouvoirs des Bourguignons étaient insuffisants et demandèrent à la duchesse de leur en donner de plus étendus pour qu'il fût possible de négocier en marge de la prochaine conférence [65].

Cependant, les draps anglais arrivaient en quantité aux foires de Brabant, si bien qu'Henri VI dut renouveler, le 3 avril et le 28 juin 1439, les interdic-

---

[61] En décembre 1438 : A.G.R., R.G.F., C.C. n⁰ 46955, f⁰ 126; *Comptes d'Ypres*, C.C. n⁰ 38663, f⁰ˢ 9 v⁰ et 10; *Comptes de Bruges*, C.C. n⁰ 32492, f⁰ 74 v⁰; A.E.B., *Comptes du Franc*, n⁰ 172, f⁰ 25 v⁰, repris dans E. SCOTT et L. GILLIODTS VAN SEVEREN, *opus cit.*, p. 440; H.J. SMIT, *opus cit.*, t. II, p. 711; B.N., *Fonds français, Nouvelles acquisitions*, n⁰ 6215, f⁰ 101 v⁰.

[62] H.J. SMIT, *opus cit.*, t. II, p. 711, n⁰ 1144; p. 714, n⁰ 1147.

[63] Pour la signification exacte de ce terme, voir p. 170.

[64] A.V.G., *Comptes de Gand*, n⁰ 400/15, f⁰ˢ 230 et 242 : 27 mars et 10 avril 1439; A.G.R., *Comptes de Bruges*, C.C. n⁰ 32492, f⁰ 76 : 3 avril 1439; *Comptes d'Ypres*, C.C. n⁰ 38663, f⁰ˢ 9, 11 et 11 v⁰ : 25 mars et 6 avril 1439; A.E.B., *Comptes du Franc*, n⁰ 172, f⁰ˢ 17, 26 v⁰ et 27 : 29 mars, 2 avril 1439 (repris dans E. SCOTT et L. GILLIODTS VAN SEVEREN, *opus cit.*, pp. 440-441). Signalons : 1) un échange de lettres entre Isabelle de Portugal et le cardinal (A.G.R., R.G.F., C.C. n⁰ 46955, f⁰ 123 v⁰ : mi-février 1439, f⁰ 96 v⁰ : 23 mars 1439; A.G.R., *Comptes de Bruges*, C.C. n⁰ 32492, f⁰ 76 : 3 avril 1439); 2) l'envoi d'un émissaire aux maire et marchands de l'Etape (A.G.R., *Comptes de Bruges*, C.C. n⁰ 32492, f⁰ 75 v⁰ : 27 mars 1439); 3) le voyage du secrétaire hollandais Jan Rose en Angleterre, en avril (H.J. SMIT, *opus cit.*, t. II, p. 718, n⁰ 1155).

Guillaume de Lalaing fut grand bailli de Hainaut de 1427 à 1437 et stadhouder de Hollande, Zélande et West-Frise de 1440 à 1445; voir L. DEVILLERS, *Biographie Nationale*, t. XI, 1890-1891, col. 97-98.

L'ambassade revint fin mai : les Quatre Membres se réunirent à Bruges pour discuter des résultats obtenus par les ambassadeurs; l'accord n'était pas fait sur tous les points : A.G.R., *Comptes d'Ypres*, C.C. n⁰ 38663, f⁰ 13 : 27 mai 1439; A.E.B., n⁰ 172, f⁰ 19 v⁰ : 28 mai 1439.

[65] B.N., *Fonds français, Nouvelles acquisitions*, n⁰ 6215, f⁰ 101 v⁰ : 8 mai 1439.

tions de commercer avec la Flandre, le Brabant et le Hainaut [66], alors qu'en vertu de la trêve, les Bourguignons pouvaient à nouveau fréquenter Calais.

Le terrain était déblayé pour une seconde conférence. Si les pourparlers de paix générale n'aboutissaient pas, le duc de Bourgogne se ménageait la possibilité de conclure une trêve sous le couvert de l'entrecours anglo-flamand. Aux termes du traité d'Arras, Philippe le Bon aurait dû demander au roi l'autorisation de conclure une trêve, un entrecours ou un quelconque accord avec l'Angleterre. Nous n'en avons pas retrouvé de traces. Il est vrai que Philippe le Bon avait été désigné par Charles VII comme le premier des ambassadeurs français chargés de traiter de la paix générale [67]. Ce fait n'empêcha pas le roi de reprocher plus tard au duc la conclusion de trêves avec l'Angleterre [68].

Les entretiens ne commencèrent que le 6 juillet au même endroit que la conférence précédente [69]. Charles VII avait délégué cette fois de hauts et puissants seigneurs pour défendre sa cause : son cousin, le comte de Vendôme, Louis de Bourbon, son chancelier, l'archevêque de Reims [70], le bâtard d'Orléans [71], l'archevêque de Narbonne, Jean de Harcourt [72]. Soulignons la présence, au sein de l'ambassade française, des envoyés à la précédente conférence : Renaud Girard et Robert Mallière [73].

Le cardinal Beaufort était accompagné d'un grand nombre de

---

[66] Mention de l'ordonnance du 3 avril : P.R.O., *Memoranda Rolls*, E. 159/215 (arrêt de navires revenant des foires de Brabant); ordonnance du 28 juin : P.R.O., *Treaty Rolls*, C 76/121/m 3.

[67] Voir p. 122.

[68] Voir pp. 373-374; 376 n. 56.

[69] H. NICOLAS, *opus cit.*, t. V, p. 341 : Journal de la conférence par T. Beckington.

[70] Renaud de Chartres, archevêque de Reims depuis 1414, chancelier depuis 1428, cardinal le 28 décembre 1439, mort en 1444.

[71] Jean, comte de Dunois (mort en 1468), fils de Louis d'Orléans, compagnon d'armes de Jeanne d'Arc, lieutenant général du roi, puis gouverneur de Normandie, s'illustra dans la reconquête du royaume contre les Anglais, fut tenu en demi-disgrâce sous le règne de Louis XI.

[72] Compétiteur de Jean Chevrot au siège épiscopal de Tournai, protégé par Charles VII; laissant la place à Chevrot, il reçut l'archevêché de Narbonne (J. BARTIER, *opus cit.*, pp. 312-314).

[73] Les ambassadeurs français arrivèrent à destination au début du mois; ils étaient à Reims le 2 mai : A.G.R., *R.G.F.*, C.C. n° 46955, f° 131. Le 12 mai, Philippe le Bon dépêchait son secrétaire Jean Chapuis à Lyon auprès de son beau-frère, le duc de Bourbon, « *touchant la convencion d'entre Calaiz et Gravelinghes pour le fait de la paix d'entre les deux royaumes de France et d'Angleterre* » (A.G.R., *R.G.F.*, C.C. n° 46955, f° 128 v°).

collaborateurs [74] parmi lesquels quatre prélats (l'archevêque d'York et les évêques de Lisieux [75], de Norwich [76], et de Saint-David [77]), le duc de Norfolk [78], les comtes de Stafford [79] et d'Oxford [80], les lords Bourchier [81] et Hungerford [82].

La duchesse Isabelle avait aussi réuni autour d'elle une pléiade de conseillers. Elle était entourée de Nicolas Rolin et de Jean Chevrot, de Jean de Croÿ, de Jacques de Crèvecœur et, soulignons-le, d'Hugues de Lannoy et d'Henri Utenhove, les spécialistes des affaires anglaises [83].

---

[74] T. RYMER, opus cit., t. X, p. 728; H. NICOLAS, opus cit., t. V, pp. 349-352 : pouvoirs accordés en date du 23 mai et du 30 mai. Parmi les membres de l'ambassade se trouvaient encore : l'abbé de Fécamp, Nicolas Byllesdon, John Sutton, John Popham, Robert Whitingham, trésorier de Calais, Thomas Beckington, William Erard, Stephen Wilton, William Sprever, John Raynewell (L. MIROT et E. DEPREZ, opus cit., pp. 82-83). Dès le 2 mai, John Sutton, John Popham, Stephen Wilton étaient à Calais; la duchesse leur envoya des lettres ce jour-là : A.G.R., R.G.F., C.C. n⁰ 46955, f⁰ 131; le cardinal arriva à Calais le 26 juin : H. NICOLAS, opus cit., t. V, p. 335.

Thomas Beckington, auteur du journal de la conférence, était alors secrétaire; il devint évêque de Bath and Wells en 1443. Il était partisan du duc de Gloucester (voir J. GAIRDNER, Dictionary of National Biography, t. IV, 1885, pp. 86-87).

Gilles de Duremort, abbé de Beaupré, puis de Beaubec, enfin de Fécamp, fut un des juges de Jeanne d'Arc; il devint évêque de Coutances en 1439.

[75] Pierre Cauchon, évêque de Beauvais, puis de Lisieux, n'était autre que le juge de Jeanne d'Arc. Il mourut en 1443.

[76] Thomas Brown, évêque de Rochester en 1435 et de Norwich en 1436. Il s'agit de sa seule mission politique connue; il mourut en 1445 : A. JESSOP, Dictionary of National Biography, t. VII, 1886, p. 29.

[77] Thomas Rodborn (1434-1448).

[78] John Mowbray, duc de Norfolk (1415-1461), fut, par la suite, un des principaux lords yorkistes : J. TAIT, Dictionary of National Biography, t. XXXIX, 1894, pp. 222-225.

[79] Humphrey Stafford (1402-1460), comte de Stafford, duc de Buckingham en 1446, partisan du cardinal Beaufort et plus tard de Marguerite d'Anjou, tué à la bataille de Northampton : J. TAIT, Dictionary of National Biography, t. LIII, 1898, pp. 451-453.

[80] John de Vere (1408 ?-1462), comte d'Oxford, fut par la suite un ardent partisan de Marguerite d'Anjou, ce qui lui valut d'être condamné à mort par Edouard IV et exécuté (voir l'article consacré à son fils John de Vere par S. LEE, Dictionary of National Biography, t. LVIII, 1899, p. 240).

[81] Henry Bourchier (mort en 1483), duc d'Essex en 1461, oncle par alliance d'Edouard IV, un des principaux lords yorkistes : W. HUNT, Dictionary of National Biography, t. VI, 1886, p. 10.

[82] Walter, lord Hungerford, mort en 1449, partisan de Gloucester, trésorier de 1427 à 1430 (S. LEE, Dictionary of National Biography, t. XXVIII, 1891, pp. 255-259).

[83] Le sauf-conduit délivré par Henri VI donne une liste erronée (E. SCOTT et L. GIL-LIODTS VAN SEVEREN, opus cit., p. 440, n⁰ CLXXX : mai 1439). Nous avons composé une liste grâce au Journal de Beckington (H. NICOLAS, opus cit., t. V, pp. 334-340) et à A.G.R., R.G.F., n⁰ 46055, f⁰ˢ 135, 139, 141, 144 v⁰, 151, 151 v⁰, 153 v⁰. Citons encore Philippe de Nanterre, Pierre Brandin et les secrétaires Louis Domessant et Paul Deschamps. La duchesse était accompagnée de sa nièce la princesse de Navarre, fille du duc de Clèves. Jacques de Crèvecœur mourut au cours des négociations.

Par leur composition, les ambassades étaient presque semblables à celles envoyées à Arras en 1435; la conférence prit donc rapidement l'allure d'un véritable congrès pour la paix. Cette fois, les médiateurs étaient, pour l'Angleterre, le cardinal Beaufort et, pour la France, la duchesse de Bourgogne; on considérait comme le troisième médiateur, le duc d'Orléans que les Anglais avaient amené à Calais [84].

Le concile de Bâle, mécontent de voir que cette mission lui échappait, envoya, au cours de la conférence, une délégation composée d'un légat, l'évêque de Vich [85], de l'abbé de Virgilia en Provence [86] et du chanoine de Rouen, Nicolas Loysthere. Cette députation voulait s'imposer comme médiatrice. Elle fut reçue par les ambassadeurs anglais qui lui répondirent que la médiation avait été confiée au cardinal et à la duchesse, et que, d'ailleurs, si le concile avait été impartial à Arras, l'actuelle réunion n'eût pas été nécessaire. Les émissaires repartirent après avoir tenté en vain de rencontrer la duchesse [87].

L'ordre du jour de la conférence comportait le rétablissement de la paix, la conclusion d'un entrecours anglo-flamand [88] et le règlement des réparations pour les dommages subis par les Anglais d'une part, les Hollandais et les Zélandais de l'autre [89]. Tout l'intérêt se portait évidemment sur le premier point, les autres n'étant que subsidiaires.

Seules les instructions [90] des ambassadeurs anglais nous sont parvenues. Elles spécifiaient que le roi abandonnerait en fief à son adversaire les terres situées au sud de la Loire; en dernier ressort, il consentirait au rétablissement des frontières fixées par le traité de Brétigny [91], exigences beaucoup trop

---

[84] p.r.o., *Chancery Miscellanea*, C 47/30/9 : 12 octobre 1439. Sur le rôle Charles d'Orléans, voir P. CHAMPION, *Vie de Charles d'Orléans, 1394-1465*, Paris, 1911, pp. 286-294.

[85] Georges de Ornós, mort en 1445.

[86] Il doit y avoir ici une erreur, car il n'existe pas d'abbaye de ce nom.

[87] H. NICOLAS, *opus cit.*, t. V, p. 363 : 11 juillet 1439.

[88] Pouvoirs donnés le 23 mai 1439, par Henri VI, à l'archevêque d'York, aux évêques de Saint-David et Norwich, Nicolas Byllesdon et John Popham, Stephen Wilton, William Sprever et Robert Whitingham (T. RYMER, *opus cit.*, t. X, pp. 730-731).

[89] Pouvoirs donnés le 29 mai 1439, par Henri VI à William Sprever, docteur en droit, Robert Brampton et Nicolas Hysham, tous deux marchands (T. RYMER, *opus cit.*, t, X, pp. 733-734).

Soulignons les compositions très différentes des deux ambassades pour les questions commerciales : la délégation chargée de traiter de l'entrecours anglo-flamand était formée « d'hommes politiques », tandis que celle qui devait négocier avec la Hollande et la Zélande, ne comprenait que des « techniciens ».

[90] T. RYMER, *opus cit.*, t. X, p. 724; H. NICOLAS, *opus cit.*, t. V, pp. 355-360 : 21 mai 1439.

[91] Voir les clauses du traité dans A. COVILLE, *L'Europe occidentale de 1270 à 1380, deuxième partie*, Paris, 1941, p. 582.

élevées vu la situation des Anglais en France. Le cardinal était seul autorisé à mener les négociations s'il fallait mettre en jeu les prérogatives d'Henri VI comme roi de France; c'était là une innovation qui marquait un désir évident d'obtenir un résultat[92]. Si la paix s'avérait impossible à conclure, on envisagerait la signature de trêves d'une durée de cinquante, quarante ou trente ans. Tout comme à Arras, les discussions portèrent sur les droits des adversaires au trône de France. Ni les Anglais, ni les Français n'étaient prêts à faire des concessions à ce sujet, malgré les pouvoirs dont disposait le cardinal pour en discuter. Après plusieurs réunions[93], où la duchesse s'employa à rapprocher les points de vue, les Français constatèrent l'impossibilité d'aboutir à une paix générale et offrirent de signer une longue trêve aux conditions suivantes : Henri VI s'abstiendrait d'user du titre de roi de France; il rétablirait dans leurs biens les partisans de Charles VII dépossédés par les Anglais; le duc d'Orléans serait libéré sans rançon; les terres de Guyenne et de Normandie(réserve faite du Mont-Saint-Michel et de l'hommage de la Bretagne), les Marches de Calais et de Guines seraient laissées à Henri VI[94].

Le cardinal décida de demander directement au roi son avis sur ces propositions; le duc de Norfolk fut chargé de les porter à Londres au début du mois d'août. La conférence, comme le suggéra le duc d'Orléans, fut suspendue jusqu'au 11 septembre pour permettre aux deux partis de consulter leurs maîtres[95].

Alors que les ambassadeurs anglais étaient de retour au jour dit, les Français demandèrent une prolongation de l'arrêt de la conférence pour permettre à Charles VII de consulter les Etats Généraux convoqués à Paris pour le 25 septembre. Cette requête fut repoussée par les Anglais, d'autant plus que les offres françaises avaient été rejetées par Henri VI. Le roi n'entendait pas mettre en doute ses droits à la couronne de France; il se refusa aussi à restituer leurs terres aux partisans de Charles VII : il aurait détruit par le fait même toute son autorité[96]. Le Conseil privé, entièrement soumis à l'influence de Gloucester, en l'absence du cardinal, avait changé d'avis depuis le moment où il avait chargé Beaufort de discuter de l'abandon éventuel des prérogatives de Henri VI comme roi de France. Le duc de Gloucester écrivit plus tard qu'il eût préféré mourir que de souscrire à de

---

[92] T. Rymer, opus cit., t. X, p. 732 : pouvoirs du 25 mai 1439.

[93] Le Journal de T. Beckington donne les détails les plus circonstanciés sur les négociations (H. Nicolas, opus cit., t. V, pp. 334-407).

[94] H. Nicolas, opus cit., t. V, pp. 377-381.

[95] H. Nicolas, opus cit., t. V, pp. 382-383. Les Anglais partirent le 5 août 1439.

[96] H. Nicolas, opus cit., t. V, pp. 388-395. Les Etats d'Artois, le 11 septembre, désignèrent la députation qu'ils enverraient aux Etats Généraux (C. Hirschauer, opus cit., t. II, p. 29).

telles propositions [97]. La rupture était ainsi consommée. On décida cependant qu'une nouvelle conférence se tiendrait le 15 avril ou le 1er mai de l'année suivante, si les deux princes y consentaient [98]. Aucun rapprochement n'était possible tant que l'irritante question des droits à la couronne de France diviserait les deux clans. Les difficultés rencontrées au congrès d'Arras s'étaient représentées lors de la deuxième conférence de Gravelines; les positions n'avaient pas évolué; la rencontre n'avait été qu'une mesure pour rien.

Lorsque le cardinal annonça à la duchesse Isabelle la rupture des pourparlers, celle-ci demanda, avec une apparente indifférence, si la trêve resterait en vigueur et si l'on continuerait à négocier un entrecours entre la Flandre et l'Angleterre; ce n'est qu'après un débat qu'elle reçut une réponse affirmative [99]. Dès le 23 juillet, Henri Beaufort avait convoqué, à Calais, Hugues de Lannoy et Henri Utenhove; on ne peut douter qu'ils discutèrent de la reprise des relations commerciales [100]. D'ailleurs, à la même époque, les Flamands dépêchèrent à Calais des délégués pour prendre contact avec le cardinal; celui-ci les pria de revenir le mois suivant, car les envoyés anglais chargés de traiter la question n'étaient pas encore arrivés [101]. Parallèlement, Henri Beaufort était entré en relation avec les délégués des villes hollandaises et zélandaises; ils décidèrent de commun accord de tenir une réunion à La Haye pour régler la question des dommages réciproques [102].

Les entretiens anglo-flamands débutèrent en septembre lorsqu'Henri Utenhove, à la tête d'une délégation des Quatre Membres, porta à Calais une pétition réclamant l'octroi de sauf-conduits pour les pêcheurs de harengs. Le cardinal demanda l'avis des délégués revenus d'Angleterre : ils décidèrent de repousser cette requête à moins que les Flamands ne pussent garantir que ni les Bretons, ni les Dieppois n'attaqueraient les Anglais sur mer [103]. Les négociations en étaient là, lorsque la duchesse obtint l'accord des Anglais pour la conclusion d'un entrecours. Aussitôt, les Membres de Flandre

[97] J. Stevenson, opus cit., t. II, 2e partie, p. 446.
[98] H. Nicolas, opus cit., t. V, p. 399. Le 12 septembre, Henri VI donna son accord : p.r.o., Chancery Miscellanea, C. 47/30/9, et Treaty Rolls, C. 76/122/m. 31, repris dans un acte du 20 avril 1440 (p.r.o., Treaty Rolls, C. 76/122/m. 17).
[99] H. Nicolas, opus cit., t. V, p. 399.
[100] H. Nicolas, opus cit., t. V, p. 375.
[101] a.g.r., Comptes de Bruges, C.C. no 32492, fo 80 : 28 juillet 1439; a.g.r,. Comptes d'Ypres, C.C. no 38663, fo 15 vo : 28 juillet 1439; a.e.b., Comptes du Franc, no 172, fo 28 vo : 20 et 29 juillet 1439 (repris dans E. Scott et L. Gilliodts van Severen, opus cit., p. 440, avec erreur de date). A la fin du mois, les Membres de Flandre réexaminèrent la question : a.g.r., Comptes de Bruges, C.C. no 38492, fo 81 vo : 30 août 1439; a.g.r., Comptes d'Ypres, C.C. no 38663, fo 16 : 30 août 1439; a.e.b., Comptes du Franc, no 172, fo 29 : 30 août (repris dans E. Scott et L. Gilliodts van Severen, opus cit., p. 440).
[102] H.J. Smith, opus cit., t. II, p. 729, no 1174 : 28 janvier 1440; p. 742, no 1193 : 4 juillet 1440.
[103] H. Nicolas, opus cit., t. V, p. 388 : 7 septembre; p. 398 : 12 septembre 1439.

désignèrent leurs délégués [104] et Henri Utenhove, accompagné de Philippe de Nanterre, de Louis Domessant et de Paul Deschamps [105], prirent la route de Calais. Les discussions commencèrent le 19 septembre; le 25, le traité était conclu et le 29, l'acte était rédigé [106]. Dès ce jour, il entrait en vigueur sur terre; le 5 octobre, il prenait cours pour la pêche et sur mer, le 1er novembre [107].

L'entrecours, valable pour trois ans, était conclu au bénéfice non seulement de la Flandre mais aussi du Brabant et de la seigneurie de Malines; ces deux dernières principautés n'avaient pourtant pas envoyé de délégués à Calais.

Voici les clauses de cet acte important :

Le chemin de Calais était rouvert aux Bourguignons et les Anglais pouvaient, de l'Etape, se rendre en Flandre, Brabant et Malines; une route leur était imposée entre la mer et les châteaux de Marck et d'Oye. Les seules marchandises exceptées du trafic étaient les armes et la poudre.

Les Anglais, Irlandais et gens de Calais, marchands et maîtres de nefs, pouvaient débarquer en Flandre, Brabant et Malines et y séjourner en sécurité; ils pouvaient y commercer avec les marchands du pays et « *autres marchands quelzconques* ». Il leur était donc permis d'entrer en contact avec les Hanséates et tous les marchands des colonies méridionales fixées en Flandre [108].

Les Bourguignons étaient autorisés à mouiller dans les ports anglais où des

---

[104] A.G.R., *Comptes de Bruges*, C.C. n° 32493, f° 32 : 16 et 19 septembre 1439; voir aussi L. GILLIODTS VAN SEVEREN, *Inventaire des Archives de Bruges*, t. V, p. 191; A.G.R., *Comptes d'Ypres*, C.C. n° 38663, f° 17 : 20 septembre 1439; A.E.B., *Comptes du Franc*, n° 173, f°s 11 et 25 : 14, 15 et 20 septembre 1439 (repris dans E. SCOTT et L. GILLIODTS VAN SEVEREN, *opus cit.*, p. 440).

[105] H. NICOLAS, *opus cit.*, t. V, p. 400 : 18 septembre 1439; A.G.R., *R.G.F.*, C.C. n° 46955, f° 151 et 151 v° : 21 et 24 septembre 1439. Le 16 septembre, Philippe le Bon rappela de Calais, auprès de lui, Jean de Croÿ qui semble ne pas avoir participé à ces négociations : A.G.R., *R.G.F.*, C.C. n° 46955, f° 150 v°.

[106] H. NICOLAS, *opus cit.*, t. V, pp. 401-405. Au cours des pourparlers, les envoyés allèrent consulter Philippe le Bon à Saint-Omer.

[107] L'entrecours n'est pas publié. Nous éditons en annexe (voir Pièce justificative n° 4) l'acte donné par les ambassadeurs anglais aux Bourguignons (texte français) qui repose aux A.D.N., n° B 572/15729; l'original donné par Henri VI (texte latin), fort abîmé, se trouve au P.R.O., *Chancery Miscellanea*, C 47/130/9/ n° 17; minute de certains articles : P.R.O., *Chancery Miscellanea*, C 47/28/7/ n° 14.
E. SCOTT et L. GILLIODTS VAN SEVEREN, *opus cit.*, pp. 445 et 447 : extrait d'un article de l'entrecours concernant la pêche, mandement de la duchesse étendant le bénéfice du traité aux pêcheurs d'Artois, Boulonnais, Ponthieu et Crotoy; T. RYMER, *opus cit.*, t, X, p. 736 : 20 octobre 1439, proclamation de l'entrecours en Angleterre; E. VAN BRUYSSEL, « Rapport sur des recherches dans les archives et bibliothèques d'Angleterre », B.C.R.H., 3e série, t. VIII, 1866, p. 164.

[108] Voir le chapitre consacré aux Bouches de l'Escaut, pp. 254, 259-260.

coutumiers et des officiers du roi enregistreraient l'entrée et la sortie des bateaux. On admettait toutefois que, chassées par la tempête ou poursuivies par des ennemis, des nefs flamandes ou brabançonnes se réfugiassent dans un port non autorisé, sans cependant y charger ou décharger de marchandises. Le droit d'abri était aussi reconnu aux bateaux anglais dans les ports flamands et brabançons.

Les marchands pouvaient librement circuler en Angleterre et en Irlande, commercer avec des marchands anglais *«ou autres»*. Cependant, il fut défendu, alors que l'entrecours était en vigueur, aux « *aliens* » d'entrer en relation avec des marchands étrangers [109]. Le commerce des vivres était libre, celui des armes, prohibé [110]. Toutefois, le prince pouvait interdire l'importation ou l'exportation de telle ou telle denrée, si les circonstances le commandaient. C'est ainsi que le commerce des grains pouvait être réglementé [111]. Les marchands anglais aux Pays-Bas et les Bourguignons en Angleterre devaient payer les « *devoirs duez et acoustuméz quand marchandises a eu cours le temps passé* »; en revanche, le prince avait la faculté d'imposer « *telz tonlieux et devoirs au regard de ses subgets que bon lui semblera* ». Cet article détermina Philippe le Bon à augmenter aussitôt le tarif du tonlieu de Gravelines au préjudice de ses sujets [112].

Les bateaux pouvaient être armés et posséder de l'artillerie, clause tout à fait normale lorsqu'on connaît les risques de piraterie courus par les navires [113]; on peut aussi penser que si ces armes étaient considérées comme défensives, elles pouvaient être employées comme offensives. Comment reconnaître un bateau marchand d'un bateau pirate si tous deux possédaient le même armement ?

En débarquant, les marchands et marins pouvaient emporter un couteau, une dague et une épée; ils étaient tenus de déposer cette dernière chez leur hôte. Ceci explique peut-être que, plus d'une fois, les marchands furent attaqués et dépouillés par des voleurs ou blessés sans qu'ils aient pu se défendre [114].

Un séjour paisible était garanti aux marchands des deux partis que ce soit en Angleterre, en Flandre ou en Brabant. Ni les sujets du prince, ni les étrangers ne pouvaient leur porter ombrage.

---

[109] Voir p. 302.

[110] On en rencontre cependant dans les cargaisons; il y a aussi quelques exemples d'armes saisies alors qu'elles étaient destinées à l'Angleterre : A.D.N., *R.G.F.*, n° B 2026, f° 419 : 1458, saisie à Arnemuiden; n° B 2048 : 10 juillet 1463, saisie à Middelbourg d'armes expédiées par Guillaume Cousinot.

[111] Voir p. 221.

[112] Voir p. 139 et 175.

[113] Voir p. 333.

[114] Voir p. 340.

L'entrée des villes fermées leur était permise pour autant qu'ils en eussent demandé une première fois l'autorisation. S'il ne se trouvait pas aux portes quelqu'un pour la leur accorder, ils pouvaient se rendre directement chez leur hôte qui devait signifier leur arrivée au capitaine de la place; si, deux heures après leur venue, l'annonce de leur présence n'avait pas été faite, ils ne devaient pas attendre plus longtemps et pouvaient commencer leurs affaires.

Les pèlerins d'un pays et de l'autre recevaient libre passage dans les deux contrées, comme les clercs anglais qui se rendaient en cour de Rome. Ils devaient se plier aux mêmes formalités que les marchands pour entrer dans une ville fermée. Ils ne pouvaient passer la nuit dans une ville, à moins de maladie, de manque de navires ou de vent, s'il s'agissait d'un port, ou encore s'il leur fallait attendre pour changer leur argent. Si besoin en était, à l'entrée d'une place forte, ils prêteraient serment qu'ils ne venaient qu'avec de bonnes intentions. Il est curieux de constater que l'on regardait les pèlerins avec plus de méfiance que les marchands. Souvent, les pèlerins étaient fort pauvres; il se cachait aussi des malandrins dans leurs rangs et on ne pouvait songer à récupérer sur leurs biens les torts éventuels qu'ils commettraient; cela explique les mesures plus rigoureuses qui leur étaient imposées.

La pêche était libre; on reconnaissait le droit aux pêcheurs de s'abriter dans les ports pendant tout le temps où quelque danger les y forcerait; ils devaient évidemment acquitter les tonlieux et droits habituels. Il n'était pas question d'eaux territoriales ou de pêche autorisée. Aucun « écumeur » français, flamand ou d'autre origine ne pourrait prendre un port flamand ou brabançon comme base de départ pour attaquer les navires et les biens anglais; de même, aucun Anglais ou Irlandais ou autre ne pourrait sortir des ports anglais pour porter préjudice aux Flamands et Brabançons et à leurs biens. La mention explicite des corsaires français est à souligner.

Si des contraventions à l'entrecours étaient commises au cours des trois années de sa durée, dix personnes avec autant de chevaux étaient autorisées à se rendre, sans autre sauf-conduit, chez la partie adverse. Cette délégation pouvait être envoyée par le roi d'Angleterre, le capitaine de Calais ou la compagnie de l'Etape d'une part, par le duc de Bourgogne ou les Membres de Flandre d'autre part. Il n'était donc pas question pour une ville telle qu'Anvers de traiter directement avec les Anglais; les Membres de Flandre jouissaient, en revanche, d'une autorité beaucoup plus grande. Jamais d'ailleurs, ni les villes brabançonnes, ni Malines ne furent consultées pour l'élaboration de l'entrecours qui avait été négocié par la duchesse et les Quatre Membres [115]. De même, seuls les étapiers avaient droit de relever des contraventions.

[115] Voir p. 129.

Si des corsaires ou des pirates amenaient leurs prises dans des ports des deux contrées, s'il s'agissait de biens appartenant soit à des Anglais ou des Irlandais, soit à des Flamands, Brabançons ou Malinois, ils ne pouvaient être vendus, mais devaient être rendus à leurs légitimes propriétaires. Les officiers des ports devaient être munis de lettres patentes spéciales pour agir ainsi. Des peines sévères frapperaient les contrevenants. La piraterie était si répandue que de telles clauses furent sans doute d'application très difficile [116].

Les marchandises venant de l'Est et traversant le Brabant, la Flandre ou Malines vers l'Angleterre ou Calais et appartenant à des ennemis de l'une ou de l'autre partie, ne pouvaient être arrêtées. Cela signifie que les biens hanséates destinés à l'Angleterre auraient toujours libre passage, même si le duc de Bourgogne était en conflit avec la Hanse.

Un article de droit maritime pose un problème que nous ne pouvons résoudre : le droit de lier les nefs, comme faisaient les Français, Hollandais, Zélandais et Ecossais, était reconnu aux marins des deux parties. Que veut dire « lier les nefs » ? Nous l'ignorons [117].

Les Anglais ne pouvaient débarquer en Flandre ou en Brabant des biens d'ennemis de ces deux principautés et réciproquement.

En cas de naufrage ou d'échouage, s'il restait âme qui vive à bord, homme, femme, enfant, chien, chat ou coq, les biens ne seraient pas confisqués mais rendus à leur propriétaire. Il faut noter qu'un statut d'Edouard Ier datant de 1275, mais toujours en application, prévoyait la confiscation d'un navire dès qu'il y avait à déplorer mort d'homme à bord [118]. Cette clause marque un libéralisme remarquable de la part des Anglais. Il faut dire qu'en fait, les intérêts du roi n'étaient guère touchés, car l'épave était généralement pillée par les habitants des côtes bien avant l'intervention des autorités.

Un chemin « *grant et large* » serait désigné aux marchands entre Calais et Gravelines, et puis dans les dunes flamandes; il était défendu de fréquenter cette route avec des chiens et de prendre des lapins. On sauvegardait ainsi le droit de chasse dans les dunes qui appartenaient au comte de Flandre.

Un article prévoyait réparation pour les attentats commis depuis la

---

[116] Voir p. 333.

[117] Ni les Rôles d'Oléron, ni les Jugements de Damme, ni les Coutumes maritimes d'Amsterdam, ni le Droit maritime de Wisby ne nous ont fourni d'explications; voir J.M. PARDESSUS, *Collection de lois maritimes antérieures au* XVIIIe *siècle*, t. I, Paris, 1828, pp. 323-524.

[118] D. BURWASH, *English merchant shipping, 1460-1540*, Toronto, 1947, p. 40; *Rotuli Parliamentorum*, t. IV, p. 492 : 1435; t. V, pp. 55-56 : 1442. A ces deux dates, les Communes demandèrent en vain la suppression de cette mesure.

conclusion du traité d'Arras contre les Anglais munis de sauf-conduits et les dommages subis par Stephen Wilton et Robert Clifton, ambassadeurs du roi, emprisonnés en Brabant[119]. Des dommages aux biens flamands et brabançons, il n'était pas question; les vaincus n'ont jamais droit aux réparations.

Ce sont aussi uniquement les Anglais qui pouvaient posséder des « hôtels » en Flandre et en Brabant, où ils jouiraient de leurs franchises anciennes et où ils seraient « *traitiéz aussi doulcement et gracieusement comme les autres nacions frequentans iceulx paiz et ville* ». Aucune contrepartie n'était indiquée. On ne mentionnait pas que les Flamands, tels les Brugeois par exemple, pourraient jouir des privilèges qu'ils détenaient en Angleterre. Un acte de Henri III, de 1260, leur accordait des facilités pour commercer Outre-Manche. Il semble que cette question n'ait pas été soulevée[120].

S'il était contrevenu d'une façon ou d'une autre à l'entrecours, l'affaire serait examinée par les princes mais aucune arrestation de personnes n'aurait lieu.

Enfin, les Membres de Flandre s'engagèrent solennellement, par acte scellé, à garder inviolablement les différents articles de l'entrecours.

Ce traité aux termes très généraux était particulièrement favorable aux Anglais et se contentait d'assurer la reprise des relations économiques; il ne résolvait aucune des véritables difficultés commerciales telles que les problèmes de l'Etape de Calais et la question des draps anglais.

Le 1er décembre 1439, Philippe le Bon promulguait l'interdiction de la vente des draps anglais en Flandre[121]. Il signifiait par là le retour à la situation antérieure au conflit puisqu'il autorisait implicitement la circulation des draps dans les autres principautés bourguignonnes.

La rapidité des pourparlers montrait l'impatience des Bourguignons et des Anglais à conclure un entrecours avant le départ de la délégation anglaise. Le traité avait, en effet, une double signification politique et économique. Il rétablissait les échanges commerciaux et instituait une neutralité de fait entre les Etats de Philippe le Bon et l'Angleterre.

Si, au congrès d'Arras, la Bourgogne avait conclu une paix séparée avec Charles VII, cette fois, elle signait avec l'Angleterre un entrecours, substitut d'une paix séparée.

---

[119] Voir p. 139 n. 163. L'indemnisation devait être réalisée avant la Saint-Michel; les négociations dépassèrent le temps imparti.

[120] L. GILLIODTS VAN SEVEREN, *Cartulaire de l'ancienne Estaple de Bruges, 863-1492*, 4 vol., Bruges, 1904-1906, t. I, p. 47, n° 61; L.A. WARNKOENIG - A. GHELDOLF, *Histoire de la Flandre et de ses institutions civiles et politiques jusqu'à l'année 1305*, 5 vol., Bruxelles, 1835-1864, t. IV, p. 231.

[121] L. GILLIODTS VAN SEVEREN, *Inventaire des archives de Bruges*, t. V, p. 189; IDEM, *Cartulaire de l'Ancienne Estaple*, t. I, p. 620 : 1er décembre 1439.

L'ECHEC DE LA MEDIATION BOURGUIGNONNE
ET LA CONCLUSION D'UNE TREVE

Le zèle que déployait la duchesse pour la conclusion d'une paix générale allait bientôt fléchir. L'échec des pourparlers devant l'intransigeance anglaise, la conclusion d'un entrecours et la sourde opposition de Charles VII orientèrent différemment la politique bourguignonne.

Les buts de la diplomatie bourguignonne se déplaçaient. La paix générale n'était plus indispensable ni même souhaitable, car la réconciliation des deux rois ne pourrait se faire qu'au détriment de Philippe le Bon. Le commerce était rétabli entre les pays de par-deçà et l'Angleterre; il importait de maintenir une situation qui assurait à la fois la tranquillité en Flandre et la paix aux frontières, en la sanctionnant par la conclusion d'une trêve.

La duchesse s'efforça donc de poursuivre en même temps la délivrance du duc d'Orléans, la consolidation des relations économiques et la signature « d'abstinences » de guerre.

Dès décembre 1439, les négociateurs de l'entrecours gagnaient l'Angleterre où ils obtinrent, le 21 janvier 1440, la prorogation du traité jusqu'au 1er novembre 1447 [122].

Une nouvelle conférence était prévue pour le mois d'avril 1440 à

---

[122] Les Membres de Flandre rappelèrent, peu après la conclusion de l'entrecours, que le traité pouvait être prolongé (A.G.R., *Comptes d'Ypres*, C.C. no 38663, fo 17 vo : 8 octobre 1439; A.E.B., *Comptes du Franc*, no 173, fo 11 vo : 9 et 15 octobre 1439). Le 12 octobre 1439, Paul Deschamps était à Calais (A.G.R., *R.G.F.*, no 46955, fo 157 vo); cependant, Louis Domessant ne partit de Saint-Omer que le 1er décembre; il revint le 17 février (A.D.N., *R.G.F.*, no B 1972, fo 139); le héraut Charolais l'accompagnait (A.D.N., *R.G.F.*, no B 1972, fo 159 vo : 28 novembre 1439). Leurs gages furent payés par les Membres de Flandre (A.E.B., *Comptes du Franc*, no 173, fo 13 : 18 novembre 1439). Pouvoirs donnés par Henri VI à William Lyndwood, John Stopyndon, Thomas Beckington, Stephen Wilton, Robert Whitingham pour traiter avec Henri Utenhove, Paul Deschamps et Louis Domessant : les 18, 23 ou 24 décembre 1439 (P.R.O., *Treaty Rolls*, C 76/122/m. 26 et 29; T. RYMER, *opus cit.*, t. X, p. 750 : 24 décembre 1439; *Calendar of Patent Rolls*, 1436-1441, p. 364; *Inventaire sommaire des archives départementales du Nord*, par A. LE GLAY, remanié par DEHAISNES et FINOT, t. I, p. 376). Prorogation : *Inventaire sommaire*, t. I, p. 376; confirmation par Henri VI : P.R.O., *Treaty Rolls*, C 76/122/m. 22 à 24. Le 6 février, Henri VI donnait pouvoir à Th. Kyriell, Stephen Wilton, Thomas Chalton, marchand, et William Ludlowe pour traiter de l'inclusion de la Normandie, de l'Aquitaine et des Marches de Calais dans l'entrecours anglo-flamand (T. RYMER, *opus cit.*, t. X, p. 761).

William Lyndwood fut un célèbre juriste et canoniste. Il fit partie de multiples ambassades et participa au concile de Bâle; évêque de Saint-David en 1442 (voir J.M. RIGG. *Dictionary of National Biography*, t. XXXIV, 1895, pp. 340-342).

Gravelines [123]. Charles VII, en prévision de la réunion, avait convoqué les
Etats Généraux à Bourges pour discuter de la paix [124]. Le chancelier Rolin,
à la tête d'une ambassade bourguignonne, fut envoyé à la session [125]; celle-ci
ne fut pas tenue, car, sur ces entrefaites, la Praguerie avait éclaté. Cela
n'empêcha pas le roi de déléguer à Gravelines son chancelier Renaud de
Chartres [126]. Le bâtard d'Orléans, venu sur ordre de son frère, se logea
également à Saint-Omer [127]. La duchesse Isabelle, en habile médiatrice,
menait, de Hesdin, les pourparlers entre les ambassadeurs français et anglais;
ceux-ci étaient fixés à Calais [128]. L'évêque de Rochester [129], John Dudley [130],
Stephen Wilton, Thomas Kyriell et Thomas Beckington, représentaient
Henri VI [131]. Les deux délégations ne semblent pas s'être rencontrées [132];

[123] A. CHAMPOLLION-FIGEAC, opus cit., t. II, p. 496 : 12 octobre 1439, ratification
par Charles VII de la deuxième conférence de Gravelines fixée pour avril 1440. Le
12 novembre, ces lettres étaient portées à Calais, à Paul Deschamps en partance pour
l'Angleterre (A.G.R., R.G.F., C.C. n° 46955, f° 157 v° : 12 novembre 1439).

[124] Les Etats d'Artois tinrent une réunion préparatoire à Saint-Omer (A.G.R., R.G.F.,
C.C. n° 46955, f° 160 v° : 7, 16 décembre et n° 46956 f°⁸ 153 v° et 154 : 10 janvier
et C. HIRSCHAUER, opus cit., t. II, p. 29); les Etats de Bourgogne nommèrent des délégués
le 4 février, pour se rendre à Bourges le 15 février, puis la date fut reportée au 1ᵉʳ mars
(M. CANAT DE CHIZY, opus cit., t. I, pp. 392, 396 et 401).

[125] A.G.R., R.G.F., n° 46956, f° 157 : 6 février; quittances des gages des ambassadeurs
envoyés à Bourges, Orléans et Paris : A.D.N., n° B 1971/58252 : 5 avril 1440; 50078 :
2 janvier et 10 février 1440; 1974/58433 : 24 mars 1441; 58398 : 2 juin 1441; 58454 :
8 septembre 1441; B.N., Fonds français, n° 26067, pièce n° 4028 : 15 avril 1440.

[126] Pouvoirs de Charles VII à Renaud de Chartres : T. RYMER, opus cit., t. X, p. 763;
le 23 avril, des sauf-conduits de Henri VI étaient envoyés aux ambassadeurs français
(A.G.R., R.G.F., C.C. n° 46956, f° 165).

[127] G. DU FRESNE DE BEAUCOURT, opus cit., t. III, p. 152, n. 4. Un envoyé du duc
d'Orléans, Jean Fuzelier, l'accompagnait (A.G.R., R.G.F., n° 46956, f°⁸ 177 v° et 180 v°).

[128] En préparation aux pourparlers, Isabelle avait envoyé en Angleterre le roi d'armes
d'Artois et le héraut Charolais (A.G.R., R.G.F., C.C. 46956, f° 162 : 1ᵉʳ avril). Artois
retourna en mai une fois encore en Angleterre (A.G.R., R.G.F., C.C. n° 46956, f° 169 v°).
La duchesse expédiait, le 4 avril, des lettres au cardinal (A.G.R., R.G.F., C.C. n° 46956,
f° 162 v°). Rapports entre la duchesse et les ambassadeurs anglais : 4, 10 et 21 mai,
17 et 22 juin, 7 et 18 août (A.G.R., R.G.F., C.C. n° 46956, f°⁸ 166, 167 v°, 169 v°,
175, 181 v°, 184). Rapports du duc et de la duchesse avec les ambassadeurs de France :
8 mai, 16 et 28 juillet (A.G.R., R.G.F., C.C. n° 46956, f°⁸ 166 v°, 178 v° et 180 v°).

[129] William Wells, 1436-1444.

[130] John de Sutton, baron Dudley (mort en 1487), homme de guerre et diplomate,
lancastrien, puis yorkiste à partir de l'avènement d'Edouard IV. Voir S.L. LEE, Dictionary
of National Biography, t. XVI, 1888, pp. 107-109.

[131] Pouvoirs donnés par Henri VI à William Wells, évêque de Rochester, à John Sutton,
lord Dudley, Thomas Kyriell, Maurice Bruyn, Stephen Wilton et Robert Whitingham
pour négocier avec la France : 24 avril 1440 (T. RYMER, opus cit., t. X, pp. 767-768);
pouvoirs aux mêmes pour conclure une trêve pour deux ans (T. RYMER, opus cit., t. X,
p. 769 : 2 mai 1440). Voir les comptes des ambassadeurs anglais : William Sprever,
William Wells, évêque de Rochester, John Dudley, T. Beckington, S. Wilton (L. MIROT
et E. DEPREZ, opus cit., p. 84); leur séjour s'échelonne du 27 avril au 9 décembre 1440.

[132] Cependant, des sauf-conduits furent envoyés aux Anglais pour qu'ils puissent se
rendre au lieu de la conférence (A.G.R., R.G.F., C.C. n° 46956, f° 167 v° : 10 mai);

tous les contacts furent pris par l'intermédiaire de la duchesse. Des ambassadeurs bourguignons négocièrent à Calais avec les Anglais[133].

La duchesse poursuivait trois buts : la paix, à son défaut, une trêve, et la délivrance du duc d'Orléans. Ce dernier point seul fut réalisé. Le 2 juillet 1440, Charles d'Orléans signait son acte de libération. Il promettait de verser quarante mille nobles au moment de son élargissement et soixante mille dans les six mois suivants, et de s'entremettre pour la cause de la paix[134]. En Angleterre, le duc de Gloucester s'était violemment élevé contre la libération du duc[135], mais le marasme des finances du royaume avait plaidé éloquemment la cause du captif[136], plus encore que les instances répétées de la duchesse de Bourgogne. Charles d'Orléans[137], et surtout Isabelle de Portugal, s'empressèrent aussitôt à réunir les sommes nécessaires à la rançon.

La duchesse négocia des emprunts avec la Flandre[138], le Hainaut[139], le

l'évêque de Rochester et Th. Kyriell s'étaient rendus aux tentes près d'Oye mais n'y avaient rencontré personne (A.D.N., n° B 1970/58086). L'expression « Deuxième conférence de Gravelines » est donc totalement inadéquate.

[133] A.G.R., R.G.F., C.C. n° 46956, f°s 175, 176, 183 v° (17, 21 et 28 juin, 2 août) : Guillaume Fillâtre et le gouverneur d'Arras Robert le Jeune; voir aussi A.D.N., n° B 1978, f°s 65, 90 v°, 91. En juillet, le roi d'armes d'Artois et le héraut Franche-Comté firent un voyage en Angleterre : A.G.R., R.G.F., C.C. n° 46956, f°s 178 et 181. Guillaume Fillâtre, évêque de Verdun en 1437, puis de Toul en 1449, enfin de Tourani en 1456, par échange avec Jean Chevrot qu'il remplaça comme président du Conseil privé (voir A. WAUTERS, Biographie Nationale, t. VII, 1880-1883, col. 61-70).

[134] T. RYMER, opus cit., t. X, pp. 776-782; J. DUMONT, Corps universel diplomatique, 8 vol., Amsterdam, 1726-1731, t. III, pp. 545 et suivantes.

[135] J. STEVENSON, opus cit., t. II, 2e partie, pp. 440 et suivantes; T. RYMER, opus cit., t. X, pp. 764-767. Le duc attaquait la politique du cardinal qu'il rendait responsable, avec l'archevêque d'York, de tous les revers anglais. Il les accusait d'avoir réconcilié les maisons d'Orléans et de Bourgogne; il craignait la désignation de Charles d'Orléans comme régent de France. Notons, en outre, que la garde du prisonnier avait été confiée au beau-père de Gloucester, Reynold Cobham, et était une grosse source de revenus (P. CHAMPION, opus cit., pp. 279-280).

[136] J. STEVENSON, opus cit., t. II, 2e partie, p. 451 : réponse du Conseil au duc de Gloucester; le principal argument avancé était que le roi n'était pas disposé, en conservant le duc d'Orléans en Angleterre, à perdre à la fois les prix de sa rançon, de son entretien et de sa médiation.

[137] Le duc demanda des avances de fonds au roi, à la reine, au dauphin, aux princes du sang et aux grands seigneurs (G. DU FRESNE DE BEAUCOURT, opus cit., t. III, p. 147; P. CHAMPION, opus cit., p. 300). Il vendit à Philippe le Bon le comté de Soissons, la baronnie de Coucy et d'autres seigneuries (G. DU FRESNE DE BEAUCOURT, opus cit., t. III, p. 149).

[138] A.E.B., Comptes du Franc, n° 173, f°s 20, 22 v°, 23, 28 v° : 9 et 30 juin, 25 juillet, 16 août 1440; Inventaire sommaire des archives départementales du Nord, t. I, p. 376; L. GILLIODTS VAN SEVEREN, Cartulaire de l'ancienne Estaple, t. I, p. 628.

[139] A.G.R., R.G.F., C.C. 46956, f°s 174 v°, 177 v°, 178, 179 : 15 juin, 6, 10 et 23 juillet 1440, lettres à ce sujet au grand bailli, Jean de Croÿ.

Brabant [140], l'Artois [141], les villes de Lille [142], d'Arras [143], de Saint-Omer [144], de Béthune [145], de Boulogne [146], d'Aire [147], de Douai [148], avec la comtesse de Namur [149], les comtes d'Etampes [150], de Nevers [151] et de Ligny [152], et avec des marchands [153].

Enfin, le 12 novembre [154], Charles d'Orléans, arrivé à Gravelines, jura d'observer scrupuleusement ses engagements à l'égard du roi d'Angleterre. L'accueil de Philippe le Bon fut triomphal; le duc avait gagné un appui de choix parmi les princes du sang et il s'empressa de sceller cette alliance en donnant sa nièce, Marie de Clèves, en mariage au duc d'Orléans [155].

Ces pourparlers s'étaient déroulés au moment même de la Praguerie, la révolte des princes contre le roi. Philippe le Bon n'avait pas adhéré au mouvement, mais il correspondait avec ses chefs, le dauphin et le seigneur

[140] A.G.R., *Recette générale de Brabant*, C.C. n° 2411, f° 49 : 8 juin 1440.

[141] C. HIRSCHAUER, *opus cit.*, t. II, p. 30 : 2.500 saluts.

[142] A.G.R., *R.G.F.*, C.C. n° 46956, f°ˢ 179, 180 : 20, 22, 27 juillet 1440.

[143] A.G.R., *R.G.F.*, C.C. n° 46956, f°ˢ 180 v°, 185 v°, 186 v°, 187 : 28 juillet, 10 août, 2 et 7 septembre 1440.

[144] A.G.R., *R.G.F.*, C.C. n° 46956, f° 185 v° : 10 août 1440; A.D.N., n° B 1971/58176 : 19 août 1440.

[145] A.G.R., *R.G.F.*, C.C. n° 46956, f°ˢ 185 v°, 186 v°, 187 : 10 août, 2 et 7 septembre 1440.

[146] A.G.R., *R.G.F.*, C.C. n° 46956, f°ˢ 185 v°, 186 v°, 187 : 10 août, 2 et 7 septembre 1440.

[147] A.G.R., *R.G.F.*, C.C. n° 46956, f°ˢ 185, 185 v° et 186 v° : 10 et 24 août, 7 septembre 1440.

[148] A.G.R., *R.G.F.*, C.C. n° 46956, f° 182 : 8 août 1440.

[149] A.G.R., *R.G.F.*, C.C. n° 46956, f° 187 : 7 septembre 1440. Jeanne de Harcourt, comtesse de Namur, veuve du comte Guillaume de Namur.

[150] A.G.R., *R.G.F.*, C.C. n° 46956, f° 180 : juillet 1440. Jean, comte d'Etampes, fils de Philippe de Nevers et de Bonne d'Artois, devint comte de Nevers en 1464 et mourut en 1491.

[151] A.G.R., *R.G.F.*, C.C. n° 46956, f° 180 : juillet 1440.

[152] A.G.R., *R.G.F.*, C.C. n° 46956, f° 182 v° : 22 juillet 1440; à son sujet voir p. 78 n. 76.

[153] A.G.R., *R.G.F.*, C.C. 46956, f° 181 v° : juillet-août 1440, « *Anthoine François et autres marchans estans a Bruges* »; L. GILLIODTS VAN SEVEREN, *Cartulaire de l'ancienne Estaple*, t. I, p. 631 : 22 décembre, Antoine François, marchand de Florence, et ses associés.

[154] T. RYMER, *opus cit.*, t. X, p. 828; J. DUMONT, *opus cit.*, t. III, p. 649. Louis Domessant partait pour l'Angleterre, le 14 novembre, pour régler certaines questions pendantes concernant la délivrance du duc : A.D.N., n° B 1972, f°ˢ 70 v°, 135 v° et 140.

[155] E. DE MONSTRELET, *opus cit.*, t. V, pp. 437-444; Charles fut reçu par le duc et la duchesse en présence des ambassadeurs de France; il adressa, d'après Monstrelet, ces paroles à Philippe le Bon : « *Par ma foy ! beau frère et beau cousin, je vous doy amer par dessus tous les aultres princes de ce royaume et ma belle cousine vostre femme, car se vous et elle ne fussiés, je fusse demouré a tous jours ou dangier de mes adversaires et n'ay trouvé nul milleur ami que vous* » (p. 437).

de la Trémoille [156], et il était évident que la délivrance du duc d'Orléans entrait dans le programme de ceux qui luttaient contre le pouvoir central; Charles VII ne pouvait l'ignorer, mais il appuya honnêtement l'action du duc de Bourgogne [157]. On peut d'ailleurs se demander s'il n'espérait pas que le retour du duc d'Orléans ne créerait pas un facteur de discorde au sein des grands feudataires.

Les pouvoirs des ambassadeurs anglais pour traiter de la paix furent renouvelés au début du mois de novembre [158], en vain d'ailleurs, car les négociations ne reprirent pas, malgré les instances de Nicolas Rolin, de Jean Chevrot et de Robert le Jeune auprès de Charles VII [159].

Si la libération de Charles d'Orléans contribuait à renforcer la situation de Philippe le Bon en France, la conclusion de l'entrecours, en revanche, entraînait des débours considérables pour la Flandre : six mille saluts d'or furent offerts en remerciement à la duchesse [160] et douze mille au cardinal Beaufort [161]; ajoutons à cela que les gages des négociateurs étaient à charge du comté [162];

[156] A.G.R., R.G.F., C.C. nº 46956, fᵒˢ 179 vᵒ et 184 : 25 juillet et 18 août 1440. Signalons que Dunois fut, lui aussi, fortement compromis dans la révolte.

Georges, seigneur de la Trémoille, avait été un des grands favoris de Charles VII; il avait été éloigné des affaires en 1433.

[157] Au mois d'août, il envoyait de nouveaux ambassadeurs à Saint-Omer : l'archevêque de Narbonne, Guillaume de Charpeignes, évêque de Poitiers, Guillaume le Tur, président au Parlement, et Jacques Jouvenel (G. DU FRESNE DE BEAUCOURT, opus cit., t. III, p. 157).

Le 16 août, ils délivraient l'approbation royale à l'accord de libération du 2 juillet (T. RYMER, opus cit., t. X, pp. 798-800). Lors du retour en France du duc d'Orléans, l'ambassade française comprenait les archevêques de Reims et de Narbonne, le bâtard d'Orléans, l'évêque de Poitiers, Guillaume le Que, Jacques Jouvenel, André du Bœuf et Nicolas Aymar (T. RYMER, opus cit., t. X, pp. 808-809 : sauf-conduits du 28 octobre). Jacques Jouvenel des Ursins (1410-1457) devint archevêque de Reims, puis céda le siège à son frère Jean et mourut évêque de Poitiers.

[158] T. RYMER, opus cit., t. X, p. 827 : 3 novembre; cela devait répondre à la mission médiatrice acceptée par Charles d'Orléans dans son acte de libération.

[159] Le 28 octobre, Henri VI leur délivrait un sauf-conduit pour se rendre auprès de Charles VII, « pour la matiere de la paix general d'entre noz royaumes de France et d'Angleterre » (T. RYMER, opus cit., t. X, p. 810).

Robert le Jeune fut bailli d'Amiens (J. BARTIER, opus cit., p. 156) et gouverneur d'Arras.

[160] A.G.R., Comptes d'Ypres, C.C. nº 38663, fᵒ 17 vᵒ : 8 octobre 1439; A.E.B., Comptes du Franc, nº 173, fᵒˢ 11 vᵒ et 25 vᵒ : 9 et 15 octobre 1439. Au sujet de toutes les dépenses supportées par la Flandre à cette époque, voir L. GILLIODTS VAN SEVEREN, Inventaire des Archives de Bruges, t. V, pp. 193-196.

[161] Cette somme fut payée avec du retard; en représailles, les Anglais arrêtèrent un Flamand, Jan van de Damme, à Calais. Le retard était imputable à Gand qui prétendait que la répartition des quotités entre les Membres de Flandre était inexacte (A.G.R., Comptes du Franc, C.C. nº 42554, fᵒˢ 16 et 17 vᵒ : 1ᵉʳ et 29 décembre 1440; A.V.G., Comptes de Gand, nº 400/15, fᵒˢ 329, 340, 341 vᵒ, 342, 343 vᵒ, 345, 346, 349 vᵒ, 354 vᵒ, 355, 361; A.G.R., Comptes d'Ypres, C.C. nº 38665, fᵒ 9 vᵒ : 7 avril 1441).

[162] A.E.B., Comptes du Franc, nº 173, fᵒ 13 : 18 novembre 1439.

les indemnités dues aux Anglais, en vertu du traité, furent fixées, après de nombreuses réunions à La Haye et à Bruges, à trente mille ridders, dont une faible partie seulement fut réglée par le Brabant [163]. Ces sommes importantes furent péniblement réunies et payées avec du retard; on dut même s'adresser aux Lombards pour parfaire la somme due au cardinal [164]. Par surcroît, Philippe le Bon, usant d'une faculté que lui réservait l'entrecours, releva le taux du tonlieu perçu sur les laines à Gravelines et instaura un nouveau droit sur le transit, les importations et les exportations de marchandises provenant de ou destinées à l'Angleterre, ces deux impositions ne frappant d'ailleurs que ses propres sujets [165]. L'Artois fut également mis à contribution pour les frais des négociations de 1439 [166].

Dès décembre 1439, Henri VI désignait les délégués qui le représenteraient à la réunion d'arbitrage pour les dommages que s'étaient causés réciproquement l'Angleterre, la Hollande et la Zélande [167]. On délibéra à La Haye de janvier à février 1440 [168]. Philippe le Bon avait prié ses sujets de dresser la liste de leurs doléances [169]; le 23 avril, fut conclu un accord important. L'argent dû aux Anglais du chef des réparations serait mis en dépôt au Conseil de Hollande jusqu'au moment où des commissaires hollandais auraient traité des indemnités dues par les Anglais à leurs nationaux; le Conseil

[163] T. RYMER, opus cit., t. X, pp. 791-793, 29 janvier, 17 juin et 12 juillet 1440 : pouvoirs de Henri VI à Th. Kyriell, St. Wilton, Th. Chalton (un marchand) et John Chyrch; A.G.R., Comptes de Bruges, C.C. n° 32493, f° 35 : 10 décembre 1439; A.E.B., Comptes du Franc, n° 173, f°s 16 v°, 17, 17 v°, 19, 20 v°, 21 v°, 26 v° : 28 décembre 1439, 8 et 31 mars 1440, 11 mai, 8 et 16 juin 1440; A.G.R., Comptes du Franc, C.C. n° 42554, f°s 19, 29 v° et 33 : 14 et 21 février 1441, 1er août 1441; A.G.R., Comptes d'Ypres, C.C. n° 38664, f°s 10 v°, 11 v°, 12 v°, 13, 13 v° : 15 et 30 mars, 9 mai, 2 et 9 juin 1440; C.C. n° 38665, f°s 2 v° et 10 : 14 février 1441, 7 mars 1441; A.V.G., Comptes de Gand, n° 400/15, f°s 301 v°, 346 v°, 354, 355 v°, 356 v°; n° 400/16, f°s 42 à 43; L. GILLIODTS VAN SEVEREN, Inventaire des archives de Bruges, t. V, p. 192; E. SCOTT et L. GILLIODTS VAN SEVEREN, p. 440; L. GILLIODTS VAN SEVEREN, Cartulaire de l'ancienne Estaple, t. I, p. 627 : 20 juin 1440 et t. I, p. 634. Le Brabant se contenta de solder la part qui lui incombait dans l'indemnité due à St. Wilton et R. Clifton : A.G.R., Comptes de Bruges, n° 32493, f° 34 : 2 novembre et 10 décembre; Comptes d'Ypres, C.C. n° 38663, f° 18 : 2 novembre; A.E.B., Comptes du Franc, n° 173, f°s 25 v° et 26 v° : 2 novembre et 28 décembre; A.V.L., Comptes de Louvain, n° 5067, f° 47 v°.

[164] A.V.G., Chartes, n°s 206 et 207 : 29 août 1440; A.E.B., Comptes du Franc, n° 173, f°s 22 v° et 29 v° : 30 juin et 25 juillet 1440; O. VAN DIXMUDE, opus cit., p. 169.

[165] A ce sujet voir pp. 130 et 175.

[166] C. HIRSCHAUER, opus cit., t. II, p. 28.

[167] T. RYMER, opus cit., t. X, p. 739 : 8 décembre 1439; les délégués étaient le docteur en droit John Stokes et les trois marchands aventuriers, William Cottesbrook, Barthélémy Stratton et Nicolas Hysham.

[168] H.J. SMIT, opus cit., t. II, p. 742, n° 1191.

[169] H.J. SMIT, opus cit., t. II, p. 729, n°s 1174 et 1175 : 28 janvier 1440; p. 743, n° 1194 : 24 août 1440.

de Hollande devait désigner ces commissaires, car ils seraient également chargés de négocier les « *federa pacis et concordie inter regnum et dominia prelibata* ». D'ailleurs, endéans les quarante jours à partir de la date de cet acte, des « *proclamaciones confederacionis, pacis et concordie* » seraient faites en Angleterre, comme en Hollande, Zélande et Frise; en cas d'infraction à cette bonne amitié, les Anglais s'adresseraient au Conseil de Hollande et les Hollandais, Zélandais et Frisons au Conseil du roi d'Angleterre [170]. Ce fut le début de relations suivies; les tractations s'avérèrent longues et délicates; chaque année, des ambassadeurs de l'une et l'autre partie se réunissaient tantôt sur le continent, tantôt en Angleterre [171].

[170] H.J. Smit, *opus cit.*, t. II, p. 736, n° 1188 : 23 avril 1440; p. 742, n° 1193 : 4 juillet 1440; T. Rymer, *opus cit.*, t. X, p. 769 : 8 mai 1440, sauf-conduits aux ambassadeurs bourguignons renouvelés le 17 octobre (H.J. Smit, *opus cit.*, t. II, p. 744, n° 1196; P.A.S. van Limburg-Brouwer, *opus cit.*, p. 59); délégués : Arnoud van Gend, Cornelius Baroen, Petrus de Renesse. Voir aussi H.J. Smit, *opus cit.*, t. II, p. 746, n° 1202.

[171] En 1441 : H.J. Smit, *opus cit.*, t. II, p. 751, n° 1214 : 10 avril, sauf-conduit de Henri VI à Henri Utenhove, Gilles de Wissenkerke, Jan Rose et Cornelius Baroen, envoyés de Philippe le Bon, et à Herman Droom, délégué des villes de Hollande et Zélande; Idem, *ibidem*, t. II, p. 754, n° 1219 : 24 mai, pouvoirs accordés par le gouverneur et le Conseil de Hollande et de Zélande à Henri Utenhove, Arnoud de Sande, Jacques de Lange et Cornelius Baroen; T. Rymer, *opus cit.*, t. X, p. 848 : 14 juillet, pouvoirs donnés par Henri VI à W. Lyndwood, W. Estfeld, Roger Hunt, Richard Andrewe, John Stokes, W. Sprever, R. Whitingham, H. Frowyk, W. Cottesbrook et T. Borough, ces trois derniers étant des marchands; H.J. Smit, *opus cit.*, t. II, p. 757, n° 1225 : 17 juillet, sauf-conduit de Henri VI aux délégués hollandais et zélandais (Henri Utenhove, Arnoud de Sande, Jacques de Lange, Cornelius Baroen, etc.); Idem, *ibidem*, t. II, p. 759, n° 1229 : 5 août, accord préalable entre Anglais, Hollandais et Zélandais.

En 1442 : H.J. Smit, *opus cit.*, t. II, p. 767, n° 1237 : le 12 mars, Henri VI ordonna des enquêtes en vue d'un règlement de dommages; Idem, *ibidem*, t. II, p. 768, n° 1238 : 15 mars, sauf-conduits de Henri VI à Henri Utenhove, Arnoud de Sande, Jacques de Lange et Cornelius Baroen; Idem, *ibidem*, t. II, pp. 768 et 769, n° 1239 et 1240 : 2 avril, pouvoirs et instructions du gouverneur et du Conseil de Hollande et de Zélande délivrés à Barthélémy van Eten et Cornelius Baroen; Idem, *ibidem*, t. II, p. 771, n° 1241 : 12 juin, sauf-conduits de Henri VI à Barthélémy van Eten et Cornelius Baroen; Idem, *ibidem*, t. II, p. 773, n° 1246 : 8 août, dispositions provisoires entre Anglais, Hollandais et Zélandais; Idem, *ibidem*, t. II, p. 778, n° 1251 : 8 décembre, doléances de Rotterdam.

En 1443 : H.J. Smit, *opus cit.*, t. II, p. 783, n° 1254 : 18 janvier, doléances d'Amsterdam; Idem, *ibidem*; t. II, p. 790, n° 1257 : 22 janvier, doléances de Hornes; Idem, *ibidem*, t. II, p. 797, n° 1259 : 5 février, doléances de Haarlem; T. Rymer, *opus cit.*, t. XI, p. 20 : 14 février, sauf-conduits de Henri VI à Arnoud de Sande, Barthélémy van Eten, Thierry uten Weer, Cornelius Baroen; H.J. Smit, *opus cit.*, t. II, p. 807, n° 1268 : 19 décembre, dispositions provisoires entre Anglais, Hollandais et Zélandais.

En 1444 : H.J. Smit, *opus cit.*, t. II, p. 813, n° 1275 : le 5 février, Philippe le Bon demandait le dépôt des dernières plaintes et espérait la fin prochaine des pourparlers à la réunion projetée à Calais; Idem, *ibidem*, t. II, p. 817, n° 1278: 19 avril, le Conseil de Hollande convoqua les villes de Hollande pour entendre les ambassadeurs; T. Rymer, *opus cit.*, t. XI, p. 67 : 4 juillet, pouvoir de Henri VI à H. Stafford, T. Kent, W. Pyrton et W. Cottesbrook; H.J. Smit, *opus cit.*, t. II, p. 818, n° 1280 : 10 juillet 1444, le gouverneur et le Conseil de Hollande donnent des pouvoirs à H. van Borsele, W. van

En 1441 [172], lors d'une réunion à Londres, les délégués hollandais et anglais mirent au point une série de questions qui devaient être traitées l'année suivante. La réunion avait à la fois pour objet « *continuatio veteris pacis et amicicie* » et le règlement des réparations de dommages. Le document que nous possédons est un véritable projet de traité. Chaque partenaire y exposait ses désirs, auxquels répondait la partie adverse.

En premier lieu, on tombait d'accord sur la nécessité d'un traité; les Anglais notaient que le projet présenté par Hugues de Lannoy pouvait servir de point de départ « *mutatis mutandis, additisque addendis* ». Nous ne pensons pas qu'il s'agissait des propositions dont nous avons déjà parlé, mais plutôt d'un travail plus complet et déjà élaboré; les allusions qu'on y fera par la suite semblent se rapporter à un document de cette nature [173].

Les Hollandais demandaient six mois pour se retirer en cas de guerre. Ce laps de temps est particulièrement long; la durée normale accordée dans ce cas était de quarante jours; c'est le chiffre que l'on trouve dans les privilèges accordés aux Anglais à Anvers en 1446 et dans ceux accordés aux Brugeois, en 1260, par Henri III.

Si un navire armé désirait sortir d'un port, le capitaine devrait garantir, en déposant caution, qu'il n'attaquerait pas, d'une part, les Hollandais, les Zélandais et les Frisons, d'autre part, les Anglais. C'était là une mesure contre la piraterie; en fait, tout bateau étant armé, il s'agissait d'exiger une caution pour chaque sortie de port.

Les Hollandais réclamaient à nouveau le statut des Hanséates pour les tarifs douaniers; il leur fut répondu que le roi devait être consulté à ce sujet.

Ils demandaient également que toutes les causes, dans lesquelles ils seraient impliqués, fussent jugées par le maire et les « *aldermen* » de Londres.

Alkemade, H. Utenhove, Barthélémy van Eten, Thierry uten Weer, Louis Domessant et Jan Florijn; IDEM, *ibidem*, t. II, pp. 818-826, nᵒˢ 1281-1288 : 6, 7, 11, 13, 14 et 19 août, documents et cédule signée à Calais. Voir aussi A.D.N., *R.G.F.*, nᵒ B 1982, fᵒˢ 100 vᵒ et 102 vᵒ.

En 1445 : H.J. SMIT, *opus cit.*, t. II, p. 832, nᵒ 1295 : 3 avril 1445, pouvoirs donnés par le gouvernement et le Conseil de Hollande et Zélande à Henri Utenhove, Barthélémy van Eten, Thierry uten Weer et Louis Domessant; IDEM, *ibidem*, t. II, p. 832, nᵒ 1296 : 10 avril 1445, accord définitif. Pour le versement des sommes dues par la Hollande et la Zélande, voir H.J. SMIT, *opus cit.*, t. II, p. 844, nᵒ 1303 : 11 janvier 1446.

[172] H.J. SMIT, *opus cit.*, t. II, p. 759, nᵒ 1229 : l'acte porte la date du 5 août 1441; une nouvelle réunion était prévue pour deux semaines après Pâques 1442; eut-elle lieu ?

[173] En effet, au sujet du laps de temps nécessaire aux marchands pour se retirer en cas de guerre, les Anglais répliquent que cela est suffisamment explicité dans le projet du seigneur de Santes; or, il n'en est pas question dans celui que nous possédons. Plus loin, il est fait allusion à une clause de ce projet concernant les naufrages et les Flamands, sans que nous puissions savoir au juste de quoi il s'agit.

Les Anglais opposaient à ce désir un statut qui exigeait que les marchands dont les biens avaient été pillés en mer, poursuivissent les coupables « *ad communem legem* » [174].

Ils demandaient aussi de pouvoir acheter laines et toisons sans tenir compte des ordonnances publiées à l'Etape. On les pria de donner quelques détails concernant cette proposition. Il est évident que ce sont les règlements draconiens de Calais [175] que les Hollandais et les Zélandais voulaient éluder.

Aucune arrestation de marchand ou de biens ne pourrait avoir lieu pour dettes, délits ou injures pour autant que des « *pleiges* » aient été constitués.

Au sujet des réparations, un problème se posait. Le nom des pirates n'était pas toujours connu par leurs victimes; il fallait alors faire une enquête basée sur les renseignements que l'on possédait. Parfois, seul le nom du propriétaire du bateau était connu; la difficulté résidait dans le fait qu'il pouvait avoir loué sa nef à des pirates. Les Anglais déclarèrent qu'ils devaient consulter le roi à ce sujet.

De même, les biens des Hollandais et des Zélandais étaient parfois arrêtés sous prétexte de fraude de douane, alors qu'en réalité, les droits avaient été payés. Dans ce cas, les marchandises devraient être délivrées, si des garants se présentaient, ou rester sous séquestre jusqu'à la conclusion de l'action judiciaire.

Les Hollandais et les Zélandais réclamaient le paiement complet du loyer des bateaux et des soldes des équipages réquisitionnés par le roi pour servir dans la flotte de guerre. Ils demandaient, au cas où les capitaines n'auraient pas été payés, qu'ils soient autorisés à faire voile librement vers où il leur plairait. Les Anglais réservèrent leur réponse jusqu'à consultation du roi.

Pour que les différends au sujet des réparations soient plus rapidement jugés, il conviendrait que les Anglais s'adressassent à la cour de Hollande et les Hollandais aux maire et « *aldermen* » de Londres plutôt qu'aux justices locales ou à la juridiction de l'amirauté.

Quant au transport des biens ennemis, si, en pleine mer, un corsaire interrogeait un capitaine sur les marchandises qu'il transportait, ce dernier en ferait une déclaration exacte; si, au cours de l'année, il était prouvé qu'il n'avait pas dit la vérité, il devrait livrer l'intégralité de ces biens.

Les Anglais demandaient, pour leur part, que le duc de Bourgogne leur confirmât tous les anciens privilèges dont ils avaient joui en Hollande et Zélande [176]. Les Hollandais répondirent qu'ils consulteraient Philippe le Bon à ce sujet.

[174] *Rotuli Parliamentorum*, t. II, p. 250 : 27 Edouard III (1353).
[175] Concernant ces derniers voir pp. 59 et 171-172.
[176] Notamment ceux qui leur permettaient d'élire un gouverneur et ceux qui leur accordaient les sauf-conduits dont ils jouissaient en Zélande (voir p. 267).

La réunion des délégués à Londres avait été postposée jusqu'à la quinzaine après Pâques 1442; les Anglais demandaient aussi que les pouvoirs des commissaires hollandais fussent plus précis. Ceux-ci ne furent pas encore jugés suffisants car, en août 1442 [177], on leur reprocha de pouvoir être révoqués à n'importe quel moment selon le bon vouloir de Philippe le Bon, ce qui ne leur conférait aucune valeur. De plus, les ambassadeurs de Hollande ne pouvaient être à la fois juges et parties; or, certains Hollandais lésés les avaient nommés comme procureurs. Il fallait aussi que les Hollandais et Zélandais donnassent une liste détaillée des biens qui leur avaient été enlevés et ne se bornassent pas à une évaluation générale.

La question des réparations pour réquisitions de navires fut reprise [178] et divers points de procédure envisagés. Les dommages occasionnés par les Normands furent compris dans les négociations [179].

L'année suivante, en 1443, une nouvelle réunion fut décidée à Calais, dix jours après la Saint-Jean prochaine; on se contenta de fixer des détails de procédure et on n'aborda pas la question de la conclusion d'un traité de commerce [180]. A Calais également, on perdit du temps à examiner les pouvoirs et à fixer la procédure [181]. Cependant, en avril 1445, on arriva à une conclusion [182]. En réalité, les Hollandais et Zélandais, lassés, abandonnèrent la partie; ils n'obtinrent aucune réparation de la part des Anglais, durent payer en revanche sept mille nobles pour les dommages causés par les leurs et se contentèrent pour tout entrecours de l'affirmation que leurs marchands pourraient circuler librement en Angleterre; en cas de guerre, Hollandais et Anglais auraient trois mois pour se retirer et le droit d'épave serait supprimé pour autant qu'il reste âme qui vive, homme ou bête à bord. La somme devait être payée à Bruges, à Robert Worseley, un marchand bien connu, dans la chapelle de Saint-Thomas dans l'église des Carmes, un des sièges des marchands aventuriers. Il faut souligner que, parmi les négociateurs anglais, il y avait toujours un marchand influent de la nation d'Angleterre, probablement le gouverneur (nous ne pouvons en juger car

---

[177] H.J. SMIT, *opus cit.*, p. 773, n° 1246 : 8 août 1442.

[178] On évaluait notamment des bateaux de 100 tonneaux à 50 de façon à réduire le solde de moitié.

[179] Des réunions à La Haye avaient fixé les montants des dommages à payer aux Anglais, mais on avait différé le paiement jusqu'à l'accord à conclure sur les réparations des Hollandais. Comme les choses traînaient en longueur, on décida que si l'année suivante (1443), on ne parvenait pas à un accord, les Anglais toucheraient le montant de leurs dommages.

[180] H.J. SMIT, *opus cit.*, t. II, p. 807, n° 1268 : 19 décembre 1443 .

[181] H.J. SMIT, *opus cit.*, p. 818, n° 1281 : 6 août 1444; p. 819, n° 1282 : 7 août 1444; p. 821, n° 1283 : 11 août 1444; p. 822, n° 1284 : 13 août 1444; n° 1285 : 13 août 1444; p. 824, n° 1286 : 14 août 1444; p. 826, n° 1288 : 19 août 1444.

[182] H.J. SMIT, *opus cit.*, t. II, p. 832, n° 1296 : 10 avril 1445.

nous ne possédons pas de liste complète de ceux-ci). Le principal négociateur fut W. Cottesbrook et, plus tard, R. Worseley lui fut adjoint. La première partie devait être acquittée à la Saint-Michel (29 septembre) et la seconde à la Pentecôte 1446. Si le montant n'était pas entièrement soldé à ce moment, les Anglais se réservaient le droit de saisir des biens et des bateaux hollandais jusqu'à concurrence de la totalité de la somme, les Anglais restant, malgré cette récupération, en droit de réclamer réparation de tous leurs dommages.

Lors d'une réunion postérieure des villes de Hollande, Zélande et West-Frise et de la noblesse [183], le montant des réparations dues aux Anglais fut évalué à 60.000 nobles. Le chiffre de 7.000 était donc une transaction qu'il fallait absolument accepter. On craignait d'ailleurs, en refusant d'y souscrire, de déclencher aussitôt la guerre et d'empêcher tout commerce. Il fut difficile de réunir l'argent nécessaire; Amsterdam, dont les bateaux avaient cependant occasionné tant de dommages aux Anglais, refusa de payer sa quote-part [184].

Sur le plan des rapports franco-anglais, Isabelle de Portugal poursuivait ses bons offices. Une nouvelle réunion fut fixée pour le 1er mai 1441 [185]; elle devait, elle aussi, échouer. La duchesse avait cependant expédié plusieurs lettres au cardinal Beaufort pour préparer l'entrevue [186]. Henri VI donna des instructions à ses ambassadeurs [187], mais Charles VII révoqua, le 28 avril, les pouvoirs accordés précédemment, tout en maintenant ceux qu'il avait octroyés le jour même. Visait-il Philippe le Bon qui figurait en tête des plénipotentiaires dans un acte du 7 avril 1439 [188] ? Il semble plutôt que Charles VII ait désiré clarifier la situation; il avait, au cours des dernières années, délivré une série de pouvoirs pour traiter avec les Anglais; aucun de ceux-ci ne contenait une clause relative à son délai de validité. Il était donc normal qu'il décidât de les abroger en bloc au moment même où il en délivrait de nouveaux. Cependant, le roi délivrait des sauf-conduits aux ambassadeurs anglais [189]; ceux-ci arrivèrent à Calais [190], tandis que les

[183] H.J. SMIT, opus cit., t. II, p. 839, n° 1298 : vers le 31 mai 1445.

[184] H.J. SMIT, opus cit., t. II, p. 844, n° 1303 : 11 janvier 1446 et p. 863, n° 1337.

[185] M. CANAT DE CHIZY, opus cit., t. I, p. 410.

[186] A.D.N., R.G.F., n° B 1975, f° 56; le poursuivant Germoles est envoyé en Angleterre du 10 mars au 24 avril 1441; n° B 1972, f° 81 v° : lettre expédiée le 16 mars 1441; f°s 86 v° et 97 : lettres portées par Chasteaubelin en avril.

[187] H. NICOLAS, opus cit., t. V, p. 139 (10 avril 1441); les ambassadeurs étaient lord Dudley, Stephen Wilton, Th. Kyriell et R. Whitingham.

[188] C'est l'opinion de G. DU FRESNE DE BEAUCOURT, opus cit., t. III, p. 197. Nous n'avons pas retrouvé les pouvoirs donnés aux ambassadeurs français, mais il devait s'agir des plénipotentiaires cités ci-dessous à la note 192.

[189] A.D.N., R.G.F., n° B 1972, f° 87 : 29 avril et 6 mai 1441.

[190] Ceci ressort des actes des 22 et 23 mai, cf. note 192.

délégués français s'installaient à Saint-Omer [191]. Ils ne se rencontrèrent
pas; la chancellerie d'Henri VI l'affirma péremptoirement dans les nouveaux
actes de pouvoirs concédés aux ambassadeurs anglais et les sauf-conduits
délivrés, les 22 et 23 mai [192], aux délégués français. Quelque temps plus tard,
Henri Utenhove et Toison d'Or furent envoyés en Angleterre « *pour certaines
matieres secretes* » [193]. Il semble qu'ils en aient ramené la proposition de
reporter la conférence à la Toussaint car, dès leur retour, ils regagnèrent
Londres, à la prière du chancelier de France et des autres ambassadeurs
français « *touchant la continuacion d'une journée qui estoit prinse à la
Toussaint* » [194]. Cette fois, ils obtinrent probablement la remise de la conférence au 1er mai 1442 [195], tandis qu'Henri VI délivrait un sauf-conduit à
Nicolas Rolin pour se rendre auprès de Charles VII [196]; il fallait, en effet, faire
accepter cette nouvelle réunion par le roi. L'avortement des pourparlers a été
attribué par G. Du Fresne de Beaucourt [197] à la diplomatie bourguignonne
peu désireuse de renforcer le pouvoir central par une paix avec l'Angleterre.
Il est difficile de nier la bonne volonté des adversaires qui tous deux
envoyèrent des ambassadeurs dans les Marches de Calais; au contraire,
l'action médiatrice d'Isabelle de Portugal apparaît très faible; elle semble
s'être bornée, par l'entremise de H. Utenhove et de Toison d'Or, à faire
ajourner à plusieurs reprises la conférence.

Dès ce moment, Charles VII se méfia. Lors de la réunion des princes à

[191] A.D.N., *R.G.F.*, no B 1972, fo 97 : le 24 mai, les ambassadeurs étaient certainement
arrivés à destination.

[192] Le 14 mai, Henri VI avait délivré des sauf-conduits aux seigneurs de Culant et de
Rambures, à l'évêque de Chalon, Jean Germain, et à d'autres (T. RYMER, *opus cit.*,
t. X, pp. 844-846). Le 22 mai, il octroyait les pouvoirs de négocier à lord Dudley,
Robert Roos, Th. Kyriell, St. Wilton, Robert Whitingham, W. Pyrton, W. Ludlowe et
Th. Isaak (T. RYMER, *opus cit.*, t. X, p. 847). Le 23 mai, le roi donnait des sauf-conduits
au duc de Bourbon, au comte de Vendôme, à Jean, duc d'Alençon, à Bernard d'Armagnac,
vicomte de Lomogne, aux évêques de Béziers (Guillaume de Montjoye), de Saintes
(Gui de Rochechouart), de Beauvais (Jean Jouvenel des Ursins), et Laon (Guillaume de
Champeaulx), à Georges de la Trémoille et d'autres (T. RYMER, *opus cit.*, t. X, pp. 846
et 847). Jean Jouvenel des Ursins, évêque de Beauvais depuis 1431, de Laon en 1444,
archevêque de Reims en 1449, a laissé, outre la Chronique de Charles VI, de nombreux
écrits.

[193] A.D.N., *R.G.F.*, no B 1972, fo 104 : 29 juillet 1441, envoi de lettres aux ambassadeurs.

[194] A.D.N., *R.G.F.*, no B 1982, fo 58 vo : du 7 octobre au 25 novembre 1441.

[195] A.D.N., *R.G.F.*, no B 1972, fo 133 : 29 janvier 1442, envoi de lettres au cardinal
Beaufort et au duc de Suffolk au sujet de la réunion projetée. Charles VII aurait voulu
qu'elle eût lieu aux environs de Beauvais, Senlis ou Chartres; la réponse anglaise fut
négative (E. DE MONSTRELET, *opus cit.*, t. VI, p. 30).

[196] P.R.O., *Treaty Rolls*, C 76/124/m. 19 : 18 novembre 1441.

[197] G. DU FRESNE DE BEAUCOURT, *opus cit.*, t. III, p. 199.

Nevers en 1442, en répondant à des reproches qui visaient sa politique anglaise, il rappela d'abord que ses envoyés s'étaient rendus en vain dans les Marches de Calais; il affirma que les Anglais avaient refusé de négocier aux endroits et aux dates qui leur avaient été offerts [198]. Il eût aimé, en effet, résider près du lieu de la conférence pour discuter avec son Conseil les points en litige. Notons que le roi attribue la rupture aux Anglais et ne met nullement en cause les efforts de la duchesse. Cependant, on ne peut s'empêcher de penser que si la réunion s'était tenue à Beauvais, Senlis ou Chartres, l'influence bourguignonne n'aurait pu s'y exercer avec la même vigueur qu'à une rencontre aux frontières de la Marche de Calais. On peut dès lors penser qu'Isabelle de Portugal ne déploya pas tout le zèle nécessaire pour convaincre les Anglais d'accepter les offres de Charles VII. Celui-ci préférait aussi que la réunion se tînt après l'expédition de Tartas qu'il projetait d'entreprendre et qui influerait certainement sur les négociations. Aussi insistait-il pour que la duchesse Isabelle et le duc d'Orléans obtinssent des Anglais que la convention fût reportée du 1er mai au 25 octobre 1442 [199]. Les princes répliquèrent qu'il valait mieux accepter les dates et lieu fixés plutôt que de rompre; les médiateurs s'efforceraient d'ailleurs de prolonger les négociations jusqu'au retour du roi [200]. C'était là une ultime tentative des grands feudataires pour conserver le contrôle de la médiation. Charles VII tint bon [201], et Isabelle de Portugal entama des démarches pour reporter la conférence au 25 octobre [202], bien que des envoyés anglais fussent arrivés à Calais dès février [203]. Le 9 septembre, le duc d'York et le cardinal de Luxembourg reçurent les pouvoirs nécessaires pour fixer le lieu de la réunion aux frontières de la Normandie et de la Bretagne [204]. La conférence n'eut pas lieu, semble-t-il. Quoi qu'il en soit, ce fut la dernière fois qu'Isabelle de Portugal servit d'intermédiaire entre la France et l'Angleterre. Dès la fin de 1443, Charles VII

---

[198] Voir note 195.

[199] E. DE MONSTRELET, *opus cit.*, t. VI, pp. 28-34. Au sujet de l'expédition de Tartas, voir G. DU FRESNE DE BEAUCOURT, *opus cit.*, t. III, pp. 232 et suivantes.

[200] M. d'ESCOUCHY, *opus cit.*, Preuves, t. III, pp. 47-49.

[201] E. DE MONSTRELET, *opus cit.*, t. VI, pp. 28 et suivantes.

[202] Toison d'Or fut envoyé probablement pour cette raison, du 8 avril au 15 juin, au cardinal et au comte de Suffolk, tous deux partisans de la paix (A.D.N., *R.G.F.*, n° B 1975, f° 53).

[203] Des ambassadeurs anglais avaient déjà gagné Calais en décembre 1441; c'étaient Stephen Wilton, Edw. Port et T. Kyriell (H. NICOLAS, *opus cit.*, t. V, pp. 176-177 : pouvoirs en date du 28 novembre; A.D.N., *R.G.F.*, n° B 1972, f° 128 v° : 18 décembre, Isabelle de Portugal leur demandait de se rendre auprès d'elle; voir aussi f° 13 v°). De février à juin, une ambassade plus importante séjourna à Calais; lord Dudley, Robert Manfield, W. Geldney, John Brown et William Walemby en faisaient partie (L. MIROT et E. DEPREZ, *opus cit.*, p. 85).

[204] T. RYMER, *opus cit.*, t. XI, p. 13; d'autres ambassadeurs étaient compris dans les lettres de pouvoirs, renouvelées le 11 octobre (H. NICOLAS, *opus cit.*, t. V, p. 215).

avait rétabli les contacts directs avec le gouvernement de Londres. Ces négociations aboutirent aux trêves de Tours, signées le 28 mai 1444, par lesquelles fut conclu le mariage d'Henri VI avec Marguerite d'Anjou, fille d'un adversaire acharné de Philippe le Bon, le roi René. Le duc, suivant les stipulations du traité d'Arras, se trouvait compris dans les trêves; il avait envoyé des ambassadeurs à la réunion, alors que les autres princes du sang avaient tenu d'y assister en personne [205].

Le duc avait d'ailleurs pris les devants et négocié pour son compte personnel une trêve avec les Anglais. Il désirait rester indépendant des deux couronnes plutôt que d'être à la merci de l'instabilité des relations franco-anglaises. Il s'avérait aussi nécessaire d'entériner une situation de fait, garantie seulement par l'entrecours, et de réunir dans un même acte tous les pays de par-deçà. En juillet 1442, Isabelle de Portugal s'était mise en rapport avec le duc d'York muni des pouvoirs nécessaires; le bâtard de Saint-Pol et Louis Domessant furent chargés de mener les pourparlers à Rouen [206]; Toison d'Or et Gautier de la Mandre reprirent les négociations en septembre [207], et, le 9 octobre, le Conseil de Henri VI prenait connaissance d'une lettre du duc d'York qui soulignait que l'Angleterre n'était pas comprise dans les trêves qu'il négociait avec la Bourgogne [208]; le 15 novembre, les « *commis au gouvernement de par deçà* » par le duc de Bourgogne ratifièrent une trêve de six semaines [209]; enfin, le 23 avril 1443, la duchesse scellait le traité définitif [210]. Il

---

[205] Voir G. Du Fresne de Beaucourt, *opus cit.*, t. III, pp. 269-278.

[206] A.D.N., *R.G.F.*, n° B 1978, f° 83, n° B 1982, f° 60 : du 4 juillet au 4 août 1442; J. Stevenson, *opus cit.*, t. II, 1re partie, p. 324 : paiement par Henri VI des frais de séjour du bâtard de Saint-Pol (11 juillet au 20 août).
Pouvoirs donnés au duc d'York le 13 avril : P.R.O., *Chancery Miscellanea*, C. 47/30/10.

[207] A.D.N., *R.G.F.*, n° B 1978, f°s 149 v° et 152; J. Stevenson, *opus cit.*, t. II, 1re partie, pp. 329-331.

[208] H. Nicolas, *opus cit.*, t. V, p. 212.

[209] A.D.C.O., n° B 11926 cité par P.L. Gachard, *Rapport sur les documents concernant l'histoire de Belgique qui existent dans les dépôts littéraires de Dijon et de Paris*, Bruxelles, 1843, p. 76. Le 14 mai 1442, Philippe le Bon confiait le gouvernement conjointement à la duchesse, à Antoine de Croÿ, à Jean Chevrot et aux autres membres du Conseil (M.R. Thielemans, « Les Croÿ », pp. 86-88). L'acte du 15 novembre était scellé de trois sceaux « *de trois d'entre nous* » cachés par du papier. Il est impossible de les identifier.

[210] T. Rymer, *opus cit.*, t. XI, p. 24; il existe aussi un texte du 31 mai 1443 (A.D.N., n° B 306/15780). Le 16 juin, le cardinal reconnaissait la trêve au nom de Henri VI (A.D.N., n° B 306/15780 bis), qui la ratifia le 12 juillet 1443 (A.D.N., n° B 306/15822). Paul Deschamps puis Gautier de la Mandre s'étaient rendus en Angleterre à la fin de l'année 1442, sans doute pour mettre au point les dernières questions en suspens, voir P.R.O., *Treaty Rolls*, C. 76/25/m. 15 et 17 : sauf-conduits en date du 6 octobre et du 1er décembre; m. 10 : sauf-conduit de retour pour Gautier de la Mandre daté du 15 février 1443 et A.D.N., *R.G.F.*, n° B 1978, f° 149 v°. La nécessité de conclure une trêve s'explique facilement lorsque l'on sait que la défense de l'Artois avait coûté aux Etats de cette principauté la somme de 10.000 francs en 1442 (C. Hirschauer, *opus cit.*, t. II, p. 30).

s'agissait en réalité d'un véritable traité de paix puisque les trêves resteraient en
vigueur aussi longtemps qu'elles ne seraient pas dénoncées par l'une ou
l'autre des parties. Les « *abstinences* » commenceraient, sur la frontière de la
Somme, le 15 juin, sur celles de Bretagne, du Maine et de l'Anjou, au 1er août
et pour la Bourgogne et la Guyenne, au 1er octobre. En cas de dénonciation,
les Anglais avertiraient trois mois à l'avance le bailli d'Amiens et les
Bourguignons, celui de Rouen; toutefois, les trêves continueraient à protéger
la Marche de Calais.

LES PROLONGATIONS DE L'ENTRECOURS

Les rapports entretenus par Isabelle de Portugal avec le duc d'York se poursuivirent au cours de l'année 1444. La duchesse n'envoya pas moins de six messagers à Rouen entre mars et septembre [211]; au début, ces relations n'eurent d'autre but que l'application des dispositions des trêves; ensuite, elles devinrent plus amicales puisque Isabelle fit parvenir treize « chiens courants » au duc. Il fallait, en effet, s'assurer en Angleterre l'appui d'un aussi grand prince : le mariage de Henri VI avec Marguerite d'Anjou faisait craindre que le roi ne passât de la tutelle du cardinal à celle de la reine très hostile à la maison de Bourgogne. En ce moment, le duc de Gloucester était tenu à l'écart, presque en disgrâce, et la faveur du cardinal pâlissait même devant celle du marquis de Suffolk, qui avait négocié les trêves de Tours. Suffolk gagna bientôt toute la confiance de la reine et ils dirigèrent ensemble la politique anglaise.

Gautier de la Mandre, puis Jean Rosencrans gagnèrent Londres où ils séjournèrent de juin à septembre; ils entretinrent le roi, le cardinal et les membres du Conseil de « certaines matieres touchans le bien des pays et seigneuries de mondit seigneur dont il ne veult aultre declaracion estre faicte»; gageons qu'ils reprirent les pourparlers d'ordre économique [212] car Rosencrans était un marchand colonais qui délaissait ses affaires pour servir le duc de Bourgogne. L'année suivante, Rosencrans retournait auprès du cardinal; il séjourna en Angleterre de mars à août [213]; au même moment d'ailleurs, il avait été rejoint par une importante délégation qui faisait partie d'une grande ambassade française venue traiter de la paix entre les deux royaumes [214].

---

[211] A.D.N., R.G.F., nᵒ B 1978, fᵒ 146 vᵒ : 22 mars 1444; nᵒ B 1982, fᵒ 83 vᵒ : 14 mai 1444, fᵒ 85 : 3 juillet 1444, fᵒ 107 : 18 août 1444, fᵒ 111 : août 1444, fᵒ 109 vᵒ : 1ᵉʳ septembre 1444.

[212] A.D.N., R.G.F., nᵒ B 1982, fᵒˢ 64, 126 vᵒ : 6 juin au 20 septembre 1444, mission de Gautier de la Mandre; A.D.N., R.G.F., nᵒ B 1982, fᵒ 58 : 6 juillet au 28 septembre 1444, mission de Jean de Wipenoirt dit Rosencrans. Lettres envoyées à Gautier de la Mandre : A.D.N., R.G.F., nᵒ B 1982, fᵒˢ 88 vᵒ et 126 vᵒ.

[213] A.D.N., R.G.F., nᵒ B 1988, fᵒ 68 : 3 mars - 3 août 1445; fᵒ 97 : 25 avril 1445.

[214] Voir G. Du Fresne de Beaucourt, t. IV, pp. 142-168.

Pour le représenter, Philippe le Bon avait envoyé l'évêque de Verdun, le bâtard de Saint-Pol, Henri Utenhove, Pierre Bladelin, Oudart Chuperel, Gautier de la Mandre et Toison d'Or[215]. Ils arrivèrent en retard, à la fin des pourparlers qui se terminèrent par la prolongation des accords de Tours pour permettre la rencontre des deux souverains. Les délégués bourguignons montraient, involontairement d'ailleurs, le même manque d'enthousiasme que leur maître pour des négociations qu'il désapprouvait et dont il avait été écarté. Une autre mission leur incombait : celle de délivrer et de recevoir confirmation de la trêve signée avec le duc d'York[216]. Philippe soulignait de cette façon quelle était son indépendance à l'égard de la couronne de France.

L'année 1446 s'ouvrit donc sur un programme chargé : on envisageait non seulement de procéder à « aucunes declarations et ampliations » de la trêve signée avec le duc d'York, mais aussi de prolonger l'entrecours, ainsi que d'établir un arbitrage pour les dommages causés dans les deux camps. Les Membres de Flandre espéraient même une modification du statut de l'Etape. La duchesse dirigeait les négociations de loin, de Hesdin, tandis que Thomas Kent[217], William Pyrton et Edward Grymeston rencontrèrent, à Calais, Henri Utenhove, Parent Fave, bailli de l'eau de L'Ecluse, Louis Domessant et une délégation des Quatre Membres. Ceux-ci, d'ailleurs, suivaient de près les pourparlers qui s'ouvrirent en avril. Les ambassadeurs anglais rentrèrent à Londres pour recevoir des instructions; à leur retour, le préavis de dénonciation des trêves fut porté, le 12 juillet, à un an, et

---

[215] T. Rymer, opus cit., t. XI, p. 88 : 5 juillet 1445, sauf-conduits. Le 12 juillet, Philippe le Bon s'impatientait et envoyait un chevaucheur réclamer les sauf-conduits (A.D.N., R.G.F., n° B 1888, f° 114 v°). Il avait aussi envoyé une lettre aux ambassadeurs français les priant d'intervenir pour l'envoi des sauf-conduits; il leur demandait de ne rien conclure avant l'arrivée de ses ambassadeurs, selon le traité d'Arras et les promesses du roi (J. Stevenson, opus cit., t. I, pp. 126-128). Les ambassadeurs partirent fin juillet et revinrent en septembre (A.D.N., R.G.F., n° B 1988, f°s 70 v°, 71, 121, 125 v°). Signalons que le bâtard de Saint-Pol avait reçu, le 1er février 1445, un sauf-conduit pour se rendre en pèlerinage en Ecosse avec trente personnes (P.R.O., Treaty Rolls, C 76/128/m. 4). Pierre Bladelin, receveur général du domaine, trésorier de la Toison d'Or, conseiller et maître d'hôtel, fondateur de Middelbourg en Flandre; voir J.J. De Smet, Biographie Nationale, t. II, 1868, col. 445-447 et L. Gilliodts van Severen, Coutume du Bourg de Bruges, Bruxelles, 1883-1885, t. I, pp. 124-128.

[216] P.R.O., Treaty Rolls, C 76/128/m. 2 : 14 juillet 1445, nouvelle confirmation postérieure à celle citée p. 147, n. 210.

[217] Une courte biographie de T. Kent se trouve dans le Dictionary of National Biography, t. XXXI, 1892, p. 83, par W.A.J. Archbold.

l'entrecours fut prolongé, le 4 août, pour douze ans [218]. Les Membres de Flandre s'empressèrent aussitôt de prouver leur reconnaissance à la duchesse et aux ambassadeurs des deux partis [219], bien que la question de l'arbitrage des dommages réciproques et la modification du règlement de l'Etape eussent été renvoyées à une prochaine réunion.

Assuré de la prolongation de l'entrecours, Philippe le Bon s'empressa, le 12 janvier 1447 [220], de prohiber l'introduction des draps anglais dans tous les pays de par-deçà. En même temps, il révoquait les privilèges dont jouissaient les marchands anglais aux foires d'Anvers, tout au moins pour l'importation des draps [221]. Déjà, en 1439, il avait fait publier, immédiatement après la conclusion du traité, une interdiction valable seulement pour la Flandre. En renouvelant son ordonnance de 1434, il réalisait la promesse formelle qu'il avait faite aux Quatre Membres, le 9 juin 1445 [222]. Il avait

---

[218] P.R.O., *Treaty Rolls*, C 76/128 : 1er février 1446, pouvoirs reconnus aux ambassadeurs anglais; A.D.N., no B 573/21227 : 28 mars 1446, mandement de Henri VI à ses ambassadeurs. T. RYMER, *opus cit.*, t. XI, p. 125 : 16 mars, pouvoirs accordés par Philippe le Bon à la duchesse pour négocier la prolongation de l'entrecours et par celle-ci aux ambassadeurs bourguignons pour le même objet; p. 129 : 7 mai, renouvellement des pouvoirs de Philippe le Bon à la duchesse au sujet de la trêve; A.D.N., *R.G.F.*, no B 1994, fo 98 vo : 8 août 1446; no B 1991, fo 108; A.G.R., *Comptes du Franc*, C.C. no 42557, fos 4 vo, 10 vo, 24 vo, 25 vo, 32, 33, 44 vo, 58 vo, 59 : 27 mars, 6 avril, 20 avril, 18, 19 et 23 juillet, 11 août, 4 septembre; A.G.R., *Comptes d'Ypres*, C.C. no 38670, fos 8, 9 vo, 10, 10 vo : 9 et 20 avril, 6 et 26 juillet, 9 août; A.G.R., *Comptes de Bruges*, C.C. no 32498, fos 39, 43, 43 vo : 10 et 12 avril, 26 juillet, 5 août; A.V.G., *Comptes de Gand*, no 400/16 : 9 août 1446; T. RYMER, *opus cit.*, t. XI, pp. 132-138 : 12 juillet, renouvellement de la trêve, promesse d'Isabelle que la trêve serait observée par les Bourguignons; 14 juillet : pouvoirs donnés aux ambassadeurs anglais de délivrer et recevoir les confirmations de la trêve. T. RYMER, *opus cit.*, t. XI, pp. 140-146 et J. DUPONT, *opus cit.*, t. III, pp. 558-561 : 4 août, prolongation de l'entrecours; A.D.N., no B 573/15831; T. RYMER, *opus cit.*, t. XI, p. 146 : 17 août 1446, promesse des Membres de Flandre d'observer l'entrecours.

[219] L. GILLIODTS VAN SEVEREN, *Inventaire des Archives de Bruges*, t. V, pp. 297-298; A.G.R., *Comptes d'Ypres*, C.C. no 38671, fo 8 : 25 janvier 1447; A.G.R., *Comptes du Franc*, C.C. no 42558, fos 24 vo, 38 vo, 39 vo, 55 et 55 vo : 31 janvier, 10 et 26 juin, 31 juillet, 8 octobre 1447; A.V.G., *Comptes de Gand*, no 400/16, fos 307, 328 vo : un cadeau fut également offert au chancelier d'Angleterre et à Suffolk.

[220] G. SCHANZ, *opus cit.*, t. II, p. 660; H.J. SMIT, *opus cit.*, t. II, p. 848, no 1311; Ch. PIOT, *Inventaire des Archives de Léau*, s.l., s.d., pp. 26 et 29 : le 16 janvier, ordonnance d'application; P.A.S. VAN LIMBURG-BROUWER, *opus cit.*, p. 85; A.V.A., *P.K.*, no 79, fos 37 à 40 vo : prohibition et mandement d'application du 16 janvier 1447. La prohibition s'étendait aux draps exportés « *in Duytschen landen* » mais non à ceux destinés à la Bourgogne, ni à la France et à l'Italie. Voir aussi A.D.N., *R.G.F.*, no 1991, fo 138.

[221] A.V.A., *P.K.*, no 79, fo 34-34 vo.

[222] A.V.G., *Chartes*, no 591.

aussi été vivement sollicité par les Malinois[223] qui avaient gagné à leur cause le chancelier Rolin et l'évêque de Tournai, chef du Conseil ducal[224].

A Gand, en novembre et décembre 1446, puis en janvier 1447, le duc avait convoqué, pour le même sujet, les délégués des villes de Flandre, Brabant, Hollande, Zélande et Malines[225]. Cette dernière ville veilla soigneusement à l'application de l'ordonnance; de janvier à mai 1448[226], elle obtint des lettres rappelant l'interdiction aux villes de Dordrecht, Zierikzee, Middelbourg, L'Ecluse, Gorinchem, Rumst, Bergen-op-Zoom, Anvers, et aux comtés de Hollande et de Zélande : elle pouvait craindre avec raison que la prohibition ne fût pas strictement observée dans tous ces endroits. Les Hanséates reçurent cependant l'autorisation de poursuivre leur commerce de draps anglais[227]. La mesure ne se révéla pas sans efficacité puisque les villes zélandaises, fort touchées par la décision, se réunirent, en mars 1448, pour étudier la situation[228].

Tout en dirigeant les pourparlers qui se déroulaient à Calais, Isabelle de Portugal continuait à entretenir des rapports directs avec Londres et particulièrement avec le duc d'York[229]. En 1446, le bâtard de Saint-Pol[230], puis le secrétaire Roland Pippe[231], gagnèrent l'Angleterre; ils y revinrent l'année

[223] Malines semble s'être intéressée à la question depuis le 15 juillet 1445 (A.V.M., *Comptes de Malines*, 1444-1445, f⁰ 148 v⁰); puis, le 15 octobre et le 12 novembre, elle doit avoir insisté pour que le duc réalise sa promesse antérieure (A.V.M., *Comptes de Malines*, 1445-1446, f⁰ 148; 1446-1447, f⁰ 149).

[224] Le chancelier reçut en remerciement 200 saluts valant 40 livres de gros de Malines et l'évêque 70 peters valant 15 livres 15 sous de gros de Malines (A.V.M., *Comptes de Malines*, 1446-1447, f⁰s 167 et 168).

[225] J. CUVELIER, J. DHONDT et R. DOEHAERD, *opus cit.*, t. I, p. 40; A.V.M., *Comptes de Malines*, 1446-1447, f⁰ 150; A.V.L., *Comptes de Louvain*, n⁰ 5075, f⁰s 42 v⁰ et 43 v⁰; A.G.R., *Comptes d'Ypres*, n⁰ 32670, f⁰ 12 v⁰; A.D.N., *R.G.F.*, n⁰ B 1991, f⁰s 123 v⁰, 129 et 130; H.J. SMIT, *opus cit.*, t. II, p. 850, n⁰s 1313 et 1315.

[226] A.V.M., *Comptes de Malines*, 1447-1448, f⁰s 144 v⁰, 147, 147 v⁰, 148 v⁰ et 149. Gand, en juin 1447, avait obtenu des lettres du duc pour presser l'application en Brabant et en Hollande (A.D.N., *R.G.F.*, n⁰ B 1994, f⁰ 101).

[227] Ils reçurent d'abord l'autorisation de continuer leur commerce jusqu'à la Saint-Martin; en novembre et décembre, ils discutèrent avec les Membres de Flandre et avec Malines le maintien de leur privilège de transit des draps (G. VON DER ROPP, *opus cit.*, t. III, pp. 202, 271 et 298; A.V.M., *Comptes de Malines*, 1447-1448, f⁰ 146; B. KUSKE, *opus cit.*, p. 407, n⁰ 1163 : 3 juillet 1447; p. 408, n⁰ 1164 : 10 juillet). Au sujet de l'incidence de la prohibition sur l'importation des draps anglais voir p. 208.

[228] H.J. SMIT, *opus cit.*, t. II, p. 862, n⁰ 1336.

[229] A.D.N., *R.G.F.*, n⁰ B 1998, f⁰ 144 : 11 janvier; n⁰ B 1991, f⁰ 77 v⁰ : 23 août.

[230] A.D.N., *R.G.F.*, n⁰ B 2002, f⁰ 77, n⁰ B 1991, f⁰s 24 et 77 v⁰ : 23 août.

[231] P.R.O., *Chancery Miscellanea*, C 47/28/7/34 et *Treaty Rolls*, C 76/129/m. 4 (14 décembre 1446) : sauf-conduit de Henri VI à Roland Pippe; A.D.N., *R.G.F.*, n⁰ B 1905/60106 : acquit du 12 mai 1447.

suivante et furent reçus ensemble par le roi et son Conseil; il s'agissait de
« *besongnier, entendre et concluire, sur le fait de la declaration, ampliation
et renouvellement des dits abstinences de guerre et seur estat, darreinement
prinses et acordees entre nous et le dit duc d'York, nostre cousin* »[232]. La
duchesse s'engageait, au nom de son mari, à observer un préavis de quatre
années en cas de dénonciation de la trêve[233]. Cette mission garda cependant
un certain mystère car le seigneur de Haubourdin devait remettre « *en aucuns
lieux secréz* » une « *chambre de tapisserie* »[234]; un autre mystère subsiste : le
cadeau d'une coupe d'or « *a certain chevalier d'Angleterre qui nagaires a esté
devers mon dit seigneur en la dite ville de Bruges pour aucunes matieres
secretes* »[235]. Faut-il rapprocher ces deux faits d'autres tractations plus ou
moins secrètes avec le duc d'York ou encore avec le duc de Somerset[236] dont
un serviteur fut remarquablement bien traité au début de 1448[237] ? York
et Somerset, favori de Marguerite d'Anjou, étaient des ennemis jurés;
Philippe le Bon se ménageait ainsi des intelligences dans les deux camps.
Le duc de Somerset avait remplacé le duc d'York comme lieutenant du roi
en France, sous l'influence de Marguerite d'Anjou et de Suffolk, tandis que
le duc d'York avait été nommé lieutenant du roi en Irlande pour dix ans,
ce qui était un véritable exil. Les premiers signes des futures prétentions
au trône d'Angleterre émises par le duc d'York datent, semble-t-il, de cette
époque[238].

Haubourdin avait obtenu la fixation au 1er juin d'une « *journée* » à Calais,
pour discuter des réparations; lui-même et Henri Utenhove[239] conduisirent
les pourparlers avec les Anglais; les ambassadeurs se séparèrent pour reprendre

[232] T. RYMER, *opus cit.*, t. XI, pp. 169-171 : 14 mai 1447, commission d'Isabelle de
Portugal pour le bâtard de Saint-Pol et Roland Pippe; A.D.N., *R.G.F.*, n° B 1994, f⁰ˢ 83 v⁰,
84 v⁰, 102, 144.

[233] T. RYMER, *opus cit.*, t. XI, p. 171 : 14 mai 1447.

[234] A.D.N., *R.G.F.*, n° B 1994, f⁰ 198 : 26 mai; elle partit de Bruxelles vers Calais et
fut amenée à Londres.

[235] A.D.N., *R.G.F.*, n° B 1994, f⁰ˢ 91-93.

[236] Edmond Beaufort, duc de Somerset, fut désigné en 1448 comme lieutenant du roi
en France.

[237] A.D.N., *R.G.F.*, n° B 1998, f⁰ 151 v⁰ : 7 mai 1448.

[238] J.H. RAMSAY, *opus cit.*, t. II, pp. 82-85.

[239] A.D.N., *R.G.F.*, n° B 1998, f⁰ˢ 101, 102 v⁰, 103 : 26 mai, 28 mai, 5 juin; n° B 2017,
f⁰ 112; A.G.R., *Comptes du Franc*, C.C. n° 42559, f⁰ 45 v⁰ : 3 juin; A.G.R., *Comptes
d'Ypres*, C.C. n° 38672, f⁰ 9 : 13 juin; H.J. SMIT, *opus cit.*, t. II, p. 863, n° 1337.
Ordre d'indiquer par écrit les dommages occasionnés par les Anglais : H.J. SMIT, *opus cit.*,
t. II, p. 863, n° 1337; p. 870, n° 1355; p. 878, n° 1356; A.V.G., *Comptes de Gand*,
n° 400/16, f⁰ 435 v⁰; A.D.N., *R.G.F.*, n° B 1998, f⁰ 98; envoi à Calais d'un délégué de
Middelbourg : H.J. SMIT, *opus cit.*, t. II, p. 862, n° 1336.

les négociations en novembre [240]; puis, elles furent reportées en mai 1449 [241].

La réunion s'ouvrait lorsque parvint une nouvelle accablante. Le corsaire anglais Robert Wemyngton, dit de Caen, qui croisait dans la Manche pour intercepter le convoi qui amenait en Ecosse la jeune reine Marie de Gueldre, s'était emparé de la flotte revenant de la croisière du sel à la Baie de Bourgneuf. Elle était forte de près de cent bateaux et, si elle comportait en majorité des navires hanséates, elle comptait aussi des bâtiments flamands, hollandais et zélandais [242]. Des envoyés furent dépêchés immédiatement en Angleterre pour obtenir la libération des vaisseaux bourguignons [243], tandis que le duc décrétait la confiscation de tous les biens anglais dans ses pays [244].

---

[240] A.D.N., *R.G.F.*, no B 2000, fos 77 vo, 78, 83 vo, 84 vo, 227 vo : 27 et 28 septembre, 1er, 6 et 8 novembre 1448; H.J. SMIT, *opus cit.*, t. II, p. 863, no 1337.

Pouvoirs de Henri VI donnés à Humphrey Stafford, John Mareney, Robert Stillington, Richard Wetton, William Pyrton et John Wodehouse : T. RYMER, *opus cit.*, t. XI, pp. 218-219 : 25 octobre 1448. Les représentants des villes de Zélande s'assemblèrent à Goes, au sujet de la réunion de Calais et certaines envoyèrent un délégué : H.J. SMIT, *opus cit.*, t. II, p. 862, no 1336. Stillington devint évêque de Bath and Wells et chancelier d'Angleterre en 1467 (voir C.L. KINGSFORD, *Dictionary of National Biography*, t. LIV, 1898, pp. 378-379).

[241] T. RYMER, *opus cit.*, t. XI, pp. 220, 221 et 229 : 19 et 27 janvier 1449, promesse d'Isabelle de Portugal d'envoyer des commissaires à Calais et ratification du renvoi au 4 mai de la réunion, 28 mai, pouvoirs accordés par Henri VI à Humphrey Stafford, John Mareney, Th. Kent, W. Pyrton et J. Wodehouse; A.D.N., *R.G.F.*, no B 2002, fo 118 vo : 6 mai 1449. Le 3 avril 1449, à la demande du seigneur de Haubourdin, des sauf-conduits étaient délivrés à Ed. Grymston, écuyer, et Thomas Hoo, chevalier (A.G.R., *Cédules du Sceau de l'Audience*, no 395).

[242] Robert Wemyngton a raconté son exploit dans une lettre à Thomas Daniel datée du 25 mai 1449; il dit notamment : « *I have her at this tyme all the cheff shyppys of Duchelond, Holond, Selond and Flandrys and now hyt wer tyme for to trete for a fynell pese as for that partyes* » (J. GAIRDNER, *Paston Letters, a.d. 1422-1509*, Edimbourg, 1910, t. I, p. 84, no 68); G. VON DER ROPP, *opus cit.*, t. III, p. 402, nos 530 et 531; M. d'ESCOUCHY, *opus cit.*, t. I, p. 183. Wemyngton avait reçu, le 3 avril, mission de mettre fin aux pirateries (J. STEVENSON, *Letters and Papers*, t. I, p. 489).

[243] A.D.N., *R.G.F.*, no B 2002, fos 123 vo, 124 vo : 8 et 27 juin 1449. Le 3 juillet, le chevaucheur Mahieu Chastellain partait réclamer à Calais des sauf-conduits pour le seigneur d'Humières, Henri Utenhove et Jean Postel, pour qu'ils puissent assister à une réunion à Calais avec les Anglais pour régler le différend (A.D.N., *R.G.F.*, no B 2002, fo 125 vo).

[244] H.J. SMIT, *opus cit.*, t. II, p. 875, no 1354; p. 876, no 1355; p. 878, no 1356; A.D.N., *R.G.F.*, no B 2002, fos 97 et 130 : août, 21 septembre. Les Anglais demandèrent aux Quatre Membres de se réunir au sujet des confiscations de leurs biens : A.G.R., *Comptes du Franc*, C.C. no 42560, fo 40 vo : 23 août 1449; A.G.R., *Acquits de Lille*, carton no 1148 B.

On craignait, en Flandre, de nouvelles entreprises des sujets d'Henri VI [245] et, en Angleterre, on dut même défendre de molester les Bourguignons [246].

Enfin, les bateaux des pays de par-deçà furent relâchés [247]. La situation était très grave : les Anglais se plaignaient de la saisie de leurs marchandises et de la prohibition des draps; le Parlement avait exigé le retrait de l'ordonnance sous peine de boycottage des importations bourguignonnes [248]; il avait donc fallu près de deux ans pour que les Anglais ressentissent les effets de la prohibition au point de s'en préoccuper sérieusement. Les sujets de Philippe le Bon demandaient des indemnités pour la capture de la flotte, la modification du règlement de l'Etape et le contrôle de la qualité de la laine [249]. Les négociations reprirent donc dans un climat défavorable. Les instructions données aux représentants anglais [250] insistaient sur la libération immédiate des biens confisqués, l'annulation de l'ordonnance de 1447, le paiement des arriérés d'indemnités encore dues par les Hollandais et les Zélandais. Une note conciliatrice s'était cependant glissée : les étapiers promettaient la revision de leur statut et les ambassadeurs avaient mission d'inviter les Membres de Flandre à prendre part aux travaux; les marchands

---

[245] A.G.R., *Comptes du Franc*, C.C., n° 42560, f⁰ˢ 34 v°, 97 : 8 et 13 juin 1449; A.D.N., *R.G.F.*, n° B 2002, f° 126 v° : 16 juillet, ordre du duc de faire bonne garde aux bailli et châtelain de Saint-Omer, aux bailli et capitaine d'Ardres, au sénéchal du Boulonnais, car des troupes anglaises avaient débarqué à Calais. Les Etats d'Artois fournirent cinq aides extraordinaires pour la défense du pays contre les Anglais, au mois d'août 1449 (C. HIRSCHAUER, *opus cit.*, t. II, p. 32).

[246] H. NICOLAS, *opus cit.*, t. VI, p. 74 : 11 juin 1449.

[247] G. VON DER ROPP, *opus cit.*, t. III, p. 405 : fin juin - début juillet, furent libérés les bateaux flamands, zélandais, hollandais et ceux de Kampen, ville hanséatique mais bourguignonne; les navires hanséates furent retenus et, en représailles, la Hanse prohiba les draps anglais. Le 26 août, Henri VI informait Kampen et l'évêque d'Utrecht que leurs sujets seraient indemnisés : T. RYMER, *opus cit.*, t. XI, pp. 235-236.

[248] *Rotuli Parliamentorum*, t. V, pp. 150-151; *Statutes of the Realm*, t. II, p. 353; H. NICOLAS, *opus cit.*, t. V, pp. 70-72.

[249] A.G.R., *Comptes du Franc*, C.C., n°42559, f° 113 v°.

[250] Les premières instructions avaient été données le 17 mars 1449; elles s'intéressaient principalement au retrait de la prohibition (H. NICOLAS, *opus cit.*, pp. 69-72). De nouveaux pouvoirs furent octroyés aux ambassadeurs anglais le 28 juillet; parmi ceux-ci on relève les noms de lord Dudley, T. Kent et Th. Thurland, maire de l'Etape (P.R.O., *Treaty Rolls*, C 76/131/m. 6); leurs instructions sont publiées par H. NICOLAS, (*opus cit.*, t. VI, pp. 76-85 : 30 juillet); A.D.N., *R.G.F.*, n° B 2017, f⁰ˢ 113; n° B 2002, f⁰ˢ 77, 91, 132; H.J. SMIT, *opus cit.*, t. II, p. 877, n° 1356; A.G.R., *Acquits de Lille*, cartons n⁰ˢ 1148, 1148 B.

de l'Etape envoyèrent d'ailleurs des délégués aux Quatre Membres [251]. Enfin, les Anglais auraient consenti à abandonner une part des biens confisqués en compensation des dommages subis par les Bourguignons.

Aux observations répétées que faisaient les Anglais au sujet de la prohibition, la duchesse rétorquait qu'elle avait obtenu préalablement l'accord des marchands de l'Etape, mais ceux-ci le niaient expressément [252]. Il est probable qu'ils avaient acquiescé, comme à l'ordinaire, au renouvellement de l'ordonnance en Flandre, mais non dans les autres principautés. Cette fois, Philippe le Bon alla même plus loin : reprenant la tactique des villes flamandes en 1431, il envoya un émissaire à la réunion des villes hanséatiques à Brême pour les prier de prohiber à leur tour les draps anglais [253]; elles le firent d'ailleurs en représailles pour la capture de la flotte.

Les pourparlers d'accommodement restèrent pratiquement au point mort pendant l'année 1450 [254] : aussi, le Parlement reprit-il ses plaintes contre l'interdiction d'introduire des draps anglais dans les Pays-Bas bourguignons; le chômage des ouvriers du textile s'étendait et le roi entérina la pétition des Communes qui exigeait le boycottage des marchandises bourguignonnes si l'ordonnance de prohibition n'était pas retirée, avant la Saint-Michel (29 septembre) [255], en Brabant, Hollande et Zélande, mais pas en Flandre.

[251] Les Membres de Flandre étaient en relation avec Calais depuis le début de 1448 : A.G.R., *Comptes de Bruges*, C.C. n° 32500, f°s 32 v°, 33, 33 v° (23 mars, 6 avril, 14 avril); A.G.R., *Comptes du Franc*, C.C. n° 42559, f°s 42 v°, 43 v° : 26 mars 1448; A.G.R., *Comptes d'Ypres*, C.C. n° 38672, f° 8 v° : 11 avril. Envoi de délégués de l'Etape aux Quatre Membres : A.G.R., *Comptes du Franc*, C.C. n° 42560, f°s 38 v°, 39 (3 et 4 août 1449); envoi de lettres à Calais : A.G.R., *Comptes d'Ypres*, C.C. n° 38674, f°s 8 v° et 9 (16 février et 11 mars 1450). Un étapier, Philippe Best, reçut une récompense de 237 livres pour ses « *peines et travaulx* » (A.D.N., *R.G.F.*, n° B 2004, f°s 225 v° et 266 v°).

[252] H. NICOLAS, *opus cit.*, t. VI, p. 79.

[253] G. VON DER ROPP, *opus cit.*, t. III, p. 462; H.J. SMIT, *opus cit.*, t. II, p. 875, n° 1355 : juillet-août 1449.

[254] Des envoyés prirent le chemin de Calais (Roland Pippe s'y rendit déjà en novembre 1449 : A.D.N., *R.G.F.*, n° B 2004, f° 133 v°); A.G.R., *Comptes d'Ypres*, C.C. n° 32674, f°s 8 v° et 9 : 16 février et 11 mars 1450; A.G.R., *Comptes du Franc*, C.C. n° 42561, f° 58 : 24 mai 1450. Henri Utenhove recueillit, entre février et mai 1450, les rapports concernant les dommages subis par les sujets de Philippe le Bon dans les différentes principautés (A.D.N., *R.G.F.*, n° B 2017, f° 114 v°). Isabelle de Lalaing, suivante de la duchesse, fut capturée par les Anglais, on ne sait dans quelles circonstances : J. STEVENSON, *opus cit.*, t. II, 1re partie, p. 474; P.R.O., *Treaty Rolls*, C 76/132/m. 3 : 24 août 1450 (sauf-conduit de retour). Hervé de Mériadec, écuyer d'écurie, se rendit également en Angleterre au cours de l'année 1450 à une date non précisée « *pour aucunes choses secretes* » : A.D.N., *R.G.F.*, n° B 2004, f° 113.

[255] *Rotuli Parliamentorum*, t. V, p. 201 : l'apostille royale était la suivante : « *Le roi le voet, et a durer par sept ans, si due remede ne soit fait dedens celle temps* »; *Statutes of the Realm*, t. II, pp. 345-346.

Peut-être faut-il y rattacher la mention de « *certaine ordonnance faicte nagaires en Engleterre ou prejudice de l'entrecours de la marchandise* » que la duchesse faisait connaître à Bruges, L'Ecluse, Nieuport, Dunkerque et Gravelines (A.D.N., *R.G.F.*, n° B 2004, f° 205).

C'est ainsi que les Anglais décidèrent de délaisser la foire de Saint-Bavon à Anvers et de fixer de nouveaux rendez-vous à leurs acheteurs éventuels. Philippe le Bon défendit aussitôt de les rencontrer ailleurs et interdit le passage des biens anglais pour une autre destination, pendant quarante jours après la foire [256].

Les Anversois, victimes de la prohibition, se hâtèrent de présenter au duc une pétition demandant la suspension de l'ordonnance jusqu'à la Toussaint 1452, car elle n'était pas appliquée en Hollande, Zélande et Frise, ni même dans les villes brabançonnes de Bergen-op-Zoom et de Steenbergen [257]. Ils durent patienter jusqu'au 15 avril 1452 pour obtenir la levée de l'interdiction [258]; à cette époque, Philippe le Bon, aux prises avec les Gantois révoltés, était moins soumis à la pression des villes flamandes.

La prohibition de 1447 met particulièrement en relief la dualité des intérêts commerciaux des pays bourguignons et l'intérêt particulier de la politique du prince pour la cause des villes drapières. L'application de la mesure ne fut certainement pas parfaite et, si les Anglais se plaignirent d'une forte récession économique, c'est qu'elle découlait de la simultanéité d'une interdiction proclamée à la fois par la Bourgogne et par la Hanse. Il n'empêche qu'en 1450, les recettes du tonlieu de L'Ecluse avaient été si basses, « *a l'occasion de la guerre de France et d'Angleterre pour ce que a ceste cause le fait de la marchandise n'a peu avoir son cours sur la mer ne arriver a si grant quantité au port de la dite ville de Lescluze qu'elle souloit fere* », que Philippe le Bon octroya au fermier une indemnité de 400 livres de gros de Flandre [259].

Les négociations reprirent en février-mars 1451; Jean Postel, Henri Utenhove et le seigneur d'Humières [260] rencontrèrent à Bruges des ambassadeurs anglais [261]. Les Bourguignons obtinrent 16.000 saluts d'or en dédommagement des prises opérées par Robert de Caen. Les étapiers avancèrent cette forte somme et obtinrent en compensation l'exemption des droits de douane à

---

[256] A.V.A., *Chartes*, n° 414 : 21 août 1450.

[257] A.V.A., *Privilegekamer*, n° 79 (*Groot Pampieren Privilegieboek*), f° 62. Le 7 novembre 1450, la ville de Cologne demandait à celle d'Anvers s'il était exact que le duc avait levé la prohibition (B. KUSKE, *opus cit.*, t. II, p. 21, n° 40).

[258] A.V.A., *Chartes*, n° 425.

[259] A.D.N., *R.G.F.*, n° B 2004, f° 290 v°. Voir aussi la situation difficile du fermier de « *l'overdracht* » de Bruges (A.D.N., n° B 2008, f° 296 v°). Au sujet de la rupture entre la France et l'Angleterre, voir p. 159.

[260] A.D.N., *R.G.F.*, n° B 2012, f° 148.

[261] Le 12 janvier, Henri VI délivrait des pouvoirs à R. Sendeley, J. Stourton, K. Derby, J. Mareney, J. Nausan, W. Pyrton, J. Wodehouse (P.R.O., *Treaty Rolls*, C 76/133/m. 15); plus tard, lord Dudley et Th. Kent reprirent les pourparlers (P.R.O., *Treaty Rolls*, C 76/133/m. 2 : 7 juin 1451); A.D.N., *R.G.F.*, n° B 2012, f° 148 : 19 février au 10 mars.

concurrence du même montant [262]. Une procédure fut mise au point avec les marchands de l'Etape, le 20 septembre 1451, pour éviter la confiscation arbitraire des marchandises. Si un Bourguignon subissait quelque dommage de la part des Anglais, il devait le faire connaître au roi d'Angleterre, puis aux étapiers; s'il n'obtenait pas satisfaction après trois mois, le duc lui délivrerait des lettres de marque [263]. Les étapiers jouissaient de la réciprocité. Cet accord fut-il strictement appliqué ? A la fin de 1452, des Anglais furent arrêtés à L'Ecluse en représailles de dommages occasionnés par Talbot [264] à des biens flamands se trouvant à Bordeaux, mais s'agissait-il d'étapiers ? Cependant, les indemnités dues par les Bourguignons pour les années antérieures à 1449, n'étaient pas encore réglées, et il fallut à nouveau en discuter [265]. En Flandre, resurgissait la question du tarif du tonlieu de Gravelines et des taxes levées lors de l'importation et de l'exportation des marchandises anglaises; on en n'avait plus parlé depuis 1444 [266]. La situation s'éclaircit néanmoins et Philippe le Bon envoya à Londres, en juillet 1451, une ambassade dont nous ignorons la mission exacte; elle était composée du bâtard de Saint-Pol, de l'abbé de Saint-Pierre à Gand et du conseiller Liénard Pontoz [267]. Vers la même époque, Philippe le Bon se rapprochait du duc de Somerset [268] et du duc d'York qui lui faisait parvenir deux haquenées [269]

A l'arrière-plan de tous ces échanges diplomatiques, se déroulaient les

[262] P.R.O., *Treaty Rolls*, C 76/133/m. 2 : 7 juin 1451, *Calendar of Close Rolls, 1454-1461*, Londres, 1939-1947, pp. 13-14 et 21 et *Calendar of Patent Rolls, 1452-1461*, Londres, 1910, p. 210 : 16 octobre 1454; H.J. SMIT, *opus cit.*, t. II, p. 913, n° 1424.
[263] L. GILLIODTS VAN SEVEREN, *opus cit.*, t. I, p. 719, n° 903.
[264] A.G.R., *Comptes du Franc*, C.C. n° 42564, f°s 17 v°, 18 : 1er et 4 décembre 1452. John Talbot, comte de Shrewsbury, fut un des plus grands capitaines anglais; il mourut à la bataille de Castillon en 1453 (voir J. TAIT, *Dictionary of National Biography*, t. LV, 1898, pp. 319-323).
    Seuls les étapiers jouissaient de cet avantage; cela explique la délivrance par le duc, le 24 septembre 1451, de lettres de marque contre des marchands de Newcastle en représailles de la prise d'un bateau de Hornes (H.J. SMIT, *opus cit.*, t. II, p. 886, n° 1373 et H.A. POELMAN, *Bronnen tot de geschiedenis van den Oostzeehandel*, La Haye, 1917, t. II, n° 2023). Voir aussi un cas analogue cité par H.J. SMIT (*opus cit.*, t. II, p. 888, n° 1379 : 4 janvier 1452), pour lequel on s'en remit à la décision du Conseil de Hollande.
[265] P.R.O., *Treaty Rolls*, C 76/133/m. 6 : 7 août 1451, désignation de commissaires anglais, R. Sendeley, J. Stourton, R. Whetehill, W. Renhede, J. Williamson (ces deux derniers étaient marchands de l'Etape).
[266] A.G.R., *Comptes d'Ypres*, C.C. n° 38675, f° 9 : 18 mars 1451; A.G.R., *Comptes du Franc*, C.C. n° 42562, f° 41 v° : 21 mai 1451; C.C. n° 42563, f° 15 : 22 septembre 1451.
[267] Sauf-conduit à des ambassadeurs bourguignons non nommés : P.R.O., *Treaty Rolls*, C 76/133/m. 8, 31 mai 1451; A.D.N., *R.G.F.*, n° B 2008, f° 126 : mission de Pontoz, Haubourdin et l'abbé de Saint-Pierre (15 juillet - 2 septembre 1451); *Liber de Virtutibus*, t. III, p. 78 (avec date fautive de 1449). Philippe I Conrault de Polignac, abbé de Saint-Pierre au Mont Blandin (1445-1475).
[268] A.D.N., *R.G.F.*, n° B 2008, f° 174 : 6 juin 1451.
[269] A.D.N., *R.G.F.*, n° B 2008, f° 300 (sans précision de date).

derniers combats de la Guerre de Cent Ans. En 1449, Charles VII avait rompu ses relations[270] avec l'Angleterre et avait demandé les conseils et l'appui militaire de Philippe le Bon. Le duc avait approuvé la décision du roi, mais avait refusé d'envoyer des troupes car il ne désirait pas rompre les trêves conclues avec Henri VI; il avait autorisé cependant ses sujets à s'enrôler individuellement dans les rangs français[271].

Philippe envisageait, dès ce moment, de partir pour la croisade; aussi ne pouvait-il s'engager dans une guerre; il demanda au roi d'Angleterre s'il s'allierait éventuellement avec lui pour une action contre les Turcs. Henri VI répondit qu'il ne participerait à une expédition semblable que si la paix régnait entre les princes chrétiens[272]; ce n'était évidemment pas le cas ! Charles VII avait repris l'offensive. Le comte d'Eu, Charles d'Artois, avait mis le siège devant Le Crotoy à la fin d'octobre mais, dès septembre, Philippe le Bon avait entrepris des pourparlers avec le capitaine anglais John Copildyke. Guichart Bournel, capitaine d'Ardres, négocia si bien au nom du duc que le marché se conclut et que le comte d'Eu dut se retirer vers le 10 ou le 12 novembre. La ville fut remise aux Bourguignons en janvier 1450[273].

Des difficultés allaient surgir à l'intérieur des pays bourguignons; Gand se rebella en 1452; le siège fut long et, de part et d'autre, furent enrôlés des mercenaires anglais. Certains dirent que le duc remporta la victoire grâce à la trahison du capitaine anglais de Gavre[274]. L'écrasement de Gand accapara à ce point les activités de Philippe le Bon que les relations extérieures furent négligées. Seul, le neveu de la duchesse, le jeune Jean de Coïmbre, fut chargé de mission en Angleterre[275].

La liquidation de la rébellion gantoise permit de reprendre les pourparlers;

---

[270] G. Du Fresne de Beaucourt, opus cit., t. IV, pp. 309-333.

[271] Mathieu d'Escouchy, opus cit., t. I, p. 187; Jacques du Clercq, opus cit., éd. Reiffenberg, t. I, p. 316.

[272] J. Stevenson, opus cit., t. II, 2e partie, pp. 471-473.

[273] Voir à ce sujet le récit détaillé des événements dans A. Huguet, opus cit., t. L, pp. 367-371.

[274] Adrien de Budt, dans Kervyn de Lettenhove, t. I, p. 336; Olivier de la Marche, Mémoires, 1435-1488, éd. H. Beaune et J. d'Arbaumont, 4 vol., Paris, 1884-1888, t. II, pp. 288, 293, 314, 315, 319; G. Chastellain, Œuvres, éd. Kervyn de Lettenhove, 8 vol., Bruxelles, 1863-1866, t. II, pp. 328, 365; Jean de Wavrin, opus cit., t. VIII, p. 231; A.D.N., R.G.F., no B 2012, fos 159 vo et 199; no B 2015/61268; a.g.r., Comptes du Franc, C.C. no 42564, fos 13 et 47 : 12 et 26 septembre 1452.

[275] Jean de Coïmbre, âgé de quinze ans, reçut à cette occasion une pension d'un montant de 2.000 saluts (T. Rymer, opus cit., t. XI, p. 307 : 11 février 1452). En janvier, juin et octobre 1453, un serviteur de Jean de Coïmbre fut chargé par Philippe le Bon de mission à Calais et à Londres (a.d.n., R.G.F., no B 2020, fos 143 vo et 174 vo, et no B 2013/61107 et 61265).

en mars-avril 1453, une « *journée* » se tint à Gravelines [276], en présence de la duchesse, pour discuter du règlement des dommages infligés de part et d'autre [277]; cette réunion avait été préparée par un voyage de Haubourdin à Calais [278]. Une ambassade française fut envoyée auprès de Philippe le Bon, peu avant le départ du bâtard de Saint-Pol. Elle avait pour but de s'immiscer dans la querelle survenue entre Gand et le duc; elle fut d'ailleurs mal accueillie. Craignant que leur démarche n'incitât la Bourgogne à pencher plus franchement vers l'Angleterre, les envoyés s'abstinrent de gagner Gand. Tandis que la duchesse se trouvait à Calais, ils recueillaient divers bruits inquiétants : l'alliance anglo-bourguignonne était conclue et l'on parlait d'un mariage entre la fille du duc d'York et le comte de Charolais [279]. C'est la première mention d'un projet auquel s'opposa violemment Philippe le Bon par la suite. Vers la fin de l'année, on parla de se réunir à nouveau [280], mais les Anglais arraisonnèrent une fois encore le convoi revenant de la Rochelle [281] et, sans égard pour l'accord signé en 1451, le duc fit arrêter les

---

[276] A.D.N., *R.G.F.*, n° B 2012, f°s 149, 191, 198, 200, 203; n° B 2017, f° 118 v°; n° B 2020, f°s 95 v°, 177. Délégués bourguignons : Haubourdin, Humières; pouvoirs du 3 mars 1453 à Lord Rivers, Robert Botell, prieur de Saint-Jean de Jérusalem, R. Cauton, T. Kent, W. Toby, W. Pyrton et O. Mountford (P.R.O., *Treaty Rolls*, C 76/135/m. 9) renouvelés le 29 juillet (P.R.O., *Treaty Rolls*, C 76/135/m. 1).

[277] En avril 1453, un écuyer anglais, Jean Haulz, vint à la cour de Bourgogne sans qu'on en sache le motif (A.D.N., *R.G.F.*, n° B 2012, f°s 284 v°, 301 v°). Le comte d'Etampes demanda aux Etats d'Artois trois aides extraordinaires pour la défense du pays contre les Anglais en mai; une seule fut accordée en juillet (C. Hirschauer, *opus cit.*, t. II, p. 33). Rappelons les arrestations de biens en décembre 1452 : voir p. 158.

[278] A.D.N., *R.G.F.*, n° B 2012, f°s 136, 207 v° et B 2020, f° 176 : du 14 au 26 février 1453.

[279] B.N., *Fonds français*, n° 5040 (Baluze 165), f°s 45 à 52 : 29 mai 1453, rapport des ambassadeurs Guillaume de Monypeny, Guillaume de Vic et Jean de Saint-Roman. Leurs instructions leur ordonnaient de se plaindre du détroussement de marchands français par les Anglais, qui emmenaient le butin en territoire bourguignon (B.N., *Fonds français*, n° 5042, Baluze 167, f° 1 : 11 décembre 1452). Ils annoncèrent, le 7 février, au roi, le départ de Haubourdin (B.N., *Fonds français*, n° 5041, f° 53).

[280] A.D.N., *R.G.F.*, n° B 2012, f° 175 : le poursuivant Talant gagna en novembre l'Angleterre pour demander une nouvelle réunion.

[281] H.J. Smit, *opus cit.*, t. II, p. 903, n° 1412; J. Gairdner, *Paston Letters*, t. I, p. 263, n° 195; p. 289, n° 206. L. Gilliodts van Severen, *Cartulaire de l'ancienne Estaple*, t. II, p. 23, n° 936; A.D.N., n° B 2019/61460. Lord Bonneville se trouvait à la tête des corsaires. Les étapiers et les aventuriers eurent une entrevue avec le chancelier et réclamèrent la libération des bateaux bourguignons en criant : « *Justice, justice* »; de peur, le chancelier n'osa leur répondre. Parmi les navires pris se trouvaient un bateau chargé de biens appartenant au bailli de l'eau de L'Ecluse et à des bourgeois de Bruges et un autre au maire de Boulogne (*Calendar of Patent Rolls, 1452-1461*, p. 212; *Calendar of Close Rolls, 1454-1461*, p. 17).

marchandises anglaises dans ses pays [282]. On demanda aussitôt en Angleterre de prendre des mesures analogues à l'égard des sujets bourguignons [283]. La situation de 1449 se reproduisait bien que Philippe le Bon se fût empressé de confirmer l'accord de septembre 1451 [284]. Très vite, s'ouvrit une conférence à Calais pour régler le différend [285]. Pour la première fois, le comte de Charolais intervint personnellement dans la direction des pourparlers [286]; il était lieutenant général des pays de par-deçà, le duc étant alors en Allemagne.

L'animosité qui dressait Bourguignons et Anglais les uns contre les autres se traduisit par une inquiétude légitime dans nos pays. On craignait une invasion de forces importantes descendues à Calais et, d'autre part, une flotte anglaise nombreuse capturait de temps à autre quelques navires [287]. Aussi recourut-on de nouveau à la confiscation des biens anglais [288]; le comte

[282] A.D.N., R.G.F., no B 2012, fos 246, 247 et 287 vo : décembre 1453. Les biens du maire de Calais et d'autres étapiers furent saisis; leur valeur atteignait 2.000 L. st. (Calendar of Patent Rolls et of Close Rolls, voir note 281); ils furent rendus par acte du 28 janvier 1454 en vertu de l'accord de 1451 (L. GILLIODTS VAN SEVEREN, Cartulaire de l'ancienne Estaple, t. I, p. 720; t. II, p. 23).

[283] J. GAIRDNER, Paston Letters, t. I, p. 263, no 195 : 19 janvier 1454.

[284] L. GILLIODTS VAN SEVEREN, Cartulaire de l'ancienne Estaple, t. II, p. 23 : 28 janvier 1454.

[285] En janvier 1454, des lettres demandant restitution des prises furent envoyées à Henri VI, au duc d'York et à d'autres seigneurs anglais (A.D.N., R.G.F., no B 2017, fos 131 vo et 150 vo). Les Anglais étaient arrivés à Calais en février (A.D.N., R.G.F., no B 2020, fos 192, 193); en mars, le bâtard de Saint-Pol et Jean Postel les rencontrèrent (A.D.N., R.G.F., no B 2020, fos 198 et 268 vo). Cependant, en juin 1454, la situation n'était pas encore réglée (J. GAIRDNER, Paston Letters, t. I, p. 289, no 206 : 8 juin 1454).

[286] A.D.N., R.G.F., no B 2017, fo 167 (juillet 1454) : lettres de la duchesse à son fils au sujet des affaires anglaises; durant toute l'année, le comte s'intéressa aux pourparlers (voir notes suivantes).

[287] A.G.R., Comptes du Franc, C.C. no 42565, fos 28, 36 vo : 9 août 1454; H.J. SMIT, opus cit., t. II, p. 919, no 1436; A.D.N., R.G.F., no B 2117, fo 158 vo : 26 août 1454, envoi par le comte de Charolais de lettres au bailli de Saint-Omer, aux capitaine et bailli d'Ardres et Gravelines, au capitaine de Fiennes, au sénéchal du Boulonnais pour qu'ils se missent en garde des Anglais débarqués à Calais. A.D.N., R.G.F., no B 2017, fo 160 vo : 5 septembre 1454, lettre de Charolais au comte d'Ostrevant, au seigneur de Vere, au magistrat de Middelbourg, au receveur de Bewesterschelde au sujet des entreprises anglaises. Il semble que le comte de Charolais se soit trop vite alarmé car, le 27 septembre, le licenciement des gens de guerre recrutés pour résister aux Anglais fut ordonné par le gouverneur de Lille (A.D.N., R.G.F., no B 2017, fo 161). Echange de lettres entre le duc et son fils au sujet des navires de L'Ecluse capturés par les Anglais (A.D.N., R.G.F., no B 2017, fo 163 vo : 14 novembre 1454); il s'agit sans doute du « Christophe » de L'Ecluse (voir : Calendar of Patent Rolls, 1452-1461, Londres, 1919, p. 256 : 21 juillet 1455).

[288] A.D.N., R.G.F., no B 2017, fo 166 : 31 décembre 1454, ordre d'arrêter des navires anglais arrivés à Middelbourg. Le comte de Charolais avait ordonné d'inventorier tous les biens arrêtés et de spécifier ceux qui avaient été vendus : A.D.N., R.G.F., no B 2017, fo 165 : 6 décembre 1454 et no B 2020 : 21 novembre 1454; H.J. SMIT, opus cit., t. II, p. 919, no 1436; p. 916, no 1430.

de Charolais écrivit aux Membres de Flandre [289], aux Etats de Hollande, Zélande et Frise, au sujet des dommages causés réciproquement [290] et interdit la pêche aux harengs sur les côtes flamandes, par crainte des « escumeurs d'Angleterre » [291]. Les corsaires français croisaient également au large du port de L'Ecluse interceptant les navires qui voulaient y relâcher [292]. Les Anglais avaient fourragé la région située entre Saint-Omer et Thérouanne [293] et cela malgré l'existence des trêves. De leur côté, les Bourguignons contrevenaient aux stipulations de l'entrecours; c'est ainsi qu'un étapier fut arrêté, à la fin de juin 1455, à Bourbourg, et que Toison d'Or dut accomplir plusieurs voyages à Calais pour éclaircir la situation [294].

En politique générale, la duchesse, soutenue par le Grand Bâtard Antoine, était décidée à appuyer, contre le clan de Marguerite d'Anjou, la cause du duc d'York, protecteur du royaume depuis avril 1454; comme nous l'avons vu, elle entretenait avec lui des relations d'amitié. Aussi poussait-elle son fils, le comte de Charolais, à épouser la fille aînée du duc [295], projet qui avait pris naissance lors des pourparlers de 1453.

Philippe le Bon ne partageait pas cet avis : avant son départ pour l'Allemagne, il tint à marier Charles à sa nièce Isabelle de Bourbon [296]. Cela faisait partie de son plan d'alliance des princes du sang contre le roi. N'accusa-t-on pas aussi le duc d'intelligence avec le duc d'Alençon, coupable

---

[289] A.G.R., *Comptes du Franc*, C.C. nº 42566, fᵒˢ 22 et 24 : 18 janvier 1455; A.G.R., *Comptes d'Ypres*, C.C. nº 38679, fº 7 vº et *Comptes du Franc*, C.C. nº 42566, fº 41 vº : 2 février (réunion à ce sujet des Membres et des Etats de Flandre à Gand). Le duc avait convoqué les Membres à Bruges d'abord pour le 8 puis pour le 15 janvier (A.D.N., *R.G.F.*, nº B 2020, fº 213 vº); nous ignorons si cette séance eut lieu.

[290] A.D.N., *R.G.F.*, nº B 2020, fº 215 vº : 25 décembre 1454 - 19 janvier 1455.

[291] A.D.N., *R.G.F.*, nº B 2020, fº 344.

[292] A.D.N., *R.G.F.*, nº B 2020, fº273 : 18 août 1455, envoi d'un délégué au roi à Bourges pour protester; en octobre 1455, un corsaire de Dieppe arrêta un bateau bourguignon croyant avoir affaire à un Anglais, mais reconnut son erreur (L. GILLIODTS VAN SEVEREN, *Cartulaire de l'ancienne Estaple*, t. II, p. 38, nº 961).

[293] C. HIRSCHAUER, *opus cit.*, t. II, p. 34. Le comte d'Etampes demanda aux Etats d'Artois deux aides extraordinaires pour la défense du pays contre les Anglais, en septembre; ils n'en accordèrent qu'une avec promesse de modération de la moitié pour les villes.

[294] H. NICOLAS, *opus cit.*, t. VI, pp. 253-254; A.D.N., *R.G.F.*, nº B 2020, fº 246.

[295] Anne, épouse en premières noces d'Henri Holland, duc d'Exeter.

[296] O. DE LA MARCHE, *opus cit.*, t. II, p. 396; Mathieu d'ESCOUCHY, *opus cit.*, t. II, p. 242; J. DU CLERCQ, éd. Reiffenberg, *opus cit.*, t. II. p. 202; G. CHASTELLAIN, *opus cit.*, t. III, p. 7. Gierozzo de' Pigli écrivait, le 29 mars, à Piero de Medici que l'on n'avait osé conclure le mariage anglais « *per non dispiacere al Re ché llui* (Philippe) *e Madama* (Isabelle de Portugal) *él govane ne sarieno bene stati contenti* » (du mariage avec Isabelle de Bourbon); (A. GRUNZWEIG, *Correspondance de la filiale de Bruges des Medici*, Bruxelles, 1931, pp. 41-42).

de trahison au profit des Anglais ? [297]. Le duc avait violemment admonesté son fils et avait déclaré qu'il ne pouvait admettre un mariage anglais car, disait-il, « *combien que j'ay eu grandes allianches aulx Anglois et pour vengier la mort de mon pere, je me sois pieça allié a eulx, sy ne fust oncques mon cœur et mon courraige anglois* » [298].

Philippe le Bon conservait ainsi la haute direction des affaires anglaises qu'on aurait pu croire abandonnée à la duchesse. Celle-ci préconisait une franche alliance avec le parti yorkiste, tandis que le duc replaçait le problème dans l'ensemble des relations avec la France. S'unir à York lui aurait attiré définitivement l'hostilité de certains proches parents de Charles VII et de Marguerite d'Anjou; or, le duc désirait avant tout s'assurer le concours des grands feudataires contre le roi. Depuis l'échec de la médiation bourguignonne, la politique de Philippe le Bon visait au maintien de rapports suivis avec l'Angleterre, mais en accordant la primauté aux échanges commerciaux; cette position lui permettait de garder toute son indépendance vis-à-vis des deux couronnes.

[297] J. DE WAVRIN, *opus cit.*, t. VIII, p. 372. Au sujet de la trahison du duc d'Alençon, voir G. DU FRESNE DE BEAUCOURT, *opus cit.*, t. VI, pp. 38-63.

[298] J. DU CLERCQ, éd. Reiffenberg, *opus cit.*, t. II, p. 203.

TROISIEME PARTIE

LES RELATIONS ECONOMIQUES
SOUS LE REGIME DE L'ENTRECOURS

LE COMMERCE DE LA LAINE

Au xve siècle, la laine était encore considérée par excellence comme le grand produit d'exportation de l'Angleterre. Traditionnellement, elle occupait la première place mais en fait, cette situation privilégiée était sérieusement ébranlée par suite du développement de l'industrie drapière.

Les exportations de laine atteignaient au milieu du xive siècle environ trente mille sacs; après 1446, elles étaient tombées à huit mille sacs seulement. Cinquante-six mille pièces de drap quittaient l'Angleterre vers 1440, soit treize mille de plus qu'à la fin du siècle précédent [1]. Pour mieux caractériser le développement de l'industrie drapière, notons que la valeur des exportations de draps atteignait, pour les années 1446 à 1448, 115.000 livres sterling, tandis que les exportations de laine ne montaient qu'à 56.000 livres sterling [2].

Ainsi donc, malgré sa forte organisation, le commerce de la laine ne put résister à une évolution naturelle qui transformait un pays essentiellement agricole en une nation industrielle.

L'Etape de la laine fut fixée, pour toute la période qui nous occupe, à Calais. Une compagnie de marchands y avait son siège; elle portait le nom de « *Staple Company of England* ». Ses membres étaient presque tous Londoniens et se livraient au commerce de la laine depuis l'achat aux producteurs jusqu'à la vente aux acheteurs des pays bourguignons [3]. A leur tête se trouvait un maire pourvu de pouvoirs administratifs et judiciaires sur les

---

[1] H.L. GRAY, dans E. POWER et M.M. POSTAN, *Studies in English trade in the fifteenth Century*, Londres, 1933, p. 11. Un sac pesait 364 livres « avoirdupois » de 454 grammes, soit 165 ¼ kg. Le sac contenait 26 pierres (de 14 livres chacune) ou 52 clous (de 7 livres chacun).

[2] IDEM, *Ibidem*, p. 18. Il faut souligner que, du point de vue de la Couronne, le commerce de la laine restait toujours prépondérant car le roi prélevait 17.100 livres sterling de droits sur les exportations de laine et seulement 4.000 livres sterling sur les exportations de draps.

[3] E. POWER, dans E. POWER et M.M. POSTAN, *opus cit.*, p. 41. On entrait dans la compagnie par achat ou apprentissage. Sous le règne d'Edouard IV, le nombre des membres se montait à environ trois cents.

membres de la communauté. La compagnie possédait à Calais des bureaux, des terrains, une prison [4].

Les étapiers envoyaient des facteurs dans les districts lainiers pour conclure des marchés moyennant un long crédit; une partie de la somme était payée comptant, le reste à terme fixe. La laine gagnait Londres, Boston, Ipswich ou Hull, où les empaqueteurs, « *wool-packers* », la pesaient, l'emballaient et en déterminaient la qualité [5]. Les douaniers l'examinaient et exigaient les droits de « *coutume et subside* ». Ceux-ci étaient régulièrement concédés au roi par le Parlement. La « *coutume* » s'élevait pour les marchands régnicoles *(denizens)* [6] à 6 s. 8 d. par sac ou deux cent quarante toisons et à 10 s. pour les étrangers *(aliens)*; le « *subside* » montait en moyenne à 33 s. 4 d. pour les Anglais et à 53 s. 4 d. pour les étrangers [7]. L'ensemble du commerce de l'Etape était aux mains des nationaux; en conséquence, les marchands étrangers devaient encore payer le « *Calais penny* » de 8 d. par sac pour leurs laines qui nécessairement avaient une autre destination [8].

La marchandise traversait le Pas de Calais en convoi armé [9]. Arrivée

[4] E.E. RICH, « The mayors of the Staple », *The Cambridge Historical Journal*, vol. IV, 1932, pp. 137-142.

[5] E. POWER et M.M. POSTAN, *opus cit.*, pp. 41, 48-58.

[6] Voici la définition du terme « *denizen* » donnée par l'*Encyclopédie britannique* : « un habitant; un étranger jouissant de certains droits dans un pays étranger; en Angleterre un « *alien* » qui a obtenu par lettre patente les privilèges d'un sujet britannique ». Lorsqu'il s'agit de tarif douanier, il signifie marchand régnicole par opposition à marchand étranger (« *alien* »).

[7] Tableau des taux de subside sur les sacs de laine :

Date	Denizens	Aliens	Références
1413	43 s. 4 d.	50 s.	*Rotuli Parliamentorum*, t. IV, p. 17
1422	33 s. 4 d.	53 s. 4 d.	IDEM, *ibidem*, p. 173
1423	—	46 s. 8 d.	H. NICOLAS, *opus cit.*, t. III, p. 35
1425	33 s. 4 d.	43 s. 4 d.	*Rot. Parliam.*, t. IV, pp. 275, 302 et 304
1429	33 s. 4 d.	43 s. 4 d.	IDEM, *ibidem*, t. IV, p. 337
1432	33 s. 4 d.	—	IDEM, *ibidem*, t. IV, p. 390
1435	33 s. 4 d.	46 s. 8 d.	IDEM, *ibidem*, t. IV, p. 488
1436	33 s. 4 d.	53 s. 4 d.	IDEM, *ibidem*, t. IV, p. 499
1439	33 s. 4 d.	53 s. 4 d.	IDEM, *ibidem*, t. V, p. 5
1442	33 s. 4 d.	53 s. 4 d.	IDEM, *ibidem*, t. V, p. 38
1444	33 s. 4 d.	53 s. 4 d.	IDEM, *ibidem*, t. V, p. 69
1449	33 s. 4 d.	53 s. 4 d.	IDEM, *ibidem*, t. V, p. 144
1453	43 s. 4 d.	100 s.	IDEM, *ibidem*, t. V, p. 229
1464	33 s. 4 d.	66 s. 8 d.	IDEM, *ibidem*, t. V, p. 508

[8] E. POWER, dans E. POWER et M.M. POSTAN, *opus cit.*, p. 40.

[9] IDEM, *ibidem*, p. 42.

à l'Etape, elle était à nouveau vérifiée par les employés de la compagnie [10] avant d'être vendue.

La compagnie de l'Etape édictait des règlements relatifs à la vente des laines; elle jugeait ses membres selon la loi marchande, contrôlait la qualité des produits et, pour éviter la fraude, entretenait des gardes dans les différents ports anglais [11]. Ses représentants prenaient part aux discussions pour la conclusion d'un entrecours avec la Bourgogne [12]. Elle jouait enfin un rôle financier de premier plan. L'entretien des fortifications et de la garnison de Calais pesait lourdement sur le trésor royal. En 1407, les soldats s'emparèrent de sacs de laine pour se payer. Aussi, pour prévenir de tels désordres, les étapiers prirent-ils l'habitude d'avancer au roi les sommes nécessaires non seulement à la défense de la Marche mais aussi aux frais de négociations avec la Bourgogne, ou simplement aux dépenses de la maison du roi. Ils obtenaient alors l'autorisation de se rembourser en n'acquittant pas les subsides et coutumes sur leurs laines jusqu'à concurrence d'une somme égale à celle qu'ils avaient prêtée ou bien leurs avances étaient gagées sur d'autres revenus régaliens.

La situation de la trésorerie royale s'aggrava et, en 1467, la compagnie obtint la mission de percevoir tous les revenus domaniaux et droits régaliens de la Marche à charge pour elle d'entretenir les forteresses de Hames et de Guines et de payer les soldes des garnisons [13]. Les sommes avancées étaient considérables : cinquante à soixante gros marchands se groupaient pour les réunir. Ils consentirent, en 1433, un prêt de 3.000 livres [14], en 1450, de 2.000 livres [15], en 1453, de 9.300 livres [16], en 1455, de 23.000 marcs [17], en 1451, de 16.000 saluts ou 4.000 marcs, montant des dédommagements dus aux Bourguignons pour la capture de leur flotte en 1449 [18], en 1458, de 853 livres 6 sous 8 deniers pour les frais d'une

---

[10] E. POWER, dans E. POWER et M.M. POSTAN, *opus cit.*, p. 59.

[11] IDEM, *ibidem*, p. 73.

[12] Voir par exemple p. 155 n. 250.

Philippe le Bon réussit parfois à acheter certains marchands qui négociaient avec ses délégués; ainsi, en 1450, il octroya 237 livres de gros à l'étapier Philippe Best « *pour recompensacion d'aucunes paines et travaux qu'il a euz touchans le bien de la communicacion de l'entrecours de la marchandise es dits pays de Flandre et Brabant pour le fait de ladite estaple de Calais* » (A.D.N., R.G.F., n° B 2004, f° 225 v°).

[13] E. POWER, dans E. POWER et M.M. POSTAN, *opus cit.*, pp. 74-75. Il s'agit d'Hames-Boucres, France, dép. Pas-de-Calais, arr. Boulogne, c. Guines.

[14] *Rotuli Parliamentorum*, t. IV, pp. 473-475 : exactement 2.918 livres sterling.

[15] *Rotuli Parliamentorum*, t. V, p. 208.

[16] *Rotuli Parliamentorum*, t. IV, p. 234.

[17] *Rotuli Parliamentorum*, t. V, pp. 295-297.

[18] P.R.O., *Treaty Rolls*, C 76/133/m. 2 : 7 juin 1451; H.J. SMIT, *opus cit.*, t. II, p. 913, n° 1124; *Calendar of Patent Rolls, 1452-1461*, p. 212.

ambassade envoyée dans les pays de par-deçà [19] et 16.000 livres pour la maison du roi [20], enfin, en 1467, de 32.861 livres [21].

On connaît la grande disette d'espèces d'or et d'argent dont souffrait le moyen âge. Chaque prince s'efforçait donc à la fois d'attirer les monnaies étrangères dans ses domaines et d'interdire toute exportation des siennes. Ces mesures sont appelées par les historiens anglais « bullion regulations » c'est-à-dire « règlements en matière de billon ». Le terme « bullion » a conservé en anglais un sens que l'équivalent français, billon, a perdu à l'époque moderne. Il s'applique aux espèces monétaires considérées exclusivement comme marchandises indépendamment de leur valeur nominale [22].

Dès la fin du XIVe siècle, des règlements furent publiés à Calais; ils instauraient le versement obligatoire par sac de laine d'une once de pièces étrangères d'or ou d'argent; les métaux ainsi récupérés étaient destinés à la frappe des nobles anglais [23]. Ce système ne fut pas encore jugé assez efficace; les Communes déposèrent en effet, en 1420, un projet plus sévère. Les marchands « aliens » devraient remettre aux étapiers qui seraient leurs hôtes tout leur « bullion ». S'il contenait des monnaies anglaises, celles-ci devaient être pesées et, si leur poids n'était pas exact, elles devaient être expédiées à la Monnaie de Londres pour être refrappées; les marchands « aliens » seraient crédités en monnaie anglaise de la valeur des espèces déposées. Cette proposition fut repoussée et l'on s'en tint au règlement antérieur, tout au moins pour l'instant [24].

L'année suivante, les étapiers obtinrent la création d'un atelier monétaire à Calais même, ce qui supprimait l'envoi à la Tour de Londres [25] des monnaies qui devaient être refrappées. Malgré un contrôle sévère, les étapiers constatèrent que des nobles anglais continuaient à circuler en quantité à Bruges; ils demandèrent et obtinrent, en 1423, confirmation des prohibitions antérieures. Deux circonstances seulement justifiaient l'exportation du

---

[19] Calendar of Patent Rolls, 1452-1461, p. 423 : 16 mai 1458.

[20] Calendar of Patent Rolls, 1452-1461, p. 500; H.J. SMIT, opus cit., t. II, p. 949, no 1488 : 11 décembre 1458.

[21] Rotuli Parliamentorum, t. V, p. 613.

[22] Les textes français émanant des autorités bourguignonnes, influencés par la graphie anglaise, parlent également de « bullion ».

[23] E. POWER, dans E. POWER et M.M. POSTAN, opus cit., p. 80.

[24] Rotuli Parliamentorum, t. IV, pp. 125-126.

[25] Un atelier monétaire avait déjà fonctionné à Calais en 1397; il fut supprimé plus tard sans que nous puissions en préciser la date. L'obligation de payer en nobles anglais une partie des subsides dus sur la laine, au trésorier de Calais, avait milité pour la création d'un atelier monétaire à l'Etape même. Les étapiers ne recevaient en effet de leurs clients que de la monnaie étrangère. Rotuli Parliamentorum, t. IV, p. 126; E. POWER, dans E. POWER et M.M. POSTAN, opus cit., p. 80; E. SCOTT et L. GILLIODTS VAN SEVEREN, opus cit., p. 412 avec date erronée corrigée par H.J. SMIT, opus cit., t. I, p. 602.

« bullion », avec l'autorisation expresse du roi : la solde des militaires et la rançon des prisonniers anglais. Sous la pression des étapiers également, il fut décidé que les marchands « aliens » devraient déposer à la chancellerie une garantie pour eux et leur compagnie [26].

Le déclin du commerce de la laine, la coalition des gros marchands contre leurs concurrents moins privilégiés et les grands besoins de la Trésorerie royale amenèrent, en 1429, l'approbation par Henri VI d'un nouveau règlement de l'Etape. Le prix des laines fut relevé; on exigea le paiement en espèces d'or et d'argent. La majeure partie de celles-ci devait être aussitôt portée à la Monnaie pour être refrappée; ainsi un étapier [27] qui avait vendu un sac de laine de 12 marcs (8 livres sterling) devait y déposer 6 livres sterling, pour 10 marcs (6 livres sterling 13 s. 4 d.), 5 livres sterling et ainsi de suite [28]. Pour empêcher le vendeur d'accorder du crédit à l'acheteur pour la différence entre les deux sommes, on exigeait la remise d'une quittance [29]. Enfin, le « bullion » devait être partagé entre tous les marchands possédant, à l'Etape, des laines de même origine [30]; ce système prit le nom de « partition », c'est-à-dire de partage.

D'autres mesures vinrent s'ajouter aux premières : le roi défendit aux habitants de Calais de vendre des marchandises d'Etape parce qu'ils avaient écoulé de la laine à un taux inférieur au prix fixé [31]; il fut interdit aux marins ou propriétaires de navires étrangers d'embarquer de la laine pour une autre destination que Calais, sous peine de confiscation [32]. Les empaqueteurs étaient poursuivis s'ils « forçaient », « clakkaient » ou « bardaient » la laine [33] ou s'ils y mêlaient des détritus variés [34]; enfin,

---

[26] Rotuli Parliamentorum, t. IV, p. 252; Statutes of the Realm, t. II, p. 219.

[27] Rotuli Parliamentorum, t. IV, p. 359; Statutes of the Realm, t. II, p. 254. Application à partir du 2 février 1430.

[28] Statutes of the Realm, t. II, p. 255; Rotuli Parliamentorum, t. IV, pp. 359-360.

[29] Statutes of the Realm, t. II, p. 255.

[30] Rotuli Parliamentorum, t. IV, p. 359; Statutes af the Realm, t. II, pp. 254-255. E. Power, dans E. Power et M.M. Postan, opus cit., p. 83, fait remarquer avec justesse que la compagnie changeait ainsi de caractère : de « regulated company » elle devenait une « joint stock company ». Adam Smith se sert du terme « regulated company » pour désigner les compagnies marchandes ayant le monopole du commerce avec l'un ou l'autre pays étranger et dont les membres agissaient individuellement. « Joint stock company » désigne une compagnie commerciale dont les membres mettent en commun marchandises et bénéfice. Au sujet de ces deux espèces de compagnies, voir E.F. Heckscher, Mercantilism, Londres, 1955, t. I, pp. 373-415.

[31] Rotuli Parliamentorum, t. IV, pp. 359-360; Statutes of the Realm, t. II, p. 255.

[32] Statutes of the Realm, t. II, p. 255.

[33] Il s'agit du procédé consistant à remplir les sacs d'une plus grande quantité de laine que celle admise (voir Rotuli Parliamentorum, t. V, p. 277; Statutes of the Realm, t. II, p. 255).

[34] Rotuli Parliamentorum, t. IV, p. 360; Statutes of the Realm, t. II, p. 256.

la fraude en matière de laine fut réprimée par des amendes et des peines de prison [35].

Ces réglementations drastiques furent maintenues et prorogées en 1433 [36] et 1435 [37].

Elles succombèrent bientôt sous les assauts répétés des étapiers eux-mêmes.

Dès 1436, les marchands de l'Etape demandèrent que l'on admît toute modalité de payement pour la partie du prix de la laine qui ne devait pas être remise en espèces à la Monnaie. Ils précisaient qu'à cause des règlements trop sévères, ils avaient dû refuser des marchés avantageux avec des acheteurs de Leyde et d'Amsterdam. Ils demandèrent en vain, pour pallier ces difficultés, d'autoriser les Hollandais et les Zélandais à acquérir la laine à Calais avec le produit de leurs ventes en Angleterre et de les dispenser de convertir immédiatement cet argent sur place en achats divers [38]. On était alors en pleine guerre et les Flamands se trouvaient écartés d'office des propositions.

Après la conclusion de l'entrecours, les étapiers reprirent leur campagne pour l'abolition des obligations monétaires. Au début de l'année 1442, la quantité de « bullion » qui devait être déposée fut ramenée à un tiers [39]. Malgré cette amélioration, le maire de l'Etape supprima ce règlement de sa propre autorité, car les empêchements mis par le duc de Bourgogne à l'apport du numéraire rendait le commerce par trop difficile. Le conseil privé ratifia cette décision en octobre 1442, bien que le cardinal Beaufort s'y fût personnellement opposé [40].

Un autre point des ordonnances publiées en 1429 fut sérieusement critiqué : la répartition des espèces monétaires entre tous les marchands qui possédaient à l'Etape des laines de la même origine; elle fut supprimée en 1442 à la suite d'une pétition déposée aux Communes [41]. Les victimes de cette mesure étaient les petits marchands, qui, s'ils avaient vendu leur laine rapidement, devaient attendre que tous les autres étapiers possédant des produits de même qualité les eussent écoulés pour recevoir le solde de la somme qui leur était due. Leurs disponibilités restreintes ne leur permettaient pas, dans ces

---

[35] *Statutes of the Realm*, t. II, p. 253.

[36] *Rotuli Parliamentorum*, t. IV, p. 454.

[37] *Statutes of the Realm*, t. II, p. 289.

[38] *Rotuli Parliamentorum*, t. IV, p. 508.

[39] *Statutes of the Realm*, t. II, p. 324 : 25 janvier 1442.

[40] H. Nicolas, *opus cit.*, t. V, pp. 215-217, 219-220 : 8 et 12 octobre 1442. L'argument du cardinal était que si l'on supprimait l'ordonnance, on ne pourrait plus jamais obliger les Flamands d'apporter du « bullion ».

[41] *Rotuli Parliamentorum*, t. V, p. 64; *Statutes of the Realm*, t. II, pp. 324-325. Le roi annota la pétition en déclarant que l'Etape devait se réformer elle-même et que, si elle ne le faisait pas avant le 15 août, il promulguerait la mesure.

conditions, de se réapprovisionner[42]. Deux ans plus tard, les gros marchands ripostèrent mais sans résultat. Ils exigeaient que les électeurs du maire possédassent plus de dix sacs à Calais même; le maire de l'époque avait, en effet, été élu par les voix des petits étapiers; ils espéraient ainsi éliminer ces derniers du marché[43]. Ils revinrent d'ailleurs à la charge, en 1454, pour rétablir un système de répartition du produit des ventes aboli depuis 1442. Elle ne se ferait plus seulement entre les étapiers vendant de la laine provenant de la même contrée, mais entre tous les marchands sans distinction. Ils n'obtinrent heureusement pas satisfaction[44].

L'Etape s'était ainsi réformée par ses propres moyens, de l'intérieur peut-on dire, et non pas grâce à l'intervention directe du duc de Bourgogne, et cependant, la promulgation de l'ordonnance de 1429 avait donné le branle à de violentes réactions parmi les acheteurs de laine. Les relations anglo-bourguignonnes se tendirent et, pendant des années, les négociations portèrent sur la réforme du système de l'Etape; à titre de représailles, le commerce des draps anglais fut interdit dans les pays de par-deçà[45]. En 1464, on publia à nouveau l'ordonnance relative au « bullion »; la mesure était valable pour trois ans[46].

Les griefs des marchands bourguignons étaient nombreux[47]. Ils se plaignaient du prix désormais imposé de la laine qui avait augmenté de 15 à 20 % à la suite, comme le prétendaient les villes hollandaises et zélandaises, du « partage » et ils regrettaient le temps où le taux suivait le cours de l'offre et de la demande. Ils s'élevaient contre la remise de la totalité du montant de l'achat en « bullion ». Jadis, on se contentait d'exiger 10 livres sterling au comptant par sarpillière de laine[48] et l'on pouvait payer le reste

[42] H.J. SMIT, opus cit., t. II, pp. 697-698, n° 1126 : plaintes des villes hollandaises et zélandaises contre l'ordonnance de 1429; elles attribuaient à l'élimination des petits marchands la suppression de toute concurrence.

[43] Rotuli Parliamentorum, t. V, p. 105.

[44] Ils demandèrent en même temps le retour aux réglementations relatives au « bullion ». L'Etape déposa une contreproposition : les marchands paieraient 40 s. supplémentaires par sarpillière pour financer un prêt de 10.000 marcs destiné à la solde de la garnison de Calais. Cet « argument » l'emporta (Rotuli Parliamentorum, t. V, pp. 256-257).

[45] Voir pp. 208, 414.

[46] Rotuli Parliamentorum, t. V, p. 563.

[47] Voir les plaintes de villes hollandaises et zélandaises : H.J. SMIT, t. II, p. 697, n° 1126, p. 698, n° 1127, p. 698, n° 1128 et les articles remis à l'évêque de Salisbury en 1467 par les représentants bourguignons (A.V.A., Privilegekamer, n° 1050, f°s 267-270 v°, voir pièce justificative n° 8).

[48] La sarpillière (sarplera, sarplerium, sarplerum) n'est pas en soi un poids de laine mais un ballot sans rapport mathématique quelconque avec le sac. Néanmoins, on constate qu'au XIIIe s., la sarpillière tend à peser environ un sac tandis qu'au XVe s., le ballot-sarpillière en usage tendait à peser environ deux sacs (voir N.S.B. GRAS, The early English customs system, Cambridge, Massachusetts, 1918, pp. 226 et 603, et W.H. PRIOR, « Notes on the weights and measures of medieval England », Bulletin Du Gange, t. I, 1924, pp. 159 et 169). Cependant, on peut estimer que le ballot dont le poids dépasse un sac est dit sarpillière.

en crédit à long terme. Il y avait bien sûr des accommodements : on acceptait, moyennant un noble par sac, de ne pas réclamer le « *bullion* » exigé par les statuts mais, malgré leur désir de satisfaire leurs clients, les étapiers n'osaient accorder de crédit. Il s'ajoutait aussi des vexations supplémentaires : on forçait parfois les marchands à payer en monnaie « *courante* » dans les pays bourguignons ou encore, on refusait d'accepter les nobles anglais au cours du marché de Londres [49]. On obligeait aussi les négociants à déposer tout leur argent chez le trésorier de Calais; on en déduisait le montant de leurs marchés, celui des dettes qu'ils avaient contractées antérieurement à l'Etape et, s'il restait un solde, ils ne l'obtenaient que moyennant une « *courtoisie* ». On exigeait encore, en plus de la coutume et du subside, une taxe d'environ un noble par sarpillière dont le clerc du roi et les marchands de l'Etape se partageaient les profits. A tous ces griefs venait s'adjoindre un mécontentement profond : la qualité de la laine laissait fort à désirer. Par suite du système du partage, des laines vieillissaient à Calais et devaient être absolument vendues; on forçait donc les acheteurs à en prendre, en sus de leurs acquisitions habituelles, à un prix trop élevé [50]. On constatait souvent des fraudes dans les mentions de qualité indiquées sur les sacs. Jadis, il suffisait d'apporter à l'Etape un certificat délivré par les autorités communales des pays de par-deçà pour se faire rendre justice, mais depuis la promulgation du règlement de 1429, il était impossible d'obtenir gain de cause à l'Etape; on pouvait évidemment faire condamner le vendeur devant un tribunal bourguignon mais on s'exposait alors à devoir lui rembourser, lors d'un prochain voyage à l'Etape, l'amende qu'il avait encourue. Lors de leurs séjours à Calais, les sujets de Philippe le Bon payaient un tiers de plus pour leurs dépenses d'hôtellerie que les autres, ce qui aggravait encore le malaise [51].

Quelle fut l'influence du nouveau système sur les chiffres d'exportation de la laine à l'Etape même ? Les villes hollandaises et zélandaises affirmèrent qu'ils baissèrent de sept à huit mille sarpillières, avant 1430, à trois ou quatre mille après l'application du règlement. Elles attribuaient évidemment cette diminution à ce dernier et soulignaient qu'en conséquence on employait de plus en plus de produits écossais et espagnols dans bien des draperies [52]. Si l'on s'en réfère aux chiffres, on constate que le total des exportations

[49] On exigeait deux philippes pour un noble (J. LEFÈVRE DE SAINT-REMY, *opus cit.*, t. II, p. 378). Voir à ce sujet le chapitre consacré à la monnaie, pp. 345-346.

[50] Les villes hollandaises et zélandaises vont, dans l'exposé de leurs plaintes, jusqu'à prétendre que certains marchands offraient la moitié du prix demandé pour être dispensés de les emporter.

[51] Nous supposons que les marchands anglais jouissaient de tarifs plus avantageux.

[52] H.J. SMIT, *opus cit.*, t. II, p. 698, n° 1126. Voir ce que disait Colard de Commines, en 1436, au sujet de l'amélioration de la qualité des laines d'Espagne et d'Ecosse, p. 81.

tomba de 11.664 sacs de laine en 1428-1429 à 7.221 sacs de laine en 1429-1430, soit de 40 % [53].

De son côté, le duc de Bourgogne mit également des entraves aux bonnes relations avec Calais. La première découlait directement des règlements de l'Etape. Philippe le Bon prit des mesures énergiques contre l'exportation de numéraire; le drainage du stock métallique aurait provoqué immédiatement la chute de la monnaie alors que la politique financière visait à la stabilité [54].

Dès la conclusion de l'entrecours, il donna l'ordre au bailli de l'eau à l'Ecluse, Bonore Olivier, de saisir tout « bullion » transporté vers Calais à travers la Flandre; il mit ses sujets en garde contre l'évasion du numéraire et détermina comment on procéderait aux recherches [55]. Ces mesures furent aussitôt appliquées; le « bullion » ainsi récupéré était le plus souvent constitué de pièces étrangères que l'on envoyait alors à la Monnaie de Gand pour être refrappées [56].

A côté de ces dispositions de protection de la monnaie, le duc créa un impôt spécial frappant les laines importées de Calais. Dès que naquit l'espoir de reprendre les relations avec l'Etape après le siège de Calais, Philippe le Bon fit part aux Membres de Flandre de son intention d'instaurer à Gravelines un tonlieu sur les laines anglaises; il proposa le taux d'un noble par sac, ce qui lui fut accordé [57]; un an plus tard, au moment même où l'entrecours venait d'être conclu, le duc, sans prévenir les Quatre Membres, porta le tarif à cinq saluts d'or par sarpillière et établit une taxe d'un vingtième denier sur toutes les marchandises passant par Gravelines en direction de l'Etape ou en venant [58].

[53] H.L. GRAY, dans E. POWER et M.M. POSTAN, pp. 330-360; nous avons additionné les exportations de laine des différents ports anglais d'après les tables des « Enrolled Customs Accounts »; il est évident que ces chiffres comprennent également les exportations qui ne passaient pas par l'Etape.

[54] Rappelons qu'il n'y eut pas de dévaluation entre 1433 et 1466.

[55] A.D.N., n° B 1606; n° B 1978, f° 63 : 16 décembre 1439; A.V.G., charte n° 579 : 2 décembre 1439.

[56] A.G.R., R.G.F., C.C. n° 46956, f°s 158 v°, 160 : 25 février et 7 mars 1440; A.D.N., R.G.F., n° B 1972, f° 102 : 26 juin 1441; n° B 1982, f° 106 v° : 15 août 1444 (il s'agit de la mention d'un fait antérieur à la suppression du règlement concernant le « bullion »).

[57] A.G.R., R.G.F., C.C. n° 46956, f° 128 v° : 15 et 20 novembre 1438 (on parle ici par erreur de deux nobles); A.G.R., Comptes d'Ypres, n° 38662, f°s 9 v°, 16 v° : 20 novembre 1438; A.E.B., Comptes du Franc, n° 172, f°s 13 v°, 25 v° : 21 novembre, 17 et 21 décembre 1438. Le noble flamand, d'après l'ordonnance monétaire de 1433, valait 88 gros fl. (A.G.R., Trésor de Flandre, n° 2369).

[58] A.E.B., Comptes du Franc, n° 173, f°s 14 et 26 v° : 4 décembre 1439 et 18 janvier 1440; A.G.R., Comptes d'Ypres, C.C. n° 38664, f°s 9 v° et 11 v° : 17 janvier et 30 mars 1440, plaintes des Membres de Flandre. Le salut valait 46 gros de Flandre d'après l'ordonnance de 1433. La taxe montait donc à 230 gros par sarpillière. Ce taux semble prouver que la sarpillière avait un poids moyen plus élevé que le sac et qu'il faut peut-être lui accorder la valeur de deux sacs (voir note 48 p. 173).

Par les dispositions de l'entrecours, les Anglais étaient dispensés de ces taxes car il leur suffisait de payer les droits instaurés antérieurement « *sans estre contrains a autres* » et au « *cours le temps passé* » [59].

Les Membres de Flandre réagirent devant la majoration du tarif par le duc et obtinrent en septembre 1440, l'abolition perpétuelle de tout tonlieu à Gravelines pour eux et les marchands étrangers résidant en Flandre, moyennant une aide de 350.000 saluts d'or pour la rançon du duc d'Orléans [60]. Seuls les Yprois étaient exceptés du bénéfice de cet acte car ils n'avaient pas donné leur accord pour la subvention, mais, par la suite, ils furent eux aussi compris au nombre des privilégiés. Mais dès 1444, le tonlieu et la taxe du vingtième furent rétablis et maintenus malgré les protestations flamandes [61], quelques mois seulement après le dernier versement de l'aide pour la délivrance du duc d'Orléans [62]. La situation dut encore s'aggraver en 1451 car les Membres de Flandre reprirent alors leurs plaintes [63]. Les Hollandais et les Zélandais jouissaient d'une situation privilégiée; ils ne payaient que trois saluts par sarpillière alors que les autres sujets de Philippe le Bon étaient taxés à cinq saluts [64]. Malgré cet avantage, ils tentèrent d'éviter le tonlieu en empruntant la voie maritime. Aussi décréta-t-on la confiscation des navires et des laines dont les propriétaires ne possédaient pas un certificat du receveur de Gravelines [65]. Le nouveau fermier du tonlieu, le Lucquois Giovanni Arnolfini, réclamait en 1448, les arriérés des droits fraudés par les marchands de Leyde. Après de laborieuses tractations, ceux-ci furent évalués à cinq cents livres de gros flamands; deux cents étaient destinés au duc et trois cents au fermier. La ville dut lever une taxe spéciale sur la laine et emprunter de l'argent aux

---

[59] A.D.N., n° 572/15729 : entrecours du 29 septembre 1439.

[60] A.D.N., n° 573/15752 : vidimus par les échevins de Gand du 21 juin 1441 d'un acte de Philippe le Bon du 23 septembre 1440. Les droits étaient aussi perçus à Nieuport et à L'Ecluse. En décembre 1440, le tonlieu fonctionnait toujours (A.G.R., *Comptes du Franc*, C.C. n° 42556, f° 16); le 14 mai 1441, le Franc réclamait au magistrat de Gand un vidimus de l'acte (IDEM, *ibidem*, f° 31).

[61] A.G.R., *Comptes d'Ypres*, C.C. n° 38668, f° 8 v° et 9 : 5 avril et après le 10 juin 1444.

[62] Celui-ci devait avoir lieu le 15 juillet 1443 (A.D.N., n° B 573/15752).

[63] A.G.R., *Comptes du Franc*, C.C. n° 42562, f°ˢ 15 et 41 v° : 21 mai et 24 septembre 1451.

[64] A.D.N., n° 17672 : les Hollandais et Zélandais payaient trois saluts pour n'importe quelle qualité; les autres sujets du duc payaient cinq saluts pour la qualité supérieure et quatre pour la moyenne.

[65] H.J. SMIT, *opus cit.*, t. II, p. 865, n° 1340 : 16 mai 1449.

drapiers pour parfaire la somme [66]. Après cet incident, les villes de Hollande et de Frise demandèrent sans succès d'être dispensées des deux taxes [67]. En 1462, elles obtinrent, ainsi que les cités zélandaises, du comte de Charolais, la suppression des droits sur la laine arrivant directement d'Outre-Manche, sans passer par les limites territoriales de la Flandre [68].

Les laines exportées d'Angleterre sous licence ou simplement en fraude échappaient ainsi au tonlieu de Gravelines. Cette mesure était en opposition avec la promesse faite auparavant par Philippe le Bon d'interdire dans ses pays l'entrée de toute laine d'Etape qui ne proviendrait pas de Calais [69]. L'intervention du comte de Charolais est curieuse; réfugié en Hollande, il était alors en désaccord avec son père et désirait sans doute s'assurer la bienveillance des Hollandais et Zélandais [70]. Ceux-ci continuèrent cependant à éviter le tonlieu de Gravelines ou tout au moins à déclarer des quantités trop minimes de laine; aussi exigea-t-on que tout chargement qui voyageait par voie de terre ou de mer serait soumis au contrôle à Gravelines même [71].

Quelle signification peut-on donner à l'établissement du tonlieu de Gravelines ? G. Schanz, sur la foi d'une pétition présentée aux Communes en 1454 [72], conclut que Philippe le Bon n'avait instauré la taxation des laines anglaises que dans le but évident de nuire au commerce de l'Etape et d'obliger ses sujets à se fournir en laine d'autre origine [73]. Il nous semble, et cela découle de l'exposé même de la question, que ce sont avant tout les intérêts fiscaux qui ont prévalu. La preuve nous en est donnée par la suppression momentanée de la taxe en compensation d'une aide pour la libération du duc d'Orléans. Si les draperies des pays bourguignons vont petit à petit employer de moins en moins de laine anglaise, il ne faut pas y voir l'effet

---

[66] N.W. POSTHUMUS, *Bronnen tot de geschiedenis van de Leidsche textielnijverheid, 1333-1795*, La Haye, 6 vol., 1910-1922; *1333-1480*, n° 216, pp. 254-259; n° 224, p. 264; n° 227, p. 266; n° 237, pp. 275-276; n° 238, p. 277; n° 239, p. 278; n° 240, p. 278; n° 242, p. 280; n° 250, p. 287; n° 251, p. 287; n° 257, p. 295.

[67] H.J. SMIT, *opus cit.*, t. II, p. 891, n° 1383 : 11 juin 1452.

[68] H.J. SMIT, *opus cit.*, t. II, p. 970, n° 1525 : 2 septembre 1462.

[69] Voir plus loin, p. 180.

[70] Il supprima également la double taxation sur les laines refusées par les draperies urbaines et qui étaient revendues en Brabant, notamment dans les villes où la fabrication se contentait de marchandises de moindre qualité (H.J. SMIT, *opus cit.*, t. II, p. 971, n° 1526 : 2 septembre 1462).

[71] H.J. SMIT, *opus cit.*, t. II, p. 1008, n° 1564 : 6 décembre 1466. Le fermier du tonlieu envoyait des gardes à Boulogne qui surveillaient la laine qui prenait le chemin de la Picardie (A.D.N., R.G.F., n° B 2020, f° 391 : 1452, arrêt à Boulogne de deux sarpillières de laine appartenant au capitaine de Dieppe).

[72] *Rotuli Parliamentorum*, t. V, p. 275 : la pétition soulignait que seules les laines anglaises étaient taxées et que cela favorisait la concurrence étrangère.

[73] G. SCHANZ, *opus cit.*, t. I, p. 144.

d'une politique concertée de Philippe le Bon, mais le résultat du développement de plus en plus considérable de la draperie anglaise qui entraînait la
raréfaction des envois de laine outre-mer et par conséquent des réglementations plus sévères à l'Etape. Il faut aussi mettre en relief l'existence de tarifs
préférentiels applicables aux Hollandais et Zélandais, à un moment où la
draperie de Leyde tissée à l'aide de laine d'Etape de premier choix était la
plus florissante des Pays-Bas.

Le monopole de la vente des laines anglaises avait été concédé à l'Etape,
mais il existait quelques dérogations. La plus importante ne nous concerne
pas : les laines anglaises destinées à l'Italie et qui empruntaient la voie de
mer, échappaient à l'obligation de passer par Calais. La ville de Berwick
pouvait exporter directement les produits de la région située entre le Cocket
et la Tweed et ceux de la vallée du Teviot, tandis que Newcastle-upon-Tyne
obtenait licence d'envoyer soit à Bruges, soit à Middelbourg, les laines
originaires des comtés de Northumberland, Cumberland, Westmoreland
et de l'évêché de Durham [74]. Celles-ci étaient de qualité inférieure et
s'apparentaient à celles d'Ecosse; elles ne payaient ni la « coutume » ni le
« subside » de façon à pouvoir concurrencer les produits écossais. Lors de
la publication de l'ordonnance de 1429 à Calais, les Communes s'avisèrent
que les laines de Newcastle et Berwick échappaient totalement au contrôle
de l'Etape; elles demandèrent, en conséquence, la suppression des licences et
obtinrent gain de cause [75]. L'année suivante, les communes du Northumberland, Cumberland, Westmoreland et de l'évêché de Durham présentèrent une
pétition au Parlement pour le rétablissement de leur licence [76]; celle-ci ne

---

[74] Nous avons retrouvé les licences suivantes pour Newcastle : 24 février 1423
(H. NICOLAS, opus cit., t. III, p. 43); 15 juillet 1441 (H.J. SMIT, opus cit., t. II, p. 756,
n° 1224 et W.S. UNGER, opus cit., t. III, p. 86, n° 177, pour deux ans); 27 février 1443
(H. NICOLAS, opus cit., t. V, p. 227; L. GILLIODTS VAN SEVEREN, Cartulaire, t. I,
p. 654); 16 mars 1444 (Calendar of Patent Rolls, 1441-1446, p. 321, pour trois ans);
25 janvier 1449 (Calendar of Patent Rolls, 1446-1452, p. 207, pour trois ans); 8 et
21 mars 1452 (H. NICOLAS, opus cit., t. VI, pp. 117-118; H.J. SMIT, opus cit., t. II,
p. 890, n° 1381; W.S. UNGER, opus cit., t. III, p. 97, n° 199; L. GILLIODTS VAN SEVEREN,
Cartulaire, t. II, p. 5); 19 juillet 1454 (P.R.O., Treaty Rolls, C 76/136/m. 2 pour cinq
ans); 18 juillet 1459 (P.R.O., Treaty Rolls, C 76/141/m. 5, pour trois ans). La laine de
Berwick se vendait aux foires de Brabant (G.A.B.O.Z., R.R., n° R 282, 1445-1449, f° 236 :
30 novembre 1449).

[75] Rotuli Parliamentorum, t. IV, p. 360; Statutes of the Realm, t. II, p. 256. Les
raisons avancées étaient que cette situation portait préjudice aux droits du roi en matière
de douane, contribuait à la baisse des prix et ne procurait aucune rentrée de « bullion »
au roi; en même temps, il fut interdit de faire passer des laines en Ecosse.

[76] Elles faisaient remarquer que l'exportation de leurs laines rapportait mille marcs
par an au roi et que sa suppression avait favorisé la concurrence écossaise (Rotuli Parliamentorum, t. IV, p. 379).

leur fut à nouveau concédée qu'en 1432 [77]; elle leur fut retirée encore une fois en 1449 et rétablie trois ans plus tard [78]. Si l'on considère l'époque qui s'étend de 1421 à 1468, on constate trois interruptions dans l'exportation des laines de Newcastle : de 1429 à 1432 [79], de 1435 à 1440 [80], de 1449 à 1452 [81]. Le chiffre le plus élevé atteint 702 sacs en 1447-1448 [82]. Les marchands de Newcastle exagéraient volontiers les quantités de laine qu'ils exportaient : dans la pétition qu'ils présentèrent au Parlement en 1427 pour obtenir le renouvellement de leur licence, ils évaluaient leurs exportations à 2.000 sacs [83].

Pour échapper à l'Etape, on cherchait à obtenir des licences qui permettaient d'exporter directement des laines vers les pays bourguignons.

Les étapiers se plaignaient volontiers de ce système; à la suite de pétitions qu'ils présentèrent aux Communes, le roi supprima l'octroi des licences en 1423 [84], 1425 [85], 1429 [86], 1435 [87]; en 1436-1437, on exigea pour toutes les laines exportées un certificat de l'Etape [88]. La répétition des mesures contre les licences prouve à suffisance leur inefficacité; aussi, en 1442, ordonna-t-on de taxer toutes les laines qui ne passaient pas par Calais comme si elles appartenaient à des marchands étrangers car, disait-on, bien souvent les Anglais qui les déclaraient n'agissaient que comme prête-noms [89]. Le roi n'en continua pas moins à délivrer des licences. Les marchands y voyaient

---

[77] Cela ressort des chiffres d'exportation cités en appendice : annexe n° 4.

[78] Malgré le renouvellement de la licence en janvier 1449, le Parlement la supprima le 12 février 1449; elle fut rétablie par un acte du 8 mars 1452; N.J. KERLING (*Commercial relations of Holland and Zeeland with England from the late 13th century to the close of the middle ages*, Leyde, 1954, p. 68) prétend qu'elle leur fut retirée en 1464; c'est inexact, voir *Rotuli Parliamentorum*, t. V, p. 503 et le tableau statistique annexe n° 4.

[79] Première suppression de la licence.

[80] Période de guerre.

[81] Deuxième suppression de la licence.

[82] Voir tableau en appendice : annexe n° 4.

[83] H. NICOLAS, *opus cit.*, t. III, pp. 355-356. Signalons que les laines de Newcastle devaient aussi payer le tonlieu de Gravelines. En 1459, le duc fit saisir des laines à la foire froide de Bergen-op-Zoom parce que des marchands de Newcastle n'avaient pas payé les droits de tonlieu sur celles-ci. Elles furent rendues à leurs propriétaires après versement d'une somme d'argent et l'intervention de Jean de Glymes, seigneur de Bergen-op-Zoom, qui jugeait que cette mesure portait gravement atteinte au principe de la liberté des foires (H.J. SMIT, *opus cit.*, t. II, p. 955, n° 1500 : 14 février 1460; A.D.N., n° B 17682 : les marchands de Newcastle payèrent cinq mille écus d'or de 48 gros au duc et trois mille au fermier du tonlieu).

[84] *Rotuli Parliamentorum*, t. IV, p. 251; *Statutes of the Realm*, t. II, pp. 217-219.

[85] *Rotuli Parliamentorum*, t. IV, pp. 250-251.

[86] *Rotuli Parliamentorum*, t. IV, p. 358; *Statutes of the Realm*, t. II, p. 253.

[87] *Rotuli Parliamentorum*, t. IV, p. 490; *Statutes of the Realm*, t. II, p. 289.

[88] *Statutes of the Realm*, t. II, p. 300.

[89] *Statutes of the Realm*, t. II, pp. 318-319.

la cause de la décadence du commerce de l'Etape avec, comme conséquence, le mauvais entretien des fortifications et les arriérés de soldes des défenseurs de la place [90]. Henri VI se rendit à leurs arguments et s'engagea à nouveau en 1449, à suspendre les licences. La compagnie de l'Etape reçut même l'autorisation d'attaquer en justice les bénéficiaires dont les laines seraient confisquées [91]. Ceci montre la faiblesse du gouvernement d'Henri VI; il promettait de ne plus délivrer de licences mais comme celles-ci étaient d'un bon rapport pour le trésor, il se contentait de charger un organisme semi-privé, l'Etape, de poursuivre les personnes qu'il avait prises sous sa protection. On saisit immédiatement l'incohérence et l'inefficacité d'une telle politique. Ne nous étonnons donc pas de voir les étapiers revenir plusieurs fois à la charge en 1454 [92], 1455 [93], 1458 [94] et 1464 [95].

Voyant le succès mitigé de leurs démarches auprès du roi, les étapiers, avec l'accord de ce dernier, s'adressèrent au duc de Bourgogne. Ils obtinrent de lui l'assurance qu'il n'admettrait pas l'entrée, dans ses pays, d'autre laine que celle de l'Etape et l'on arrêta même les marchands qui ne pouvaient pas fournir l'attestation de Calais [96].

[90] *Rotuli Parliamentorum*, t. V, p. 492 : 1449; ils attribuèrent à la délivrance de licences la chute des revenus des douanes de Calais de soixante mille marcs sous Edouard III à douze mille en 1449.

[91] Le premier venu pouvait saisir ces biens à son profit et tous ceux qui favorisaient l'exportation dans de telles conditions seraient poursuivis (*Statutes of the Realm*, t. II, pp. 346-349).

[92] Ils demandèrent de pouvoir poursuivre les détenteurs de licences (*Rotuli Parliamentorum*, t. V, p. 273).

[93] Ils proposèrent de taxer les laines ainsi exportées à 4 marcs le sac (53 s. 4 d.), même celles appartenant au roi (*Rotuli Parliamentorum*, t. V, p. 330).

[94] Le roi s'engagea à ne pas accorder de licences pendant quatre ans; cette mesure était prise à la suite d'une promesse des étapiers de prêter au roi pendant quatre ans mille livres tous les trois mois, en compensation sans doute de la perte subie par le trésor par la suppression des licences; ils pouvaient se rembourser en exportant de la laine sans payer de droits de douane jusqu'à concurrence des sommes avancées. Le roi autorisait aussi l'Etape à envoyer une mission auprès de Philippe le Bon et des Membres de Flandre pour obtenir d'eux la prohibition de toute laine anglaise ou irlandaise qui ne fût pas passée par Calais (H.J. SMIT, *opus cit.*, t. II, p. 949, n° 1488; *Calendar of Patent Rolls, 1452-1461*, pp. 500-501).

[95] Edouard IV donna son accord pour supprimer les licences; on exigea des marchands la production d'un certificat de l'Etape endéans les vingt-deux mois suivant l'exportation des laines (*Rotuli Parliamentorum*, t. V, p. 563; *Statutes of the Realm*, t. II, pp. 407-408).

[96] Voir note [94]; nous n'avons pas de trace de l'accord des Membres de Flandre; voir aussi H.J. SMIT, *opus cit.*, t. II, p. 957, n° 1504, p. 970, n° 1525 : 23 juillet 1460, 2 septembre 1462; Leyde reçut le mandement le 28 mars 1460; les villes de Hollande s'en plaignirent au gouverneur de Hollande et menacèrent de ne pas consentir à l'aide demandée par le duc (N.W. POSTHUMUS, *Bronnen, 1333-1480*, pp. 363-365, n° 316). Philippe le Bon, en vertu de cette mesure, fit enquêter sur la venue à Vere d'un navire anglais chargé de biens d'Etape (A.D.N., *R.G.F.*, n° B 2040, f° 195 : 6 au 24 juillet 1460).

Il est difficile de préciser dans quelle mesure l'octroi des licences gênait le commerce de l'Etape. Il existait en effet plusieurs catégories différentes de bénéficiaires de licences.

Les premiers de ceux-ci étaient les étapiers eux-mêmes. A la suite de prêts consentis au roi, ils recevaient l'autorisation d'exporter des laines sans payer ni le subside ni la coutume jusqu'à concurrence de la somme due par la Couronne [97]. Généralement, ces laines passaient, malgré tout, par Calais; mais, lors de l'établissement du partage, plus d'un étapier sollicita des licences de façon à échapper à ce règlement [98].

Au deuxième rang venaient le roi et les membres de l'aristocratie; Henry VI et Edouard IV exportaient pour leur compte personnel de grandes quantités de laine. La duchesse d'York, mère d'Edouard IV, se livrait aussi à ce commerce; elle n'agissait, semble-t-il, qu'en tant que prête-nom pour des marchands anglais ou étrangers [99]. Parmi les grands seigneurs qui pratiquaient ce genre de négoce, citons le duc de Suffolk [100] et le duc de Somerset [101].

Le gouvernement lui-même, dans des circonstances critiques et lorsque le trésor se trouvait en difficulté, avait recours à des ventes en dehors de l'Etape. Ainsi, en février 1435, le Conseil Privé décida d'autoriser le trésorier à acheter 222 sarpillières de laine et à les revendre à des marchands anglais ou étrangers qui s'engageraient à payer au chancelier de France, en mai suivant, la somme de cinq mille marcs soit à Calais, soit à Bruges. Les acheteurs recevraient l'autorisation d'exporter les laines soit à l'Etape, soit

---

[97] Par exemple en 1450, 1455 et 1460 : *Rotuli Parliamentorum*, t. V, pp. 208, 295 et 454; *Calendar of Close Rolls, 1454-1461*, p. 21 et H.J. SMIT, *opus cit.*, t. II, p. 913, n° 1424; en 1458 : *Calendar of Patent Rolls, 1452-1461*, pp. 423 et 500; H.J. SMIT, *opus cit.*, t. II, p. 949, n° 1488.

[98] E. POSTAN, dans E. POWER et M.M. POSTAN, *opus cit.*, p. 86.

[99] IDEM, *ibidem*, pp. 47-48.

[100] Lors de la suppression des licences en 1449 on excepta de la mesure plusieurs autorisations accordées antérieurement : *1)* depuis le 1er juillet 1446, le duc de Suffolk avait reçu la permission d'exporter deux mille sacs de laine en provenance du comté de Norfolk; *2)* le prieur et le couvent de Saint John de Bridlington possédaient, depuis le 9 novembre 1447, une licence pour douze sarpillières en trente sacs; *3)* depuis le 8 mai 1441, Thomas Walsyngham pouvait envoyer annuellement cent sacs en Italie; *4)* Thomas Broun et John Penycokke bénéficiaient également de faveurs non spécifiées; *5)* la ville de Lincoln disposait, depuis 1435, d'une licence pour 50 sacs. Voir *Rotuli Parliamentorum*, t. IV, pp. 488 et 503, t. V, pp. 149, 229 et 237; *Statutes of the Realm*, t. II, pp. 346-347. Walsyngham et Penycokke étaient des officiers de la maison du roi (W.I. HOWARD, dans E. POWER et M.M. POSTAN, *opus cit.*, p. 295). Walsyngham est qualifié de « *vintner* », marchand de vin, en 1438 (P.R.O., *Treaty Rolls*, C 76/120/m. 6). Suffolk exportait les laines pour lesquelles il avait reçu licence au départ de Great Yarmouth (P.R.O., *C.A.*, E 122/194/9).

[101] H.J. SMIT, *opus cit.*, t. II, p. 941, n° 1475.

en Flandre et remise leur serait faite de la moitié des subsides [102]. C'est là
un cas exceptionnel; il est une autre catégorie de licences qui méritent que
nous les examinions de près. Ce sont les licences que le roi octroyait pour le
commerce avec l'Italie; elles furent toujours exceptées des suppressions.
Il existait deux routes pour gagner l'Italie : celle de mer et celle de terre
qui traversait les pays bourguignons. Quelques licences furent délivrées
à des marchands italiens et anglais pour expédier par terre des laines vers
l'Outremont. En 1438, un Florentin, Geo Luke, reçut l'autorisation d'envoyer
en Lombardie, via Anvers, cent sacs de laine [103]; un an plus tard, Filippo
Borromei et Giovanni Michele, deux marchands milanais, obtenaient une
licence d'exporter trois cents sacs via Middelbourg [104]; en 1443, un Florentin,
Benedetto Borromei, obtenait une licence pour expédier six cents sacs par
Middelbourg et Anvers [105], et les Milanais Felice Fagman [106] et Allessandro
Pallestrello [107] furent autorisés à faire parvenir, en Italie, treize cents sacs
de laine via Anvers et Middelbourg [108]. Nous avons la bonne fortune
d'avoir conservé les comptes du tonlieu des laines anglaises destinées à
l'Italie et qui traversaient le Brabant. Nous ne relevons dans ceux-ci aucun
des noms des marchands que nous venons de citer; mieux encore, nous
constatons qu'en 1438, onze poques [109] seulement furent taxées au tonlieu;
en 1439, aucun passage de laine n'est signalé et, en 1443, six cents poques
furent soumises au contrôle [110].

Il est d'autre part peu probable que des quantités aussi considérables
d'une marchandise rare et recherchée aient échappé aux investigations du
fermier du tonlieu. Il se peut évidemment que quelques marchands aient

---

[102] H. NICOLAS, opus cit., t. IV, pp. 291-293. Les producteurs seraient payés sur les
revenus des domaines du duché de Lancastre.

[103] P.R.O., Treaty Rolls, C 76/120/m. 6 : 14 mai 1438.

[104] H.J. SMIT, opus cit., t. II, p. 717, nº 1154; W.S. UNGER, Bronnen, t. III, p. 82,
nº 169.

[105] H. NICOLAS, opus cit., t. V, p. 280.

[106] Il s'agit sans doute de Felice Fagnano.

[107] Les Pallestrello étaient de Plaisance, alors possession du duc de Milan.

[108] P.R.O., Treaty Rolls, C 76/125/m. 3 : 19 juillet 1443. Un Florentin, Angelo Donati,
recevait encore en 1443, une licence pour expédier une quantité de laine non précisée, via
Anvers ou Middelbourg (P.R.O., Treaty Rolls, C 76/125/m. 12).

[109] Une poque est un ballot de laine. On ne peut donc établir mathématiquement son
poids. On constate que la poque pouvait contenir une quantité de laine tantôt supérieure,
tantôt inférieure à un sac (N.S.B. GRAS, Early customs system, pp. 225, 575, 597,
604). Comme la poque était, dans ce cas précis, taxée à la moitié du prix du sac (deux
gros au lieu de quatre), on peut conclure qu'elle contenait une quantité de laine pesant
environ la moitié du sac (A. DEROISY, « Les routes terrestres des laines anglaises vers la
Lombardie », Revue du Nord. t. XXV, nº 97, janviers-mars 1939, p. 54). Le plus souvent,
le ballot dont le poids est inférieur à un sac, est appelé poque.

[110] A.G.R., C.C., nº 23249, fᵒˢ 5 vᵒ et 14.

joui d'exemption de tonlieu ou encore que les laines aient gagné la Lombardie par une autre route ne traversant pas le Brabant. Nous n'avons pas trouvé de traces ni de l'un ni de l'autre et il paraît peu vraisemblable que des laines envoyées à Middelbourg n'aient pas traversé le Brabant. Nous pouvons donc conclure, sans trop de présomption, que ces laines furent revendues sur le marché des Pays-Bas; nous ajouterons qu'elles le furent avec la complicité de marchands anglais. En effet, Thomas Walsyngham et Hugo Gyke, deux marchands londoniens, d'une part, et Thomas Canynges, un « grocer », marchand d'épices de Londres, et William Cantelowe, un étapier bien connu, se portèrent garants, les premiers pour Luke, les seconds pour Filippo Borromei et Giovanni Michele, que les laines parviendraient en droite ligne à destination [111].

Un autre cas nous éclaire définitivement à ce propos. Le 8 décembre 1456, une licence était délivrée à Lorenzo Barbarigo et Homo Bonegrete [112], facteurs du marchand vénitien Giovanni Walcomstrasso [113], pour exporter vers l'Italie, par voie de terre, une quantité de laine non précisée. Les Vénitiens embarquèrent deux cent soixante-douze sacs et demi de laine dans trois vaisseaux, l'un de Bergen-op-Zoom, l'autre de Middelbourg et le troisième d'Arnemuiden. A la sortie de la Tamise, en janvier 1457, les bateaux furent arrêtés par les garde-côtes et l'on découvrit que les Italiens n'étaient que les prête-noms de Thomas Canynges dont nous avons déjà parlé. Celui-ci aurait eu l'intention de vendre les marchandises à Arnemuiden. Il fut convoqué devant le tribunal de l'Echiquier, un an après les faits, et produisit un acte de remise de fautes commises antérieurement au 7 décembre 1457. Il faut croire que Canynges était particulièrement bien introduit, car le 8 mai 1458, Barbarigo et Bonegrete qui s'étaient plaints de la perte qu'ils avaient subie, reçurent la licence d'exporter, par voie de mer ou même de terre, deux mille sacs de laine en ne payant que le tarif exceptionnel de 26 s. 8 d. de subside par sac. Ils étaient au surplus autorisés à exporter ou importer des marchandises, qu'elles leur appartinssent ou non, dont les droits de douane (à l'exception du « poundage » et du « tunage ») ne dépasseraient pas 6400 livres et sur lesquels eux ou leurs représentants ne paieraient que demi-tarif [114]. Faut-il penser que Canynges était encore le véritable bénéficiaire

---

[111] Voir notes 103 et 104 de la page précédente. Canynges et Cantelowe déposèrent même une garantie de cinq cents marcs à la Chancellerie.

[112] Il s'agit sans doute d'Omobono Gritti. Les familles Barbarigo et Gritti étaient d'importantes familles de marchands vénitiens.

[113] Nous n'avons pu trouver la forme italienne de ce nom.

[114] H.J. SMIT, opus cit., t. II, p. 936, n° 1468 : 10 mars 1457; p. 939, n° 1473 : 19 août 1457; p. 942, n° 1477 : 30 janvier 1458 et Calendar of Close Rolls, 1459-1461, p. 246 et p. 311 : 29 et 31 mai 1458; Letter Book K, p. 377. On peut apprécier l'importance de la licence accordée aux Vénitiens si l'on se rappelle que la quantité de laine exportée vers l'Italie s'élevait chaque année à environ 1600 sacs (E. POWER, dans E. POWER et M.M. POSTAN, opus cit., p. 12). Les Vénitiens avaient mauvaise réputation en Angleterre;

de cette licence ? C'est difficile à affirmer; en tout cas, les laines ne gagnèrent pas l'Italie par voie de terre car nous n'en trouvons pas trace dans le
compte des laines traversant le Brabant vers la Lombardie.

Quoi qu'il en soit, il se dégage de ces faits l'impression que les licences
concurrençaient sérieusement le commerce de l'Etape [115]. Vers le milieu
du siècle, environ 6.400 sacs de laine étaient vendus annuellement à Calais [116];
on conçoit dès lors que l'octroi de licences telles que celle concédée au duc
de Suffolk pour deux mille sacs de laine, pouvait fortement inquiéter les
étapiers.

A côté des licences que le roi octroyait pour les qualités supérieures de
laine qui auraient dû normalement passer par Calais, il en délivrait d'autres
pour les laines de Newcastle [117] ou pour les qualités inférieures telles l'agnelin,
les « *morlyngs* » et les « *shorlyngs* ». Les « *morlyngs* » étaient des laines
de moutons morts d'épizootie et les « *shorlyngs* » provenaient d'une deuxième
tonte [118]. Les étapiers tentèrent également d'interdire l'octroi de licences pour
les « *slightwools* » (mauvaises laines) des comtés de Southampton, Kent et
Sussex [119], et d'exiger la taxation selon la « grande coutume » de l'agnelin
et des « *shorlyngs* » [120].

Dix-sept de ces licences furent concédées entre 1439 et 1455; on n'en
signale ni avant ni après ces dates. Si l'on en croit les évaluations de Mlle
Kerling, on peut fixer le total de ces exportations à 1126 sacs de laine;
malheureusement, cet auteur a converti les chiffres de toisons d'agneaux en

---

l'auteur du *Libelle of Englyshe Policye* (éd. G. Warner, pp. 21-23) les accusait d'acheter
à crédit de la laine aux producteurs et de la revendre au comptant, en Flandre, en perdant
cinq pour cent sur le prix d'achat, de prêter l'argent qu'ils en retiraient à des taux
usuraires et de récupérer ainsi, avant l'échéance, des sommes considérables qui leur laissaient un gros bénéfice.

[115] Voir aussi l'exemple de laine anglaise importée par des Italiens à Bruges pour y
être revendue dans le chapitre consacré aux Bouches de l'Escaut.

[116] A. GRAY, dans E. POWER et M.M. POSTAN, *opus cit.*, p. 12 pour les années
1446-1448.

[117] Il s'agit de licences accordées à des particuliers : au comte de Westmoreland pour
cinq cents sacs, en 1423 (H. NICOLAS, *opus cit.*, t. III, p. 115), à Galfridus Middelton,
« *vicecomes episcopatus Dulnomie* », en 1464, pour soixante sacs (H.J. SMIT, *opus cit.*,
t. II, p. 982, n° 1540), à John More, William Lawes et John Tyther, marchands, pour
quarante sacs, en 1444, afin de contribuer à la délivrance de Thomas Chapman, prisonnier
(P.R.O., *Treaty Rolls*, C 76/126/m. 9).

[118] E. POWER, dans E. POWER et M.M. POSTAN, *opus cit.*, p. 51.

[119] *Rotuli Parliamentorum*, t. IV, p. 251; *Statutes of the Realm*, t. II, pp. 217-219 :
1423.

[120] *Rotuli Parliamentorum*, t. IV, p. 352 : 1429.

comptant 240 toisons au sac alors que c'était le nombre admis pour les toisons de moutons adultes. Le chiffre est donc forcé [121].

Les bénéficiaires de ces licences étaient le plus souvent des marchands anglais comme John Stevens, un poissonnier [122], ou William Sampull, un drapier [123]; parfois un membre du personnel de la maison du roi en jouissait également comme William Say, échanson [124]. Un Hollandais, Dankerd Petersone [125], et les négociateurs chargés des intérêts hollandais, zélandais et frisons dans les discussions relatives au règlement des dommages subis par les sujets du roi et du duc [126], sont les seuls étrangers qui obtinrent de telles licences.

Ces laines étaient exportées de différents ports mais spécialement de Londres et de Sandwich.

Il faut donc constater qu'on importait, dans les pays bourguignons, à côté des laines d'Etape, des laines de qualités très inférieures.

Au surplus, la fraude semble avoir été fort répandue, si l'on en croit les plaintes constantes des étapiers [127]. Les procédés utilisés pour tourner la loi étaient les plus divers :

— On pouvait faire taxer les laines comme si on les destinait à l'Etape et détourner la course du bateau vers les pays bourguignons; on échappait ainsi à l'ordonnance de « partage» [128].

— On pouvait aussi faire passer la marchandise à Newcastle, au Pays de

---

[121] N.J. Kerling, opus cit., pp. 211-212. Nous n'avons pas trouvé d'autres licences que celles signalées par Mlle Kerling.

[122] H.J. Smit, opus cit., t. II, p. 721, n° 1161 : 22 août 1439; Calendar of Patent Rolls, 1436-1441, pp. 384, 409, 412 : 28 et 29 mars, 6 mai 1440.

[123] H.J. Smit, t. II, p. 814, n° 1276 : 13 février 1444.

[124] H.J. Smit, opus cit., t. II, p. 740, n° 1190 : 18 juin 1440 et p. 803, n° 1260 : 9 février 1443.

[125] H.J. Smit, opus cit., t. II, p. 716, n° 1150 : 10 mars 1439.

[126] H.J. Smit, opus cit., t. II, pp. 810-811, n° 1269 : 19 décembre 1443; les négociateurs étaient Barthélémy van Eten, Thierry uten Weer et Jan Florijn.

[127] Voir notamment pour les années 1421 à 1439 : Rotuli Parliamentorum, t. IV, pp. 147, 359, 410, 454; t. V, p. 30; Statutes of the Realm, t. II, pp. 253, 255, 276, 287, 291, 311.

[128] Par exemple, des bateaux chargés de laine appartenant à trois marchands anglais et faisant route vers Calais, furent détournés vers Vere sous prétexte que l'on craignait une attaque d'un corsaire français et que le temps était mauvais; Henri VI leur délivra des lettres de pardon : voir Calendar of Patent Rolls, 1436-1441, p. 491 et H.J. Smit, opus cit., t. II, p. 744, n° 1198 (9 novembre 1440).

Galles ou en Irlande; on ne payait alors que le « *poundage* », droit plus léger que le subside et la coutume [129].

— Lorsque les laines devaient gagner l'Italie, on les faisait enregistrer au nom d'un Anglais, alors qu'elles appartenaient à un étranger [130].

— Les empaqueteurs achetaient volontiers pour les étrangers de la fine laine qu'ils faisaient passer pour du rebut [131].

— On exportait aussi du fil de laine sous le nom de « *thrums* »; les « *thrums* » étaient des bouts de laine que les tisserands coupaient à la lisière des draps lorsqu'ils enlevaient ceux-ci du métier [132], ou encore on exportait de la laine d'Etape sous le vocable de « *morlyngs* » ou « *shorlyngs* » [133].

— On pouvait au contraire exporter de la laine de mauvaise qualité en la faisant passer pour de la laine d'Etape [134].

[129] Seules les laines de l'Alderton et du Richmondshire pouvaient passer au nord de la Tees (*Rotuli Parliamentorum*, t. V, p. 503). Comme on se plaignait que les laines des comtés d'York, Lincoln et Nottingham passaient à Newcastle, il fut décidé, dans ce cas d'infliger aux marchands une amende du double de la valeur de la laine *(Rotuli Parliamentorum*, t. V, p. 564). L'abbé de Fourneux avait l'habitude de dérouter un bateau chaque année vers l'Irlande. En juin 1423, on saisit un navire de deux cents tonneaux chargé d'environ huit cents sacs de laine qui, via Dublin, était destiné à Arnemuiden (*Rotuli Parliamentorum*, t. IV, p. 251). On décida aussi que toutes les marchandises exportées ou importées via le Pays de Galles et qui n'auraient pas payé les droits normaux, seraient confisquées (*Rotuli Parliamentorum*, t. V, p. 55 : 1422; *Statutes of the Realm*, t. II, p. 320).

[130] *Calendar of the Close Rolls, 1429-1435*, p. 127.

[131] *Rotuli Parliamentorum*, t. V, p. 332 : 1455. Les Communes proposèrent en vain de leur interdire l'achat de plus de quatre sacs de laine.

[132] *Rotuli Parliamentorum*, t. V, p. 104; *Statutes of the Realm*, t. II, pp. 256-257, 328 : 1444-1445, interdiction d'exporter des « *thrums* » excepté pour le roi. Il était interdit d'exporter du fil : *Rotuli Parliamentorum*, t. V, p. 621 : 1467-1468; *Statutes of the Realm*, t. II, p. 422.

[133] Voici un cas où les services de douane suspectèrent une fraude de ce genre: John Stevens possédait une flotte personnelle; il avait amené des troupes et des vivres lors du siège de Calais; c'était même un de ses navires qui avait annoncé la victoire en Angleterre. En récompense, il reçut, en 1439, une licence pour exporter vingt mille toisons de « *morlyngs* » et « *shorlyngs* »; elles fut renouvelée l'année suivante. Le roi, sur dénonciation, semble-t-il, fit fouiller les ballots au port de Lynn pour découvrir s'il ne s'y cachait pas de la laine d'Etape (H.J. SMIT, *opus cit.*, t. II, p. 721, n° 1161; *Calendar of Patent Rolls, 1436-1441*, pp. 384, 409, 412, 491 : 28 et 29 mars, 6 mai 1440).

[134] Le meilleur exemple est celui du drapier londonien, John Worsope, qui, avec la complicité d'un empaqueteur de laine, envoya, en Zélande, un bateau d'Anvers et un autre de Middelbourg chargés de deux cent vingt sacs de « *slightwolle* » empaquetés comme s'il s'agissait de pure « *Cotswold* » ajoutant ainsi une manière de fraude à une autre (H.J. SMIT, *opus cit.*, t. II, pp. 943-944, n° 1478 : 30 janvier 1458). Lorsqu'une fraude de ce genre était constatée par les acheteurs, les tribunaux flamands considéraient la cause comme criminelle et entraînant la peine du ban (L. GILLIODTS VAN SEVEREN, *Ancienne Estaple*, t. I, p. 694, n° 866 : 14 mars 1448; A.V.B., *S.C.*, 1447-1451, f° 247 v°).

— Le plus souvent on se contentait d'embarquer clandestinement dans des criques, le long de la côte orientale de l'île, de la laine soigneusement cachée sous d'autres marchandises, blé, drap ou même charbon.

Les risques étaient grands car si l'on se faisait prendre, le bateau et sa cargaison étaient vendus au profit du roi [135].

Nous avons essayé de dresser la liste des laines confisquées pour fraude depuis 1436 et qui étaient ouvertement destinées aux pays bourguignons. Une première constatation s'impose : on ne relève plus de confiscation après l'année 1457. Il faut sans doute attribuer ce fait à un relâchement ou au contraire à un resserrement de la surveillance des côtes et du contrôle des exportations, car rien ne motive une brusque cessation de l'activité des fraudeurs. Si les propriétaires de laine étaient presque toujours anglais, les navires qu'ils affrétaient étaient généralement hollandais ou zélandais.

En 31 ans, on compte quarante-trois fraudes dont seize se placent entre 1437 et 1438 au moment où les relations avec l'Etape étaient interrompues. On remarque également que la plus grosse quantité de laine confisquée en une fois s'élevait à deux cent vingt sacs mais que la moyenne ne dépassait pas vingt sacs.

Nous avons calculé qu'entre 1436 et 1457, deux cent trente-deux sacs de laine d'Etape, soixante-quatorze mille huit cent quarante-sept toisons de la même qualité, trente sacs de laine de Newcastle, deux cent vingt de « *slight-wool* » et cinq mille six cent soixante-dix-sept toisons de « *morlyngs* », « *shorlyngs* » ou agnelin furent confisqués, soit une moyenne annuelle d'environ une trentaine de sacs de toutes les qualités. Ces chiffres sont certainement inférieurs à la réalité car nous avons éliminé les fraudes « *ad partes exteras* » sans spécification particulière [136], alors qu'il est très probable que, dans la majorité des cas, elles étaient destinées à nos régions. Il n'empêche que l'on peut admettre, même en doublant les nombres obtenus, que les confiscations n'atteignaient pas 1 % de la quantité de laine qui passait par l'Etape. Quoi qu'il en soit, il est fort difficile d'évaluer, sur la base des éléments que nous possédons, quelle était la contribution de la fraude à l'alimentation en laine du marché des Pays-Bas.

---

[135] Il en est ainsi pour la majorité des cas que nous avons relevés dans le tableau n° 7 publié en annexe.

[136] Nous avons dû écarter aussi les cas où la quantité de laine n'était pas spécifiée ou était évaluée trop vaguement. C'est ainsi que nous n'avons pas pu tenir compte des poques; la poque valant tantôt plus, tantôt moins qu'un sac, il nous a été impossible d'en donner une approximation valable.

Pour apprécier les quantités de laine anglaise que pouvait absorber le marché bourguignon, il faut d'abord connaître ses besoins. Mais avant de nous livrer à une enquête à ce sujet, il nous faut faire justice d'une opinion très répandue : la laine anglaise d'Etape était un produit de toute première qualité. Il existait en vérité cinquante et une espèces différentes de laine. Les Communes présentèrent, en 1454, une pétition demandant, sans résultat d'ailleurs, la fixation des prix d'achat au producteur; on établit ainsi une échelle progressive des diverses variétés. En tête venaient les espèces bien connues des Marches du Shropshire et Leominster (appelées march), évaluées à quatorze marcs le sac, le Cotswold à douze marcs et le Lindsey à huit marcs; les laines du Suffolk et du Sussex fermaient la liste avec une valeur de 52 à 50 s. le sac [137]. Ces différences de prix montrent combien les qualités étaient diverses.

Les trois espèces supérieures de laine anglaise n'étaient employées que dans les draperies urbaines de grand luxe. Depuis 1441-1443, Bruxelles défendait à sa draperie dite « van den drie staten » l'utilisation d'autres qualités [138]. A Malines, seules les espèces de laine anglaise valant douze marcs et plus le sac pouvaient être travaillées. En outre, les marchands qui voulaient revendre de la laine devaient montrer au doyen du « wollenwerck », un certificat de l'Etape spécifiant la qualité, le prix et le poids. Il était interdit de fabriquer des draps à la manière anglaise ou irlandaise, de garder chez soi d'autre laine que l'anglaise ou de mélanger à celle-ci un produit d'autre origine [139]. La draperie de Louvain utilisait de la bonne laine anglaise qui valait plus de 11 marcs le sac à Calais [140] et le magistrat achetait du Lindsey pour faire tisser des draps destinés à habiller les fonctionnaires [141]. Lorsque la ville jugea qu'il fallait rénover cette industrie qui déclinait, elle songea à modifier les techniques du travail plutôt qu'à changer de matière première. Elle fit appel à des artisans tournaisiens, foulons, tondeurs et teinturiers qui introduisirent la pratique de la tonte sèche; elle envoya

---

[137] *Rotuli Parliamentorum*, t. V, p. 274.

[138] F. FAVRESSE, « Les débuts de la nouvelle draperie bruxelloise appelée aussi draperie légère, fin du XIVe s. — 1443 », *R.B.P.H.*, t. XXXVIII, 1950, p. 468.

[139] A.V.M., *Ordonnances du magistrat*, n° 1, f°s 25, 55, 64 et 69 : 1441, 1444 et 1445; n°2, f°s 17, 17 v°, 91 v° : 1450 et 1473. Les draps tissés de fine laine anglaise étaient cardés.

[140] D'après une ordonnance de 1442 et pour les draps de qualité supérieure (R. VAN UYTVEN, *Stadsfinanciën en stadsekonomie te Leuven van de XIIe tot het einde der XVIe eeuw*, Verhandelingen van de Koninklijke Vlaamse Academie voor Wetenschappen, Letteren en Schone Kunsten van België, Klasse der Letteren, jaargang XXIII, n° 44, 1961, p. 342.

[141] A.V.L., *Comptes de Louvain*, n° 5072, f° 72, 72 v° : 1442.

spécialement à Calais et à Bruges des délégués pour acquérir de la bonne laine [142].

En Flandre, Ypres et Courtrai achetaient des qualités supérieures. Le *Libelle of Englyshe Policye* reconnaissait que leurs fabrications étaient plus renommées que celles des draps anglais [143]. Wervicq drapait également de la laine anglaise, mais, en 1463, la ville demanda au duc l'autorisation d'utiliser désormais de la laine d'Espagne, d'Ecosse ou même indigène [144]. Mais il est évident que les plus grands « consommateurs » de laine anglaise de premier choix étaient les tisserands de Leyde. Ceux-ci ne pouvaient acquérir de la laine dont la qualité était inférieure au Lindsey; en outre, ils achetaient uniquement des toisons [145]. Tout « *Calisvairder* » (marchand se rendant à Calais pour acheter de la laine) devait, à son retour, produire un certificat portant le sceau du vendeur et indiquant la qualité et le poids de la laine achetée [146]. S'il introduisait dans la ville un sac de laine d'une qualité inférieure à celle exigée par la keure, il devait le faire immédiatement transporter hors de la ville après examen par les « *wardeins* » du métier. Cette réglementation était d'origine récente car la draperie de Leyde ne travaillait la laine anglaise de premier choix que depuis le début du siècle [147]. La dépendance de cette industrie à l'égard de l'Angleterre était

---

[142] A.V.L., *Comptes de Louvain*, nº 5090, fº 69 vº : 1464. Malines s'intéressa également à la technique tournaisienne (A.V.M., *Comptes de Malines*, 1434-1435, fº 177 vº : 28 mars 1435). La production drapière de Louvain avait d'ailleurs atteint son point le plus bas vers 1460 (R. Van Uytven, « La Flandre et le Brabant, « terres de promission » sous les ducs de Bourgogne », *Revue du Nord*, t. XLIII, nº 172, octobre-décembre 1961, p. 291, graphique 2).

[143] *Libelle of Englyshe Policye*, éd. G. Warner, p. 5. M.E. Coornaert (« Draperies rurales, draperies urbaines; l'évolution de l'industrie flamande au moyen âge et au XVIe siècle », *R.B.P.H.*, t. XXVIII, 1950, p. 73) signale que les draps de Courtrai se vendaient dans les milieux les plus distingués d'Italie et se demande s'il s'agissait des produits dont le prix était de moitié inférieur à celui des draps d'Ypres. Le *Libelle of Englyshe Policye* considère les draps d'Ypres et de Courtrai comme de valeur égale.

[144] A.D.N., nº B 17696 : 12 octobre 1463. Certains drapiers s'opposaient à la transformation de l'industrie; ils disaient que c'était un déshonneur de ne plus ouvrer de laine anglaise et que cela introduirait des possibilités de fraude. Le chômage était très répandu; la main-d'œuvre émigrait vers Courtrai ou Ypres. La situation sociale forçait les tisserands à céder à bas prix leurs draps à des bourgeois qui en profitaient et s'opposaient à la transformation de la draperie.

[145] N.W. Posthumus, *Bronnen, 1333-1480*, nº 74, pp. 74-76; nº 132, p. 150; nº 166, p. 188; p. 132, nº 116 (défense d'employer de la laine écossaise, de Newcastle, flamande ou indigène : 24 octobre 1434).

[146] N.W. Posthumus, *Bronnen, 1333-1480*, nº 132, p. 147; nº 196, p. 198; nº 263, p. 311. Les drapiers qui n'avaient pas soumis leurs laines au contrôle et ne pouvaient prouver leur origine étaient poursuivis; ils devaient, en guise d'amende, apporter des pierres aux remparts. Les draps fabriqués de fin Cotswold étaient appelés « *puyk wolle lakenen* » (Idem, *ibidem*, nº 166, p. 195).

[147] N.W. Posthumus, *De geschiedenis van de Leidsche lakenindustrie*, 3 vol., La Haye, 1908-1939, t. I, pp. 182-234 : concerne les achats de laine.

complète. L'arrêt prolongé ou momentané de l'approvisionnement en laine plongeait la ville dans la détresse. En 1444, les « *Calisvairders* » revinrent sans marchandises car on leur avait fait espérer une baisse prochaine; aussitôt deux mille ouvriers furent réduits au chômage et quittèrent Leyde pour se livrer à des travaux agricoles [148].

D'autres villes hollandaises, mais dans une moindre mesure, employaient de la laine anglaise; c'était le cas de Delft [149] et d'Amsterdam [150].

En réalité, la plupart des draperies bourguignonnes, principalement les « nouvelles draperies » utilisaient de la laine anglaise conjointement avec des laines indigènes, écossaises, irlandaises ou espagnoles : Aire, par exemple, employait de la laine anglaise et nostrée et même des agnelins, pelis et retons [151]. Arras travaillait dans sa draperie ancienne de la laine anglaise, de l'indigène, de l'écossaise, de la galloise, de l'irlandaise et même des laines mortes et, dans sa draperie nouvelle, de l'agnelin ou de la bonne laine nostrée [152]. Douai se servait de laine anglaise et nostrée [153], Saint-Omer de l'anglaise, de l'écossaise, de la galloise, de l'irlandaise et de la nostrée [154], et Valenciennes de toutes les espèces de laine, surtout celles de qualités inférieures et de l'agnelin [155]; Armentières mélangeait les laines anglaises et espagnoles; Commines possédait deux draperies distinctes : l'une appelée draperie anglaise n'employait que de la fine laine anglaise, l'autre de qualité inférieure usait des laines d'origines diverses tant anglaise qu'écossaise, espagnole ou nostrée [156]; Bailleul et Poperinge utilisaient des laines anglaises,

---

[148] La situation fut également critique lors de la guerre de 1436; c'est alors (en janvier 1440) que Philippe le Bon donna son accord pour la vente par la ville de trois cents « *Wilhelmus schilden* » de rentes viagères pour compenser la perte de revenus des accises occasionnée par l'arrêt de l'importation des laines, la hausse du prix des grains et la grande mortalité (N.W. POSTHUMUS, *Bronnen, 1333-1480*, n° 140, p. 170). Pour les événements de 1444, voir J. STEVENSON, *Letters and papers*, t. I, p. 464 et H.J. SMIT, *opus cit.*, t. II, p. 831, n° 1294).

[149] N.W. POSTHUMUS, *Bronnen, 1333-1480*, n° 222, p. 262.

[150] A.V.M., *Comptes de la ville de Malines, 1436-1437*, f° 168; A.R.A., *H.v.H.*, n° 17, f°s 63 v° et 71 v° : 14 février 1450.

[151] G. DE POERCK, *La draperie médiévale en Flandre et en Artois, Technique et terminologie*, Rijksuniversiteit te Gent, werken uitgegeven door de Faculteit van de Wijsbegeerte en Letteren, 110e aflevering, Bruges, 1951, t. I, p. 233. Laine nostrée signifie laine indigène.

[152] G. DE POERCK, *opus cit.*, t. I, pp. 235 et 245.

[153] G. ESPINAS et H. PIRENNE, *Recueil de documents relatifs à l'histoire de l'industrie drapière en Flandre*, 4 vol., Bruxelles, 1906-1924, t. II, pp. 323-324; G. DE POERCK, *opus cit.*, t. I, p. 257.

[154] G. DE POERCK, *opus cit.*, t. I, p. 274.

[155] G. DE POERCK, *opus cit.*, t. I, p. 279.

[156] H.E. et J.H. DE SAGHER, H. VAN WERVEKE et C. WIJFFELS, *Recueil de documents relatifs à l'histoire de l'industrie drapière en Flandre. Le Sud-Ouest de la Flandre depuis l'époque bourguignonne*, t. I, Bruxelles, 1951, p. 102; t. II, 1961, pp. 30-32.

écossaises et espagnoles [157]; La Haye employait des laines indigènes, écossaises ou espagnoles [158]. Les marchands de Gand enfin se fournissaient de laine de Newcastle aux foires de Brabant [159].

Dans ces conditions, il semble bien que sur les cinquante et une espèces de laine anglaise, seules les trois ou quatre qualités supérieures l'emportaient sur les produits d'autres provenances. Encore faut-il remarquer qu'il était difficile de différencier un drap de Leyde tissé avec de la laine anglaise supérieure d'un drap de La Haye fabriqué selon une technique identique mais avec de la laine d'autre origine [160].

On ne s'étonnera donc pas de voir les étapiers demander au roi, en 1420, de remettre en vigueur un prétendu accord passé jadis avec les comtes de Flandre qui interdisait la vente dans le comté d'autres laines que celles d'Angleterre et qui, en compensation, défendait l'entrée des draps anglais. Ils soulignaient que cette dernière clause était toujours observée en Flandre, tandis que les laines d'Ecosse, d'Aragon, de Catalogne et d'Espagne y étaient introduites « *a graunde empierement del vent dez leynes d'Engleterre* » [161]. Nous avons déjà souligné qu'ils essayaient de contrôler la vente des qualités de laine les plus inférieures « *qar les sleightes laines sount aussi necessaires pur la draperie d'aucuns villes come sount les bons pur autre, pur ce que plusiours villes de Flaundres et Braibant y sount qui usent affair draps de laine sleightes et ont leur gaignage et vivre sur icelles ou tant que s'ils vouroient faire leur draps de fines laines et les ensceller au scel de la ville comme la custume est, ils ne les vendroient le plus chiere qar par la sell de chescun ville sount les draps cognuz* » [162].

En conclusion, la laine anglaise, celle qui avait fait la renommée de

---

[157] E. COORNAERT, *Un centre industriel d'autrefois, la draperie-sayetterie d'Hondschoote*, XIVe-XVIIIe s., Paris, 1930, p. 191. Le *Libelle of Englyshe Policye* cite Poperinge et Bailleul comme des centres drapiers utilisant de la laine d'Ecosse (éd. G. WARNER, pp. 13-14).

[158] N.W. POSTHUMUS, *Bronnen, 1333-1480*, n° 326, p. 375; n° 329, p. 379; n° 354, p. 405; n° 358, pp. 408-409; n° 370, p. 419. Les Hanséates se plaignirent de la difficulté de distinguer les draps de Leyde de ceux de La Haye (G. VON DER ROPP, *opus cit.*, t. V, p. 29, n° 68; pp. 61-62, n°s 118-120; p. 474, n° 703).

[159] G.A.B.O.Z., *R.R.*, n° R 284, 1460-1462, f° 135 : 24 novembre 1461.

[160] Voir note 158.

[161] *Rotuli Parliamentorum*, t. IV, p. 126, n° 16. En 1421, ils prièrent le roi de conclure avec le duc de Bourgogne et les Membres de Flandre un traité qui assurerait dans cette principauté le monopole de la vente des laines à l'Angleterre et supprimerait la prohibition; seul ce dernier point retint l'attention du roi (*Rotuli Parliamentorum*, t. IV, p. 146). Nous n'avons pas trouvé de traces d'un tel accord; il est probable que les Anglais avaient fini par croire que la prohibition de leurs draps, qui durait alors depuis plus d'un siècle (voir chapitre concernant les draps p. 203), était le résultat d'un accord qui garantissait aux Anglais le monopole de la vente des laines en Flandre.

[162] *Rotuli Parliamentorum*, t. IV, p. 251 : 1423.

l'élevage d'outre-Manche, n'était indispensable qu'à quelques fabrications urbaines; les autres draperies pouvaient aussi bien utiliser des produits d'origine différente. L'arrêt des importations de laine anglaise mettait en chômage tout un prolétariat dans les villes qui utilisaient uniquement cette matière première, mais comme cette circonstance s'accompagnait souvent aussi d'actes d'hostilité, le blocus maritime entraînait une forte diminution des fournitures de laine d'autres provenances. Le « *Libelle of Englyshe Policye* » soulignait d'ailleurs que la maîtrise de la Manche par la flotte anglaise et la fermeture de l'Etape mettraient en mauvaise posture la draperie flamande qui utilisait conjointement les laines anglaises, écossaises et espagnoles [163].

Grâce aux chiffres donnés par Gray, Postan et Posthumus nous avons pu établir pour quinze années successives, de 1453 à 1467, la proportion entre les achats de toisons par les marchands de Leyde à Calais et les quantités de laine exportées par les sujets du roi d'Angleterre [164]. Si l'on établit la moyenne annuelle des exportations de laine par les « *denizens* », on constate qu'elle est exactement de 5916 sacs dont 1377 représentés par des lots de toisons. Ces derniers étaient, pour plus des sept dixièmes (1037 sacs), achetés par des marchands de Leyde. Ainsi plus d'un sixième du trafic total des étapiers était destiné à la draperie de Leyde. Comme nous ne disposons pas de renseignements de cette sorte pour d'autres villes drapières, nous ne pouvons conclure que les marchands de Leyde étaient les plus gros acheteurs à l'Etape.

En analysant les chiffres des exportations anglaises, on remarque que les fluctuations étaient constantes et très marquées : une année exceptionnelle succédait presque toujours à une année médiocre ou mauvaise. Ce phénomène s'explique assez aisément si l'on tient compte des circonstances politiques et de l'insécurité maritime qui entravaient le ravitaillement de l'Etape. Ainsi, en 1460, Warwick, en révolte contre le roi, tenait Calais et les laines n'y parvenaient plus. Dans de pareils cas, des stocks se constituaient en Angleterre et ils étaient écoulés avec la production des années suivantes. Il existait d'autre part des réserves à l'Etape même; nous en avons déjà parlé [165]. Cela explique le manque de concordance entre les chiffres d'exportation et les chiffres d'achat par les marchands de Leyde. Les

---

[163] *Libelle of Englyshe Policye,* éd. G. WARNER, pp. 13-14.

[164] Les toisons se comptaient par unités ou par multiples de celles-ci (la centaine par exemple). On considérait, en douane, que 240 toisons équivalaient à un sac, en vertu d'une disposition légale datant de 1368 (W. STUBBS, PETIT-DUTAILLIS, LEFEBVRE, *opus cit.,* t. II, p. 497). Voir en appendice les tableaux statistiques. Voir aussi le tableau et le graphique des exportations de laine par les étapiers.

[165] Voir p. 174.

« *Calisvairders* » acquirent en 1460, 1.287 sacs de toisons alors que les étapiers n'avaient exporté qu'un seul sac cette même année [166]. Aussi Leyde, qui n'avait pas souffert de l'arrêt de l'approvisionnement de l'Etape, maintint ses achats au même niveau en 1461, lorsque de grandes quantités de toisons furent amenées sur le marché. En revanche, les acquisitions des marchands de Leyde marquèrent un fléchissement vers la période de 1464-1467 : c'était la conséquence de la politique restrictive de l'Etape à cette époque [167].

Nous ne possédons pas d'indications relatives à la consommation des autres draperies en laine d'Etape. Tout au plus pouvons-nous établir qu'elles en employaient environ 4.800 sacs par an.

Les marchands de Leyde estimaient qu'ils consommaient à eux seuls plus de laine que cinq villes au monde [168]. Aussi leurs achats étaient-ils organisés selon un système très strict. Ils se rendaient à Calais seuls s'ils y venaient pour approvisionner leurs propres métiers et à deux, s'ils étaient chargés de faire des acquisitions pour autrui. A leur retour, les laines, après avoir été dûment contrôlées par les « *wardeins* » de la draperie, étaient partagées équitablement entre les différents propriétaires qui devaient les utiliser eux-mêmes ou les faire travailler à leur compte. La vente et la revente de laine étaient défendues [169].

Les bourgeois de Leyde achetaient les toisons au comptant à l'Etape; le crédit n'était admis que pour un dixième du prix total. Le magistrat poursuivait les marchands qui utilisaient des facilités de paiement. Au départ, les « *Calisvairders* » emportaient l'argent nécessaire à leurs achats [170]. Ils se munissaient aussi de « *Bills of the mint of Calais* ». Les marchands

---

[166] Mais en octobre 1460, on se plaignit à Leyde que la laine et les toisons étaient introuvables à Calais (N.W. Posthumus, *Bronnen, 1333-1480*, n° 316, p. 365 : 30 octobre 1460); dès mars, on déclarait à Louvain qu'il était fort difficile de se procurer de la laine anglaise (A.V.L., *Comptes de Louvain*, n° 5087 : 9 mars 1460, envoi de délégués à Bruxelles pour s'informer).

[167] Voir p. 173.

[168] J. Stevenson, *Letters and papers*, t. I, p. 464; H.J. Smit, *opus cit.*, t. II, pp. 831, 832, n° 1294.

[169] N.W. Posthumus, *Geschiedenis*, t. I, pp. 182-195. Les « *Calisvairders* » devaient prêter serment avant leur départ (N.W. Posthumus, *Bronnen, 1333-1480*, n° 152, p. 178). Les keures consacrent un chapitre spécial aux « *Calisvairders* » (N.W. Posthumus, *Bronnen, 1333-1480*, n° 73, pp. 72 et suivantes; n° 132, pp. 148 et suivantes; n° 263, pp. 299 et suivantes).

[170] Ces dispositions, prises en 1406, furent quelque peu relâchées au cours du siècle. Les modalités de crédit pour l'achat de la laine se firent plus larges. Les dettes étaient récupérées aux foires de Brabant (N.W. Posthumus, *Geschiedenis*, t. I, pp. 227-228; Idem, *Bronnen, 1333-1480*, n° 132, p. 151; n° 161, p. 184; n° 163, p. 185; A.V.A., *Schepenregister*, n° 51, f° 77 v° : 3 septembre 1457).

achetaient en livres de gros, sur les marchés des Pays-Bas, aux étapiers, ces
« lettres de la monnaie de Calais » libellées en livres sterling. Les Anglais
les avaient acquises directement à la monnaie. Ce système supprimait toute
évasion monétaire car il permettait aux acheteurs de laine de disposer à
Calais de monnaie anglaise [171]. Bien souvent, le crédit accordé sur les marchés
de laine était payable en plusieurs termes aux foires de Brabant; le procédé
était utilisé couramment non seulement par les marchands de Leyde mais
par ceux de tous les pays bourguignons [172].

L'Etape essaya d'obtenir du magistrat de Leyde la levée de l'interdiction
de revendre les laines achetées à Calais. Pour exercer une pression sur la
ville, elle ferma même le marché aux bourgeois de celle-ci et obtint satisfaction
en 1428. Par un traité signé entre les délégués de l'Etape et ceux de Leyde,
la revente des laines achetées par les « Calisvairders » fut permise en
Flandre, en Brabant, en Hollande et en Zélande. Six mois plus tard, la ville
rétablit l'interdiction [173]. A la suite de la publication d'une keure qui
reprenait ces restrictions, les étapiers firent, en 1450, une nouvelle tentative
pour briser le protectionnisme de Leyde. La ville fit une concession :
dorénavant les laines — mais non les toisons — pourraient être vendues à
l'extérieur [174]. Elle ne s'engageait guère, car son industrie préférait employer,
pour des raisons techniques, des toisons. Huit ans plus tard, la laine était
de nouveau englobée dans l'interdiction de revendre; cette fois, les étapiers
ne réagirent plus [175]. Le système protectionniste subit une éphémère éclipse
de 1465 à 1468, année où il fut rétabli [176].

Leyde ne se fournissait pas uniquement à Calais; elle achetait des
« verkensvellen », c'est-à-dire des toisons qui n'étaient pas passées par l'Etape,
sur d'autres marchés. Parmi ceux-ci, citons à côté de Bruges et des foires
de Brabant, Amsterdam, Dordrecht, Rotterdam, Gouda, Hornes, Vere,
Zierikzee, Deventer et Kampen. Le contrôle de ces « verkensvellen » était

[171] J. STEVENSON, Letters and papers, t. I, p. 464; H.J. SMIT, opus cit., t. II, p. 831,
n° 1294; p. 846, n° 1308. D'autres acheteurs pratiquaient également le paiement des
laines d'Etape par lettres obligatoires (A.V.B., S.C., 1447-1453, f° 50 v° : 30 juillet 1448).

[172] Pour Leyde, voir H.J. SMIT, opus cit., t. II, p. 1010, n° 1569 : 21 avril 1467;
voir l'exemple donné par E. POWER, dans E. POWER et M.M. POSTAN, opus cit., p. 67.

[173] N.W. POSTHUMUS, Geschiedenis, pp. 184-187; IDEM, Bronnen, 1333-1480, p. 119,
n° 105 : 27 juillet 1428; ce traité réglait aussi à l'amiable la question de lettres de
marque employées contre les Anglais à Leyde et des dettes contractées par les marchands
de Leyde. Le magistrat promit également de ne publier aucun règlement préjudiciable
aux intérêts des étapiers. Un traité de la même espèce avait déjà été conclu en 1421
(N.W. POSTHUMUS, Bronnen, 1333-1480, n° 91, p. 108 : 17 février 1421).

[174] N.W. POSTHUMUS, Geschiedenis, p. 189; IDEM, Bronnen, 1333-1480, p. 269, n° 231;
p. 269, n° 232 (traité avec l'Etape du 26 mars 1450).

[175] N.W. POSTHUMUS, Geschiedenis, p. 189.

[176] N.W. POSTHUMUS, Geschiedenis, p. 190.

particulièrement sévère. On ne pouvait les acheter qu'à ceux qui les avaient directement importées et non pas à des revendeurs. Il faut souligner que cette source d'approvisionnement n'atteignait pas un vingtième de la consommation totale [177].

A l'opposé de ce qui se pratiquait à Leyde, il existait à Malines des marchands spécialisés dans l'achat et la vente de la laine anglaise. Leur bénéfice était réglé par les ordonnances du magistrat concernant la draperie. Pour un sac valant douze marcs, leur gain ne pouvait dépasser cinq nobles; lorsque la valeur n'excédait pas seize marcs un quart, ils pouvaient prendre sept nobles et, au-dessus de ce prix, neuf nobles. Les crédits accordés ne pouvaient dépasser six mois [178]. Jan van Duffele et Gielis Vranx étaient deux des plus importants marchands de laine malinois; ils fournissaient la draperie de Louvain [179] et expédiaient des laines par voie de terre en

[177] N.W. Posthumus, *Geschiedenis*, pp. 220, 421-422. Idem, *Bronnen, 1333-1480*, p. 288, n° 254; p. 362, n° 316; p. 368, n° 322; p. 384, n° 334; p. 392, n° 338; p. 396, n° 343; p. 400, n° 348; p. 414, n° 364; p. 421, n° 371; p. 90, n° 74; p. 157, n° 132; p. 191, n° 166; p. 301, n° 263. Voici quelques chiffres permettant d'apprécier l'importance des achats de « *verkensvellen* ».

Dates	Toisons achetées hors de l'Etape « Verkensvellen »	Toisons achetées à l'Etape
1452	26.512	254.636
1460	16.189	292.704
1461	42.267	311.300
1462	10.095	336.662
1463	9.977	349.922
1464	6.493	180.080
1465	5.666	235.068
1466	7.476	256.972
1467	6.731	176.731

[178] A.V.M., *Ordonnances du magistrat*, n° 1, f°s 69 v°, 70 : 1444. Il était permis aux marchands de Malines de se fournir à d'autres marchés. En 1446-1447, ils eurent un différend avec le receveur d'Iersekeroord au sujet des droits trop élevés qu'il leur faisait payer sur leur laine. S'agit-il de laine venue de Calais ou arrivant en fraude directement d'Angleterre (A.V.M., *Comptes de Malines*, 1446-1447, f° 154 v°) ? En juillet 1455, des bourgeois de Malines étaient en dette vis-à-vis d'Anglais; ceux-ci publièrent un mandement dont nous ignorons la teneur mais qui obligea le magistrat à une démarche auprès de Jean Chevrot alors à Lille (A.V.M., *Comptes de Malines*, 1454-1455, f° 146). En 1458, les Malinois eurent des difficultés à l'Etape (A.V.M., *Comptes de Malines*, 1457-1458, f° 149 v°).

[179] A.V.L., *Comptes de Louvain*, n° 5092, f° 63.

Italie [180]. Ils achetaient le plus souvent à Calais, mais ils traitaient une partie de leurs affaires aux foires de Brabant[181] ou même en Zélande [182].

Les marchands d'Ypres [183], de Gand [184], d'Amsterdam [185] et de Delft [186] se rendaient à l'Etape, mais nous ignorons tout des modalités de leur commerce. Nous sommes mieux renseignés pour Louvain. Nous avons ici un exemple d'acquisition en gros par la municipalité. Celle-ci envoya à l'Etape, en août 1442, deux drapiers chargés d'acheter de la laine. Ils se procurèrent les nobles anglais nécessaires à Diest et à Bruges après avoir tenté en vain de négocier une lettre de change à Bruxelles, puis gagnèrent Calais; ils y acquirent douze sacs et une poque de laine qu'ils payèrent huit cent soixante-trois nobles dix-neuf deniers une obole de gros. Après avoir acquitté deux taxes à Calais, une « opten coert » et une autre au profit du roi, après avoir réglé les droits de passage à Gravelines, ils retournèrent à Louvain en passant par Bruges; leur voyage avait coûté au total neuf cent trente-quatre nobles et demi trois sous cinq deniers de gros; c'est dire que les divers frais de voyage ne montaient guère à plus de 8 % du prix de la laine. Le magistrat retint deux sacs de Lindsey destinés à la confection de vêtements pour ses employés et vendit au prix coûtant les dix sacs restants à dix-neuf personnes différentes. Deux ou trois d'entre elles s'associèrent pour acheter en commun un sac [187]. Il semble qu'il faille attribuer cet essai d'achat collectif à la difficulté qu'éprouvaient les marchands à réunir

[180] Voir plus loin p. 199.

[181] A.V.A., *S.R.*, n° 59, f° 132 v° : 30 septembre 1460 : Van Duffele et Vranx terminèrent leurs comptes à Anvers avec les étapiers, notamment avec Richard Heron (au sujet de ce dernier, voir W.I. HARVARD, dans E. POWER et M.M. POSTAN, pp. 318-320).

[182] Vranx acheta à Middelbourg, en août 1461, à l'étapier Richard Moyn muni d'une procuration de cinq autres marchands, une quantité de laine non spécifiée dont le dernier paiement eut lieu à la foire froide de Bergen-op-Zoom la même année (G.A.B.O.Z., *R.R.*, n° R 284, 1460-1462, f° 135 : 24 novembre 1461).

[183] De temps à autre, un marchand d'Ypres se faisait arrêter à la frontière de la Marche de Calais (voir A.G.R., *Comptes d'Ypres*, n° 38666, f° 14 v° : 13 septembre 1442; A.E.B., *Comptes du Franc*, n° 176, f° 23 : 28 avril 1443; H. NICOLAS, *opus cit.*, t. V, p. 247 : 23 mars 1443).

[184] En 1461, la ville de Gand fit des démarches répétées pour obtenir la libération d'Hector Waute, alors emprisonné à Calais (A.V.G., *Comptes de la ville*, 1460-1461, f°s 371 à 373).

[185] N.W. POSTHUMUS, *Bronnen, 1333-1480*, p. 256, n° 216.

[186] N.W. POSTHUMUS, *Bronnen, 1333-1480*, p. 262, n° 222; p. 393, n° 338.

[187] A.V.L., *Comptes de Louvain*, n° 5072, f° 72, 72 v°. Il semble que la ville ait désiré faire tisser de la laine de qualité supérieure à celle employée normalement dans la draperie louvaniste; cela expliquerait que le prix de revient à la ville d'un de ces draps ait surpassé celui pratiqué sur le marché. En effet, la draperie louvaniste tissait de la laine anglaise valant au moins 11 marcs à Calais; or, le Lindsey acheté par le magistrat valait 16 marcs et demi. Voir les considérations sur le prix de ces draps dans R. VAN UYTVEN, *Stadsfinanciën en stadsekonomie*, pp. 342-343.

le « *bullion* » indispensable pour se rendre à l'Etape. On ne peut cependant tirer trop de conclusions d'un cas aussi exceptionnel qui ne peut nous renseigner ni sur le mode habituel d'approvisionnement de la draperie louvaniste ni sur les qualités qu'elle consommait.

Les marchands des petites villes — citons Courtrai, Lierre, Saint-Trond — achetaient volontiers leurs laines à des revendeurs à Bruges ou aux foires de Brabant [188]. Le nombre des intermédiaires pouvait être considérable; ainsi, en 1448, un marchand d'Amiens vendit à Colard Dant, bourgeois de Bruges, six sacs de laine achetée à Calais. Dant les revendit à Louis Vinceguerre qui les céda à Jan Feye « *ten zekeren cooplieden behouf zinen gasten wesende te Bergen upten Zoom* »; chaque vendeur accordait un certain crédit à l'autre [189].

Il faut également signaler qu'à l'image de l'aristocratie anglaise, un grand seigneur bourguignon comme le comte de Saint-Pol ne dédaigna pas de s'engager dans le commerce de la laine [190].

Le prix pratiqué pour les laines variait évidemment selon les lois de l'offre et de la demande. Nous savons qu'en 1429, les qualités les plus fines se vendaient à l'Etape douze marcs le sac [191]. En 1442, des bourgeois louvanistes achetaient de la laine de Lindsey pour le compte de la ville au prix de 16 marcs et demi [192]. En 1454, les producteurs essayèrent de fixer à quatorze marcs le prix d'achat en Angleterre, mais ils ne furent pas suivis [193]. Enfin en 1464, Thomas Portinari écrivait à Florence que la valeur de la laine atteignait quinze marcs au sac en Angleterre et vingt-deux à Bruges, donc des taux excessivement élevés [194].

Si l'on compare les prix pratiqués en Angleterre et à Bruges, on constate que la valeur de la laine s'accroissait d'environ 50 %. Il faut ajouter à cela les bénéfices prélevés par un ou plusieurs intermédiaires avant que la marchandise ne parvienne aux mains du drapier des petites villes.

---

[188] A.V.A., *S.R.*, n° 28, f° 49 : 1er juin 1440; n° 51, f° 246 v° : 30 décembre 1456; A.V.B., *S.C.*, 1453-1460, f° 106 : 15 octobre 1455.

[189] A.V.B., *S.C.*, 1447-1453, f° 86 v°; une difficulté survint du fait que la laine n'était pas de la « *jorkwouts* » (yorkeswold) évaluée, en 1454, à six marcs le sac (*Rotuli Parliamentorum*, t. V, p. 275) mais de la « *yorkkiers* » (yorkshire wolle) évaluée à quatre marcs en 1454 (IDEM, *ibidem*).

[190] A.V.B., *S.C.*, 1453-1460, f° 274 : 16 mai 1459.

[191] *Statutes of the Realm*, t. II, p. 225.

[192] Voir p. 196.

[193] *Rotuli Parliamentorum*, t. V, p. 274.

[194] A. GRUNZWEIG, *La Correspondance*, p. 108. En 1453, le facteur des Médicis à Bruges écrivait à Florence que la laine coûtait onze marcs trois quarts le sac (A. GRUNZWEIG, *La Correspondance*, pp. 19 et 24).

LES DRAPS ANGLAIS

Le drap, nous l'avons déjà souligné, occupait la première place parmi les exportations anglaises. Il était largement répandu dans toute l'Europe; il avait remplacé les productions des Pays-Bas sur le marché français, s'était répandu dans le bassin méditerranéen et dans la Baltique; vers le milieu du siècle, il connut un grand succès en Russie [204].

Il existait toute une gamme de draps anglais de qualités et de dimensions variées.

Les plus beaux étaient les *broadcloths (panni largi, cloths of assize)* et les *streithcloths (panni stricti, cloths of mean assize)* en laine cardée qui ne différaient que par leurs dimensions [205]. Par leur qualité, ils se rapprochaient, sans les égaler, des produits de la draperie tissés avec les meilleures laines anglaises dans nos pays. Il faut spécifier que leur apprêtage et leur teinture laissaient beaucoup à désirer. C'est ainsi que tous les draps anglais exportés aux foires de Brabant étaient non finis « *sine grano* », ou à moitié finis, « *de dimidio grano* » [206]. Le « *scarlett cloth* » était l'espèce la plus réputée des draps finis, de couleur écarlate; il était teint au kermès [207].

[204] Voir ce qu'en disent M. MOLLAT, P. JOHANSEN, M. POSTAN, A. SAPORI et C. VERLINDEN, « L'économie européenne aux deux derniers siècles du moyen âge », *Relazioni*, vol. VI, *Relazioni generali e supplementi;* x^e Congrès des Sciences historiques, Rome, 1955, pp. 855-856; voir aussi H. AMMANN, « Deutschland und die Tuchindustrie Nord-West Europas im Mittelalter », *Hansische Geschichtsblätter*, 1954, pp. 1-63, plus spécialement pp. 49-61; G. VON DER ROPP, *opus cit.*, t. V, p. 35, n° 70 : 27 mars 1461.

[205] D'après un statut de 1433 (*Rotuli Parliamentorum*, t. IV, p. 451; *Statutes of the Realm*, t. II, p. 284), les « broadcloths » devaient mesurer vingt-huit aunes de long et six et demie de large; les « streithcloths », quatorze aunes de long sur une de large. Ces mesures furent modifiées en 1463-1464; elles furent alors fixées pour un « broadcloth » à vingt-quatre yards et vingt-quatre pouces de long et à deux yards de large et pour les « streithcloths » à dix-huit yards dix-huit pouces de long, et un yard un nail de large (*Rotuli Parliamentorum*, t. V, pp. 501-563; *Statutes of the Realm*, t. II, pp. 403-405).

[206] On constitua à ce moment des « *wardens* » chargés de surveiller le tissage.

[207] E. POWER et M.M. POSTAN, *opus cit.*, pp. 221 et 324. J.B. WECKERLIN (*Le drap* « *escarlate* » *au moyen âge, essai sur l'étymologie et la signification du mot écarlate et notes techniques sur la fabrication de ce drap de laine au moyen âge*, Lyon, 1905) dérive le terme « escarlate » du flamand « *schaarlaken* », c'est-à-dire, drap fin qui devait être retondu : cette qualité supérieure était généralement teinte en rouge au kermès;

Les « *worsteds* » [208] étaient d'une catégorie inférieure; ils étaient fabriqués à base de longue laine peignée sans agnelin ni pelis, dans les campagnes de Norwich et du Norfolk, région qui ne produisait qu'une laine de qualité moyenne. On se plaignait volontiers de l'irrégularité de leurs dimensions et du manque de soin de leur tissage. Leurs mesures furent fixées par un statut en 1433 et en 1444-1445; cependant, en 1467-1468, les plaintes reprirent et l'on estima que la malfaçon avait entraîné au chômage cinq à six mille personnes [209]. Nous connaissons plusieurs variétés de « *worsteds* », sans pouvoir les caractériser nettement [210]. Il semble que les « *worsteds* » pouvaient concurrencer sur les marchés extérieurs les productions de la nouvelle draperie des Pays-Bas; ils furent exportés en petite quantité à l'époque qui nous occupe. Dans la même catégorie, on peut citer les frisés du Pays de Galles, les « *coverlits* », spécialité du Norfolk et de Winchester [211]; le « *kersey* », cariset en français, était, semble-t-il, une fabrication plus légère.

Enfin, il existait des qualités encore plus médiocres que l'on n'exportait pas, tels certains draps du Devon qui admettaient des déchets de laine dans leur tissage [212]. Les draps anglais de qualités inférieures (tels que les « *worsteds* ») se différenciaient fort peu des draps écossais qui eux-mêmes s'apparentaient à la draperie nouvelle de nos pays [213].

Le plombage des draps garantissait la qualité et les mesures à l'acheteur; il ne fut introduit en Angleterre que dans la deuxième moitié du siècle. Dès 1430, un mouvement s'était dessiné pour exiger le plombage des draps, mais

c'est ainsi qu'écarlate prit bientôt la signification de couleur rouge dans le langage technique des teinturiers aux XIVe et XVe s., mais dans le langage courant il continuait à désigner toute espèce de drap fin sans spécification de couleur. Pour notre part nous avons relevé un texte de Middelbourg qui signale du drap rouge d'Angleterre qui possédait une valeur deux fois et demie supérieure au drap non fini (H.J. SMIT, t. II, p. 881, n° 1362). Les Customs Accounts signalent toujours s'il s'agit de draps finis donc apprêtés et teints; le terme « *scarlett cloth* » désigne donc un drap fini de couleur écarlate.

[208] Voici les dimensions imposées pour les différentes variétés de « *worsteds* » par le statut de 1433 : « *beds of the greatest assize* », quatorze yards de long et quatre de large, les « *beds of the mean assize* », douze yards de long et quatre de large et les « *beds of the least assize* », dix yards de long et deux et demi de large; « *monk cloths* », douze yards de long, cinq quarters de large; « *canon cloths* », cinq yards de long, sept quarters de large; « *cloths* », six yards de long, deux yards de large; « *double worsteds* », dix yards de long, cinq quarters de large; « *half double* », six yards de long, cinq quarters de large; « *roll worsteds* », trente yards de long, un demi-yard de large. Ce statut fut repris en 1444-1445 : *Rotuli Parliamentorum*, t. V, p. 105; *Statutes of the Realm*, t. II, pp. 328-331.

[209] *Rotuli Parliamentorum*, t. V, pp. 619 et 629.

[210] Voir note 208. Il nous est impossible de donner une bonne définition de chaque espèce.

[211] Voir *C.A.* de Londres, par exemple P.R.O., C.A. E 122/73/7, f° 16.

[212] *Rotuli Parliamentorum*, t. V, p. 261.

[213] Voir l'exemple donné p. 204.

il fut répondu à la pétition présentée à cet effet aux Communes : « *le roy s'advisera* », ce qui ajourna la question [214].

Les Hanséates se plaignirent encore, en 1461, des mesures défectueuses des draps anglais; ils écrivirent au magistrat d'Anvers et au seigneur de Bergen-op-Zoom pour leur demander de veiller spécialement aux dimensions des draps anglais vendus aux foires [215]. Quelque temps plus tard, en 1464-1465, le plombage des draps fut enfin institué [216].

Pour parvenir d'Angleterre aux foires de Brabant, les draps devaient passer par plusieurs douanes et tonlieux. On leur appliquait la « *coutume* » et le « *poundage* » [217]. Le tarif de la coutume pour les « *panni stricti* » était à Londres, en 1438, de 1 s. 2 d. st., pour un Anglais, de 1 s. st., pour un Hanséate, et de 2 s. 9 d. st. pour un « *alien* » [218]. En conséquence, les marchands bourguignons exportaient très peu de draps laissant ce commerce aux Hanséates et aux Anglais [219].

Le tonlieu de Zélande perçu à Iersekeroord prélevait deux gros de Flandre pour un drap entier et un pour un demi-drap sur les importations des marchands anglais [220]. En Brabant, il fallait acquitter le « *grote watertol van Brabant* ». Nous ne connaissons pas le tarif qui était appliqué à Bergen-op-Zoom, mais, dès 1446, les Anglais jouissaient à Anvers d'un tarif spécial qui incluait les taxes locales. Les draps y étaient taxés « *ad pondus* »; une balle ou « *pakke* » payait vingt-quatre gros, un demi « *pakke* » huit, un « *terling* » deux, un « *fardel* » six [221]. Ce système amena des abus : les balles, « *pakkes* » et « *fardels* » avaient une tendance à prendre des dimensions de plus en plus grandes [222].

---

[214] *Rotuli Parliamentorum*, t. IV, p. 383.

[215] G. VON DER ROPP, *opus cit.*, t. V, p. 29, nº 68 : 26 mars 1461; p. 64, nº 121 : 15 juin 1461.

[216] *Statutes of the Realm*, t. II, p. 404.

[217] H.L. GRAY, dans E. POWER et M.M. POSTAN, *opus cit.*, pp. 327-328. Les Hanséates ne payaient pas de « *poundage* » sur les draps excepté lorsqu'il y avait controverse au sujet de leurs privilèges; N.S. GRAS, *The early English customs system*, Cambridge, Massachusetts, 1918, p. 72.

Au sujet du « *poundage* » voir H.L. GRAY, dans E. POWER et M.M. POSTAN, *opus cit.*, pp. 328-330.

[218] P.R.O., *C.A.*, E 122/73/12. Voir pièce justificative nº 3.

[219] En conséquence, on voit la femme d'un capitaine anversois bien connu, qui se rendait souvent en Angleterre, acheter à Anvers des draps à un marchand anglais agissant comme « *coepwijf* » (A.V.A., *S.R.*, nº 54, fº 248 vº : 9 juillet 1457); il s'agit de Marguerite Alaerts, femme de Daniel Geertsone dit Scipper Neels.

[220] H.J. SMIT, *opus cit.*, t. II, p. 856, nº 1325.

[221] G. SCHANZ, *opus cit.*, t. II, pp. 162-165.

[222] O. DE SMEDT, *opus cit.*, t. II, p. 216.

Le commerce des draps fut toujours libre, c'est-à-dire qu'il ne fut jamais enserré dans les limites d'une organisation stricte comme celui de la laine. Aussi ne relève-t-on pas l'existence de licences d'exportation pour ces produits. Toute règle a ses exceptions : nous en avons retrouvé une. Henri VI délivra, en 1444, une licence à un marchand aventurier [223] bien connu, John Stratton, pour expédier « in galeis », via Londres, Southampton ou Sandwich, six cents pièces de drap appelé « Westrons » à destination de la Hollande, de la Zélande et du Brabant [224]. La nécessité d'une telle licence ne nous apparaît guère; le roi n'était à ce moment en difficulté ni avec le duc de Bourgogne ni avec les transporteurs italiens que Stratton envisageait d'utiliser.

Si aucune entrave ne fut jamais apportée par les Anglais à l'exportation des draps dans les pays bourguignons, en revanche, leur circulation fut plus d'une fois contrariée. Dès le début du XIVᵉ siècle, la Flandre essaya d'enrayer la concurrence anglaise; déjà en 1307, il était défendu de débarquer des draps anglais en Flandre et seuls les Hanséates possédaient un droit de transit [225]. Ce protectionnisme ne s'attaquait pas seulement aux productions anglaises; les grandes villes pratiquaient une politique semblable à l'égard de la draperie du plat pays [226] et de toutes les fabrications étrangères. En 1436 encore, Bruges, à la demande des métiers de la draperie, assimila aux draps anglais ceux de Rouen, de Normandie en général et de Ponthieu, pour les exclure de son marché [227]. Cette situation était considérée en Angleterre comme une mesure définitive; on prétendait même qu'elle avait fait l'objet d'une convention entre les deux contrées. C'est ainsi que les Communes présentèrent au roi en 1420, une pétition demandant la stricte application de cet accord qui aurait porté que « nulles autres leynes sinon leynes d'Engleterre serront amesnéz ne venduez en Flaundres et nulles draps d'Engleterre serront amesnéz en lesdiz parties de Flaundres » [228].

Au quinzième siècle, les prohibitions se succédèrent; nous ne reviendrons pas sur les circonstances qui amenèrent le duc à les publier. En 1418, les draps anglais furent interdits en Hollande et Zélande; en 1428, dans ces mêmes principautés et dans les possessions du duc de Brabant; ensuite, dans tous les pays de par-deçà en 1434, 1436, 1447 et 1464 [229]. Mais, il est certain

---

[223] Pour la signification exacte de ce terme voir p. 270.

[224] P.RO., Treaty Rolls, c 76/126 : 8 mars 1444.

[225] L. GILLIODTS VAN SEVEREN, Inventaire, t. I, p. 273, privilège accordé par la ville de Bruges aux Hanséates, réédité en 1359 (IDEM, ibidem, t. II, p. 51; K. HÖHLBAUM, Hansische Urkundenbuch, Halle, 1882-1886, t. III, p. 201). Les Hanséates obtinrent confirmation de ce privilège par Louis de Male en 1360 (K. HÖHLBAUM, opus cit., t. III, pp. 221-247).

[226] H. VAN WERVEKE, dans Algemene geschiedenis der Nederlanden, t. III, pp. 14-15.

[227] A.G.R., Trésor de Flandre, 2ᵉ série, nº 2857 : 7 novembre 1436.

[228] Rotuli Parliamentorum, t. V, p. 126. Voir p. 191.

[229] Aussi en 1439, mais uniquement en Flandre. Voir au sujet des différentes prohibitions les pp. 58, 61, 82, 151, 414.

que la Flandre fut la seule contrée où la prohibition fut constamment observée. Le contrôle y était rigoureux et les exemples de confiscations ne man-
quent pas. Nous en citerons quatre pour caractériser la sévérité de la mesure.
En 1464, deux navires espagnols furent drossés sur les côtes flamandes et
contraints de relâcher à Nieuport [230] et Raversijde. Méconnaissant le droit
d'abri, on leur confisqua aussitôt leur cargaison de draps anglais qu'ils
réclamèrent bientôt avec l'appui de la ville de Bruges [231]. Les Hanséates
eux-mêmes qui avaient toujours joui du privilège de transit des draps anglais
voyaient parfois leurs biens arrêtés; ils devaient alors déposer plainte devant
les instances compétentes [232]. La garantie d'un sauf-conduit ducal n'arrêtait
pas les contrôleurs. Ainsi, Philippe le Bon autorisa, en 1456, le passage à
travers la Flandre de cinquante-sept draps anglais destinés au prince de
Navarre; ils furent arrêtés en chemin et confisqués [233]; il fallut, par la suite,
dédommager le marchand. Les contrôleurs hésitaient parfois : s'agissait-il
réellement de draps anglais ou d'une pièce similaire mais d'autre origine ?
La Chambre des Comptes de Lille menait alors une enquête et tranchait la
contestation. Deux draps blancs arrivèrent, en 1465, de la foire d'Anvers à
Douai. Les uns prétendirent qu'ils étaient de fabrication anglaise, donc interdits, les autres émirent des doutes. On envoya les pièces litigieuses à Lille
où l'enquête conclut qu'il s'agissait de draps écossais dont la vente était libre
et que l'on trouvait dans toutes les boutiques de la ville [234]. C'est dire combien
il était parfois difficile de différencier un drap anglais d'un autre produit.

L'Artois fut, lui aussi, soumis au contrôle : des draps appartenant à un
marchand anversois furent saisis à Saint-Omer en 1444 [235]. On peut se
demander comment ils avaient pu atteindre la frontière flamande. Malgré
la sévérité de la prohibition, des draps anglais traversaient donc clandestinement la Flandre en direction du Sud.

Dans les autres principautés, seules les prohibitions de 1436 [236] et 1464

---

[230] Signalons que la keure de Nieuport interdisait l'achat de draps anglais sous peine
d'amende de dix livres de gros par drap (A.V.N., n° 445, f° 5 v°).

[231] A.G.R., *Comptes de Bruges*, C.C. n° 32517, f° 25 v° : 2 décembre 1464.

[232] Par exemple, la ville de Bruges dut, en 1457-1458, payer 88 livres 6 s. à des
Osterlins pour les dédommager d'une confiscation indue (A.G.R., *Comptes de Bruges*,
C.C. n° 32510, f° 66 v°).

[233] A.D.N., *R.G.F.*, n° 2026, f° 320. Il fallut payer 140 livres 8 s. gros fl. au marchand.
Le prince de Navarre dont il s'agit était Don Carlos, prince de Viane, en lutte avec son
père, Jean II d'Aragon pour le trône de Navarre. Quatre ans plus tard, des draps
appartenant au légat apostolique « *Monseigneur de Interame* », c'est-à-dire Francesco de
Coppinis ou Coppini (voir à son sujet p. 375), furent confisqués et il fallut également des
démarches pour les lui faire restituer (A.D.N., *R.G.F.*, n° B 2040, f° 162 : 20 mai 1460).

[234] A.D.N., *R.G.F.*, n° B 17700 : 20 juin 1465.

[235] A.D.N., *R.G.F.*, n° B 1982, f° 125 v°.

[236] Uniquement à cause de l'état de guerre.

furent efficament appliquées. Les foires de Brabant furent, dans la pratique, continuellement alimentées en draps anglais.

Seules les villes qui drapaient de la laine anglaise de premier choix menaient une politique protectionniste cohérente. C'était le cas de Malines où toutes les ordonnances « *op tvremdt laken* » devaient être strictement appliquées et d'où les draps anglais étaient à jamais bannis [237]. Quant à Leyde, elle interdisait non seulement l'achat, la vente en gros ou en détail mais encore l'apprêtage des draps anglais sous peine d'amende de cinq à dix livres [238]. Même à Tournai qui, bien que ville royale, était située dans l'orbite bourguignonne, il était défendu de « *taindre ne tondre, repareiller ne mettre en ploit marchant* » les draps d'Angleterre [239]. En revanche, dans les autres villes, les draps anglais étaient généralement bien accueillis. Certaines d'entre elles substituèrent, à une industrie drapière défaillante, l'apprêtage des draps anglais qui, soulignons-le, arrivaient toujours non apprêtés. A Anvers même, on foulait, on tondait, on teignait de grandes quantités de pièces [240]. On se livrait au même travail à Louvain et sans doute aussi à Middelbourg, à Hornes et ailleurs encore [241], de sorte qu'une prohibition efficace en Brabant, Hollande et Zélande atteignait non seulement le trafic des foires mais livrait aussi au chômage tout un prolétariat. Dans ces conditions, il devait être fort difficile de déceler l'origine véritable des pièces. Beaucoup de draps anglais apprêtés à la manière des Pays-Bas ne prenaient-ils pas le chemin de l'étranger sous la dénomination de draps brabançons ou hollandais ?

Nombreux étaient les bourgeois de Middelbourg qui faisaient le commerce des draps anglais; on en comptait une trentaine en 1465, dont un bourgmestre et deux échevins [242]. La plupart des pièces qu'ils possédaient étaient destinées à l'exportation, notamment vers la Bourgogne; ce fait laisse supposer qu'elles avaient été finies sur place. Un port tel que Hornes vivait en partie de la revente des draps anglais. Lors de la prohibition de 1464, le magistrat s'adressa au gouverneur et au Conseil de Hollande pour obtenir l'autorisation d'écouler les draps qui se trouvaient en ville car « *enige scamel gesellen,*

[237] A.V.M., *Ordonnances du Magistrat*, n° 1, f⁰ˢ 63, 64; n° 2, f⁰ 23 v⁰ : 28 septembre 1444, 18 novembre 1445, 22 décembre 1452. Il était permis, en 1446, aux fabricants de bas d'acheter, à la foire de Francfort, n'importe quel drap étranger, à l'exception des draps anglais, moyennant paiement d'un gros par aune (*Ordonnance du Magistrat*, n° 1, f⁰ 55). A la foire de Genève, les Malinois pouvaient acheter des draps étrangers, mais devaient payer, à leur retour, douze gros par drap comme accise (*Ordonnance du Magistrat*, n° 1, f⁰ 63 : 18 novembre 1445).

[238] N.W. POSTHUMUS, *Bronnen, 1333-1480*, n° 132, p. 164; n° 166, pp. 201 et 214; n° 312, p. 360.

[239] M. DUBOIS, « Textes et fragments relatifs à la draperie de Tournai du moyen âge », *Revue du Nord*, t. XXXII, 1950, p. 224.

[240] A.V.A., *Privilegekamer*, n° 79, f⁰ 62.

[241] Voir ci-dessous pp. 210-211.

[242] H.J. SMIT, *opus cit.*, t. II, p. 988, n° 1549.

*aldair wonende, binnen corten jaren aengenomen dat wantsniden van Eyn-
gelschen laken om bij middelen van dien den noodorfft van him, van hoiren
wijven ende kinderen te vercrijgen* » [243].

Nous avons relevé, à Louvain, le nom d'une quinzaine de marchands de
draps anglais non apprêtés pour les années 1464-1466, de six teinturiers et
de quatre tondeurs qui les apprêtaient [244]. La situation devait être déjà
ancienne puisque depuis 1442, la ville appliquait un sceau sur les draps
anglais [245]. Un des meilleurs clients réguliers de ces marchands était le
magistrat de Louvain lui-même qui leur achetait les tissus nécessaires pour
vêtir les bourgmestres, échevins, secrétaires, les huit doyens des gildes et
tous les employés communaux et les faisait apprêter sur place [246]. A vrai
dire, c'était une attitude assez curieuse de la part d'une ville qui s'efforçait
en même temps de raviver une industrie drapière languissante. Mais, pourquoi incriminer Louvain alors que Vere habillait ses messagers de drap
anglais [247], que Middelbourg achetait du « *scarlett cloth* » pour vêtir les
membres de la municipalité [248] ?

D'autre part, Hugues de Lannoy, gouverneur de Hollande, ambassadeur
de Philippe le Bon en Angleterre, n'avait-il pas obtenu l'autorisation d'exporter, sans payer les droits de douane, cinq draps et onze aunes et demie non
finis [249] ? La cour de Bourgogne elle-même achetait des draps anglais; en
fait, nous ne pouvons signaler que l'acquisition, en 1442, de trois aunes de
drap vert et cinq de fin drap gris pour faire trois robes au comte de
Charolais [250]. S'il faut des preuves supplémentaires de la popularité des draps
anglais dans les pays bourguignons, c'est en Flandre qu'il faut aller les
chercher. Il existait à Bruges des marchands spécialisés dans leur vente.
Bien sûr, il ne s'agissait pas de commerce de détail, mais on connaît un
Brugeois qui rachetait au garde de l'épargne du duc les draps confisqués [251],
et un autre qui concluait des contrats d'achat pour des quantités importantes
de draps avec un marchand aventurier; la marchandise était évidemment
livrable en dehors du comté [252].

[243] H.J. Smit, *opus cit.*, t. II, p. 987, n° 1548.

[244] a.v.l., *Comptes de Louvain*, n°s 5092-5094.

[245] a.v.l., *Comptes de Louvain*, n° 5071, f° 110 v°, paiement de la matrice, le
24 juillet 1442, à l'orfèvre Jean de Velp.

[246] Voir notamment a.v.l., *Comptes de Louvain*, n°s 5092 et 5093, f°s 53 et 54;
n° 5090, f°s 27 v° et 28; n° 5091, f°s 31, 31 v° et 32.

[247] H.J. Smit, *opus cit.*, t. II, p. 1012, n° 1573.

[248] H.J. Smit, *opus cit.*, t. II, p. 881, n° 1362; W.S. Unger, *Bronnen tot de geschiedenis van Middelburg*, t. II, p. 236.

[249] *Calendar of Close Rolls, 1435-1441*, p. 196 : 31 mai 1439.

[250] a.d.n. *R.G.F.*, n° B 1975, f° 200 v°.

[251] a.d.n., *R.G.F.*, n° B 2037/62717 : 30 mars 1461; il s'agit de Jean Haire.

[252] a.v.b., *S.C.*, 1447-1453, f° 102; il s'agit de Clais vander Buerse. Voir pièce
justificative n° 6.

Cette vogue ne peut s'expliquer que par un prix de vente fort inférieur à celui des fabrications néerlandaises de même qualité. On sait que la différence devait provenir principalement de la suppression d'un intermédiaire particulièrement rapace : l'Etape de Calais. Est-il possible de déterminer cet écart de prix ? Nous ne pouvons songer à l'établir; les différences de monnaie et de mesures jointes aux fluctuations du cours du change nous en empêchent.

Quelle fut dans ces conditions l'incidence des prohibitions sur l'exportation anglaise ?

Les chiffres d'exportation de « *broadcloths* » pour le port de Londres nous permettent de juger au mieux la sévérité de l'application des ordonnances et leur influence sur l'économie anglaise. C'est, en effet, surtout de Londres que partaient les cargaisons destinées aux pays bourguignons. Nous possédons des données précises pour trois catégories d'exportateurs : les marchands anglais, les Hanséates et les autres « *aliens* »; parmi ceux-ci, il faut compter surtout les Italiens. Les sujets du duc de Bourgogne, défavorisés par les taxes de douane, exportaient fort peu de draps. Les chiffres relatifs au trafic des marchands indigènes nous donnent l'aperçu le plus net de l'influence de l'interdiction sur les exportations [253].

Les chiffres d'exportations des draps anglais par les « *denizens* » au port de Londres, au moment de la première prohibition de 1418 en Hollande et Zélande, sont assez difficiles à interpréter. Si, en 1417-1418, ils montaient à 4.036 pièces, ils tombèrent de cinq pour cent en 1418-1419 avec 3.454 pièces, remontèrent à 4.751 en 1419-1420, subirent une baisse considérable en 1420-1421 avec 2.705 pièces, pour atteindre l'année suivante 3.859 pièces et en 1422-1423, 7.263 pièces. Les fluctuations étaient donc fort sensibles sans

---

[253] H.L. GRAY, dans E. POWER et M.M. POSTAN, *opus cit.*, pp. 343-346; chiffres pour Londres. La comparaison entre les chiffres concernant Londres et ceux de tout le royaume peut se faire depuis 1446, mais elle est rendue malaisée du fait que les chiffres dont nous disposons pour le port de Londres portent tantôt sur six, tantôt sur vingt mois. Si l'on compare les chiffres signalés par Gray pour l'exportation des « *broadcloths* » au départ de Londres et les totaux des comptes particuliers des douanes (notamment P.R.O., *C.A.*, E 122/73/12 pour 1438-1439), on constate qu'il s'agit du nombre des « *panni sine grano* ». En fait, en parcourant ces comptes, on remarque que les « *broadcloths* », « *panni largi* », se rencontrent rarement dans les cargaisons et presque jamais par pièce entière. Les chiffres donnés par Gray concernent donc essentiellement des « *panni curti* » ou « *streithcloths* »; on peut donc considérer que le terme « *broadcloth* » n'a été employé par Gray que par opposition à « *worsted* ». Voir le tableau statistique. M.R. VAN UYTVEN, « La Flandre et le Brabant, « terres de promission » sous les ducs de Bourgogne », *Revue du Nord*, t. XLIII, nº 172, octobre-décembre 1961, pp. 285 et 287, donne un graphique des exportations de draps anglais depuis le port de Londres (le graphique porte erronément la mention « importation de draps anglais ») dressé à l'aide des chiffres de Gray et de chiffres communiqués par Misses Carus-Wilson et Coleman.

qu'il soit cependant possible d'y voir l'influence de la prohibition dans les possessions de Jacqueline de Bavière.

La prohibition de 1428 semble n'avoir eu aucun effet, bien au contraire : à Londres, les exportations des « *denizens* » passèrent de 3.620 pièces en 1427-1428 à 6.177 en 1428-1429 et à 6.919 en 1429-1430 [254], pour atteindre 13.315 pièces en 1432. Des indices de récession se manifestèrent dès 1433-1434, donc avant la deuxième interdiction.

Les exportations tombèrent à 9.860 pièces en 1433-1434 et en 1434-1435 à 8.670; en 1435-1436, la prohibition et l'état de guerre firent en sorte que les chiffres atteignirent seulement 2.073 pièces. Le commerce hanséate fut touché lui aussi par une interdiction; celle-ci fit descendre les exportations de 4.208 pièces, en 1434-1435, à 1.901 en 1435-1436. La guerre ne tarit cependant pas entièrement le commerce; les exportations restèrent encore inférieures pour les marchands anglais, pendant l'année 1436-1437 (3.422 pièces), tandis que le trafic hanséate se restaura complètement. Le commerce redevint normal dès 1437-1438 avec 8.839 pièces exportées par les « aventuriers ». Les foires de Brabant ne subirent donc qu'une très courte éclipse. L'année 1446-1447 [255] est considérée par H.L. Gray comme le type même de l'année normale en temps de paix; les Anglais exportèrent alors 7.827 pièces de drap et les Hanséates 6.531. En 1447-1448, suite à la prohibition dans les pays bourguignons, les aventuriers ne déclarèrent plus que 4.413 pièces [256].

Les chiffres donnés pour les années suivantes sont difficiles à interpréter, du fait qu'ils portent tantôt sur une période de six mois tantôt sur une période de vingt mois; c'est ainsi que l'on ne peut juger sainement de la chute du trafic provoquée par la prohibition hanséatique de 1449. Les années 1451-1452, 1453-1454, 1456-1457, 1459-1460 furent mauvaises, non seulement pour Londres mais dans tout le pays; la situation politique à l'intérieur de l'Angleterre n'y fut pas étrangère. Dans ces conditions, il est fort malaisé de définir exactement l'incidence de la prohibition sur les exportations de draps. En revanche, les chiffres remontèrent en flèche pour les années 1461-1464, où la moyenne atteignit 11.304 pièces. Aussi, la chute fut-elle verticale après la prohibition de 1464 : en dix mois (5 décembre 1464 au 28 septembre 1465), 776 draps seulement furent exportés par les marchands anglais ! Les deux années suivantes, les exportations s'élevèrent à 8.131 et 8.134 pièces; mais, après la signature de l'entrecours, le protectionnisme bourguignon s'effondra

---

[254] Ces chiffres portent sur l'année fiscale, commençant à la Saint-Michel (29 septembre).

[255] Chiffres portant sur la période s'étendant de la Saint-Michel au 27 juillet 1447.

[256] Pour la période s'étendant du 21 juillet 1447 au 21 juillet 1448.

et les exportations montèrent à 15.052 draps en 1467-1468, pour atteindre un record en 1468-1469 : 24.260 draps [257].

Si l'on compare ces chiffres à ceux des exportations de draps de tout le royaume, on constate que la chute de celles-ci s'accentue entre 1447-1448 et 1449-1450 pour atteindre à ce moment près de la moitié des quantités qui avaient été expédiées à l'étranger par les aventuriers en 1446-1447. Lors de la dernière interdiction, les exportations de draps, toujours par les aventuriers pour tout le royaume, n'atteignirent pas le tiers de la quantité expédiée l'année précédente [258].

Ainsi les trois prohibitions les plus efficaces furent : celle de 1436 qui fit baisser les exportations du port de Londres au quart de leur ampleur normale, celle de 1447 qui ramena le trafic du port de Londres à la moitié de son volume et celle de 1464 qui le réduisit à un dixième. On constate donc qu'à la fin du règne de Philippe le Bon, la tendance centralisatrice s'accentue. Les prohibitions précédentes avaient été édictées principalement sous l'influence des villes drapières flamandes; la dernière en date, en revanche, était le résultat du protectionnisme anglais [259] qui, en fermant son marché aux produits bourguignons, avait fortement atteint le commerce des foires elles-mêmes, et aussi de mesures d'ordre financier prises par la Couronne [260]. Cela explique que l'interdiction fut appliquée avec plus de sévérité dans les principautés où les prohibitions antérieures n'avaient eu que peu de succès. On peut en conclure qu'en 1464, les neuf dixièmes des exportations de draps par les aventuriers au départ de Londres et près des deux tiers du trafic total vers l'étranger étaient destinés au marché des Pays-Bas.

Sachant cela, nous avons essayé d'évaluer à la fois le revenu provenant de l'apprêtage des draps et de leur vente après le finissage. On peut considérer que pratiquement tous les draps anglais importés dans les pays bourguignons

---

[257] La même année, les Hanséates exportèrent seulement 697 draps au départ de Londres; à la suite de la capture de la flotte anglaise dans le Sund par le roi de Danemark en juin 1468, les Anglais confisquèrent les biens hanséates. Ils agirent sans doute ainsi du fait de la conclusion d'un entrecours avec la Bourgogne qui leur garantissait une voie pour l'écoulement de leurs draps (MM. POSTAN, dans E. POWER et MM. POSTAN, *opus cit.*, pp. 132-133).

[258] H.L. GRAY, dans E. POWER et M.M. POSTAN, *opus cit.*, pp. 401-404.

[259] Notons qu'en 1464 également, les Communes demandèrent la prohibition de tous les draps étrangers, à l'exception de ceux des pays de Galles et d'Irlande; c'était là une réponse à la prohibition des draps anglais dans les pays bourguignons (*Rotuli Parliamentorum*, t. V, pp. 561-563), bien que nous n'ayons jamais relevé dans les « *Customs Accounts* » aucune trace d'une importation quelconque de draps néerlandais. Signalons qu'Edouard IV exporta lui-même, en 1467 (le 18 février), 127 draps au départ du port de Boston, dans deux bateaux : un de Schiedam avec 119 draps et un de Harfleur avec 8 draps (P.R.O., *C.A.*, E 122/10/7). La Couronne reprenait donc à l'égard du commerce drapier les mêmes habitudes d'exportation que pour la laine.

[260] Voir p. 347.

étaient apprêtés en vue de la réexportation ou même de la consommation intérieure.

Le prix d'un drap au départ de l'Angleterre était d'environ 2 l. st. durant toute l'époque que nous considérons [261]. Si l'on applique le cours légal de 276 gros de Flandre à la livre sterling [262], on obtient l'équivalence de 562 gros pour 2 l. st.. Le drap était vendu par les aventuriers aux foires de Brabant au prix de 4 l. 13 s. 4 d. gr. la pièce ou 1.120 gros, tout au moins en 1434 et 1435 [263], soit à un peu moins du double de sa valeur au départ d'Angleterre; il faut considérer qu'au bénéfice du marchand venaient s'ajouter les frais de transport, de convoi, de tonlieux à Ierseke et aux foires et, de plus, ce que nous appellerons la prime de risque.

En 1466, la ville de Louvain [264] achetait des draps anglais au prix de 33 florins du Rhin et 18 plaques la pièce, ce qui, au cours de 36 gros le florin, donne 1.200 gros [265]. Si l'on suppose que le prix de vente aux foires était

---

[261] M. POSTAN a établi pour l'année 1448, le prix moyen à 1 l. 19 s. 0 d. st. (y compris la coutume) par drap exporté par les aventuriers (voir M. MOLLAT, P. JOHANSEN, M. POSTAN, A. SAPORI, C. VERLINDEN, *opus cit.*, p. 858). Le compte P.R.O., *C.A.*, E 122/10/7, pour Boston, donne 2 l. st. comme prix moyen en 1467.

[262] Voir le chapitre consacré à la monnaie, d'après l'ordonnance de 1433.

[263] Voir pièce justificative n° 6 : A.V.B., *S.C.*, 1447-1453, fos 127 et suivants; le drap fut vendu à ce prix en 1434 et 1435. Ce prix s'entendait pour de grandes quantités de draps, c'est-à-dire par marché de cent vingt-cinq à cent soixante-quinze pièces. En 1450, un « *laken roede* » (il s'agit probablement d'un « *scarlett cloth* ») était vendu par un marchand anglais à la ville de Middelbourg au prix de 5 l. gros de Flandre (H.J. SMIT, *opus cit.*, t. II, p. 881, n° 1362).

[264] La ville de Louvain acheta, en 1466, quatorze draps anglais et deux morceaux non apprêtés (au prix de 33 fl. 18 pl. le drap de 30 aunes) à sept marchands différents pour la somme de 500 florins du Rhin et 30 plaques. La ville fit bleuir le tout pour obtenir du « *stijf groen* » par trois teinturiers dont un lui avait déjà vendu une partie des draps pour 57 florins 37 plaques. Les draps passèrent alors chez trois autres teinturiers qui les verdirent pour le prix de 19 florins et 19 plaques. Enfin, quatre « *droechscheerders* » tondirent douze draps et « *layneren* » les trois autres pour 10 florins 12 plaques. Le prix total montait donc à 587 florins 34 plaques; l'apprêtage avait coûté 17 % du prix initial (A.V.L., *Comptes de Louvain*, n° 5093, f° 33). La ville de Louvain achetait chaque année des draps pour vêtir l'échevinage; c'étaient les draps anglais les plus chers à 20 ou 22 stuivers l'aune qu'elle faisait teindre et apprêter. Les principaux employés et maîtres ouvriers recevaient des draps anglais dont l'aune coûtait moitié moins cher (10 à 11 ½ stuivers); il s'agissait sans doute de « *worsteds* ». Les employés de rang subalterne étaient gratifiés de draps irlandais dont l'aune ne coûtait que 8 stuivers. On constate que l'apprêtage et la teinture des draps offerts à l'échevinage atteignaient 12 % du prix d'achat lorsqu'il s'agissait de le teindre en rouge, 17 % pour le vert foncé, 18 % pour le bleu foncé, 22 % pour la teinte sanguine et 26 % pour le noir; la moyenne atteint donc environ 20 % (A.V.L., *Comptes de la ville*, nos 5088-5093).

[265] Le texte lui-même donne le cours du florin : 54 plaques ou 18 stuivers ou encore 36 gros de Flandre. Il y a cependant quelques réserves à faire à ce sujet (voir le chapitre consacré à la monnaie, p. 346 n. 971).

resté sensiblement le même qu'en 1435, on constate que la différence entre ce prix et celui pratiqué par le revendeur était augmenté d'environ 7 %. Il faut à cela ajouter le coût de l'apprêtage; celui-ci montait à un peu moins de 20 % du dernier prix. Donc, le drap teint et apprêté revenait à environ 1440 gros. Sur ces 1440 gros, 240, ou une livre de gros, provenaient de la valeur ajoutée par le finissage et probablement 80, du bénéfice et du transport du drap par l'intermédiaire qui l'avait acheté aux foires.

Nous avons montré que les deux tiers de l'exportation des draps par les aventuriers prenaient le chemin des foires de Brabant; cela correspond pour l'année 1465-1466 à environ 10.000 draps [266]; or, il s'agit d'une année médiocre. On peut donc évaluer grosso modo à 10.000 livres de gros [267] le coût de l'apprêtage de ces draps dans nos pays et probablement à environ 3.330 livres de gros la part du revendeur bourguignon. Il faudrait sans doute y ajouter le coût de l'apprêtage des draps importés par les Hanséates via les pays de par-deçà et celui des « worsteds » pour lesquels nous ne possédons pas de chiffres d'exportation.

On conçoit, dans ces conditions, que les prohibitions de draps anglais atteignaient sérieusement l'économie des pays bourguignons.

Le prix d'un drap fini en Angleterre même s'élevait à 3 l. st.; le coût de l'apprêtage semble donc avoir été plus élevé que dans les pays bourguignons puisqu'il montait à 1 l. st.. La raison en était probablement l'existence de plus hauts salaires car le prix des produits tinctoriaux et de mordançage devait être sensiblement pareil en Angleterre et dans les pays de par-deçà [268]. Ainsi, l'apprêtage du drap sur le continent devait-il offrir à la fois l'avantage de la qualité et du moindre prix. M.M. Postan a calculé que la partie du prix d'un drap fini en Angleterre revenant à la main-d'œuvre atteignait au

---

[266] H.L. GRAY, dans E. POWER et M.M. POSTAN, opus cit., p. 404.

[267] A titre de comparaison, notons que les recettes de la ville de Bruges montaient à 10.212 livres 8 s. 10 d. gros et ses dépenses à 10.902 livres 6 s. 3 d. gros pour l'année s'étendant du 2 septembre 1465 au 2 septembre 1466 (A.G.R., C.C., n° 32518).

[268] Seule la garance, production des pays de par-deçà, pouvait coûter un peu plus cher en Angleterre. Une étude approfondie de comparaison des salaires et du pouvoir d'achat dans les deux pays serait nécessaire pour pouvoir affirmer péremptoirement que telle était bien la situation. Cependant la comparaison entre les salaires des maçons en Angleterre et à Anvers à la même époque semble confirmer cette hypothèse; voir M.M. POSTAN, « Some economic evidence of declining population in the later middle ages », The Economic History Review, 2nd series, vol. II, n° 3, 1950, p. 233 et E. SCHOLLIERS, Loonarbeid en honger. De levensstandaard in de xve en xvie eeuw te Antwerpen, Anvers, 1960, pp. 80-81. M. Postan considère que, dans le cas d'un drap de haute qualité, le coût de l'apprêtage pouvait atteindre 40 % du prix total du drap.

maximum 1 l. 15 s. st. [269]; sur cette somme on peut sans doute considérer que 17 s. st. environ revenaient à la main-d'œuvre du drap non apprêté; au cours de 276 gros de Flandre, cela fait 236 gros de Flandre, c'est-à-dire près d'une livre de gros. Ainsi la valeur ajoutée par l'apprêtage dans les pays bourguignons devait-elle être sensiblement égale au coût de la main-d'œuvre du drap non fini en Angleterre.

[269] M.M. POSTAN, « Some economic evidence », p. 232.

LES EXPORTATIONS ANGLAISES
AUTRES QUE LA LAINE ET LE DRAP

a) *L'étain et le plomb*

L'Angleterre a été un grand producteur d'étain jusqu'à la fin du xixᵉ siècle, époque où les gîtes d'Insulinde et d'Amérique du Sud commencèrent à être exploités. Actuellement, les vieilles mines de Cornouailles sont encore en activité réduite alors que les gisements alluvionnaires sont épuisés.

Au xvᵉ siècle, l'Angleterre possédait le monopole de l'étain. Tout comme la laine, l'étain était, en principe, soumis au contrôle de l'Etape de Calais. En pratique, ni l'étain, ni le plomb ne passaient plus par l'Etape quoique nous connaissions deux licences pour leur exportation directe vers nos pays. L'une fut délivrée, en 1442, à Barthélémy Stratton, un marchand aventurier fixé à Middelbourg, pour cent pièces d'étain [270] et l'autre, en 1447, à Jacques Lambe d'Arnemuiden pour trente pièces de plomb [271].

Nous avons essayé de dresser des statistiques du commerce de l'étain au départ de Londres; nous y avons réussi pour l'année 1438-1439 [272]; nous avons dû nous borner à des indices pour les autres années. Les lingots d'étain s'évaluaient soit en livres, soit à la pièce. Or, une pièce ne possédait pas un poids fixe; savoir que tel marchand exportait cinquante pièces d'étain ne permet pas de déterminer le poids du métal. Le compte de douane de 1438-1439 indique l'équivalence des pièces d'étain en livres; en revanche les autres comptes ne donnent pas ce renseignement. En sachant d'autre part que 75 livres avoirdupois d'étain valaient 1 l. st. environ, nous avons pu, grâce au prix, retrouver le poids approximatif des pièces d'étain exportées. Lorsqu'une valeur totale était indiquée pour différentes marchandises y compris des pièces d'étain, nous avons dû abandonner la partie. C'est dire combien le résultat obtenu est sujet à caution [273].

---

[270] H.J. Smit, *opus cit.*, t. II, pp. 776-777, nᵒ 1248 : 28 août 1442.

[271] H.J. Smit, *opus cit.*, t. II, p. 859, nᵒ 1328 : 12 novembre 1447.

[272] Voir ci-après, p. 214.

[273] Nous avons appliqué cette méthode à quatre comptes; en voici les résultats :

p.r.o., *C.A.*, E 122/76/34 : 29 septembre 1435 - 29 septembre 1436.

Italiens	206.982 livres.
Bourguignons	21.648 livres.
Hanséates	6.333 livres (dont 3.446 livres pour les Dinantais).
Divers	10.423 livres.
Total	245.386 livres.

Les plus grands exportateurs d'étain semblent avoir été les Italiens; cela ne doit guère nous étonner puisque c'était par leur intermédiaire que le métal parvenait dans le bassin oriental de la Méditerranée. Venaient loin en arrière les Bourguignons et les Hanséates parmi lesquels les Dinantais jouaient un rôle important [274]. Enfin, les Anglais, des marchands aventuriers, ne participaient activement au trafic qu'aux époques où le commerce hanséate ou italien faisait défaut.

L'exportation d'étain avait non seulement échappé au contrôle de l'Etape mais elle était en pratique, à Londres tout au moins, presque entièrement aux mains des étrangers.

Pour l'année 1438-1439, l'exportation totale d'étain au port de Londres atteignit 275.433 livres avoirdupois, parmi lesquelles 223.237 appartenaient à des Italiens, 27.812 à des Hanséates (dont 5.212 aux Dinantais), 20.613 à des Bourguignons et 3.771 à des marchands de nationalités diverses, portugais, espagnols, etc. [275]. Ainsi, approximativement 82,5 % du trafic était dans les mains des Italiens, 10 % dans celle de Hanséates et environ 7,5 % dans celles de Bourguignons.

P.R.O., *C.A.*, E 122/73/20 : 26 janvier 1446 - 29 septembre 1446.

Italiens	158.967 livres.
Bourguignons	25.440 livres.
Hanséates	51.021 livres (dont 26.400 livres pour les Dinantais).
Anglais	184 livres.
Total	237.706 livres.

P.R.O., *C.A.*, E 122/73/23 : 17 juin 1449 - 27 mars 1450.

Italiens	215.112 livres.
Bourguignons	35.751 livres.
Anglais	44.689 livres.
Total	297.185 livres.

P.R.O., *C.A.*, E 122/73/25 : 6 avril 1450 - 17 septembre 1450.

Bourguignons	18.900 livres.
Hanséates	5.894 livres.
Anglais	158.466 livres.
Divers	1.000 livres.
Total	180.860 livres.

[274] Au sujet des Dinantais, voir le chapitre consacré aux exportations bourguignonnes, pp. 244-245.

H. PIRENNE dans « Dinant dans la Hanse teutonique » (*Annales de la Fédération archéologique et historique de Belgique*, 1903, t. II, p. 532, n. 3) souligne qu'actuellement l'étain n'entre plus dans la composition du laiton. Il se demande quelle était la technique utilisée par les Dinantais. M.F. ROUSSEAU (« La Meuse et le Pays Mosan en Belgique », *Annales de la Société Archéologique de Namur*, t. XXXIX, 1930, p. 107) explique que l'étain donnait une patine spéciale au laiton et qu'il était également utilisé dans l'industrie du bronze qui était fort prospère à Dinant — on confondait d'ailleurs le laiton et le bronze dans les textes antérieurs au XIIIᵉ s..

[275] P.R.O., *C.A.*, E 122/73/12 : 29 septembre 1438 - 29 septembre 1439.

L'exportation bourguignonne représentait une valeur approximative de 272 livres sterling.

Si les Anglais se désintéressaient du commerce de l'étain, il est curieux de noter qu'en 1467, Edouard IV exportait lui-même de l'étain au départ de Boston. Son facteur, un Italien du nom d'Alain de Montefiore, embarquait 89 pièces d'étain d'une valeur de 222 livres 10 sous st.. L'origine du facteur indique peut-être qu'il s'agissait d'un envoi destiné à l'Italie, d'autant plus que la quantité est considérable [276].

Le plomb était exporté au départ de Hull et de Scarborough. Il s'évaluait en foudres de 150 livres, qui valaient 80 deniers st.. Nous possédons trois comptes de douane qui nous donnent quelques indications au sujet de ce trafic. On constate que les Anglais et les Bourguignons (sans doute Zélandais) se partageaient le commerce mais que la majeure partie du plomb était chargée dans des bateaux zélandais. Ainsi, du 26 août 1462 au 26 février suivant, 144 foudres sortirent du port de Kingston-upon-Hill; 101 apparte- naient à des indigènes, 40 à des « aliens » (Zélandais) et 3 à des Hanséates, mais on constate que 99 foudres (40 appartenant à des « aliens », 56 à des indigènes et 3 à des Hanséates) étaient embarqués à bord de navires de Mid- delbourg, Westenschouwen, Vere et Goes [277]. Du 29 septembre 1464 au 16 novembre 1465, furent chargés à Hull et à Scarborough 47 foudres de plomb dont 4 aux noms de Zélandais et 43 aux noms d'Anglais; 37 furent embarqués dans des bateaux anglais et 10 dans des bateaux de Westenschou- wen et Vere (4 foudres appartenaient à des «aliens» et 6 à des indigènes [278]). Enfin, du 5 novembre 1466 au 27 septembre 1467, on embarqua à Hull et Scarborough 75 1/2 foudres de plomb; 32 1/2 appartenaient à des indigènes, 31 à des Zélandais et 12 à des Hanséates; les bateaux de Westenschouwen, Middelbourg, Vere et Goes en emportèrent 43 (31 aux noms d'«aliens» et 12 aux noms d'indigènes [279]). Ces indications permettent de penser que le commerce du plomb était pour un tiers aux mains des Zélandais qui trans- portaient plus de la moitié du total des exportations; enfin, nous noterons que ce trafic n'était guère important si l'on considère qu'il n'atteignit pas, au total, la valeur de 50 l. pour la période s'étendant du 26 août 1462 au 26 février 1463, époque où les exportations furent les plus importantes.

b) *Le suif et les chandelles de suif*

Sous-produits de l'élevage du mouton, le suif et les chandelles étaient

---

[276] P.R.O., *C.A.*, E 122/10/7 : 18 février 1467.

Signalons aussi qu'on fraudait volontiers les droits de douane sur l'étain; ainsi, en 1461, 16 pièces furent saisies sur un bateau flamand ancré dans la Tamise : P.R.O., *K.R., Memoranda Rolls*, E 159/237 : 3 février 1461.

[277] P.R.O., *C.A.*, E 122/62/2.

[278] P.R.O., *C.A.*, E 122/62/5.

[279] P.R.O., *C.A.*, E 122/62/9.

également, tout comme l'étain et le plomb, des marchandises d'Etape; mais, comme ces derniers, ils avaient pratiquement cessé de l'être. Nous connaissons l'existence de trois licences concédées pour des exportations de suif vers les pays bourguignons; l'une date de 1439, une autre de 1440 et une troisième de 1444 [280]. Enfin, on confisquait de temps à autre une cargaison qui ne prenait pas le chemin de Calais. Le suif se vendait par baril ou par « *bag* » sans que nous connaissions la valeur métrique de ces mesures; les évaluations en livres sont extrêmement rares. Ce fait nous prive d'éléments statistiques faciles à interpréter. Notons qu'un « *bag* » de suif valait 16 s. st. en 1438-1439.

En revanche, les chandelles se comptaient par douzaines de livres (de poids); la douzaine valait, en 1438-1439, un sou quatre deniers. Nous avons calculé pour cette année la quantité de chandelles exportée de Londres : les Bourguignons en déclarèrent 2.985 douzaines de livres avoirdupois d'une valeur de 199 livres sterling, tandis que les Hanséates n'en exportaient que 319 douzaines, soit pour un peu plus de 21 livres sterling; ni les Italiens ni les Anglais ne pratiquaient ce commerce [281].

c) *La viande et les produits de laiterie*

La viande salée se retrouve dans maintes cargaisons. Il semble que seul le bœuf ait été exporté car on ne trouve jamais mention d'une autre variété. La viande se vendait à la tonne ou au baril. Son prix oscillait avec les saisons; ainsi, il était moins élevé en automne, à la fin de l'été, lorsque le bétail avait pu s'engraisser à la pâture, qu'au début du printemps, lorsque les provisions d'hiver étaient épuisées et que le bétail avait passé trois mois à l'étable. Citons, à titre d'exemple, le prix du baril de viande le 26 octobre 1438 : 7 s. 8 d. st., et le 2 avril 1439 : 10 s. 6 d. [282].

Le beurre et le fromage furent marchandises d'Etape jusqu'en 1439 [283]. Nous avons retrouvé des licences d'exportation antérieures à cette année [284] et même, ce qui s'explique plus difficilement, une licence datée de 1444, alors que cette formalité n'était plus nécessaire [285].

---

[280] P.R.O., *Treaty Rolls*, C 76/122/m. 29 : 26 janvier 1440; H.J. SMIT, *opus cit.*, t. II, p. 727, n° 1170 : 11 décembre 1439; p. 829, n° 1289 : 3 septembre 1444.

[281] P.R.O., *C.A.*, E 122/73/12 : 29 septembre 1438 au 29 septembre 1439.

[282] P.R.O., *C.A.*, E 122/73/12.

[283] *Statutes of the Realm*, t. II, p. 302.

[284] Par exemple, une licence d'exportation vers la Flandre de six cents « *weies* » de beurre et de fromage est délivrée le 8 juillet 1430 (P.R.O., *K.R.*, *Memoranda Rolls*, E 159/212). Le 8 novembre 1439, une licence était encore délivrée (H.J. SMIT, *opus cit.*, t. II, p. 724, n° 1166).

[285] P.R.O., *Treaty Rolls*, C 76/122/m. 28 : 28 janvier 1444.

On pratiquait cependant la fraude douanière pour ces produits comme d'ailleurs pour toutes les exportations; c'est ainsi qu'en 1461, on saisit, dans le seul bateau du Zélandais Tony Henrikson, sept cents livres de fromage d'Essex et de Norfolk, alors qu'il était ancré dans la Tamise en face de Gravesend [286]. Les comtés d'Essex et de Norfolk fournissaient des qualités réputées de fromages et de beurre.

La viande, le fromage et le beurre étaient particulièrement bien accueillis aux marchés de Bruges et de Middelbourg et aux foires de Brabant [287].

d) *Les peaux et les cuirs* [288]

Les peaux, elles aussi, étaient soumises au contrôle de l'Etape; mais, dans la pratique, elles ne passaient plus par Calais. La dernière licence pour l'exportation de peaux date du 26 mai 1436; encore fut-elle probablement accordée en raison des relations tendues entre les pays bourguignons et l'Angleterre [289].

On exportait des peaux de veaux, de vaches, de bœufs, de moutons et surtout de lapins. Les variétés étaient diverses; les cuirs étaient tannés ou bruts; les peaux de dos étaient de premier choix, tandis que les peaux de ventre ou de tête étaient de basse qualité. Nous n'énumérerons pas les multiples emplois des cuirs et des peaux mais nous noterons que les poils de lapins servaient à la fabrication des chapeaux de feutre, industrie prospère dans les pays bourguignons, et que les peaux de veaux fournissaient, avec celles de moutons, le parchemin.

---

[286] P.R.O., *K.R.*, *Memoranda Rolls*, E 159/237.

[287] Pour la viande, un marchand anglais et un batelier brugeois furent condamnés le 23 novembre 1447, pour ne pas avoir estaplé des tonnes de viande salée arrivant d'Anvers à L'Ecluse (L. GILLIODTS VAN SEVEREN, *Cartulaire de l'Ancienne Estaple*, t. I, p. 682). Pour le fromage : à Bruges, arrêt de fromages anglais par le tonloyeur de Damme (A.V.B., *S.C.*, 1453-1460, fo 57 vo : 5 décembre 1464); pour Middelbourg, Jean Platel de Tournai s'engage par lettre obligatoire, devant les échevins de Middelbourg, à payer à Pierre Boom de Bruges la somme de 65 l. 2 s. 2 d. gr. pour un marché de fromages anglais (H.J. SMIT, *opus cit.*, t. II, p. 955, no 1502, n. 2 : 19 novembre 1461; d'autres exemples de ventes de fromage et de beurre anglais sont cités au même endroit). Pour Anvers : conflit entre le tonloyeur et les marchands anglais au sujet de la taxation des fromages (A.G.R., *Conseil de Brabant, Sentences*, no 525, fo 120 : 25 septembre 1446). Pour Bergen-op-Zoom : envoi par un marchand anglais de 14 ½ wagen de fromage à Bergen-op-Zoom (G.A.B.O.Z., *R. en R.*, no 283, 1454-1456, fo 29 vo : 17 septembre 1454).

[288] Le terme peau *(pellis, pellis lanuta, peau lanut)* était employé lorsque les poils y adhéraient encore tandis que le terme cuir désignait la peau à laquelle n'adhéraient plus de poils *(corium, coreum;* lorsque les cuirs sont enduits de sel, on les nomme *coria salsa)*.

[289] H.J. SMIT, *opus cit.*, t. II, p. 673, no 1086.

Les peaux de lapins étaient soit « *de saison* », c'est-à-dire avec pelage d'hiver, ou « *hors saison* », avec pelage d'été. Elles se vendaient par centaines [290], mais, en réalité, la centaine à la mode anglaise comptait cent vingt-deux unités. Les quantités négociées pouvaient d'ailleurs être fort élevées puisqu'un Londonien, Gilbert Hampton, promettait, à la foire froide de Bergen-op-Zoom, en 1445, de livrer à un Bourguignon de Bois-le-Duc et à deux autres marchands douze mille peaux de lapins dont bien entendu chaque centaine comptait cent vingt-deux peaux [291].

Il est fort malaisé de donner des indications statistiques pour l'exportation des peaux et des cuirs; les variétés sont trop nombreuses et de valeur trop différente. On ne peut, à la différence des textiles, réduire à une commune mesure les peaux de bœufs tannées ou brutes et les morceaux de peaux de tête ou de ventre de la même espèce. On peut cependant, en parcourant les « *Customs Accounts* », s'apercevoir que les Bourguignons achetaient surtout des peaux de deuxième choix [292].

e) *La houille*

Le charbon de terre était exporté à partir de Newcastle. Il était fort apprécié sur nos côtes depuis Boulogne jusqu'à la Hollande septentrionale, régions qui étaient pauvres en combustible de qualité. Deux comptes de douane de Newcastle sont parvenus jusqu'à nous pour la période qui nous intéresse : l'un s'étend du 5 mai 1461 au 18 février 1462, l'autre du 4 mars 1465 au 10 avril 1466. Ils vont nous permettre d'apprécier quelle était l'exportation de charbon de terre par les Bourguignons. La houille était évaluée en chaudrons qui correspondaient à environ deux mille livres [293].

Les Zélandais exportèrent 34 chaudrons en 1461-1462, les Hollandais 6 et les Flamands 54, soit au total 94 chaudrons [294]. En revanche, en 1465-1466, les Zélandais en chargèrent 278, les Hollandais 684, les Brabançons 72, les Flamands 80 et les Boulonnais 52, soit en tout 1.089 chaudrons, ce qui constitue, en en conviendra, un chiffre respectable [295]. Cependant, comme le chaudron n'était évalué qu'à 21 deniers st., les 1.089 chaudrons exportés ne valaient qu'un peu plus de 95 livres st..

---

[290] Nous n'avons jamais rencontré d'autres mesures à l'époque étudiée.

[291] G.A.B.O.Z., *R. en R.*, n° R 282, 1445-1449, f° 34 v° : 30 novembre 1445.

[292] Voir par exemple P.R.O., *C.A.*, E 122/73/12. R. VAN UYTVEN, « La Flandre et le Brabant », p. 298, signale à tort une exportation de cuirs des Pays-Bas vers l'Angleterre.

[293] M. MOLLAT, *Le commerce maritime normand à la fin du moyen âge*, Paris, 1952, p. 97, note 36; J.U. NEF, *The rise of the British coal industry*, Londres, 1932, t. II, p. 368.

[294] P.R.O., *C.A.*, E 122/107/53.

[295] P.R.O., *C.A.*, E 122/107/57; J.U. NEF, *opus cit.*, p. 381, signale, pour 1465-1466, une exportation totale de 1.976 chaudrons. Le compte de 1461-1462 a échappé à cet auteur.

La grande différence constatée entre les quantités exportées en 1461-1462 et en 1465-1466 montre avec quelle prudence il faut interpréter ces indications. Il semble, en effet, que le marché était en général fort élastique au milieu du xvᵉ siècle et, de ce fait, il est malaisé de dégager des constantes économiques.

On peut cependant hasarder une explication : la prohibition des draps anglais, en 1465-1466, dans les pays bourguignons, et des marchandises bourguignonnes en Angleterre, l'interdiction pour les marchands anglais d'embarquer leurs biens à bord de navires étrangers, avaient privé certains capitaines de leurs frets habituels et les avaient amenés à embarquer de la houille à Newcastle.

Mais à quels pays ce charbon était-il destiné ? Si l'on peut supposer avec Mˡˡᵉ N.J. Kerling que certaines industries des régions côtières des Pays-Bas utilisaient de préférence de la houille [296], la brusque augmentation des exportations de 1465-1466 suppose des débouchés différents et plus lointains. On ne voit guère comment une exportation décuplée aurait pu être absorbée par les mêmes secteurs que trois ans auparavant. Aucun élément ne nous permet cependant d'apporter une solution positive à ce problème.

f) *Le bétail et les chevaux*

S'il était défendu d'exporter des moutons vivants pour ne pas créer à l'étranger un cheptel dont la laine pourrait concurrencer la production anglaise, on permettait, sous licence, l'envoi outre-mer de bœufs, bêtes de boucherie ou de trait. Nous connaissons seulement trois autorisations de cette espèce délivrées l'une, le 11 décembre 1439, à John Melbourne, une autre, le 10 novembre 1440, à John Haldon et la troisième, à Herman Grounbeke, un marchand allemand, le 22 septembre 1458. Elles autorisaient l'exportation de quarante bœufs sur pied, la première vers la Zélande, la deuxième vers la Zélande et la Hollande et la troisième vers Anvers [297]. Nous n'avons pas trouvé de trace dans les « *Customs Accounts* » d'autres exportations.

En revanche, les comptes du port de Sandwich signalent l'envoi sur le continent de nombreux chevaux. Ainsi, du 29 septembre 1439 au 29 septembre 1440, on y embarqua 1.089 juments et sept chevaux (probablement des entiers) [298]. Ils étaient sans doute destinés soit à la place de Calais, soit aux marchés des Pays-Bas. Il est, en effet, connu, comme le souligne M.E. Coornaert, qu'il se tenait en général un marché aux chevaux à côté des grandes

---

[296] N.J. Kerling, *opus cit.*, pp. 121-122; il s'agit de la brasserie, de la céramique et peut-être du séchage du poisson.

[297] H.J. Smit, *opus cit.*, t. II, p. 727, nᵒ 1170 et p. 744, nᵒ 1199; p.r.o., *Treaty Rolls*, C 76/141/m. 32.

[298] p.r.o., C.A., E 122/127/18.

foires [299]. Anvers possédait ainsi un marché aux chevaux renommé [300]; des marchands italiens y achetaient même des montures qu'ils envoyaient au-delà des Alpes à petites journées [301]. Nous avons aussi un témoignage qui signale qu'un Anglais, John Pickering, qui fut gouverneur des marchands aventuriers, vendit un cheval à Bruges à un Gantois [302]; un autre gouverneur, William Overey, obtint, en 1462, une licence pour l'exportation « *versus partes transmarinas* » de dix chevaux [303].

Enfin, les chevaux de selle anglais étaient fort appréciés, particulièrement ceux qui marchaient à l'amble. Philippe le Bon, au cours des tractations menées pour la conclusion de l'entrecours en septembre 1439, fit acheter à Calais une haquenée d'Angleterre [304]. Les grands seigneurs anglais offraient des chevaux de luxe en cadeau au duc de Bourgogne et au comte de Charolais; le duc d'York fit remettre deux haquenées, en 1451, à Philippe le Bon [305] et le comte de Warwick envoya un « *hobin* » d'Irlande à Charles de Charolais, en 1458 [306].

Une question se pose. Les chevaux exportés au départ de Sandwich étaient-ils des chevaux de selle ou de trait ? On ne peut guère envisager la possibilité d'une exportation de mille haquenées; il s'agirait donc plutôt de chevaux de trait.

Le « grand cheval » anglais de guerre ou de trait, le «*black horse*» était une bête puissante du même type que le lourd cheval flamand que montaient les chevaliers en armes. Ils sont tous les deux les ancêtres directs, le premier du « *shire horse* » et le second du cheval brabançon. On a toujours considéré que le « grand cheval » anglais provenait du croisement d'une race indigène antérieure à la période romaine et de la race des Flandres [307]. Or, l'importance de l'importation des chevaux anglais vers nos pays nous amène à penser que la ressemblance indéniable entre les races anglaise et flamande pourrait provenir du croisement, sur le continent, de sujets flamands et anglais. Mais il s'agit là d'une simple supposition. La question mériterait certainement d'être étudiée.

---

[299] E. COORNAERT, « Caractères et mouvement des foires internationales au moyen âge et au xvie siècle », *Studi in onore di Armando Sapori*, Milan, 1957, p. 366.

[300] J. VAN HOUTTE, « La genèse du grand marché international d'Anvers à la fin du moyen âge », *R.B.P.H.*, t. XIX, 1940, p. 105; IDEM, « Les foires dans la Belgique ancienne », dans *La Foire, Recueil de la Société Jean Bodin*, Bruxelles, 1953, p. 190.

[301] *Calendar of State Papers, Venitian, 1202-1509*, p. 110.

[302] A.V.B., *S.C.*, 1453-1460, f° 209 v° : 16 janvier 1458.

[303] P.R.O., *Treaty Rolls*, C 76/146 : 6 avril 1462.

[304] A.G.R., *R.G.F.*, C.C. n° 46955, f° 150 v° : 16 septembre 1439.

[305] A.D.N., *R.G.F.*, n[o] B 2008, f° 300.

[306] A.D.N., *R.G.F.*, n[o] B 3661.

[307] Voir l'article « *horse* », dans l'*Encyclopaedia Britannica*.

g) *Les céréales*

La Hollande et la Zélande ne produisaient pas au moyen âge suffisamment de céréales. Leur sol récemment gagné sur la mer était encore trop saumâtre pour porter des récoltes de blé. Ces comtés, et principalement la Hollande, devaient donc se fournir en céréales en Prusse, dans la région de la Somme ou le bassin séquanien [308]. Le courant d'importation le plus considérable venait de la Baltique. Aussi, lors de la guerre avec la Hanse en 1438-1439, la disette de grain se fit-elle âprement sentir; on recourut aux ressources du marché anglais. Celui-ci fut toujours une sorte de marché auxiliaire; il n'était pas assez puissant pour alimenter régulièrement la Hollande et la Zélande mais, dans les bonnes années, ses surplus pouvaient être exportés [309].

Dès avril 1438, des licences d'exportation vers la Hollande furent délivrées par le roi d'Angleterre au profit de marchands anglais originaires de la province et non pas de Londres. Elles portaient sur des quantités de froment, d'orge, de seigle et d'avoine. Si l'on considère le total de ces différentes espèces de céréales, on constate qu'en 1438, 510 « *quarters* » — un « *quarter* » vaut 1101,2 litres de grain — furent exportés sous licence; en 1440, 5.580 « *quarters* »; en 1441, 3.300; en 1442, 1.100; en 1443, 1.600 et en 1444, 300. On remarque que, sur le total des exportations sous licence entre 1438 et 1444, soit sur 12.390 « *quarters* », 5.580 consistaient en froment, 4.390 en orge, 2.100 en avoine et 100 seulement en seigle. Ce n'est qu'en 1456 et 1457 que l'on retrouve des licences accordées pour l'exportation de céréales : pour 2.100 « *quarters* » de froment en 1456 et pour 600 en 1457 [310].

Une législation spéciale existait d'ailleurs en Angleterre pour l'exportation des céréales. En 1437, une ordonnance supprima l'obligation de solliciter des licences d'exportation pour autant que le prix du froment ne dépassât pas 6 s. 8 d., celui de l'orge 3 s. et celui du seigle 4 s. le « *quarter* » [311].

[308] Au sujet du commerce du grain des Hollandais : W.S. UNGER, « De Hollandsche graanhandel en graanhandelpolitiek in de middeleeuwen », *De Economist*, 1916; W.S. SNELLER, « De Hollandsche korenhandel in het Somme-gebied in de xvᵉ eeuw », *Bijdragen van vaderlandsche Geschiedenis en Oudheidkunde*, 6de reeks, vol. II, 1925.
   Le grand marché de grain de Bergen-op-Zoom était, lui, alimenté en partie par des céréales en provenance du bassin de la Seine (G.A.B.O.Z., *C.P.*, 1465-1471, fᵒ 11 vᵒ).
[309] Pour le commerce du grain en Angleterre, voir N.S.B. GRAS, *The evolution of the English cornmarket from the twelfth to the eigthteenth century*, Cambridge, 1926.
[310] Voir le tableau dressé par N.J. KERLING, *opus cit.*, p. 214; voir aussi H.J. SMIT, *opus cit.*, t. II, p. 814, nᵒ 1277; p. 924, nᵒ 1443; p. 925, nᵒ 1446; p. 937, nᵒ 1469. E. SCHOLLIERS, *opus cit.*, pp. 6, 13, 229, 232, constate que le prix du seigle et du froment atteignit les niveaux les plus élevés en 1437-1438, 1446-1447 et 1456-1457; la meilleure de ces trois mauvaises années se situait en 1446-1447 et la pire en 1437-1438 (IDEM, *ibidem*, pp. 123-124 : influence de la guerre entre la Hollande et la Hanse).
[311] *Statutes of the Realm*, t. II, p. 295.

Mais il fallut rétablir le système des licences dès 1438, à la suite de la forte demande de grain de la Hollande et de la Zélande. Les prix montèrent considérablement et il s'établit même un nouveau trafic : les marchands anglais allèrent acheter du grain en Prusse qu'ils revendaient en Hollande et en Zélande où les prix étaient plus élevés qu'en Angleterre [312]. On peut se rendre compte de la hausse des prix à cette époque en se rappelant que Posthumus a établi que la valeur du froment monta à Leyde dans la proportion de 10 en 1436 à 35 en 1439 [313]. En Angleterre même, le « *quarter* » de seigle atteignit le prix de 10 s. alors que l'ordonnance en interdisait l'exportation lorsque le prix montait à 4 s. [314]. On constate donc que la hausse était beaucoup plus sensible en Hollande et en Zélande. Aussi, comme la récolte de 1439 avait été bonne et bien que les prix eussent dépassé considérablement la « cote » d'alerte, les marchands demandèrent par une pétition aux Communes, l'autorisation de faire circuler librement le grain à l'intérieur du royaume, ce qui avait été interdit vu la situation. Le roi répondit qu'il « *s'adviseroit* »; on craignait sans doute qu'à la faveur de cette liberté, il ne se produisît une évasion de céréales vers le marché bourguignon [315].

La guerre avec la Hanse prit bientôt fin et les beaux jours du commerce du grain passèrent. L'ordonnance de 1437 fut alors renouvelée en 1442, 1444-1445 et 1463-1464 [316].

Les ports principaux où se chargeait le grain vers les Pays-Bas étaient Great Yarmouth et Lynn.

Si l'on examine les statistiques [317] que nous avons dressées à partir des comptes de douane qui nous sont parvenus, on constate que le trafic était partagé entre les Anglais et les Bourguignons. De 1447 à 1460, on remarque que ce sont surtout les céréales destinées à la brasserie, c'est-à-dire l'orge et le brai (mélange de grain prêt pour la brasserie), qui sont exportées. Pendant les années 1461 à 1463, le commerce fut à peu près nul. Faut-il voir là le résultat de mauvaises récoltes en Angleterre ? Ou faut-il croire que l'approvisionnement de la Hollande et de la Zélande se faisait par d'autres voies ? Enfin, au cours des années 1464-1466, les exportations de froment l'emportèrent.

---

[312] *Calendar of Patent Rolls, 1436-1441,* p. 195 : 13 septembre 1438.

[313] N.W. POSTHUMUS, *Geschiedenis,* t. I, p. 435.

[314] H.J. SMIT, *opus cit.,* t. II, p. 668, n° 1344.

[315] *Rotuli Parliamentorum,* t. V, p. 31.

[316] *Rotuli Parliamentorum,* t. V, pp. 54-55, 107 et 504; *Statutes of the Realm,* t. II, pp. 319, 331 et 395.

[317] Voir tableaux statistiques pp. 485-486; nous n'avons pu établir les prix moyens des céréales car nous ne disposons que d'éléments trop fragmentaires. Au sujet du calcul du prix moyen des céréales, voir R. BAEHREL, « L'exemple d'un exemple, histoire statistique et prix italiens », *Annales,* t. IX, avril-juin 1954, pp. 213-226; pour les prix en Angleterre, voir J.E.T. ROGERS, *A history of agricultural prices in England,* 4 t., Oxford, 1866-1882 et le travail de N.S.B. GRAS, déjà cité.

Parallèlement à cette exportation de grains d'Angleterre vers les pays de par-deçà, nous possédons quelques témoignages portant sur l'entrée dans les ports anglais de bateaux bourguignons chargés de céréales. Ainsi, le 20 mai 1460, deux marchands anglais déchargèrent à Poole du « Friday » de Bergen-op-Zoom soixante-deux « quarters » de froment [318]. En 1462, une cargaison de froment appartenant à des sujets du duc de Bourgogne fut enlevée dans la Tamise par des pirates; elle était destinée à Londres [319]. Enfin, cinq ans plus tard, des bourgeois de Gouda livrèrent à Newcastle, à un marchand anglais, une quantité de grain non spécifiée [320].

Il est malaisé de préciser l'origine de ces céréales. Rappelons toutefois que la culture du froment était impraticable sur les terres encore fortement imprégnées de sel de la Hollande et de la Zélande. Notons que Bergen-op-Zoom était un important marché de blé; les grains arrivaient là de toutes les directions; d'autre part, nous savons que les bateaux zélandais et hollandais allaient volontiers chercher des céréales en France; enfin, un capitaine pouvait louer son bateau en Angleterre à l'un ou l'autre marchand qui pouvait lui demander d'effectuer un simple cabotage d'un port à l'autre. Quoi qu'il en soit, les chiffres d'importation de céréales donnés par N.S.B. Gras [321] sont toujours de loin inférieurs à ceux de l'exportation et on ne peut prétendre que les marchés anglais et bourguignons aient été complémentaires.

h) Marchandises diverses

Il nous reste à parler des produits forestiers et d'extraction qu'exportait l'Angleterre. Des havres de la côte méridionale provenaient des bûches, des bois de construction et des merrains. Le port de Chichester était fort actif dans ce genre de commerce [322]. Les bateaux de Boulogne, Dunkerque, L'Ecluse et Vere embarquaient des cargaisons de bûches à Chichester; à titre d'exemple, du 18 octobre 1465 au 27 septembre 1466, ils en chargèrent 228.000 pour une valeur de 22 l. st. [323].

Enfin, de la région de Newcastle provenaient des pierres à aiguiser de différentes espèces qui s'appelaient « grindstone » ou « rubstone » [324].

*
**

---

[318] P.R.O., C.A., E 122/119/2.

[319] Calendar of Patent Rolls, 1461-1467, p. 101 : 8 janvier 1462.

[320] H.J. SMIT, opus cit., t. II, p. 1013, n° 1575.

[321] N.S.B. GRAS, opus cit., pp. 271-280.

[322] P.R.O., C.A., E 122/34/17, 34/19, 39/21, 34/23, 34/25, 34/26.

[323] P.R.O., C.A., E 122/34/23.

[324] P.R.O., C.A., E 122/107/53, 107/57.

Les exportations anglaises étaient donc essentiellement des produits d'origine agricole et, pour une petite proportion, d'origine minérale. A l'exception des draps, produits à demi finis, il s'agissait de matières premières. Le commerce de la laine et celui des draps l'emportaient de beaucoup sur les autres trafics. Ces deux branches principales étaient entièrement aux mains des Anglais, étapiers et aventuriers, en ce qui concerne ce trafic avec les pays de par-deçà. Les sujets du duc de Bourgogne pratiquaient en revanche le commerce des autres marchandises exportées d'Angleterre, tandis que les marchands aventuriers n'y participaient qu'en complément à leur activité dans l'exportation des draps.

LES EXPORTATIONS BOURGUIGNONNES

a) *La toile*

La toile était une des marchandises les plus appréciées du commerce anglo-bourguignon. Comme le marché de Bruges, les foires de Brabant formaient un grand centre de distribution des innombrables espèces de toiles qu'exportaient les pays bourguignons [325].

C'est d'ailleurs à la ville d'Anvers et aux Membres de Flandre que s'adressèrent les marchands anglais pour obtenir, en 1430, la publication d'une ordonnance fixant les mesures des toiles semblable à celle qui était en vigueur dans le Hainaut depuis 1418 [326].

Alors que les Anglais menaçaient de quitter la foire d'Anvers à la suite d'une prohibition de leurs draps, en 1450, les Anversois firent remarquer que le « *cours de la marchandise des toiles et toilettes* », dont les Anglais étaient les principaux acheteurs, dépassait de beaucoup celui des draps bourguignons [327]. Ce devait être vrai, tout au moins en ce qui concernait le commerce aux foires de Brabant, où la concurrence des draps anglais éliminait les produits locaux.

Les « *Customs Accounts* » des ports de Londres et de Sandwich signalent les quantités et les variétés de toiles importées; nous en avons relevé quatre-vingts [328] et parmi elles nous n'avons pu identifier qu'une cinquantaine

---

[325] E. SABBE, *De Belgische vlasnijverheid; De Zuidnederlandsche vlasnijverheid tot het verdrag van Utrecht*, Bruges, 1943, p. 114.

[326] E. SABBE, *opus cit.*, pp. 99-100 et ici même p. 271.

[327] A.V.A., *P.K.*, n° 79, f° 62.

[328] Les voici :

1) identifiées : Flandre, Courtrai, Gand, Audenarde, Bruges, Ypres, Oostburg, Izegem, Lille, Hazebrouck, Brabant, Bois-le-Duc, Nivelles, Bruxelles, Louvain, Hoogstraten, Hainaut, Mons, Soignies, Ath, Valenciennes, Hollande, Haarlem, Zélande, Malines, Boulogne, Tournai, Cambrai, Utrecht, Westphalie, Prusse, Brunswick, Italie, Florence, Genève, Bourgogne, Champagne, Chypre, bougrain de Bruges, spinal (toile tissée à l'aide de fil fortement tordu), bolt (toile à tamiser), pyteling (toile très grossière), werking (avec broderies ?), hinderlond (provenant peut-être d'Allemagne), bases (toile pour chemises), osynburgh (d'Osnabrück ?), bustyan (fabriqué notamment à Valenciennes), brusan (avec broderies ?), berg (de Bergen-op-Zoom ?), tartaryn (de Tartarie), « gutting » (signifie peut-être de Göttingen, célèbre centre linier de Basse-Saxe), Niderlond (des Pays-Bas);

2) non identifiées : minyser, north., sult., shoton., hustr., casedok, cadusk, ostred, herford, est., habst., ulson, boltherford, lann., strate, Luke, clokewerk, norlor, meyn., henstr., wyle, hareyl., dosyen, sugtystrate, vever, bok, carde, osbrues.

dont vingt-sept étaient originaires des pays bourguignons. Les toiles flamandes provenaient de Gand, de Bruges, de Courtrai, d'Audenarde, d'Ypres,
d'Oostburg, d'Izegem, de Lille, d'Hazebrouck. Le Brabant exportait des
toiles de Bruxelles, de Nivelles, de Louvain, de Bois-le-Duc, d'Hoogstraten.
La seigneurie de Malines en fournissait également. Les toiles hennuyères
étaient représentées par les produits de Mons, de Soignies, d'Ath et de
Valenciennes. En Hollande, seule Haarlem semble avoir donné son nom à
une espèce de toile. Il existait aussi des toiles zélandaises sans autre spécification. Boulogne, enfin, envoyait quelques toiles outre-Manche. Les villes
épiscopales situées dans l'orbite bourguignonne, Tournai, Cambrai et Utrecht,
possédaient toutes trois des industries de la toile. Tournai ne paraît pas avoir
envoyé de grandes quantités de toile en Angleterre. Cambrai, célèbre pour
la finesse de ses produits, les écoulait principalement par le port de Sandwich.
Utrecht fournissait de la toile mais aussi des « towaylls »[329] et des « bord-
cloths » qui semblent avoir été des produits estimés. Enfin, nous avons relevé
des mentions de toiles de « Luke »; peut-être s'agit-il de toiles liégeoises, mais
le terme Luke signifie à la fois Liège et Lucques; aussi est-il difficile de
trancher la question.

Nous avons calculé les quantités de toiles qui étaient importées en Angleterre par les ports de Sandwich et de Londres[330]. Les chiffres que nous avons
obtenus sont difficiles à interpréter car les comptes sont trop fragmentaires
pour que l'on puisse en tirer des conclusions définitives. Il semble cependant
établi que le nombre de variétés introduites augmenta considérablement dès
le milieu du siècle. A côté des espèces bourguignonnes, on remarque la présence, en petites quantités, de toiles de Champagne, d'Italie (notamment de
Florence), de Genève, du duché de Bourgogne et même de Chypre; en revanche, les produits hanséatiques originaires de Prusse, Brunswick et Westphalie
concurrençaient sérieusement le trafic des toiles bourguignonnes. Il faudrait
ici spécifier qu'on débarquait principalement à Sandwich des fabrications
des pays de par-deçà, tandis qu'à Londres arrivaient aussi beaucoup de toiles
originaires d'Allemagne. Le marché paraît avoir été fort élastique; ainsi, il
entra à Londres, en deux mois et demi (du 30 septembre 1445 au 14 décembre 1445), 87.419 aunes[331] de toile, soit une moyenne mensuelle de 34.816
aunes, tandis que, pendant la période immédiatement postérieure, du 27 janvier 1446 au 28 août de la même année, 9.498 aunes de toile seulement furent
débarquées, soit une moyenne mensuelle de 1.356 aunes. Aucune raison d'ordre politique ne permet d'expliquer ce phénomène; il s'agit d'une année

---

[329] Le terme « towel », qui signifie actuellement serviette ou essuie-main, n'est en fait
que la transcription du français toile.

[330] Voir les tableaux statistiques, p. 487.

[331] L'aune anglaise valait 1.143 mm. (H. DOURSTHER, *Dictionnaire universel des poids
et mesures*, Bruxelles, 1840, p. 37).

parfaitement normale; il faut donc croire que le marché était saturé et n'était plus capable d'absorber de nouvelles quantités de toile.

Quoi qu'il en soit, tant à Sandwich qu'à Londres, on constate une augmentation considérable des importations de toiles; entre 1439-1440 et 1462-1463, elles ont quintuplé à Sandwich, tandis qu'à Londres, entre 1438-1439 et 1450, elles se sont multipliées par douze.

Pendant la période où les Anglais transportèrent leur marché des foires de Brabant à Utrecht, en 1465-1467 [332], on constate une chute radicale des importations de toiles, plus sensible à Sandwich qu'à Londres car les Hanséates continuaient à débarquer leurs toiles dans ce dernier port.

Nous avons essayé d'établir quelles étaient les variétés dont le succès semble avoir été le plus grand en Angleterre. La tâche est difficile; il nous a fallu d'abord éliminer les espèces non identifiées qui, le plus souvent, portent un nom définissant le procédé de tissage; c'est le cas pour la variété dite « *spinal* » tissée à partir de « *spinal garen* », c'est-à-dire de fil fortement tordu.

Nous avons obtenu les résultats suivants : à Londres, pour l'ensemble des comptes qui sont parvenus jusqu'à nous et qui portent sur une période totale mais fractionnée de soixante-trois mois et demi, 490.600 aunes de toiles diverses furent débarquées. Parmi celles-ci nous connaissons l'origine géographique de 268.225 aunes.

Sur ces 268.225 aunes, 71.046 provenaient de l'empire (Westphalie, Brunswick) et de Prusse, soit un peu plus de 26 %; 194.294 aunes étaient originaires des pays bourguignons, soit environ 72 %; les productions d'Utrecht, Tournai et surtout Cambrai se partageaient les deux pour cent restants.

Le Brabant fournissait à lui seul près de 45 % de la totalité des exportations bourguignonnes; la Flandre venait ensuite avec 23 %, le Hainaut avec 19 %, la Hollande avec 9,5 % et la Zélande enfin avec près de 3 % [333].

La toile de Bois-le-Duc atteignait 66 % des exportations brabançonnes; celle de Nivelles montait à plus de 25 % [334].

La situation à Sandwich était différente. Les comptes dont nous disposons couvrent une période fractionnée de cinquante mois et demi; ils signalent l'importation de 143.373 aunes de toile; nous connaissons l'origine géographique de 103.983 1/2 de celles-ci.

Les importations bourguignonnes montaient à 90 % de ce total; la contri-

---

[332] Voir à ce sujet p. 281.

[333] 86.865 aunes : Brabant;
45.293 aunes : Flandre;
36.657 aunes : Hainaut;
18.272 aunes : Hollande;
5.403 aunes : Zélande.

[334] 57.461 aunes : Bois-le-Duc;
22.538 aunes : Nivelles.

bution allemande n'atteignait pas 2 % tandis que les toiles de Cambrai occupaient la deuxième place avec plus de 8 % [335]. La Flandre vient en premier lieu dans les importations bourguignonnes avec 45 % de celles-ci, le Hainaut suit avec 20 %, le Brabant avec 16 %, la Hollande avec 15 % et la Zélande avec 3 % [336].

Les toiles de Gand fournissaient 26 % des importations flamandes et celles de Courtrai 15 %; les toiles de Nivelles concouraient pour environ 20 % dans l'importation des toiles brabançonnes et celles de Bois-le-Duc pour plus de 46 % [337].

Si l'on compare les chiffres obtenus pour Londres et Sandwich, on constate que le courant commercial qui alimentait Sandwich semble provenir plutôt de Flandre que des foires de Brabant. Si l'on combine les pourcentages obtenus dans les deux ports, on remarque que les importations brabançonnes et flamandes s'équilibrent presque à 30 % et demi des importations bourguignonnes pour le Brabant et 34 % pour la Flandre, tandis que la participation hennuyère atteint 20 %, celle de la Hollande 12 % et qu'enfin la Zélande n'arrive pas tout à fait à 3 % [338].

Il entrait ainsi au port de Londres une moyenne annuelle d'environ 77.000 aunes de toile, dont probablement 55.000 aunes d'origine bourguignonne [339], et à Sandwich environ 30.000 aunes, dont 27.000 provenant sans doute des pays de par-deçà. Au total 107.000 aunes de toile approximativement pénétraient annuellement en Angleterre, dont peut-être 82.000 en provenance des pays bourguignons. Il est intéressant de comparer ces résultats à ceux obtenus

---

[335] 90.996,5 aunes : importations bourguignonnes;
1.714 aunes : toiles de Westphalie;
8.413 aunes : toiles de Cambrai.

[336] 40.839,5 aunes : toiles flamandes;
18.211 aunes : toiles hennuyères;
14.712 aunes : toiles brabançonnes;
2.967 aunes : toiles zélandaises.

[337] 11.007 aunes : toiles de Gand;
6.303,5 aunes : toiles de Courtrai;
2.910 aunes : toiles de Nivelles;
6.918 aunes : toiles de Bois-le-Duc.

[338] Voir ci-dessous quelle était la situation des exportations de toiles néerlandaises vers l'Angleterre à la fin du xive siècle, p. 229.

[339] On obtient ce chiffre si l'on considère qu'environ 72 % des importations de toiles à Londres provenaient des pays bourguignons, compte tenu du fait que les espèces non identifiées désignent plutôt des qualités de marchandises que des origines géographiques.

pour sept mois de l'année 1390 (mars à novembre) par M. R. Van Uytven [340].
Les « *Customs Accounts* » signalent l'arrivée au port de Londres de 587.095,5
aunes de toiles, c'est-à-dire bien plus que la quantité que nous avons relevée
pour une période fractionnée de soixante-trois mois au cours de la première
moitié du xve siècle. Faut-il conclure immédiatement que les importations
de toile étaient tombées au cours de cette période à 10 % des quantités
importées à la fin du xive siècle ? Il faut se garder d'une affirmation trop
rapide. Nous avons vu, en effet, que la toile était un produit extrêmement
élastique, et qu'on ne peut arriver à des conclusions plus ou moins sûres
qu'en se basant sur une période assez longue, travail qui n'a pas été entrepris
pour la fin du xive s. De plus, nos chiffres ne comprennent pas certaines
quantités de toile dont l'aunage n'était pas mentionné. Il n'empêche que
l'on peut considérer que les importations de toiles en Angleterre avaient
diminué depuis la fin du xive s., sans pouvoir pour autant évaluer avec
quelque chance de justesse l'amplitude de cette baisse. Il faut aussi noter
que les toiles néerlandaises ne fournissaient, en 1390, que 37,5 % du total
des toiles importées, alors qu'au cours de la première moitié du xve s., leur
apport montait à 72 % des toiles dont l'origine géographique était connue.
Si, en 1390, les toiles flamandes comptaient pour 63 % des toiles néerlandaises
entrées au port de Londres, les toiles brabançonnes pour 19 % et les toiles
hennuyères pour 9 %, dans la première moitié du xve s., 45 % des toiles
néerlandaises provenaient du Brabant, 23 % de Flandre et 19 % du Hainaut.
On constate donc, compte tenu d'une baisse du total des importations de
toiles, que les toiles néerlandaises éliminaient progressivement les toiles
allemandes et que, tout au moins à Londres, les toiles brabançonnes avaient
relégué les toiles flamandes au deuxième plan [341].

Il est malheureusement difficile de juger de la valeur relative des différentes espèces de toiles. Le plus souvent les « *Customs Accounts* » donnent l'estimation globale de quantités de toiles d'espèces très différentes. Il est extrêmement rare qu'ils indiquent le prix d'une quantité prise individuellement.
Enfin, lorsqu'on dispose de plusieurs évaluations données par un même
compte de douane pour une catégorie précise, on constate de grandes différences entre les prix de l'aune. C'est ainsi qu'en 1450, la toile de Hollande était
évaluée tantôt à 4 d. et tantôt à 7 d. l'aune [342]. Il faut donc considérer ou bien
que la valeur de la toile de Hollande avait brusquement monté en un laps de

---

340 R. Van Uytven, « Een statistische bijdrage tot de geschiedenis van de linneninvoer in Engeland in de laatste jaren der xive eeuw, in het bijzonder van uit de
Nederlanden », *Bijdragen tot de Geschiedenis*, 3e reeks, 13e deel, afl. 1, 44e jaargang,
1961, pp. 31-41.

341 E. Sabbe (*opus cit.*, p. 64), situe le déclin des industries brabançonne et hennuyère
au xvie siècle, l'industrie flamande ne s'étant développée que plus tardivement au cours
des xive et xve siècles.

342 p.r.o., *C.A.*, E 122/73/25.

temps très court — le compte s'étend sur quatre mois et demi — ou que sous le terme de toile de Hollande se cachaient des qualités fort diverses.

Quoi qu'il en soit, il nous faut abandonner le projet de dresser la liste des valeurs des différentes espèces de toiles. En revanche, il nous est loisible d'établir le prix moyen d'une aune de toile; nous avons calculé qu'il s'établissait pour l'année 1450 à environ 3 d.[343]. Les 107.000 aunes de toile qui pénétraient annuellement en Angleterre possédaient probablement une valeur de 1.250 livres st.; de ce total, 82.000 aunes étaient sans doute de provenance bourguignonne et valaient au moins 1.000 livres st.. On peut donc, semble-t-il, dire que, vers le milieu du xve siècle, les pays de par-deçà exportaient annuellement des toiles pour une valeur approximative d'un millier de livres sterling. Il s'agit certainement là d'une évaluation minimum[344].

M. Van Uytven a pu, pour l'année 1390, calculer que la valeur des importations de toiles néerlandaises à Londres montaient à 3.417 l. 16 s. 3 d. st. pour une quantité de 219.789 aunes; il a, en effet, pu déterminer le prix par aune des différentes espèces de toiles[345]. M.M. Postan a pour sa part évalué à environ 300 livres st., en 1442, la valeur des toiles importées en Angleterre en provenance de Bruges, Anvers et Bergen-op-Zoom[346]. Ceci confirme l'opinion, que nous avons déjà avancée, d'une augmentation considérable des importations vers le milieu du siècle. Ainsi donc, les importations de toiles néerlandaises avaient, depuis la fin du xive siècle, subi une baisse et petit à petit au cours de la première moitié du xve s., la situation s'améliora.

Il faut cependant être fort prudent et souligner le caractère théorique des calculs auxquels nous venons de nous livrer. En effet, les toiles étaient essentiellement des marchandises de foires; de ce fait elles entraient à Londres ou à Sandwich quatre fois l'an, les autres époques étant des périodes creuses[347]. C'est ainsi que les moyennes mensuelles tirées des comptes de douane fragmentaires dont nous disposons sont sujettes à caution; en revanche, il faut attribuer plus de valeur à la moyenne annuelle calculée sur près de cinq ans et demi. En outre, les chiffres que nous venons de donner ne sont pas complets car certaines pièces de toile n'ont pu trouver place dans nos tableaux statistiques. En particulier le bougrain, toile bleue de fabrication brugeoise, n'a pu être recensé. Il s'exportait indifféremment à l'aune, à la

---

[343] D'après p.r.o., C.A., E 122/73/23 et E 122/73/25.

[344] Du fait que certaines espèces de toile n'ont pu être comptées en aunes (voir p. 231) et que le prix de 3 d. l'aune de moyenne a été calculé au plus juste.

[345] R. Van Uytven, « Een statistische bijdrage », p. 33.

[346] M. Mollat, P. Johanssen, M. Postan, A. Sapori, C. Verlinden, opus cit. p. 868, note 1.

[347] M.R. Van Uytven considère que les importations se font après l'hiver car la toile est tissée dans les campagnes en mauvaise saison (« Een statistische bijdrage », p. 37); nous n'avons pas constaté ce phénomène.

douzaine ou encore au « *post* ». Il est probable que les « *yperlings* » vendus à la pièce étaient des toiles tissées à Ypres. Quant aux « *painted cloths* » *(panni depicti)*, il s'agissait sans doute de succédanés de tapisseries [348]. On rencontre également des « *cushions cloths* » qui servaient à recouvrir les coussins, des « *banquerers cloths* », c'est-à-dire des « banquiers » (pièce servant à recouvrir un banc) [349] qui étaient tantôt en tapisserie, tantôt en toile. La maison du roi achetait les plus fines espèces de toiles bourguignonnes [350]. L'aristocratie les appréciait tant que, lors de la prohibition des marchandises bourguignonnes, Edouard IV octroya une licence à William Brown pour importer trois pièces de toile à l'usage de la duchesse de Bedford, mère de la reine [351].

Le fil de lin était également exporté; il y en avait d'Audenarde, de Gand, de Bruges, de Cologne et même de Chypre. Il s'évaluait en livres. Les variétés les plus répandues étaient celles d'Audenarde et de Cologne. Il existait aussi des qualités particulières : le « *spinael garen* » était fortement tordu; le « *twijngaren* » l'était moins; l'« *enkelgaren* » était le moins résistant [352]. La matière première, le lin à l'état brut, était introduite par les ports de la côte est de l'Angleterre et à Londres: il était presque toujours d'origine hanséatique.

b) *Les autres textiles*

Le chanvre à l'état naturel ou tissé en canevas était également un produit de grand commerce. Le prix du canevas était sensiblement pareil au prix moyen de la toile; il valait aussi 3 d. l'aune en 1450 [353].

Les draps et la laine étaient emballés de préférence dans des pièces de canevas. Il n'est malheureusement pas possible de donner des chiffres d'importation du canevas, car il est exceptionnel que l'aunage soit signalé. Les marchands anglais en achetaient de grandes quantités aux foires de Brabant; c'était le cas de William Cottesbrook [354] et des Cely [355].

Les tissus de coton étaient généralement amenés aux foires par les Hanséates et surtout par ceux originaires de la vallée supérieure du Rhin. La futaine était produite principalement dans la région méridionale de

---

[348] Voir p. 84, n. 118 : mention de « *painted cloths* » représentant le siège de Calais.

[349] Banquier est le terme moderne cité par le dictionnaire Larousse; Littré n'en parle pas; Godefroy signale la forme ancienne *banqueur*.

[350] P.R.O., *Wardrobe Accounts*, E 101/409/12.

[351] P.R.O., *Treaty Rolls*, C 76/150/m. 4 : 24 octobre 1466.

[352] G.A.B.O.Z., *R. en R.*, n° R 280, 1439-1442, f° 71 v° : 23 novembre 1441.

[353] P.R.O., *C.A.*, E 122/73/25.

[354] A.V.B., *S.C.*, 1447-1453, f°s 102-106.

[355] E. POWER, dans E. POWER and M.M. POSTAN, *opus cit.*, p. 59.

l'empire, vers Augsbourg, Ulm, Constance et Saint-Gall[356]. Des marchands de cette contrée fréquentaient régulièrement les foires de Brabant[357].

La futaine s'évaluait en balles qui coûtaient très cher : 9 livres st. la balle en 1439[358], 8 livres st. en 1450[359]. Comme la futaine était un tissu de coton bon marché, ces prix supposent que la balle contenait un aunage fort important.

Enfin, l'aristocratie anglaise appréciait particulièrement la tapisserie. Les pièces s'appelaient soit « arras », nom d'origine devenu commun, soit simplement tapisserie; peut-être existait-il une différence de qualité entre les deux espèces[360] ? Les textes ne donnent aucune précision concernant l'origine des tapisseries[361].

L'inventaire de la succession du célèbre John Falstaff, mort en 1439, nous montre combien les tapisseries étaient nombreuses dans une maison patricienne. Celle de John Falstaff était garnie de près de trente « clothis of Arras or taptre warke ». Il y avait parmi celles-ci des pièces destinées à l'ornementation des salles de réception, des banquiers, des couvre-lits, des tentures, un dais. Les sujets évoquaient des scènes de chasse, peu de motifs religieux, à l'exception d'une « Assomption », quelques verdures, peut-être quelques réminiscences de littérature chevaleresque (une dame jouant de la harpe au pied d'un château) et enfin, les armes du maître[362].

Aussi ne faut-il pas s'étonner de voir Philippe le Bon donner en cadeau, en 1447, « certaine chambre de tapisserie » à une personne inconnue qui habitait l'Angleterre[363].

Robert Worseley, un important mercier londonien fixé à Bruges, était spécialisé dans le commerce de grand luxe. En 1440, il expédiait de Bruges à Sandwich des tapisseries pour une valeur de 110 livres st.; parmi celles-ci

---

[356] M.M. MOLLAT, P. JOHANSSEN, M. POSTAN, A. SAPORI, C. VERLINDEN, opus cit., pp. 862-863, donnent une bonne idée d'ensemble concernant l'industrie cotonnière au moyen âge.

[357] Voir p. 254.

[358] P.R.O., C.A., E 122/73/10, f°s 12 et 13.

[359] P.R.O., C.A., E 122/73/23 et 25.

[360] Actuellement encore « arras » signifie en anglais tenture ou tapisserie.

[361] Seul un document signale des tapisseries de Saint-Trond mais, du fait qu'il s'agit d'une « certificaciëbrief » de Bergen-op-Zoom de 1467, époque où les Anglais ne pouvaient exporter aucune marchandises de provenance bourguignonne, on ne peut en tirer des conclusions définitives (H.J. SMIT, opus cit., t. II, p. 999, n° 1555). D'après H. GÖBEL, Wandteppiche, I. Die Niederlände, Leipzig, 1923, p. 462, l'industrie de la tapisserie apparut à Saint-Trond dans la deuxième motié du xve s.; il s'agirait dès lors d'une des premières mentions de cette manufacture.

[362] Paston letters, t. I, p. 479.

[363] A.D.N., R.G.F., n° B 1994, f° 198.

se trouvaient quatre verdures et quatorze tapisseries imagées [364]. Quatre ans plus tard, il fournit à la cour deux tapisseries à fil d'or : l'une, représentant l'histoire de saint Georges, fut vendue 210 livres st., tandis que l'autre, personnifiant les vices et les vertus, valait 200 livres st. [365]. Il est évident que ces pièces devaient servir à orner les palais royaux. Cependant, les tentes et pavillons de campagne étaient tendus intérieurement en « *arras and tapicerie* ». Comme ils subissaient une grande fatigue, il fallait souvent les réparer; on utilisait alors de la toile brabançonne et plus spécialement de la toile de Bois-le-Duc [366].

Malgré leur vogue, les tapisseries ne se vendaient pas toujours facilement en Angleterre, probablement à cause de leur prix élevé. C'est ainsi que Camus du Gardin confia à Josse de Bull « *six tapis de la Table ronde* » valant 5 s. 5 d. gr. Fl. l'aune; il devait les vendre outre-Manche. Bulle ne trouva pas acquéreur, dut mettre sa marchandise en gage et fut forcé de la ramener à Bruges [367].

c) *Les produits tinctoriaux : la garance et la guède*

La garance est une plante à rhizomes dont les racines possèdent des propriétés tinctoriales bien connues. C'est le cœur même du rhizome qui, séché sur feu de houille et pulvérisé, fournissait la meilleure teinture. Cette qualité s'appelait « *custbare croppen* »; l'écorce extérieure pouvait également être pilée et donnait une qualité très inférieure dont le prix atteignait seulement la moitié de celui des « *croppen* ». Enfin, la totalité de la racine pouvait être concassée. Les deux qualités inférieures devaient subir un nouveau traitement avant d'être utilisées dans l'industrie [368].

La garance se cultivait en Flandre et en Zélande. Le « *Libelle of Englyshe Policye* » cite la garance à côté du drap comme les seuls produits indigènes du commerce flamand [369]. Les variétés les plus souvent nommées étaient celles cultivées à Tolen et Reimerswaal.

---

[364] p.r.o., *C.A.*, E 122/208/1 : 24 août 1440, navire de Thomas Salmon.

[365] p.r.o., *Wardrobe Accounts*, E 101/409/12.

[366] p.r.o., *Memoranda Rolls*, K.R., E 159/231 : 1454-1455.

[367] L. GILLIODTS VAN SEVEREN, *Cartulaire de l'ancienne estaple*, t. II, p. 147, n° 1089 : sentence du 17 octobre 1466.
Les Médicis payaient leurs tapisseries à Bruges 6 à 8 s. 8 d. gros l'aune de Bruges (voir A. GRUNZWEIG, *Correspondance*, p. 26 : 10 novembre 1453; p. 31, n° 15 : 30 décembre 1453 et 8 janvier 1454; p. 79, n° 28 : 19 février 1459; p. 81, n° 29 : 9 mai 1459; p. 98, n° 37 : 16 mai et 9 juin 1462).

[368] Au sujet de la culture de la garance, voir B.W. VAN DER KLOOT-MEYBURG, « Bijdrage tot de geschiedenis van de meekrapcultuur in Nederland », *Economisch-historisch Jaarboek*, t. XVIII, 1934, pp. 59-153, et C. WISKERK, « De geschiedenis van de meekrapbedrijf in Nederland », *Ibidem*, t. XXV, 1952, pp. 1-144.

[369] *Libelle of Englyshe Policye*, éd. G. Warner, p. 7.

La récolte avait lieu en septembre; aussi, la foire froide de Bergen-op-Zoom était-elle particulièrement bien achalandée en garance, bien qu'on en livrât à toutes les foires [370]. Les cultivateurs de garance concluaient parfois des marchés avec des acheteurs anglais bien avant la récolte. Ils exigeaient une avance sur la somme globale, ce qui leur permettait de couvrir les frais généraux de la récolte et du séchage. Ainsi, Eemont Kerville, un « grocer » londonien, acheta, le 14 juillet 1446, « X.m. gouden custbaere croppen van nieuwen meeden », au prix de 14 s. g. Fl. le cent à Splinten Claeus, appelé le géomètre de Reimerswaal. La marchandise était livrable à la Saint-Martin ou dans la huitaine suivante. L'acheteur avançait 20 livres de gr. de Flandre sur le montant total de 70 livres de gr. Fl. [371]. Il espérait ainsi profiter d'un prix plus avantageux que celui qui serait pratiqué à la foire froide, moment où la loi de l'offre et de la demande jouerait peut-être en sa défaveur.

Nous avons essayé de chiffrer quelle pouvait être la quantité de garance arrivant au port de Londres et venant des pays bourguignons :

Dates	Total en balles
4-10-1435 au 20-8-1436	318 1/2
4-10-1437 au 20-8-1438	308 1/2
15- 5-1438 au 6-9-1438	116 1/2
1-10-1438 au 3-8-1439	328
27- 1-1446 au 29-8-1446	588 1/2
5- 6-1449 au 27-3-1450	183 1/2
1- 4-1450 au 25-9-1450	409
4-11-1454 au 13-1-1455	143 [372]

Nous ignorons malheureusement le poids de la « balle ». C'est une mesure fort variable qui sert pour toute une série de produits [373]. En outre, il est difficile de juger si la balle de garance expédiée de Zélande correspondait à un poids d'Anvers ou si les douaniers anglais évaluaient les quantités importées en mesure locale. Quoi qu'il en soit, la balle de garance de premier choix était évaluée par les « Customs Accounts » à 1 l. 6 s. 8 d. st. [374].

Lorsque les produits bourguignons furent interdits en Angleterre [375], le manque de garance se fit âprement sentir. Les Médicis virent aussitôt la

---

[370] Au sujet du commerce de la garance aux foires, voir K. SLOOTMANS, « Meekrap-handel op de jaarmarkten van Bergen-op-Zoom », Jaarboek 18 van den Ghulden Roos, 1958, pp. 49 et suivantes.

[371] G.A.B.O.Z., R. en R., n° 282, 1445-1449, f° 74 v°.

[372] P.R.O., C.A., E 122/73/34, 73/3, 76/38, 73/10, 73/20, 73/23, 73/25, 74/47. Il n'a pas été tenu compte des différentes qualités de garance.

[373] H. DOURSTHER, opus cit., p. 42, signale que ce n'était pas à proprement parler une mesure.

[374] D'après P.R.O., C.A., E 122/73/10, 73/23, 73/25.

[375] Voir p. 403.

bonne affaire à réaliser. Gérard Canigiani, qui était alors gouverneur de la filiale des Médicis à Londres avec Giovanni de' Bardi, obtint l'autorisation d'importer trois cent quatre-vingt-neuf balles de garance originaire de nos régions [376]. C'était là une quantité considérable qui devait couvrir une bonne partie des importations normales de garance par le port de Londres.

La guède est également une matière tinctoriale d'origine végétale; elle est plus connue sous le nom de pastel. Les feuilles de la plante sont réduites en pulpe et subissent une courte fermentation; on vendait la pulpe en boules appelées « *coques* » ou « *tourtes* ».

Au cours des XIIIe et XIVe siècles, la culture de la guède, comme l'a récemment mis en lumière M.A. Joris, était florissante dans le nord du comté de Namur et probablement dans la Hesbaye brabançonne et liégeoise; il est attesté qu'un certain courant d'exportation de guède se dirigeait de ces régions vers l'Angleterre. Or, les « *Customs Accounts* » que nous avons dépouillés ne font que rarement mention d'importation de guède en provenance des pays de par-deçà. C'est qu'à l'époque qui nous occupe, les seuls sujets du duc de Bourgogne qui exportaient de la guède étaient des Picards et plus spécialement les bourgeois d'Amiens. Leur commerce était d'ailleurs en plein déclin; il avait particulièrement brillé au XIIIe siècle, mais il subissait au XVe siècle la concurrence du pastel toulousain que les capitaines de Bayonne et, dans une moindre mesure, de Bordeaux débarquaient à Bristol principalement [377].

Les marchands de « *waide* » d'Amiens, dès la première moitié du siècle, avaient pratiquement abandonné le commerce actif avec l'Angleterre. Ils se bornaient à proposer leur marchandise aux acheteurs insulaires à Calais et aux foires de Brabant.

Au sortir d'Amiens, les marchands de guède devaient s'acquitter d'une imposition foraine de 12 d. par livre de guède qu'ils exportaient hors du royaume de France. Cette taxe leur pesait. Aussi, après la guerre anglobourguignonne, profitèrent-ils des circonstances pour obtenir de Philippe le Bon la franchise de l'imposition foraine. Le duc la leur accorda « *eue consideracion a la trés grant perte et dommaige que aucuns des diz marchans ont nagueres eus tant a Calais comme en Angleterre* » [378].

---

[376] *Calendar of Patent Rolls, 1461-1467*, p. 517 : 28 mars 1466.

[337] Au sujet de la guède, voir J.B. HURRY, *The woadplant and its dye*, Londres, 1930; P. WOLFF, *Commerces et marchands de Toulouse (vers 1350-1450)*, Paris, 1954, pp. 118-119, pp. 247-249 et G. DE POERCK, *opus cit.*, t. II, pp. 150 et suivantes. Voir l'article de E. CARUS-WILSON, « La guède française en Angleterre, un grand commerce au moyen âge », *Revue du Nord*, t. XXXV, n° 138, avril-juin 1953, pp. 89-105 et A. JORIS, « Les moulins à guède dans le comté de Namur pendant la seconde moitié du XIIIe siècle », *Le Moyen Age*, 1959, pp. 253-278.

[378] B.N., *Fonds français*, n° 26062, pièce n° 3075 : 28 janvier 1438.

Par la suite, ils durent à nouveau acquitter l'imposition; sous ce prétexte, ils tentèrent d'être déchargés du tonlieu de Gravelines sur les guèdes destinées à l'Angleterre. Pour éviter la taxation, ils empruntèrent la voie de mer et il fallut que le fermier du tonlieu les fit surveiller. Ils introduisirent alors, auprès de la Chambre des Comptes, une réclamation qui fut repoussée [379]. Une solution au conflit intervint en 1444. Le duc supprima l'obligation pour les Amiénois de payer non pas le tonlieu de Gravelines mais l'imposition foraine à la sortie de leur ville sur « *la dicte marchandise de waides qui n'est que feuilles corrompables* » [380].

d) *Le sel*

L'Angleterre importait au xve siècle de grandes quantités de sel. La conservation du poisson et de la viande, bases de l'alimentation, en exigeait beaucoup. Ce sel se présentait sous des qualités différentes. Le fin sel blanc provenait des pays bourguignons, le gros sel noir, gris et même vert, de la Baie de Bourgneuf.

Le sel originaire des pays de par-deçà était extrait d'une tourbe fortement imprégnée d'eau de mer et appelée « *darinck* »; consumée, elle donnait un sel d'excellente qualité du nom de « *zelle* » ou « *sille* »; le « *darinck* » était principalement exploité dans les îles zélandaises mais on dut bientôt réglementer son extraction car elle faisait courir au pays le danger d'inondation [381].

La principale source du commerce européen du sel, depuis la fin du xive siècle, était la Baie de Bourgneuf, à la limite du Poitou et de la Bretagne. Là des salines naturelles d'eau de mer produisaient d'énormes quantités de sel [382]. Ce sel était distribué dans toute l'Europe. D'immenses flottes partant du Zwijn et formées de bateaux hanséates et bourguignons venaient chaque année s'y approvisionner. En général, au retour, elles faisaient escale aux Bouches de l'Escaut où le commerce du sel était particulièrement prospère. Le gros sel de mer, plein d'impuretés, devait être raffiné pour qu'il pût servir de sel de table. Il s'établit ainsi des raffineries dans la région de

---

[379] A.D.N., n° B 17667 : sans date.

[380] B.N., *Fonds français*, n° 26072, pièce 5037 : 25 juillet 1444.

[381] A.R. BRIDBURY, *England and the salt trade in the later middle ages*, Londres, 1955, pp. 10-15.

[382] A.R. BRIDBURY, *opus cit.*, pp. 40-75, donne tous les détails concernant l'exploitation du sel de la Baie. Voir aussi dans W. VOGEL, *Geschichte der Deutschen Seeschiffahrt*, I. Band, *Von der Urzeit bis zum Ende des* xv. *Jahrhunderts*, Berlin, 1915, p. 291, la carte de la Baie de Bourgneuf ainsi que dans l'ouvrage de A. AGATS, *Der Hansische Baienhandel*, Heidelberg, 1904, qui compare, grâce à trois cartes, l'évolution du site géographique de la Baie de Bourgneuf du moyen âge à nos jours.

Biervliet et de Reimerswaal [383]. La salaison des harengs n'exigeait pas une qualité aussi fine; aussi, les bateaux chargeaient-ils dans les ports bourguignons à la fois du gros sel de la Baie et du sel blanc qui pouvait être soit du « selle », soit du sel de la Baie raffiné. Il est également certain que des bateaux bourguignons se rendaient directement de la Baie en Angleterre [384].

M.A.R. Bridbury, qui a consacré une intéressante étude au commerce du sel en Angleterre, a établi que celui-ci était en grande partie aux mains des Hollandais et Zélandais, tout au moins pour les ports de la côte sud-est et est de l'Angleterre [385].

Parmi ceux-ci, les plus importants étaient Londres et Yarmouth, où le trafic du poisson était très développé. Si les Hollandais et Zélandais l'emportaient par le nombre sur les Anglais, il semble que ces derniers aient importé du sel pour un montant plus élevé [386]. M. A.R. Bridbury a également constaté qu'au cours du xve siècle, des importations de plus en plus consirérables de gros sel de la Baie éliminèrent bientôt totalement celles en provenance des Pays-Bas [387]. Cela s'explique assez aisément : la technique de raffinage avait été transplantée en Angleterre; dès 1440, Henri VI installa près de Winchelsea des spécialistes de la préparation du sel originaires de Hollande et de Zélande [388].

e) *Le poisson*

Le poisson formait la base de la nourriture populaire en Angleterre. Le

---

[383] R. FRUIN, « Het Archief der stad Reimerswaal », dans *Rijksarchiefdepot in de provincie Zeeland*, La Haye, 1897, p. 43, nº 95, signale l'existence de raffineries à Reimerswaal à la fin du xve siècle. On trouve cependant mention de sel de Reimerswaal dans les « *Customs Accounts* » de Londres dès 1438 : P.R.O., C.A., E 122/73/10, fº 22 vº.

[384] Les « *Customs Accounts* » signalent parfois l'arrivée dans les ports anglais de bateaux bourguignons chargés de sel de la Baie non raffiné.

[385] A.R. BRIDBURY, *opus cit.*, pp. 120-123. Notons que Bristol pratiquait également le commerce du sel mais que les Bourguignons n'y jouaient aucun rôle.

[386] Les Hollandais et Zélandais formaient les trois quarts des effectifs : A.R. BRIDBURY, *opus cit.*, p. 120.

[387] Voici les chiffres donnés par A.R. BRIDBURY, *opus cit.*, p. 173, en quarters de 28 livres :

	L o n d r e s		
Date	Volume total	Sel des Pays-Bas	Sel de la Baie
1428-1429	1.105	365	400
1437-1438	2.300	210	1.965
1442-1443	3.100	370	2.360
1462-1463	1.778	163	1.610
1472-1473	2.255	185	2.070
1487-1488	9.620	nil	4.950

[388] Voir le chapitre consacré aux Bourguignons en Angleterre, p. 299.

« *Libelle of Englyshe Policye* » signale l'importation en provenance des pays bourguignons de « *salt fysche als for husbond and comons* » [389].

Aussi des privilèges spéciaux protégeaient-ils ce commerce même aux époques les plus troublées. Les marchands étrangers pouvaient écouler le poisson en détail comme en gros, ce qui n'était permis pour aucune autre denrée [390].

Le hareng occupait la première place parmi les importations de poisson en Angleterre. Il existait différentes espèces de harengs dont les prix au last (1.800 kg.) étaient fort différents. La qualité supérieure était le hareng blanc, c'est-à-dire salé et en caque; le last de hareng plein (n'ayant pas encore frayé) et blanc était évalué à quatre livres st. dans les « *Customs Accounts* ». Le last de harengs guais (ayant frayé) salés ne valait que deux livres st., tandis que le last de harengs rouges, c'est-à-dire saurs, n'était évalué qu'à une livre sterling [391].

A côté du hareng, on importait également du saumon, des anguilles, des pimperneaux, de la morue, du maquereau, de l'esturgeon, des esprots et de la lingue.

Les principaux ports où se négociait le poisson, et particulièrement le hareng, étaient Londres, Great Yarmouth et Lynn. Great Yarmouth était le grand marché du hareng; une foire s'y tenait chaque année entre le 29 septembre (Saint-Michel) et le 11 novembre (Saint-Martin)[392]. La période de pêche était alors fixée en été et au début de l'automne, c'est-à-dire avant la foire et avant que le hareng ait frayé.

Il existe en effet deux époques pour le frai; certaines espèces fraient à la fin de l'été et au début de l'automne, d'autres au début du printemps. C'est ainsi que l'on constate l'entrée dans les ports anglais de flottes revenant de la pêche en octobre et en janvier-février.

Il est fort difficile d'apprécier l'importance des exportations de harengs en provenance des pays de par-deçà vers l'Angleterre. Fort souvent, la préparation du poisson — mise en caque — se faisait à bord du bateau de pêche; la marchandise pouvait alors prendre directement le chemin des ports anglais. D'autre part, il est certain que les poissonniers londoniens achetaient aux Pays-Bas des quantités de harengs. Or, les «*Customs Accounts* » signalent pêle-mêle l'importation des harengs pêchés par des Anglais ou des Bourgui-

---

[389] *Libelle of Englyshe Policye,* éd. G. WARNER, p. 28.

[390] *Statutes of the Realm,* t. II, p. 293 : 1435. En cas de guerre, des licences étaient même accordées pour l'importation de poissons (H.J. SMIT, *opus cit.,* p. 676, n° 1092 : 8 août 1436).

[391] Ces prix semblent avoir été stables car nous les avons relevés tant pour 1438-1439 que pour 1450 (P.R.O., *C.A.,* E 122/73/3, 73/23 et 25). Hareng n'ayant pas frayé : *allec plenum album* ou *white full herring;* hareng guai : *allec vacuum* ou *shoten herring;* hareng saur : *allec rubeum* ou *red herring.*

[392] N.J. KERLING, *opus cit.,* p. 90.

gnons ou encore achetés par des marchands aventuriers dans nos ports, sans que soient précisées le plus souvent ni l'origine du marchand, ni l'origine du poisson, ce qui est le cas pour les comptes du port de Londres.

Les « *Customs Accounts* » de Great Yarmouth et de Lynn indiquent l'origine des marchands. Cela nous a permis de relever les quantités de harengs introduites dans ces ports par les Bourguignons. Il nous a été plus difficile de dresser des statistiques pour Londres. Nous nous sommes bornée à calculer la quantité de harengs amenée dans la capitale à bord des bateaux bourguignons, lorsque, bien entendu, le port d'origine du bâtiment était indiqué. Tous les ports de pêche, depuis Dunkerque jusqu'à Petten, participaient à ce trafic [393].

Nous avons pu aussitôt constater que les fluctuations du marché étaient fort sensibles; en d'autres termes, le hareng semble avoir été un produit vendu en quantités très variables. Il semble qu'il faille mettre ce fait en rapport avec plusieurs facteurs : *1)* la plus ou moins grande réussite de la campagne de pêche : les bancs de harengs se déplacent; une même génération de harengs fréquente toujours les mêmes eaux mais la génération suivante en choisit généralement d'autres; *2)* une demande plus grande provenant des Pays-Bas eux-mêmes à la suite de la pénurie d'autres produits de première nécessité; *3)* lors de l'abandon des foires de Brabant par les Anglais, on nota un brusque développement des importations bourguignonnes de harengs à Londres, conséquence de la décadence des foires qui libérait des bateaux marchands pour la pêche; *4)* la demande de poisson en Angleterre était influencée par l'état des récoltes et par les importations de stockfish d'Islande. Enfin, il faut noter que, dans tous les cas, l'exportation de harengs vers l'Angleterre ne comprenait qu'une partie très restreinte de la pêche des ports bourguignons [394].

f) *Les bijoux et les objets d'art*

L'orfèvrerie et la joaillerie flamandes étaient fort appréciées en Angleterre. Edouard IV possédait à Bruges un orfèvre attitré : Gérard van Rye. C'est à lui qu'il acheta les joyaux destinés au couronnement de la reine. Le bijoutier vint présenter en personne un choix de six colliers d'or et de pierres précieu-

---

[393] Au sujet de la pêche du hareng en Flandre, voir R. DEGRYSE, *Vlaanderens haring-bedrijf in de middeleeuwen*, Anvers, 1944, et du même auteur, « Vlaanderens haringvisscherij in de middeleeuwen », *Handelingen van het Genootschap « Société d'Emulation »*, te Brugge, t. LXXXII, 1939. Voir aussi E. DARDEL, *La pêche harenguière en France*, Paris, 1941; R. DEGRYSE, « De Vlaamse haringvisserij in de XVᵉ eeuw », *Handelingen van het Genootschap « Société d'Emulation »*, te Brugge, t. LXXXVIII, 1951. Voir tableau statistique p. 488.

Petten, Pays-Bas, prov. Hollande septentrionale, arr. Alkmaar, à peu près à mi-chemin entre Alkmaar et Le Helder.

[394] Voir p. 312 n. 785.

ses et de « *six monilia vocata owches* » assortis [395]. Plus tard, le roi lui commanda la bague de fiançailles que Marguerite d'York offrit à Charles le Téméraire. C'était une bague en or ornée d'un beau diamant qui valait vingt livres sterling [396].

En 1445, un autre joaillier brugeois Pieter van Sint Jan avait obtenu l'autorisation pour lui et ses deux associés, les Génois Christophe de Poges et Augustin de la Rewe (Rue), d'importer deux grandes « *tabulae* » de diamants, deux petites, quatre grands rubis, quatre saphirs et douze perles [397]. Il est évident que de tels joyaux ne pouvaient se vendre que dans le cercle de la haute aristocratie et de la cour. Plus tard, en 1456, van Sint Jan reçut un sauf-conduit pour commercer en Angleterre [398]. L'argenterie était aussi fort appréciée; Jan Rolinswerd débarquait, le 27 janvier 1446, d'un bateau d'Arnemuiden à Londres avec trois petites fourchettes et une petite « nef » de jaspe garnie d'or et de 20 saphirs; il portait aussi 17 rubis balais, 122 perles et neuf petits diamants, le tout pour une valeur de 136 livres st. 6 s. 8 d.. [399].

De temps à autre, les comptes de douane signalent l'importation de quelques objets d'art. Pierre de Sachy débarqua, le 30 décembre 1439, à Sandwich, d'un bateau en provenance des Bouches de l'Escaut, trois petits retables pour autel, un en ivoire, un en argent et un en or, cinq ciboires de cristal garnis d'argent et d'or et quelques bijoux, le tout évalué à 70 livres st. [400].

g) *Le vin*

L'Angleterre s'approvisionnait principalement en vin du Bordelais. Après la perte du Languedoc, la route de Bordeaux fut plus ou moins fermée aux

---

[395] Il avait reçu à cet effet une licence le 22 avril 1465 (P.R.O., *Treaty Rolls*, C 76/149/m. 21). Il arriva au port de Sandwich, le 15 mai 1465, dans le bateau de Claes Johnson; il fut dispensé de payer les droits de douane (P.R.O., *C.A.*, E 122/128/6). Le terme « *owches* » signifie peut-être pendants ou boucles d'oreilles; le verbe « *ochen* » est l'équivalent du français hocher, secouer.

[396] DEVON, *Issue Rolls*, p. 491 : 1er juin 1468.

[397] H. NICOLAS, *opus cit.*, t. VI, pp. 30-31 : 14 février 1445; même licence datée du 3 février dans P.R.O., *Treaty Rolls*, C 76/127/m. 10.

[398] P.R.O., *Treaty Rolls*, C 76/138/m. 26 : 26 janvier 1456. Il semble que les bijoux étaient en général importés via Sandwich. On peut notamment relever dans les C.A. de Sandwich l'importation en 1439, par Laurent de Wouter, d'émeraudes, turquoises, perles, rubis, de broches et de boucles d'or pour une valeur de 7 l. st. (P.R.O., *C.A.*, E 122/208/1 et E 122/127/18).

[399] P.R.O., *C.A.*, C 122/73/20. Il s'agit bien entendu de la pièce d'orfèvrerie appelée nef rendue par le mot « *scyphus* ». Le terme rubis balais, nom vulgaire d'une variété rose de la spinelle, est rendu par « *balacez* », déformation du latin médiéval « *balascus* » (DU CANGE, t. I, p. 547).

[400] P.R.O., *C.A.*, C 122/127/18.

Anglais [401]. On vit alors des marchands anglais acheter du vin aux foires de Brabant [402]. Le roi d'Angleterre délivra même des licences pour permettre l'importation, via la Zélande, de vin « *de crescencia ducatus nostri Acquitannie* ». Trois marchands de Newcastle en reçurent deux en décembre 1465, chacune pour quarante tonneaux [403]. A cette époque, les Colonais eux-mêmes expédiaient du vin de Languedoc en Angleterre [404]. Triste retour des choses si l'on considère que vingt-cinq ans auparavant, le duc de Bourgogne, pour assurer un voyage sans aventure au vin qu'il faisait venir du Bordelais, sollicitait d'Henri VI un sauf-conduit spécial [405]. Enfin, il faut signaler le transport de vin de Gascogne en Angleterre par des bateaux zélandais et hollandais [406].

L'Angleterre consommait également un peu de vin du Rhin qui lui parvenait via les Bouches de l'Escaut [407].

h) *Le houblon*

L'Angleterre importait de grandes quantités de houblon des pays de pardeçà tandis que le « brai », nous l'avons vu, était exporté vers les Etats bourguignons.

La chose s'explique si l'on sait que l'« ale », boisson anglaise par excellence, était à l'époque le produit de la distillation du malt sans addition de houblon. La tradition veut que le houblon ait été introduit en Angleterre au XVIe siècle, par les protestants flamands fuyant les rigueurs religieuses de Philippe II. En réalité, dès la première moitié du XVe siècle, le houblon était largement importé en Angleterre [408]. Nous verrons dans un chapitre ultérieur, le rôle

---

[401] Voir E. CARUS-WILSON, « The effects of the acquisition and of the loss of Gascony on the English wine trade », dans *Medieval merchant venturers*, Londres, 1954, pp. 265-278.

M.J. CRAEYBECKX, (*Un grand commerce d'importation : Les vins de France aux anciens Pays-Bas* (XIIIe-XVIe *siècles*), Paris, 1958, p. 127) affirme que « les vins de Gascogne consommés avant le milieu du XVe siècle aux Pays-Bas, ne venaient pas directement de Bordeaux mais bien d'Angleterre qui en avait pratiquement le monopole »; nous n'avons pas trouvé de trace de ce trafic depuis 1435.

[402] A.V.A., *S.R.*, n° 63, f° 238 : 9 mars 1452. Un marchand de Newcastle associé à un Anversois achetait du vin à un Français, semble-t-il.

[403] H.J. SMIT, *opus cit.*, t. II, p. 999, n° 1554; P.R.O., *Treaty Rolls*, C 76/149/m. 9 : 13 et 19 décembre 1465. Soulignons que les exemples que nous possédons se rapportent uniquement à des marchands de Newcastle.

[404] H.J. SMIT, *opus cit.*, p. 1001, n° 1558 : 23 janvier 1466.

[405] A.D.N., *R.G.F.*, n° B 1972, n° 103 : juin 1441.

[406] H.J. SMIT, *opus cit.*, t. II, p. 987, n° 1547 : 22 janvier 1465.

[407] B. KUSKE, *opus cit.*, t. I, p. 930, n° 1132 : 14 septembre 1446.

[408] Mlle N.J. KERLING (*opus cit.*, p. 115) fixe au lendemain de la guerre anglo-bourguignonne de 1436 cette évolution.

joué par les Bourguignons dans cette innovation. En conséquence, la bière hollandaise et zélandaise ne se rencontre plus dans les bateaux venant des Pays-Bas à l'époque qui nous intéresse, alors qu'elle avait fait l'objet d'un trafic important au début du siècle. A ce moment donc, l'Angleterre avait suffisamment développé sa brasserie pour n'avoir plus besoin d'aide extérieure. On constate parallèlement que dès le dernier quart du XIVe siècle, les exportations anglaises d'ale avaient cessé [409]. Il faut sans doute mettre ce fait en rapport avec l'envoi outre-mer de céréales nécessaires à la brasserie qui permettaient une production plus importante dans les pays tributaires de l'importation pour leur approvisionnement en grain. Le houblon s'expédiait en heudes; il valait 5 s. le heude [410].

i) *Les légumes et les fruits*

Pour compléter leur cargaison de poisson, les petits bateaux de pêche transportaient fréquemment de l'ail, des oignons et des choux qui semblent avoir été cultivés dans les régions voisines des côtes.

L'ail se vendait à la botte ; cent bottes valaient 6 s. 8 d. sterling, tandis que cent choux étaient évalués au même prix [411].

Les graines d'oignons étaient récoltées dans la région de Spire et se négociaient aux foires de Brabant. Pour juger de l'ampleur de ce commerce, notons qu'en 1455, Hans Hane de Spire vendit à un certain John Blackborn de Londres dix-neuf sacs de graines d'oignons de la dernière récolte valant quatre mille livres de gros [412]. Les graines de moutarde étaient également appréciées; il est vrai qu'elles servaient dans la pharmacopée de l'époque.

On rencontre rarement des fruits dans les cargaisons [413]. Des raisins secs étaient parfois exportés. On connaît un Hanséate qui pratiquait à l'occasion ce genre de trafic [414], mais, en général, c'étaient surtout des Génois qui s'y livraient. Ainsi Gaspard Justiniani expédia, en 1446, dans deux bateaux, un d'Arnemuiden et l'autre de Middelbourg, 500 pièces de figues et de raisins secs pour une valeur de 33 livres 4 sous 8 deniers st. [415].

---

[409] N.J. KERLING, *opus cit.*, pp. 216-220.

[410] P.R.O., *C.A.*, E 122/73/25.

[411] P.R.O., *C.A.*, E 122/73/10.

[412] G.A.B.O.Z., *R.R.*, no R 287, 1454-1457, fo 87 : 22 novembre 1455.

[413] L'affirmation de R. VAN UYTVEN, « La Flandre et le Brabant », p. 302 : « Des cargaisons entières de pommes et de noix étaient exportées vers l'Angleterre », nous semble fortement exagérée; on rencontre assez rarement des quantités réduites de ces fruits dans les petits bateaux se rendant en Angleterre.

[414] Matis van ther Hoffen (P.R.O., *C.A.*, E 122/73/10, fo 18). S'agissait-il de raisins de la vallée du Rhin ?

[415] P.R.O., *C.A.*, E 122/73/20.

j) *Les chapeaux*

Parmi les exportations bourguignonnes, on relève particulièrement la chapellerie.

Des chapeaux de feutre, de paille et à base de bouts de laine *(thrums)* étaient fabriqués dans les pays de par-deçà. Anvers [416] et Bois-le-Duc [417] semblent avoir été des centres particulièrement actifs pour la chapellerie. Nous avons dit d'autre part qu'une partie de la matière première, les poils de lapin, était originaire d'Angleterre. Nous avons aussi des témoignages de marchés conclus par des Anglais avec des Brabançons. Le 12 juillet 1456, trois marchands anglais, William Scheel, John de Cock et Richard Golofer, s'engagèrent envers l'Anversois Cornelius Laureyssone à acheter pour soixante-treize livres de gros de chapeaux [418]. C'était là un marché important. On reste d'ailleurs confondu devant l'ampleur de ce commerce. Il entra au port de Londres, du 1er avril au 25 septembre 1450, soixante et onze mille soixante-dix chapeaux. Parmi ceux-ci vingt-six mille huit cent vingt-six étaient en feutre, quarante mille cent quatre-vingt-treize en paille, quatre cent et huit en « *thrums* » et trois mille cinq cent quarante sans spécification [419].

Les chapeaux se vendaient par douzaines; le prix moyen d'une douzaine de chapeaux de feutre était de 3 s. en 1450 et le prix moyen de dix chapeaux de paille était de 3 d..

On peut donc considérer qu'il entra au port de Londres du 1er avril au 25 septembre 1450 pour une valeur de plus de huit cent trente-sept livres st. de chapeaux (335 l. st. de chapeaux de feutre et 502 l. st. de chapeaux de paille) [420].

k) *Les objets en métal*

La coutellerie était bien représentée parmi les exportations bourguignonnes; on rencontre dans les cargaisons des couteaux, des ciseaux de tonte, des rasoirs, des couteaux de sabotiers. Les couteaux se vendaient à la douzaine, les ciseaux à la pièce. La petite ville brabançonne de Diest était spécialisée dans la fabrication des couteaux de tonte [421].

[416] Cette corporation paraît avoir été fort active à Anvers; voici pour l'année 1456-1457, quelques références : A.V.A., S.R., fos 231 vo, 247, 260 vo, 269 vo, 276, 342, 441 vo, 450, 451, 465, 473.

[417] Voir p. 218.

[418] A.V.A., S.R., no 51, fo 74 vo.

[419] P.R.O., C.A., E 122/73/25.

[420] Nous n'avons pas tenu compte des 3.540 chapeaux sans spécification.

[421] A.V.L., *Comptes de Louvain*, no 5090, fo 70 : 1464.

Citons parmi la quincaillerie, les clefs et les serrures, les clous, le fil de fer, les éperons. Clefs, serrures et éperons étaient vendus à la douzaine ou à la grosse; les clous et le fil de fer, au poids ou à la « *bundle* »; les poêles à frire se négociaient à la pièce. Ces produits provenaient de la principauté de Liège et du comté de Looz. Les Anglais exigèrent le contrôle du poids des clous à la foire d'Anvers tout comme ils avaient demandé l'application des ordonnances sur les mesures des toiles [422].

Les Dinantais chargeaient leur batterie aux foires de Brabant; dans chaque bateau affrété par les Hanséates, on constate la présence de la batterie dinantaise. Les « *marchans de la compaignie d'Engleterre* » embarquaient leurs biens sous les noms de Lambert Josse ou Joses et de Jean Salmer. On ne rencontre jamais aucun autre nom de marchand dinantais. Si Jean Salmier (et non Salmer) nous est bien connu, Lambert Joses n'est pas signalé dans le cartulaire de la commune de Dinant. Sous ces deux noms se cachaient donc l'identité de bien d'autres marchands. Le 13 octobre 1465, deux navires en provenance d'Anvers et destinés à l'Angleterre furent arrêtés par des corsaires français et emmenés à Honfleur; ils étaient chargés de pelles, bassins et chaudrons pesant 13.303 quars 16 livres de poids de Dinant; cette marchandise appartenait à treize marchands différents parmi lesquels on relève le nom de Jean Salmier [423]. Il est certain que si la cargaison était parvenue à Londres, seul port fréquenté par les Dinantais, la batterie aurait été simplement déclarée sous le nom de Jean Salmer ou de Lambert Joses.

Nous avons établi quelques indices statistiques relatifs au commerce des Dinantais. Si l'on compare les chiffres d'importation de batterie et d'exportation d'étain et de draps par les Dinantais, on constate que la moyenne annuelle des importations de batterie atteignait environ 792 livres st. et celle des exportations seulement 552 livres st.. Il faudrait donc croire que la balance commerciale était nettement favorable aux Dinantais [424]. Il faut noter que les draps entraient pour une bonne part dans le montant global des exportations dinantaises d'Angleterre. H. Pirenne a insisté sur le fait que les Dinantais acquièrent par prescription les privilèges hanséatiques en Angleterre et

---

[422] Voir la pétition introduite en 1430 par les marchands anglais auprès du magistrat d'Anvers (A.V.A., *Privilegekamer*, n⁰ 1050, fᵒˢ 177-178).

[423] S. BORMANS, *Cartulaire de la commune de Dinant*, 3 t., Namur, 1880-1882, t. II, pp. 186-189, n⁰ 130 : 13 décembre 1465; A. BORGNET, « Le Sac de Dinant par Charles le Téméraire », *Annales de la Société d'Archéologie de Namur*, t. III, 1853, pp. 74-76 : 20 février 1466. On connaît l'existence d'un Jean Joset. Il est probable que son père ou son grand-père avait nom Lambert Joset et que traditionnellement depuis lors, les marchandises appartenant à des Dinantais étaient déclarées sous ce nom. Au sujet de la famille Salmier, voir D. BROUWERS, « Annalectes dinantais, deuxième série », *Annales de la Société Archéologique de Namur*, t. XXXVIII, 1927, pp. 277-280 et particulièrement au sujet de Jean Salmier, voir D. BROUWERS, « Les marchands batteurs de Dinant à la fin du xvᵉ s. », *B.C.R.H.*, 1909, t. LXXVII, pp. 123-126.

[424] Voir le tableau statistique, p. 489.

qu'ils ne furent jamais véritablement membres de la Hanse. Après le sac de la ville, la Hanse reconnut aux Dinantais la possession des franchises en Angleterre mais essaya de leur interdire le commerce du drap [425].

Quoi qu'il en soit, Dinant attachait une grande importance à ses relations avec l'Angleterre. En 1465, à la prière des marchands de la Compagnie d'Angleterre, la ville demandait, au moment même où se concluait l'alliance franco-liégeoise, de comprendre l'Angleterre dans le traité [426]. D'ailleurs, lorsqu'en 1455, trois batteurs endettés s'enfuirent furtivement de Dinant avec l'intention de transplanter leur industrie en Angleterre, la ville s'émut et les fit arrêter en chemin [427]. Elle craignait évidemment de perdre un débouché intéressant pour son industrie. Il faut sans doute rapprocher cette tentative de la transplantation à la même époque d'autres industries de nos pays en Angleterre; citons l'art du vitrail, le raffinage du sel, la brasserie.

1) Les marchandises diverses

Les cardes nécessaires à la draperie étaient également exportées sous le nom de « skyve tassil », c'est-à-dire mesure de chardons; une mesure valait 6 d. [428]. Il s'agissait effectivement de chardons végétaux, culture pratiquée encore de nos jours aux mêmes fins.

L'alun était parfois réexporté vers l'Angleterre. On le rencontre assez rarement dans les « Customs Accounts ». Il appartient généralement à des Génois. On relève la mention de deux qualités : l'alun de roche et de Phocée [429].

Le papier faisait aussi l'objet d'un commerce vers l'Angleterre. Il était un sous-produit de l'industrie linière; aussi note-t-on l'existence de papiers de toile de Nivelles et de Cambrai, et leurs variétés de papier à écrire et à emballer [430].

La céramique était bien représentée par des pavements (pavyngtyle), les briques, les pierres réfractaires (backstones) ou pierres de four, la poterie. Les grands pavements valaient 13 s. 4 d. [431] le mille. La céramique complé-

---

[425] H. PIRENNE, « Dinant », pp. 543-546. Du 27.1.1446 au 29.8.1446, les Dinantais exportèrent pour 186 l. st. de draps (P.R.O., C.A., E 122/73/20).

[426] S. BORMANS, opus cit., t. II, p. 99, nº 95 : 14 juin 1465.

[427] S. BORMANS, opus cit., t. II, p. 43, nº 79.

[428] D'après P.R.O., C.A., E 122/73/23.

[429] Au sujet du commerce de l'alun, voir L. LIAGRE, « Le commerce de l'alun en Flandre au moyen âge », Le Moyen Age, t. LXI, 4e série, nºs 1-2, 1955, pp. 176-206. Voir p. 265, les remarques que nous formulons au sujet de ce commerce entre Anglais et Italiens à Bruges.

[430] Voir les « Customs Accounts » du port de Londres.

[431] D'après P.R.O., C.A., E 122/73/10 et 20.

tait avec les légumes la cargaison des petits bateaux originaires des ports de pêche; elle ne constituait manifestement pas une marchandise de foire.

Les munitions, la poudre, les armes diverses se retrouvaient parfois dans les cargaisons malgré l'interdiction formelle du trafic des armes promulguée par l'entrecours [432].

Les Anglais achetaient encore une foule de denrées et d'objets aux foires de Brabant. Citons, parmi la quincaillerie, les balances, les boussoles — la première mention d'importation de boussoles venant des Pays-Bas date de 1400 [433] — les lunettes, la verrerie, les miroirs, les chapelets, les jeux de cartes, les plumes à écrire; parmi la literie : les duvets et les édredons; parmi la droguerie : le savon de Hollande, les brosses, les drogues, les graines de rhubarbe et les sirops; parmi la boissellerie : les sabots et les boîtes en bois. Les Hanséates, enfin, embarquaient, dans les navires au départ des Bouches de l'Escaut, les fourrures de l'Europe septentrionale : les martres, hermines, castors, loups et renards et aussi la « *ruskyn* », terme qui doit signifier fourrure originaire de Russie.

Les exportations bourguignonnes se caractérisaient non seulement par leur diversité mais aussi par la présence côte à côte de matières premières et de produits manufacturés et finis.

Encore faut-il noter que les matières premières, garance, guède, sel, poissons salés, avaient bien souvent fait l'objet d'une certaine préparation.

Il se présentait encore une différenciation dans les centres de distribution de ces denrées sur le continent. Les produits manufacturés, à l'exception de la céramique, étaient essentiellement négociés à Bruges, Anvers et Bergen-op-Zoom, tandis que les matières premières faisaient plutôt l'objet du trafic des petits ports côtiers, c'est-à-dire qu'on trouve de préférence les premiers dans les bateaux marchands des Bouches de l'Escaut et les seconds dans les nefs de pêche flamandes et hollandaises. La garance constitue une exception; elle était indéniablement à la fois une marchandise de foire et un produit d'exportation des petits ports côtiers.

---

[432] Voir notamment l'achat de poudre par un Anglais à Bruges (A.V.B., *S.C.*, 1453-1460, f°ˢ 208 v°, 209 : 7 et 14 janvier 1458) et un marché conclu entre deux Bourguignons et un étapier, le 16 novembre 1456, à Bergen-op-Zoom, pour neuf douzaines d'épées (G.A.B.O.Z., *R.R.*, n° R 283, 1454-1457, f° 142). Au sujet des dispositions de l'entrecours, voir p. 130.

[433] D. BURWASH, *English merchant shipping, 1460-1540*, Toronto, 1947, p. 6.

LES BOUCHES DE L'ESCAUT,
CENTRE DU COMMERCE ANGLO-BOURGUIGNON,
ET LES PRIVILEGES DES ANGLAIS A ANVERS

La topographie des Bouches de l'Escaut s'est considérablement modifiée au cours des siècles. Une carte du cours de l'Escaut depuis Rupelmonde jusqu'à la mer, qui a été datée de 1468, permet de restituer le cadre géographique de cette région à l'époque qui nous intéresse [434].

Les vaisseaux qui arrivaient d'Angleterre en longeant les côtes flamandes s'engageaient d'abord dans les Wielingen; ils pouvaient alors bifurquer vers le Zwijn et le port de L'Ecluse ou s'arrêter en rade de Walcheren. Cette île offrait de bons mouillages [435]. Flessingue était situé sur l'Escaut occidental; Westkapelle regardait la pleine mer tandis que Middelbourg et Arnemuiden se trouvaient plus à l'abri des flots sur l'Arne qui se jetait dans le Lemmer, qui reliait le Hont à une branche de l'Escaut oriental. Le port d'Arnemuiden changea plusieurs fois de site au cours du moyen âge; fixé depuis 1438 au nord de l'Arne, il possédait un havre excellent en eau profonde [436]. Sur la côte nord se trouvait Vere, étape de la laine écossaise.

En poursuivant leur route en mer vers le nord, les bateaux rencontraient à l'embouchure de l'Escaut oriental, les rades de l'île de Schouwen : Westenschouwen à l'ouest, Zierikzee au sud-est et Brouwershaven au nord.

Le Hont n'était pas aussi profond que de nos jours. Cependant, il semble qu'il ait pu porter des navires de tonnage moyen et cela peut-être depuis l'inondation de 1377 [437].

[434] A.G.R., *Cartes et Plans*, n° 351; voir au sujet de cette carte : J. Denucé, *De loop van de Schelde van de zee tot Rupelmonde in de* xve *eeuw*, Anvers, 1933; M.K.E. Gottschalk et W.S. Unger, « De oudste kaarten der waterwegen tusschen Brabant, Vlaanderen en Zeeland », *Tijdschrift van het Koninklijk Nederlandsch Aardrijkskundig Genootschap*, deel LXVII, 1950, n° 2, pp. 146-169.
Il existe aux Archives de la ville d'Anvers une carte fort semblable à celle des A.G.R.; Denucé la considérait comme une copie de celle-ci, tandis que Gottschalk et Unger pensent qu'il ne s'agit certainement pas d'une copie directe; ce sont ces auteurs également qui datent la carte des A.G.R. de 1468.
[435] Voir le chapitre relatif aux navires et à leur armement.
[436] L.Ph.C. vanden Bergh, *Handboek der Middelnederlandse geographie*, derde druk, aangevuld en omgewerkt door Dr. A.A. Beekman en H.J. Moerman, La Haye, 1949, p. 228.
[437] G.G. Dept, « Etude critique sur une inondation marine à la côte flamande (19 novembre 1404) », *Etudes d'histoire dédiées à la mémoire d'Henri Pirenne*, 1937, pp. 105-124; p. 121, note 2, l'auteur se demande si c'est vraiment l'inondation de 1377 qui a approfondi le Hont; M.K.E. Gottschalck (*Historische geographie van westelijk Zeeuws-Vlaanderen*, t. I, Assen, 1955, p. 219) pense qu'il est probable que l'approfondissement du Hont en découle.

Le mouillage d'Anvers permettait la venue de bateaux de fort tonnage, des lourdes hourques hanséates [438], des galères de Venise et de Barcelone [439]. Par quel chemin ces bâtiments parvenaient-ils au port ? Etait-ce par l'Escaut oriental ou par le Hont ? Il est certain que le trafic de ce dernier s'était considérablement accru dès avant 1436 [440] et qu'une grande partie des marchandises destinées aux foires le descendait. Mais, en général, une rupture de charge avait lieu en rade de Zélande. Les gros navires de mer abandonnaient leurs cargaisons qui étaient distribuées entre une foule d'allèges appartenant en copropriété à des Anversois [441]; c'étaient des « pleyten », des « emers » ou des « hoys » qui montaient et descendaient le fleuve [442]. La raison en était moins la mauvaise navigabilité du Hont que la possibilité de répartir de cette manière les marchandises entre Middelbourg, L'Ecluse et Bruges ou les foires de Brabant [443]; de plus, à Anvers, encore au xvie siècle, quatre à cinq navires seulement pouvaient mouiller au «werf» et deux ou trois au quai des Anglais; il fallait, si l'on ne comptait pas parmi ces privilégiés, attendre quinze jours à deux mois pour débarquer sa cargaison [444]. Le port de Bergen-op-Zoom possédait, depuis 1439, une grande jetée [445] qui protégeait efficacement les bateaux qui y étaient ancrés; son accès était plus aisé que celui d'Anvers car l'Escaut oriental était navigable pour tous les bâtiments. Il semble cependant que l'on pratiquait la rupture de charge tant pour l'envoi de marchandises à Bergen-op-Zoom qu'à Anvers car la répartition des marchandises en rade de Walcheren entre les différentes places marchandes des Bouches de l'Escaut s'opérait couramment. Le tonlieu de Zélande se percevait à l'origine sur l'Escaut oriental à Ierseke d'où il tirait son nom d'Iersekeroord. En 1418, ses recettes étaient principalement alimentées par la taxe sur les marchandises destinées à Anvers [446]. Il faut dire, en effet, que les bourgeois de Bergen-op-Zoom possédaient la franchise des ton-

---

[438] Voir pp. 312-313.

[439] Deux galères de Venise arrivèrent à Anvers le 12 septembre 1438; une de Barcelone le 12 décembre de la même année (A.V.A., S.R., n° 25, fos 110 v° et 570); à cette époque, les Hanséates avaient abandonné Bruges pour Anvers, c'est ce qui explique la venue de ces bâtiments à Anvers.

[440] Voir plus loin les incidences de ce fait sur la perception du tonlieu à Ierseke.

[441] Voir au sujet des modes de propriété des bateaux pp. 320-324.

[442] Les « Schepenregisters » d'Anvers renferment des centaines d'actes d'achat et vente de tels bateaux.

[443] Il faut aussi tenir compte du droit d'étape de Middelbourg, voir p. 267.

[444] J.A. GORIS, Etude sur les colonies marchandes méridionales (Portugais, Espagnols, Italiens) à Anvers de 1488 à 1567, Contribution à l'histoire du capitalisme moderne, Louvain, 1925, pp. 155-156. Au milieu du xve siècle, il n'existait pas encore de quai des Anglais et ceux-ci devaient débarquer leurs marchandises au « werf » (voir p. 274 n. 626).

[445] K. SLOOTMANS, Bergen-op-Zoom, de stad der markiezen, Amsterdam, 1949, p. 22.

[446] W.S. UNGER, De Tol van Iersekeroord, Documenten en rekeningen, 1321-1572, La Haye, 1939, p. 191.

lieux de Zélande (Iersekeroord) depuis 1327 et de Hollande depuis 1360 [447]. Lorsque les vaisseaux commencèrent à emprunter volontiers le Hont, les recettes du tonlieu d'Ierseke diminuèrent. Jacqueline de Bavière s'en plaignit, en 1433, à Philippe le Bon qui ordonna à ses baillis et receveurs de prêter main-forte au tonloyeur d'Ierseke [448]. Le fermier du tonlieu obtint, quelques années plus tard, l'autorisation de poster une garde à l'entrée du Hont à Middelbourg [449], et il fut question d'en établir une à Arnemuiden, avant-port de Middelbourg [450]. Bientôt la poursuite des bateaux qui n'avaient pas acquitté les droits entraîna des excès. Le fermier voulut lever des taxes sur les navires pénétrant en rade de Middelbourg [451], et fit même arrêter deux bateaux venant d'Angleterre, devant le port de Hulst, alors qu'ils se rendaient à Middelbourg [452]. En 1462, le comte de Charolais établit des gardes à Vere, Arnemuiden, Flessingue et dans les Wielingen [453]. Plus tard, on institua un bureau à Bergen-op-Zoom et, sous Charles-Quint, l'office principal fut transféré à Anvers [454]. Depuis le xive siècle jusqu'au début du xvie siècle, une série continuelle de procès eut lieu au sujet de la perception du tonlieu de l'eau de Zélande et surtout de la souveraineté sur le Hont. C'est d'ailleurs à l'un d'eux que nous devons la première carte des Bouches de l'Escaut [455].

Le tonlieu d'Ierseke était régulièrement affermé. En 1444, Roeland Gery Coexzone van Oppynen le prit à ferme pour trois ans pour la somme de dix-huit cent cinquante écus de Hollande dits « clincaerts », à la condition toutefois qu'il n'y eût pas de guerre entre l'Angleterre d'une part, la Hollande, la Zélande, le Brabant ou la Flandre de l'autre. Dans ce cas, le fermier obtiendrait un rabais [456]. D'ailleurs, à la fin de son bail, en vertu de cette

[447] K. SLOOTMANS, « Invloed van tollen op de Bergse vrije jaarmarkten », Varia historica Brabantica, I, 1962, p. 90, le privilège pour Iersekeroord fut étendu en 1339 et celui pour les tonlieux de Hollande y fut joint en 1360; G.A.B.O.Z., Privilegieboek, C.A., fº25 : renouvellement en 1395 (fº 25 vº), 1444 (Privilegieboek, 1347-1597) et 1480 (C.A., 1480).

[448] W.S. UNGER, De Tol, p. 5, nº 10 : 12 octobre 1433.

[449] Middelbourg était relié au Hont par un cours d'eau, l'Arne.

[450] W.S. UNGER, De Tol, p. 6, nº 11 : 10 mai 1440.

[451] IDEM, ibidem, p. 15, nº 17 : 3 septembre 1445; il s'agissait de biens débarqués à Middelbourg par des Anglais.

[452] H.J. SMIT, opus cit., t. I, p. 664, nº 1071 : 12 novembre 1452; il s'agissait de deux bateaux d'Anvers chargés de biens hanséatiques.

[453] W.S. UNGER, De Tol, p. 17, nº 18.

[454] W.S. UNGER, De Tol, p. XII.

[455] M.K.E. GOTTSCHALK et W.S. UNGER, opus cit., pp. 154-155; voir aussi E.M. MEIJERS, Des Graven Stroom, Mededeelingen der Koninklijke Nederlandsche Akademie van Wetenschappen, afdeeling Letterkunde, nieuwe reeks, deel 3, nr 4, Amsterdam, 1940; S.T. BINDOFF, The Scheldt question to 1839, Londres, 1945.

[456] W.S. UNGER, De Tol, p. 6, nº 12 : 21 septembre 1444.

clause, il reçut une compensation parce que les Anglais n'avaient pas fréquenté la foire d'Anvers [457].

Les droits perçus à Ierseke étaient spécifiques pour certaines marchandises et « *ad pondus* » pour d'autres.

Les Anglais jouissaient d'un tarif préférentiel à Ierseke pour quelques articles seulement; par exemple pour « *een rolle lijnwaets* », ils payaient huit gros au lieu de dix [458].

Les foires de Brabant attiraient particulièrement les marchands anglais parce qu'elles accueillaient volontiers leur commerce de draps. Nous l'avons déjà dit, d'une manière générale, les prohibitions n'y furent appliquées que très rarement. Ce point acquis, il reste à savoir dans quelle mesure la présence anglaise a contribué au développement des foires et si celles-ci, dès le milieu du xve siècle, possédaient une aire d'expansion qui les rangeait dans la catégorie des grands marchés internationaux. Nous tâcherons de répondre immédiatement au second de ces problèmes en réservant le premier pour les pages suivantes.

Les foires d'Anvers furent sans doute créées aux environs de 1320 [459]; Philippe le Bon confirma l'existence de ces foires en 1455 [460]; celles de Bergen-op-Zoom reçurent un privilège de fondation en 1365 [461], qui leur fut confirmé en 1466 par Philippe le Bon [462].

Elles formaient un cycle : la première foire de l'année s'ouvrait à Pâques à Bergen-op-Zoom; suivaient alors la foire de Pentecôte à Anvers, puis, dans la même ville, celle de Saint-Bavon (1er octobre) et enfin, de nouveau à Bergen-op-Zoom, la foire froide de Saint-Martin (11 novembre) [463].

---

[457] H.J. Smit, *opus cit.*, t. II, p. 860, n° 1332; une autre raison invoquée était la levée d'un droit de douane par le roi de France sur les exportations de grains de Douai vers la Hollande et la Zélande (W.S. Unger, *De Tol*, p. 7, note 1 : 6 mars 1448).

La foire de Saint-Bavon se tint en 1445 à Middelbourg (voir p. 273).

[458] W.S. Unger, *De Tol*, p. 8, n° 13, octobre 1444 : tarif général; H.J. Smit, *opus cit.*, t. II, p. 856, n° 1325 : 10 octobre 1444 - octobre 1447 : tarif appliqué aux Anglais.

[459] F. Blockmans, « Van wanneer dateren de Antwerpsche jaarmarkten ? », *Handelingen van het zeventiende Vlaamse Filologencongres*, Leuven, 1-3 september 1947.

[460] F. Verachter, *Inventaire*, p. 134, n° CCCCXXXVI : 21 octobre 1455.

[461] K. Slootmans, *Bergen-op-Zoom*, p. 22; d'après ce même auteur, elles doivent être nées en 1337 et 1359 (« Bergen-op-Zoomsche jaarmarkten », 1934, pp. 101-102).

[462] G.A.B.O.Z., *Privilegieboek*, L[A]C : 7 août 1466.

[463] La franchise de la foire de Pâques commençait à partir du jeudi saint; celle de la foire froide débutait le jeudi avant la Toussaint; celle de Saint-Bavon, le deuxième dimanche après le 15 août; celle de Pentecôte, le deuxième dimanche avant la fête (K. Slootmans, *Bergen-op-Zoom*, p. 23; G. De Smedt, *De Engelsche natie te Antwerpen in de* xvie *eeuw (1496-1582)*, 2 t., Anvers, 1950-1954, t. II, p. 450). Ces dates ne

Les foires duraient en général quatre semaines; elles pouvaient être prolongées pendant quinze jours et même plus; c'est ainsi que Mme Edler a pu constater pour le xvie siècle que la foire froide de Bergen-op-Zoom était souvent prolongée jusqu'à la Noël [464]. Ce devait être le cas également au siècle précédent; on constate, en effet, que la plupart des lettres obligatoires émises à la foire froide sont datées de décembre; les bateaux qui en revenaient arrivaient en janvier seulement à Londres. Enfin, nous avons des plaintes des marchands bourguignons concernant l'allongement des foires à la demande des Anglais; on considérait, en effet, qu'ils espéraient obtenir des prix plus avantageux des marchands qui désiraient liquider au plus tôt leurs biens [465]. Nous possédons aussi des demandes des Anglais au magistrat d'Anvers pour obtenir une prolongation des foires [466]. Si plus tard, comme le dit M. E. Coornaert, les villes de foires désirèrent allonger la durée des foires [467], jusqu'au milieu du siècle et dans le cas d'Anvers, ce sont les Anglais eux-mêmes qui, en vertu de leurs privilèges, en demandaient la prolongation malgré les réticences locales. La franchise *(oude vrijheit* ou *yerste vrijheit)* accordée aux marchands pour se rendre aux foires s'étendait sur six semaines; lorsqu'elles étaient prolongées légalement, la franchise était prorogée mais, lorsque la prolongation n'était qu'officieuse, elle était levée, tout au moins à Bergen-op-Zoom, et cela encore au xvie siècle [468].

concordent pas avec celles données par Guichardin pour le xvie siècle, qui sont les suivantes : à Anvers, foire de Pentecôte, quinze jours avant la fête et foire de Saint-Remy ou de Saint-Bavon, le 10 novembre; à Bergen-op-Zoom, foire froide le 10 février et foire du 10 mai (J.A. Goris, *opus cit.*, p. 113). Ces différences ne sont sensibles qu'au sujet des foires de Bergen-op-Zoom; cela s'explique du fait que celles-ci deviennent fort épisodiques au xvie siècle (voir F. Edler, « Attendance at the fairs of Bergen-op-Zoom », *Sinte Geertruydtsbronne*, 1936).

[464] F. Edler, *opus cit.*, p. 2. Ceci est en contradiction avec les dates données par Guichardin et citées à la note 463.

[465] A.V.A., *P.K.*, n° 1050, f° 268 : 1467. Voir pièce justificative n° 8.

[466] Idem, *ibidem*, f° 177 : 1431; les Anglais obtinrent d'ailleurs l'inscription de ce point dans les privilèges qu'ils reçurent de la ville en 1446 (voir p. 275).

[467] E. Coornaert (« Caractères et mouvement des foires internationales au moyen âge et au xvie siècle », *Studi in onore di Armando Sapori*, Milan, 1957, t. I, p. 369), note que, dès 1484, les Hanséates se plaignaient que la foire d'Anvers durât toute l'année et qu'en 1495, le marquis de Bergen-op-Zoom obtînt, pour peu de temps, que les privilèges attachés à la foire fussent étendus à l'année entière.

Voir aussi p. 281.

[468] F. Edler, *opus cit.*, p. 2; voir par exemple les sauf-conduits délivrés aux marchands d'Utrecht pour se rendre aux foires de Bergen-op-Zoom et d'Anvers (A.R.A., *H.v.H.*, *Memoriaal* n° A 1, f°ˢ 93, 117, 119 et 120 v°). Les deux premières semaines de la franchise couvraient le voyage pour se rendre aux foires; les trois premiers jours de la semaine suivante étaient les jours de « montre »; suivaient alors les jours d'achat; le lundi suivant débutaient les paiements. Pendant ce temps, le marchand ne pouvait être rendu responsable des dettes contractées par ses concitoyens (K. Slootmans, *Bergen-op-Zoom*, p. 23).

Au cours du XIVᵉ siècle, les foires ne semblent pas avoir eu un rayonnement fort intense; sous l'occupation flamande, Anvers connut une période de récession due à l'animosité de Bruges [469]; ce n'est que plus tard que les foires développèrent progressivement leurs activités. Les marchands originaires des pays de par-deçà fréquentaient avant tout les foires; beaucoup de Flamands s'y rendaient et parmi eux surtout des Brugeois [470], mais aussi des bourgeois de Damme [471], de L'Ecluse [472], de Gand [473], de Dunkerque [474], de Nieuport [475], de Bergues [476], de Lille [477], de Termonde [478], de Hondschoote [479], d'Armentières [480]. La présence de Brugeois, dont le rôle était primordial aux foires, comme nous le soulignerons plus loin, marque la compénétration des activités du marché de Bruges et des foires de Brabant. Les Flamands des petites villes apportaient sans doute des produits textiles : de la draperie et de la toile.

Les Hennuyers arrivaient aussi chargés de toile; ils provenaient d'Ath [481], de Soignies [482], de Binche [483], de Valenciennes [484], d'Avesnes [485], d'Enghien [486] et de Mons [487], toutes villes où l'industrie linière était prospère; les négociants

---

[469] R. DOEHAERD, *Comptes du tonlieu d'Anvers*, 1365-1404, Bruxelles, 1947, p. 62. F. BLOCKMANS (« De erfstrijd tussen Vlaanderen en Brabant in 1356 », *Bijdragen en Mededelingen van het Historisch Genootschap gevestigd te Utrecht*, 1955, t. LXIX, pp. 11-16) pense qu'il s'agit d'une pression combinée de Bruxelles, Gand, Ypres et Malines.

[470] Voici quelques références prises au hasard : A.V.A., *S.R.*, n° 25, fᵒ 138; n° 26, fᵒˢ 111 vᵒ, 117, 128 vᵒ; n° 53, fᵒˢ 89 vᵒ, 93, 139 vᵒ, 142, 151, 229, 234 vᵒ; G.A.B.O.Z., *R.R.*, n° R 280, 1439-1441, fᵒ 42 vᵒ; n° R 283, 1454-1457, fᵒ 88. Au sujet du rayonnement régional et lointain des foires de Brabant voir les cartes en annexe.

[471] A.V.A., *S.R.*, n° 63, fᵒ 160, 240 vᵒ.

[472] A.V.A., *S.R.*, n° 54, fᵒ 272 vᵒ.

[473] Par exemple : A.V.A., *S.R.*, n° 25, fᵒ 233; n° 54, fᵒ 119 vᵒ; n° 55, fᵒ 268; G.A.B.O.Z., *R.R.*, n° R 280, 1439-1442, fᵒˢ 93 vᵒ, 125; n° R 281, 1442-1445, fᵒˢ 140 vᵒ, 160 vᵒ.

[474] A.V.A., *S.R.*, n° 69, fᵒˢ 376 vᵒ, 521.

[475] A.V.A., *S.R.*, n° 63, fᵒ 277 vᵒ, n° 71, fᵒ 108 vᵒ.

[476] A.V.A., *S.R.*, n° 28, fᵒ 19.

[447] A.V.A., *S.R.*, n° 25, fᵒ 353; n° 52, fᵒ 216 vᵒ; n° 69, fᵒ 22; n° 70, fᵒ 76 vᵒ; G.A.B.O.Z., *R. en R.*, n° R 279, 1432-1434, fᵒ 4 vᵒ, 22 vᵒ; n° R 283, 1454-1457, fᵒ 147.

[478] A.V.A., *S.R.*, n° 26, fᵒ 112.

[479] A.V.A., *S.R.*, n° 53, fᵒ 32 vᵒ.

[480] A.V.A., *S.R.*, n° 56, fᵒ 156 vᵒ.

[481] A.V.A., *S.R.*, n° 59, fᵒ 250 vᵒ.

[482] A.V.A., *S.R.*, n° 63, fᵒ 198 vᵒ; G.A.B.O.Z., *R. en R.*, n° R 280, 1439-1442, fᵒ 120.

[483] A.V.A., *S.R.*, n° 32, fᵒ18.

[484] A.V.A., *S.R.*, n° 28, fᵒ 41 vᵒ; n° 60, fᵒ 91; n° 62, fᵒˢ 80 et 191; n° 69, fᵒ 20.

[485] A.V.A., *S.R.*, n° 69, fᵒ 423 vᵒ.

[486] A.V.A., *S.R.*, n° 70, fᵒ 407.

[487] A.V.A., *S.R.*, n° 54, fᵒ 215 vᵒ; n° 69, fᵒ 20; n° 72, fᵒ 42 vᵒ; G.A.B.O.Z., *R. en R.*, n° R 282, 1442-1445, fᵒ 126.

de Nivelles et Bois-le-Duc [488] écoulaient leur toile; ceux de Bruxelles envoyaient à chaque foire un bateau chargé de marchandises [489], sans parler des autres villes du duché. Parmi les plus assidus des sujets de Philippe le Bon, on pouvait compter les Hollandais, les marchands de Delft [490], Rotterdam [491], Dordrecht [492], Amsterdam [493], La Haye [494], Haarlem [495], Noordwijk [496], Leyde [497], Schiedam [498], Alkmaar [499], Egmond [500] et Gouda [501].

Les uns y venaient vendre de la garance ou des harengs, les autres y écoulaient leurs draps (Leyde, La Haye), mais la majeure partie d'entre eux s'y approvisionnaient en denrées variées. En revanche, les Zélandais ne semblent pas avoir participé de la même façon à l'activité des foires; on y voyait surtout des bateliers de Middelbourg [502], de Zierikzee [503], de Goes [504] qui amenaient des marchandises. Cette différence entre la fréquentation des foires par les Hollandais et les Zélandais s'explique par l'existence d'un commerce beaucoup plus actif de la part des Zélandais avec l'Angleterre et du fait que Middelbourg possédait son propre marché principalement pour

---

[488] Les mentions de villes brabançonnes sont évidemment très nombreuses aux foires; nous n'avons pas jugé utile de les relever; signalons l'article de K. SLOOTMANS, « Bosschenaren op de Bergen-op-Zoomsche jaarmarkten », *Maandschrift Opbouw*, t. I, 1941, p. 35.

[489] W.S. UNGER, *De Tol*, p. 12, n° 7, note 1.

[490] A.V.A., *S.R.*, n° 52, f° 289 v°; n° 54, f°ˢ 35, 354; G.A.B.O.Z., *R. en R.*, n° R 279, 1432-1434, f°ˢ 6 v°, 22 v°; n° R 280, 1439-1442, f° 44 v°; n° R 281, 1442-1445, f° 106 v°.

[491] A.V.A., *S.R.*, n° 51, f° 347; n° 65, f° 169, f° 404; G.A.B.O.Z., *R. en R.*, n° R 279, 1432-1434, f° 14 v°; n° R 283, 1454-1457, f° 118 v°; n° R 284, 1460-1462, f° 135.

[492] A.V.A., *S.R.*, n° 25, f° 140 v°; n° 27, f° 215 v°; n° 51, f° 331; n° 52, f° 409 v°; G.A.B.O.Z., *R. en R.*, n° R 279, 1432-1434, f° 14 v°; n° R 280, 1439-1442, f°ˢ 44, 61 v°, 69 v°; n° R 284, 1460-1461, f° 88 v°.

[493] A.V.A., *S.R.*, n° 52, f° 417 v°; n° 53, f° 213; n° 55, f° 109; G.A.B.O.Z., *R. en R.*, n° R 279, 1432-1434, f° 14 v°; n° R 281, 1442-1445, f° 154.

[494] A.V.A., *S.R.*, n° 51, f° 478; n° 52, f°ˢ 2 et 76 v°; n° 65, f° 137 v°.

[495] A.V.A., *S.R.*, n° 53, f° 35; n° 58, f° 2 v°.

[496] A.V.A., *S.R.*, n° 54, f°ˢ 274 v°, 339; n° 58, f°ˢ 76 v°, 93 et 105.

[497] A.V.A., *S.R.*, n° 32, f° 47; n° 53, f° 125; n° 55, f° 109; G.A.B.O.Z., *R. en R.*, n° R 281, 1442-1445, f° 112 v°.

[498] A.V.A., *S.R.*, n° 55, f° 327.

[499] A.V.A., *S.R.*, n° 57, f° 127; G.A.B.O.Z., *R. en R.*, n° R 280, 1439-1442, f° 49 v°.

[500] A.V.A., *S.R.*, n° 64, f° 189.

[501] A.V.A., *S.R.*, n° 71, f°ˢ 158, 169 v°, 201; n° 72, f°ˢ 41, 79 v°, 168 v°.

[502] A.V.A., *S.R.*, n° 51, f° 327 v°; n° 65, f° 117 v°; G.A.B.O.Z., *R. en R.*, n° R 280, 1439-1442, f° 68; n° R 281, 1442-1445, f° 113; 1454-1456, f° 36 v°; n° R 284, 1460-1462, f° 103.

[503] A.V.A., *S.R.*, n° 54, f°ˢ 99, 274; G.A.B.O.Z., *R. en R.*, n° R 279, 1432-1434, f° 14 v°; n° R 280, 1439-1442, f°ˢ 11 v°, 52 v°, 73; n° R 283, 1454-1457, f°ˢ 50, 78 v°, 135, 144.

[504] A.V.A., *S.R.*, n° 71, f° 180; n° 72, f° 114 v°; Tolen et Brouwershaven sont également représentés.

les produits anglais. Enfin, quelques Artésiens [505], Luxembourgeois [506] et Picards [507] fréquentaient également les foires.

Les marchands affluaient même des frontières des pays de par-deçà. Des bourgeois de Cambrai [508], Tournai [509] et Utrecht [510], trois villes renommées pour leur industrie textile, se rendaient régulièrement aux foires. De la principauté de Liège [511] arrivaient des marchands chargés de clous et de batterie tels que les Dinantais [512]. La Gueldre participait aux foires en la personne de bourgeois de Nimègue, ville hanséatique [513].

Voilà donc pour la zone de rayonnement immédiat des foires. D'autres marchands venaient de plus loin, de la vallée du Rhin, de la Westphalie et de l'Allemagne du Sud. On rencontrait à Anvers et à Bergen-op-Zoom des Colonais [514] mais aussi des marchands d'Aix-la-Chapelle [515], de Munster [516], de Dortmund [517], de Wesel [518], de Nuremberg [519], de Constance [520], d'Ulm [521], de Ratisbonne [522], de Vienne [523], de Breslau [524] et même de la grande ville des foires, Francfort [525]. A ce propos, se pose la question des relations entre les foires de Brabant et celles de Francfort. Rappelons que la futaine et le coton, qui provenaient de l'Allemagne du Sud et probablement de la foire

---

[505] Arras : A.V.A., S.R., n° 27, f° 153 v°; n° 64, f° 195 v°; n° 70, f° 406; Saint-Omer : A.V.A., S.R., n° 58, f° 35 v°; n° 64, f° 195 v°.

[506] A.V.A., S.R., n° 62, f° 79 v°.

[507] Amiens, A.V.A., S.R., n° 25, f° 352 v°.

[508] A.V.A., S.R., n° 52, f° 95; n° 56, f° 14; n° 60, f°s 103, 222, etc.; G.A.B.O.Z., R. en R., n° R 280, 1442-1445, f°s 116, 163; n° R 283, 1454-1457, f° 62.

[509] A.V.A., S.R., n° 25, f° 141; n° 32, f° 44 v°; n° 51, f° 384, etc.; G.A.B.O.Z., R. en R., n° R 280, 1439-1442, f°s 69 v°, 94; n° R 283, 1454-1457, f° 34 v°.

[510] A.V.A., S.R., n° 57, f° 401 v°; n° 58, f° 14 v°; n° 59, f°s 187 v°, 252 v°; G.A.B.O.Z., R. en R., n° R 281, 1442-1445, f° 52.

[511] A.V.A., S.R., n° 27, f° 250 v°; n° 32, f°s 47, 48; n° 55, f° 73 v°, etc.; G.A.B.O.Z., R. en R., n° R 281, 1442-1445, f° 104 v°; n° R 283, 1454-1457, f° 143.

[512] S. BORMANS, Cartulaire, t. II, p. 189, n° 130; A.V.A., S.R., n° 62, f° 192.

[513] A.V.A., S.R., n° 53, f° 90 v°; n° 55, f° 180; n° 63, f° 197 v°, etc.

[514] A.V.A., S.R., n° 32, f° 18; n° 51, f°s 117 v°, 336, 340, 379; n° 53, f°s 66 v°, 275, etc.; G.A.B.O.Z., R. en R., n° R 283, 1454-1457, f°s 63, 120 v°, 145 v°; n° R 284, 1460-1462, f°s 6 v°, 58 v°.

[515] A.V.A., S.R., n° 59, f° 250 v°; G.A.B.O.Z., R. en R., n° R 279, 1432-1434, f° 5.

[516] A.V.A., S.R., n° 63, f° 37 v°.

[517] A.V.A., S.R., n° 51, f° 132.

[518] A.V.A., S.R., n° 53, f° 114.

[519] A.V.A., S.R., n° 54, f° 100; n° 58, f° 51 v°; n° 64, f°s 191 v°, 240, 244, etc.; G.A.B.O.Z., R. en R., n° R 283, 1454-1457, f° 63; n° R 284, 1460-1462, f° 140.

[520] A.V.A., S.R., n° 62, f° 196 v°.

[521] A.G.R., C.C., n° 23249, f° 37.

[522] A.V.A., S.R., n° 62, f° 196 v°.

[523] A.V.A., S.R., n° 65, f°s 23, 24.

[524] A.V.A., S.R., n° 58, f° 53 v°; n° 69, f°s 74 v°, 375; n° 70, f° 294 v°.

[525] A.V.A., S.R., n° 70, f° 406.

de Francfort, étaient embarqués par les Hanséates aux Bouches de l'Escaut à destination de l'Angleterre [526].

Les « *Wendische Städte* » [527] étaient peu représentées à Anvers et à Bergen-op-Zoom parce que le centre de leurs activités aux Pays-Bas était resté fixé à Bruges; les « *Aldermänner* » hanséatiques de Bruges se rendaient cependant à chaque foire d'Anvers ou de Bergen-op-Zoom [528]. Enfin, à côté des nombreux Anglais, on relève aussi la présence de quelques Ecossais [529].

Les relations avec le Sud étaient bien moins étroites. Même les habitants du duché et du comté de Bourgogne [530] fréquentaient rarement les foires; les Français n'étaient guère nombreux; de temps à autre apparaissait un marchand de Paris [531], un autre de Troyes [532], un de Bordeaux [533], un Lyonnais [534], un Breton [535].

Les Italiens résidant à Bruges se rendaient aux foires; dans les contrats d'association conclus par les Médicis, une absence des associés était prévue pour y assister [536]; nous savons seulement qu'ils y achetaient certaines fourrures et des chevaux; ils ne s'y rendaient certainement pas pour y rencontrer les Anglais. Nous verrons, en effet, quels rapports ils entretenaient avec ces derniers sur la place de Bruges.

Une seule maison italienne semble avoir fixé le siège de sa succursale plutôt à Anvers qu'à Bruges : c'était celle des Bardi de Florence dont l'associé était Bernardo de' Bardi; cette filiale jouissait d'une grande autonomie [537].

---

[526] Voir pp. 231-232.

[527] Hambourg : A.V.A., S.R., n° 59, f° 343 v°; G.A.B.O.Z., R. en R., n° R 284, 1460-1462, f° 59; Lubeck : A.V.A., S.R., n° 63, f° 96 v°; n° 64, f° 191; n° 66, f° 97 v°; n° 70, f° 381 v°.

[528] J. A. VAN HOUTTE, « La genèse du grand marché international d'Anvers à la fin du moyen âge », R.B.P.H., t. XIX, 1940, p. 105.

[529] Edimbourg : A.V.A., S.R., n° 27, f° 83 v°.

[530] Dijon : A.V.A., S.R., n° 70, f° 271 v°; Beaune : A.V.A., S.R., n° 70, f° 405 v°.

[531] A.V.A., S.R., n° 25, f° 138; n° 69, f° 365 v°.

[532] A.V.A., S.R., n° 59, f° 127.

[533] G.A.B.O.Z., R. en R., n° R 283, 1454-1457, f° 64.

[534] A.V.A., S.R., n° 66, f° 97.

[535] A.V.A., S.R., n° 32, f° 49 v° : Nantes.

[536] A. GRUNZWEIG, Correspondance, p. 54. Voici quelques références relatives aux Italiens : Venise : A.V.A., S.R., n° 25, f° 367 v°; n° 60, f°s 20 v°, 221 v°; n° 63, f° 96 v°; Florence : A.V.A., S.R., n° 64, f° 169 v°; n° 66, f° 97; n° 71, f°s 158, 169 v°, 201; Milan : A.V.A., S.R., n° 53, f° 37.

[537] Il s'agit de la compagnie d'Ubertino Bardi (Wertin en français) qui possédait également une succursale à Londres; les filiales des Pays-Bas et de Londres avaient des comptabilités séparées mais, en fait, celle de Londres dépendait étroitement de celle des Pays-Bas. La compagnie de Filippo Borromei à Londres fut créée sur le modèle de celle des Bardi (Gerolamo BISCARO, « Il Banco Filippo Borromei e compagni di Londra, 1436-1439 », Archivio storico Lombardo, serie quarta, 1913, p. 40). Bernardo de' Bardi s'établit à Anvers du fait qu'il avait épousé une Anversoise (voir p. 321 n. 820); son fils

Enfin, quelques très rares Espagnols fréquentaient les foires de Brabant [538].

Ni à Bergen-op-Zoom, ni à Anvers, n'étaient fixées à cette époque de véritables colonies de marchands; les négociants s'y rendaient pour les foires et repartaient dès que celles-ci étaient terminées alors qu'à Bruges, les marchands étrangers résidaient à demeure. C'est là une différence notoire.

La sphère d'influence des foires de Brabant s'étendait ainsi de l'Ecosse aux rives de l'Arno et du flanc sud des Pyrénées à l'Oder, mais, en fait, on peut considérer qu'il s'agit là de l'aire d'expansion maxima et que leur rayonnement véritable atteignait seulement l'Angleterre et l'Ecosse, les Pays-Bas, la vallée du Rhin et la haute Allemagne.

Peut-on dès lors conclure, *ipso facto*, qu'Anvers et Bergen-op-Zoom furent des marchés internationaux dès le milieu du xvᵉ siècle ? En d'autres termes, si l'on suit la définition du marché international donnée par M. J.A. Van Houtte, constate-t-on qu'aux foires de Brabant s'opérèrent des échanges entre des étrangers venant d'horizons fort différents, c'est-à-dire, compte tenu de l'aire d'expansion des foires, entre les Anglais et les Allemands ? M. J.A. Van Houtte considère que le grand marché international d'Anvers est né de la rencontre des Colonais et des Anglais, les premiers achetant leurs draps aux seconds [539]. Pour juger sainement de cette opinion, voyons d'abord quelles étaient les relations entre les marchands de Cologne, de la vallée du Rhin et de la haute Allemagne avec l'Angleterre. Des bateaux de Cologne se rendaient directement au port de Londres en descendant le cours du Rhin [540]. Ils rencontraient alors sur leur chemin Dordrecht, étape obligatoire où il leur fallait payer un droit de passage et décharger puis recharger leurs marchandises [541]. Aussi, certains marchands préféraient-ils alors embarquer leurs biens

devint Anglais (voir p. 297 n. 729) sans doute parce qu'il était employé à la filiale de Londres. Cependant, alors que B. de' Bardi traitait la majeure partie de ses affaires à Anvers, la raison sociale de la compagnie était en 1447 « compaignie del hoir de feu Wertin de Bardi en Bruges ». Bernardo de' Bardi en était compagnon et gouverneur (L. GILLIODTS VAN SEVEREN, *Cartulaire de l'ancienne Estaple*, t. I, p. 677; voir aussi IDEM, *Cartulaire de l'ancien consulat d'Espagne à Bruges (1280-1777)*, Bruges ,2 vol., 1901-1902, t. I, p. 35).

[538] A.V.A., S.R., nº 62, fº 195; G.A.B.O.Z., R. en R., nº R 283, 1454-1457, fº 87 vº; nº R 284, 1460-1462, fᵒˢ 123 et 136 vº; Burgos : A.V.A., S.R., nº 25, fº 140 vº.

[539] J. A. VAN HOUTTE, « La Genèse », pp. 87-126.

[540] Par exemple le James de Cologne qui arriva à Londres le 27 janvier 1446, en repartit le 11 mars et revint le 1ᵉʳ juin; il s'arrêtait chaque fois en rade de Zélande pour charger ou décharger des biens appartenant à des Dinantais et des marchandises provenant des foires; tous les biens qu'il transportait appartenaient à des Colonais et Dinantais au nombre de 23 à 28 (P.R.O., C.A., E 122/73/20).

[541] Au sujet de la « notion d'étape », voir J. CRAEYBECKX, « Quelques grands marchés de vin français dans les anciens Pays-Bas et dans le Nord de la France à la fin du moyen âge et au xviᵉ siècle », *Studi in onore di Armando Sapori*, Milan, 1957, pp. 846-882. Plus particulièrement au sujet de Dordrecht, voir B. VAN RIJSWIJK, *Geschiedenis van het Dordsche stapelrecht*, La Haye, 1900.

sur des navires de Dordrecht [542]. Pour écarter les tracasseries de l'étape, ils préféraient emprunter la voie de terre qui unissait la métropole rhénane au Brabant. Arrivés aux foires, ils nolisaient en groupe des bateaux zélandais ou brabançons pour se rendre eux-mêmes en Angleterre. Leur commerce était essentiellement actif; ils jouissaient en tant qu'Hanséates d'un tarif préférentiel de la coutume sur les draps, inférieur à celui imposé aux Anglais eux-mêmes. Les privilèges hanséatiques à Londres leur permettaient de concurrencer victorieusement le commerce indigène [543]. Les Dinantais expliquaient clairement la situation lorsqu'ils déclaraient que les Hanséates étaient « *trop plus frans que ne soient les Englès en leur propre pays : car de ce que lesdis Englès paient à la gabelle du roy, de la libre XII deniers et autres estraingniers XV deniers, les dites villes de la hanse aveuc Dinant, ne paient de la libre que III deniers* » [544].

Dans ces conditions, on ne voit guère l'avantage qu'auraient eu les Hanséates à acheter aux foires de Brabant des draps aux Anglais alors qu'ils pouvaient s'en procurer à meilleur prix en Angleterre même, pays où ils pouvaient écouler leurs propres marchandises avec plus de facilité que s'ils avaient été des nationaux. Enfin, on constate à la lecture des « *schepenregisters* » d'Anvers et des registres de « *rentbrieven en recognitiën* » de Bergen-op-Zoom que le nombre de transactions passées entre Anglais et Hanséates est particulièrement faible par rapport à celui des affaires traitées entre Anglais et sujets du duc de Bourgogne [545], car c'est surtout à ces derniers que les marchands aventuriers vendaient leurs draps qui étaient alors apprêtés sur place.

On peut donc dire que, d'une part, les Anglais apportaient aux foires leurs draps et que les Colonais y amenaient des produits de la haute Allemagne, comme la futaine, mais que l'échange entre ces deux courants ne se faisait pas aux foires de Brabant. Ainsi donc, ces dernières étaient alimentées par trois branches différentes : elles étaient avant tout un marché régional au sens très large; elles rayonnaient sur les territoires des pays bourguignons

---

[542] Par exemple cinq Colonais chargèrent leurs biens sur le Christophe de Dordrecht conduit par Giles Henriksson, qui quitta Londres le 12 septembre 1439 (P.R.O., *C.A.*, E 122/73/12).

[543] E. DAENELL, *opus cit.*, t. I, pp. 54-55, 67-68.

[544] S. BORMANS, *Cartulaire de la commune de Dinant*, t. II, p. 100, n° 93 : 14 juin 1465, donne un excellent résumé des privilèges hanséatiques à Londres.

[545] Le dépouillement systématique des « *Schepenregisters* » d'Anvers et des registres de « *Rentbrieven en Recognitiën* » de Bergen-op-Zoom nous permet de nous inscrire en faux contre l'affirmation de M.J.A. VAN HOUTTE (« La genèse », p. 114 : « Les mentions d'opérations de cette nature sont si nombreuses qu'on ne pourrait songer à les énumérer ». Il suffit de consulter les « *Customs Accounts* » pour se rendre compte que les Colonais frétaient des bateaux vers l'Angleterre et d'autre part, que les Anglais ramenaient rarement en Angleterre des marchandises hanséatiques.

et de leurs voisins; elles étaient le lieu de passage des Hanséates de la vallée du Rhin vers l'Angleterre : ils en profitaient pour négocier une partie de leurs marchandises sur place et pour y faire des achats; les foires recevaient enfin la visite des Anglais désireux de vendre leurs draps aux acheteurs-apprêteurs des Pays-Bas et de s'y approvisionner en produits des industries locales.

Ainsi donc, selon la conception de M. J.A. Van Houtte du marché international, au milieu du XVe siècle, ni Anvers, ni Bergen-op-Zoom n'étaient de véritables marchés internationaux. Mais faut-il s'en tenir à cette définition ? Sont-ce uniquement les échanges entre étrangers qui déterminent l'existence d'un marché international ? Il semble, dans ce cas, que bien peu de villes pouvaient se targuer d'en posséder un. Ne vaudrait-il pas mieux considérer tout simplement que les places où se rendaient régulièrement des marchands de nationalités diverses étaient des centres de commerce international ?

Les indications relatives au développement du port d'Anvers sont très peu nombreuses. Cependant, quelques indices peuvent être tirés des comptes du tonlieu. Le tonlieu se composait de quatre droits : le « *groetentolle* » ou tonlieu proprement dit, le « *geleyde opt Schelde* » ou droit de conduit sur l'Escaut, le « *riddertolle* » ou taxe de transport payable au « *werf* », et les amendes pour infractions à la perception du tonlieu [546].

Le tonlieu fut affermé jusqu'au 25 décembre 1430; il fut alors, jusqu'au 1er février 1441, levé par des officiers ducaux. Voici pour ces dix années quelles furent les recettes du tonlieu d'Anvers :

25 décembre 1430 -	25 décembre	1431	918 livres 13 s. gr. Fl.
»	1431 -	»	1432	933 livres 12 s. 15 d.
»	1432 -	»	1433	902 livres 6 d.
»	1433 -	»	1434	598 livres 5 s. 7 d.
»	1434 -	»	1435	593 livres 2 s. 2 d.
»	1435 -	»	1436	460 livres 11 s. 3 d.
»	1436 -	»	1437	644 livres 13 s. 2 d.
»	1437 -	»	1438	770 livres 1 s. 8 d.
»	1438 -	»	1439	538 livres 17 s.
»	1439 -	»	1440	612 livres 1 s. 2 d.
»	1440 -	1er février	1441	35 livres 11 s. 9 d. [547].

On constate une brusque baisse des recettes à partir de l'année 1434, baisse qui atteint près de 45 % des droits perçus ! Il est difficile de comprendre la raison d'une telle diminution; si, pour l'année 1436, le chiffre exceptionnellement bas de la recette s'explique par la guerre anglo-bourguignonne, on ne

---

[546] A.G.R., *C.C.*, no 22361.

[547] Certains marchands possédaient évidemment le privilège de ne pas payer ces droits; c'était notamment le cas des marchands de Bergen-op-Zoom (K. SLOOTMANS, « *Invloed* », p. 96).

peut que se livrer à des conjectures pour saisir les motifs de la chute de la recette à partir de 1434. Nous avons vu, en effet, que la prohibition des draps anglais, en 1434, n'avait pas affecté leur importation dans des proportions aussi notables.

Le contrôle effectif du passage des bateaux par le Hont par les tonloyers d'Ierseke à partir de cette époque, a-t-il déterminé les capitaines de navires à se rendre de préférence à Bergen-op-Zoom, à L'Ecluse ou simplement à Middelbourg ? C'est un facteur possible mais qui ne semble pas déterminant au point d'influer d'une façon aussi nette sur les recettes. Pour la période 1438-1440, on pourrait accuser l'insécurité maritime due à la guerre hollando-hanséate d'avoir amoindri le trafic maritime. Mais à vrai dire, il semble plutôt que le mode de perception soit principalement en cause. Expliquons-nous : lorsqu'en 1441, on en revint au système de l'affermage, Gilles Putoir, alors amman d'Anvers, obtint la ferme du tonlieu pour la somme de 810 livres de gros; cette ferme fut constamment renouvelée jusqu'en 1455, époque où elle fut portée à 850 livres jusqu'en 1467; à ce moment, Willem van Riethoven en offrit 1.000 livres. C'est dire que Gilles Putoir estimait que le tonlieu, qui n'avait rapporté que 612 livres de gros en 1440, pouvait rendre, tout en appliquant les tarifs en vigueur, non seulement les 810 livres de sa ferme mais, en sus, les frais d'administration et lui laisser encore un confortable bénéfice. Nous savons d'ailleurs qu'il eut la main quelque peu lourde et que les Anglais s'en plaignirent en 1446. C'est dire que les fonctionnaires chargés de la perception jusqu'au 1er février 1441 n'apportaient pas tout le zèle nécessaire à leur tâche et que probablement ils y trouvaient leur intérêt. On ne peut évidemment les accuser sans preuve formelle de malversation mais il est néanmoins curieux de constater que brusquement, en 1441, la recette du tonlieu a certainement atteint le taux des années 1431 à 1433, ce qui marque une brusque augmentation de 50 % sur la recette de 1440, et cela par la seule vertu de l'affermage.

On peut néanmoins conclure, en considérant seulement les taux d'affermage, que le trafic augmenta certainement de plus de 20 % entre 1441 et 1467.

Le climat commercial de Bruges était complètement différent de celui des foires de Brabant. Bruges était encore, au début du xve siècle, le grand carrefour de l'Occident. Au risque de répéter des choses trop connues, nous rappellerons que les Hanséates y conservaient le centre de leurs activités et que parmi eux les marchands originaires des « Wendische Städte » y jouaient le premier rôle : ils y amenaient le blé et les fourrures de l'Europe septentrionale. La colonie italienne était particulièrement prospère. Les Génois, les Lucquois, les Pisans, les Florentins s'y rencontraient. Gênes, Venise et Florence y possédaient des consulats; les grandes firmes commerciales avaient établi là des succursales : citons la filiale des Médicis et celle des Cambi, toutes deux de Florence.

Les naves génoises, les galères vénitiennes et florentines apportaient les produits de luxe de l'Orient, mais les maisons italiennes fixées à Bruges pratiquaient également, sur une grande échelle, le commerce des lettres de change [548].

Les Espagnols fréquentaient Bruges en grand nombre, qu'ils vinssent d'Aragon, de Castille, de Catalogne ou de Biscaye; ils possédaient également des consulats à Bruges. L'huile, le vin et le fer étaient les produits principaux de leurs importations; eux aussi se livraient au commerce des lettres de change.

Les Portugais étaient nombreux; ils arrivaient de Lisbonne, de Porto, de Braga ou même d'Obidos, avec des cargaisons de fruits, d'huile; plus tard, le sel devint leur principal produit d'exportation.

Les Français, principalement les marchands de vin de La Rochelle et du Poitou, se rencontraient sur la place de Bruges, mais on y trouvait aussi des Normands et des Bretons.

Les Ecossais fréquentaient également la ville. Quant aux Anglais, nous verrons qu'ils s'y rendaient en plus grand nombre qu'on ne pourrait le croire.

Bruges régnait aussi sur les régions environnantes; la ville était un important marché de draps pour les produits de la Flandre, du Brabant, du Hainaut et du Tournaisis, mais il semble que les draps de Leyde ne s'y rencontraient pas et qu'en général les Hollandais et les Zélandais n'étaient guère nombreux [549].

Quel rôle jouaient à Bruges les Anglais ?

Bruges était certainement un marché de laine anglaise; nous avons vu ailleurs quels étaient les principaux centres de distribution de ce produit dans les pays bourguignons; nous n'y reviendrons plus [550].

Il est plus difficile de juger de l'importance du commerce des marchands

---

[548] Au sujet du commerce des lettres de change entre Bruges et l'Angleterre, voir le chapitre consacré aux méthodes commerciales.

[549] Il suffit de feuilleter les publications de L. GILLIODTS VAN SEVEREN, *Cartulaire de l'ancienne Estaple, Cartulaire du grand tonlieu, Cartulaire du consulat d'Espagne,* et son *Inventaire des archives de Bruges* pour se faire une opinion à ce sujet. A titre d'indication, notons que, lors de l'entrée solennelle de Marguerite d'York à Bruges, les représentants des nations étrangères à Bruges figurèrent dans le cortège : les Vénitiens étaient en tête, suivaient alors les Florentins, dix marchands escortaient Thomas Portinari, trente-quatre marchands représentaient l'Espagne, cent huit Génois et cent huit Osterlins fermaient la marche (O. DE LA MARCHE, *opus cit.,* t. III, p. 113).

Au sujet du rayonnement de Bruges, voir les cartes en annexe.

[550] Voir le chapitre consacré au commerce de la laine.

aventuriers sur la place de Bruges [551]. Faut-il suivre l'opinion de M. Van Houtte qui considère que seul le trafic des Anglais, qui y achetaient des denrées importées par terre par les Italiens ou encore des biens d'origine hanséatique, conférait à Bruges le caractère d'un marché international [552] ? Que faut-il en penser ?

Nous dirons d'abord que l'existence d'un commerce anglais actif à Bruges ne fait pas de doute. Les marchands aventuriers y possédaient une chapelle dédiée à saint Thomas Becket, en l'église des Carmes [553]. Il faut souligner que cette chapelle appartenait non pas aux étapiers mais aux aventuriers. Or, ces derniers ne pouvaient vendre à Bruges l'objet principal de leur trafic : le drap anglais. Cependant, le nom de leur gouverneur revient assez fréquemment dans les registres des sentences civiles [554] et leur courant d'affaires était suffisamment important pour influencer la recette du tonlieu de Damme et de L'Ecluse. Au moment de la reddition des comptes du tonlieu, après la guerre de 1436 [555], et plus tard en 1450 et 1455 [556], alors que les corsaires français empêchaient l'arrivée des bâtiments venant d'Angleterre, le fermier attribua la baisse de sa recette à la régression du trafic des marchands anglais. Enfin, un différend grave surgit entre la ville et les Anglais. De 1459 à 1467, un long procès mit aux prises le magistrat et plusieurs marchands dont les principaux étaient William Moor et Richard Moyn. La raison de ce conflit nous échappe, mais il entraîna William Caxton, alors gouverneur de la « Nation d'Angleterre », à demander, en 1462, à l'assemblée générale des aventuriers au Mercer's Hall de Londres, le boycottage du marché de Bruges. Le procès fut alors porté devant le Parlement de Paris et la ville fut condamnée à payer la lourde somme de cinq cent treize livres onze sous de gros

---

[551] Les sources dont nous disposons sont différentes de celles qui nous ont permis de décrire le commerce des foires. Les « Sentences civiles » ne relatent que les cas qui ont donné lieu à des contestations judiciaires tandis que les « Schepenregisters » d'Anvers et les registres de « Rentbrieven en Recognitiën » de Bergen-op-Zoom conservent des centaines de reconnaissances de dettes qui donnent une meilleure connaissance du marché.

[552] J.A. Van Houtte, « Bruges et Anvers, marchés « nationaux » ou « internationaux » du XIVᵉ au XVᵉ siècle », Revue du Nord, t. XXXIV, 1952, nᵒ 134, p. 101.

[553] L. Gilliodts van Severen, Cartulaire de l'ancienne Estaple, t. II, nᵒ 971, p. 48 : 20 décembre 1456.

[554] Par exemple : A.V.B., S.C., 1453-1460, fᵒˢ 159 et 214; 1465-1469, fᵒ 25.

[555] L. Gilliodts van Severen, Cartulaire de l'ancien grand tonlieu de Bruges, Bruges, 2 vol., 1908-1909, t. I, nᵒ 267, pp. 66-67; A.G.R., C.C., nᵒ 22597 : compte du tonlieu de Damme.

[556] A.G.R., C.C., nᵒ 22597 : compte du tonlieu de Damme; A.D.N., R.G.F., nᵒ B 2004 : 2 décembre 1450.

A.D.N., nᵒ B 17677 : 1455. Le fermier Jacques Kieurue obtint quatre cents livres de gros de diminution.

plus les frais [557]. Tout ceci montre que les marchands aventuriers fréquentaient volontiers la place de Bruges; ils y étaient d'ailleurs protégés par les vieux privilèges de 1359 [558] et nous avons la preuve que ceux-ci étaient toujours respectés [559]. Enfin, à L'Ecluse, ils jouissaient de l'impunité pour les délits commis contre le droit d'étape de la ville, privilège qui leur fut accordé en 1446 [560], l'année même où ils en recevaient d'autres à Anvers.

Si les étapiers se contentaient d'écouler leur laine à Bruges, les aventuriers y menaient plusieurs courants d'affaires. Ils y vendaient l'étain, le plomb, le beurre, les fromages, la viande, les peaux, le suif et les chandelles qui complétaient leurs cargaisons de draps.

Ils entraient en contact, nous en avons des exemples, avec des marchands flamands, tournaisiens ou hennuyers [561]. Leurs rapports avec les Picards, les Bretons, les Ecossais, les Espagnols et les Hanséates [562], semblent avoir été peu nombreux; en revanche, les registres aux sentences civiles mentionnent assez souvent des relations entre Anglais et Italiens. Il faut dire que ces marchands étrangers fréquentaient assidûment les ports anglais. Il est d'autre part extrêmement rare de relever parmi les cargaisons exportées des pays bourguignons vers l'Angleterre, par des marchands aventuriers, des produits d'origine italienne ou hanséate [563].

[557] A.G.R., *Comptes de Bruges*, C.C., n° 32511, f° 30 v° : 3 août 1459; n° 32515, f° 26 v° : 3 novembre 1462; n° 32518, f°s 48 et 50 : 22 octobre 1465 et 6 février 1466; n° 32519, f°s 52 v° et 60 : 3 mars et 27 août 1467 ; A.G.R., n° 42570, f° 37 : 5 septembre 1459; L. Lyell et D. Watney, *opus cit.*, p. 59. Richard Moyn était un étapier. Cet épisode montre qu'il existait une certaine solidarité entre les deux groupes de marchands anglais. La ville dut faire accord avec les marchands anglais pour payer en plusieurs termes. En 1462, les Anglais se prirent de querelle avec les Ecossais et les partisans du duc de Somerset réfugiés à Bruges (A.G.R., C.C., n° 32514, f°s 31 et 33).

[558] L. Gilliodts van Severen, *Cartulaire de l'ancienne Estaple*, t. I, pp. 226-232, n° 304 : 26 mars 1359.

[559] L. Gilliodts van Severen, *Cartulaire de l'ancienne Estaple*, t. II, p. 79, n° 1000 : 4 mars 1458, application de l'article relatif à la juridiction du gouverneur.

[560] L. Gilliodts van Severen, *Cartulaire de l'ancienne Estaple*, t. I, p. 671, n° 838 : 8 mai 1446. Preuve supplémentaire de l'importance du trafic des Anglais en Flandre : il fallut dix jours pour dresser l'inventaire des biens et créances des Anglais en Flandre en 1449, lors d'une confiscation; on en trouva à Bruges, L'Ecluse, Damme, Ostende, Oudenburg et Nieuport (A.D.N., R.G.F., n° B 2002, f° 97 : 21 septembre 1449; A.G.R., *Acquits de Lille*, n° 1148 B : 21 septembre 1449).

[561] A.V.B., S.C., 1453-1460, f°s 209 et v°, 208 v°, 216 v° (Flamand); 1465-1469, f° 76 v° (Tournaisien); 1453-1460, f° 177 v° (Hennuyer).

[562] A.V.B., S.C., 1447-1453, f° 86 v° (Picard); 1453-1460, f° 382 (Breton), f° 370 (Ecossais); 1465-1469, f° 25 (Espagnol); 1447-1453, f° 72 (Hanséate).

[563] Des marchandises appartenant à William Caxton, gouverneur de la Nation d'Angleterre, furent saisies en 1453 à Nieuport; il s'agissait d'un « *fardel de toiles, un tonneau de pelleterie, un tonneau de safran, IIII fardelez ou pacques de draps de soye et environ XX timbres d'ermines* » (c'est-à-dire environ 800 peaux) (A.D.N., n° B 17674); ces marchandises provenaient manifestement du marché de Bruges; on y relève des produits indigènes, méditerranéens et d'Europe septentrionale. Ce cas est tout à fait exceptionnel; les « *Customs Accounts* » ne signalent presque jamais pareilles importations.

Des indices nous font penser que les marchands aventuriers achetaient certaines marchandises pour les revendre immédiatement sur place: ne connaît-on pas un aventurier qui revendait des draps de Wervicq à un Génois [564]? Isabelle de Portugal n'achetait-elle pas des martres-zibelines à Robert Worseley, un marchand aventurier [565] ?

Les Italiens fixés à Bruges expédiaient sur des bâtiments en provenance des Bouches de l'Escaut du sucre, de l'alun, du coton et des épices, mais aussi des produits typiquement d'origine néerlandaise. Les galères elles-mêmes en débarquaient parfois en Angleterre car, sur le chemin du retour, elles partaient de Flandre pour se rendre en Angleterre. Cette activité fut combattue aux Communes dès 1439; on demanda au roi, en vain d'ailleurs, d'interdire aux Italiens la vente de denrées provenant « *de ce côté des détroits du Maroc* » [566]. Les Italiens dont les noms reviennent le plus souvent comme exportateurs depuis les Bouches de l'Escaut sont des Génois [567] et dans une mesure moindre des Florentins [568]. Les succursales des maisons florentines à Bruges et à Londres entretenaient des relations constantes; MM. A. Grunzweig et R. de Roover ont montré que la filiale des Médicis à Londres était

---

[564] A.V.B., *S.C.*, 1447-1453, fᵒ 116 vᵒ : le Génois Paul Spinula (Spingle).

[565] A.D.N., *R.G.F.*, nᵒ B 1982, fᵒ 144 vᵒ : 10 mars 1445.

[566] *Rotuli Parliamentorum*, t. V, pp. 31-32.

[567] Voici d'après les C.A. de Londres (1437-1438) (E 122/73/7 et 73/12) les noms de quelques marchands génois qui envoyaient des biens de Flandre en Angleterre à bord de bateaux bourguignons : Ambroise, Baptiste, Surleon et Stefano Spinula, Bartholomeo Lomellinus, Thomaso Centurion, Jacobo Justiniani, Jeronino de Sancte Blaxio, Percival Grille. Voir aussi H. J. SMIT, *opus cit.*, t. II, p. 947, nᵒ 1484; *Calendar of Patent Rolls, 1452-1461*, p. 488. Signalons que le commerce génois se faisait pratiquement uniquement par voie de mer; cela infirme l'opinion de M. Van Houtte qui considère que les exportations italiennes vers l'Angleterre parvenaient à Bruges par voie de terre. Au retour, les marchands italiens ramenaient des draps anglais qui étaient certainement destinés à l'Italie car ils ne pouvaient les introduire en Flandre et n'auraient pas pu lutter dans les pays bourguignons contre la concurrence des Anglais et des Hanséates qui jouissaient de tarifs préférentiels en douane. Signalons qu'en 1436, des Génois ne parvenant pas à vendre en Angleterre la totalité de leurs cargaisons obtinrent un sauf-conduit de Henri VI, pour se rendre en Flandre; ils pouvaient au choix utiliser leurs propres bâtiments, des navires anglais ou étrangers (P.R.O., *Treaty Rolls*, C 76/118/m. 5 et 9 : 29 mai et 25 juin 1436 et *Calendar of Patent Rolls, 1429-1438*, p. 589 : 19 avril 1436). Nous possédons un exemple d'assurance maritime conclue à Bruges par un Génois au profit d'un Anglais (A.V.B., *S.C.*, 1453-1460, fᵒ 279). Au sujet des relations des Génois avec l'Outremont, voir R. DOEHAERD et Ch. KERREMANS, *Les relations commerciales entre Gênes, la Belgique et l'Outremont, d'après les archives notariales génoises, 1400-1440*, Institut historique belge de Rome, *Etudes d'histoire économique et sociale*, vol. V, Bruxelles-Rome, 1952; les relations des Italiens avec Southampton ont été étudiées par A.A. RUDDOCK, *Italian merchants and shipping in Southampton, 1270-1600*, Oxford, 1951.

[568] Notamment Foresto de Rabata, Bernardo de' Bardi, Tomaso Portinari, représentants tous trois des maisons qui possédaient des succursales à Bruges et à Londres.

sous la dépendance de celle de Bruges [569] et G. Biscaro a fait la même remarque pour celles des Borromei et des Bardi [570]; il est probable que c'était également le cas pour les autres compagnies. On remarque, en effet, que les actes conservés dans les registres aux Sentences civiles relatifs aux rapports entre les marchands aventuriers et les Italiens mettent en général aux prises des Florentins et des Anglais (tout au moins quand il n'est pas question d'étapiers); lorsque le texte est suffisamment explicite, on se rend compte qu'il s'agit d'affaires traitées en Angleterre même.

Un cas typique est celui qui mit aux prises, à Bruges, William Heliot, marchand de Londres, et Charles Renonchini, gouverneur de la compagnie florentine, Antonio de Rabata et Bernardo Cambi. Heliot avait fourni au gouverneur de la même compagnie à Londres, Guillaume Berti, cent quatre-vingts poques de laine et quatre-vingts pièces de sayes pour être vendues à Florence et trente-six poques pour être vendues à Bruges; c'était d'ailleurs une infraction au règlement de l'Etape. N'ayant pas été payé, Heliot se retourna contre le représentant de la compagnie à Bruges; celui-ci se défendit en prétendant que le marché avait été conclu sous la seule responsabilité de Berti et que la compagnie n'avait rien à y voir; Heliot apporta des preuves et Renonchini fut condamné à payer le montant des marchandises livrées par Heliot [571].

C'est à Bruges aussi que John Crosby fit arrêt sur deux cent quatre livres cinq sous huit deniers de gros aux mains de John Lour, mercier londonien, pour obtenir le paiement de cette somme qui lui était due par les Florentins Pietro Baroncelli et Antonio de Lusiano, et leur compagnie de Londres. Talenti Tebaldi fit opposition car il prétendait que l'argent consigné lui appartenait [572]. Ces cas montrent à suffisance la complexité des relations anglo-italiennes et le rôle médiateur que jouait la place de Bruges dans ces affaires [573].

---

[569] R. DE ROOVER, *Oprichting van het Brugse filiaal van het bankiershuis der Medici*, Mededelingen van de Koninklijke Vlaamse Akademie van België, Klasse der letteren, 1953, t. XV, n° 8, p. 5; A. GRUNZWEIG, *La correspondance*, pp. 24-25.

[570] Voir pp. 255-256 n. 537.

[571] A.V.B., *S.C.*, 1453-1460, f⁰ˢ 253 v° et 257 v° : 20 janvier et février 1459. Renonchini fit arrêter, dès le 7 février suivant, Heliot pour une caution de 200 l. de gros (A.V.B., *S.C.*, 1453-1460, f⁰ˢ 236 et 260), dont il exigeait le dépôt en prévision de l'appel qu'il comptait mener contre la sentence des échevins; ceux-ci jugèrent d'ailleurs que l'arrestation d'Heliot était illégale (L. GILLIODTS VAN SEVEREN, *Cartulaire de l'ancienne Estaple*, t. II, p. 87, n° 1011 : 12 février 1459).

[572] A.V.B., *S.C.*, 1454-1460, f° 385 : 20 mars 1460.

[573] D'autres affaires opposèrent des Florentins à des marchands aventuriers sans que l'on puisse préciser le fond de la question, notamment, en 1453, Antoine François et Symmekin Croix et à nouveau Antoine François et Guillaume Fiemey (L. GILLIODTS VAN SEVEREN, *Cartulaire de l'ancienne Estaple*, t. II, p. 14, n°ˢ 927 et 928); en 1456, Ludovico

Malheureusement, bien souvent les textes ne mentionnent pas le fond de l'affaire traitée; c'est ainsi que nous n'avons pas trouvé d'indication d'échanges véritables entre Italiens et Anglais à Bruges [574]. Cela ne veut évidemment pas dire qu'il n'y en ait pas eu, mais la nature même de nos sources ne nous a pas permis de résoudre ce problème. Dans ces conditions, nous ne pensons pas que l'on puisse suivre jusqu'au bout l'opinion de M. J.A. Van Houtte. L'activité anglaise à Bruges paraît plutôt s'être développée au contact de la population indigène. D'une part, c'est à Bruges seulement que l'on pouvait se fournir en riches tapisseries et en bijouterie fine qui faisaient l'objet du commerce de grand luxe auquel se livrait un important marchand anglais, Robert Worseley, qui prenait à la fois des commandes des cours d'Angleterre et de Bourgogne. Fixé à Bruges, il en était devenu bourgeois et son fils, né à Courtrai, acquit également la « poorterie » [575]. D'autre part, des contrats de livraison de draps aux foires ou à Middelbourg étaient conclus à Bruges entre Anglais et marchands de la ville. C'est ainsi que William Cottesbrook s'engagea, à Bruges, le 3 décembre 1434, à fournir à Anvers 175 draps au compte de Clais van der Buerse, au moment du marché de Bruges et de la foire de Pentecôte 1435, après qu'ils eussent été emballés à Middelbourg; en compensation, vander Buerse lui devait 43.827 livres de fer et 80 kerken d'alun [576]. On constate que Cottesbrook achetait de l'alun à Bruges non pas à un Italien mais à un Flamand. Il faut donc être particulièrement circonspect lorsqu'on rencontre à la lecture des « Customs Accounts » une rare mention d'un produit méditerranéen parmi les biens d'un marchand aventurier : rien n'indique que la denrée ait fait l'objet d'un commerce actif entre Italiens et Anglais. Dans d'autres cas, vander Buerse livra à Cottesbrook de la toile en échange de draps. Les registres des Sentences civiles renferment une série d'actes relatifs à des règlements de comptes entre Anglais et Bourguignons; malheureusement, dans la plupart des cas, la nature du marché n'est pas indi-

---

Strozzi et Geoffroy Boldin (A.V.B., S.C., 1453-1460, fº 159) et la même année Guillaume Berti et John Marshall (IDEM, ibidem, fº 153). Signalons que l'épilogue d'une affaire traitée en Angleterre entre un Espagnol et un Anglais eut également lieu à Bruges (L. GILLIODTS VAN SEVEREN, Cartulaire de l'ancien consulat d'Espagne, pp. 32-33 : 16 et 27 février 1448).

[574] Nous ne parlons pas de la vente de draps de Wervicq par un Anglais à un Génois puisqu'il ne s'agit pas de l'échange d'un produit méditerranéen ou anglais.

[575] A.V.B., S.C., 1453-1460, fº 216 vº; A.D.N., R.G.F., nº B 1982, fº 144 vº; nº B 1988, fº 121 vº; nº B 1998, fº 99. Worseley était mercier; en 1436, il s'échappa de Bruges et regagna son pays et obtint l'autorisation de rapatrier ses biens (Calendar of Patent Rolls, 1436-1441 : 16 octobre 1436). Il négocia avec le magistrat d'Anvers (voir p. 279), avec les représentants hollandais et zélandais pour la question des réparations; le comte de Charolais s'adressait à lui pour obtenir copie d'un accord passé avec les marchands de l'Etape (A.D.N., R.G.F., nº B 2017, fº 162 vº). John Worseley, fils de Robert, reçut la bourgeoisie le 19 janvier 1467 (R.A. PARMENTIER, Indices op de Brugsche poorterboeken, Bruges, 1938, t. II, p. 712).

[576] A.V.B., S.C., 1447-1453, fºˢ 102 à 106. Voir pièce justificative nº 6.

quée mais on peut supposer que Clais vander Buerse et William Cottesbrook n'étaient pas les seuls à négocier des draps anglais. Ceci nous amène à nous demander si l'on procédait à Bruges à la vente sur échantillons ou simplement sur la bonne foi des parties ?

L'activité des Anglais à Bruges se différenciait de celle qu'ils développaient aux foires de Brabant en plusieurs points. Tout comme à Anvers ou à Bergen-op-Zoom [577], leur commerce était basé sur les échanges avec les sujets bourguignons mais, cette fois, il s'agissait surtout de marchands originaires de Flandre; deux particularités sont à souligner : l'existence d'un commerce de luxe et la conclusion de contrats pour la vente de draps anglais livrables soit aux foires soit à Middelbourg. Enfin, c'est à Bruges que les Anglais terminaient les affaires en suspens avec les succursales des maisons italiennes de Londres.

Le commerce des draps anglais à Middelbourg se développa au temps de l'annexion d'Anvers à la Flandre [578]. Les marchands anglais s'arrêtaient en Zélande pour décharger leurs draps qu'ils ne pouvaient plus introduire dans les possessions du comte de Flandre. Ils tentèrent, alors qu'ils résidaient à Middelbourg en 1404, d'obtenir l'autorisation du duc de Bourgogne de commercer en Flandre « *paysivel ende vry onghelet* » [579], c'est-à-dire qu'ils demandèrent la permission d'y négocier leurs draps.

Dès qu'Anvers redevint brabançonne, ces démarches cessèrent; les Anglais pouvaient y vendre leurs draps et, avantage qu'ils ne possédaient pas à Middelbourg, ils y rencontraient une foule de marchands néerlandais qui y amenaient les innombrables produits manufacturés par l'industrie locale. Middelbourg était, en effet, particulièrement bien située pour surveiller les arrivées des vaisseaux marchands et capter le trafic maritime, mais en revanche, le contrôle du négoce par voie de terre lui échappait totalement. Cette raison l'empêcha de concurrencer victorieusement les foires de Brabant. Il est probable que c'est à la demande de Middelbourg que le

---

[577] Compte tenu de l'existence d'un marché de laine anglaise.

[578] Cette période coïncide avec l'époque des premières exportations en gros des draps anglais.

[579] L. GILLIODTS VAN SEVEREN, *Inventaire,* t. III, p. 467; H.J. SMIT, *opus cit.,* t. I, p. 501, n⁰ 1; W.S. UNGER, *Bronnen,* t. III, p. 49, n⁰ 119; envoi d'un messager de la part du « pays de Flandre » à Paris auprès du duc au sujet de la démarche anglaise. L'Etape de la laine anglaise fut fixée à Middelbourg de 1383 à 1388; la ville conserva par la suite un marché de laine surtout pour les qualités du Nord de l'Angleterre (voir le chapitre consacré à la laine anglaise p. 178 et W.S. UNGER, *Middelburg als handelstad,* XIIᵉ-XVIᵉ *eeuw,* Archief uitgegeven door het Zeeuwsch Genootschap der Wetenschappen, 1935, p. 29).

comte Guillaume de Bavière octroya, en 1407 [580], aux Anglais l'autorisation d'élire quatre gouverneurs, privilège dont ils jouissaient depuis longtemps déjà en Flandre et en Brabant [581]. Enfin, la ville, en 1425 [582], puis Philippe le Bon en 1429 [583] et en 1430 [584], octroyèrent aux Anglais des sauf-conduits pour fréquenter la place. Le duc, en 1433, accorda un sauf-conduit général à tous les marchands de n'importe quelle nationalité qui se rendaient à Middelbourg [585], ce qui supprima la nécessité de délivrer des sauf-conduits spéciaux aux Anglais. La même année, il étendit le privilège d'étape, que la ville possédait depuis 1405 sur les bateaux qui empruntaient les Wielingen, aux navires qui se dirigeaient vers le Veergat [586]. Ce privilège d'étape assurait définitivement à Middelbourg la situation d'avant-port à la fois du marché de Bruges et des foires de Brabant.

La ville veilla d'autre part jalousement à conserver le trafic anglais qui lui échappait au profit d'Anvers et de Bergen-op-Zoom. On a dit que les Anglais quittèrent, en 1444, Middelbourg [587] où ils possédaient comme à Bruges une chapelle dédiée à saint Thomas Becket [588], pour Anvers, chassés

[580] H.J. SMIT, opus cit., t. I, p. 525, nº 851 : 26 septembre 1407. Le comte faisait en même temps savoir à la ville de Middelbourg qu'elle ne pouvait délivrer de « schuld of tolbrieven » sans que les marchands ne leur remettent un billet scellé par un des gouverneurs.

[581] En Flandre, depuis certainement 1359 et en Brabant depuis 1296 (voir le chapitre relatif aux privilèges des Anglais à Anvers, p. 270 n. 602).

[582] H.J. SMIT, opus cit., t. I, pp. 619-620, nº 1002 : 12 janvier 1425.

[583] W.S. UNGER, Bronnen, t. II, nº 216, p. 302 : 2 décembre 1429.

[584] W.S. UNGER, Bronnen, t. II, nº 217, p. 304 : 14 février 1430.

[585] W.S. UNGER, Bronnen, t. III, pp. 77-78 : 29 avril 1433; F. VAN MIERIS, opus cit., t. V, p. 1020.

[586] W.S. UNGER, Bronnen, t. III, p. 50, nº 121 : 5 février 1405; pp. 78-80, nº 160 : 2 juillet 1433; F. VAN MIERIS, opus cit., t. IV, p. 1023. Si les bateliers ne se conformaient pas à l'ordonnance, ils devaient payer au duc un droit de 5 % sur le total de la cargaison; s'ils le faisaient en secret, leurs marchandises étaient confisquées.

[587] C'est le secrétaire des marchands aventuriers, John WHEELER, qui répandit cette information dans le livre consacré à la compagnie, qu'il publia en 1601 : A treatise of commerce (édité avec introduction et notes par G.B. Hotchkiss, New-York, 1931); voir Z. SNELLER, opus cit., pp. 125-126; W.S. UNGER, opus cit., p. 36; O. DE SMEDT, opus cit., t. I, p. 90.

[588] R. HAKLUYT, Principal navigations, voyages, trafiques and discoveries of the English, éd. J. Masefield, Londres, 1927, pp. 203-212; S. VAN BRAKEL, « Die Entwicklung und Organisation der Merchant Adventurers », Vierteljahrschrift für Sozial und Wirtschaftsgeschichte, t. V, 1907, p. 409; W.E. LINGELBACH, « The internal organization of the Merchant Adventurers of England », Transactions of the Royal Historical Society, New series, t. XVI, 1902, p. 221. Signalons que certains marchands, tels Barthélémy Stratton, mercier londonien, étaient bourgeois de Middelbourg. Stratton avait épousé une personne de Middelbourg; cela lui valut quelques ennuis en 1436 et lorsque sa compagne mourut (H.J. SMIT, opus cit., t. II, p. 805, nº 1265; p. 669, nº 1077; p. 721, nº 1160 et P.R.O., K.R., Memoranda Rolls, E 159/220).

par le paludisme. Or, il est certain que les Anglais fréquentaient le port
brabançon bien avant cette date; ils y introduisirent une demande de privilèges dès 1431 [589], preuve qu'ils y étaient déjà implantés depuis un certain
temps et probablement dès le moment où Anvers était redevenue brabançonne. Enfin, les Anglais continuèrent à hanter le marché de Middelbourg.
Ils étaient certains d'être bien accueillis. On ne connaît guère qu'un incident,
en 1426, qui les opposa au magistrat [590]. La ville et ses habitants protégeaient
les Anglais contre les volontés du duc. En 1436, rappelons-le une fois encore,
la population ravitailla l'escadre anglaise ancrée dans les Wielingen et la
foule délivra les marchands anglais arrêtés sur l'ordre de Philippe le Bon [591].
Dès 1437, le magistrat s'entendit avec les marchands anglais pour tenir la
foire froide à Middelbourg mais il semble qu'en définitive elle n'eut pas
lieu [592]. Au même moment, la ville essaya d'obtenir, moyennant finances,
l'octroi par le duc d'un sauf-conduit permettant aux Anglais de fréquenter
Middelbourg et Walcheren pendant trois ans [593]. La ville poursuivit cette
même politique lors de la prohibition des draps anglais de 1447. Sommé
d'appliquer la mesure en 1451, le magistrat prétendit « *dat die van Middelburch voirtstelden geprivilegiert te sijne te mogen copen, vercopen ende
vertieren sonder eenige boete of verbuerte die Engelsche lakenen, niettegen-
staende 't verbot* ». Le duc exigea la preuve de cette affirmation; le privilège
en question fut trouvé sans rapport avec l'affaire [594]. La cause n'était cependant pas entendue car les délégués des villes et de la noblesse de Hollande,
Zélande et West-Frise exigèrent de Philippe le Bon la levée des saisies de
draps anglais effectuées par les tonloyers car elles n'avaient pas donné leur
consentement à la prohibition [595].

Lors de l'arrestation des biens anglais en 1454, par ordre du duc, le magistrat de Middelbourg, de sa propre autorité, en vertu de ses privilèges, leva
la saisie et une troupe armée gagna Goes où elle s'empara de draps anglais

---

[589] Voir pp. 271-273.

[590] H.J. SMIT, *opus cit.*, t. I, pp. 620-621, n° 1003 : arrestation et emprisonnement de
marchands pendant neuf jours du 2 au 11 janvier 1426.

[591] Voir pp. 83, 104 et W.S. UNGER, *Bronnen*, t. II, pp. 313-314, n° 223; H.J. SMIT,
opus cit., t. II, p. 751, n° 1213.

[592] W.S. UNGER, *Bronnen*, t. II, p. 316, n° 224; déjà en 1430, il fut question de tenir
la foire de Pâques à Middelbourg (W.S. UNGER, *Bronnen*, t. II, p. 305, n° 217); plus tard,
en 1445, la foire de Saint-Bavon se tint à Middelbourg (W.S. UNGER, *Bronnen*, t. II,
p. 328, n° 231).

[593] W.S. UNGER, *Bronnen*, t. II, pp. 316-317, n° 224.

[594] H.J. SMIT, *opus cit.*, t. II, p. 888, n° 1376; W.S. UNGER, *Bronnen*, t. III, p. 96,
n° 194. Il s'agissait sans doute du sauf-conduit accordé aux marchands de toutes les
nationalités.

[595] H.J. SMIT, *opus cit.*, t. II, p. 890, n° 1382; p. 891, n° 1386 : 11 juin et 27 septembre 1452.

confisqués et les ramena dans la ville. Faut-il s'étonner si, dans de telles circonstances, la ville eut à répondre de sa politique devant le duc [596] ? Enfin, en 1465, lorsque la prohibition fut sévèrement imposée, Middelbourg parvint encore à obtenir un délai d'application pour permettre à ses bourgeois d'écouler les draps qu'ils avaient en stock [597].

Middelbourg et Walcheren constituaient en réalité la plaque tournante de l'activité commerciale des marchands aventuriers aux Bouches de l'Escaut. C'est en rade de Walcheren qu'ils chargeaient dans les mêmes navires, bien souvent zélandais, les marchandises qu'ils avaient acquises à Bruges et aux foires de Brabant; c'est à Middelbourg qu'ils entreposaient leurs draps avant de les diriger vers les foires ou de les remettre aux mains des acheteurs bourguignons. L'exemple du marché conclu entre Clais vander Buerse et William Cottesbrook situe clairement les rapports qui unissaient les grands centres commerciaux des Bouches de l'Escaut et montre qu'on ne peut les dissocier les uns des autres [598].

Dès 1296, puis en 1305 et 1315, les ducs de Brabant Jean II et Jean III concédèrent aux marchands anglais des privilèges dont les clauses sont semblables. Ceux-ci protégèrent les Anglais aux foires de Brabant jusqu'en 1446, tout au moins théoriquement [599]. Cependant, la situation économique avait profondément évolué. Il n'existait au xive siècle qu'une seule catégorie de marchands anglais sans spécialisation particulière; plus tard, lorsque l'industrie drapière se développa, une différenciation s'introduisit au sein de ce groupe. Les étapiers se contentèrent de pratiquer le commerce de la laine; les autres marchands se livraient principalement au trafic des draps. Ce sont ces derniers qui fréquentaient les foires de Brabant; ils prirent au xve siècle la dénomination de marchands aventuriers. On a beaucoup écrit au sujet de

---

[596] W.S. UNGER, *Bronnen*, t. I, p. 41, n° 32; H.J. SMIT, *opus cit.*, t. II, p. 928, n° 1452; au sujet des confiscations des biens anglais et des arrestations de marchands à Middelbourg à cette époque, voir H.J. SMIT, *opus cit.*, p. 901, n°ˢ 1406 et 1407; p. 903, n° 1412; p. 906, n° 1418; p. 915, n° 1430; p. 934, n° 1463; W.S. UNGER, *Bronnen*, t. III, p. 100, n° 207.

[597] H.J. SMIT, *opus cit.*, t. II, p. 988, n° 1549.

[598] On peut reprocher aux historiens hollandais tels J.H. SMIT et N.J. KERLING de considérer la Zélande unie à la Hollande comme une entité économique en soi et de négliger les liens étroits unissant la Zélande aux centres commerciaux flamands et brabançons. La géographie a, dans ce cas, beaucoup plus marqué de son empreinte le développement économique que le cadre politique.

[599] C'est ce que souligne M.J. DE STURLER dans : *Les relations politiques et les échanges commerciaux entre le duché de Brabant et l'Angleterre au moyen âge. L'étape des laines anglaises en Brabant et les origines du port d'Anvers*, Paris, 1936, p. 271.

leur origine [600]. Nous ne reprendrons pas cette question. Nous nous contenterons de rappeler qu'au cours du xve siècle, dans la plupart des villes
anglaises, se formèrent des groupes de marchands spécialisés dans le commerce des draps; celui de Londres, le plus nombreux et le plus puissant, était
dominé par les merciers; il s'assura bientôt la suprématie sur les autres.

Les aventuriers avaient à leur tête, aux Pays-Bas, un gouverneur assisté de
douze juges élus [601]. Avant leur scission en deux groupes, les marchands
anglais possédaient déjà la même organisation. Les vieux privilèges brabançons [602] et ceux qui leur furent donnés en 1359 par Louis de Male pour
Bruges [603], leur accordaient le droit de tenir des assemblées et de juger les
membres de la compagnie. Le comte de Hollande, nous l'avons vu, reconnut

---

[600] A ce sujet, voir M.M. Postan, dans E. Power et M.M. Postan, *opus cit.*, pp. 150-
153; E. Carus-Wilson, « The origins and early development of the merchant adventurer's
organization in London as shown by their own medieval records », *Economic History
Review*, t. IV, 1933, pp. 147-176; C. te Lintum, *De merchant adventurers in de
Nederlanden*, La Haye, 1905; O. Desmedt, *opus cit.*, t. I, pp. 64-72, t. II, pp. 3-120;
L. Lyell et F.D. Watney, *Acts of court of the mercer's company*, Londres, 1936,
pp. XIII et suivantes; W.E. Lingelbach, « The international organization of the merchant
adventurers of England », *Transactions of the Royal Historical Society*, New series, t. XVI,
1902; S. Van Brakel, « Die Entwicklung und Organisation der Merchant Adventurers »,
Viertel Jahrschrift für Sozial und Wirtschaftsgeschichte, t. V, 1907, pp. 401-432.

[601] Les gouverneurs avaient le droit de nommer des mesureurs et des emballeurs. Le
privilège d'élire un gouverneur fut renouvelé par les rois d'Angleterre en 1407, 1413,
1430, 1437 et 1462 (E. Carus-Wilson, « The Origin », p. 153; G. Schanz, *opus cit.*, t. II,
pp. 159-161; W.E. Lingelbach, *opus cit.*, pp. 221-228; H.J. Smit, *opus cit.*, t. II,
p. 967, n° 1519; *Calendar of Patent Rolls, 1461-1467*, p. 187). Voir la liste des gouverneurs
des marchands aventuriers p. 493.

[602] J. de Sturler, *opus cit.*, pp. 214-218. Voici les points principaux de ces privilèges :
ils accordaient aux marchands anglais un sauf-conduit général dans le duché bien qu'ils
fussent tenus de conserver une sorte de domicile à Anvers. Les ducs s'engageaient à leur
restituer leurs biens en cas de spoliation illégitime, leur permettaient de tenir des assemblées
et leur accordaient la juridiction sur leurs membres. Ils échappaient à la prison pour dettes
s'ils fournissaient une garantie ou des « pleiges ». Ils pouvaient recruter eux-mêmes le
personnel nécessaire au transport et à l'emballage de leurs produits; enfin ils seraient
prévenus quarante jours à l'avance en cas d'hostilités afin de pouvoir se retirer sans
dommages.

[603] E. Varenbergh, *Histoire des relations diplomatiques entre le comté de Flandre
et l'Angleterre au moyen âge*, Bruxelles, 1874, p. 447; L. Gilliodts van Severen,
Cartulaire de l'ancienne Estaple, t. I, pp. 226-232. Voici les clauses principales de ces
privilèges : *1)* un sauf-conduit général était octroyé en Flandre aux Anglais; *2)* les
marchands ne pouvaient être emprisonnés que pour des délits ayant entraîné mutilation
ou mort d'homme; l'enquête dans ce cas aurait lieu quarante jours après les faits; *3)* le
droit d'assemblée et l'autorité du gouverneur sur les marchands étaient reconnus; *4)* les
débiteurs insolvables des Anglais seraient emprisonnés; *5)* les marchands ne payeraient de
droits d'accises sur les boissons que sur le vin; *6)* les biens des Anglais ne seraient pas
arrêtés en représailles pour des actes de piraterie commis par des sujets anglais au détriment
de Flamands ou à la suite d'engagements non tenus par le roi d'Angleterre.

lui aussi ce privilège en 1407 [604] et en 1446; Philippe le Bon reprit cet article dans les privilèges qu'il concéda aux Anglais qui fréquentaient Anvers [605]. Les aventuriers formaient ainsi la « *Nation d'Angleterre* »; tous les marchands anglais, à l'exception des étapiers, se trouvaient dans les pays bourguignons sous l'autorité du gouverneur, même s'ils n'avaient pas encore prêté serment devant celui-ci [606].

Nous avons déjà montré qu'après avoir, au début du siècle, concentré leurs activités à Middelbourg, ils se mirent à fréquenter Anvers dès que la ville redevint brabançonne [607]. Dès 1407, c'est-à-dire un an après cet événement, ils y possédaient une maison [608]. En 1430, ils obtinrent des Membres de Flandre, grâce à l'intervention de John Wareyn, l'application dans le comté d'une ordonnance publiée en Hainaut et relative à la mesure des toiles. Ils demandèrent alors qu'elle fût suivie aux foires de Brabant. Pour faire pression sur les autorités, ils décidèrent de ne pas tenir la foire de Pâques à Bergen-op-Zoom, mais bien à Middelbourg; ils présentèrent ensuite une pétition au roi en le priant d'interdire aux marchands anglais de fréquenter les foires de Brabant et spécialement la prochaine foire d'Anvers, si les toiles vendues sur le marché n'étaient pas conformes au règlement édicté en Hainaut et en Flandre [609]. Nous ignorons le résultat de ces démarches, mais ils obtinrent probablement satisfaction puisqu'ils reprirent normalement le chemin des foires.

Encouragés sans doute par ce premier succès, ils introduisirent auprès de la municipalité d'Anvers une demande de privilège en 1431 [610]. Ils y repre-

---

[604] Voir p. 267; par la suite, encore en 1408, 1414 et 1421 (G. Schanz, *opus cit.*, t. II, pp. 159-161; H.J. Smit, *opus cit.*, t. I, p. 525, n° 851; p. 532, n. 2; p. 568, n° 918; p. 601, n° 974).

[605] Voir p. 274.

[606] A.V.B., *S.C.*, 1455-1460, f° 214.

[607] Voir p. 266.

[608] S. Van Brakel, *opus cit.*, p. 409.

[609] L'ordonnance hennuyère datait du 8 avril 1418; elle avait été prise à la suite de plaintes des marchands anglais et répondait donc à leurs critiques; elle précisait également les modalités de tissage (E. Sabbe, *opus cit.*, pp. 99-100); H. Nicolas, *opus cit.*, t. IV, p. 55 : 18 juillet 1430; T. Rymer, *opus cit.*, t. X, p. 471 : 18 juillet 1430; W.S. Unger, *Bronnen*, t. II, p. 303, n° 217 : 18 et 21 avril 1430. John Wareyn fut le premier gouverneur à réunir sous son autorité tous les marchands aventuriers originaires de n'importe quelle ville d'Angleterre; au début du xvᵉ siècle, en effet, il y eut des gouverneurs particuliers par groupes de marchands provenant de la même ville. Wareyn, mercier londonien, fut gouverneur en 1421, au salaire de deux cents nobles anglais; le rôle qu'il joua en 1430 amène à penser qu'il était également gouverneur à ce moment (H.J. Smit, *opus cit.*, t. I, pp. 608-609, 615, n°s 983, 985, 993; N.J. Kerling, *opus cit.*, pp. 144-153).

[610] A.V.A., *P.K.*, n° 1050, f°s 77-78; le texte a été transposé avec erreurs et omissions par F. Prims, *Geschiedenis van Antwerpen, onder de hertogen van Burgondië*, t. VI, 14ᵉ partie, pp. 147-151. La date est donnée par une inscription du xvIᵉ siècle; le contexte la vérifie car il y est fait directement allusion à la question des ordonnances réglementant la fabrication des toiles.

naient les principaux articles des vieux privilèges brabançons. A côté de desiderata d'ordre juridique, ils exigeaient des garanties relatives à la pratique commerciale. Ils réclamaient un sauf-conduit, valable pour tout le duché, scellé par Philippe le Bon et les quatre chefs-villes et semblable à celui que les Membres de Flandre leur avaient octroyé avec l'accord du duc [611]. Il est assez curieux de constater que les aventuriers s'adressaient à la ville d'Anvers pour obtenir un acte émanant de la chancellerie ducale [612]. Les droits de réunion et de juridiction sur les membres de la « nacion » devraient leur être reconnus, le droit de juridiction pour autant que le délit jugé ne portait pas sur des cas de mutilation ou de mort d'homme. Les juridictions bourguignonnes ne pourraient procéder à l'arrestation, à aucun moment, d'un marchand anglais pour un autre motif, s'il offrait nantissement ou garants (pleiges) suffisants. Les facteurs ou commis ne pourraient donner en garantie les biens de leurs maîtres pour des délits qu'ils auraient eux-mêmes perpétrés. Ni les marchands ni leurs représentants ne pourraient subir les conséquences de « negheenrehande sculde oft obligatien die gemaect syn of gemaect selen woerden by haeren here den coninc van Ingelant ».

Au point de vue de la pratique commerciale, les marchands de la « nation d'Angleterre » exigeaient des facilités pour le déchargement de leurs biens [613], des tarifs raisonnables pour l'emploi de la grue [614] et celui des voitures [615], pour le transport des marchandises, ainsi qu'une honnête application du tarif de tonlieu en vigueur [616]. Ils demandaient aussi que le magistrat surveillât

[611] Nous ne connaissons pas ces lettres de sauf-conduit mais nous savons que des instruments furent remis aux Anglais en 1429; peut-être s'agit-il de l'acte auquel fait allusion la pétition. Voici le texte qui nous l'apprend : « Meester Pieter Mathijs sondachs den zelven dach (2 octobre 1429) an mijnen heere den abd van Sinte Andries omme te doene zeghelne eenen brief van sauf-condute onlanx leden den cooplieden van Ingheland gheconsenteert bi den IIII leden slands van Vlaenderen omme twelke onledich ghesyn I dach... xl s. » (A.G.R., Comptes du Franc, C.C., nᵒ 42548, fᵒ 13).

[612] Ils firent d'ailleurs de même en 1446.

[613] Des bourgeois armés pourraient être mis à la disposition des marchands, à leur demande, pour décharger leurs biens en toute sécurité et les recharger à destination de L'Ecluse, d'Arnemuiden ou de la pleine mer.

[614] On ne pourrait exiger pour l'emploi de la grue que douze gros de Brabant pour une grosse balle, huit gros pour une petite, et pour le reste à l'avenant. Si les marchandises appartenant aux Anglais étaient périssables, elles jouiraient d'un tour de faveur (le gros de Brabant valait le tiers du gros de Flandre).

[615] Les voituriers devraient veiller sur les marchandises qui leur étaient confiées pour qu'elles arrivent à destination sèches et en bon état, et les transporteurs devaient fixer au départ le prix de leurs courses. Les débardeurs pourraient servir les marchands pendant et en dehors des foires. Notons aussi que les marchands anglais demandaient que les équipages des bateaux chargés de leurs biens pussent circuler librement dans le port.

[616] Les produits non vendus, mais sur lesquels les droits auraient déjà été perçus, pourraient être rembarqués sans être taxés une nouvelle fois. Si un batelier n'avait pas payé immédiatement les droits sur les marchandises qu'il transportait, on ne pouvait exiger de lui que le double de la taxe.

le poids des clous apportés aux foires par les fabricants de la principauté de Liège et du pays de Looz [617], et vérifiât si les toiles vendues sur le marché étaient conformes aux nouveaux règlements publiés en Hainaut et en Flandre. Les Anglais insistaient enfin pour que les foires fussent prolongées de huit ou quinze jours dans le cas où ils ne pourraient s'y rendre en temps utile [618].

La nation d'Angleterre n'obtint pas satisfaction. L'opinion n'était guère favorable aux Anglais dans les pays bourguignons à cette époque. Le magistrat d'Anvers avait participé à des réunions en vue de la prohibition des draps anglais et il craignait sans doute de montrer trop d'intérêt pour les distributeurs mêmes de ces draps [619]. Les aventuriers continuèrent cependant à fréquenter Anvers et les foires de Brabant; ils n'interrompirent leurs activités que depuis la foire de Pâques de Bergen-op-Zoom en 1436 jusqu'à la même foire en 1437 [620]. Ils revinrent régulièrement en Brabant jusqu'en 1445. Cette année-là, à la suite d'un différend entre eux et le fermier du tonlieu Gilles Putoir, alors amman d'Anvers, ils décidèrent de tenir la foire de Saint-Bavon à Middelbourg [621], et menacèrent même de quitter définitivement la ville brabançonne si on ne leur rendait pas justice. Cette menace porta ses fruits puisque, probablement sous la pression de la ville, Philippe le Bon octroya, le 16 avril 1446, un important privilège aux marchands anglais — c'est-à-dire aux aventuriers — et à ceux de Calais (les étapiers) et d'Irlande qui fréquentaient Anvers [622].

Après avoir accordé aux intéressés le droit de résider en paix et de commercer en tout temps dans la ville [623], les privilèges abordaient le nœud du problème : celui des relations avec le tonloyeur. Ils réglaient la question du

---

[617] Ils proposaient qu'un bourgeois soit préposé à l'inspection des clous.

[618] Les marchands qui avaient été arrêtés peu auparavant, malgré leur sauf-conduit, obtiendraient la restitution de leurs biens et seraient indemnisés. Il est évidemment fait allusion au sauf-conduit reconnu par les vieux privilèges brabançons.

[619] Voir p. 60.

[620] D'après P.R.O., *C.A.*, E 122/73/7 et 77/3 (port de Londres) et H.J. SMIT, *opus cit.*, t. II, p. 720, n° 1159. Cependant, des navires revenant de la foire de Pâques en 1439 furent arrêtés au port de Londres (P.R.O., *Memoranda Rolls, K.R.*, E 159/215).

[621] W.S. UNGER, *Bronnen*, t. II, p. 328, n° 231 : 23 juillet et 11 septembre 1445; H.J. SMIT, *opus cit.*, t. II, p. 860, n° 1332.

[622] Le privilège est publié par G. SCHANZ, *opus cit.*, t. II, pp. 162 et suivantes; F. PRIMS, *Geschiedenis van Antwerpen*, t. VI, 14e partie, pp. 153-154, édite seulement le tarif du tonlieu. La minute de l'acte repose aux A.V.A., *Privilegekamer*, n° 1050, f°s 70 à 73; on y trouve aussi l'avis émis par le Conseil de Brabant à ce sujet (A.V.A., *Privilegekamer*, n° 1050, f°s 233-234).

[623] Pour amener leurs biens, ils devaient néanmoins payer un « *conductus* », au cas où ils devraient, pour ce faire, passer « *per quanquamque partem aque* ». Il s'agit sans doute du droit de « *geleyde opt Schelde* » dont nous avons parlé p. 258.

tarif du tonlieu [624] qui fut inséré dans l'acte et fut encore reconnu en 1496 [625], comme maximum inviolable. Le taux des amendes en cas de fraude fut fixé à quatre fois la valeur de la taxe que les marchands auraient dû normalement acquitter [626]. Une juridiction d'arbitrage fut créée pour trancher les différends avec le fermier du tonlieu; l'appel était réservé au Conseil de Brabant[627]. La suppression de la prison pour dettes [628] et l'octroi du droit de juridiction au gouverneur sur les marchands anglais [629] étaient repris aux vieux privilèges. Les modalités de récupération des biens volés [630] aux marchands anglais

[624] Il était déjà en vigueur depuis quelques années et avait été arrêté entre Gilles Putoir et les marchands. Ce tarif comprenait la part qui revenait au duc et dispensait en outre les Anglais du « *riddertol* » (taxe de transport payable au « *werf* »). Le tarif antérieur appliqué aux Anglais datait de 1396.

[625] O. De Smedt, *opus cit.*, t. I, p. 92.

[626] Rappelons que la pétition de 1431 parlait seulement du double. Les privilèges obligeaient les marchands à débarquer leurs biens au « *werf* » où se trouvait la grue; si l'endroit était encombré, la ville pourrait le faire évacuer afin que le tonloyeur puisse exercer une surveillance efficace. Des amendes frapperaient les bateliers qui dépasseraient les limites gardées avant d'avoir payé les droits. Dans ce cas, si le batelier était Anglais, les marchands verseraient le quadruple de la taxe fraudée, quitte à se retourner contre le capitaine; si celui-ci n'était pas un Anglais, ils ne devraient pas se substituer à lui. Les ouvriers qui transportaient des marchandises à l'intérieur de la ville, travaillaient à l'entreprise aussi vite que possible; aussi, leur arrivait-il de s'emparer des biens sans l'accord du marchand et avant la taxation en douane; s'ils agissaient ainsi, ils subiraient un emprisonnement au pain et à l'eau pendant quatre jours et une interdiction de travail pendant trois semaines. On ne pourrait de plus exiger aucun droit pour le transport à l'intérieur de la ville. Enfin, le tonloyeur pouvait exiger des marchands qu'ils jurassent qu'ils n'avaient pas fraudé; il ne pouvait pas vérifier la véracité de ce serment, ce qui évidemment rendait ce contrôle illusoire.

[627] La juridiction était confiée à trois bourgeois d'Anvers qui prêteraient serment et seraient « *renouvelés* », comme le magistrat, à la Saint-André. Ils recevaient comme salaire une gelte de vin du Rhin de la partie déboutée. Le texte de ce serment particulièrement solennel est conservé : a.v.a., *Groot Pampieren Privilegieboek*, P.K., n° 79, f° 53. Dès le 25 septembre 1446, le Conseil de Brabant rendait une sentence concernant un différend survenu entre des marchands d'Angleterre et le tonloyeur au sujet des droits prélevés sur les fromages (a.g.r., *Conseil de Brabant, Sentences*, n° 525, f° 120).

[628] A condition que le garant du marchand poursuivi ait déposé la somme entre les mains de la justice. Cependant, on pouvait arrêter un Anglais s'il avait failli à sa parole comme répondant d'un de ses compatriotes. Les biens du marchand condamné à mort seraient consignés pendant trois mois pour le paiement de ses dettes, mais ni le duc, ni ses officiers ne pourraient en prélever quoi que ce soit.

[629] Le gouverneur et ses adjoints pourraient juger et décider de tout ce qui concernait les leurs pour autant qu'il ne comparût devant eux que des Anglais et qu'il n'y fût pas question des amendes dues au duc. Ainsi, en application de cette clause des privilèges, William Caxton, gouverneur des aventuriers, fit arrêter, en 1465, Hugh Dommeloe qui fut emprisonné aux fers dans le Steen d'Anvers (a.v.a., *S.R.*, n° 69, f° 100 v° : 5 décembre 1465).

[630] Les Anglais ne pourraient récupérer leurs biens volés sauf au cas où ils seraient revendus sur les marchés parmi des objets semblables. Le voleur arrêté serait obligé de restituer complètement les biens détournés. Aucun serviteur ne pourrait s'emparer des biens de son maître.

furent spécifiées. Une dernière clause promettait que les poids en vigueur à Anvers ne subiraient aucune modification.

Ces articles étaient accordés par le duc pour la durée de son règne, en temps de paix ou de trêves, jusqu'à une révocation de sa part. Celle-ci devait être annoncée lors des foires; cependant, les privilèges resteraient valables pendant quarante jours après la publication; en cas de guerre, les marchands jouiraient également de quarante jours pour se retirer. Ces facilités étaient déjà octroyées par les chartes de la fin du XIIIe siècle et du début du XIVe siècle.

Les marchands gascons, sujets du roi d'Angleterre, se virent accorder également, le 6 août 1446, le tarif préférentiel du tonlieu. Ils avaient dû s'adresser au Conseil de Brabant pour obtenir satisfaction car Gilles Putoir affirmait qu'ils avaient toujours payé les droits comme les autres marchands de langue française et n'avaient jamais été assimilés aux marchands anglais [631].

Pour compléter les clauses de l'acte ducal, la ville d'Anvers accorda aux marchands anglais un privilège spécial, le 12 août 1446. Il réglait essentiellement des questions de pratique commerciale courante; il reprenait à la fois les clauses de la charte octroyée par le duc, les vieux privilèges brabançons, les articles proposés par les Anglais en 1431; il innovait donc fort peu.

La ville octroyait aux marchands d'Angleterre, de Calais et d'Irlande le droit de commercer librement pendant et après les foires pourvu qu'ils eussent payé les droits de tonlieu. En dehors des foires, ils devaient répondre de leurs dettes et de celles dont ils étaient garants [632]. Le privilège insistait donc sur la franchise dont jouissaient les marchands lors des foires. Les Anglais recevaient en outre le droit de prolonger pendant huit ou quinze jours la durée de celles-ci, à leur convenance. A côté de ces clauses essentielles venaient une série d'articles qui réglementaient les rapports des marchands anglais avec les courtiers [633], les changeurs [634], les propriétaires des maisons où ils logeaient et entreposaient leurs marchandises [635], les débardeurs et les ouvriers qui transportaient leurs biens à l'intérieur de la ville [636]. Le privilège fixait

---

[631] A.V.A., *Privilegekamer*, n° 1050, f° 129.

[632] Voir p. 251 n. 468.

[633] Ceux-ci ne pourraient exiger de remise qu'au cas où ils s'étaient personnellement entremis lors de la conclusion d'un marché.

[634] Les changeurs et les « *pleiges* » pouvaient prêter de l'argent sur parole aux marchands anglais.

[635] Lorsqu'une maison avait été louée une fois, son loyer ne pouvait plus être augmenté; le loyer d'un bâtiment loué pour la première fois devait être raisonnable. Si le marchand quittait la ville plus tôt que prévu, il payerait la location au prorata du temps d'occupation, à moins qu'il n'eût convenu d'un terme fixe.

[636] Les « *pijnders* » pouvaient travailler librement pour les marchands, sans entraves et selon les ordres de ceux qui les employaient.

les tarifs de passage d'un canal [637], d'emploi de la grue [638] ou de chariots [639] et de l'accise sur les draps anglais [640].

En matière judiciaire, le magistrat s'engageait à enquêter sérieusement si un marchand était blessé ou tué sur le territoire de la ville [641] ou si des dégâts quelconques étaient perpétrés contre des navires anglais; de plus, il promettait de dispenser la juridiction gracieuse à ces derniers [642]. Enfin, les bénéficiaires des privilèges recevaient une exemption d'accise pour le vin et la bière qu'ils consommaient .

Ces articles étaient valables en tout temps, sauf en cas de guerre; les marchands disposaient alors de quarante jours pour se replier [643].

Les Anglais s'assurèrent ainsi des garanties tant sur le plan juridique que sur celui de leurs relations avec les services fiscaux du prince et de la ville, et même avec les membres des différentes professions avec lesquelles ils étaient obligés d'entrer en contact. Enfin, ce sont eux qui insistèrent pour obtenir la prolongation des foires et pour étendre sur une plus large période la durée de la vie commerciale active.

Ainsi nantis, les aventuriers auraient pu se croire en sécurité. Mais, nous l'avons déjà souligné autre part, la prohibition des draps anglais en 1447 entraîna la révocation de leurs privilèges. Cependant, ce n'est qu'en 1450 que la mesure semble avoir été effectivement appliquée; les Anglais délaissè-

---

[637] Le marchand tout seul payait quatre mittes de Flandre; avec un cheval et des bagages, un gros de Flandre; si le cheval était chargé, un gros supplémentaire; pour deux bœufs, deux vaches ou six porcs, il payait un gros, et le reste à l'avenant. Le marinier devait se contenter de ce tarif et servir les Anglais sans récrimination ou retard, excepté en cas de mauvais temps.

[638] On payait huit gros de Flandre pour « een grote bale »; si on employait des chaînes de fer, deux gros supplémentaires; pour une petite balle, six gros; pour un fardeau, deux gros; pour un « terling », quatre gros; pour une grande tonne ou deux pipes ou une balle de batterie ou de clefs, quatre gros; pour une ou deux aimes de vin du Rhin, deux gros; trois gros pour trois aimes de vin d'autre provenance, d'huile, de bière ou d'autres liquides. Si la négligence du « craenmeester » amenait la perte de la marchandise, il devait le rembourser. Il devait veiller à mettre au sec, le plus vite possible, les marchandises qui l'exigeaient (les toiles par exemple) et les embarquer rapidement. Notons que le tarif avait baissé depuis 1431 (voir p. 272 n. 614).

[639] On payerait quatre gros de Flandre pour une grande balle, trois pour une petite, deux pour un « terling », une tonne contenant deux pipes ou encore une balle de batterie.

[640] Les droits d'accise étaient fixés à un demi-gros de Brabant pour une pièce de drap ou deux pièces de « kersey », « stockbrede », « rolle flies » ou « worsted ».

[641] On userait même de la torture pour découvrir le coupable.

[642] Un marchand absent pourrait ester en justice par procuration.

[643] A.V.A., P.K., nᵒ 79 (Groot Pampieren Privilegieboek), fᵒˢ 49 et suivants.

rent alors Anvers [644]. La ville réagit et rappela au duc sa promesse de « *non entretenir les deffenses faites sur les draps d'Engleterre si elles n'estoient entretenues en tous ses pays* », d'autant plus qu'on pouvait encore vendre et acheter des draps anglais en Hollande, Zélande et Frise et même à Bergen-op-Zoom et Steenbergen; le magistrat invoquait aussi les intérêts des industries d'apprêtage des draps anglais et de la toile, un des principaux frets de retour des aventuriers, et demandait que l'application de la prohibition fût différée jusqu'à la Toussaint de 1452 [645]. Cette pétition retardait en fait l'application de la mesure jusqu'à la décision de Philippe le Bon. Le 15 avril 1452, le duc autorisait provisoirement, jusqu'au moment où une ordonnance générale y pourvoirait, la vente des draps anglais à Anvers et leur exportation à travers le Brabant et le Limbourg et les pays d'outre-Meuse [646].

La mesure s'étendit bientôt aux autres centres de distribution des draps. Comme les marchands anglais, qui avaient débarqué à Middelbourg, hésitaient à se rendre à la foire de Bergen-op-Zoom, des messagers envoyés par cette dernière ville purent leur annoncer qu'ils pouvaient sans crainte y envoyer leurs draps [647]. La situation se normalisa jusqu'à la foire de Pentecôte de 1457. Il se produisit alors un incident stupide qu'il nous faut rapporter car il témoigne à merveille de la susceptibilité extrême des marchands anglais. L'un d'entre eux, John Suffelt, faisait peser « *au poids de la ville* » une grosse balle de garance lorsque l'enveloppe se déchira et un peu de produit se répandit. Il se courrouça aussitôt, injuria le maître du poids, le traitant de coquin et de paillard, la main sur la dague, tandis que sa victime, Martin van den Hove, tentait de s'excuser. Comme rien n'y faisait, le maître du poids répliqua à John Suffelt qu'il mentait « *comme Englois coué* » [648]. Injure grave qui attaquait le peuple anglais et son roi ! Les mauvaises langues

---

[644] Voir pp. 151-152.

Le duc donnait ordre, le 12 janvier 1447, à l'écoutète d'Anvers de publier la révocation des privilèges à la foire de Pentecôte 1447 (A.V.A., *P.K.*, n⁰ 79, f⁰ˢ 34 à 38, n⁰ 1050, f⁰ 88).

Les Anglais décidèrent de fixer un autre rendez-vous un peu avant la foire de Saint-Bavon en 1450; le duc défendit aussitôt à ses sujets, comme aux étrangers, de commercer avec les Anglais; il interdit aussi pendant quarante jours après la foire de Saint-Bavon, le passage des biens destinés aux échanges avec les Anglais qui auraient lieu ailleurs qu'à Anvers (A.V.A., *Chartes*, n⁰ 258 : 21 août 1450).

[645] A.V.A., *P.K.*, n⁰ 79, f⁰ 62.

[646] A.V.A., *Chartes*, n⁰ 264 : 15 avril 1452; G. SCHANZ, *opus cit.*, t. I, p. 444.

[647] H.J. SMIT, *opus cit.*, t. II, p. 894, n⁰ 1389. Il faut croire que la situation demeura encore critique puisque, lors de la foire de Pentecôte 1453, les marchands anglais arrivèrent avec une garde de cent archers auxquels Philippe le Bon fit des propositions pour les enrôler dans son armée (A.D.N., *R.G.F.*, n⁰ 212, f⁰ 167 : 25 juin 1453).

[648] Le terme signifie mari complaisant (F. GODEFROID, *Dictionnaire de l'Ancienne Langue française*, Paris, 1883, t. II, p. 331); A.V.A., *P.K.*, n⁰ 1050, f⁰ˢ 238-240.

n'étaient pas tendres, en effet, pour Marguerite d'Anjou. L'affaire fut portée
devant la loi. Le maître du poids jura que cette malencontreuse expression
ne s'adressait pas à la nation anglaise mais seulement au marchand avec qui
il s'était pris de querelle. Les juges leur conseillèrent paternellement d'oublier
tout cela et d'être dorénavant bons amis. Le gouverneur des marchands
aventuriers, William Ouvray [649], qui se trouvait dans l'assemblée, s'adressa
au tribunal et demanda si c'était bien là la sentence; il se leva alors,
déclara : « *Nous ne vendons plus en ceste ville* », et entraîna à sa suite tous
les Anglais. Ceux-ci tinrent alors plusieurs réunions et décidèrent de se rendre
à Bruges. Le magistrat, inquiet de la tournure que prenaient les événements,
fit savoir aux marchands anglais qu'ils pouvaient faire appel devant le
Conseil ducal. Les marchands répondirent que la plupart d'entre eux étaient
déjà partis et que l'échevinage n'avait qu'à envoyer des députés à Bruges.
La rencontre eut lieu quelque temps plus tard. Les Anglais se plaignirent
de l'injure qu'ils avaient essuyée et prétendirent en outre que leurs privilèges
n'étaient pas respectés à Anvers. La querelle prenait un tour nouveau. Les
aventuriers formulaient des griefs à l'égard de la perception du tonlieu et
des accises; ils évaluaient la perte qu'ils avaient subie, par suite de la mauvaise
application des privilèges, à deux ou trois mille livres de gros, somme dont
ils réclamaient la restitution; enfin, ils exigeaient réparation pour un mar-

---

[649] William Ouvray ou Overey était un « *fishmonger* » londonien; il fut certainement
gouverneur de 1456 à 1458 et fut nommé de nouveau gouverneur par Edouard IV le
16 avril 1462. Il fut déchargé de sa commission le 15 juin 1462 (A.V.A., *P.K.*, n° 79,
Groot Pampieren Privilegieboeck, f° 136; le 24 juin 1462 selon G. SCHANZ, *opus cit.*, t. II,
pp. 575-578) par le roi après le renouvellement, en mai 1462, des privilèges d'élection du
gouverneur par les marchands à la demande des merciers, (voir p. 270, note 601, et
E. CARUS-WILSON, *The origins*, p. 153). Il semble que la nomination d'Ouvray ait été un
acte d'autorité du roi. Cependant, déjà en 1458, Ouvray se prétendait « *de par le roy...
institué gouverneur* » (A.V.B., *S.C.*, 1453-1460, f° 214 : 4 mars 1458), ce qui laisserait à
penser que, déjà à ce moment, il n'était pas un gouverneur élu par ses pairs mais plutôt
désigné par l'autorité royale. Quoi qu'il en soit, Ouvray ne semble pas avoir été d'une
honnêteté scrupuleuse. On l'accusa d'avoir reçu cinquante-huit livres de gros pour passer
sous silence certains articles des privilèges; il reçut en 1457 et 1459 du vin de la loi de
Middelbourg (cf. G. SCHANZ, *opus cit.*, t. II, p. 578 et W.S. UNGER, *Bronnen*, t. II,
pp. 343 et 345). Enfin en 1460, il fut emprisonné, pour une raison qui nous échappe, au
steen de Bruges, à la demande du gouverneur du moment, John Pickering (cf. A.V.B.,
S.C., 1453-1460, f° 335 v°). La susceptibilité pour tout ce qui touchait à l'honneur des
marchands anglais était un trait essentiel de son caractère. Il le montra à Anvers, en 1457,
et à Bruges, l'année précédente. Jacques Strozzi, condamné pour injures envers la «nation»,
devait faire dire une messe du Saint-Esprit à la chapelle des Anglais et fournir les cierges
et les torches dont le poids et la dimension étaient fixés. Comme il ne s'était pas conformé
à ce dernier point, Ouvray l'attaqua devant l'échevinage de Bruges qui le condamna à
prêter serment qu'il n'avait pas voulu « *injurier ou faire esclandre a la nacion d'Engleterre* », à fournir le double des cierges et torches exigés par la première sentence et à
donner à Ouvray dix lasts de tourbe pour distribuer aux pauvres (voir A.V.B., *S.C.*,
1453-1460, f° 159 v° : 20 décembre 1456). On constate un parallélisme entre l'attitude
adoptée par le gouverneur à Bruges et à Anvers.

chand de qui les doyens de la draperie avaient exigé sans raison une amende d'un noble.

Le magistrat d'Anvers leur répondit que justice leur serait rendue pour autant qu'ils fournissent les preuves de leurs accusations et qu'ils acceptassent la sentence relative aux injures. Ils ajoutaient enfin que l'amende était due pour non-observation des règlements du métier.

Comme les aventuriers restaient sur leurs positions, la loi d'Anvers porta le débat devant le chancelier et le Conseil de Brabant. Ces derniers déléguèrent à Bruges, auprès des Anglais, un conseiller et un secrétaire; cette démarche n'aboutit pas. La ville envoya alors des députés auprès de Philippe le Bon, à Nivelles [650]; ils rencontrèrent là des Anglais venus pour une autre affaire : la libération des nefs arrêtées par les officiers ducaux en Zélande [651]; ils projetèrent de tenir ensemble une nouvelle réunion à Bruges. Cette fois, les Anglais exigèrent que les Anversois poursuivissent, à leurs dépens, de concert avec eux, et devant Philippe le Bon, les discussions pour obtenir la levée de la saisie des nefs et de régler l'affaire des injures proférées par le maître du poids. Ces prétentions n'emportèrent évidemment pas l'adhésion de la ville d'Anvers [652].

Telle était la situation. Les Anglais ne s'étaient pas rendus à la foire de Saint-Bavon. Le seul marchand, un novice d'ailleurs, qui l'avait fait fut cité en justice devant l'échevinage de Bruges par le gouverneur William Ouvray, car il ne s'était pas soumis aux décisions de la « nation » [653].

Les aventuriers tinrent marché à Bergen-op-Zoom et y entraînèrent les autres marchands avec lesquels ils commerçaient. La situation s'aggravait et il fallait prendre des mesures. Une commission d'arbitrage fut créée; en étaient membres, pour la « nation » d'Angleterre, le gouverneur Ouvray, le marchand bien connu Robert Worseley et un autre aventurier, Jack Fane; la ville d'Anvers était représentée par François Vander Dilft, Jean Vander Meren, drossard du pays de Bergen-op-Zoom, et Jean Block; il fut décidé que si l'on ne parvenait pas à un accord avant le 9 avril 1458, on s'en remettrait aux bons offices de Jean de Glymes, seigneur de Bergen-op-Zoom. C'est ce qui arriva. La sentence arbitrale rendue par Jean de Glymes, le 8 avril 1458, est des

---

[650] Philippe le Bon séjourna du 1er au 10 septembre 1457 à Nivelles (H. VANDER LINDEN, *Itinéraires*, p. 137).

[651] Nous n'avons pas de renseignements sur l'arrestation de bateaux anglais en Zélande. Il s'agit sans doute de représailles à la suite de la prise d'un bateau de Bergen-op-Zoom, un de Middelbourg et un d'Arnemuiden par la flotte de Warwick dans la Tamise (H.J. SMIT, *opus cit.*, t. II, p. 936, no 1468; p. 937, no 1470; p. 939, no 1473).

[652] A.V.A., *Chartes*, no 274.

[653] A.V.B., *S.C.*, 1453-1460, fo 214 : 4 mars 1458. C'était la première fois que Richard Charrety se rendait sur le continent; en considération de sa jeunesse et de sa bonne foi, il fut libéré.

plus intéressantes; elle complète les privilèges octroyés en 1446 [654]. Elle citait
d'abord les points sur lesquels les six arbitres étaient tombés d'accord. Ils
avaient décidé la création d'une juridiction dont la compétence s'étendrait
aux différends relatifs à la perception des droits de tonlieu; cette instance
était déjà, en fait, établie par les privilèges de 1446, mais n'avait probablement
jamais fonctionné. La sentence spécifiait que lorsque l'échevinage rendrait
justice pénale dans une cause où comparaîtraient des Anglais, leur partie
serait entendue la première. La clause des privilèges qui promettait que les
marchands arrêtés pour dettes seraient relâchés sous caution, serait cette fois
ponctuellement appliquée, tout comme on respecterait la faculté que possédaient les aventuriers de faire prolonger les foires de quinze jours. Les
Anglais ne payeraient le tonlieu qu'une seule fois, au taux habituel, sur
les marchandises qui traverseraient l'Escaut pour poursuivre leur route par
voie de terre. Enfin Martin van den Hove affirmerait sous serment qu'il
avait proféré dans un moment de colère des injures qui ne s'adressaient ni
au roi, ni à la « nation » d'Angleterre [655].

Jean de Glymes avait tranché souverainement les autres difficultés. Au cas
où l'interprétation des privilèges amènerait quelque contestation, des délégués
de la ville et des aventuriers se rendraient auprès du duc et de son Conseil
en Brabant pour y régler l'affaire. Les marchands qui subiraient des exactions
de la part du tonloyer ou de n'importe qui d'autre, pourraient poursuivre
le coupable devant la loi d'Anvers. Les entrepreneurs de transport devraient
se conformer aux tarifs qui leur étaient imposés par les privilèges. Le droit
pour les Anglais de consommer du vin et de la bière sans payer d'accise,
était confirmé [656]. Un accord particulier devrait être négocié entre la gilde
de la draperie et les aventuriers pour prévenir les différends possibles. La
ville d'Anvers s'engagerait à appuyer le gouverneur de la « nation » d'Angleterre contre les marchands qui lui manqueraient d'obéissance.

Les arbitres concluaient en offrant leurs bons offices pour éclaircir toute
difficulté qui pourrait surgir au sujet de l'interprétation des chartes de 1446.
La lutte des aventuriers pour arracher des privilèges au duc et à la ville et
pour obtenir la garantie de leur stricte application avait duré presque trente
ans. Leur statut de « nation » était dûment reconnu; ils étaient protégés du
point de vue juridique et jouissaient d'un tarif de tonlieu préférentiel.

---

[654] A.V.A., *P.K.*, n° 79, f°ˢ 292-299, repris également dans *P.K.*, n° 1050, f°ˢ 253-
265 v°.

[655] Il ferait de plus un pèlerinage à « *Sinte-Claes ten Oestene* ». S'agit-il du pèlerinage
aux reliques de saint Nicolas à Bari ? Voir E. Van Cauwenbergh, *Les pèlerinages expiatoires et judiciaires dans le droit communal de la Belgique au moyen âge*, Louvain, 1922,
p. 144.

[656] O. Desmedt, *opus cit.*, t. I, p. 106, affirme à tort que ce privilège se rencontre
ici pour la première fois.

Dès 1464, la situation se gâta de nouveau. Des motifs d'ordre financier entraînèrent les prohibitions des marchandises bourguignonnes en Angleterre et en contrecoup celle des draps anglais dans les pays et seigneuries de Philippe le Bon. William Caxton, alors gouverneur des aventuriers, prit le parti de se réfugier, avec ses marchands, à Utrecht. Plusieurs foires se tinrent dans la ville épiscopale [657], mais les Anglais continuèrent à fréquenter Bergen-op-Zoom, et sans doute Anvers. Les « Certificaten en Procuratiën » de Bergen-op-Zoom contiennent plusieurs actes qui montrent que les marchands aventuriers achetaient des biens dont on garantissait sous serment solennel la provenance du pays de Liège, de Gueldre ou du « sticht Utrecht » et qui étaient livrables aux Anglais dans un de ces trois endroits [658]. Il est donc assuré que les Anglais maintinrent une certaine activité commerciale aux foires de Brabant mais elle se limita à la conclusion de marchés. Il faut noter qu'il existait, aux foires mêmes, une certaine animosité contre les Anglais, ce qui accroissait les difficultés d'entente.

En 1467, les marchands bourguignons s'élevèrent contre les « restrictions et ordonnances generales » décrétées par la « nation » d'Angleterre. Ils reprochaient au « court maistre », c'est-à-dire à l'assistant du gouverneur [659], d'obliger les siens à acheter à des prix déterminés les marchandises en vente aux foires, lorsqu'ils y voyaient abondance de biens et grand nombre de marchands anglais, et de leur interdire d'acquérir « les denrees de telle ville ou de telle personne » en représailles d'affaires conclues au désavantage de l'un ou de l'autre des aventuriers. A ce grief qui visait spécialement l'autorité exercée par les chefs de la « nation » sur ses membres, s'ajoutaient les plaintes formulées contre la véritable politique de prolongation des foires menée par les

[657] W. Caxton, mercier londonien, fut gouverneur des marchands aventuriers de 1462 à 1469; il fut au service de Marguerite d'York à partir de 1471; il introduisit l'imprimerie en Angleterre en 1476 et se consacra à de nombreuses traductions du français en anglais : voir S.L. LEE, dans Dictionary of National Biography, t. IX, 1887, pp. 381-389 et W. BLADES, The life and typography of William Caxton, England's first printer with evidence of his typographical connection with Colard Mansion the printer at Bruges, Londres, 2 vol., 1861-1863.
Un premier sauf-conduit fut délivré aux Anglais le 24 novembre 1464; il fut renouvelé le 20 avril 1465 et le 22 octobre suivant. Nous connaissons les dates des trois foires qu'ils tinrent à Utrecht en 1465 : du 6 janvier au 15 février, du 21 avril au 1er juin, du 20 juin au 20 juillet (H.J. SMIT, opus cit., t. II, p. 985, n° 1545 et p. 986, n° 1546; W. STEIN, Hansische Urkundenbuch, t. IX, p. 148; IDEM, « Die Merchant Adventurers in Utrecht, 1464-1467 », Hansische Geschichtsblätter, 1899, pp. 179-189, voir spécialement p. 187 la teneur des privilèges délivrés aux Anglais à Utrecht).
[658] H.J. SMIT, opus cit., t. II, p. 999, n° 1555; p. 1006, n° 1562; G.A.B.O.Z., C. en P., 1465-1471, f°s 3-9.
[659] Ce poste n'apparaît que dans la deuxième moitié du XVe siècle (W.E. LINGELBACH, opus cit., p. 45), de même que celui de lieutenant. Par exemple, Henri Bomstid était lieutenant du gouverneur John Pickering en 1461 (A.V.B., S.C., 1453-1460, f° 370 v° : 26 juillet 1461).

Anglais, dont nous avons déjà parlé [660]. En attendant la fin du marché, ils faisaient pression sur les marchands qui, désirant rentrer au plus vite chez eux, cédaient leurs biens à moindre prix [661]. Si l'on en croit le « *Libelle of Englyshe Policye* », la position anglaise reposait sur le fait que les aventuriers étaient obligés, tout au moins jusqu'en 1436, de débarquer leurs marchandises en quinze jours et de les recharger dans le même laps de temps sous peine de confiscation [662]. Philippe le Bon, dès 1440, à la demande du métier des bateliers, avait combattu cette tendance à l'extension de la durée des foires; il interdit alors de charger des bateaux étrangers en dehors de celles-ci [663]. Cette disposition prouvait le désir des Anversois de conserver le quasi-monopole du trafic sur l'Escaut, tout en maintenant le rythme traditionnel de la succession des foires et cela malgré les arrivées plus nombreuses de bâtiments de haute mer.

Lors de la conclusion de l'entrecours de 1467, les Anglais firent leur réapparition aux foires, y ramenèrent leurs draps et reprirent leurs privilèges à Anvers. Deux ans plus tard, Bergen-op-Zoom leur en accorda de similaires [664].

[660] Voir p. 251.

[661] A.V.A., *P.K.*, nᵒ 1050, fᵒˢ 268 à 269 vᵒ : texte soumis en 1467 à Salisbury. Voir pièce justificative nᵒ 8.

[662] *Libelle of Englyshe Policye*, éd. G. Warner, pp. 26-27.

[663] A.V.A., *P.K.*, nᵒ 1050, fᵒ 79 : 10 octobre 1440.

[664] T.S. JANSMA, «De Privileges van de Engelsche Natie te Bergen-op-Zoom, 1469-1555», *Bijdragen van het Historisch Genootschap gevestigd te Utrecht*, 1929, pp. 41-103.

G. SCHANZ (*opus cit.*, t. II, p. 377) signale la signature d'un accord, le 8 mars 1446, entre le gouverneur John Pickering et la ville de Bergen-op-Zoom; nous n'avons retrouvé aucun témoignage qui puisse nous éclairer sur ce point.

LES SUJETS DE PHILIPPE LE BON EN ANGLETERRE

La présence bourguignonne en Angleterre se marquait à la fois sur le plan social et sur le plan économique. Un courant assez puissant d'émigration y avait fixé une colonie florissante, tandis que les relations commerciales actives vers les pays de par-deçà avait amené la fréquentation des principaux centres par des marchands bourguignons.

Lors de la guerre entre Henri VI et Philippe le Bon en 1436, on exigea des sujets du duc qui demeuraient en Angleterre un serment d'allégeance au roi [665]. Le but de cette mesure était de s'assurer de leur fidélité; le serment, d'autre part, les protégeait d'un retour à la xénophobie qui avait sévi après la signature du traité d'Arras. Chacun avait donc intérêt d'accomplir cette formalité. La liste de tous ceux qui prêtèrent le serment a été conservée [666], et il semble qu'on puisse la considérer comme complète. Non seulement les sujets du duc de Bourgogne mais aussi ceux du prince-évêque de Liège, de l'évêque d'Utrecht et du duc de Gueldre furent obligés de s'y soumettre. Il est probable que, dans la pratique, les Anglais ne parvenaient pas à les distinguer des « Bourguignons », d'autant plus que la plupart s'exprimaient dans la même langue.

Nous possédons ainsi un véritable recensement des émigrés originaires des Pays-Bas. Leur lieu d'origine et celui de leur résidence sont généralement spécifiés; en revanche, leur profession est beaucoup plus rarement mentionnée. Il s'agit vraiment d'émigrés et non pas de marchands surpris par les hostilités car nous n'avons relevé parmi eux aucun personnage qui nous soit connu d'autre part par son activité dans le commerce international; de plus, les marchands, prévenus depuis longtemps de la possibilité de guerre, avaient déjà regagné leur patrie, lorsqu'on exigea le serment en avril 1436.

---

[665] T. Rymer, *opus cit.*, t. X, pp. 636-637 : 28 mars 1436; Letter book K., pp. 204 et 206 : 28 mars et 21 juillet 1436.

[666] T. Rymer, *opus cit.*, t. X, pp. 637-639; *Calendar of Patent Rolls, 1429-1436*, pp. 537, 539 et 541-588 : 18 avril 1436. Voir en annexe les tableaux statistiques et les listes par localités néerlandaises et anglaises que nous en avons dressés pp. 494-559. Il s'agit de la liste de ceux qui prêtèrent serment; cela ne signifie pas que tous les ressortissants des Pays-Bas y soient recensés. Il semble, en effet, si l'on se fie aux indications fragmentaires du recensement des étrangers en 1440 (voir p. 297 et n. 718) qu'ils étaient beaucoup plus nombreux, à moins que l'annonce de la guerre n'en ait fait refluer temporairement une grande partie dans leur pays d'origine.

Ces listes d'émigrés reflètent évidemment un courant d'émigration vieux de plusieurs années, résultante en quelque sorte de la situation économique des Pays-Bas au cours du premier tiers du xv⁰ siècle. A cette époque seuls la Flandre et l'Artois faisaient partie des domaines de la maison de Bourgogne. Aussi, si nous avons compté séparément les émigrés sujets de Philippe le Bon en 1436, nous avons seulement voulu montrer l'importance démographique des « Bourguignons » fixés en Angleterre au moment de la rupture des relations entre le duc et Henri VI. Du point de vue de l'interprétation historique nous n'avons pas considéré les « Bourguignons » comme un groupe homogène; nous avons, au contraire, envisagé le cas de chacune des principautés car, à l'exception de la Hollande, de la Zélande et du Hainaut, elles n'étaient pas liées par un lien dynastique et ont toutes vécu leur vie propre.

Quinze cent quarante-sept émigrés originaires des Pays-Bas, dont douze cent cinquante-neuf étaient sujets de Philippe le Bon, vivaient en Angleterre en 1436. C'est un chiffre important car seuls les chefs de famille ou tout au moins les hommes adultes sont comptés.

On peut donc presque considérer ce nombre comme l'équivalence d'un chiffre de dénombrement de « feux », réserve faite que tous les hommes adultes n'étaient pas nécessairement chefs de famille. Du fait qu'il s'agit d'une population d'immigrants, il est difficile de déterminer quel groupe social elle représentait. Ce sont là des chiffres absolus qu'il convient d'analyser par la méthode comparative. Nous allons tâcher de les mettre en corrélation avec les indications que nous possédons pour la population des Pays-Bas et pour celle de l'Angleterre. Précisons qu'il faut s'entourer de beaucoup de prudence car on connaît la valeur relative des sources démographiques; ensuite, à part le dénombrement brabançon de 1437, tous les chiffres dont nous disposons sont soit de peu, soit de beaucoup postérieurs ou antérieurs à 1436.

Si l'on admet, avec H. Pirenne, qu'il existait environ 400.000 feux dans les Pays-Bas bourguignons [667], on constate qu'un homme adulte pour environ 307 feux émigrait en Angleterre; si l'on applique le coefficient 4,5 au chiffre des feux, on obtient un émigré pour 1.381 personnes. Mais cette proportion varie considérablement d'une principauté à l'autre. Parmi ces douze cent cinquante-neuf émigrés, on compte cinq cent trente-quatre Hollandais, trois cent quatre-vingt-cinq Brabançons, cent quarante-cinq Zélandais, quatre-vingt-quatorze Flamands [668], quatorze Hennuyers, trente-sept Malinois, trente-sept

[667] H. PIRENNE, *Histoire de Belgique*, t. II, p. 442.
Voir ce qu'en dit M.A. ARNOULD, *Les dénombrements de foyers dans le Hainaut, xiv⁰-xv⁰ siècles*, Bruxelles, 1956, p. 291, n. 1.

[668] H.E. DE SAGHER a consacré une intéressante étude à l'émigration flamande en 1436 dans : *De Stem uit België*, journal publié à Londres en 1916-1917.

émigrés originaires de Maastricht [669] et treize originaires du Limbourg, d'Artois et de Picardie.

Le nombre restreint des Flamands frappe immédiatement, mais il faut peut-être lui donner un correctif. On sait que ceux-ci étaient considérés, à l'époque comme sujets rebelles du roi : seuls d'ailleurs, les Flamands furent entravés dans leur commerce avec l'Angleterre. Dans ces circonstances, beaucoup de Flamands n'ont-ils pas déclaré de préférence qu'ils étaient d'origine brabançonne ou hollandaise ? Nous n'avons aucun indice qui nous permette de l'affirmer. Quoi qu'il en soit, on constate que parmi les émigrés bourguignons, 42 % sont originaires de Hollande, 30 % du Brabant, 11 % de Zélande et seulement 7 % de Flandre.

La Flandre (y compris les bailliages de Lille, Douai, Seclin et Orchies) comptait, en 1469, 73.938 feux ruraux; il faut y ajouter la population urbaine qui montait certainement à un tiers de la population rurale; on arrive alors à un total de 98.584 feux [670]; si l'on considère que la population était sensiblement égale vers 1436 [671], on constate qu'un homme sur 1.048 foyers ou 4.716 personnes émigrait en Angleterre. En revanche, en Brabant, la proportion est d'un émigré mâle pour 240 feux ou 1.080 personnes (385 émigrés pour un total de 92.738 feux en 1437) [672]. En Hollande, si l'on s'en réfère au chiffre de 45.857 foyers, calculé il est vrai pour l'année 1514 [673], on remarque que la proportion s'élève à une émigration pour 85 feux ou 382 personnes. L'émigration flamande apparaît donc douze fois moindre que celle de la Hollande et plus de quatre fois moindre que celle du Brabant. Trois cent quatre-vingt-deux localités avaient envoyé des émigrés en Angleterre dont deux cent trente-neuf appartenaient, en 1436, à Philippe le Bon.

Quatre vingt-deux villes et villages brabançons [674] avaient participé à

[669] Le territoire de Maastricht était partagé entre les souverainetés brabançonne et liégeoise. De ce fait, nous avons compté à part les émigrés provenant de Maastricht; cependant, comme la plus grande partie de la ville ressortissait du Brabant, nous les avons considérés comme bourguignons.

[670] J. DE SMET, « Le dénombrement des foyers en Flandre en 1469 », B.C.R.H., t. IC, 1935, pp. 105-150; H. PIRENNE, Histoire de Belgique, t. II, p. 442; C. CIPOLLA, J. DHONDT, M.M. POSTAN, P. WOLFF, « Rapport collectif » (IXe Congrès international des Sciences historiques), Paris, 1950, p. 62, note 28.

[671] Il y eut certainement des variations assez grandes de chiffres de population au cours du XVe siècle; cependant, les statistiques que nous possédons pour le Brabant montrent qu'il n'y eut entre 1437 et 1464 qu'un léger fléchissement (voir J. CUVELIER, Les dénombrements de foyers en Brabant (XIVe-XVIe siècles), Bruxelles, 1912, pp. 432-486; « Rapport collectif », opus cit., p. 62, note 28). M. Van Werveke parle, pour la période s'étendant du XIVe au XVe siècle, d'oscillations (H. VAN WERVEKE, « La densité de la population belge au cours des âges », Studi in onore di Armando Sapori, Milan, 1957, t. II, p. 1432).

[672] J. CUVELIER, opus cit., p. 486.

[673] « Rapport collectif », opus cit., p. 62, note 28. Il faut souligner que la noblesse et le clergé sont exclus de ces chiffres.

[674] Sans y compter Maastricht.

l'émigration; parmi ceux-ci dix localités avaient envoyé plus de dix émigrés en Angleterre : quatre entre dix et vingt (Hoogstraten, Breda, Bergen-op-Zoom et Lierre), quatre entre vingt et trente (Diest, Tirlemont, Louvain et Anvers), une entre trente et quarante (Bruxelles) et une plus de quarante (Bois-le-Duc).

Si l'on établit la corrélation entre les chiffres de la population urbaine du Brabant [675] et ceux de l'émigration vers l'Angleterre, on constate qu'on comptait un émigré pour 292 personnes (65 feux) à Bergen-op-Zoom; à Bois-le-Duc et à Tirlemont, un pour 306 habitants (68 feux); un pour 324 habitants (72 feux) à Lierre; un pour 418 habitants (93 feux) à Diest; un pour 337 habitants (75 feux) à Breda; un pour 531 habitants (118 feux) à Anvers; un pour 697 habitants (155 feux) à Louvain; un pour 895 habitants (199 feux) à Bruxelles; la plus forte proportion étant celle du bourg d'Hoogstraten où elle atteignait un pour 112 habitants (25 feux). Si l'on compare ces chiffres à celui d'un émigré pour 1.381 habitants (240 feux) qui se rapporte à l'ensemble du duché, on constate que l'émigration s'est surtout développée dans les centres urbains. Ce fait apparaît en pleine lumière lorsqu'on calcule le nombre total des émigrés originaires des dix localités déjà citées (227) qui constitue 59 % de l'émigration brabançonne totale. Si l'on y ajoute les émigrés provenant des autres villes : Herentals, Nivelles, Vilvorde et Wavre [676], on obtient le chiffre de deux cent quarante émigrés soit 62 % du total de l'émigration.

La répartition par régions de l'émigration du duché est aussi pleine d'enseignement. Certaines d'entre elles n'ont pratiquement joué aucun rôle dans l'émigration : c'est le cas du Brabant wallon (deux émigrés pour deux localités).

Le quartier flamand de Bruxelles compte trente-huit émigrés pour quatre localités, soit un émigré pour 1.943 personnes (454 feux); le quartier flamand

---

[675] On ne peut considérer comme plus ou moins exacts que les rapports calculés pour le Brabant, car il y a corrélation entre les dates des recensements des émigrés en Angleterre et celui de la population en Brabant qui eut lieu en 1437. Cependant, il faut noter que le lieu d'origine de certains émigrés n'étant pas indiqué, il s'agit de rapports minima.

[676] Il est certain que des émigrés provenaient de Léau; comme on ne peut les distinguer de ceux originaires de Leeuw-Saint-Pierre, nous ne les avons pas comptés ici. En considérant ce fait et la remarque formulée à la note précédente, on considérera que le rapport obtenu est une proportion minimum.

Anvers	29	Lierre	17
Bergen-op-Zoom	17	Louvain	23
Bois-le-Duc	42	Nivelles	1
Breda	13	Tirlemont	22
Bruxelles	32	Vilvorde	3
Diest	22	Wavre	1
Herentals	8		
Hoogstraten	10	Total	240

de Louvain: quatre-vingt-trois pour dix localités, soit un émigré pour 1.084 habitants (241 feux); le quartier d'Anvers (125 émigrés pour 22 localités), un pour 1.017 habitants (226 foyers); un pour 1.314 habitants (292 feux) pour le quartier de Bois-le-Duc (60 émigrés pour 11 localités) [677].

Le Brabant avait connu, depuis l'annexion d'Anvers à la Flandre, une période sombre; l'activité du port fut mise en veilleuse et, par contrecoup, l'économie entière du pays fut touchée; le duché connut ensuite des années troubles : guerre avec la Gueldre, situation difficile sous Jean IV. Il fallut attendre le passage du Brabant sous la maison de Bourgogne pour que le climat se détendît.

Pour Louvain, M. Van Uytven a constaté que la situation économique de la ville s'était également améliorée après 1440 [678]. Il n'est donc pas étonnant que l'émigration brabançonne au cours du premier tiers du xve siècle ait été assez considérable car la principauté ne jouissait pas d'une situation économique prospère.

Il est cependant curieux de constater que l'émigration fut la plus forte, au cours du premier tiers du xve siècle, dans le quartier d'Anvers qui comptait, en 1437, le moins de pauvres (18 %) et dont la situation économique s'était fortement améliorée entre 1374 et 1437; de même, le Brabant wallon, où le paupérisme était le plus répandu (38,5 %) [679], n'a pas participé au mouvement. On peut sans doute expliquer cette anomalie de plusieurs façons. Tout d'abord Cuvelier, à qui nous devons ces indications concernant le paupérisme, s'est basé sur le nombre d'habitants secourus par les tables du Saint-Esprit; or, dans une région agricole riche, les tables du Saint-Esprit sont généralement plus prospères que dans un terroir pauvre et, de ce fait, peuvent secourir plus de personnes qui ne seraient pas aidées dans une contrée moins favorisée; enfin, en milieu urbain, le dénuement atteint un degré beaucoup plus aigu que dans le milieu rural.

La situation économique s'est rapidement améliorée dans les centres urbains après 1430 et ce sont avant tout les régions où les villes étaient nombreuses qui ont participé à l'émigration. On comprend comment l'émigration s'est surtout développée dans le quartier d'Anvers et dans le quartier de Louvain, régions à forte densité urbaine, à une époque où le duché connaissait une situation économique peu florissante [680].

---

[677] Il faut signaler que 73 émigrés ne peuvent être rangés par quartiers.

[678] R. Van Uytven, *Stadsfinanciën en Stadsekonomie te Leuven van de xiie tot het einde der xvie eeuw*, Bruxelles, 1961, p. 592.

[679] J. Cuvelier, *opus cit.*, p. CXV.

[680] Signalons qu'au xiie siècle, de nombreux mercenaires brabançons louèrent leurs services en Europe occidentale et même dans l'Empire byzantin; ce qui prouve que le courant d'émigration en Brabant était fort ancien (Voir P. Bonenfant, « L'origine du titre de duc de Brabant », *Annales du Congrès archéologique et historique de Tournai*, 1949, pp. 1-9).

Malines, dont la vie commerciale avait également été asphyxiée sous la domination flamande et dont la situation économique était comparable à celle des villes brabançonnes, comptait un émigré sur 301 habitants (67 feux) [681].

Nous ne disposons pas, pour la Flandre, de chiffres de comparaison semblables à ceux du dénombrement brabançon de 1437. Nous savons seulement qu'Ypres comptait 2.712 feux en 1437, et qu'elle n'avait envoyé que deux émigrés en Angleterre, alors que le nombre de ses foyers avait diminué de 10 % depuis 1412. Et cependant, l'émigration flamande a également un caractère urbain nettement marqué. Sur trente-deux localités d'où provenaient les émigrés, vingt-quatre ont pu être identifiées; elles comptent ensemble soixante-quatorze émigrés dont soixante-quatre proviennent de quatorze villes, soit 67 % du total des émigrés [682]. Deux de ces villes ont envoyé plus de dix de leurs habitants en Angleterre : Gand, douze et Bruges, vingt-trois. C'est la région du Franc de Bruges qui a le plus contribué à l'émigration : trente-quatre émigrés en étaient originaires. La Flandre wallonne, le west-quartier, la châtellenie d'Ypres n'ont guère pris part au mouvement. La situation économique de la Flandre semble donc meilleure que celle des autres principautés des Pays-Bas au cours du premier tiers du xvᵉ siècle. La main-d'œuvre libérée par la décadence de l'industrie drapière de grand luxe, a, semble-t-il, été récupérée dans d'autres secteurs, probablement par le développement des draperies rurales, le tissage de la toile ou même l'agriculture [683]. Si l'on en croit l'exemple d'Ypres, la population urbaine a diminué, mais cela n'a pas entraîné un mouvement d'émigration vers l'étranger : les campagnes ont sans doute absorbé la main-d'œuvre disponible. On comprendra la lutte menée par Ypres contre les draperies rurales dont la concurrence

---

[681] J. Verbeemen (« De demografische evolutie van Mechelen, 1370-1800 », *Handelingen van de Koninklijke Kring voor Oudheidkunde, Letteren en Kunst van Mechelen*, t. LVII, 1953, pp. 63-97) a évalué à environ 2.500 feux la population malinoise vers 1370 jusqu'au début du xvᵉ s. Il faut donc accepter la proportion retenue avec beaucoup de prudence.

[682]

Audenarde	2	Lille	2
Bergues	1	Saint-Nicolas	1
Bruges	23	Termonde	3
Courtrai	3	Tielt	1
Damme	1	Warneton	1
Dunkerque	2	Wervicq	4
L'Ecluse	6	Ypres	2
Gand	12		
		Total	64

[683] On constatera, en consultant le graphique nº 3 dans R. Van Uytven, « La Flandre et le Brabant », p. 294, que les courbes des productions de la draperie de Courtrai, de la sayetterie d'Hondschoote et de l'accise de la toile à Courtrai sont toutes trois en hausse au cours du premier tiers du xvᵉ s.

dynamique attirait à la fois la clientèle et la main-d'œuvre. On peut ajouter que le commerce international était à son point culminant; le grand tonlieu d'entrée du Zwijn, qui avait rapporté 7.800 livres en 1384, atteignit, en 1432, la somme de 8.400 livres [684].

Dix villes hollandaises ont envoyé entre dix et vingt émigrés en Angleterre, deux entre trente et quarante, une entre quarante et cinquante, une entre cinquante et soixante et une plus de soixante sur un total de soixante-quatorze. La Hollande est la principauté où l'on compte le plus grand nombre d'émigrés originaires de la même ville : Haarlem d'où provenaient 61 émigrés. Les principales villes ont contribué dans la proportion de 67 % à l'émigration hollandaise (trois cent soixante-quinze émigrés sur cinq cent trente-quatre). Nous possédons certains chiffres de population urbaine pour la Hollande mais bien tardifs : si l'on prend pour base les dénombrements de feux de 1470 pour Amsterdam, on obtient le rapport d'un émigré pour 508 habitants (113 foyers); pour Gouda, un pour 256 (57 feux); pour Haarlem, un pour 184 (41 feux); pour Hoorn, un pour 711 (158 feux); un pour 432 (96 feux) pour La Haye; un pour 477 (106 feux) pour Rotterdam; d'après les chiffres du dénombrement de 1498 : pour Leyde, on obtient le rapport de un à 261 (58 feux) et, d'après ceux du recensement de 1514, le rapport pour Delft est de un à 406 (91 feux) et pour Dordrecht de un à 180 (40 feux) [685].

Il convient de signaler que, lors du dénombrement de 1570, 52 % de la population hollandaise était fixée dans les villes, taux particulièrement élevé [686]. Un siècle plus tôt, la concentration urbaine devait être moins forte mais il semble cependant que ce soit là une caractéristique dominante de la démographie hollandaise. Cette principauté, dont l'agriculture n'était jamais parvenue à nourrir sa population, devait importer de grandes quantités de blé. Si nous examinons le prix du froment à Leyde depuis 1415 jusqu'en 1467, nous constatons qu'il atteignit des prix très élevés en 1416, 1419, de 1421 à 1423, de 1425 à 1427, en 1432, de 1438 à 1441, en 1456 et en 1458. Ainsi de 1415 à 1436, neuf années sur vingt et une, le froment fut particulièrement cher, tandis que pendant les trente et une années suivantes, le prix ne dépassa les normes qu'au cours de six années [687]. Il est évident

---

[684] J. CRAEYBECKX, *opus cit.*, p. 23.

[685]

Alkmaar	15	Haarlem	61	Rotterdam	12
Amsterdam	13	La Haye	14	Schiedam	14
La Brielle	12	Heusden	10	Schoonhoven	12
Delft	30	Hoorn	10	Zevenbergen	10
Dordrecht	38	Leyde	54		
Gouda	49	Oudewater	11	Total	375

[686] « Rapport collectif », p. 80.

[687] N.W. POSTHUMUS, *Geschiedenis*, pp. 434-435.

que l'influence d'un facteur aussi déterminant que le prix des céréales sur une population urbaine nombreuse a pu déterminer un fort mouvement d'émigration. D'autant plus qu'il faut y ajouter la situation trouble due aux querelles des Hoeks et des Kabeljauws.

Le cas de la Zélande devait être à peu près pareil à celui de la Hollande. Soixante-trois pour cent de l'émigration provenaient des villes; sur trente et une localités, trois avaient envoyé plus de dix émigrés en Angleterre [688]. Nous ne disposons malheureusement d'aucun élément de comparaison entre les chiffres de la population et ceux de l'émigration. La Zélande, tout comme la Hollande, importait des céréales et l'incidence de leur prix sur le coût de la vie a dû influer sur le désir d'émigration de la population.

La Gueldre est la seule principauté dont l'émigration provienne essentiellement des milieux ruraux. Sur quarante-quatre localités, une seule, Nimègue, a envoyé plus de dix émigrés en Angleterre et l'apport des villes n'atteignait que 40 % de l'émigration totale [689].

Dans la principauté de Liège, la contribution des villes au mouvement d'émigration atteint 54 % [690]. Seul Saint-Trond, parmi vingt-quatre localités liégeoises, a envoyé plus de dix émigrés en Angleterre; si l'on suit les indications du recensement de 1470, la proportion s'élève, dans cette ville, à un émigré pour 607 habitants (135 feux) [691]. Dix pour cent seulement des émigrés étaient originaires de la partie wallonne de la principauté où les villes étaient moins nombreuses.

C'est dans le « *sticht Utrecht* » que l'apport des villes était le plus considérable puisqu'ils atteignait 80 % [692]; la ville d'Utrecht seule fournissait 45 % de l'émigration.

[688]			[689]			[690]		
Flessingue	1		Arnhem	9		Bilzen	2	
Goes	8		Goch	5		Hasselt	3	
Middelbourg	29		Gueldre	4		Liège	8	
Reimerswaal	10		Nimègue	20		Maaseik	4	
Zierikzee	43		Tiel	5		Saint-Trond	23	
			Venloo	3		Tongres	6	
Total	91		Zutphen	5		Dinant	1	
			Total	51		Total	47	

[691] « Rapport collectif », p. 80. Nous n'avons pas calculé la proportion pour Liège, car la population, en 1470, avait trop fortement baissé à la suite du sac de la ville en 1468.

[692]		
Amersfoort	5	
Deventer	2	
Ysselstein	3	
Kampen	5	
Montfoort	3	
Utrecht	28	
Vianen	2	
Zwolle	2	
Total	50	

Si l'on considère la dispersion géographique des émigrés en Angleterre, on constate que Londres et les localités voisines de Westminster et Southwark, qui dépendaient la première du comté de Middlesex et la seconde du comté de Surrey, comptaient ensemble 493 émigrés sur un total de 1547 soit 31 %. L'attraction de ce grand centre urbain était donc considérable : 23 % de l'émigration liégeoise, 28 % de celle originaire du Brabant et de la Zélande, 34 % de celle de la Hollande et enfin 50 % de l'émigration flamande s'y trouvaient fixés.

Ce sont ensuite les comtés de Kent et de Norfolk qui ont attiré le plus les émigrés, le premier avec 128 et le second avec 138 émigrés, puis viennent l'Essex et le Suffolk. Les émigrés originaires des Pays-Bas s'implantèrent donc essentiellement dans les comtés des côtes orientale et méridionale.

Sur 382 localités, dix-huit ont abrité plus de dix émigrés en Angleterre; 819 émigrés s'y étaient fixés, soit 53 % de leur masse totale. Parmi les villes, on relève huit ports : Bristol, Boston, Southampton, Winchelsea, Great Yarmouth, Ipswich, Sandwich et Londres. Il est normal que ces localités, où les immigrants prenaient contact avec le sol anglais, leur aient offert l'hospitalité; notons pourtant que les relations maritimes entre Bristol et les Pays-Bas étaient fort réduites et que cependant dix-huit émigrés s'y étaient installés. D'autres villes importantes ont attiré les émigrés : Canterbury bien située sur la route de Sandwich à Londres, Norwich proche des côtes du Norfolk et encore Winchester, Cambridge, Colchester et Northampton.

Si l'on compare les chiffres de la population anglaise avec ceux de l'émigration, on obtient des résultats extrêmement intéressants. J.C. Russel, qui a étudié d'une façon approfondie les questions démographiques en Angleterre au moyen âge, évalue à 2.100.000 habitants la population totale du royaume entre 1377 et 1430 [693]. On comptait donc un émigré originaire des Pays-Bas pour 1.358 habitants.

La population de Londres et de ses faubourgs peut être estimée, à la même époque, à environ 40.000 habitants [694]; il y avait donc un émigré pour 81 habitants. C'est là une proportion très forte d'autant plus, et il faut y insister, que le recensement que nous possédons ne signale que les hommes adultes, c'est-à-dire des éléments actifs.

---

[693] J.C. Russel (British medieval population, Albuquerque, 1948, pp. 269-270) considère que la population de 1377 à 1430 est restée probablement au même niveau.

[694] La population de Londres proprement dit s'élevait à environ 35.000 habitants (J.C. Russel, opus cit., p. 297), chiffre pour 1377; on doit y ajouter la population de Westminster, Southwark et de deux paroisses, St Clement Danes et le Strand (comprises dans notre recensement sous la rubrique Londres) dont on peut sans doute évaluer la population à 5.000 habitants (ces quatre localités avaient en 1545 environ 12.700 habitants et Londres 67.714; voir J.C. Russel, opus cit., p. 298).

A Norwich, la proportion est d'un émigré pour 160 habitants, à Bristol un pour 528, à Cambridge un pour 129, à Winchester un pour 154, à Boston un pour 253, à Salisbury un pour 322, à Colchester un pour 233, à Lynn un pour 203, à Great Yarmouth un pour 126, à Northampton un pour 88, à Ipswich un pour 102, à Canterbury un pour 104 [695].

On constate donc que, si la proportion entre la population et l'élément émigrant pour l'ensemble des principautés bourguignonnes et pour l'Angleterre est sensiblement pareille, en revanche, le rapport entre le nombre des émigrés et celui des habitants des centres urbains, où ils s'étaient fixés, est beaucoup plus élevé que les proportions entre le nombre des émigrés et celui de la population des villes des Pays-Bas dont ils étaient originaires.

Soulignons également que 31 % du total de l'émigration étaient fixés dans la région londonienne dont les habitants ne représentaient que 20 % de la population du royaume.

Ces sujets de Philippe le Bon que faisaient-ils en Angleterre ? Quelles étaient leurs professions ?

Pour 1.547 émigrés, nous ne possédons que 203 mentions de professions, soit 13 %, pour 34 métiers différents; parmi celles-ci 154 concernent 1.259 sujets du duc de Bourgogne, soit 12 %, et 49 sur 288, soit 17 %, les autres émigrés originaires des pays limitrophes; c'est bien peu pour juger de l'importance sociale de l'émigration.

Dans certaines localités, les recenseurs se sont attachés à dénombrer les métiers exercés par les émigrés; dans d'autres, il n'en ont tenu aucun compte. C'est ainsi que nous constatons que pour la région londonienne, nous possédons l'indication de 110 professions pour 493 émigrés, soit une proportion de 22 %; parmi celles-ci, pour la seule localité de Southwark, nous avons relevé 72 mentions pour 138 émigrés, soit une proportion de 52 %. C'est dire que nos conclusions sont surtout valables pour le milieu urbain.

La profession la mieux représentée est celle de cordonnier : ils sont 52 sur 203 soit 25 %; viennent ensuite : les tailleurs : 29 sur 203, soit 14 %; les merciers : 22 sur 203, soit environ 10 %; les tisserands : 20 sur 203, soit 10 %; les bijoutiers-joailliers : 17 sur 203 ou 8 %.

La répartition, pour la région londonienne, est quelque peu différente; sur 110 mentions, nous trouvons 24 % de cordonniers (27), 17 % de merciers (19), 10 % de bijoutiers-joailliers, 10 % de tailleurs et enfin 3 % seulement de tisserands. Il est normal d'ailleurs de trouver dans un centre urbain une proportion plus forte de merciers et de bijoutiers-joailliers.

Une première constatation s'impose; les émigrés sont, avant tout, des arti-

[695] J.C. RUSSEL, opus cit., p. 142.

sans; cela n'est guère étonnant puisque plus de 50 % d'entre eux provenaient des villes et s'étaient fixés dans des centres urbains : de plus, nos sources, nous l'avons souligné, sont surtout valables pour la région londonienne.

Les métiers du textile (tisserands, brodeurs, chapeliers, tailleurs, fabricants de bourses, tisserands de toile) sont les mieux représentés puisque leur groupe comprend 67 personnes sur 203, c'est-à-dire 33 %. Il faut noter cependant que les tisserands n'étaient pas les plus nombreux et qu'on ne relève parmi eux aucun Flamand. de Sagher a cependant conclu que l'émigration flamande devait essentiellement pratiquer des métiers liés à l'industrie drapière. Il base principalement son argumentation sur le fait que les localités des environs d'Ypres comme West-Nieuwkerke (?), Nukerke, et même plus loin, Warneton, ont participé au mouvement d'émigration. Il y voit l'influence des ordonnances de 1428 qui reconnaissaient à Ypres le monopole de la draperie dans la région et réduisirent à l'inactivité les métiers du plat pays. N'est-ce pas pousser les choses fort loin car on ne compte qu'un émigré originaire de Nukerke, un de West-Nieuwkerke(?) et un de Warneton [696] ? D'autres sources vont nous permettre de serrer le problème le plus près.

Lorsque Edouard III tenta d'attirer les tisserands flamands en Angleterre, il les dispensa de faire partie de la gilde des tisserands et leur permit de créer une corporation distincte. Les tisserands anglais, ceux de Londres et de Southwark, portèrent plainte et prétendirent que la redevance de vingt marcs deux sous qu'ils payaient à l'Echiquier, chaque année, pour les privilèges de leur gilde, grevait leur budget de telle sorte qu'il leur était impossible de résister à la concurrence des tisserands étrangers. Dès 1414, ils demandèrent, par une pétition aux Communes, que ceux-ci fussent soumis aux « denizens » et à l'autorité du maire et des « aldermen ». Il leur fut répondu que la question serait examinée au Conseil du roi [697]. Elle resta sans suite et la corporation des tisserands étrangers subsista, non sans quelques heurts avec sa consœur anglaise. Celle-ci empêcha ses membres de travailler en 1421 [698] et, en novembre 1432, le roi dut obliger le maire, les « aldermen » et « sheriffs » de Londres de respecter les ordonnances publiées sous Edouard III [699]. Quatre mois plus tard, il fallut revenir à la charge; le roi

---

[696] H.E. DE SAGHER, dans *De Stem uit België*, p. 1484. On ne peut identifier cette localité de West-Nieuwkerke d'une façon certaine.

[697] A ce sujet voir H.E. DE SAGHER, « L'immigration des tisserands flamands et brabançons en Angleterre sous Edouard III », *Mélanges d'histoire offerts à Henri Pirenne*, Bruxelles, 1926, t. I, pp. 109-126; *Rotuli Parliamentorum*, t. IV, p. 50.

[698] *Rotuli Parliamentorum*, t. IV, p. 162.

[699] *Letter book K*, p. 150 : 1er novembre 1432.

les convoqua devant lui pour leur demander raison de l'interdiction de travailler qu'ils avaient imposée à quatre tisserands étrangers [700].

La corporation connut également des crises internes; en 1441, elle obtint l'autorisation de la Cité d'élire deux personnes chargées de surveiller la qualité du travail [701]. On peut supposer, à la lumière des indices statistiques dont nous venons de parler, que le nombre des tisserands d'origine néerlandaise qui résidaient à Londres et à Southwark ne montait pas à plus de 10 % du total des émigrés et même probablement à moins, puisque les indications que nous possédons ne donnent que 3 %; on peut donc dire que la corporation des tisserands étrangers pouvait comporter au maximum entre 30 et 40 membres et au minimum une quinzaine environ. Si l'on considère avec M.M. Postan qu'un maximum de 0,65 % de la population anglaise était employé par l'industrie drapière, la corporation londonienne n'aurait compté que 250 personnes. Aussi, l'apport de la main-d'œuvre étrangère était-il particulièrement important [702].

Les tailleurs londoniens se plaignaient de leur côté de la concurrence des étrangers originaires des Pays-Bas (ils devaient être une cinquantaine si l'on en croit les chiffres que nous avons relevés). Ceux-ci n'étaient pas groupés en corporation, mais s'engageaient chez des patrons anglais et prenaient la place des jeunes gens sortis d'apprentissage. Leurs exigences étaient moindres que celles des ouvriers anglais qu'il fallait rétribuer selon les coutumes de la Cité de Londres. Aussi, les tailleurs londoniens s'élevèrent-ils, en 1457, contre de telles pratiques et le magistrat de Londres leur rendit justice [703]. La main-d'œuvre étrangère ne possède généralement pas d'autorisation légale de travail : elle se contente donc de bas salaires; sa situation irrégulière dispense les patrons de l'observation de la police du travail.

Les métiers du cuir étaient les plus demandés après ceux du textile :

---

[700] *Letter book K*, pp. 166-167 : 1er mars 1453. Les tisserands en question étaient Henri Nedilship, John Grove, John Way et Henry Appere. Nedilship et Grove étaient « masters » du « mystery » des tisserands étrangers (voir prestation de serment du 20 novembre 1428 dans *Letter book K*, p. 98). John Way était d'origine montoise; il habitait la paroisse Saint-Léonard à Shorditch (*Calendar of Patent Rolls, 1429-1436*, p. 581).

[701] *Letter book K*, p. 253 : 17 février 1441. Trois jours plus tard, John Borham et Geoffroy Peterson prêtaient serment comme « wardens » du métier (*Letter book K*, p. 256 : 20 février 1441); Peterson était natif d'Oudenbos et habitait Shorditch (*Calendar of Patent Rolls, 1429-1436*, p. 584).

[702] M.M. POSTAN, « Some economic evidence », p. 232. Il s'agit là d'une estimation trop généreuse car elle est basée sur la fabrication de draps finis; or, nous savons qu'en pratique la production anglaise pour l'exportation ne comprenait que des draps non finis.

[703] *Letter book K*, p. 337 : 23 juillet 1451.

61 artisans du cuir sont recensés, soit 30 % ; ils étaient d'ailleurs très nombreux dans les villes des Pays-Bas [704].

Remarquons que les professions exercées ne demandaient qu'un outillage restreint. C'est d'ailleurs le caractère dominant de toute émigration non dirigée. Actuellement encore, on constate un nombre considérable d'artisans du cuir, surtout des maroquiniers, et du textile, des tailleurs principalement, parmi les émigrants juifs.

On note la présence de quatre brasseurs (dont trois Hollandais). Nous avons signalé que la fabrication de la bière à base de houblon avait été introduite en Angleterre par des émigrés orginaires des pays de par-deçà. Ne fallut-il pas, en 1436, une ordonnance des « sheriffs » de Londres pour combattre les bruits que la bière était un poison ? Le texte dit clairement que cette attitude de la population réduirait au chômage les brasseurs hollandais et autres [705].

La bijouterie de nos pays, nous l'avons vu, était fort appréciée en Angleterre; aussi, ne faut-il pas s'étonner de rencontrer quelques bijoutiers-joailliers parmi les émigrés; ils sont quinze : trois Brabançons, un Flamand, deux Hollandais, un Zélandais, deux Frisons, trois originaires de Gueldre, deux du « sticht Utrecht » et un qui déclarait ne savoir s'il provenait du duché de Gueldre ou de la principauté de Liège. Notons qu'un seul Flamand est cité dans cette liste alors que la bijouterie flamande avait atteint une grande renommée outre-Manche. Au XIVᵉ siècle, les joailliers hollandais avaient formé une corporation particulière; mais, bien avant 1436, les étrangers furent admis au sein de la corporation londonienne. A vrai dire, ils n'en étaient pas membres à part entière; ils ne pouvaient pas notamment se livrer au commerce de détail dans la Cité. Cependant ils élisaient, conjointement avec les jeunes gens sortis d'apprentissage, deux des quatre électeurs à l'office de gardien du métier et plus d'une fois un étranger fut porté à ce poste [706].

Les professions « intellectuelles » sont extrêmement rares : deux chapelains, un Hollandais et un Brabançon, étaient établis le premier à Wulfale, co. Wilts, le second à Michelmersh, co. de Southampton; un clerc hollandais était fixé à Penshurst, co. Kent; enfin, le Bruxellois Guillaume Barbour était facteur d'orgues et peut-être organiste; il vivait à Westminster.

Toutes les corporations veillaient jalousement à défendre l'entrée des métiers aux « foreins aswell strangiers as denizens », c'est-à-dire aux étrangers non-sujets du roi, aux Anglais non-Londoniens et aux naturalisés. Cette exclusion était motivée par le fait que les bourgeois seuls supportaient une

---

[704] R. Van Uytven, « La Flandre et le Brabant », p. 297.

[705] Letter book K, p. 205 : 15 juin 1436. Voir ci-dessus, p. 242.

[706] T.F. Reddaway, « The London goldsmiths circa 1500 », Transactions of the Royal Historical Society, fifth series, vol. XII, p. 59.

série de charges civiques telles que taxes, gardes, assistances aux plaids, etc.[707].
Ainsi le gantier John Payn qui avait pris en apprentissage deux frères,
Jacques et Pierre Helmond, les croyant nés en Angleterre, remit-il une
pétition au commun conseil de la ville de Londres, lorsqu'il apprit qu'ils
étaient originaires de Malines; il demandait qu'après leur apprentissage, ils
pussent obtenir le droit de cité [708].

La profession de courtier fut défendue aux « *aliens* »; on craignait qu'ils ne
fissent monter les prix des marchandises importées et, au contraire, qu'ils
ne fissent baisser ceux de la laine; on se plaignait aussi qu'ils favorisaient
les échanges entre marchands étrangers qui, de ce fait, ne dépensaient pas
d'argent en Angleterre [709]. De leur côté, les courtiers londoniens ne pouvaient s'entremettre entre deux marchands étrangers; une ordonnance datant
du règne d'Edouard II le leur défendait déjà [710]. Aux Pays-Bas se développait un mouvement tendant à fermer aux artisans l'accès à la maîtrise en
augmentant considérablement les droits d'entrée à la corporation [711]. D'autre
part, en Angleterre, la main-d'œuvre non qualifiée concurrençait au contraire
sérieusement celle dûment protégée par les corporations [712]. Si l'on compare
les salaires, vers 1430, en Angleterre, du couvreur et de son aide, on constate
une différence de 30 % environ au profit de l'ouvrier qualifié tandis qu'à
Anvers, au même moment, l'aide-maçon gagnait 40 % de moins que le
compagnon-maçon [713] et, à Louvain, 50 % de moins [714]. Il est probable, d'autre
part, que les salaires étaient plus élevés en Angleterre que dans les pays
bourguignons [715]. On peut, dès lors, comprendre le désir d'artisans des Pays-
Bas, certains de ne pouvoir accéder à la maîtrise par manque de moyens
financiers, de s'expatrier vers un pays où les conditions de vie semblaient
plus belles, et l'on peut également saisir les motifs qui poussaient les corporations anglaises à s'opposer au travail des émigrants.

De tout ceci que faut-il conclure ? Tout d'abord que les renseignements
que nous possédons au sujet des professions exercées par les émigrés ne
constituent que des indices puisqu'ils ne portent que sur 13 % de la masse.
Cependant, ils ne viennent pas appuyer l'opinion de Henri de Sagher;
nous constatons simplement qu'aucun élément ne nous permet d'affirmer
que l'émigration néerlandaise, bourguignonne et encore moins flamande

---

[707] *Letter book K,* pp. 161-162 : 7 février 1433.

[708] *Letter book K,* p. 353 : mars 1453.

[709] Une première pétition aux Communes en 1422, et une autre, en 1433, n'eurent
aucun succès (*Rotuli Parliamentorum,* t. IV, pp. 193 et 449).

[710] *Letter book K,* pp. 350-352 : ordonnances pour les courtiers du 15 décembre 1452.

[711] R. Van Uytven, « La Flandre et le Brabant », pp. 308-310; E. Scholliers, *opus
cit.,* pp. 96-99.

[712] M.M. Postan, « Some economic evidence », pp. 235-236.

[713] E. Scholliers, *opus cit.,* pp. 247-248.

[714] R. Van Uytven, *Stadsfinanciën,* p. 561.

[715] Voir ce que nous avons dit à ce sujet p. 211.

était essentiellement composée de tisserands. Il apparaît plutôt que les émigrés se livraient à divers métiers artisanaux et petits commerces.

Ce fait accentue encore le caractère nettement urbain de l'émigration. La structure de la population émigrée diffère considérablement de la population normale d'un pays. L'élément agricole, qui domine très largement l'ensemble de la population, n'y est pratiquement pas représenté. Mouvement prenant naissance avant tout dans la population plus mouvante des villes des Pays-Bas, l'émigration s'est surtout concentrée dans la région londonienne et dans les ports. Conséquence d'années chères en Hollande et en Zélande, d'une certaine stagnation économique dans les villes brabançonnes, l'émigration en Flandre est particulièrement faible car le comté a pu, au cours du premier tiers du xvᵉ siècle, convertir la main-d'œuvre, rendue disponible par la décadence de la draperie lourde, à d'autres activités économiques. A Londres et ses faubourgs, une main-d'œuvre étrangère nombreuse, se contentant de bas salaires, concurrençait sérieusement les nationaux sur le marché du travail; il ne faut pas chercher plus loin les raisons profondes des mouvements xénophobes qui secouaient périodiquement la capitale.

Les étrangers étaient taxés depuis 1440; les chefs de ménage, les « *householders* », payaient seize deniers, les autres six [716] et, à partir de 1449, les marchands « *aliens* » fixés en Angleterre durent payer six sous huit deniers l'an et leurs facteurs vingt deniers [717]. En 1453, le taux fut porté à quarante sous par an pour ceux qui résidaient continuellement en Angleterre et à la moitié pour les marchands qui y passaient plus de six semaines. Les rôles des étrangers qui acquittèrent la taxe sont conservés. Miss S.L. Thrupp a étudié le premier de ceux-ci pour l'année 1440; malheureusement, il ne donne que sporadiquement l'origine des contribuables et, de ce fait, ne peut nous fournir de données statistiques exploitables [718].

Les étrangers avaient la faculté de se faire naturaliser; ils obtenaient alors des lettres de « *denization* ». Nous en avons plusieurs exemples, mais ils ne devenaient pas tout à fait des citoyens comme les autres. Ils devaient payer annuellement dix marcs durant la vie du roi qui leur avait accordé la « *denization* » et parfois, il était spécifié dans leurs lettres qu'ils continueraient à acquitter les coutumes et subsides au taux dû par les « *aliens* » [719].

---

[716] Cette mesure fut renouvelée en 1442 et 1444; *Rotuli Parliamentorum*, t. V, pp. 6, 38; *Letter book K*, pp. 236, 368 et 380.

[717] *Rotuli Parliamentorum*, t. V, p. 144.

[718] *Rotuli Parliamentorum*, t. V, pp. 228-230; S.L. Thrupp, « A survey of the alien population of England in 1440 », *Speculum*, v. XXXII, 1957, pp. 262-273.

[719] Voir par exemple les actes de « *denization* » dans *Calendar of Patent Rolls, 1441-1446*, pp. 145, 153, 180, 259, 316, 408; *Calendar of Patent Rolls, 1446-1452*, pp. 337 et 407 et *Calendar of Patent Rolls, 1467-1477*, p. 12. Cette dernière patente accorde la « *denization* » à Adrien de' Bardi, né en Brabant, mais fils de Bernardo de' Bardi, le gros marchand et armateur florentin fixé à Anvers (9 avril 1467).

Les conditions de vie étaient en général pénibles pour les émigrés. Des sentiments xénophobes se manifestaient périodiquement [720]; il était difficile de conquérir le droit au travail; les émigrés étaient soumis à un impôt spécial et la naturalisation n'était accessible qu'aux plus aisés. Il ne faut donc pas s'étonner qu'une partie de cette population agglomérée dans un centre comme Southwark vécut d'expédients. On menait tapage dans les cabarets, dont les tenanciers, « *certeyn alienes called Flemmynges* », faisaient rapidement fortune. Enrichis, ils achetaient des franches tenures, ce qui leur permettait de témoigner en justice; ils protégeaient de cette manière la racaille qui formait leur clientèle. La situation était si grave qu'on leur interdit en 1433, d'ester en justice et de tenir des hôtelleries et des tavernes en dehors du lieu dit Stews à Southwark [721].

Quels rapports gardaient les émigrés avec leur pays d'origine ? Les relations n'étaient pas rompues. Les liens familiaux subsistaient malgré l'éloinement. On se préoccupait d'assurer par une rente le sort d'une mère restée au pays [722]; on recueillait l'héritage des parents [723] ou à l'opposé, on liquidait la succession d'un fils mort en Angleterre [724]. Parfois même, des tractations commerciales s'établissaient et se maintenaient avec la mère-patrie sans tenir compte des lois édictées en Angleterre. Les exemples qui sont parvenus jusqu'à nous sont rares; nous n'en possédons en fait qu'un seul. En juillet 1435, Henri Vanderlynden, bijoutier, fixé à Southwark, acheta des vases d'or et d'argent ainsi que des joyaux à Gilles Coke, un orfèvre gantois, pour la somme de soixante-sept livres sterling. Le paiement devait se faire à terme; l'acheteur s'engagea par quatre « *scripta obligatoria* » [725]; trois portaient sur une somme de seize livres sterling et une sur dix-sept livres. Lorsque les hostilités se déclarèrent, l'Echiquier confisqua les créances des ennemis du roi. Vanderlynden avait déjà versé dix-sept livres à Jacques Johnsson, cordonnier à Southwark, qui avait reçu cette somme au nom de Gilles Coke auquel il prétendait l'avoir fait parvenir par l'entremise d'un Lombard dont il ne put citer le nom. Comme Johnsson ne pouvait fournir la preuve de ce qu'il avançait, il dut remettre les dix-sept livres au roi qui se substituait au créancier. Les trois reconnaissances de dettes qui subsistaient

[720] En 1413, 1426, 1436, 1449.

[721] *Rotuli Parliamentorum*, t. IV, p. 511.

[722] A.V.A., *S.R.*, n° 70, f° 241 v° : 18 août 1466, Jan van Eynden, habitant en Angleterre, et Catherine, sa sœur, achètent à Claus van de Velde une rente sur une maison sise au Corenmarkt à Anvers au profit de leur mère, Zoete Oelaerts.

[723] A.V.A., *S.R.*, n° 70, f° 182 : 2 mai 1466, arrangement entre Wouter vander Meere, habitant l'Angleterre, et son frère Pieter concernant la succession de leurs parents.

[724] A.V.A., *S.R.*, n° 62, f° 191 : 6 juin 1461, règlement de la succession de Gilles Leermans, mort à Londres, par ses père et frère, Gilles et Aerd.

[725] A ce sujet, p. 357.

se trouvaient dans un coffret fermé, sous la garde de Geyse Spencer, orfèvre de Southwark; la clé du coffret avait été confiée au cordonnier Guillaume van Breede également de Southwark. Spencer et van Breede reçurent l'ordre de remettre le coffre et la clé aux représentants du roi. Vanderlynden devait considérer désormais le roi comme créancier pour les quarante-huit livres restantes [726].

De telles pratiques étaient en contradiction avec les statuts qui interdisaient l'exportation de numéraire et les tractations commerciales entre étrangers [727]. Elles se passaient dans un milieu fermé, une colonie étrangère qui, à Southwark tout au moins, semble avoir formé une communauté aux liens très étroits.

Quelques indications donnent à penser que certains émigrés, sans doute naturalisés, avaient réussi à se faire une place dans le grand commerce international. Ainsi, Jan van Cuyck « *wonende in Yngellant* », mais dont le nom indique une origine thioise, s'engageait, lors de la foire de Saint-Bavon, en 1459, à acquitter une dette de cinquante livres de gros au profit de Henri van de Kerchove en trois termes fixés aux trois foires d'Anvers qui suivraient [728].

Parmi les sujets de Philippe le Bon qui se fixèrent en Angleterre au cours de son règne, il est deux personnages qui retiennent l'attention. Ce sont, l'un, un verrier, l'autre, un raffineur de sel. Ils vinrent tous deux s'établir en Angleterre à la demande du roi. La Couronne reprenait ainsi la politique d'Edouard III qui attirait les étrangers susceptibles de créer de nouvelles industries dans le royaume.

L'écuyer Jean de Schiedam arriva en Angleterre avec soixante personnes originaires de Hollande et de Zélande pour préparer le sel. Il exploita un « *fundus terre juxta Winchelsea* » qui était très riche en sel; il s'agissait probablement d'appliquer la technique du raffinage du « *zelle* » [729] mais il est certain qu'on amena à Winchelsea du sel d'autre provenance pour y être raffiné [730]. Le sauf-conduit que Schiedam reçut en 1440 mettait sous la protection du roi tous ses ouvriers, même si ceux-ci étaient Flamands ou s'ils avaient attaqué les sujets du roi sur mer. La faveur du Hollandais était telle qu'il obtint une licence pour exporter vers l'Allemagne mille pièces d'étain en quatre ans et une autre pour fournir la maison du roi en vin du Rhin [731].

---

[726] P.R.O., *Memoranda Rolls*, E 159/213 : 12 novembre 1436.

[727] Voir plus loin, p. 302.

[728] A.V.A., *S.R.*, n° 57, f° 367.

[729] A.R. BRIDBURY, *opus cit.*, p. 12; T. RYMER, *opus cit.*, t. X, p. 761 : 8 février 1440.

[730] H.J. SMIT, *opus cit.*, t. II, p. 959, n° 1507 : 10 janvier 1461.

[731] H.J. SMIT, *opus cit.*, t. II, p. 730, n° 1176 : 8 février 1440, 13 décembre 1440 et 9 août 1441.

Le sel était un des principaux produits d'importation en Angleterre et il
n'est donc guère étonnant que le roi ait désiré acclimater cette industrie.
Jusqu'à la fin du xvie siècle, seul un verre blanc de qualité médiocre était
fabriqué en Angleterre [732]. Aussi, Henri VI invita-t-il, en 1449, John
Utynam [733], né en Flandre, à venir exercer dans le royaume ses talents
d'artiste verrier et s'y fixer avec sa famille et ses serviteurs. Le roi lui
garantissait l'exercice de son art en toute liberté. Il le chargeait de fabriquer
les verres de toutes couleurs destinés aux fenêtres du collège d'Eton
et des collèges de Sainte-Marie et de Saint-Nicolas de Cambridge (King's
College). Ces vitraux sont malheureusement perdus car les deux édifices
ont été reconstruits. Le roi lui permettait d'employer toute la main-d'œuvre
qui lui était nécessaire, tant artisans qu'ouvriers ou manœuvres, à ses frais,
et d'user du bois, de l'argile, des pierres, de cendres, de métaux et de
charroi comme il l'entendait. Utynam aurait même pouvoir d'envoyer
en prison ceux qui refuseraient de lui obéir. Il lui était également permis
de vendre le verre qu'il fabriquerait en dehors de celui destiné aux
collèges, sans payer ni coutumes ni subsides. Comme la technique de la
fabrication des verres de couleur n'avait jamais été pratiquée en Angleterre
et qu'Utynam avait l'intention d'enseigner à quelques disciples plusieurs arts
inconnus dans le royaume, Henri VI le prenait à ses gages pendant toute
sa vie. Il l'assurait qu'aucun de ses sujets versés en ces matières ne serait
admis à exercer ce même métier pendant vingt ans, sous peine d'une amende
de 200 livres, dont les deux tiers reviendraient au roi et un tiers à Utynam [734].
Utynam était-il à la fois un maître verrier et un artiste en vitraux ? Le texte
de sa patente ne nous permet pas de l'affirmer; Henri de Sagher a, pour
sa part, considéré qu'il était l'auteur des vitraux des collèges d'Eton et de
Cambridge cités dans le texte. de Sagher a essayé de retrouver les restes
de l'œuvre d'Utynam; il ne découvrit que deux vitraux de la fin du xve siècle,
en l'église des Saints-Apôtres à Liverpool et à Notre-Dame d'Eastbourne
qui dénotaient une influence flamande certaine [735]. A cette époque, Henri VII
appela des artistes flamands pour décorer de vitraux la chapelle de King's
College à Cambridge et la chapelle dite de Henri VII à Westminster. Un
Flamand, Bernard Flower, reçut le titre de « king's glazier ». Il est même
actuellement très difficile de déceler si un vitrail de la fin du xve siècle ou du
début du xvie siècle, conservé en Angleterre, est l'œuvre d'un Flamand ou

[732] J. Baker, English stained glass, Londres, s.d. (1960), p. 22.

[733] Il est probable que son nom véritable était Utenham.

[734] Calendar of Patent Rolls, 1446-1456, p. 255 : 3 avril 1449. Au sujet de l'industrie
du verre en Angleterre voir L.F. Salzman, English industries of the middle ages, Oxford,
1923, pp. 183-193. Le verre était importé d'Allemagne, de Lorraine et de Normandie en
Angleterre.

[735] H. de Saegher, « Vlaanderen en Engeland », p. 1484.

d'un de ses disciples anglais [736]. Il semble donc qu'on ne doive pas attribuer à Utynam ou à ses élèves les vitraux de style flamand de la fin du xvᵉ siècle mais bien plutôt à l'école de Bernard Flower. Utynam n'a très probablement été qu'un maître verrier appelé en Angleterre pour y introduire une technique industrielle nouvelle.

Plus tard, après la mort de Philippe le Bon, William Caxton, le gouverneur des marchands aventuriers dans les pays bourguignons, introduisit, à son tour, dans sa patrie la technique de la typographie qu'il avait apprise à Bruges chez Colard Mansion, et fonda la première imprimerie anglaise à Westminster en 1476 [737]. A ces apports d'ordre technique et culturel, on peut ajouter avec justice l'introduction de la brasserie à base de houblon.

A côté des émigrés fixés à demeure dans le royaume, de nombreux sujets du duc de Bourgogne s'y rendaient pour affaires. Ils disposaient parfois d'un sauf-conduit qui permettait au bénéficaire d'effectuer de multiples voyages en Angleterre sans être inquiété, en compagnie de serviteurs ou de facteurs, avec des chevaux, des marchandises, des bijoux, des livres, des écrits et n'importe quels bagages, sans qu'on puisse arrêter le détenteur par des lettres de marque ou de contremarque. De tels sauf-conduits furent délivrés à des marchands originaires tant des pays de par-deçà que du duché de Bourgogne [738].

Depuis Henri IV, les marchands « aliens » devaient loger chez un hôte; ils étaient obligés d'acheter des marchandises pour le montant de leurs ventes, déduction faite de leurs frais de voyage, afin de pallier l'exportation de la monnaie [739]. Ce statut n'avait jamais été mis en pratique; en 1425 et en

---

[736] J. Baker, opus cit., pp. 211 et 224. Au sujet de l'art du vitrail en Angleterre, voir aussi H. Arnold, Stained glass of the middle ages in England and France, Londres, 1913, et C. Woodforde, English stained and painted glass, Oxford, 1954.

[737] Au sujet de W. Caxton, voir W. Blades, opus cit.

[738] Par exemple : sauf-conduit délivré à un Flamand, Jean de Lille de Gand (p.r.o., Treaty Rolls, C 76/120/m. 4 : 29 mai 1438); à un Zélandais, Petrus Simondsone de Vere (H.J. Smit, opus cit., t. II, p. 851, nᵒ 1315 : 26 avril 1447); à un Artésien, Dame Dwyssok de Saint-Omer (p.r.o., Treaty Rolls, C 76/146/m. 17 : 25 août 1462); à un Boulonnais, Gilbert de Gribouval (p.r.o., Treaty Rolls, C 76/138 : 1ᵉʳ décembre 1455); à Guillaume de Canazoll et Guillaume de Antynyan sans doute originaires de Bourgogne (p.r.o., Treaty Rolls, C 76/139, 1ᵉʳ décembre 1456).

[739] Ce statut exigeait aussi l'expulsion de tous les étrangers ennemis du roi; en 1413, les Communes en demandèrent l'application; le roi y consentit en se réservant le droit de protéger quelques étrangers (Rotuli Parliamentorum, t. IV, p. 13); en fait, cette déclaration ne fut pas appliquée. Déjà une charte octroyée par Edouard III à la Cité de Londres, en 1327, faisait mention de l'obligation pour un marchand étranger de résider chez un hôte (R. Flenley, « London and foreign merchants in the reign of Henry VI », English Historical Review, t. XXV, 1910, p. 645).

1427, les Communes réclamèrent sans résultat son application [740].

Comme les Italiens exigeaient d'être payés en or, les Communes obtinrent du roi, en 1429, un statut qui obligeait les « aliens » à « *prest paiement en monnoye ou autrement en marchandises pour marchandises pour estre paiez content sur peyn de forfaitures d'icelles*»; il faisait partie d'une série de décisions protectionnistes prises au même moment à l'égard de l'Etape [741]. Dès l'année suivante, cette ordonnance fut rapportée à la demande des Communes elles-mêmes qui demandèrent le rétablissement des termes de crédit de six en six mois car on avait constaté un ralentissement dans la vente des draps [742]. Il n'empêche qu'en 1432 et 1433, les Communes revinrent à la charge sans succès [743]. Mais, après les hostilités de 1436, un statut fut promulgué, en 1439, qui reprenait les termes d'une pétition présentée aux Communes. Il défendait les tractations en Angleterre entre étrangers; dans les trois jours de son arrivée, le marchand « alien » devait se présenter aux autorités de la ville où il se trouvait; celles-ci lui désigneraient un hôte. Ce dernier devait être un marchand, mais ne pouvait exercer le même genre de commerce. Il était chargé de surveiller les tractations du marchand « alien » dont les biens devaient être vendus endéans les huit mois, à l'exception des draps d'or et d'argent. Les étrangers devaient racheter des marchandises pour la valeur des biens qu'ils avaient eux-mêmes vendus. Les marchandises non écoulées pouvaient être réexportées sans payer de droits de sortie. L'hôte devait prêter serment, prendre note des opérations commerciales du marchand qu'il accueillait; il devait en rendre compte devant l'Echiquier deux fois par an, à Pâques et à la Saint-Michel. C'est ainsi que quelques-uns de ces rapports nous sont parvenus. L'hôte recevait une commission de deux pence chaque fois que le marchand « alien » qu'il hébergeait avait vendu pour une livre sterling. L'étranger qui n'accepterait pas d'hôte ou concluerait des affaires en secret encourrait une lourde peine : ses biens seraient tout simplement confisqués. Quant à celui qui refuserait la mission d'hôte, il supporterait une amende de dix livres et les autorités qui ne désigneraient

---

[740] *Rotuli Parliamentorum*, t. IV, pp. 276 et 328. *Le « subsidy of tunnage »* n'avait été accordé, en 1425, que pour autant que le statut concernant les « aliens » fût appliqué; le peuple de Londres prétendit que cette condition n'avait pas été respectée par le cardinal Beaufort, fit une émeute et molesta les Flamands (*Gregory's Chronicle, opus cit.*, p. 157; voir G. Schanz, *opus cit.*, pp. 406-407).

[741] *Rotuli Parliamentorum*, t. IV, p. 360; *Statutes of the Realm*, t. II, p. 257. Les Anglais se plaignaient que le prix des marchandises transportées par les Italiens avait doublé depuis le règne de Richard II, tandis que le prix des exportations anglaises avait au contraire baissé de moitié. Il arrivait d'ailleurs quatre à cinq galères par an, alors que jadis une seule atteignait l'Angleterre.

[742] *Rotuli Parliamentorum*, t. IV, p. 377.

[743] *Rotuli Parliamentorum*, t. IV, pp. 402, 450 et 453.

pas un hôte à un marchand « *alien* » paieraient vingt livres. Les Hanséates se trouvaient exemptés de ce statut [744].

Nous possédons, pour les années 1440-1443, plusieurs témoins de cette politique, notamment la liste des hôtes octroyés par le maire de Londres, John Pattesby, à une importante série d'étrangers où sont mêlés Italiens et Bourguignons [745]. Nous avons aussi les rapports rendus à l'Echiquier par trois importants « aventuriers », John Cantalowe, John Welles et Richard Selander qui furent les hôtes de différents marchands originaires des pays de par-deçà.

Ces rapports sont rédigés en anglo-normand et nous apprennent la technique du commerce à Londres même. John Cantalowe reçut, le 5 novembre 1440, Foppe Hughson qui amenait quarante mille plumes à écrire, seize boisseaux de graines de moutarde, cent livres de duvet, huit livres de plumes, trente paires d'oreillers et seize « *tykes* » [746]. Ces marchandises furent revendues toutes ensemble à un seul marchand, Henri Fullour, pour la somme de 18 livres 5 sous. Le 24 novembre, Hughson achetait à Nicolas Hony, un graissier, vingt-quatre poids de suif, cinquante-six livres d'étain et un drap court non apprêté pour 24 livres 13 sous 4 deniers. Il avait donc dû suppléer par du numéraire qu'il avait lui-même apporté.

Cantalowe servit aussi d'hôte à Copin Lambe, un capitaine d'Arnemuiden très actif. Copin arriva, le 20 avril 1441, avec trente charges de sel de la Baie; il en vendit vingt-six à John Melbourne, le 26 avril, pour 17 livres. Les quatre charges restantes furent cédées au détail à Belyngsgate pour 53 sous 4 deniers. Ce n'est que le 8 août que Lambe racheta à Cantalowe lui-même cinq lasts de cendres de Prusse pour 13 livres 6 sous 8 deniers. La différence entre le montant de cet achat et celui des marchandises avait été dépensée en frais de nourriture et en plaids devant la Chancellerie à cause de la « *nief de Monseigneur de Caumfer* » [747]. On voit immédiatement qu'une évasion de numéraire était possible; il suffisait de gonfler le montant des dépenses

---

[744] *Rotuli Parliamentorum*, t. IV, pp. 24-25; *Statutes of the Realm*, t. II, p. 303 : 1439; *Letter book K*, p. 238 : 1er mars 1440.

[745] P.R.O., *Various Accounts*, E 101/128/32. L'Echiquier demandait de même, en 1443, à un ancien maire, John Adderle, de dresser la liste des marchands « aliens » depuis le 28 octobre 1442 (*Letter book K*, p. 288 : 3 novembre 1443); le 10 mai 1442, le maire Robert Cloptone avait reçu l'ordre de dresser la liste des marchands « aliens » avec leurs hôtes jusqu'au 28 octobre 1441 (*Letter book K*, p. 270).

[746] « *Tyke* » signifie chien; s'agit-il de seize chiens ?

[747] P.R.O., *Various Accounts*, E 101/128/33. Wilferd van Borselen, seigneur de Vere, soutint plusieurs causes relatives à la prise de bateaux : en 1438, il avait une action pendante au sujet de la prise de deux bateaux devant la « *Court of Admiralty* » (H.J. SMIT, *opus cit.*, t. I, p. 704, no 1136; *Letter book K*, p. 216); il eut ensuite une nef prise dans le port de Southampton; cette affaire n'était pas terminée en 1446 (T. RYMER, *opus cit.*, t. XI, p. 127; H.J. SMIT, *opus cit.*, t. II, p. 845, no 1305).

de table ou même de s'entendre avec son hôte; il est vrai que cela n'était pas sans danger pour ce dernier.

Il semble que la règle qui voulait que l'hôte ne fût pas intéressé dans la même branche de commerce que le marchand étranger n'ait pas toujours été suivie, au contraire même. Ainsi, John Welles, un poissonnier londonien, servit d'hôte à Clays Sibotson, capitaine de Haarlem, à Clays Wouterson, maître de nef de Purmerend, et à Bertold Berutson, un autre marinier hollandais, qui tous trois importaient des anguilles salées, fraîches ou saures et des pimperneaux [748].

Les marchands subissaient encore un contrôle de la part de certaines corporations. Baudouin Adrianson, un capitaine bien connu d'Arnemuiden, entreposa chez son hôte, Richard Selander, douze barils de savon, un d'huile de navette et douze mesures (« *skyves* ») de cardes. Le savon fut jugé de « *nulle value* »; il fut confisqué et jeté à la Tamise par les « *gardeyns des pysceners* », c'est-à-dire les officiels de la corporation des poissonniers de Bridgestreet. L'huile de navette fut également déclarée de mauvaise qualité. Adrianson dut se contenter de vendre des cardes à un bonnetier londonien, John Symond, pour douze sous [749].

Dans la pratique, on désignait un hôte à des étrangers qui n'étaient pas marchands; ainsi, on demanda à Cantalowe de servir d'hôte à Dederyk Baysson, Mathieu Johnson et Laurence Thomasson, ces deux derniers mariniers de Middelbourg, alors qu'ils se contentaient d'être « *mariniers des neifs aliens et non pas marchants* [750] ». Les rapports entre l'hôte anglais et le marchand étranger se gâtaient parfois. Nicolas de Warebeke, bourgeois de Bruges, accusa son hôte londonien, John Crau, d'avoir contribué à le faire arrêter au nom du roi et lui demanda raison de la toile et de la garance qu'il lui avait confiées. Crau, pour sa part, lui réclamait ses « *depens de bouche* ». Un accord intervint devant les échevins de Bruges [751].

Toutes ces précautions n'empêchèrent pas les marchands de trouver plus d'un moyen de contrevenir aux lois. Nous connaissons deux exemples de vente à crédit [752]; dans un cas, la transaction fut camouflée sous forme

---

[748] P.R.O., *Various Accounts*, E 101/128/30 : en 1442-1443.

[749] IDEM, *ibidem*.

[750] IDEM, E 101/128/33 : 1440.

[751] A.V.B., *S.C.*, 1447-1453, f⁰ˢ 40-41 : 1447.

[752] Ainsi William Dere, étainier et drapier londonien qui avait rempli plusieurs fonctions officielles, telles que vicomte et « *alderman* » de la Cité, vendit à crédit, le 23 janvier 1455, au Dinantais Laurent Albervice 68 « *cents* » d'étain pour la somme de 94 l. 16 s. st.. Il fut dénoncé, mais, avant de comparaître devant le tribunal de l'Echiquier compétent, il se fit octroyer un pardon royal pour toutes les offenses qu'il aurait pu commettre à l'encontre des lois avant le 7 décembre 1457 (P.R.O., *Memoranda Rolls, K.R.,* 159/236).

d'échange [753]; parfois même, un Bourguignon s'associait avec un sujet anglais [754].

Les maîtres de nefs bourguignons, qui abordaient en Angleterre, se plaignaient des droits élevés qui frappaient les bateaux et les cargaisons.

Leurs griefs à l'égard des fonctionnaires des douanes rappellent ceux des Anglais à l'égard du tonloyeur d'Anvers.

Ce sont d'ailleurs les doléances des bourgeois d'Anvers fréquentant le port de Londres qui sont parvenues jusqu'à nous [755]. De tout temps, disaient-ils, nous avons payé sur nos marchandises une taxe de quinze deniers la livre [756] et maintenant, il nous faut acquitter une nouvelle taxe de quatre deniers qui a pris le nom de « *oestgeld* ». A cela, il faut ajouter la taxe urbaine, en plus de laquelle il faut payer trois deniers pour une tonne de savon ou de suif et pour le reste, à l'avenant. Ensuite, bien souvent, les officiers du roi viennent réquisitionner les navires [757]; pour se libérer, il faut offrir six à seize nobles selon le cas. Alors qu'il en coûtait huit deniers pour obtenir l'autorisation de quitter le port, il faut maintenant attendre trois jours, offrir des repas et de l'argent au fonctionnaire compétent, ce qui revient à quatre ou cinq nobles. Quant aux droits de « *scavage* » [758] et d'ancrage [759], les

[753] Thomas Fowler et William Howlak, poissonniers de Londres, échangèrent, le 12 mars 1458, 2.800 vases d'étain contre 2.800 « *cornerfishes* » appartenant à Dirk Janssens d'Alkmaar. Ce marché fut jugé curieux car il y avait disproportion manifeste de valeur entre les biens échangés; les marchands anglais recoururent, eux aussi, au pardon du roi pour échapper à la sentence (P.R.O., *Memoranda Rolls, K.R.,* E 159/236).

[754] Henri Greneshed, marchand de Sandwich, un de ses serviteurs et le « *mercator de Brabancia* », Guillaume Ole, attaquèrent à l'arme blanche, le 17 juillet 1460, près de Sandwich, un douanier au moment où il saisissait des marchandises (toile de Nivelles et velours noir) débarquées en fraude et qui leur était destinées (P.R.O., *Memoranda Rolls, K.R.,* E 159/236). Nous citons autre part des associations d'Anglais et de Bourguignons pour la propriété de navires.

[755] A.V.A., *Privilegekamer*, n° 1050, f° 295. Voir pièce justificative n° 8. Cette pièce non datée se situant au début de la seconde moitié du XVe siècle, a été présentée en 1467 à l'évêque de Salisbury (voir p. 422) d'après une mention du texte.

[756] Le « *poundage* » s'élevait à 12 d. la livre et la « *petty custom* » à 3 d..

[757] Cette pratique était courante; voir les demandes de dédommagement des bateliers hollandais pour des motifs de cet ordre.

[758] Le document porte : « *den waterbaliu... gelt te gevene* »; il doit s'agir du « *scavage* », taxe spécifique semi-nationale, perçue dans certains ports, notamment Londres, sur les importations des « *aliens* », à l'exception des Lorrains, des Hanséates et des Audomarois (N.S.B. GRAS, *The early English customs system,* pp. 33-35).

[759] Le droit d'ancrage était un droit levé par le seigneur ou le propriétaire du port (N.S.B. GRAS, *opus cit.,* p. 22).

Anversois doivent en être déchargés; ils ne les ont jamais acquittés à Londres et ne les paient point dans les autres ports, mais actuellement, dans la capitale, ils sont soumis à ces deux taxes.

Les bourgeois d'Anvers concluaient [760] qu'il serait juste qu'ils soient traités en Angleterre de la même façon que les Anglais l'étaient à Anvers et que d'ailleurs, le bruit courait en Angleterre qu'il existait des lettres qui assuraient la réciprocité. A la vérité, il semble que les fonctionnaires du port de Londres prélevaient quelques commissions extra-légales à leur profit et que les maîtres de nefs souffraient de cette situation.

---

[760] Ils soulignaient aussi qu'ils ne pouvaient commercer qu'avec des « *vryen mannen van Lonnen* ».

LES TRANSPORTS MARITIMES :
LES NAVIRES ET LEUR ARMEMENT,
LES COURANTS COMMERCIAUX ENTRE LES PORTS ANGLAIS
ET BOURGUIGNONS, LA COURSE ET LA PIRATERIE

Les relations commerciales avec l'Angleterre et les ports bourguignons dépendaient avant tout des possibilités de transport, c'est-à-dire de l'existence d'une flotte marchande. La caractéristique essentielle de cette flotte était la variété des types de navires dont elle était composée. Miss D. Burwash, à qui nous devons une bonne étude relative à l'« *English merchant shipping* » a relevé trente espèces différentes de bateaux anglais entre 1460 et 1540 [761]. Le type le plus répandu était, non seulement dans la flotte anglaise mais aussi dans celle des pays bourguignons, la « *cogge* ». C'était un bâtiment ponté à un mât avec une voile carrée et une haute coque arrondie. A l'époque qui nous occupe, il était déjà connu depuis deux siècles. Sous le nom de coque, ce type se retrouvait aussi plus au sud, le long des côtes de l'Atlantique et même en Méditerranée [762]. Une version italienne de la coque était la caraque [763]. Une cogge pouvait être soit un lourd bâtiment de mer de fort tonnage, soit un bâtiment de pêche, soit une embarcation de rivière. Un grand nombre de nefs qui se livraient au trafic entre Anvers et les ports de Zélande étaient des « *coggeschepen* ».

Le terme cogge ne fut bientôt plus employé que pour les petits bateaux

---

[761] D. BURWASH, *opus cit.*, p. 102.

[762] B. HAGEDORN, (*Die Entwicklung der wichtigsten Schiffstypen bis ins 19. Jahrhundert*, Veröffentlichungen des Vereins für Hamburgische Geschichte, Band I, Berlin, 1914, p. 14) donne une description détaillée de la cogge; voir aussi D. BURWASH, *opus cit.*, pp. 117 et 120; C. ENLART, *Manuel d'archéologie française*, deuxième partie, *Architecture civile et militaire*, t. II, *Architecture militaire et navale*, Paris, 1932, p. 704.

[763] B. HAGEDORN, *opus cit.*, p. 42. Signalons à ce sujet que Thomas Portinari reçut un sauf-conduit pour une caraque « *Maria de Burgoyn* » de 150 tonneaux, le 22 janvier 1467, dont le Florentin Giovanni Jachoto était maître (P.R.O., *Treaty Rolls*, C 76/150/m. 3). Il s'agit sans doute d'un des bâtiments rachetés par Portinari au duc (Voir A. GRUNZWEIG, *opus cit.*, p. XXI). D'après C. ENLART (opus cit., t. II/2, p. 698) la caraque était d'origine arabe.

qui sillonnaient les eaux fluviales des Pays-Bas [764]. Ce sont des cogges que Memling peignit sur les célébres panneaux des « *Onze mille Vierges* » de la châsse de sainte Ursule. La jauge des cogges de haute mer oscillait entre trente et deux cent quarante tonneaux [765]. La hourque *(« hulk »)* remplaça progressivement la cogge au cours du siècle; en réalité, la hourque n'était qu'une cogge de gros tonnage et son apparition ne marqua pas l'avènement d'un type nouveau de navire : les cogges de forte jauge, munies de châteaux, prirent le nom de hourques. Ainsi le même vaisseau pouvait s'appeler indifféremment cogge ou hourque. Les hourques jaugeaient plus de cent tonneaux [766]. Leur valeur marchande était élevée; elle était évaluée, pour une hourque neuve de cent lasts construite en Prusse en 1440, à deux cent vingt-cinq livres de gros de Flandre [767] avec tout le gréement. Les chantiers navals de Prusse étaient, en effet, spécialisés dans la construction de cette espèce de bâtiments. On les utilisait pour le transport de charges pondéreuses de grand volume. On débarqua de la hourque « *Christophe* » de Bergen-op-Zoom, dans le port d'Exeter, au mois de décembre 1461, trois mille balles de houblon, trois lasts de poix, cent merrains, un cent de minerai de fer, mille pavements, six mille briques, six douzaines de chapeaux, quatre balles de garance, un demi-last de savon et un cent de liège [768].

La barge pouvait être à la fois un navire de parade et de guerre, un bâtiment côtier et aussi un important vaisseau marchand. Sa principale caractéristique semble avoir été la possession de rames auxiliaires. Son ton-

---

[764] B. HAGEDORN, *opus cit.*, pp. 48-49.

[765] D. BURWASH, *opus cit.*, pp. 186-188.

[766] C'est là l'opinion de B. HAGEDORN, *opus cit.*, pp. 41-56.
P. HEINSIUS (*Das Schiff der Hansischen Frühzeit, Quellen und Darstellungen zur Hansischen Geschichte*, Herausgegeben von Hansischen Geschichtsverein, Neue Folge, Band XII, Weimar, 1956, p. 222) considère qu'il s'agit d'un type nouveau issu de la cogge. Voir ce qu'en dit K.F. OLECHNOWITZ, *Der Schiffbau der Hansischen Spätzeit*, Weimar, 1960, p. 7, n° 14; C. ENLART, *opus cit.*, t. II/2, p. 704, considère que la hourque était une petite nef à proue large et arrondie s'effilant par l'arrière; il ne s'agit évidemment pas du bateau appelé « hulk » par nos sources.

[767] Au sujet de la capacité du tonneau et du last, voir plus loin, pp. 310-311; H.J. SMIT, *opus cit.*, t. II, p. 739, n° 1188 : 23 avril 1440, valeur fixée par les commissaires anglais et hollandais pour les indemnités de dommages. Signalons encore le cas d'une hourque servant de garantie à une dette de 100 l. g. fl. (A.V.A., *S.R.*, n° 59, f° 91 v° : 12 juillet 1460). Au sujet du prix des bateaux construits en Prusse, voir W. VOGEL, *Geschichte der Deutschen Seeschiffahrt*, I. Band, *Von der Urzeit bis zum Ende des* XV. *Jahrhunderts*, Berlin, 1915, p. 426; pour le prix des bateaux anglais voir G. V. SCAMMELL, « Shipowning in England », *Transactions of the Royal Historical Society*, 5th series, vol. XII, 1962, p. 112.

[768] P.R.O., *C.A.*, E 122/40/35. Il est difficile de donner des équivalences pour les mesures signalées mais il est évident qu'il s'agissait de marchandises de grand volume.

nage pouvait osciller entre quarante et deux cent quarante tonneaux [769]. La barge achetée en Angleterre, en 1459, par le capitaine anversois bien connu Jan Blommaert à deux Hanséates, Aelbrecht et Wouter Bisschop, devait être de grande taille puisque le nouveau propriétaire s'engageait à payer à terme aux vendeurs cent quatre-vingt-dix livres de gros de Flandre [770].

Nous n'avons pas la description d'un craeyer du xvᵉ siècle; mais au xviᵉ, les craeyers portaient deux ou trois mâts surmontés d'un bonnet de vigie. Leur jauge ne semble pas avoir dépassé quatre-vingts tonneaux [771]. La busse était tantôt un grand navire de haute mer, un bateau de pêche ou un caboteur côtier. La pinque ou houckebot était aussi un bâtiment de pêche de la même famille que la busse [772].

Ce n'est qu'à la fin de la période que nous étudions, qu'apparaissent les caravelles qui sont les premiers véritables trois-mâts qui sillonnèrent les mers du Nord et que les Italiens introduisirent dans nos contrées [773]. La célèbre carte des Bouches de l'Escaut, que M. Unger et Mˡˡᵉ Gottschalk datent de 1468 [774], montre une caravelle au milieu du fleuve à Anvers; c'est un vaste navire aux formes plus élancées que la hourque ou la cogge.

A côté des « coggescepen », les eaux fluviales des Bouches de l'Escaut étaient parcourues par des « hoyscepen » ou « huescepen », des « pleyten » et des « schuiten ». Dans la seconde moitié du siècle, les « hoys » affrontaient la pleine mer et les « schuiten » fréquentaient le port de Poole [775]. La fonction principale des « hoys », des « pleyten » et des « schuiten » était de relier les foires de Brabant aux avant-ports de Zélande. Les « schepenregisters » d'Anvers renferment des centaines d'actes de vente de ces bateaux.

Quelques « Customs Accounts » signalent les types de navires dont les marchandises furent taxées. Ce sont ceux de Chichester, Exeter et Dartmouth, Plymouth et Fowey. Aucun de ces ports n'entretint des relations suffisamment nombreuses avec les ports bourguignons pour que l'on en puisse dresser des statistiques dignes d'intérêt.

[769] D. Burwash, opus cit., pp. 109-117 et 186-189; C. Enlart, opus cit., t. II/2, p. 704.

[770] A.V.A., S.R., nᵒ 57, fᵒ 153 : 1ᵉʳ octobre 1459.

[771] D. Burwash, opus cit., pp. 121-122.

[772] B. Hagedorn, opus cit., p. 95. Au xviᵉ siècle, les busses porteront trois mâts, mais l'un d'entre eux, le mât d'artimon sera embryonnaire .

[773] Idem, ibidem, pp. 56-78; C. Enlart, opus cit., t. II/2, p. 701, leur donne quatre mâts.

[774] A.G.R., Cartes et plans, nᵒ 351; M.K.E. Gottschalk et W.S. Unger, opus cit., pp. 146-169.

[775] P.R.O., E 122/119/8 et 9, années 1460-1466. Faut-il voir dans le « schuit » du xvᵉ siècle l'ancêtre direct du bateau de pêche le « scute » en usage à Blankenberge depuis le xviiᵉ s. ? Il s'agissait d'un bateau rond à fond plat et à faible tirant d'eau; voir A. Berqueman, « Un curieux bateau belge, le scute », Neptunia, 1949, fasc. 16, pp. 8-11.

Miss Burwash, en revanche, a déterminé de cette façon la composition de la flotte anglaise; celle-ci comprenait surtout des barges, des cogges, des craeyers et des baleinières. Seul ce dernier type de bateaux ne semble pas avoir été fort en faveur auprès des Bourguignons, bien que des baleinières flamandes aient participé à l'expédition de Calais. Notons que la baleinière n'apparaît en Angleterre que dans les ports de la côte ouest et sud-ouest qui n'avaient que peu de relations avec les Pays-Bas; on ne sait d'ailleurs pas avec certitude s'il s'agit d'un navire à rames auxiliaires ou entièrement à voiles [776].

Nous avons beaucoup parlé, dans les pages précédentes, de la jauge des différents types de bateaux; or il se pose un problème sérieux : que vaut à l'époque l'unité de jauge, le tonneau ? Le tonneau dont il s'agit est celui du vin de Bordeaux. Nous ignorons la capacité exacte de ce fût, qui, d'après les dernières recherches de M. Y. Renouard, devait être fixé entre 750 et 900 litres [777]. Mais alors se pose la question de savoir si le tonneau ne possédait pas une capacité variable selon l'époque et le lieu. C'est ce que se demande M. R. Boutruche [778]. De plus, le procédé de jauge était fort empirique; on considérait que le volume d'encombrement d'un tonneau était égal à celui de quatre barriques de vin de Bordeaux et on s'adressait volontiers aux arrimeurs de vin qui, avec un cercle d'un diamètre équivalant à celui d'une barrique, calculaient le nombre de barriques qu'il était possible de loger dans les espaces utiles du bateau [779]. L'empirisme du procédé nous empêche en outre d'évaluer la jauge telle qu'on la conçoit de notre temps. Nous nous rallierons donc à l'opinion de M. M. Mollat qui précise : « *La prudence impose de n'utiliser les jauges indiquées en tonneaux par nos*

---

[776] D. BURWASH, *opus cit.*, pp. 107-108.

Nous n'aborderons pas la question de la construction navale. Un indice cependant nous permet de croire que certains chantiers navals travaillaient parfois pour l'Angleterre : un constructeur de navires anversois, Hendrik Bartels, prêta, lors d'un voyage en Angleterre, 5 l. 9 s. gr. fl. à Claus Bollaert, un capitaine anversois bien connu, et à un nommé Jan Neve. Il est certain que Bartels s'était rendu en Angleterre pour affaires (A.V.A., *S.R.*, n° 61, f° 96 : 18 août 1461).

[777] Y. RENOUARD, « La capacité du tonneau bordelais au moyen âge », *Annales du Midi*, t. LXV, 1953, pp. 395-403, et « Recherches complémentaires sur la capacité du tonneau bordelais au moyen âge », *Annales du Midi*, t. LXVIII, 1956, pp. 195-207. R. DION (*Histoire de la vigne et du vin en France, des origines au xixe siècle*, Paris, 1959, pp. 651-653) fixe la mesure du tonneau entre 800 et 900 litres.

[778] Voir les remarques de R. BOUTRUCHE au sujet des opinions de Y. RENOUARD dans le « Bulletin historique de l'Histoire de France », *Revue historique*, t. CCXIX, 1955, pp. 64-65 et t. CCXXIV, 1960, p. 123.

[779] M. MOLLAT, H. POSTAN, A. SAPORI, C. VERLINDEN, *opus cit.*, pp. 811-812.

documents que comme des instruments de comparaison valables uniquement pour l'époque et les régions envisagées » [780].

Ceci dit, nous essayerons de déterminer le tonnage des navires bourguignons cités dans les « *Customs Accounts* » du port de Londres. D'abord, nous tâcherons d'estimer la jauge des bateaux de Dunkerque et Nieuport pour lesquels furent délivrés des sauf-conduits leur permettant de trafiquer avec l'Angleterre. C'est pendant l'année 1443 que la plupart furent expédiés [781]. On peut en compter soixante pour Dunkerque et vingt-neuf pour Nieuport. Le tonnage des vaisseaux oscillait entre 20 et 40 tonneaux; la moyenne calculée sur onze embarcations, d'après les jauges indiquées dans les sauf-conduits, s'établit à trente tonneaux [782]. Les unités de la flotte de pêche normande ne dépassaient guère, elle aussi, les trente tonneaux [783]. Dunkerque et Nieuport étaient, avant tout, des ports de pêche et leur commerce était subordonné aux résultats de celle-ci; c'était, en quelque sorte, une activité complémentaire. Elle permettait d'exporter le surplus d'une campagne de pêche particulièrement favorable ou, au contraire, en cas de mauvaise récolte, d'utiliser la flotte pour le trafic des produits locaux vers l'Angleterre [784].

On peut donc évaluer la flotte de pêche flamande, qui reçut des sauf-conduits en 1443, à 1.800 tonneaux pour Dunkerque, 870 pour Nieuport, 360 pour Lombardsijde, 150 pour Raversijde (Wilraversijde) et 30 pour Ostende. Les relations de ce dernier port avec l'Angleterre semblent d'ailleurs avoir été pratiquement inexistantes, alors que nous savons d'autre part que

---

[780] M. MOLLAT, *opus cit.*, p. 339. Nous ne pouvons suivre Miss BURWASH (*opus cit.*, pp. 90-91) qui assimile l'unité de jauge employée au XVᵉ siècle au tonneau d'affrètement moderne. Au sujet de cette question, voir aussi J. CRAEYBECKX, *opus cit.*, p. 284; W. VOGEL, *Geschichte*, pp. 553-560. Le last qui vaut 1800 kg. peut donc être assimilé à environ deux tonneaux. G.S. LAIRD CLOWES, *Sailing Ships*, Londres, 1930, p. 57, signale l'existence de deux systèmes de mesure en Angleterre jusqu'en 1582 : le « *tonsburden* » ou capacité de portage évaluée en tonneaux à vin et le « *tuns and tunnage* » ou capacité d'un bateau chargé en vrac, soit la capacité de déplacement sous la ligne de flottaison. Il semble que l'on ait utilisé de préférence le premier système.

[781] Pour les motifs qui déterminèrent cette délivrance, voir plus loin, pp. 334-335, 340.

[782] P.R.O., *Treaty Rolls*, C 76/124 et C 76/125.

[783] M. MOLLAT, *opus cit.*, p. 339.

[784] Le type de bateau utilisé dans les ports de pêche flamands est sans doute celui représenté sur les sceaux de Nieuport. Nous en possédons trois représentations, l'une de 1296, l'autre de 1399 et la troisième de 1472. Il s'agit d'un navire à voile carrée doté de deux châteaux dès le XIVᵉ s., et au XVᵉ s. d'un bonnet de vigie. Il possède en outre un gouvernail fort visible sur le sceau daté de 1399. M. Degryse croit y voir le prototype de la busse (A.G.R., Collection sigillographique, nᵒˢ 18980, 19494, 19649; voir les reproductions photographiques en annexe de ceux de 1399 et 1472 et R. DEGRYSE, *Vlaanderens haringbedrijf in de middeleeuwen*, p. 60).

son activité dans la pêche harenguière, dans la deuxième partie du siècle il est vrai, était presque triple de celle de Nieuport [785].

Au total donc, on relève une jauge de 3.120 tonneaux pour les navires munis d'un sauf-conduit anglais en 1443. Soulignons qu'un certain nombre de sauf-conduits ne nous sont peut-être pas parvenus et que certains bateaux fréquentaient d'autres rivages et ne devaient pas nécessairement être garantis par un blanc-seing du roi d'Angleterre. Si nous suivons la méthode adoptée par M. Mollat [786], pour évaluer le tonnage de la flotte normande, il semble que nous ne nous avancerions pas trop en fixant à 5 ou 6.000 tonneaux la jauge de la flotte de pêche flamande, c'est-à-dire à l'équivalent de la flotte normande et à la moitié de la flotte de pêche hollandaise et zélandaise calculée par W. Vogel pour le début du xvie siècle [787].

Les bateaux originaires d'Alkmaar, Purmerend, Petten et même Haarlem étaient de taille semblable à ceux de Dunkerque et de Nieuport [788]. En revanche, les navires zélandais et brabançons étaient plus vastes. Ils pouvaient jauger entre 100 et 300 tonneaux et il ne semble pas que leur tonnage ait été inférieur à 50 tonneaux [789], tout au moins pour ceux qui fréquentaient le port de Londres. Les bateaux les plus grands que nous connaissions sont la « *Marie* » de Bergen-op-Zoom [790] et le « *George* » de Goes, tous deux de 300 tonneaux [791]. Même les navires d'Anvers pouvaient être de grande taille; ainsi, le « *Jamys* » qui, en 1454, avait 160 tonneaux [792] et la « *Catherine* » de 220 tonneaux, en 1457 [793]. Il faut donc croire que, dès le milieu du siècle, l'accès du port s'était amélioré et que désormais le Hont était accessible aux grosses unités, à moins que de tels bâtiments aient toujours choisi la route de l'Escaut oriental. D'ailleurs les Hanséates déclaraient, en 1451, que seules les rades d'Anvers, Bergen-op-Zoom et Middelbourg, c'est-à-

---

[785] En 1474, Nieuport possédait soixante capitaines spécialisés dans la pêche aux harengs et environ soixante-dix busses; ils récoltèrent ensemble 597 lasts de harengs (E. VLIETINCK, *Eene bladzijde uit de geschiedenis der stad Nieuwpoort*, Ostende, 1889; R. DEGRYSE, « De Vlaamse haringvisserij in de xve eeuw », p. 125). En 1467, la flotte ostendaise pêcha environ 1.600 lasts de harengs (E. VLIETINCK, *Het oude Oostende*, Ostende, 1897, p. 73). Dans le dernier quart du siècle le port aurait possédé une flotte de 44 busses (1.320 tonneaux).

[786] M. MOLLAT, *opus cit.*, p. 339.

[787] W. VOGEL, « Zur Grösse der Europäischen Handelsflotten im 15., 16. und 17. Jahrhundert », *Forschungen und Versuche zur Geschichte des Mittelalters und der Neuzeit, Festschrift Dietrich Schärer*, Iena, 1915, pp. 268-333.

[788] P.R.O., *Treaty Rolls*, C 76/139, C 76/141, C 76/142; H.J. SMIT, *opus cit.*, t. II, p. 950, n° 1490.

[789] P.R.O., *Treaty Rolls*, C 76/141; H.J. SMIT, *opus cit.*, t. II, p. 888, n° 1377; p. 871, n° 1347; p. 905, n° 1415; W.S. UNGER, *opus cit.*, t. III, p. 97, n° 96.

[790] H.J. SMIT, *opus cit.*, t. II, p. 973, n° 1530.

[791] H.J. SMIT, *opus cit.*, p. 922, n° 1440.

[792] P.R.O., *Treaty Rolls*, C 176/136.

[793] P.R.O., *Treaty Rolls*, C 76/139.

dire Walcheren, pouvaient abriter leurs grosses unités de plus de 200 lasts [794]. Il faut néanmoins être fort prudent car il est évident qu'il y avait plus de petits bateaux que de grands; aussi, ne pensons-nous pas qu'il soit exagéré de fixer à soixante-quinze tonneaux la moyenne de jauge des navires des ports zélandais et brabançons qui abordaient à Londres. Amsterdam, Hornes, Dordrecht, Wijk, Egmond possédaient des bateaux dont le tonnage était moindre, bien qu'il pût atteindre 160 tonneaux [795]; il semble cependant qu'il ne faille pas leur attribuer un tonnage moyen supérieur à 50 tonneaux, tout comme aux navires de L'Ecluse qui semblent avoir eu un tonnage qui devait varier autour du même chiffre [796]. On peut donc dire, grosso modo, que les navires zélandais et brabançons étaient les plus vastes; les bateaux des principaux ports de commerce et de L'Ecluse étaient de taille moyenne et leur jauge rejoignait presque celle des petites unités des ports de pêche flamands et hollandais [797].

Grâce à ces moyennes que nous avons fixées intentionnellement au plus bas, nous avons essayé de calculer le tonnage des navires bourguignons entrant et sortant au port de Londres, pour autant que nous possédions des indications sur leur port d'origine. Cette méthode vaut ce qu'elle vaut [798]; il ne faut en tirer que des conclusions d'ordre de grandeur car les résultats obtenus sont évidemment bien fragiles.

---

[794] G. VON DER ROPP, *opus cit.*, t. II, p. 710.

[795] H.J. SMIT, *opus cit.*, t. II, p. 920, n° 1438; p. 936, n° 1466; p. 790, n° 1257; p. 914, n° 1427; p. 918, n° 1433.

[796] J. CRAEYBECKX (*opus cit.*, p. 150) signale des bateaux beaucoup plus grands pour L'Ecluse au xive s.; l'appréciation que nous donnons ressort des sauf-conduits délivrés pour des navires de L'Ecluse; voir P.R.O., *Treaty Rolls*, C 76/137; C 76/138; C 76/143; on remarque aussi dans les C.A. de Londres que les bateaux de L'Ecluse ont toujours une cargaison plus restreinte que celles des navires zélandais et brabançons. Cela signifie-t-il que la jauge des bateaux de L'Ecluse avait diminué au xve s. ou que de plus gros bâtiments faisaient d'autres trafics ?

[797] Voici les évaluations des moyennes de jauge des bateaux issus des :
1) ports zélandais et brabançons : moyenne 75 t.;
2) ports de pêche hollandais et flamands : moyenne 30 t.;
3) ports hollandais d'Amsterdam, Hornes, Dordrecht, Wijk, Egmond, Gouda, Rotterdam : moyenne 50 t.;
4) de L'Ecluse : moyenne 50 t.;
5) de Hollande, sans autre dénomination : moyenne 30 t.;
6) de Flandre, sans autre dénomination : moyenne 30 t.

[798] On pourra notamment critiquer les jauges que nous avons choisies, les trouver trop élevées pour certains ports, trop basses pour d'autres. Le procédé offre pourtant l'avantage de permettre plus aisément la comparaison entre les entrées et les sorties au cours de plusieurs années qu'on ne pourrait le faire au simple énoncé de la quantité de bateaux bourguignons signalée dans les « *Customs Accounts* ».

Pour la période qui s'étend du 30 septembre 1438 au 22 septembre 1439, on peut évaluer ainsi à environ 4.635 tonneaux la jauge des bateaux bourguignons (brabançons, hollandais et zélandais) qui sortirent du port de Londres, soit environ 386 tonneaux de moyenne mensuelle [799]. On remarque donc que le commerce hollandais et zélandais ainsi que celui des foires de Brabant n'était nullement atteint par la guerre anglo-bourguignonne; ceci corrobore parfaitement l'opinion que nous nous étions faite d'après les chiffres d'exportation de draps. Il faut noter aussi que la guerre avec la Hanse fermait à cette époque les débouchés du Nord aux marines hollandaise et zélandaise; ce fait a peut-être contribué à détourner une partie du trafic au profit du port de Londres. Nous avons envisagé ici les bateaux recensés dans les « Customs Accounts », à l'exclusion de ceux figurant uniquement sur les rôles de la coutume de la laine et se rendant par conséquent à Calais.

L'année suivante (11 octobre 1439 au 26 septembre 1440), après la signature de l'entrecours anglo-flamand, on constate la présence de nombreux bateaux flamands, mais, malgré cet apport nouveau, le tonnage des vaisseaux bourguignons marqua une légère diminution et tomba à environ

---

[799] P.R.O., *C.A.*, E 122/73/12. Au total, cent quatre-vingt-sept bateaux sortirent du port; trente-huit avaient pour destination d'autres ports anglais où ils déchargeaient des marchandises dans des navires à destination de l'étranger; il faut les défalquer du total; il reste donc 149 navires; parmi ceux-ci soixante-dix-sept étaient d'origine bourguignonne, quarante-cinq anglais, dix-sept hanséates, trois de Bayonne, deux de Venise, un de Bordeaux, un normand, un portugais et deux non identifiés.

Voici le détail des bateaux bourguignons :

41 bateaux zélandais :	Flessingue	6	
	Middelbourg	10	
	Westenschouwen	4	
	Arnemuiden	13	3.075 tonneaux
	Zélande	3	
	Vere	1	
4 bateaux brabançons :	Bergen-op-Zoom	2	300 tonneaux
	Anvers	2	
32 bateaux hollandais :	Enkhuizen	1	
	Dordrecht	6	
	Gouda	2	
	Wijk	5	
	Egmond	2	1.260 tonneaux
	Petten	7	
	Hollande	5	
	Haarlem	3	
	Scheveningen	1	

Voir aussi pp. 490, 492a.

4.300 tonneaux, soit 363 tonneaux de moyenne mensuelle [800]. On remarque, en effet, une baisse de près de la moitié du chiffre des bateaux zélandais. Il s'agit là uniquement d'évaluations basées sur le nombre de sorties du port de Londres. Or, on note que les entrées signalées dans les *«Customs Accounts»* sont toujours plus nombreuses que les sorties. On peut donner deux explications à ce fait : les comptes dont nous faisons usage ne portent pas la mention des cargaisons de laine et les exportations anglaises consistant essentiellement en draps exigeaient moins de place que les marchandises plus volumineuses importées des Pays-Bas. Nous possédons quelques comptes qui signalent à la fois les bateaux entrant et sortant du port : le premier de ceux-ci couvre, pour les sorties, la période s'étendant du 22 janvier au 25 septembre 1446 et, pour les entrées, la période allant du 27 janvier au 19 août de la même année. On peut évaluer le tonnage des navires qui sont signalés à la sortie du port à 1.775 t. et la jauge à l'entrée à 3.510 t. La moyenne mensuelle de

---

[800] P.R.O., *C.A.*, E 122/203/2. Cent soixante et un bateaux sortirent du port, dont 16 à destination d'autres ports anglais pour y charger des navires en partance pour l'étranger; il restait donc cent quarante-cinq bâtiments. Parmi ceux-ci quatre-vingt-huit étaient bourguignons, vingt-sept anglais, dix-huit non identifiés, trois écossais, trois hanséates, quatre normands, deux de Bayonne, un italien, un portugais.

Voici le détail des bateaux bourguignons :

22 bateaux zélandais :	Arnemuiden	9	
	Middelbourg	6	
	Flessingue	2	
	Zélande	2	1.650 tonneaux
	Vere	2	
	Westenschouwen	1	
4 bateaux brabançons :	Anvers	4	300 tonneaux
22 bateaux hollandais :	Gouda	1	
	Dordrecht	5	
	Wijk	5	
	Egmond	2	920 tonneaux
	Hollande	5	
	Petten	4	
40 bateaux flamands :	Dunkerque	18	
	Nieuport	14	
	L'Ecluse	7	1.430 tonneaux
	Flandre	4	

Voir aussi pp. 490, 492a.

jauge s'établit donc à 253 t. pour la sortie et à 500 t. pour les entrées [801].
Deux autres comptes qui s'étendent du 23 novembre 1465 au 30 avril indi-

[801] P.R.O., *C.A.*, E 122/73/20. Cent et treize bateaux entrèrent au port de Londres; parmi eux soixante-deux étaient d'origine bourguignonne, vingt et un normands, treize anglais, treize hanséates, un breton, un espagnol, un de Saint-Sébastien et trois non identifiés.

Voici le détail des bateaux bourguignons :

27 bateaux zélandais :	Middelbourg	6	
	Arnemuiden	16	
	Flessingue	4	2.025 tonneaux
	Westenschouwen	1	
7 bateaux brabançons :	Anvers	5	
	Bergen-op-Zoom	2	525 tonneaux
11 bateaux hollandais :	Hollande	8	
	Hardenwijk	1	
	Gouda	1	350 tonneaux
	Haarlem	1	
17 bateaux flamands :	Dunkerque	6	
	L'Ecluse	5	
	Nieuport	4	610 tonneaux
	Flandre	2	

Quatre-vingt-dix-neuf bateaux sortirent du port de Londres; dix d'entre eux avaient pour destination d'autres ports anglais où ils allaient charger des navires en partance pour le continent : il reste donc quatre-vingt-neuf bâtiments. Parmi ceux-ci trente et un étaient bourguignons, vingt-deux anglais, sept hanséates, huit de Bayonne, un de Fontarabie, un portugais, trois italiens, dix normands, un breton et cinq non identifiés.

Voici le détail des bateaux bourguignons :

15 bateaux zélandais :	Arnemuiden	10	
	Zélande	1	
	Middelbourg	3	1.125 tonneaux
	Flessingue	1	
2 bateaux brabançons :	Anvers	1	
	Bergen-op-Zoom	1	150 tonneaux
6 bateaux hollandais :	Hollande	4	
	Haarlem	1	
	Gouda	1	180 tonneaux
8 bateaux flamands :	L'Ecluse	4	
	Nieuport	1	
	Dunkerque	2	320 tonneaux
	Flandre	1	

Voir aussi pp. 491, 492b.

quent les entrées et les sorties [802]. Il entra pendant cette période au port de Londres des bateaux pour un tonnage de 3.720 tonneaux soit une moyenne

[802] P.R.O., *C.A.*, E 122/194/18 et E 122/194/17. Cent et treize bateaux entrèrent au port de Londres; parmi eux soixante-huit d'origine bourguignonne, trente-deux anglais, deux de Bordeaux, un portugais, quatre italiens et six non identifiés.

Voici le détail des bateaux bourguignons :

30 bateaux zélandais :	Arnemuiden	10	
	Middelbourg	7	
	Flessingue	7	2.075 tonneaux
	Tolen	2	
	Goes	4	
7 bateaux brabançons :	Bergen-op-Zoom	5	525 tonneaux
	Anvers	2	
20 bateaux flamands :	L'Ecluse	8	
	Ostende	4	
	Dunkerque	5	760 tonneaux
	Nieuport	1	
	Walraversijde	1	
	Bruges	1	
11 bateaux hollandais :	Rotterdam	1	
	Haarlem	2	
	Purmerend	3	360 tonneaux
	Dordrecht	1	
	Alkmaar	1	
	Wijk	1	
	Hollande	1	

Quatre-vingt-six bateaux sortirent du port; parmi eux douze gagnèrent d'autres ports anglais pour charger des navires en partance pour le continent; il reste donc soixante-quatorze unités. Parmi celles-ci quinze étaient anglaises, trois de Bordeaux, six non identifiées, une portugaise, une italienne et quarante-huit d'origine bourguignonne.

Voici le détail des bateaux bourguignons :

24 bateaux zélandais :	Arnemuiden	9	
	Flessingue	9	
	Middelbourg	3	1.900 tonneaux
	Vere	1	
	Goes	1	
	Tolen	1	
5 bateaux brabançons :	Anvers	2	375 tonneaux
	Bergen-op-Zoom	3	
12 bateaux flamands :	L'Ecluse	8	
	Bruges	1	520 tonneaux
	Ostende	2	
	Dunkerque	1	
7 bateaux hollandais :	Haarlem	1	
	Hollande	3	210 tonneaux
	Purmerend	3	

Voir aussi pp. 492, 492c.

mensuelle de 744 tonneaux; à la sortie, la jauge des navires bourguignons
s'établit à 2.905 tonneaux, soit une jauge mensuelle de 581 tonneaux. Ici la
différence entre les entrées et les sorties est donc de l'ordre de 20 à 25 %.
Cependant, l'année 1465-1466 ne fut guère favorable au commerce anglo-
bourguignon; les aventuriers avaient transporté le centre de leurs activités
à Utrecht et le trafic se ressentait des prohibitions récentes des produits
bourguignons en Angleterre et des draps anglais dans les Etats de Philippe
le Bon [803]. On constate cependant, en cette année, l'absence de bateaux hanséatiques à Londres; à cette époque, les relations de l'Angleterre avec la Hanse
étaient, en effet, quelque peu tendues; il se peut que ce facteur ait favorisé
une fréquentation plus grande de ce port par les bâtiments bourguignons.
Mais, c'est la présence d'une importante flotte de pêche, originaire de Zélande
et de Brabant, qui arriva à Londres en février, qui explique le nombre élevé
de bateaux bourguignons, malgré les circonstances économiques défavorables [804]. En conclusion [805], il ne paraît pas exagéré d'estimer que le tonnage
annuel des navires bourguignons fréquentant le port de Londres oscillait
entre 6.000 et 9.000 tonneaux au minimum. C'est là un chiffre élevé si on le
compare avec les évaluations de W. Vogel qui a fixé à 19.000 lasts (environ
40.000 tonneaux) la jauge de la flotte commerciale hollandaise et zélandaise
au début du xvie siècle [806].

Abandonnons le terrain mouvant des évaluations de tonnage et voyons
quel était le pourcentage numérique des bateaux bourguignons qui fréquen-
tèrent le port de Londres; celui-ci se situe entre 50 et 60 % du total des
navires [807]. Ce sont les bâtiments originaires des Bouches de l'Escaut (Zélande, Brabant et L'Ecluse) qui formaient la majorité de la participation bourguignonne avec 55 % du nombre total des bateaux originaires des Etats

[803] Voir p. 281.

[804] Nous avons dit autre part que l'importation du poisson fut toujours autorisée par
les autorités anglaises, p. 238.

[805] Il est difficile d'évaluer le tonnage total des navires fréquentant le port de Londres.
Signalons toutefois que les « nefs » génoises jaugeaient entre 475 et 1.400 tonnes métriques
tandis que les galères florentines ne jaugeaient qu'environ 400 à 500 tonnes métriques
(J. HEERS, « Types de navires et spécialisation des trafics en Méditerranée au moyen âge »,
dans M. MOLLAT, Le navire et l'économie maritime du moyen âge au xviiie siècle,
principalement en Méditerranée, Paris, 1959, p. 11).

[806] W. VOGEL, « Zur Grösse », p. 305; à titre de comparaison, il évalue la valeur de la
flotte hanséatique à 30.000 lasts, à la fin du xve siècle (p. 280); la flotte anglaise, en
1572, atteignait 31.066 lasts (p. 321).

[807] P.R.O., C.A., E 122/73/12, sorties : 51 % de bateaux bourguignons. P.R.O., C.A.,
E 122/203/2, sorties : 60 % de bateaux bourguignons. P.R.O., C.A., E 122/73/20, entrées :
53 % de bateaux bourguignons. P.R.O., C.A., E 122/194/18 et 17, entrées : 59 % de
bateaux bourguignons.

de Philippe le Bon[808]. Enfin, on constate que la participation flamande l'emporte de beaucoup sur celle des Hollandais[809].

Les ports qui entretenaient les rapports les plus nombreux avec Londres étaient par ordre d'importance : Arnemuiden, Middelbourg, Dunkerque et L'Ecluse.

Les bateaux naviguaient volontiers de conserve. L'insécurité des mers rendait, en effet, indispensable la formation de convois. Dunkerque, en 1438, puis les villes maritimes de Flandre, Hollande et Zélande, en 1445, organisèrent la protection de leur flotte[810]. Les marchands aventuriers mirent sur pied un système assurant la bonne traversée des convois vers la Zélande et le Brabant. Nous n'avons guère de détails sur cette organisation qui était confiée à des « appointers ». Les « conduitors » étaient chargés de lever la contribution exigée des marchands pour ce service. Elle fut fixée, en 1457, à 10 s. st. par poque de mercerie expédiée de Londres aux foires de Brabant; elle devait être payée par tous les marchands qui avaient chargé des biens dans le convoi, à l'exception des Hanséates. Les comptes étaient vérifiés par des « auditors »[811]. Les bateaux marchands étaient souvent armés de canons; c'était notamment le cas de la busse de Corneille Janssone d'Anvers qui fut arrêtée par des Anglais en vue des côtes de Cornouailles en 1434, alors qu'elle revenait de la Baie de Bourgneuf avec un chargement de sel[812].

Voici la composition d'un convoi qui quitta le port de Londres le 26 octobre 1438 : quatre bâtiments hollandais, quatre zélandais, deux de Dantzig, un vénitien, un anglais à destination de Sandwich et deux non identifiés[813]; il faut y ajouter les navires qui transportaient de la laine vers Calais. Un convoi était d'autant plus assuré de sa sécurité qu'il était composé de bateaux originaires de contrées différentes; c'était une garantie contre les attaques des corsaires. Les convois pouvaient compter jusqu'à une centaine de navires; c'était le cas de la flotte composée de bâtiments hanséatiques et bourguignons

---

[808] Sur 244 unités signalées dans les comptes P.R.O., *C.A.*, E 122/73/12, 203/2, 73/20, 194/18 et 17, à la sortie du port de Londres on en comptait 136 originaires des Bouches de l'Escaut.

[809] D'après les P.R.O., *C.A.*, E 122/203/2, 73/20, 194/18 et 194/17 on compte 44 bateaux hollandais d'un tonnage de 1.630 t. pour 77 bateaux flamands d'un tonnage de 2.800 tonneaux.

[810] R. DEGRYSE, « De konvooieering van de Vlaamsche visschersvloot in de XVde en XVIde eeuw », *Bijdragen voor de Geschiedenis der Nederlanden*, tweede deel, 1948, pp. 1-24 et R. DEGRYSE, « Le convoi de la pêche à Dunkerque aux XVe et XVIe siècles », *Revue du Nord*, t. XXXIII, nᵒˢ 130 et 131, 1951, pp. 117-127. Dunkerque resta encore à l'écart en 1445 et continua à assumer seule la protection de ses navires.

[811] L. LYELL et D. WATNEY, *opus cit.*, pp. XV et 43.

[812] P.R.O., *Ancient Correspondance, S.C. I*, vol. LVII, nᵒ 74.

[813] P.R.O., *C.A.*, E 122/73/12.

qui revenait de la croisière du sel, en 1449, et qui fut capturée. Ainsi, malgré l'organisation de convois, les commerçants n'étaient pas assurés que les navires arriveraient à bon port; le danger d'une mauvaise rencontre n'était pas conjuré et il fallait toujours craindre la fureur des éléments. Aussi, pour répartir les risques que couraient leurs biens sur mer, les marchands confiaient-ils leur avoir à plusieurs bateaux différents et qui ne partaient pas toujours ensemble [814].

Chaque bateau portait un nom. Le plus souvent, il s'agissait d'un nom de saint avec une prédilection pour Catherine, Georges ou Christophe. Il existait dans chaque port plusieurs bâtiments différents qui portaient le même nom. Le prénom était utilisé seul à une seule exception près [815]. Le saint patron était ainsi censé protéger la nef. D'autres noms d'origine religieuse étaient fréquemment utilisés : Holygost, Maryknight, Gratia Dei, Godefrend, Godewill, Godesknight, Trinité. Une appellation propitiatoire se rencontre souvent : Comewelthus. On trouve également Drinkwater ou Drinkwijn, Swan, Friday, Wilberd, Gastehous, Schytgode, Coggemolle, Vlieger et même Foteball [816].

Nous n'entreprendrons pas de discuter des Rôles d'Oléron ou même de leur aire d'expansion en Europe occidentale. D'autres que nous l'ont fait admirablement et nous nous en voudrions de ne pas citer ici l'excellente étude qu'a consacrée à cette question M. J. Craeybeckx dans son livre sur l'importation des vins de France dans les anciens Pays-Bas [817]. Nous nous contenterons donc de souligner qu'à l'époque dont nous parlons, ils étaient encore d'application générale [818].

Entre autres, le système de la division de la propriété du navire en parts était toujours appliqué. On répartissait ainsi les risques car l'assurance

---

[814] Prenons l'exemple d'Arnould Stanilaert, conseiller du duc de Brabant Philippe de Saint-Pol, et marchand brabançon; le 20 octobre 1437, il embarque des biens à bord du bateau de Johannes van Diste; le 25 du même mois, à bord de celui de Wouter Frise; le 6 février 1438, dans ceux de Hayn Bulscamp et de Johannes Williamsone et le 3 août 1438, dans ceux de Hayn Bulscamp et William Johnsson (P.R.O., *C.A.*, E 122/73/10).

[815] Sancta Maria pour un vaisseau hollandais : P.R.O., *C.A.*, E 122/73/10, f⁰ 22 v⁰ : 14 février 1438.

[816] Pour cet exemple : P.R.O., *C.A.*, E 122/119/4 : 20 septembre 1461, bateau zélandais.

[817] J. CRAEYBECKX, *opus cit.*, pp. 82-90.

[818] C'était également la règle pour la flotte hanséate (W. VOGEL, *Geschichte*, pp. 376-377), pour la flotte normande (M. MOLLAT, *opus cit.*, p. 409), à La Rochelle et Bordeaux (J. CRAEYBECKX, *opus cit.*, pp. 151-152); pour l'Angleterre, voir les exemples que nous donnons plus loin.

maritime était peu répandue [819]. Donnons ici quelques exemples concrets pour Anvers. Claus Bollaert, un maître de nef qui fréquentait le port de Londres dès 1440, était, en juillet 1460, copropriétaire d'une hourque qu'il conduisait lui-même; son associé était Bernardo de' Bardi, un marchand florentin établi à Anvers [820]. Bardi vendit, en septembre, les deux tiers de ce navire à Aerde van Strope, bourgeois de Bruxelles, et à Jacop van Amstel [821]. Jan Willemsone, dit « de jonge Jan Cole », un capitaine bien connu, se dessaisit, en novembre 1457, au profit de Corneille Janssone de Flessingue de la moitié de la cogge qu'il commandait lui-même et dont l'autre moitié appartenait déjà à Janssone [822]. Le même Cole, en compagnie de Pieter Hart et de Cornelius Hantvliet, tous deux d'Ossendrecht, et d'Henri Paerhaers d'Hoogenschoote, achetait, en 1456, à trois Hanséates, un de Cologne et deux de Dortmund, le quart d'une cogge [823]. En juin 1457, il achetait une cogge à Hugues Volkerijck [824]; enfin, en juin 1458, il vendait à Bernardo de' Bardi la moitié d'une cogge tout en restant propriétaire de l'autre moitié [825]. Jan Valcke, un autre maître de nef, acheta en 1457, le huitième d'une hourque à Jan Blommaert, lui aussi maître de nef; il acquit en même temps un autre huitième de bateau de Mathijs den Wayer, cordonnier et épicier à Anvers [826]. Des cas semblables se retrouvent dans les ports zélandais, hollandais et flamands [827]. Ainsi donc, un navire pouvait appartenir à un seul ou à plusieurs propriétaires. M. Craeybeckx considère qu'il est exceptionnel qu'un seul individu soit propriétaire d'une nef; il y voit une trace d'archaïsme[828]. Il est évident cependant que l'on en rencontre des exemples un peu

---

[819] Nous n'en avons retrouvé qu'un seul exemple pour les relations anglo-bourguignonnes, encore s'agit-il d'une assurance d'un chargement de vin. William Cleydon, marchand d'Angleterre, l'avait fait assuré à Bruges par le Génois Georges Spinola (A.V.B., *S.C.*, 1453-1460, f° 279 : 7 juillet 1459); voir ce que dit J. CRAEYBECKX (*opus cit.*, pp. 168-169) au sujet de l'assurance maritime.

[820] A.V.A., *S.R.*, n° 91 v°. Bardi avait épousé une Anversoise (Mathilde vanden Stapel, A.V.A., *S.R.*, n° 55, f° 248); il possédait des parts dans plusieurs navires; voir notamment H.J. SMIT, *opus cit.*, t. II, p. 961, n° 1509. Au sujet de Bernardo de' Bardi voir p. 255 n. 537.

[821] A.V.A., *S.R.*, n° 59, f° 349 et 349 v° : 3 et 4 septembre 1460; la vente était le résultat d'un différend entre Bardi et Bollaert; voir H.J. SMIT, *opus cit.*, t. II, p. 970, n° 1524.

[822] A.V.A., *S.R.*, n° 52, f°ˢ 103 v° et 118 v° : 26 janvier et 21 février 1457.

[823] A.V.A., *S.R.*, n° 51, f° 308 : 23 avril 1456; Ossendrecht, Pays-Bas, prov. Noord-Brabant; Hoogenschoote, dép. d'Ekeren, prov. d'Anvers, chef-lieu de canton.

[824] A.V.A., *S.R.*, n° 53, f° 25 v° : 8 juin 1457.

[825] A.V.A., *S.R.*, n° 55, f° 38 v° : 18 juin 1458.

[826] A.V.A., *S.R.*, n° 51, f° 297 v° : 2 avril 1457.

[827] Pour les ports flamands, voir J. CRAEYBECKX, *opus cit.*, pp. 153-154 et ci-dessous; pour les ports hollandais : E. KETNER, *Handel en scheepvaart van Amsterdam in de XVᵉ eeuw*, Leyde, 1946, pp. 146-150; pour les ports zélandais, voir aussi H.J. SMIT, *opus cit.*, t. II, p. 752, n° 1228; p. 972, n° 1528.

[828] J. CRAEYBECKX, *opus cit.*, pp. 150-151.

partout. Nous en avons cité un pour Anvers; on en trouve à Dunkerque, à
Nieuport; on en connaît en Zélande. Le seigneur de Vere possédait ainsi
plusieurs bâtiments [829]. Quoi qu'il en soit, le système des parts était certainement le plus répandu. Les parts s'achetaient, se vendaient, se donnaient en
hypothèques [830]. Les « *parsonniers* » pouvaient se partager la propriété d'un
navire à deux, à huit, à seize et même à trente-deux. Le plus souvent, l'un
d'entre eux en était le capitaine; les autres étaient soit des marchands intéressés dans le commerce maritime, soit de simples particuliers originaires de
villes éloignées, comme Bruxelles. Il était de pratique courante de posséder
des parts dans plusieurs bateaux à la fois. C'est le cas des maîtres de nef
que nous avons cités qui agissaient, à la fois, comme armateur, capitaine et
marchand à bord du bâtiment qu'ils conduisaient; au même moment, ils
possédaient des parts dans d'autres bateaux et expédiaient des marchandises
chargées dans différents navires. L'apport de capitaux de provenance extérieure au port ne semble pas avoir été très abondant. Il faut cependant
remarquer qu'un bateau pouvait appartenir à des « *parsonniers* » de nationalités différentes. Ainsi le « *jonge Jan Cole* » qui, avec d'autres, acheta le
quart d'une cogge à des Hanséates, s'associait, de ce fait, avec les propriétaires
des trois quarts restants; ceux-ci pouvaient être soit des Hanséates soit des
Bourguignons; de ce fait, dans n'importe quel cas, des sujets du duc de
Bourgogne se trouvaient, à un moment donné, associés dans la propriété du
navire à des Osterlins. La même situation se présenta lorsque Pierre Hantoen de Lincoln confia le commandement d'un bateau, dont il possédait la
moitié, au copropriétaire Cornelius Mathijsz., de Westenschouwen [831]. Cette
particularité fait comprendre que le capitaine n'était pas toujours originaire
du port d'immatriculation du navire [832]. C'est ainsi que l'on peut attribuer
plusieurs « nationalités » à un même individu. Jan Cole, dont nous avons
déjà parlé, reçut, en 1456, un sauf-conduit valable pour un an comme membre
de la suite du gouverneur des îles anglo-normandes. Dans l'acte, il est qualifié
comme suit : « *Johannes Cole nuper de Andwarpe, alias dictus Johannes
Coole de Andwarpe infra Brabaine, mariner, alias dictus Johannes Cole de
London, shipman, alias dictus Johannes Coole de Sandewico in comitate
Kantuarensi, mariner...* » [833]. Connaissant, d'autre part, les activités de Jan

[829] Voir notamment p. 303.

[830] Ainsi, le 12 juillet 1460, Claus Bollaert et Bernardo de' Bardi hypothéquaient une
hourque qui leur appartenait pour un prêt de 100 livres de Flandre avancé par Claus
van den Driele (A.V.A., S.R., n° 5, f° 91 v°).

[831] H.J. SMIT, opus cit., t. II, p. 758, n° 1228 : 2 août 1441.

[832] Lorsque les « *Customs Accounts* » ne renseignent pas le port d'immatriculation du
navire, il est, de ce fait, impossible, même si l'on connaît l'origine des capitaines, de
découvrir leur port d'attache. Ainsi, Hayn Bulscamp d'Arnemuiden était, en 1443, capitaine du « *Petyr de Novo-Castro* » (H.J. SMIT, opus cit., t. II, pp. 805-806, n° 1265).

[833] P.R.O., Treaty Rolls, C 76/138/m. 10 : 6 juillet 1456.

Cole, nous ne pouvons douter qu'il eut des intérêts dans des bateaux de Londres et de Sandwich. D'autres maîtres de nefs bourguignonnes devaient suivre la même voie. Il faut donc conclure que nous nous trouvons devant des personnalités engagées entièrement dans le commerce international. Jan Cole appartient, de ce fait, à la lignée des grands armateurs, marchands et capitaines de navires dont nous n'avions pas d'exemple jusqu'à présent pour nos contrées à cette époque. M. Craeybeckx affirme que les marchands étaient en ces temps rarement armateurs [834]. Pour notre part, nous dirons que les maîtres de nefs étaient presque toujours armateurs et marchands. Souvent leurs femmes agissaient en tant que « *coopwijf* » aux foires de Brabant, c'est-à-dire qu'elles pratiquaient le commerce de détail [835].

Il faut donc souligner que le trafic des bateaux était particulièrement florissant; non seulement on vendait et on achetait volontiers des navires entre compatriotes originaires de la même ville ou sujets d'un même prince, mais aussi entre Anglais et Bourguignons [836].

Nous pouvons apprécier le mode d'armement des ports de pêche flamands grâce à la belle série de sauf-conduits qui furent délivrés par les rois d'Angleterre, entre le 3 septembre 1441 et le 2 juin 1461, aux capitaines de nefs de Dunkerque, Nieuport, Lombardsijde, Raversijde et Ostende. Nous en possédons cent cinquante-quatre : quatre-vingt-dix-sept pour Dunkerque, trente-sept pour Nieuport, quatorze pour Raversijde, cinq pour Lombardsijde, et un pour Ostende [837]. La plupart de ces sauf-conduits furent accordés entre 1442 et 1444; ils portaient en général le nom de deux, parfois de trois bénéficiaires, rarement d'un seul. Ces derniers étaient désignés par les termes de : « *maîtres mariniers* », de « *magistri et mercatores* » ou encore de « *possessores et magistri* », mode d'appellation le plus répandu. On constate donc qu'ici aussi le système des parts était en honneur; il existait en général deux copropriétaires qui pouvaient assumer le commandement de la nef. Ceci

---

[834] J. CRAEYBECKX, *opus cit.*, pp. 154-155. En revanche, M. Craeybeckx admet que les maîtres de nefs étaient presque toujours armateurs.

[835] Par exemple, Marguerite Alaerts, femme de Daniel Geertsone dit Schipper Neel, un capitaine fréquentant souvent le port de Londres, et Catherine Coenoets, femme de Claus Bollaert (A.V.A., *S.R.*, n° 54, f°s 248 v°, 344 et 388 v° : 9 juillet 1457, 1er et 29 mars 1458; n° 59, f° 194 : 15 janvier 1460).

[836] Les *«schepenregisters»* d'Anvers contiennent quantité d'actes de vente. Voici quelques exemples d'achat de bateaux entre Bourguignons et Anglais. John Geete d'Ipswich acheta, en 1449, le « *Greenewol* » de Middelbourg (H.J. SMIT, *opus cit.*, t. II, p. 868, n° 1344); en 1441, un bateau de Zélande est qualifié de « *Marie de Calais* », nom qu'il portait jadis (*Calendar of Patent Rolls*, 1441-1446, p. 5 : 20 octobre 1441). Le poissonnier anversois Jan Moen acheta, en 1458, un bateau à John Dey, marchand londonien (A.V.A., *S.R.*, n° 55, f° 38 v° : 19 juin 1458).

[837] Les sauf-conduits en question se trouvent dans les « *Treaty Rolls* » (P.R.O., C 76/124 à C 76/138).

ne veut évidemment pas dire qu'il n'y ait pas eu d'armateurs non navigants. On remarque aussi qu'un même maître de nef pouvait posséder en même temps des parts dans des bateaux différents. M. G. V. Scammel, a, dans un article récent, décrit les modes de propriété des navires anglais au cours du siècle qui s'étend de 1450 à 1550. Il est arrivé aux mêmes résultats que les nôtres pour la flotte bourguignonne. L'armement se pratiquait donc d'une manière identique dans les différents pays d'Occident [838].

L'armement d'un navire ne nécessitait pas un capital fort élevé. W. Vogel a comparé la valeur du bateau à celle de sa cargaison; il en ressort que cette dernière l'emportait de beaucoup [839]. Il semble donc que l'argent investi par les capitaines-marchands comme « *parsonniers* » dans plusieurs navires ne constituait qu'une part minime de leur capital.

Le nombre des membres de l'équipage n'était pas proportionnel à la jauge du bateau. Une unité de trente tonneaux était montée par dix à quinze marins [840], tandis qu'un navire de trois cents tonneaux n'embarquait qu'une quarantaine d'hommes [841].

L'équipage se recrutait au hasard des escales : le capitaine, nous l'avons déjà dit, n'était pas toujours originaire du port d'immatriculation du bateau et les marins étaient parfois des étrangers; ainsi, la « *Mary* » de Londres avait, en 1441, un capitaine hollandais mais tout son équipage était composé de Hanséates à l'exception de deux Anglais [842].

Le mode de paiement était fixé par les lois d'Oléron. Les marins recevaient des gages, ou participaient au bénéfice de l'opération, ou encore, on leur concédait, en plus de leur salaire, l'autorisation d'embarquer une quantité déterminée de marchandises : c'était le portage. Miss Burwash note que ce dernier système n'était pas pratiqué pour le trajet d'Angleterre vers Calais ou la Zélande, tout au moins sur les bateaux anglais; on se bornait alors à salarier l'équipage [843]. Le capitaine bourguignon possédait presque toujours

---

[838] G. V. SCAMMELL, *opus cit.*, pp. 104-122.

[839] W. VOGEL, *Geschichte*, pp. 412 et 420.

[840] Voir les sauf-conduits pour Dunkerque et Nieuport.

[841] P.R.O., *Treaty Rolls*, C 76/141/m. 30 : 7 septembre 1457.

[842] H.J. SMIT, *opus cit.*, t. II, p. 750, n° 1212 : 25 février 1441; une nef d'Arnemuiden avait parmi son équipage un marin prussien et un livonien (IDEM, *ibidem*, t. II, p. 946, n° 1483 : 21 août 1458). Il existait une certaine spécialisation parmi l'équipage qui comprenait toujours un cuisinier et un charpentier; il semble aussi qu'il y ait eu un marin capable de prendre la relève du capitaine : ainsi, en 1438, Nicolas Struyck de Rotterdam remit le commandement de son bateau, dans le port de Calais, à « *unum ex familiaribus suis* » pour un voyage à Winchelsea (H.J. SMIT, *opus cit.*, t. II, p. 778, n° 1251).

[843] D. BURWASH, *opus cit.*, p. 47.

des biens dans le bateau; comme il en était généralement copropriétaire et que, de plus, il se livrait au commerce actif, on ne peut déterminer si oui ou non une part de portage lui revenait.

Il est certain que les équipages n'étaient pas toujours faciles à mener et que la loi de l'offre et de la demande influençait leur comportement : des marins refusèrent, en 1442, d'embarquer à destination de Bordeaux pour s'engager sur d'autres navires qui allaient prendre le départ pour la Hollande et la Zélande [844].

Nous avons parlé de la « charte-partie »; celle-ci était le contrat qui liait à l'armateur et au capitaine les marchands qui possédaient des denrées à bord. W. Vogel a calculé que, pour la flotte hanséate, le taux d'affrètement atteignait 100 % de la valeur de la marchandise pour les biens volumineux et bon marché, tandis qu'il n'excédait pas 10 % pour les produits légers, de peu de volume et chers, tels que les épices et les draps [845]. M. J. Craeybeckx pense qu'il faut relever ce dernier pourcentage [846]; nous ne trancherons pas la question car nous n'avons pas retrouvé d'indications concernant les taux de fret pour les bateaux bourguignons. Nous en possédons en revanche une pour un bateau de Bristol, le « *Julyan* ». John Heyton, marchand de Bristol, avait conclu, en 1453, un accord de nolisement avec Clement Bagot, armateur du « *Julyan* » dont John White était le capitaine. Bagot se réservait 10 tonneaux de la charge, White, six et un certain Nicolas Mody, cinq; le reste de la cargaison était loué à Heyton qui décidait du voyage au prix de 20 s. st. le tonneau par trajet effectué. Si l'on compare ce taux au coût d'un bateau, on constate qu'il est particulièrement élevé. Rappelons qu'une hourque neuve de 200 tonneaux était évaluée, en 1440, à 225 livres gros fl. soit 1 livre 2 s. 6 d. g. fl. au tonneau [847]; on peut, dès lors, se demander si la valeur même du navire n'était pas amortie par un seul voyage heureux [848]. Quoi qu'il en soit, le « *Julyan* » se rendit d'abord à Lisbonne, puis en Irlande, toucha à Plymouth et prit le chemin de Middelbourg. Heyton désirait y vendre une cargaison de peaux. Mais, arrivé à Sandwich, il apprit que Philippe le Bon avait fait arrêter des marchands anglais. Après avoir attendu en vain le retour de son facteur, qu'il avait envoyé auprès du duc pour obtenir un sauf-conduit, Heyton voulut gagner Calais, mais une forte tempête l'en empêcha. Armateur, capitaine et marchands signèrent alors une

---

[844] *Calendar of Patent Rolls, 1441-1446*, p. 107 : 29 août 1442.

[845] W. Vogel, *Geschichte*, p. 418.

[846] J. Craeybeckx, *opus cit.*, pp. 160-161.

[847] Voir p. 308.

[848] W. Vogel, *Geschichte*, p. 426, a calculé que c'était le cas pour le voyage de Prusse à la Baie de Bourgneuf.

transaction autorisant le déchargement du bateau à Sandwich[849]. On garde
de tout ceci l'impression que l'armement d'un navire pouvait être très
lucratif pour autant que le bâtiment pût effectuer plusieurs voyages sans
inconvénients et avec les cales pleines. Cette dernière condition n'était pas
toujours réalisée; nous l'avons vu pour le trajet Angleterre-Pays-Bas; on peut
se demander si le taux du fret ne tenait pas compte de cette particularité.
Il semble que l'armement d'un navire rapportait plus que le commerce des
draps, alors que le capital engagé était moindre et que, de ce fait, les risques
étaient moins grands. Il faut cependant tenir compte des jours de relâche,
pendant lesquels le capitaine attendait à la fois le paiement de son voyage,
le fret de retour, les conditions climatériques favorables et l'organisation d'un
convoi. Nous avons constaté que le délai d'attente était extrêmement variable
et que, bien souvent, ce n'était pas les mêmes marchands qui embarquaient
leurs biens à bord lors du trajet de retour [850].

En cas d'échouage, les marchands payaient le fret des biens sauvés, en
décomptant toutefois les débours occasionnés par leur transbordement [851].

Des associations et communautés de marchands se groupaient pour fréter
ensemble une part de navire. Les « Customs Accounts » signalent, en effet, des
vaisseaux, en provenance des foires de Brabant, dont la cargaison appartenait
en majorité à des marchands aventuriers ou à des Hanséates. Ainsi, les
Dinantais et les Colonais chargeaient toujours leurs biens ensemble dans les
mêmes navires [852]. Lorsqu'un marchand embarquait à bord d'un bateau des
biens qu'il n'accompagnait pas lui-même, ou lorsqu'il ne disposait pas de
facteur à cet effet, il donnait des instructions précises au capitaine. On lais-

[849] E. CARUS-WILSON, *The overseas trade of Bristol in the later middle ages*, Bristol Record Society Publications, vol. VII, 1937, pp. 106-108, p. 120.

[850] Voici quelques exemples : Arnoldus Cotys de Nieuport, entré le 9 mars 1446 à Londres, en sort le 11 du même mois; Paul Georgesson de L'Ecluse, entré le 25 janvier, sort le 5 février; Johannes Corterok de Bergen-op-Zoom, entré le 27 janvier, sort le 15 février; Lambe van Passe d'Anvers, entré le 27 janvier, sort le 19 février; Hayn Bulscamp d'Arnemuiden, entré le 28 janvier, sort le 11 mars; Clays Sibotson d'Haarlem, entré le 28 janvier, sort le 19 mars : le délai oscille donc entre 3 et 50 jours (P.R.O., C.A., E 122/73/20).

[851] W.S. UNGER, *Bronnen tot de geschiedenis van Middelburg*, t. I, p. 311, n° 317; H.J. SMIT, *opus cit.*, t. II, p. 969, n° 1523 : 16 juillet 1462, décision du magistrat de Middelbourg dans la cause opposant William Caxton et d'autres marchands anglais à Pieter Willemsz, maître de nef de Middelbourg.

[852] On remarque que Lambert Josse et Jean Salmier, qui dans les comptes de douane représentent la « *Compagnie d'Angleterre* », chargent toujours leurs biens dans des bateaux où l'on retrouve le Colonais Hans Dasse (Voir E 122/73/10 par exemple : le 25 octobre 1437 dans les bateaux de Hayn Bulscamp et Wouter Frise et le 3 août 1438 de nouveau dans celui de Bulscamp).

sait parfois une certaine initiative au maître du bord qui agissait alors au mieux des intérêts des marchands [853].

*
**

Le problème du fret apparaît nettement si l'on dresse le graphique du trafic mensuel du port de Londres. On constate des variations extrêmes entre les résultats obtenus pour plusieurs années [854]. Les totaux mensuels et le nombre des bateaux anglais, hollandais, zélandais, brabançons, flamands, hanséates et d'autres origines qui abordaient chaque mois à Londres offrent des écarts annuels tels qu'il est impossible d'interpréter les chiffres obtenus. Prenons, par exemple, le trafic des bateaux sortant au mois de février. En 1439, vingt et un bateaux (1 anglais, 10 hollandais, 6 zélandais, 2 brabançons et 2 d'autres origines) sortirent du port; en 1440, neuf navires (2 anglais, 1 hollandais, 2 zélandais, 3 flamands, 1 d'autre origine); en 1446, quatre bateaux (2 brabançons et 2 flamands); en 1466, vingt et un (5 anglais, 7 zélandais, 2 brabançons, 4 flamands et 3 d'autres origines) quittèrent Londres. Comment comparer des chiffres aussi différents d'autant plus que le même phénomène se constate pour n'importe quel mois ?

Si l'on essaie de retrouver l'influence des foires de Brabant sur le trafic, il faut bientôt abandonner la recherche car on ne relève pas suffisamment de constantes pour en tirer des conclusions valables. Les navires ou les convois partaient ou revenaient lorsque le temps était favorable ou lorsque leurs cales étaient pleines. C'est ainsi que la batterie dinantaise, chargée à la foire de Pentecôte 1465 à Anvers, fut prise en mer, le 14 octobre suivant, par des pirates de Honfleur alors que le bateau sur lequel elle se trouvait faisait route vers l'Angleterre [855]. On peut, à la lecture des « *Customs Accounts* » retrouver les navires venant des pays bourguignons grâce à la nature de leur cargaison, mais on ne peut savoir si celle-ci provenait de telle ou telle foire de Brabant ou même du marché de Bruges [856]. Il faut donc envisager, avec beaucoup de circonspection, les résultats obtenus par Mlle Kerling au sujet de la prospérité des foires de Bergen-op-Zoom puisque cet auteur s'est basé sur les dates

---

[853] H.J. SMIT, *opus cit.*, t. II, p. 733, n° 1183 : 5 avril 1440; p. 948, n° 1487 : 9 décembre 1458; A.V.A., *S.R.*, n° 57, f° 151 v° : 25 septembre 1459; G.A.B.O.Z., *R.R.*, n° R 283, 1454-1457, f° 24 : 7 mai 1454.

[854] Voir tableaux statistiques, pp. 490-492.

[855] S. BORMANS, *Cartulaire de la commune de Dinant*, pp. 186-189 : 18 décembre 1465.

[856] Par exemple, en 1446 (P.R.O., *C.A.*, E 122/73/20), vingt-six bateaux entrèrent au port de Londres, les 27 et 28 janvier, en deux convois, l'un de quatorze navires, l'autre de douze navires; le premier comprenait six bâtiments chargés de marchandises de foires (trois de Middelbourg, un d'Anvers, un de Bergen-op-Zoom et un d'Arnemuiden), le deuxième seulement deux (d'Arnemuiden). Il s'agissait sans doute du retour de la foire froide qui était certainement terminée depuis plus d'un mois; un navire d'Anvers chargé de marchandises de la foire de Pâques entre à Londres le 17 juin, trois autres (un de Londres et deux d'Arnemuiden) suivirent le 21 juin; à ce moment la foire de Pâques était clôturée et celle de Pentecôte battait son plein et il est probable que des biens acquis déjà à cette dernière figuraient dans leurs cargaisons. Enfin, le 28 juillet, cinq

d'arrivée et de départ des bateaux pour établir la valeur des cargaisons destinées aux foires de Bergen-op-Zoom ou en provenant [857].

*
**

Les navires et les marchands des pays de par-deçà fréquentaient les ports de la côte orientale anglaise et ceux de la côte méridionale situés à l'Est de Southampton. Seuls quelques bateaux bourguignons s'aventuraient au-delà. Ni Bristol, ni Southampton, ports importants en relation active avec la Gascogne, la péninsule ibérique et, pour Southampton, l'Italie, ne les attiraient. Les comptes de douane de Southampton ne signalent pas l'origine des bâtiments, mais on remarque, à leur lecture, que seuls deux ou trois navires bourguignons jetaient l'ancre au port annuellement. Il s'agissait de petits vaisseaux dont la cargaison de poisson, légumes, houblon, savon et garance à l'importation, de peaux et de chandelles à l'exportation, appartenait au capitaine « *et sociis* » [858]. Parfois, un navire plus grand y abordait, tel celui de Copin Lambe d'Arnemuiden [859].

bâtiments (trois d'Arnemuiden et deux d'Anvers) chargés de marchandises de foire arrivèrent à Londres venant de la foire de Pentecôte. On comprend que le nombre restreint de bâtiments venant des foires n'imprime pas une courbe spécifique au trafic mensuel du port. En revanche, certaines années, notamment en 1466, une véritable flotte harenguière entra au port de Londres; le 10 février, 26 navires (presque tous originaires de Zélande et de Brabant) chargés de harengs et de poissons divers y pénétrèrent; or, on ne constate pas ce phénomène les autres années (P.R.O., *C.A.*, E 122/194/18).

[857] N.J.M. KERLING, « Relations of English merchants with Bergen-op-Zoom, 1480-1481 », *Bulletin of the Institute of Historical Research*, vol. XXXI, n° 84, nocembre 1958, pp. 130-140.

[858] Les articles de D.T. WILLIAMS (« Medieval foreign trade : Western ports ») et de R.A. PELHAM (« Medieval foreign trade : Eastern ports ») dans H. C. DARBY, *An historical geography of England before A.D. 1800*, Oxford, 1951, pp. 266-329, donnent une bonne vue d'ensemble sur le trafic des ports anglais au cours du moyen âge. Par exemple, le bateau de Dederik Jacobson entra à Southampton le 7 mars 1443; la cargaison était attribuée à « *eidem magistro et sociis alienis* » (P.R.O., *C.A.*, E 122/141/25). Les petits bateaux bourguignons amenaient de la garance, du poisson, de l'ail. D.T. WILLIAMS (*opus cit.*, p. 277) signale la présence de treize busses flamandes à Southampton en 1428 et de vingt-quatre en 1430; nous n'avons rien constaté de semblable pour les années suivantes. Notons toutefois que ces chiffres paraissent très modestes car l'activité du port de Southampton n'était pas loin d'atteindre celle de Londres.

[859] Voici un exemple : le bateau de Copin Lambe arriva à Southampton le 9 septembre 1443; il était chargé de garance, houblon, ail, savon, saumon, vitres, pour la valeur totale de 536 l. 2 s. 2 d. dont 111 l. 18 s. 4 d. appartenant à des Anglais et 424 l. 4 s. à des « aliens »; parmi ceux-ci on compte dix Bourguignons et cinq Italiens fixés à Bruges qui importaient pour 251 l. 11 s. 8 d. Le bateau repartit le 24 octobre avec des peaux, des chandelles, des « *thrums* », et des draps (7 « aliens » dont 1 Italien, exportent pour 21 l. 8 s. 2 d. de marchandises diverses et 13 1/2 draps; 4 Anglais exportent pour 20 l. 8 d. de marchandises diverses et 19 1/2 draps) : voir P.R.O., *C.A.*, E 122/141/25 et E 122/140/62. On rencontre généralement un seul bateau de ce tonnage en provenance des pays de par-deçà par an: certaines années même aucun n'est signalé. Nous n'envisageons également ici que les bateaux qui n'effectuaient pas le transport de la laine vers Calais.

Les ports de Poole, Exeter et Dartmouth ne recevaient également que de rares bateaux zélandais ou brabançons dont les cargaisons étaient semblables à celles des navires qui relâchaient à Southampton[860]. On peut tenir pour négligeable le commerce actif de nos pays avec ces ports; de plus, les bâtiments d'autres origines qui les fréquentaient ne paraissent pas non plus y avoir apporté des denrées en provenance de nos régions.

Les «*Customs Accounts*» de Chichester montrent que ce port, ainsi qu'Hastings et Winchelsea, qui faisaient partie de la même région douanière, entretenaient des relations constantes avec la Flandre, leur voisine immédiate. Malheureusement, les comptes n'indiquent pas toujours le port d'attache du bateau, ce qui rend impossible toute donnée statistique. Cependant, parmi les navires pour lesquels nous possédons cette indication, on relève surtout des bâtiments de Dunkerque, L'Ecluse, Ostende, même de Boulogne, et enfin quelques-uns, plus rares, de Vere et Zierikzee[861]. Ces bateaux étaient de petit tonnage; ils amenaient du hareng, du houblon, des choux, des oignons et repartaient chargés de « *billets* », c'est-à-dire de bûches de bois. Généralement, la cargaison tout entière est attribuée au maître de nef; nous verrons qu'il faut le considérer comme le membre actif d'une société de marchands[862].

Si nous poursuivons vers l'est notre examen systématique des ports de la côte méridionale anglaise, nous atteignons Sandwich. C'était un port prospère dont le trafic ressemblait quelque peu à celui de Londres. On y rencontrait de lourdes galères italiennes et de petits bâtiments arrivaient spécialement de Londres pour les charger. Les Hanséates étaient rares; quant aux Bourguignons, ils devaient être assez nombreux mais l'absence de mention relative à l'origine des bateaux empêche toute précision. Cependant, il semble que Sandwich ait entretenu des relations suivies avec les ports flamands : Dunkerque, Nieuport, L'Ecluse. A côté de petits bateaux, on note la présence de navires de plus fort tonnage chargés de biens en provenance des grands centres commerciaux des Pays-Bas. Il semble même que leurs cargaisons provenaient plutôt de Bruges que des foires de Brabant : on y trouvait des tapisseries, des bijoux appartenant soit à des Brugeois, soit à des Anglais fixés dans la métropole flamande, et on note aussi que les toiles flamandes arrivaient en plus grand nombre à Sandwich qu'à Londres[863].

C'est évidemment ce dernier port qui entretint avec les pays bourguignons les relations les plus suivies et les plus complexes. Londres était un grand

---

[860] Exeter et Dartmouth : p.r.o., *C.A.*, E 122/40/35, /36, /10; Poole : p.r.o., *C.A.*, E 122/119/2, /4, /5, /6, /8, /9.

[861] Chichester : p.r.o., *C.A.*, E 122/34/17, /19, /21, /23, /25, /26.

[862] Voir p. 352.

[863] p.r.o., *C.A.*, E 122/127/18, /24, /26, /27; E 122/128/1, /2, /5, /4, /6, /8, /9; E 122/208/1. Voir pp. 228, 487.

port, le plus important d'Angleterre. Les galères vénitiennes, génoises ou
florentines, les hourques hanséatiques, les navires portugais et espagnols, les
bateaux gascons et normands, les bâtiments flamands, zélandais et hollandais
y accostaient. Nous avons vu quelle était la participation des flottes des
différentes principautés bourguignonnes au trafic de Londres [864]. Mais
bien des navires anglais ou hanséates — de Cologne ou même de
Dantzig [865] —, des galères italiennes relâchaient à Londres après un voyage
aux Bouches de l'Escaut. Aussi, à côté du commerce des marchands aventuriers et des sujets du duc de Bourgogne, peut-on compter un trafic hanséatique
qui n'est pas uniquement un commerce de transit, et aussi une activité
prospère des Italiens fixés à Bruges qui expédiaient des produits bourguignons
à leurs filiales en Angleterre.

Les sources dont nous disposons sont malheureusement toutes fragmentaires
et défectueuses; elles ne nous permettent pas d'établir quelle pouvait être
la balance commerciale à Londres entre les importations provenant des
principautés bourguignonnes et les exportations vers nos pays. Les « Customs
Accounts » que nous possédons ne couvrent pas toujours une année complète,
ne renseignent pas à la fois les sorties et les entrées, n'indiquent pas souvent
l'origine des bateaux et, enfin, nous n'avons conservé aucun compte des
entrées et sorties pour une année parfaitement normale. Tantôt les Flamands
étaient écartés du commerce, tantôt les Hanséates, tantôt les Anglais; comment,
dès lors, établir, avec quelque sûreté, le rapport entre les activités de ces
différents marchands ? Pour les mêmes raisons, il nous a été impossible
de déterminer quel pouvait être le montant des importations en provenance
des foires de Brabant. Nous ajouterons que, s'il est parfois difficile de juger
avec précision de la provenance de la cargaison, il est encore plus malaisé
de déterminer la destination d'un chargement de draps. Nous nous abstien-
drons donc de présenter des chiffres offrant trop peu de garantie. Cela ne
nous empêchera pas de noter que parmi les marchands bourguignons qui
expédiaient des biens à Londres, on trouve des personnalités de premier plan,
tel Arnould Stanilaert van Uden, qui fut écoutète de Bois-le-Duc et conseiller
du duc de Brabant Philippe de Saint-Pol et qui menait un commerce prospère
basé principalement sur les chapeaux et les chandelles [866]. Les importations
en provenance des pays bourguignons étaient fort diverses; elles comprenaient
toute la gamme des produits négociés aux foires et aussi les denrées caractéristiques des principautés maritimes : légumes, houblon, poisson; quant aux
exportations, les marchands aventuriers et les Hanséates se réservaient le

---

[864] Voir pp. 314-318.

[865] Par exemple, le 17 janvier 1446, arriva à Londres le navire de Hayn Ole de Cologne
et le 28 du même mois, le bateau de Ilbrand van Wolde de Dantzig chargés tous deux
de marchandises en provenance des Bouches de l'Escaut et appartenant à des Hanséates
(P.R.O., C.A., E 122/73/20).

[866] Voir A.V.L., n° 736; A.G.R., C.C., n° 15717; P.R.O., E 122/73/10 et /12.

commerce des draps tandis que les Bourguignons se contentaient d'embarquer de l'étain, du suif, des chandelles et des peaux.

Sandwich et plus encore Londres sont les seuls ports anglais où accostaient des bateaux chargés de biens en provenance des grands marchés bourguignons. Si l'on remonte la côte orientale de l'île vers le nord, on rencontre en premier lieu Ipswich. Les « Customs accounts » de cette ville n'indiquent jamais l'origine des bateaux mais, à leur lecture, on constate que les navires bourguignons devaient y être assez nombreux et que le trafic du port devait ressembler à celui de ses voisins du nord : Yarmouth, Lynn et Hull. Nous sommes heureusement mieux informés pour Great Yarmouth; nous avons, en effet, conservé un compte qui donne des renseignements assez précis bien qu'incomplets. En effet, du 10 septembre 1447 au 8 avril 1448, cent trente et un bateaux entrèrent au port; parmi ceux-ci trente-cinq ne sont pas identifiés; sur les quatre-vingt-seize restants, cinquante-six sont bourguignons : vingt-trois zélandais [867], vingt hollandais [868], sept flamands [869], six brabançons [870]; à la sortie, on compte cent cinquante-six bateaux dont cent huit identifiés; parmi ceux-ci quarante-cinq sont bourguignons : vingt zélandais [871], dix-huit hollandais [872], quatre flamands [873], trois brabançons [874]. A Lynn, du 13 novembre 1464 au 29 septembre 1465, on compte sur quarante et une entrées, quatorze bâtiments bourguignons [875] et sur quarante sorties, quinze navires bourguignons [876]. A Boston, la situation semble avoir été pareille; bien que nous ne disposions pas de statistiques, nous pouvons dire que le port paraît avoir été fréquenté par des Zélandais [877]. Nous avons, en revanche, quelques éléments statistiques pour Hull et Scarborough : du 20 octobre 1464 au 27 octobre 1467, sur cent vingt-quatre bateaux entrés au port, quarante-neuf étaient bourguignons : quarante-deux zélandais [878], six hollandais [879], un brabançon [880]; à la sortie, sur cent dix bateaux, vingt-quatre étaient

---

[867] 11 de Zierikzee, 8 de Westenschouwen, 1 de Middelbourg, 1 de Vere, 2 d'Arnemuiden.

[868] 2 de Scheveningen, 5 de Dordrecht, 8 de Brouwershaven, 1 de Wijk, 1 de Schiedam, 1 de La Brielle, 1 de Kampen, 1 sans précision.

[869] 1 de L'Ecluse, 5 de Nieuport, 1 de Dunkerque.

[870] 3 de Bergen-op-Zoom et 3 d'Anvers.

[871] 8 de Zierikzee, 7 de Westenschouwen, 2 de Middelbourg, 3 de Vere.

[872] 2 de Scheveningen, 5 de Dordrecht, 5 de Brouwershaven, 2 d'Egmond, 1 de Schiedam, 1 de La Brielle, 1 de Noordwijk, 1 de Kampen.

[873] 4 de Nieuport.

[874] 1 de Bergen-op-Zoom et 2 d'Anvers (P.R.O., C.A., E 122/194/4).

[875] 7 de Vere, 1 de Middelbourg, 1 de Goes, 6 autres non identifiés.

[876] 6 de Vere, 1 de Goes, 1 de Dordrecht, 7 autres non identifiés (P.R.O., C.A., E 122/97/18).

[877] P.R.O., C.A., E 122/10/1, /4, /5, /7.

[878] 23 de Vere, 7 de Westenschouwen, 2 de Goes, 5 de Middelbourg, 5 de Zierikzee.

[879] 2 de Dordrecht, 2 de Brouwershaven, 1 d'Amsterdam, 1 de Delft.

[880] De Bergen-op-Zoom.

zélandais [881], un hollandais [882], un flamand [883]. Ce sont en général de petits
bateaux qui jetaient l'ancre dans ces ports; on constate notamment que les
bateaux zélandais qui fréquentaient Londres avaient un tonnage plus élevé
que ceux qui abordaient aux havres de la côte orientale anglaise [884]. La
cargaison tout entière était en général considérée comme la propriété du
capitaine; elle consistait pour l'importation, en légumes, houblon, poisson,
garance, savon; à l'exportation, on note une certaine variété suivant les ports :
à Ipswich, on remarque des peaux et des bûches; à Yarmouth, des céréales,
des toisons de basse qualité, du fromage; à Lynn, des peaux, des chandelles,
de la viande; à Hull et Scarborough, du plomb, des céréales; enfin, partout
on constate que parfois un marchand indigène embarquait des draps dans
un bateau bourguignon.

Newcastle entretenait des relations très suivies avec les pays de par-deçà.
Car, s'il est pratiquement impossible de déceler l'origine ou la destination des
bateaux anglais au départ des ports de la côte orientale de l'Angleterre,
Newcastle fait exception. En vertu de ses privilèges, il lui était permis,
nous l'avons déjà souligné, d'exporter des laines de basse qualité du Nord
du pays vers Bruges ou Middelbourg. Les sujets de Philippe le Bon de leur
côté y développaient un commerce actif d'un genre différent de celui des
autres ports. Voyons d'abord l'importance de la participation bourguignonne
au trafic portuaire; du 20 mars 1465 au 9 avril 1466, 39 bateaux entrèrent
à Newcastle; parmi eux, on dénombre 21 bourguignons : neuf hollandais [885],
sept zélandais [886], deux brabançons [887], trois boulonnais; à la sortie, sur
cinquante-trois navires, trente-trois étaient bourguignons : seize hollandais [888], douze zélandais [889], deux brabançons [890] et trois boulonnais [891]. Les

---

[881] 15 de Vere, 4 de Middelbourg, 1 de Goes, 4 de Westenschouwen.

[882] De Brouwershaven.

[883] De Dunkerque. p.r.o., *C.A.*, E 122/62/5, /7, /9.

[884] On peut le constater en comparant les cargaisons. M.G.V. SCAMMELL (« English
merchant shipping at the end of the middle ages », *Economic History Review*, 2nd
series, vol. XIII, 1961, pp. 333-334) considère que le tonnage des bateaux fréquentant
les ports de la côte orientale de l'Angleterre a diminué à la fin du xvᵉ siècle et était
moins élevé par unités qu'au début du siècle.

[885] 5 de Gouda, 2 de La Brielle, 1 d'Amsterdam, 1 de Haarlem.

[886] 1 de Goes, 3 de Vere, 1 de Middelbourg, 2 de Zierikzee.

[887] D'Anvers.

[888] 1 de Kampen, 8 de Gouda, 2 d'Amsterdam, 2 de Dordrecht, 3 de La Brielle.

[889] 7 de Vere, 1 de Westkapelle, 2 de Goes, 1 de Middelbourg, 1 de Zierikzee.

[890] D'Anvers.

[891] p.r.o., *C.A.*, E 122/107/57. M.G.V. SCAMMELL (« English merchant shipping »)
considère que le tonnage total des bateaux entrés et sortis de Newcastle à cette époque
montait à 8.000 tonnes. Il considère qu'un chaudron de charbon équivaut à deux tonneaux.
Les 33 bateaux bourguignons ayant exporté 1.089 chaudrons (voir p. 218), auraient
possédé ensemble une jauge de 2.178 tonneaux, c'est-à-dire une moyenne de 66 tonneaux
par bâtiment, ce qui est très honorable. M. Scammell applique par analogie les mêmes

Bourguignons apportaient à Newcastle, en plus des produits habituels, du sel (surtout les Boulonnais), de la bière [892] et du blé, chose d'autant plus étonnante qu'ils en exportaient des ports voisins; on peut donc se demander s'ils ne faisaient pas du cabotage entre Hull et Newcastle; ils exportaient de la houille. Ainsi, depuis Chichester jusqu'à Newcastle, tous les ports des côtes méridionale et orientale de l'Angleterre étaient fréquentés par la flotte bourguignonne. Les Zélandais se révélèrent comme les plus actifs, suivis semble-t-il d'assez loin par les Hollandais; les Flamands se rendaient surtout dans les havres les plus proches de leurs côtes. Les bateaux zélandais les plus grands fréquentaient Londres tandis que les plus petits abordaient dans tous les ports. On remarque que le rôle d'Amsterdam dans ce commerce actif était particulièrement effacé et que les Hollandais et les Zélandais apparaissaient en Angleterre comme des transporteurs d'un type particulier : ils se contentaient de charger leurs bateaux, sur les côtes néerlandaises, de biens appartenant à des Bourguignons, à des Anglais ou à des Hanséates, mais n'effectuaient que rarement des transports entre l'Angleterre et un pays étranger. Enfin, le courant commercial issu des grands marchés bourguignons n'atteignait guère que le port de Londres et celui de Sandwich dans une plus faible mesure.

*
**

La piraterie [893] régnait à l'état endémique au xve siècle avec un peu moins de virulence en temps de paix qu'en temps de guerre. La course était admise uniquement en cas d'hostilités, mais en Angleterre, une flotte de sauvegarde se livra vers le milieu du siècle, en pleine paix, à une véritable guerre de course. Nous allons essayer de décrire la situation, tout d'abord au moment du conflit anglo-bourguignon et puis au cours des années qui suivirent.

jauges aux bateaux fréquentant les autres ports de la côte orientale anglaise, mais les navires qui abordaient à Newcastle, destinés à charger des matières pondéreuses, n'étaient-ils pas plus grands que ceux qui ne prenaient à leur bord que des marchandises plus légères ? M. Scammel a dressé un tableau (p. 341) des bateaux anglais, « *aliens* », et de leur tonnage supposé, qui fréquentaient la côte orientale anglaise. Au sujet des appréciations de tonnage, nous avons dit ce que nous en pensions, mais M. Scammell a déterminé d'une façon peut-être un peu sommaire la « nationalité » des navires dans certains comptes où l'origine des bâtiments n'est pas toujours indiquée, ce que nous nous sommes refusée à tenter; soulignons aussi que nos chiffres ne correspondent pas avec les siens (pour Lynn notamment, il note 51 bateaux entrés et sortis au port en 1464-65 dont 32 « *aliens* »). Du 11 mars 1461 au 16 janvier 1462, sur quatre entrées à Newcastle, on compte un bateau de Hornes et un de Dordrecht; sur douze sorties, trois bateaux de Vere, deux de Dordrecht, un de Brouwershaven et un d'Ostende (P.R.O., *C.A.*, E 122/107/53)

[892] Nous avons trouvé quelques importations de bière à Newcastle, seul port où les Bourguignons en amenaient; faut-il voir une relation entre ce fait et l'importation de céréales ?

[893] Nous n'avons pas voulu dans ce chapitre énumérer tous les cas de course et piraterie qui sont parvenus jusqu'à nous. Nous avons simplement essayé de dégager les grandes caractéristiques.

Le « *Libelle of Englyshe Policye* », peu après le siège de Calais, soulignait qu'il suffisait de garder la Manche pour paralyser tout le commerce flamand [894]. Aussi, dès avant la déclaration de guerre, les bateaux à destination de la Flandre étaient-ils interceptés [895]. Henri VI délivra un peu plus tard des lettres de course [896] et supprima le statut « *sur les briseurs de trêve* » qui interdisait la piraterie [897].

Philippe le Bon octroya lui aussi des lettres de course notamment à Johan Johanson de Noordwijk, un pirate notoire qui avait ravagé pendant de longues années les côtes anglaises et écossaises, et à Looper Pieterson dont le bateau avait été attaqué par des Anglais alors qu'il revenait de La Rochelle [898].

La guerre maritime se limita à la Flandre, seule considérée comme belligérante par les Anglais [899]. Les bateaux, venant de Flandre ou chargés de marchandises en provenant, étaient arrêtés en application de la prohibition des importations flamandes [900], tandis que les Flamands essayaient de s'emparer des bâtiments se rendant en Angleterre ou chargés de biens anglais [901]. Après le siège de Calais, la flotte flamande commandée par l'amiral Simon de Lalaing intercepta même un navire anglais dans le Marsdiep [902].

---

[894] *Libelle of Englyshe Policye*, éd. G. Warner, p. 54.

[895] On arrêta notamment des bateaux portugais : voir p. 77.

[896] Par exemple à W. Milreth et Th. Canynges, marchands de Londres, qui pouvaient faire la course pendant un mois avec trois bateaux (une barge et deux baleinières) : *Calendar of Patent Rolls, 1436-1441* : 17 mai 1437.

[897] *Statutes of the Realm*, t. II, pp. 293-294; le statut contre les briseurs de trêve (H.V.2., c'est-à-dire 1414) était suspendu pour une durée de sept ans; de plus des biens appartenant à des étrangers amis pris à bord de navires ennemis pouvaient être conservés par les corsaires. Voir aussi p. 77.

[898] Des lettres de course furent également délivrées à Claes Muys, de Dordrecht, à Simon Tedinck et à Meeus Jan Bettenz., d'Amsterdam; voir G. VON DER ROPP, *opus cit.*, t. I, p. 468 : 8 février 1436; H.J. SMIT, *opus cit.*, t. II, p. 671, n° 1081 : 22 avril 1436; pp. 672-673, n° 1085 : 24 mai 1436; p. 675, note 1 : 9 juillet 1436.

[899] Voir p. 112.

[900] Henri VI avait prohibé les importations venant de Flandre, le 8 septembre 1436 (T. RYMER, *opus cit.*, t. X, p. 654); cette défense fut strictement maintenue (G. VON DER ROPP, *opus cit.*, t. II, p. 20 : 10 décembre 1436). Un bateau d'Arnemuiden chargé de garance d'origine flamande fut arrêté le 2 décembre 1436 par les Anglais (P.R.O., K.R., *Memoranda Rolls*, E 159/215).

[901] Les Flamands arrêtèrent en 1436 un bateau de Dordrecht chargé de biens hanséates à destination de l'Angleterre (*Hansische Urkundenbuch*, t. VIII, p. 13). Sortant du port de L'Ecluse, certains corsaires s'emparèrent de bateaux mouillés en rade de Zélande et les emmenèrent en Flandre sous prétexte qu'ils étaient chargés de biens anglais (H.J. SMIT, *opus cit.*, t. II, p. 689, n° 1116: 1er février 1438; p. 709, n° 1141 · 3 décembre 1438).

[902] H.J. SMIT, *opus cit.*, t. II, p. 681, n° 1101 : 26 avril 1437.

Les navires hollandais et zélandais reçurent de Henri VI des sauf-conduits spéciaux pour échapper aux corsaires anglais qui poursuivaient les navires flamands[903]. Quant à Philippe le Bon, il ne s'inquiéta des voyages de ses sujets hollandais et zélandais en Angleterre qu'au moment où les hostilités battaient leur plein[904]; par la suite, ils furent libres de poursuivre leurs relations commerciales.

Malgré la bonne amitié que le roi d'Angleterre désirait entretenir avec la Hollande et la Zélande, des bateaux originaires de ces deux comtés étaient parfois attaqués et coulés[905]. C'est ainsi que Dordrecht reprochait aux Anglais la capture de plusieurs bateaux; aussi, le duc donna-t-il à la ville elle-même des lettres de course[906].

Quant aux navires neutres, leurs capitaines, soucieux d'échapper à la guerre de course, sollicitaient des sauf-conduits des autorités anglaises. Les galères génoises naviguèrent sous cette protection entre l'Angleterre et la Flandre[907].

En 1442, une flotte de « sauvegarde » de la mer fut créée en Angleterre. Elle comprenait vingt-huit navires attachés aux ports de Londres, Bristol, Newcastle, Plymouth, Weymouth, Winchelsea, Hastings, Hull et Falmouth. Ces bâtiments étaient montés par 2.260 hommes. Ils appartenaient à de grands seigneurs apparentés aux membres du Conseil royal[908]. Cette flotte, au lieu de faire régner l'ordre et de protéger les navires marchands contre les pirates, se livra bientôt à une véritable guerre de course contre tout navire qui lui paraissait de bonne prise. Elle contribua à renforcer le climat d'insécurité qui régnait le long des principales routes maritimes : celle qui, venant de Gascogne, suivait les côtes de Bretagne et passait au sud de l'Angleterre pour aboutir aux Bouches de l'Escaut et celle qui, partant des ports

---

[903] H.J. Smit, *opus cit.*, t. II, p. 676, n° 1094 : 17 octobre 1436; p. 680, n° 1097 : 12 janvier 1437; p. 681, n° 1099 : 8 mars 1437; p. 689, n° 1115 : 24 janvier 1438. Des marchands anglais obtinrent également des sauf-conduits du roi pour se rendre en Hollande (H.J. Smit, *opus cit.*, t. II, p. 675, n° 1091 :7 août 1436 et p. 676, n° 1093 : 10 août 1436).

[904] H.J. Smit, *opus cit.*, t. II, p. 674, n° 1089 : 23 juillet 1436; p. 679, n° 1095 : 17 juin 1436; p. 672, n° 1084 : 17 mai 1436.

[905] H.J. Smit, *opus cit.*, t. II, p. 693, n° 1123 : 24 mai 1438; *Calendar of Patent Rolls, 1436-1441*, p. 199.

[906] H.J. Smit, *opus cit.*, t. II, p. 703, n° 1135 : 23 juillet 1438; E. Scott et L. Gilliodts van Severen, *opus cit.*, p. 436.

[907] H.J. Smit, *opus cit.*, t. II, p. 694, n° 1124 : 30 mai 1438.

[908] *Rotuli Parliamentorum*, t. V, p. 59. Voir ce qu'en dit M.M. Postan dans E. Power et M.M. Postan, *opus cit.*, p. 126.
Citons parmi les grands seigneurs qui se livraient à la course : Talbot (voir ici même p. 337 n. 915), Edouard Courtenay, fils de Thomas comte de Devon (il fut convoqué vers 1445 devant l'Echiquier pour faits de piraterie, voir p.r.o., *Exchequer, K.R.*, E 159/222), le comte d'Exeter Henry Holland (H.J. Smit, *opus cit.*, t. II, p. 885, n° 1370).

bourguignons et de Londres, se dirigeait vers les détroits de la Baltique pour gagner la Prusse.

Une âpre concurrence s'exerçait le long de ces voies[909]. Elles étaient fréquentées depuis longtemps par la flotte hanséate mais les Anglais et les Hollandais et Zélandais essayaient de briser ce monopole. La Hanse se défendait énergiquement; les Anglais luttaient pour conserver à Dantzig une importante compagnie marchande qui devait disparaître dans la seconde moitié du siècle. Les Hollandais et Zélandais pénétraient également dans la Baltique en qualité de transporteurs et se livraient même à un certain commerce actif[910].

Les « *Wendische Städte* » s'efforcèrent d'éliminer ces concurrents. Ceux-ci empruntaient les détroits alors que Lubeck tirait la majorité de ses ressources du transbordement des marchandises par voie de terre de la Baltique à la mer du Nord.

Chaque année, un important convoi de la Hanse fort d'une centaine de navires s'en allait chercher du sel à la Baie de Bourgneuf; des nefs bourguignonnes s'y joignaient. Cette flotte constituait un objectif de choix pour les corsaires et pirates bretons et aussi pour la flotte de sauvegarde anglaise.

Mais voyons les faits. Lorsque, en 1438, le traité qui liait la Hollande et la Zélande aux « *wendische Städte* » expira, il se développa aussitôt une guerre de course qui eut quelques incidences sur le trafic maritime anglais[911]. Profitant de l'occasion, une flotte de quatorze bateaux anglais dépouilla de leurs vivres, en 1438, quelques corsaires hollandais qui sortaient du port de Schiedam à la recherche de bateaux hanséatiques[912].

L'année suivante, cinq bateaux, trois d'Amsterdam et deux de Westenschouwen, attaquèrent une hourque anglaise qui revenait de la Baltique, la croyant chargée de biens hanséates; comme les marchandises appartenaient à des Anglais, il fallut rendre le vaisseau et la cargaison[913]. Peu après, un

[909] Au sujet des relations anglo-hanséatiques voir M.M. Postan, « The economic and political relations of England and the Hanse (1400-1475) », dans E. Power et M.M. Postan, *opus cit.*, pp. 91-153; E. Daenell, *opus cit.*, t. I, pp. 1-35; F. Schulz, *Die Hanse und England, von Eduards III bis Heinrichs VIII Zeit*, Berlin, 1911, pp. 69-106.

[910] Lors de la saisie des biens anglais à Dantzig, en 1449, un marchand de Middelbourg, qui s'y trouvait également, eut ses biens confisqués (H.A. Poelman, *Bronnen tot de Geschiedenis van den Ostzeehandel*, La Haye, 1917, t. I, p. 70, n° 1964; H.J. Smit, *opus cit.*, t. II, p. 869, n° 1345, note 1).

[911] Voir l'article de T.S. Jansma, déjà cité : « Philippe le Bon et la guerre hollandowende » et du même : « Holland en Zeeland onder de Bourgondische hertogen, 1433-1477 », *Algemene Geschiedenis der Nederlanden*, t. III, pp. 321-322; E. Daenell, *opus cit.*, t. I, pp. 288 et suivantes.

[912] H.J. Smit, *opus cit.*, t. II, p. 780, n° 1251 : 9 mai 1438.

[913] H.J. Smit, *opus cit.*, t. II, p. 719, n° 1157 et note 1 : 10 juillet 1439.
La même année, des corsaires hollandais et zélandais s'emparèrent de bateaux hanséates parmi lesquels se trouvaient quelques navires anglais; ils les amenèrent dans le Marsdiep; il fallut délivrer les bâtiments anglais (H.A. Poelman, *opus cit.*, t. I, p. 370, n° 1399 : 28 juillet 1439).

grave incident mit aux prises un convoi anglais et des corsaires hollandais au large du cap Skagen. Onze navires anglais revenant de Prusse furent surpris par cinq puis par onze bateaux d'Amsterdam; un engagement s'ensuivit; cinq nefs anglaises furent endommagées. Pour éviter plus de dégâts, le commandant de la flotte anglaise offrit aux corsaires de leur montrer les « chartes-parties » pour qu'ils puissent s'emparer des biens hanséates. Malgré cela, les Hollandais décidèrent d'amener à Amsterdam toute la flotte anglaise comme butin; ils l'accusaient, en effet, d'avoir protégé un navire de Lubeck au cours de l'action. La prise était d'autant plus grave que le duc de Bourgogne avait promis de ne pas gêner le trafic des Anglais vers la Prusse [914].

La flotte de sauvegarde anglaise exerçait ses méfaits le long de la route qui menait à la Baie de Bourgneuf. Les nefs de Lord Talbot s'emparèrent, en 1443, de deux bateaux d'Anvers chargés de sel qui cherchaient protection sur les côtes de Cornouailles et du Hampshire [915]. Une véritable bataille navale mit d'ailleurs aux prises cette même année Hanséates, Anglais et Hollandais dans la Baie de Bourgneuf même [916].

C'est aussi la flotte de sauvegarde qui attaqua, en 1449, le convoi qui revenait de la baie de Bourgneuf. Les conseillers du roi, lord Say, Thomas Daniel et John Trevelyan portaient la responsabilité de l'affaire. Nous l'avons déjà dit, une centaine de bateaux furent capturés; les navires bourguignons furent relâchés, tandis que les navires hanséates, sans plus de raison, furent confisqués et leurs cargaisons partagées entre les corsaires. En représailles, la colonie anglaise de Dantzig fut emprisonnée et perdit ses biens, mais si Dantzig et les villes prussiennes avaient pu, de cette façon, compenser leurs pertes, il n'en allait pas de même des « Wendische Städte », conduites par Lübeck. Cette ville déclencha aussitôt une guerre maritime contre l'Angleterre en fermant les détroits de la Baltique. Dans les pays bourguignons, les biens anglais furent arrêtés mais il fut expressément

[914] H.J. SMIT, opus cit., t. II, pp. 722-723, n° 1163 et note I, p. 723 : 10 septembre 1439. Signalons aussi la prise par des gens d'Amsterdam d'un crayer anglais dans le port de Malö en Norvège alors qu'il se dirigeait vers la Prusse. L'équipage dut prouver que les biens à bord n'appartenaient pas à des Hanséates (H.J. SMIT, opus cit., t. II, pp. 750-751, n° 1212, et note I, p. 751 : 25 février 1441).

[915] P.R.O., Special collections I, Ancient Correspondance, vol. 67, n° 721 : 14 février 1445. Le bateau de Jan Valcke d'Anvers fut attaqué par les hommes de Talbot alors qu'il sortait du port de Wight où il s'était abrité; il fut conduit à Portsmouth où sa cargaison de sel et les gréements de son navire furent vendus. La nef de Corneille Janssone, également d'Anvers, fut prise par d'autres bateaux de Talbot, sur les côtes de Cornouailles et menée dans un petit port où son chargement de sel fut vendu.

[916] H.J. SMIT, opus cit., t. II, p. 811, n° 1270, note 1; H.A. POELMAN, opus cit., t. II, p. 562, n° 1827; pp. 570-571, n° 1829; pp. 637 et suivantes, n° 1853; pp. 658-660, n° 1869.

défendu de courir sus aux navires anglais[917]. A nouveau, en 1453, les corsaires de la flotte de sauvegarde, sous le commandement de lord Bonneville, s'emparèrent de bâtiments bourguignons revenant en convoi de la Baie. En conséquence, les biens anglais furent confisqués dans les pays de par-deçà[918]. Quatre ans plus tard, la flotte hanséate fut à nouveau capturée[919]. En 1456, Philippe le Bon fut contraint d'avertir les marins zélandais, hollandais et frisons qu'il ne fallait plus attacher aucune valeur aux sauf-conduits anglais qui leur avaient été délivrés[920].

Les Hollandais et Zélandais ne craignaient pas non plus d'exécuter un coup de main contre la flotte anglaise dans les mêmes parages. En 1440, neuf navires hollandais guettèrent sur la côte méridionale de l'Angleterre cinq nefs anglaises qui partaient pour la croisière du sel[921]; en 1458, un capitaine zélandais ne dédaigna pas de s'emparer d'un bateau ancré près de Belle-Isle et dont la cargaison appartenait à un marchand de Bristol[922].

Les sujets normands du roi d'Angleterre, qui hantaient les mêmes eaux, souffrirent aussi des attaques des pirates hollandais et zélandais; il fallut payer en 1442, 2.073 3/4 nobles à plusieurs Normands en guise de réparations[923].

Enfin, les Bretons et les Dieppois ne manquaient pas d'attaquer les bâtiments qui passaient au large de leurs côtes. Ils prenaient prétexte des opinions du moment de leur seigneur, le duc de Bretagne. Lorsque celui-ci était en guerre avec Henri VI, ils s'emparaient des navires anglais; lorsqu'en

---

[917] Voir p. 154 et M.M. Postan dans E. Power et M.M. Postan, pp. 128-131.

[918] Voir p. 160; H.J. Smit, opus cit., t. II, p. 899, nº 1401 : 12 janvier 1454; p. 903, nº 1412; p. 916, nº 1430; p. 919, nº 1436; L. Gilliodts van Severen, Cartulaire de l'ancienne Estaple, t. II, p. 23 : 16 janvier 1454; a.d.n., R.G.F., nº B 2012, fº 246, nº B 2017, fº 164 et B 2020, fº 215 : 21 novembre - 22 décembre 1454; nº B 2019/61460 : 6 novembre 1454.

[919] M.M. Postan dans E. Power et M.M. Postan, opus cit., pp. 131-132; la capture fut faite par Warwick. Signalons encore quelques prises de bateaux bourguignons par des Anglais le long de cette route : en 1439, une hourque de Hornes chargée de vin et de sel (H.J. Smit, opus cit., t. II, p. 791, nº 1257, § 2); en 1457, trois bateaux zélandais revenant de La Rochelle et chargés de 160 tonnes de vin et de sel furent pris par des Anglais, alors qu'ils se trouvaient à l'ancre devant les Downs (Calendar of Patent Rolls, 1452-1461, p. 411; H.J. Smit, opus cit., t. II, p. 942, nº 1476); en 1460, un bateau de Dordrecht qui revenait de Bordeaux avec une cargaison de vin appartenant à des Anglais fut pris par des corsaires de la flotte de sauvegarde, alors qu'il faisait route vers Bristol (H.J. Smit, opus cit., t. II, p. 955, nº 1501; Calendar of Patent Rolls, 1452-1461, pp. 612 et 649).

[920] H.J. Smit, opus cit., t. II, p. 931, nº 1457.

[921] H.J. Smit, opus cit., t. II, p. 745, nº 1200 : 16 novembre 1440; Calendar of Patent Rolls, 1436-1441, p. 502.

[922] H.J. Smit, opus cit., t. II, p. 945, nº 1482 : 14 août 1458. Pour les conséquences de cette capture, voir p. 343.

[923] H.J. Smit, opus cit., t. II, p. 771, nº 1243; Calendar of Patent Rolls, 1441-1446, p. 105.

revanche il était en mésintelligence avec le roi de France, ils menaient une guerre de course contre les navires français et contre les bateaux de leurs alliés. Aussi, en 1439, les Hollandais et Zélandais étaient-ils en guerre avec les Bretons. Ils assaillirent un convoi formé de bateaux bretons qui se révélèrent chargés de biens anglais; deux nefs appartenant à Lord Talbot furent capturées en même temps, événement particulièrement pénible à un moment où les deux comtés désiraient absolument conserver des relations amicales avec l'Angleterre [924]. En 1441, Dieppe menait une guerre de course contre l'Angleterre; les corsaires s'emparèrent d'une nef de Dordrecht sous prétexte qu'elle portait des marchandises appartenant à des Anglais, alors qu'elle était chargée de biens appartenant à des Colonais et destinés à l'Angleterre [925].

Une autre route, celle de l'Islande était également peu sûre. L'étape du stockfish islandais se trouvait à Bergen en Norvège; or, cette ville était pratiquement sous l'influence des Hanséates des « Wendische Städte ». Depuis le début du xvᵉ siècle, les pêcheurs et marchands anglais fréquentaient l'Islande portant ainsi ombrage à l'étape de Bergen [926]. Il ne faut donc pas s'étonner que, au cours de la guerre qui opposa la Hollande et la Hanse, des Anglais et des Hanséates attaquèrent de concert la « Marieknight » d'Amsterdam dans le port de Dalkey en Irlande comme elle revenait d'Islande avec une cargaison de stockfish [927].

La guerre, qui sévissait à l'état permanent entre l'Ecosse et l'Angleterre, fit également quelques victimes dans la flotte bourguignonne [928].

Enfin, le simple voyage de Bergen-op-Zoom à l'embouchure de la Seine était périlleux. Deux bateaux de Bergen-op-Zoom chargés de garance, de cuivre et de savon furent dépouillés de leurs cargaisons par un navire de la flotte de Warwick basée à Calais, alors qu'ils passaient, en 1466, au large de la ville. Au retour, à leur sortie de la Seine, l'équipage d'un bâtiment de Sandwich leur enleva vingt-cinq tonnes de froment [929].

Le cabotage le long de la côte orientale de l'Angleterre n'était pas plus sûr. Des corsaires, serviteurs de sir John Neville, c'est-à-dire faisant partie de la flotte de sauvegarde, attaquèrent, en 1449, et s'emparèrent d'un convoi

---

[924] H.J. Smit, opus cit., t. II, p. 721, n° 1162; p. 736, n° 1188.

[925] H.J. Smit, opus cit., t. II, p. 753, n° 1217; L. Gilliodts van Severen, Cartulaire de l'ancienne Estaple, t. I, p. 641 : 14 mai 1441.

[926] Au sujet du commerce islandais, voir E.M. Carus-Wilson, « The Iceland trade » dans E. Power et M.M. Postan, opus cit., pp. 155-182, et E.M. Carus-Wilson, « The Iceland venture », dans Medieval merchant venturers, collected studies, Londres, 1954, pp. 98-142.

[927] H.J. Smit, opus cit., t. II, p. 714, n° 1148 : 4 mars 1439.

[928] Une nef d'Amsterdam fut prise, en 1436, dans le Firth of Forth par vingt-deux navires anglais; elle fut coulée par l'un d'eux (H.J. Smit, opus cit., t. II, p. 787, n° 1254).

[929] g.a.b.o.z., C.P., 1465-1471, f° 11 v°.

de six bateaux faisant route vers Lynn; il était composé d'un navire de L'Ecluse, d'un de Bergen-op-Zoom, un de Goes, deux de Westenschouwen et un de Zierikzee [930]. Ce sont ces multiples agressions de la flotte de sauvegarde anglaise qui déterminèrent, vers les années 1442-1443, l'octroi par Henri VI de sauf-conduits aux bateaux flamands [931], et à des capitaines hollandais ou zélandais [932]. Plus tard, en 1464, les pêcheurs flamands furent encore importunés par les navires de guerre anglais de sorte qu'ils n'osaient plus s'aventurer sur mer « *zonder andre provisie ende vorzienichede* », c'est-à-dire sans protection efficace [933].

A côté de la véritable guerre navale dont il a été question jusqu'ici, où les neutres souffraient autant que les belligérants, régnait une autre forme de course, celle qui naissait uniquement des représailles commerciales. Dans ce cas, l'usage des lettres de course équivalait à celui des lettres de marque.

Nous en connaissons plusieurs exemples, comme celui de John Pigot, qui avait eu à se plaindre des pirates de Rotterdam et fit la course en représailles. Il est évident qu'il était bien difficile de conserver dans ce cas la juste mesure. Le corsaire Pigot possédait en réalité des mœurs de pirate : il envoya par le fond une busse chargée de biens hanséates et s'empara même d'un marchand de Hornes réfugié dans l'église de Gravesend; entraîné dans les champs, ce dernier fut dépouillé de tous ses biens [934].

La piraterie pure et simple fleurissait donc aussi. Les pirates étaient d'une audace extraordinaire. Ils s'attaquaient aux navires abrités dans les ports : à Hull, le bateau de Symon Albert de Haarlem fut pillé, en 1438, alors qu'il était à l'ancre [935]. Ils n'hésitaient pas à infester l'estuaire de la Tamise et le Hont. En 1437, un Anglais captura un bâtiment de Rotterdam « *upten stroem van Zeeland* », c'est-à-dire dans les eaux territoriales zélandaises du Hont [936]; vers la même époque, un nommé John Campe faisait des ravages dans l'estuaire de la Tamise. Ces pirates ne reculaient pas devant le meurtre et l'assassinat : John Campe avouait avoir tué les équipages d'une nef

[930] H.J. SMIT, *opus cit.*, t. II, p. 873, n° 1352 : 10 octobre 1449.

[931] Dès septembre, le roi délivrait ces sauf-conduits; le motif invoqué était que, malgré l'entrecours, on n'oserait se risquer sur mer « *doubtant les empeschemens qui faitz et donnéz lui pourroient estre par autres noz vesseaulz et subgets* » (P.R.O., *Treaty Rolls*, C 76/124/m. 24 : 3 septembre 1441). Ces sauf-conduits se trouvent « enrollés » dans les *Treaty Rolls*, C 76/124 à 126. Voir aussi pp. 311-312.

[932] Voir par exemple H.J. SMIT, *opus cit.*, t. II, p. 790, n° 1256.

[933] A.G.R., *Comptes d'Ypres*, C.C., n° 38688, f° 10 v° : 3 septembre 1464; *Comptes du Franc*, C.C., n° 42574, f° 49 : 23 juillet 1464.

[934] H.J. SMIT, *opus cit.*, p. 786, n° 1254; p. 795, n° 1257 : vers 1437 et 1440.

[935] H.J. SMIT, *opus cit.*, t. II, p. 798, n° 1259.

[936] H.J. SMIT, *opus cit.*, t. II, p. 688, n° 1114.

d'Haarlem et d'un bateau hollandais [937]. Le procédé le plus courant consistait à emprisonner le capitaine et à exiger rançon : Nicolas Struyck de Rotterdam fut détenu pendant un an à Winchelsea; son bateau avait été attaqué alors qu'il arrivait de Calais avec une charge de harengs [938]. Jan Heyneson de Hornes paya, en 1426, quarante-deux nobles à celui qui avait capturé sa nef dans les Wielingen [939], et il fallut soixante nobles, en 1438, pour délivrer un bourgeois d'Amsterdam des mains des pirates de Calais [940].

Les dangers pouvaient fondre de différents côtés sur un même navire. A peine avait-il échappé à l'un qu'il pouvait succomber à l'autre. En 1430, un vaisseau de Rotterdam se rendait de Saint-Omer à Londres; il fut attaqué à la hauteur de Douvres par les Bretons qui déposèrent l'équipage près de Sandwich laissant le bateau à la garde d'un seul marin hollandais. Le bâtiment fut aussitôt capturé par des pêcheurs anglais qui forcèrent l'homme à pêcher avec eux pendant cinq semaines [941]. Encore un exemple : un bateau de Hornes fut arraisonné par des pirates anonymes qui le conduisirent à l'embouchure de la Tyne. Là, ils furent mis en fuite par des Anglais qui s'emparèrent à leur tour de la nef hollandaise [942].

Du côté bourguignon, des pirates aussi sillonnaient la mer du Nord. Un nommé Lannequin s'en prenait, en 1445, aux navires anglais [943]. Les « galées » de Philippe le Bon capturaient parfois un « escumeur de mer », mais leur action ne semble pas avoir été très efficace [944]. Des villes comme La Brielle mirent aussi sur pied des flottes pour combattre les pirates [945].

Lors de l'expiration de la suspension du statut sur les « briseurs de trêves » en 1442, le roi prit la décision que personne ne pourrait être puni pour l'avoir enfreint [946]. Cela équivalait à sa suppression pure et simple. En 1453, les Communes réclamèrent en vain son rétablissement [947]. Enfin, l'impunité était presque acquise au pirate le plus endurci. Contre argent

---

[937] H.J. SMIT, opus cit., t. II, p. 733, n° 1182; Calendar of Patent Rolls, 1436-1441, p. 403.
Un autre cas où le capitaine et cinq membres de l'équipage d'un bateau de Haarlem furent tués et où, après pillage, la nef fut coulée en 1439, est signalé dans H.J. SMIT, opus cit., t. II, p. 797, n° 1259. Signalons encore qu'en 1462, une nef chargée de froment ancrée dans la Tamise fut dépouillée de sa cargaison appartenant à un Flamand (Calendar of Patent Rolls, 1461-1467, p. 101).

[938] H.J. SMIT, opus cit., t. II, p. 778, n° 1251 : 8 décembre 1442.

[939] H.J. SMIT, opus cit., t. II, p. 790, n° 1257.

[940] H.J. SMIT, opus cit., t. II, p. 785, n° 1254; il s'agit de Gerardus Johannes.

[941] H.J. SMIT, opus cit., t. II, p. 781, n° 1251.

[942] H.J. SMIT, opus cit., t. II, pp. 790-791, f° 1257 : 1420.

[943] A.D.N., R.G.F., n° B 1988, f° 125 v°.

[944] Capture d'un pirate anglais en 1449 : A.D.N., R.G.F., n° B 2002, f° 145.

[945] H.J. SMIT, opus cit., t. II, p. 939, n° 1472 : 13 août 1457.

[946] Statutes of the Realm, t. II, p. 324.

[947] Rotuli Parliamentorum, t. V, pp. 244, 268.

comptant, on obtenait facilement du roi un pardon général des offenses contre la loi, meurtres et assassinats compris [948]. Il s'agissait d'une véritable absolution légale. Un emprisonnement ne durait jamais longtemps; il suffisait d'offrir une caution pour être libéré; la confiscation du bateau était rarement appliquée [949]. D'ailleurs, si l'on en croit les Hollandais, aucune plainte soumise à la juridiction anglaise à propos des prises n'avait de chance d'être agréée, que l'on s'adressât aux instances locales ou même au Conseil royal [950].

En Hollande et en Zélande, les châtiments en cas de piraterie paraissent avoir été peu appliqués; nous ne connaissons qu'un seul exemple de bannissement à vie [951].

A côté des dangers que faisaient courir corsaires et pirates aux bateaux, les équipages devaient encore lutter contre les éléments et les risques dus à des procédés encore primitifs de navigation. L'échouage comptait parmi ceux-ci; il était assez fréquent. On naviguait au jugé, en faisant du cabotage, et l'absence de cartes et la rareté des instruments nautiques entraînaient une méconnaissance des bancs de sable, des fonds et des profondeurs [952]. Les droits d'épaves et de bris appartenaient au seigneur du lieu, mais les habitants des côtes s'attribuaient les épaves aux mauvais jours. Ainsi, en 1440, un bateau d'Amsterdam se perdit sur les côtes du Pays de Galles et le roi dut ordonner une enquête pour connaître le sort des biens récupérés [953]. Des marchands de Newcastle firent naufrage sur les côtes de

[948] Le pirate John Campe, des exploits duquel nous avons déjà parlé à la p. 340, reçut pareil pardon (H.J. SMIT, opus cit., p. 733, n° 1182 : 28 mars 1440; Calendar of Patent Rolls, 1436-1441, p. 403).
Un pirate, William Morfote, échappé de la prison de Douvres, obtint son pardon en 1435 à la suite d'une pétition remise à la session d'octobre du Parlement (Rotuli Parliamentorum, t. IV, p. 489).

[949] Pour les emprisonnements, voir H.J. SMIT, opus cit., t. II, p. 951, n° 1493 et p. 973, n° 1531; Calendar of Patent Rolls, 1461-1467, p. 231. Pour la saisie des bateaux : Calendar of Patent Rolls, 1467-1477, p. 29; H.J. SMIT, opus cit., t. II, p. 1010, n° 1567.

[950] Voir notamment les plaintes des villes d'Amsterdam et Haarlem (H.J. SMIT, opus cit., t. II, p. 783, n° 1254; p. 797, n° 1259). Lorsqu'une plainte était déposée, le roi nommait une commission chargée d'enquêter et de se saisir du coupable (voir par exemple : Calendar of Patent Rolls, 1446-1452, pp. 186 et 834; 1452-1461, pp. 118, 348; H.J. SMIT, opus cit., p. 982, n° 1541). Il semble que ce procédé n'ait pas été efficace.

[951] Peine encourue par le Zélandais Jan van Schengen et ses complices pour avoir attaqué des bateaux anglais malgré la défense du Conseil de Hollande (H.J. SMIT, opus cit., t. II, p. 845, n° 1306 : 1er avril 1446).

[952] Les rares cartes existantes étaient d'origine méditerranéenne et ne pouvaient être utilisées sous nos latitudes; voir D. BURWASH, opus cit., pp. 6-7.

[953] H.J. SMIT, opus cit., t. II, p. 744, n° 1197 : 30 octobre 1440; Calendar of Patent Rolls, 1436-1441, p. 501.

Hollande en 1452; leurs biens furent confisqués au profit du duc mais, après de multiples démarches, ils en récupérèrent une partie[954].

Les prises de navires entraînaient comme réaction l'arrestation des marchands dans le pays dont les marins avaient souffert de la course ou de la piraterie. Ces arrestations s'opéraient de différentes façons. Elles étaient décrétées par l'autorité et s'étendaient au groupe de marchands tout entier à la suite d'un dommage important subi par les sujets du prince. Ce fut le cas, en 1449, dans les pays de par-deçà pour la prise de la flotte revenant de la Baie[955] et, en 1454, également pour la capture de bateaux rentrant de La Rochelle[956].

Parfois, lorsque le délit n'avait lésé qu'une seule ville, les autorités locales saisissaient les biens et les navires originaires du même pays que les corsaires ou pirates dont elle avait à se plaindre. C'est ainsi que les bateaux hollandais et zélandais furent arrêtés, en 1458, à Bristol à la suite de la prise par un Zélandais d'un bateau chargé de biens appartenant à un bourgeois de Bristol[957]; ou encore, lorsque le dommage avait été commis par des corsaires ou pirates de tel ou tel port, on se bornait à saisir les bâtiments qui en étaient originaires. Les navires de Dordrecht furent ainsi arrêtés, en 1438, en rade de Londres, Great Yarmouth et Lynn à la suite de la prise d'un bateau anglais par des bourgeois de Dordrecht munis de lettres de course de Philippe le Bon[958].

[954] H.J. SMIT, *opus cit.*, t. II, p. 892, n° 1387 : 13 novembre 1452.
[955] Voir p. 154.
[956] Voir pp. 160-161.
[957] *Calendar of Patent Rolls, 1452-1461*, p. 495 : 22 février 1459, voir p. 338.
[958] Voir p. 335.

LES METHODES COMMERCIALES

a) *Les monnaies*

Le système monétaire anglais était basé sur la livre d'esterlin qui valait vingt esterlins de douze deniers ou pence. Dans les Etats bourguignons, on utilisait la livre de gros flamande, qui se subdivisait en vingt sous de douze gros. Le penny et le gros étaient des monnaies d'argent; les deux systèmes monétaires étaient basés sur un étalon d'argent [959]. Les grosses pièces de monnaie, telles que le noble, étaient frappées en or et leur valeur était fixée, par ordonnance, en pence ou gros; on établissait ainsi un rapport entre les monnaies d'or et d'argent. Ce rapport pouvait varier non seulement dans le temps, mais également d'un pays à l'autre. A la même époque, le rapport or - argent appliqué en Angleterre pouvait être différent de celui en usage dans les pays de par-deçà. De ce fait, si l'on veut établir quel était le taux du change entre la livre de gros et la livre sterling, on ne peut se fier au cours du noble évalué en gros car la notion du rapport or-argent complique le problème. Les marchands-banquiers italiens, qui pratiquaient le commerce des lettres de change, l'avaient bien compris puisqu'ils cotaient un écu théorique de 24 gros en pence [960], c'est-à-dire qu'ils établissaient le rapport entre deux monnaies d'argent. Ce cours était fort variable; il fluctuait en raison non seulement des dévaluations mais aussi des nouvelles politiques, des fluctuations saisonnières du marché, de la balance de paiement ou encore des règlements financiers. Il ne faut pas oublier non plus que la lettre de change était l'indice d'une opération de crédit et que l'intérêt de la somme avancée était caché dans la différence du change [961]. M. R. de Roover a pu, grâce aux renseignements fournis par les archives de la compagnie Borromei à Londres, schématiser le cours du penny à Londres et à Bruges [962]. La

[959] R. DE ROOVER, *Money, banking and credit in mediaeval Bruges*, Cambridge-Massachusetts, 1948, p. 221.

[960] Il n'existait donc pas de pièce de cette valeur.

[961] Au sujet de la lettre de change, voir R. DE ROOVER, *L'évolution de la lettre de change, XIVe-XVIIIe siècle*, Paris, 1953.

[962] R. DE ROOVER, *Money*, pp. 63-64. Ces archives furent dépouillées par G. Biscaro avant leur destruction à Milan au cours d'un bombardement en 1943 (R. DE ROOVER, *Money*, p. 89). Nous avons déjà cité le travail consacré à la compagnie de Filippo Borromei à Londres par G. Biscaro.

Nous avons souvent mentionné la question du rapport or-argent; il convient que nous abordions ce problème primordial sans plus tarder. Depuis 1411, l'Angleterre frappait des nobles d'un poids de 108 grains qui valaient six sous huit deniers; le penny pesait 15 grains. En 1464, le poids de l'esterlin fut abaissé à 12 grains et la valeur du noble, au contraire, fut haussée à huit sous quatre deniers; enfin, en 1465, Edouard IV fit frapper deux nouvelles pièces : le noble à la rose de 120 grains et d'une valeur de dix sous, et l'ange de 80 grains et d'une valeur de six sous huit deniers [972]. Ainsi, le rapport or-argent qui était de 11,26 en 1460, passa, en 1464, à 12,3 et en 1465, à 13,55; or, dans les pays bourguignons, le rapport or-argent s'établissait en 1466 à 11,13 [973].

Les mesures monétaires prises en Angleterre en 1464-1465 doivent être mises en rapport avec l'ordonnance protectionniste qui interdisait l'importation des marchandises d'origine bourguignonne [974]. La trésorerie royale se trouvait à l'époque embarrassée par de graves difficultés, et il s'agissait d'attirer en Angleterre le plus d'or possible et d'éviter toute exportation d'espèces. En portant le rapport or-argent à 13,55, on drainait les monnaies d'or étrangères qui trouvaient une plus-value sur le marché anglais et on facilitait de ce fait les exportations; on veillait, d'autre part, en fermant la porte aux importations, à arrêter l'hémorragie d'or vers l'extérieur. Il ne faut donc guère s'étonner de la réplique bourguignonne : la prohibition des draps anglais et surtout la rigueur de son application. Une seconde mesure fut édictée qui proscrivait la monnaie blanche d'Angleterre [975]. En même temps, Edouard IV rétablissait l'obligation de payer la laine en « *bullion* » à l'Etape [976]. Un des soucis constants des princes médiévaux fut de contrôler, de maintenir et d'accroître leur stock monétaire qu'ils considéraient comme leur véritable richesse. On comprend dès lors la fermeté dont firent preuve les autorités bourguignonnes dans l'application de la prohibition des draps anglais de 1464 [977].

La politique monétaire d'Edouard IV porta d'ailleurs ses fruits : on frappa bientôt 12.000 livres de Troyes d'or et 55.000 livres de Troyes d'argent à Londres; il n'est sans doute pas téméraire de penser que ce fut en partie

---

[972] Au sujet des monnaies anglaises, voir H.A. GRUEBER, *Handbook of the coins of Great Britain and Ireland in the British Museum*, Londres, 1899; C. OMAN, *The coinage of England*, Oxford, 1931; G.C. BROOKE, *English coins from the seventh century to the present day*, Londres, 1932, réédition en 1952.

[973] A. GIRARD, « La guerre monétaire (XIVe-XVe siècles) », *Annales, Economies, Sociétés*, t. II, 1940, pp. 205-218; R. GANDHILLON, *Politique économique de Louis XI*, Paris, 1941, p. 326.

[974] Voir p. 414.

[975] A.D.N., no B 18842/29399 : 2 novembre 1465.

[976] *Rotuli Parliamentorum*, t. V, p. 503.

[977] Voir p. 208.

au détriment du stock monétaire des pays bourguignons [978]. Ainsi, l'Angleterre, pour se procurer du métal monnayable, utilisa deux procédés différents :
le paiement en « *bullion* » de la laine à l'Etape et la hausse du rapport or-
argent.

*
* *

Les nobles circulèrent dans les pays bourguignons en plus ou moins grande
quantité pendant toute la période qui nous intéresse. Comment y parvenaient-ils alors que le pouvoir prenait de si grandes précautions pour empêcher
leur sortie [979]. On recourait tout simplement à l'évasion monétaire. Nous
connaissons un exemple de cette fraude. Le 20 juillet 1437, la « *Marie* »
d'Arnemuiden, dont le capitaine était Wouter Frise, se trouvait dans le petit
port de Queenborough [980] chargée d'une importante quantité de draps d'une
valeur de 3.000 livres sterling dont les droits de douane n'avaient pas été
payés; ces draps appartenaient à des marchands anglais et étrangers. Les
douaniers montèrent à bord et constatèrent qu'en plus de la marchandise,
d'importantes quantités de numéraire s'apprêtaient à quitter l'Angleterre
en fraude. On saisit, en effet, deux mille nobles appartenant à un « *grocer* »
londonien, John Yong, cinq cents nobles dont disposait le facteur d'un
marchand londonien, William Milrede, et enfin deux mille nobles à un
Hollandais qui avait obtenu la « denization », John Spyring, marchand de
Londres [981]. Quatre mille cinq cents nobles, c'est-à-dire quinze cents livres
sterling, allaient ainsi gagner les pays bourguignons. Cela signifie que ces
marchands avaient l'intention d'y acheter des biens pour une somme plus
élevée que celle qu'ils comptaient réaliser par la vente de leurs draps. On
pourrait conclure que la balance commerciale des marchands aventuriers
avec les pays bourguignons était déficitaire. Gardons-nous des solutions trop
faciles. N'oublions pas qu'en 1437, le commerce avec les foires reprenait après
une année d'interruption, ce qui avait pour conséquence le désir des
marchands d'acheter plus que d'habitude pour répondre à une demande plus
forte. Enfin, l'Etape de Calais était encore fermée en 1437. On sait que les

---

[978] G.C. Brooke, *opus cit.*, p. 149. Au sujet des quantités d'or et d'argent monnayées
en Angleterre de 1350 à 1550, voir C.A. Whitton, « Some Aspects of English currency
in the later middle ages », *The British Numismatic Journal*, 1941-1942, t. XXIV, p. 40.
En 1469, une conférence monétaire anglo-bourguignonne fut tenue à Bruges; elle arriva
à fixer un rapport or-argent semblable pour l'Angleterre et la Bourgogne (1 à 12 d'après
A. De Witte, *opus cit.*, t. II, pp. 39-41, et 1 à 11, 35 si l'on calcule en partant de la
monnaie bourguignonne,d'après A. Girard, *opus cit.*, p. 217, n° 25).

[979] Voir pp. 170-171.

[980] Queenborough situé dans une île à l'embouchure de la Tamise était le lieu tout
indiqué pour embarquer des marchandises en fraude et échapper ainsi aux « coutumiers »
de Londres qui avaient juridiction sur cette région.

[981] P.R.O., *K.R., Memoranda Rolls*, E 159/222; H.J. Smit, *opus cit.*, t. II, p. 720,
n° 1159; *Calendar of Patent Rolls*, 1436-1441, pp. 310, 339, 512; 1441-1446, p. 365.

étapiers récupéraient souvent aux foires de Brabant les créances qu'ils avaient consenties aux acheteurs de laine; ils vendaient également aux Bourguignons des « lettres de la monnaie de Calais »; ils obtenaient ainsi des liquidités en livres de gros qu'ils mettaient éventuellement à la disposition des marchands aventuriers pour effectuer leurs achats [982]. Déjà, le règlement de l'Etape édicté en 1429 avait porté un rude coup à ce système en supprimant le paiement à terme. En tout cas, il apparaît que, tout au long du règne de Philippe le Bon, des nobles continuèrent à circuler dans les pays bourguignons de par-deçà; la preuve en est donnée par la fixation d'un cours officiel du noble et par la nécessité qu'éprouvait un receveur de l'assistance publique de Louvain de coter les nobles anglais dans sa recette [983].

b) *La pratique commerciale.*

Dans les villes de foires ou de grand marché des pays bourguignons, les marchands logeaient chez un hôte qui tenait auberge; ils pouvaient aussi louer une maison ou un quartier de maison pour la durée des foires ou encore, ils étaient propriétaires d'une habitation.

Les privilèges des Anglais à Anvers, nous l'avons vu, déterminaient dans quelles conditions on pouvait leur louer. A Bergen-op-Zoom, les Anglais logeaient de préférence dans les rues de l'Hôpital et du Saint-Esprit; cette dernière prit même par la suite le nom d'« *Ingelschestrate* ». Bien qu'il n'existât pas à Bergen de garantie officielle au sujet du taux des loyers, les Anglais se plaignaient, en 1471, de la hausse subite des loyers de logements qu'ils occupaient depuis longtemps [984]. Nous ne possédons pas de baux conclus par les Anglais mais nous avons conservé quelques exemples de location à des Brugeois, Bruxellois et Tournaisiens pour Anvers et Bergen-op-Zoom. Les baux avaient une durée de douze à seize ans. On louait pour la période des foires une partie de la maison, en général presque la totalité; le propriétaire se réfugiait dans la cuisine; on lui laissait encore un grenier ou un coin de cave; il devait fournir des lits garnis, du linge de table, devait préparer ou faire préparer les repas des locataires et enfin pourvoir à la nourriture des chevaux. En dehors des foires, les marchands pouvaient disposer d'un local pour entreposer leurs biens. Lors de la conclusion d'un bail, les preneurs exigeaient parfois la construction d'une voûte de cave ou même d'un comptoir, preuve qu'ils désiraient tenir boutique

---

[982] E. POWER, dans E. POWER et M.M. POSTAN, p. 68.

[983] On constate dans les comptes de l'assistance publique de Louvain le paiement de quelques postes en nobles. On ne peut dire qu'une espèce particulière de recette ou de sortie était payée spécialement en cette monnaie.

[984] G.A.B.O.Z., *Ordonnanciën* LA6, fo 129 vo. Il existait à Bergen-op-Zoom, dès 1445, une maison sur la place du marché appelée « *Inghelant* » (G.A.B.O.Z., *R. en R.*, no R 282, 1445-1449, fo 6 : 21 février 1445).

dans la maison même; on pouvait leur louer aussi directement un magasin; enfin, on pouvait se contenter de prendre à bail une chambre à l'auberge pour un terme de douze foires; l'hôte fournissait le gîte, le couvert et la lumière [985]. Certains marchands anglais possédaient une maison à Anvers ou à Bergen-op-Zoom [986].

On sait qu'au moment des foires, des échoppes se dressaient un peu partout et même jusque dans les cimetières [987]. C'est devant ces étals ou dans les boutiques louées par les marchands que se concluaient les affaires. Quelques jours étaient réservés à la « *montre* », d'autres aux ventes et achats, les derniers aux paiements [988]. C'était là le vieux système médiéval; on achetait la marchandise présentée dont on pouvait juger la valeur. Ces marchés ne donnaient lieu qu'à des transactions orales; seul un éventuel instrument de crédit pouvait être rédigé, mais on concluait aussi de véritables contrats commerciaux. Nous n'en avons pas retrouvés mais, grâce à plusieurs témoignages, nous pouvons dire, notamment pour Bruges, qu'ils se présentaient sous la forme de chirographes [989]; il s'agissait d'un acte privé puisque Bruges était située dans une région où les échevins utilisaient l'acte scellé. Parfois un contrat pouvait être enregistré devant les échevins, généralement lorsqu'une amende était prévue au cas où l'une des parties ne remplirait pas ses engagements [990], ou encore lorsque le paiement était effectué à l'avance [991].

---

[985] A.V.A., *S.R.*, n° 26, f° 190 v° : 12 septembre 1439, Jorys de Buyssere, marchand de Bruges, loue, pour 12 ans, à Gilles van Bornem une maison au marché à Anvers; une clause prévoit qu'en cas de troubles ou de guerre en Flandre, de Buyssere pourra utiliser la maison en dehors des foires; IDEM, n° 63, f° 95 : 25 septembre 1462, Jan et Christian de Hont de Bruges louent, pour 16 ans, une maison au marché à Anvers à Christian Ruckebosch alias van Hofsteden; ils demandent la construction d'un comptoir et d'une voûte de cave. G.A.B.O.Z., *R. en R.*, n° R 280, 1439-1442, f° 72 : 25 novembre 1440, Peter Petersone de Bruxelles loue, pour 12 ans, un magasin à côté de l'hôtel de ville de Bergen-op-Zoom à Gheerd van Cleven; IDEM, n° R 280, 1439-1442, f° 70 : 15 novembre 1440, Perceval Gallois de Tournai loue à Peter Jacopsone une chambre dans son auberge des Trois Rois pour 12 foires.

[986] Par exemple, William Wels, marchand de Londres, vend à Willem van Rythoven et Wouter Bomecraeyt une maison sise à la Vlamingstrate à Anvers (A.V.A., *S.R.*, n° 68, f° 229 v° : 15 mars 1464).

[987] E. COORNAERT, « Caractères et mouvement des foires internationales au moyen âge et au XVIᵉ siècle », *Studi in onore di Armando Sapori*, 1957, p. 365.

[988] E. COORNAERT, *Caractères*, p. 361.

[989] Par exemple : A.V.B., *S.C.*, 1447-1453, f° 102, voir pièce justificative n° 6 : sentence dans la cause opposant William Cottesbrook aux héritiers de Clais vander Buerse de Bruges.

[990] Voir par exemple : G.A.B.O.Z., *R. en R.*, n° R 282, 1445-1449, f° 78 v° : 23 juillet 1446, John Cantelowe et William Yong, facteur de Thomas Dey, promettent de livrer 4 tonnes d'étain à Mathieu vander Schueren d'Anvers, à la foire de Pâques prochaine, aux prix de 27 s. 2 d. gr. le cent; au cas où la livraison n'aurait pas lieu, les vendeurs paieraient une amende de 4 livres 15 s. gr.

[991] Voir p. 234.

Les instruments, qui ont été ainsi préservés, précisent le lieu, la date de la livraison et le prix de la marchandise. On peut supposer que ces affaires se concluaient soit sur la bonne foi réciproque des marchands ou peut-être même sur présentation d'échantillons [992]; quoi qu'il en soit, nous l'avons déjà souligné autre part, ici se pose la question du passage de la conception médiévale et moderne de la foire à celle de nos foires d'échantillons contemporaines. Il est certain que les marchands prenaient, à Bruges ou aux foires, des commandes pour des biens livrables en un lieu, à un moment et à un prix fixés, ce qui est le type des affaires traitées actuellement aux foires commerciales. C'est ainsi que William Cottesbrook concluait à Bruges avec Clais van der Buerse des contrats pour la livraison de draps à telle foire et à tel prix [993].

Enfin, les marchands pouvaient encore donner ordre par écrit à leur facteur ou à un correspondant de vendre, d'acheter telle ou telle marchandise à tel ou tel prix. Nous ne possédons, en fait, qu'un seul exemple d'ordre commercial donné par un marchand anglais à un échevin de Bergen-op-Zoom. Dans une lettre — la seule lettre commerciale écrite par un Anglais à un sujet du duc de Bourgogne qui soit parvenue jusqu'à nous pour l'époque que nous étudions —, Thomas Raes donnait ordre à Henri de Roe (ou de Rode) d'acheter en son nom une aime de vin du Rhin le meilleur marché possible et un « *vat catoen... waert VIII s.g. I dosine* » [994]; il lui demandait également de vendre des fromages qu'il lui expédiait, de payer un loyer et de recouvrer une dette pour lui. Or, il n'apparaît pas que de Roe ait été son facteur; Raes l'appelait « *minen lieven ende zere gheminde vrint* »; de Roe lui avait confié son fils, sans doute pour l'initier au commerce international et Raes s'exprimait ainsi à son égard : « *Ic bidde iu dat ghy wilt doen voor mij als ghy wet dat ic dede voer iu* » [995]. Quels étaient dans ces conditions les véritables liens qui unissaient en affaires Raes et de Roe ? Il est difficile de le préciser mais il est probable que de Roe recevait une commission sur les affaires qu'il traitait; on pourrait, dans ce cas, admettre qu'il existait entre

---

[992] M.J.A. Goris (*opus cit.*, p. 188) affirme qu'on n'achetait pas sur échantillons à la Bourse d'Anvers au xvie s. (à cette époque les contrats de vente se passaient devant les notaires et les échevins); M.E. Coornaert (*Caractères*, p. 371) reprenait cette opinion mais dans son dernier travail (*Les Français*, t. II, p. 143), il admet que la vente sur échantillons a existé au xvie siècle.

[993] A.V.B., *S.C.*, 1447-1453, f° 102.

[994] Le « *vat* » pouvait être à la fois une mesure ou un emballage pour produits secs ou liquides. Il s'agit donc d'une mesure de coton d'une valeur de huit sous de gros. Raes en commandait une douzaine.

[995] G.A.B.O.Z., n^o R 281, *R. en R.*, 1442-1445 : lettre insérée au f° 39 (septembre 1442), voir pièce justificative n° 5. Il faut peut-être rapprocher cette phrase de la formule de la « *sendeve* » allemande qui précise que le partenaire actif doit « *de beste doen* ». La lettre fut écrite en flamand par Geert de Roe, fils d'Henri de Roe.

les deux marchands une association qui se rapprochait de la « *commenda* »
italienne [996].

Une autre espèce de contrat doit avoir été fréquemment employée; nous
n'avons malheureusement pas conservé d'actes de constitution d'associations
mais c'est l'évidence même. Les cargaisons de la plupart des bateaux bourguignons qui fréquentaient les ports anglais, à l'exception de Londres et
Sandwich, étaient déclarées aux douaniers comme la propriété du capitaine [997].
Or, nous avons vu que, pour fractionner les risques, l'armement se faisait
presque toujours selon le système des parts [998]. Il serait bien étonnant que
la cargaison entière du navire appartînt au seul capitaine; les dangers d'une
telle affaire eussent paru trop grands à une époque où l'assurance était peu
répandue. Il semble donc que le maître de nef était le membre actif d'une
association composée peut-être des autres armateurs ou encore de marchands
non-armateurs; chacun, le capitaine y compris, investissait une part du
capital dans la cargaison [999]. Nous nous trouverions alors en présence
d'associations voisines de la «*collegantia*» [1000] vénitienne ou encore de la «*Wederlegginge* » allemande [1001] et cela tant en ce qui concerne la propriété du
navire que celle de la cargaison.

Il existait encore une autre sorte d'association. Plusieurs marchands
bourguignons pouvaient reconnaître ensemble une dette; les associés pouvaient
être deux, trois ou même quatre; parfois l'un d'entre eux pouvait être
Anglais [1002]. La lettre obligatoire rédigée dans ce cas portait la formule

[996] La « *commenda* » suppose un associé actif, « *tractator* », et un associé passif,
« *commendator* ». L'associé actif pouvait être lié par un contrat de service ou recevait
simplement une commission lorsqu'il était lui-même un marchand prospère; il s'agissait
alors plutôt d'un contrat d'investissement.
   La « *sendeve* » allemande était fréquemment utilisée dans le commerce à la commission.
   Au sujet de la terminologie et des considérations générales relatives aux questions
d'associations de marchands, nous renvoyons à l'admirable mise au point de M.M. Postan,
« Partnership in English medieval commerce », dans *Studi in onore di Armando Sapori*,
Milan, 1957, t. I, pp. 519-528.
   [997] Voir pp. 328-329.
   [998] Voir pp. 320-324.
   [999] Parfois, mais très rarement, les « *Customs Accounts* » indiquent que le capitaine
possède des associés, par exemple le 7 mars 1443 : « *De dicto magistro (Dederik Jacobson)
et sociis suis* » (P.R.O., *C.A.*, E 122/141/25 : port de Southampton).
   [1000] La « *collegantia* » de son nom vénitien, ou « *societas maris* », était une association
dont chaque membre apportait une part de capital tandis qu'un ou plusieurs d'entre eux
y ajoutait l'élément travail.
   [1001] La « *Wederlegginge* » allemande pouvait aussi être conclue entre maître et serviteurs, ces derniers investissant un petit capital dans les affaires.
   [1002] Par exemple, Adrien vanden Creke et Thomas Standley de Calais devaient ensemble
121 l. 7 s. 7 d. gr. à un marchand de Bergen-op-Zoom en 1445 (G.A.B.O.Z., *R. en R.*,
n° R 282, 1445-1449, f° 15 v° : 1er juin 1445) et un marchand de Newcastle
était associé à un Anversois pour acheter du vin à un certain Jean Rosemont en 1462
(A.V.A., *S.R.*, n° 63, f° 238 : 9 mars 1462).

suivante : « *unde obligavit een voer al, primus quittat secundum indemp-num* »[1003]. Cela paraît signifier que les membres possédaient chacun une part du capital engagé; malheureusement, nos sources sont muettes en ce qui concerne la participation active à l'association. Si les partenaires concouraient sur le même pied au capital et au travail, il s'agirait d'associations du type de la « *compagna* » italienne, de l'« *Offene Gesellschaft* » allemande ou de la « *société en nom collectif* » française[1004]. Si, au contraire, un seul des partenaires se chargeait du travail effectif, il s'agirait d'une « *collegantia* ».

M. M. Postan a récemment étudié la situation en Angleterre; il a constaté que les formes traditionnelles de l'association s'y retrouvent mais travesties, car la loi anglaise ne reconnaissait pas l'associé passif[1005]. Le marchand disposait généralement d'un ou de plusieurs facteurs. Le facteur pouvait être lié au marchand par un simple contrat de service ou encore, il pouvait être un commerçant aussi prospère que son mandataire. Dans les deux cas, il s'agit d'association du type de la commande. Dans le second cas, elle prend la forme d'un contrat de commission. Enfin, on pouvait déguiser sous forme de prêt, l'investissement consenti par le partenaire passif à l'associé actif; il ne s'agissait pas moins d'une véritable commande.

On retrouve en Angleterre également les sociétés de marchands que les Anglais appellent « *mutual partnership* », notamment quand il s'agit de l'armement d'un bateau ou encore d'une association conclue en vue de l'achat et de la vente de marchandises déterminées. M. Postan n'a pas relevé le cas de sociétés pour la propriété d'une cargaison. Il note que les marchands s'unissaient volontiers pour la vente et l'achat de marchandises et reconnaissaient collectivement leurs dettes mais, tout comme nous l'avons souligné pour les cas semblables dans les pays bourguignons, on ne peut définir avec exactitude si le travail était partagé entre les partenaires, comme le capital, ou si au contraire il était l'apanage de l'un d'entre eux.

M. Postan souligne d'ailleurs avec raison que ce n'était pas là le caractère principal de l'opération; il est infiniment plus important de savoir si nous nous trouvons en présence d'associations occasionnelles ou de longue durée. Il conclut à l'existence de sociétés de marchands momentanées et très fréquentes en vue de la conclusion d'une seule affaire et avance même que, dans les cas assez rares d'associations prolongées, les partenaires considéraient qu'il s'agissait de sociétés temporaires constamment renouvelées.

[1003] On en trouve des exemples nombreux dans les registres de « *Rentbrieven en Recognitiën* » de Bergen-op-Zoom. Cette forme de société se rencontre déjà dans les lettres de foire d'Ypres au XIIIe s. (G. DES MAREZ, *La lettre de foire à Ypres au* XIIIe *s.*, Mémoires couronnés de l'Académie royale de Belgique, t. LX, 1901, pp. 40-42).

[1004] La « *compagna* » italienne liait surtout des membres d'une même famille et particulièrement pour des affaires industrielles.

[1005] M.M. POSTAN, « Partnership », pp. 528-549.

Ces conclusions valent également pour les pays de par-deçà. Il suffit de consulter les registres de « *Rentbrieven en Recognitiën* » de Bergen-op-Zoom pour s'en apercevoir; les marchands répartissaient leur capital en différentes affaires, en sociétés temporaires et multiples, avec un ou plusieurs confrères, différents dans chaque cas.

Il semble que les associations du type de la commande aient été moins répandues dans nos contrées qu'en Angleterre; tout au moins, nous n'en avons guère retrouvé de traces. L'usage de facteurs paraît avoir été assez rare [1006] et il est difficile de déceler si un prêt d'argent déguise ou non un contrat d'investissement [1007]. En revanche, nous l'avons dit, les sociétés temporaires ont certainement connu un grand succès. Dans ces conditions, peut-on, lorsqu'on relève le nom de tel ou tel marchand dans les « *Customs Accounts* », en déduire que les marchandises indiquées comme son bien, lui appartiennent en propre ? Rappelons encore que toute la batterie exportée par les membres de la Compagnie d'Angleterre figure sous le nom de deux Dinantais seulement.

Il est fort difficile de juger du capital réel engagé par un marchand dans le commerce. Nous nous trouvons en présence de commerçants qui recherchaient surtout la sécurité et qui ignoraient la spéculation [1008]. Nous sommes donc bien loin du grand capitalisme du siècle suivant. Et cependant, il existait de gros marchands. Ainsi, le Brugeois Clais vander Buerse concluait, en décembre 1434, un marché avec William Cottesbrook pour la livraison de 175 draps à la foire de Pentecôte 1435 pour la somme de 816 livres 13 s. 4 d. gr.; par un deuxième contrat, il achetait 215 draps livrables à la foire de Saint-Bavon de la même année, pour une somme de 1.103 livres 6 s. 8 d. gr. [1009]. Lorsque l'on sait que les Fugger, les Höchstetter, les Welser, au début du XVIe siècle, n'achetaient guère plus de quatre à cinq cents draps aux foires [1010] et que les revenus de la ville de Bruges en 1465-1466

[1006] Nous ne connaissons guère l'existence que d'un seul facteur de marchand bourguignon : Obert Thouse, facteur, en 1435, du Brugeois Clais vander Buerse (A.V.B., *S.C.*, 1447-1453, fo 102); il s'agissait en fait d'un marchand génois, Oberto Usus Maris, d'une famille de marchands très connue à Gênes.

[1007] On pourrait assimiler à la commande les procurations pour recouvrement de dettes délivrées par le créancier à un tiers (voir plus loin) mais c'est peut-être là pousser les choses trop loin. L'intermédiaire, en effet, était le plus souvent un hôtelier-courtier et il faudrait assimiler ses relations avec chacun de ses clients à un contrat de commande.

[1008] Il semble cependant que les marchands aient aimé les paris d'ordre politique; ainsi, Pierre Coelgeensone de Bergen-op-Zoom, qui devait 17 l. g. à Robert Somerville, promet, le 15 décembre 1455, de rembourser sa dette endéans les trois ans; mais si Bordeaux retombe aux mains du roi d'Angleterre, il en sera tenu quitte (G.A.B.O.Z., *R. en R.*, no R 283, 1454-1457, fo 95).

[1009] A.V.B., *S.C.*, 1447-1453, fo 102.

[1010] Voir E. COORNAERT, « Caractères », p. 365.

atteignaient 10.000 livres gr.[1011], on peut admettre que vander Buerse et Cottesbrook étaient de très gros marchands et de véritables « capitalistes », mais, soulignons-le, vander Buerse était Brugeois et nous ne possédons guère que ce seul exemple de grand commerce.

L'hôtelier-courtier était, tant à Bruges qu'aux foires de Brabant, l'intermédiaire obligé entre vendeur et acheteur. Il tenait un livre dans lequel il notait les affaires pour lesquelles il était intervenu et avait touché une commission : il gardait en dépôt les marchandises de ses clients, récupérait leurs dettes, se portait volontiers pleige pour eux et agissait presque en facteur[1012]. On connaît ainsi, à Bruges, « *Caline Joos Bochouts weduwe weert vanden herberghe in de Sterre* »[1013], à Anvers, Cornelius Breecschilt « *weert in den Rhijn* »[1014] qui semblent avoir eu une nombreuse clientèle anglaise. Enfin, l'interprète était un intermédiaire presque indispensable aux transactions; à Anvers, « *Willem van der Mortere, taelspreker* »[1015] paraît avoir eu la confiance des Anglais. Le thiois était la langue courante des affaires aux foires de Brabant, tandis qu'à Bruges les actes dans lesquels apparaissent les Anglais sont indifféremment écrits en français et en flamand. Pour être interprète à Bergen-op-Zoom, il fallait être bourgeois de la ville ou exercer la profession à Anvers[1016], ce qui prouve qu'on se déplaçait d'Anvers à Bergen pour chaque foire.

Les acheteurs exigeaient enfin la rédaction devant les échevins de « *certificaciën brieven* », par lesquelles les vendeurs garantissaient la qualité et l'origine de la marchandise livrée. Le premier registre de « *certificaciën brieven* » qui nous est parvenu pour les foires de Brabant est celui de Bergen-op-Zoom qui date de 1465; il est rempli d'actes qui affirment que les marchandises vendues aux Anglais ne provenaient pas des pays de par-deçà et qu'elles seraient livrées en tel ou tel lieu en dehors des Etats bourguignons; en effet, les importations bourguignonnes étaient alors interdites en Angleterre. Nous trouvons encore ici une preuve de la conclusion de contrats commerciaux aux foires de Brabant alors que la marchandise vendue n'avait pas été présentée à l'acheteur. On ne peut s'empêcher d'établir un lien entre la

---

[1011] A.G.R., *C.C.*, n° 32518 : 2 septembre 1465 - 2 septembre 1466. Les recettes montaient exactement à 10.212 livres 8 s. 10 d. 7 mittes de gros et les dépenses à 10.902 l. 6 s. 3 d. 9 mittes de gros.

[1012] Nous n'entrerons pas dans les détails de la profession de courtier; nous nous bornerons à renvoyer pour Anvers, à E. DILIS, « Les courtiers anversois sous l'Ancien Régime », *Annales de l'Académie d'Archéologie de Belgique*, t. LXII, 1910, pp. 299-462; et pour Bruges, à J.A. VAN HOUTTE, « Makelaars en waarden te Brugge van de XIIIᵉ tot de XVIᵉ eeuw », *Bijdragen voor de Geschiedenis der Nederlanden*, deel V, 1950, pp. 1-30 et 177-197.

[1013] A.V.B., *S.C.*, 1465-1469, f° 89 v°.

[1014] A.V.A., *S.R.*, n° 65, f° 201 v°.

[1015] A.V.A., *S.R.*, n° 57, f° 395.

[1016] G.A.B.O.Z., *Ordonnanciën*, Lᴬ C, f° 35 v° : 1480.

prohibition des importations bourguignonnes en Angleterre et la préservation de ce registre de « *certificaciën brieven* »; ne peut-on pas aussi se demander si elle n'était pas à l'origine de sa rédaction ?

Les contestations en matière commerciale se jugeaient devant les échevins de Bruges, Anvers, Bergen-op-Zoom et Middelbourg. Lorsque deux marchands anglais étaient en difficulté au sujet d'une affaire négociée entre eux à l'étranger, ils ne pouvaient pas recourir à la « *common law* » en Angleterre. Ainsi Randolph Tatton avait vendu à Thomas Savage, facteur de Roger Chadwick [1017], le 30 septembre 1464, à la foire de Saint-Bavon, dix draps anglais au prix de 37 livres st. payables à Londres le 30 avril et le 1er novembre suivants; Chadwick ne paya pas car il ne reconnaissait pas ce marché conclu outre-mer par son facteur; Tatton ne pouvant s'adresser aux juridictions habituelles (en l'occurrence les « *aldermen* » de Londres) présenta alors une pétition au chancelier [1018]. En revanche, les tribunaux des Pays-Bas se reconnaissaient compétents pour des affaires traitées entièrement ou en partie à l'étranger; cela explique les sentences rendues par le magistrat de Bruges dans des affaires mettant aux prises des Italiens et des Anglais au sujet de marchés conclus en Angleterre [1019].

c) *Les modalités de paiement.*

Jan Ympyn, dans le traité de comptabilité que sa veuve, peu après sa mort, édita à Anvers en 1543 [1020], signalait neuf modalités différentes de paiement : 1) au comptant, 2) à échéance avec gage, 3) par échange, 4) en partie au comptant et en partie à terme, 5) en partie au comptant, le reste en marchandises, 6) en partie en marchandises, le reste à terme en argent, 7) par assignation sur créance, 8) en partie par assignation sur créance, le restant en argent, 9) en partie par assignation sur créance, le reste en marchandises échangées. M. J.A. Goris a relevé, pour la première moitié du xvie siècle, des exemples de telles transactions entre les membres des colonies méridionales à Anvers [1021]. Au milieu du xve siècle, le commerce anglo-

----

[1017] Roger Chadwyk fut trésorier de la nation d'Angleterre en 1458 (voir p. 493).

[1018] P.R.O., *Early Chancery Proceedings*, C 1/29/317. Ce fait était mal connu aux foires; c'est ainsi que Mathieu Henrixsone, né dans la principauté de Liège, prenait l'engagement, le 28 novembre 1445, de se rendre à Londres avant la Chandeleur pour y forcer John Seninkel de lui payer ses dettes ou tout au moins de ne pas quitter la prochaine foire de Pâques avant d'avoir reçu son dû, sans toutefois attenter à la franchise de la foire (G.A.B.O.Z., *R. en R.*, no R 282, 1445-1449, fo 34 vo).

[1019] Voir p. 264.

[1020] Au sujet de Ympyn, voir R. DE ROOVER, *Jan Ympyn, essai historique et technique sur le premier traité flamand de comptabilité*, Anvers, 1928 et du même auteur, « Een en ander over Jan Ympyn Christoffels, den schrijver van de eerste nederlandsche handleiding over het koopmansboekhouden », *Tijdschrift voor Geschiedenis*, 52ste jaargang, 1937, pp. 163-171.

[1021] J.A. GORIS, *opus cit.*, pp. 112-118.

bourguignon aux Bouches de l'Escaut utilisait-il ces mêmes procédés ? Nous allons examiner la question.

Mais auparavant, il faut préciser que, dans tous les cas où intervenait le crédit, il était nécessaire de rédiger un instrument qui fasse foi en justice. Il semble que, même pour des sommes fort modestes, les Anglais exigeaient un document commercial[1022]. La forme de reconnaissance de dettes unanimement et uniquement usitée par les Anglais et les Bourguignons dans leurs tractations commerciales était la lettre obligatoire, obligation ou encore lettre de foire comme l'a nommée G. Des Marez qui y a consacré une étude : *La lettre de foire à Ypres au* xiiie *siècle.* Entre les lettres utilisées à Ypres à cette époque et celles dont usaient les marchands au xve siècle existent quelques variantes. Tout d'abord, elles ne sont pas rédigées sous forme chirographaire, ce qui n'est pas étonnant puisque tant Bruges et Middelbourg, qu'Anvers et Bergen-op-Zoom faisaient partie du domaine de l'acte scellé. Le créancier recevait l'acte muni du sceau échevinal; aucun exemplaire ne nous en est parvenu. Le magistrat enregistrait toutes les reconnaissances de dettes. Les registres de « *Rentbrieven en Recognitiën* » de Bergen-op-Zoom en sont remplis[1023]; on en trouve quelques-unes également dans les « *Schepenregisters* » d'Anvers. Lorsque la dette était acquittée, l'acte était cancellé de sorte que des registres de « *Rentbrieven en Recognitiën* » de Bergen-op-Zoom présentent l'aspect de protocoles notariaux. Ce procédé a pour conséquence d'éliminer presque totalement l'usage de la quittance. D'autre part, tout comme à Ypres au xiiie siècle, il existait des lettres privées qui s'opposaient aux lettres obligatoires authentiques du fait qu'elles étaient simplement remises au créancier par le débiteur qui y apposait son signet. Il ne nous en est pas resté d'exemple mais nous possédons des témoignages de leur existence[1024].

La « *littera obligatoria* » revêt en général la forme suivante : « *Jan de Potter debet Janne Chiffil, coopman van London, aut latori V l. IIII s. g. vlaems dander in de Sinxen marct proximo unde obligavit se et sua* »[1025]. La date

[1022] Au contraire des marchands des colonies méridionales qui, au xvie siècle tout au moins, concluaient beaucoup de marchés sur simple bonne foi (J.A. Goris, *opus cit.*, p. 110).
[1023] J.A. Van Houtte (« Les Foires », p. 199) déclare que, à sa connaissance, la plus ancienne mention de paiement en foire de Bergen-op-Zoom date de 1467; or, le premier registre de *R. en R.*, qui débute en 1431, en est rempli. M. Van der Wee a souligné l'importance des lettres de foires en comparaison des lettres de change lors de la discussion du rapport sur « L'Economie européenne aux deux derniers siècles du Moyen Age » lors du Congrès de Rome des Sciences historiques (*Atti del Congresso*, pp. 404-405).
[1024] Par exemple : g.a.b.o.z., *R. en R.*, n° R 282, 1445-1449, f° 15 v°.
[1025] g.a.b.o.z., *R. en R.*, n° R 283, 1454-1457, f° 38 : 10 décembre 1454. Jan de Potter fut plus d'une fois échevin de Bergen-op-Zoom notamment en 1447 et en 1456 (g.a.b.o.z., *R. en R.*, n° R 282, 1445-1449, f° 35 v°; n° R 283, 1454-1457, f° 107).

est donnée plus haut dans le registre, il s'agit du 10 décembre 1454; en effet,
comme toute une série d'actes était passée en une même séance devant les
échevins, on indiquait la date et le nom des deux échevins présents [1026] dans
le premier, sans répéter ces données pour les suivants. L'engagement pris
par le débiteur était parfois renforcé par un serment prêté entre les mains
de l'écoutète de Bergen-op-Zoom. Le document était rédigé en un curieux
mélange de langue vulgaire et de latin. On retrouve dans tous les actes
la formule « *aut latori* », c'est-à-dire au porteur. Ce n'était pas là un fait
nouveau : tous les chirographes examinés à Ypres par Des Marez mention-
naient déjà cette clause [1027]. Tout comme Des Marez, nous poserons la
question : le porteur de la lettre obligatoire, sur simple présentation de
l'instrument, pouvait-il entrer en possession de la créance ou lui fallait-il
justifier de la propriété du titre ? Nous répondrons, comme Des Marez, qu'on
ne voit pas la nécessité de rédiger quantité de procurations pour le recouvrement de dettes si la simple présentation de la lettre obligatoire permettait
de récupérer la créance [1028]. Le débiteur engageait sa personne et ses biens,
« *se et sua* », pour garantir le paiement de sa dette; or, les privilèges des
foires interdisaient d'emprisonner un marchand pour dettes. A Anvers, en
vertu de leurs privilèges particuliers, les Anglais ne pouvaient être arrêtés
pour dettes même en dehors des foires [1029]. Cependant, le gouverneur des
marchands aventuriers pouvait faire mettre en prison, et même aux fers,
un de ses marchands s'il n'avait pas répondu à ses engagements à l'égard
d'un compatriote [1030]. A Bruges, où ils ne possédaient pas de privilèges
spéciaux, les Anglais se faisaient fréquemment arrêter pour dettes. Ils
essayaient alors, de leur prison, de trouver des pleiges, qui, en répondant
pour eux, leur permettaient de recouvrer la liberté. Les échéances étaient
fixées à Anvers, à Bergen-op-Zoom ou à Middelbourg et plus précisément
huit jours après la Pentecôte, la Saint-Martin ou encore « *binnen de
vryheit* », c'est-à-dire pendant l'époque de la franchise foraine. Même dans
ce cas, le débiteur pouvait se prévaloir de la franchise des foires pour reporter
à la fin de celles-ci le remboursement de la dette [1031]. Aussi, une clause
des lettres obligatoires précisait-elle parfois que le débiteur s'engageait à

[1026] Il n'y avait jamais que deux échevins présents, à la différence des lettres d'Ypres
(G. Des Marez, *opus cit.*, p. 17).

[1027] G. Des Marez, *opus cit.*, pp. 34-35.

[1028] G. Des Marez, *opus cit.*, pp. 63-67; l'auteur pense que la transmissibilité sur
simple présentation ne fut acquise qu'au xvie siècle. On trouve d'innombrables procurations
pour recouvrements de créances dans les « *Schepenregisters* » d'Anvers.

[1029] Voir le chapitre relatif aux privilèges des Anglais à Anvers et un exemple dans
F. Verachter, *opus cit.*, no 384, p. 119 : 16 décembre 1445.

[1030] A.V.A., *S.R.*, no 69, fo 100 : 5 décembre 1465.

[1031] G.A.B.O.Z., *R. en R.*, no R 285, 1465-1468, fo 15 vo. Au sujet de la franchise
foraine, voir p. 251.

ne pas quitter la ville de foire, lors d'une échéance, avant d'avoir acquitté sa dette [1032].

Lorsque le créancier ne pouvait se rendre lui-même aux lieu et jour d'échéance, il chargeait quelqu'un de récupérer son argent pour lui. Les marchands confiaient en général cette mission à leur facteur, à leur courtier habituel ou à l'interprète dont ils louaient les services. Lorsque le créancier ou son délégué ne se rendaient pas à l'échéance, le débiteur faisait inscrire dans le registre des échevins qu'il était prêt à acquitter sa dette [1033].

Ceci dit, passons en revue les différents modes de paiement signalés par Jan Ympyn. Les témoignages de règlements au comptant sont rares par essence même, mais nous avons conservé de temps à autre une quittance qui reconnaît que le paiement a été effectué « *den lesten penning metten yersten* » [1034]. Le troc, l'échange se pratiquaient volontiers d'autant plus qu'ils éliminaient à la fois l'usage du numéraire toujours difficile à réunir et le risque du paiement à terme. Le Brugeois vander Buerse et le marchand aventurier Cottesbrook concluaient ainsi des marchés importants. Vers 1435, Cottesbrook vendit à vander Buerse des draps contre du fer, de la batterie, de la garance et de la toile pour la somme considérable de 1103 livres 6 sous 8 deniers de gros [1035]. Les règlements à terme sont nombreux mais il est impossible de déterminer s'ils l'emportaient sur les paiements au comptant ou par échange. Les reconnaissances de dettes que nous possédons ne mentionnent jamais si une partie de la somme a été payée au comptant en numéraire ou en marchandises. Cela devait cependant être régulier. Toutes les lettres obligatoires constituent en garantie tous les biens du débiteur; ainsi, peut-on dire que le système du paiement à échéance, avec gage généralisé, était pratiquement absolu. Nous possédons cependant quelques exemples de paiement à terme pour lesquels un gage particulier était remis au créancier [1036]. Les délais de remboursement pouvaient être fort brefs : on en connaît qui n'excédaient pas la période écoulée entre deux foires [1037]; le plus souvent, ils s'étendaient sur un laps de temps qui ne dépassait pas les six mois ou un an, mais parfois, le débiteur s'engageait pour dix années et plus. C'est ainsi qu'en décembre 1445, Adrien Janssone promit, à Bergen-op-Zoom, de payer à un marchand londonien, Wareyn Torpin, ou au porteur de la lettre obligatoire, cent trente-deux nobles anglais, à raison de douze nobles chaque année à la foire de Pâques; il s'engageait le même jour envers un autre marchand de Londres, John Synnikel, pour une somme

---

[1032] G.A.B.O.Z., *R. en R.*, n° R 283, 1454-1457, fᵒˢ 105 vᵒ et 107.

[1033] G.A.B.O.Z., *R. en R.*, n° R 282, 1445-1449, fᵒ 158 : 3 décembre 1447.

[1034] G.A.B.O.Z., *R. en R.*, n° R 284, 1460-1462, fᵒ 135.

[1035] A.V.B., *S.C.*, 1447-1453, fᵒ 102. Voir pièce justificative n° 6.

[1036] Par exemple : Richard Ansem de Londres donne en gage à Willem Noppe de Courtrai un paquet de toile pour une dette de 200 livres de gros (G.A.B.O.Z., *R. en R.*, n° R 283, 1454-1457, fᵒ 2 vᵒ : 2 janvier 1454).

[1037] C'est le cas pour l'exemple que nous avons donné plus haut.

de cent et dix nobles payables aux foires de Pâques, à raison la première
fois de trois nobles, les suivantes de dix-huit nobles et la dernière fois, de
dix-sept nobles; il se reconnaissait débiteur envers John Colreet, un autre
Londonien, de cinquante-quatre nobles payables aux foires de Pâques, à raison
de trois nobles à la première échéance, neuf nobles par la suite et six
nobles à la dernière échéance [1038]. Au total, il devait deux cent quatre-vingt-
seize nobles, c'est-à-dire près de cent livres sterling à trois marchands
anglais. L'intérêt de l'argent avancé se trouvait évidemment caché dans cette
somme globale; nous n'avons malheureusement aucune indication au sujet
du taux d'intérêt exigé habituellement par les créanciers; de ce fait, nous ne
pouvons déterminer quel était le montant initial, intérêt défalqué, de la
dette. Mais il est certain que les paiements à longue échéance devaient grever
considérablement le budget du débiteur, ce qui explique leur rareté. Les
paiements en partie au comptant, le reste en marchandises, se pratiquaient
également : ainsi, William Persennier de Londres s'engageait, le 4 décembre 1443, à payer à Willem Thomassone une livraison de garance et de
guède, à la réception de la marchandise, pour une partie en draps et pour
l'autre en numéraire [1039]. Les paiements par assignation sur créance pouvaient
s'effectuer de deux manières : le débiteur autorisait son créancier à récupérer
en ses lieu et place une dette dont il lui remettait la lettre obligatoire ou
encore, il donnait ordre au changeur, chez qui il possédait un compte, de virer
telle somme à son créancier. On sait que ces ordres se donnaient orale-
ment [1040]; comme nous ne possédons pas de livre de changeur pour cette
époque, c'est par hasard qu'il nous est resté l'un ou l'autre témoignage de ce
procédé. Thomas Moullesley donna mandat à Anvers, le 1er décembre 1460,
à un certain Wouter de Loekere de recevoir pour lui une somme de quarante
livres de gros fl. qu'il possédait en compte chez le changeur Jan vanden Putte
où l'avait virée en son nom Jan Durcoop, marchand de la Hanse [1041]. Les
paiements par cession de reconnaissances de dettes sont difficiles à déceler
parmi les nombreuses procurations données par les marchands pour récupérer
leurs créances; de temps à autre apparaît un cas clairement. Ainsi, Jan van
Cralen d'Eindhoven remit, en 1432, au marchand londonien John Sparham
une obligation de huit livres de gros sur Jan Berbi pour acquitter une
dette de quatorze livres de gros [1042]. Nous pouvons donc admettre que les
neuf modalités de paiement, signalées en 1543 par Ympyn, étaient d'application courante au siècle précédent. Mais il existait encore une dixième
manière de procéder qui a échappé à Ympyn ou avait cessé d'être employée

[1038] G.A.B.O.Z., *R. en R.*, no R 282, 1445-1449, fo 37 : 3 décembre 1445.

[1039] G.A.B.O.Z., *R. en R.*, no R 281, 1442-1445, fo 117.

[1040] R. DE ROOVER, *Money*, p. 267.

[1041] A.V.A., *S.R.*, no 59, fo 200. Jan vanden Putte semble avoir été changeur de
plusieurs marchands anglais, notamment des aventuriers John Willaert, Robert Strangman
et de l'étapier William Raes (A.V.A., *S.R.*, no 60, fo 232 vo et no 62, fo 191 vo).

[1042] G.A.B.O.Z., *R. en R.*, no R 279, 1432-1434, fo 5.

à son époque. Il s'agit de l'avance du prix total ou partiel sur marchandises promises. Ce procédé suppose une confiance entière de l'acheteur dans le vendeur. Nous avons déjà signalé l'achat de garance sur pied selon ce système, mais voici un autre exemple : Willem Boed et Godert Wymmers s'engageaient, le 12 avril 1448, à Bergen-op-Zoom, à livrer à Richard Wethel de Calais [1043], qui venait de leur remettre en mains propres vingt-huit livres de gros, trois mille cinq cents stockfishes saurs (chaque cent compté à cent et vingt unités) dans un port de Zélande avant la Saint-Barthélémy (24 août) [1044].

L'emploi de la lettre obligatoire ne résolvait pas le problème du transfert d'argent entre les pays bourguignons et l'Angleterre; l'utilisation de la lettre de change l'aurait facilement permis. Or, jamais les Anglais ou les Bourguignons n'en usèrent. Dès lors, comment procédaient-ils ? La lettre adressée, en 1442, par un marchand de Calais, Thomas Raes, à son correspondant à Bergen-op-Zoom, Henri de Roe, nous fournit quelques indications. Raes donnait l'ordre à de Roe de lui porter, à ses frais, une somme d'argent à Calais au temps de la pêche aux harengs; il ajoutait que s'il se trouvait empêché d'y aller lui-même, il pourrait la remettre, avec une lettre précisant le montant exact, devant témoins, à un étapier, Henry Brun, à la prochaine foire d'Anvers; ce Brun pourrait utiliser l'argent sur place à condition de rendre le tout à Raes à Calais au moment de la pêche aux harengs, en comptant une livre sterling pour une livre de gros; on voit que l'intérêt était caché ici dans le change; de Roe devait prévenir Raes de la solution choisie en lui écrivant deux missives, l'une à Calais, l'autre en Angleterre [1045].

*
**

Les méthodes commerciales employées par les Anglais et les Bourguignons, si on les compare à celles pratiquées par les Italiens, semblaient fort archaïques. Mais, lorsqu'on les considère de plus près, on constate qu'elles portent déjà en elles les promesses de l'avenir. La transmissibilité de la lettre obligatoire acquise depuis plusieurs siècles, l'utilisation de comptes chez les changeurs, permettaient l'élargissement du marché par la création d'une véritable monnaie fiduciaire. Les différentes modalités de paiement sont les mêmes que celles utilisées un siècle plus tard au moment de la splendeur d'Anvers. Les contrats, par lesquels l'acheteur commande au vendeur une marchandise livrable à tel moment, en tel lieu et à tel prix, sont un trait véritablement moderne des transactions entre Anglais et Bourguignons. Enfin, il apparaît que certains marchands pratiquaient le grand commerce et que leur activité pouvait se comparer à celle des florissantes maisons capitalistes du xvie siècle.

[1043] S'agit-il du Richard Whetehill qui fut lieutenant de Calais ?

[1044] G.A.B.O.Z., R. en R., no R 282, 1445-1449, fo 199 vo.

[1045] G.A.B.O.Z., R. en R., no R 281, 1442-1445, lettre insérée au fo 39; voir pièce justificative no 5. Nous avons noté plus haut que les étapiers, qui réalisaient leurs créances aux foires, prêtaient volontiers cet argent aux aventuriers qui le leur remettaient en Angleterre.

L'IMPORTANCE DU COMMERCE ANGLO-BOURGUIGNON

M. H. Gray a établi la valeur des exportations et importations anglaises annuelles pour la période s'étendant du 29 septembre 1446 au 29 septembre 1448. Cette période a été choisie parce qu'il s'agit de deux années de commerce normal, sans aucune perturbation, ce qui explique les chiffres assez élevés calculés par M. Gray.

Voici d'ailleurs les résultats auxquels il est parvenu; notons qu'ils reposent sur les données des « *Customs Accounts* », et, en partie, sur une série d'estimations. M. Gray admet que l'on peut y apporter des modifications sans toutefois en changer la signifaction générale :

			Valeur sans droits de douane.
Etapiers	Exportations	Laine	L. 44.800
Marchands aventuriers	Exportations	Drap	L. 60.100
		Marchandises diverses	L. 4.000
		Total	L. 108.900
	Importations	Vin	L. 32.700
		Marchandises diverses	L. 53.100
		Total	L. 85.800
Hanséates	Exportations	Drap	L. 23.300
		Marchandises diverses	L. 2.000
		Total	L. 25.300
	Importations	Marchandises diverses	L. 19.800
		Cire	L. 1.000
		Total	L. 20.800
« *Aliens* » non hanséatiques	Exportations	Laine	L. 11.200
		Drap	L. 32.000
		Marchandises diverses	L. 5.000
		Total	L. 48.200
	Importations	Vin	L. 12.400
		Marchandises diverses	L. 27.700
		Total	L. 40.100 [1046]

[1046] H.L. GRAY, dans E. POWER et M.M. POSTAN, *opus cit.*, p. 18.

Peut-on déterminer à partir de ces chiffres quelle était la valeur du courant commercial dirigé vers les pays bourguignons ? Nous allons tenter l'essai. On peut dire que pratiquement toute la laine exportée par les étapiers était destinée au marché des Pays-Bas et que les deux tiers des draps expédiés outre-mer par les marchands aventuriers gagnaient nos pays. Si l'on considère que les aventuriers envoyaient des marchandises diverses, dans une proportion sensiblement semblable, dans la même direction, on peut admettre que les exportations des étapiers et des aventuriers vers les pays bourguignons s'établissaient comme suit :

Etapiers	Laine	L.	44.800
Marchands aventuriers	Drap	L.	40.000
	Marchandises diverses	L.	2.700
	Total	L.	87.500

Le vin importé par les aventuriers arrivait de Gascogne ou de la péninsule ibérique; en revanche, il est probable que la majeure partie des marchandises diverses provenaient de nos régions; on peut donc en évaluer la valeur entre 40.000 et 50.000 livres.

Il faut souligner que les chiffres dont nous disposons ont été établis à partir des « Enrolled Customs Accounts »; ils donnent donc pour les exportation le prix au départ de l'Angleterre et pour les importations les prix à leur arrivée. Sachant cela, on ne peut conclure que le commerce des aventuriers était plus ou moins en équilibre avec nos pays, en comparant les chiffres d'exportation et d'importation, car, en réalité, s'ils exportaient pour 40.000 livres de draps au départ de l'Angleterre, ils vendaient ces draps pour environ 80.000 livres sur le continent.

Le commerce hanséatique nous intéresse également; il nous est impossible de déterminer la part des draps anglais achetés par les Hanséates pour être revendus aux foires ou simplement pour être apprêtés dans les pays bourguignons; nous ne pouvons fixer la quantité de marchandises diverses en provenance de nos contrées qui étaient importées en Angleterre par les marchands de la vallée du Rhin; dans les deux cas cependant, la proportion ne devait pas être négligeable. Quant aux exportations des « aliens » non hanséatiques, on peut éliminer a priori la laine et les draps, marchandises appartenant essentiellement aux Italiens, mais il est probable que les deux tiers ou les trois quarts des marchandises diverses étaient exportés par les sujets de Philippe le Bon, soit pour environ 3.500 livres; la valeur des importations devait être sensiblement du même ordre de grandeur, sans que nous puissions donner de précisions.

Au total, il est vraisemblable que les marchandises (laine, draps et marchandises diverses) exportées par des marchands aventuriers, des Hanséates ou des Bourguignons, atteignaient une valeur que l'on peut évaluer entre 90.000 et 100.000 livres; en revanche, les chiffres des importations devaient se situer entre 50.000 et 60.000 livres, c'est-à-dire que les exportations vers les pays de par-deçà montaient à environ un peu plus de la moitié des exportations totales, tandis que les importations dépassaient sans doute légèrement le tiers des importations totales.

QUATRIEME PARTIE

LE RETOUR
A L'ALLIANCE ANGLO-BOURGUIGNONNE

LA POLITIQUE YORKISTE DU DAUPHIN
ET DU DUC DE BOURGOGNE

La mésentente qui régnait depuis longtemps entre Charles VII et le dauphin prit, en 1456, un tour nouveau. Le futur Louis XI traversa la France à bride abattue, du Dauphiné aux Pays-Bas, pour se mettre sous la protection de « *son bel oncle de Bourgogne* ».

Presque en même temps, le comte de Warwick [1], celui qu'on appela le « faiseur de rois », était contraint de gagner Calais, dont il était gouverneur, à la suite du retour au pouvoir de Henri VI, apparemment guéri, mais toujours sous la tutelle étroite de la reine [2].

Ces événements imprimèrent une autre direction à la politique internationale. Comme l'ambassadeur milanais à la cour de France exprimait la crainte d'une alliance entre le dauphin, le duc de Bourgogne et l'Angleterre, on lui répondit que ce serait bien possible si le roi n'avait, lui aussi, les mêmes intentions et que l'Angleterre préférerait vraisemblablement cette seconde solution [3].

Aussi, Philippe sentait-il la nécessité de se concilier les Anglais « *car se doutoit bien que les François n'eussent incité les Anglés a le querir par ce party, afin de le bouter en guerre contre eux et de l'assaillir par leurs ennemis propres* » [4]. Pour renouer avec l'Angleterre, il suffisait de remettre en question l'éternel problème posé par les dommages causés dans les deux

---

[1] Trois biographies de Warwick ont été écrites : la plus ancienne est anonyme, c'est l'*History of the earl of Warwick surnamed the Kingmaker*, Londres, 1708; la deuxième en date, celle de C. OMAN, *Warwick the Kingmaker*, Londres, 1891, ne possède pas de références; la troisième, toute récente, relève plus de la biographie romancée que de l'œuvre historique (P. KENDALL, *Warwick, the Kingmaker*, Londres, 1957). Le meilleur aperçu reste celui de J. TAIT, dans *Dictionary of National Biography*, t. XL, 1894, pp. 279-296.

[2] Henri VI avait retrouvé sa lucidité depuis janvier 1456.

[3] J. VAESEN, *Lettres de Louis XI, roi de France*, 11 vol., Paris, 1883-1909, t. I, p. 275 : lettre de Tommasso Tebaldi au duc de Milan (7 décembre 1456); A.B. HINDS, *Calendar of State papers and manuscripts, relating to English affairs, existing in the archives and collections of Milan*, Londres, 1912, t. I, p. 18, n° 25.

[4] G. CHASTELLAIN, *opus cit.*, t. III, p. 318.

camps [5]. De part et d'autre, on déplorait, en effet, des attentats variés : prises en mer, incursions aux frontières, confiscations de biens, etc. [6].

L'arrivée de Warwick à Calais sembla même avoir accru le nombre des expéditions de pillage en terre bourguignonne [7]. A vrai dire, les Anglais ne devaient craindre aucune réplique violente car le duc considérait que les pertes subies par ses sujets avaient moins d'importance que le risque que l'on courait de déclencher une nouvelle guerre générale [8]. Le duc obtint néanmoins l'aide des Etats d'Artois pour résister aux Anglais [9].

Une réunion se tint à Ardres [10] et une autre fut projetée à Gravelines [11] en vue, semble-t-il, d'un échange de prisonniers; des messages répétés étaient envoyés à Warwick [12]. Une « *journée* » prévue pour le 1er mars 1457, à Bruges, fut remise à plus tard [13]. Elle fut, en effet, remplacée par une entrevue personnelle entre Warwick, le comte d'Etampes et le bâtard de Bourgogne, qui eut lieu en juillet à l'endroit habituel des rencontres anglo-bourguignonnes, entre Marck et Oye. Les chefs de délégations prirent contact et Warwick emmena à Calais les conseillers de Philippe le Bon chargés de conduire les pourparlers avec les « spécialistes » anglais. La situation était d'ailleurs menaçante puisque le comte d'Etampes n'osa pas descendre de cheval pour prendre une collation avec Warwick et Antoine de Bourgogne,

---

[5] Yvon Desqueyre fut envoyé en Angleterre et Tassin du Bois à Calais en novembre 1456 (A.D.N., *R.G.F.*, n° B 2026, f°s 198 v° et 199 v°).

[6] J. DU CLERCQ, *opus cit.*, éd. Reiffenberg, t. II, p. 244; G. CHASTELLAIN, *opus cit.*, t. III, pp. 317-318; A.D.N., *R.G.F.*, n° B 2026, f° 334; *Letter book K*, p. 377; A.D.N., *R.G.F.*, n° B 2030, f° 210. A Middelbourg, des draps anglais, saisis sur ordre du duc, furent repris les armes à la main par la population, qui se rendit dans le même but à Goes (H.J. SMIT, *opus cit.*, t. II, p. 928, n° 1452 : 10 août 1456; W.S. UNGER, *Bronnen*, t. I, p. 32).

[7] En mars, le duc mit en garde les seigneurs de Rubempré et de Lille-Adam, capitaine du Crotoy et sénéchal du Boulonnais, contre les entreprises des Anglais (A.D.N., *R.G.F.*, n° B 2026, f°s 245 et 250 v°). En juin, un homme d'armes et trois archers furent envoyés aux frontières de Calais « *tant de jour comme de nuit* » (A.D.N., *R.G.F.*, n° B 2026, f° 433 v°).

[8] G. CHASTELLAIN, *opus cit.*, t. III, p. 318.

[9] En juin 1457, aide demandée au nom du duc par le comte d'Etampes : A.D.N., *R.G.F.*, n° B 2026, f° 195 v°; C. HIRSCHAUER, *opus cit.*, t. II, p. 35.

[10] A.D.N., *R.G.F.*, n° B 2026, f° 187 et B 2025, f° 195 et B 2028/62030 : Alard de Rabodenghes à Ardres, décembre 1456 - janvier 1457. Robert de Miraumont avait été chargé d'écouter les dépositions des prisonniers anglais (A.D.N., *R.G.F.*, n° B 2030, f° 164 v°). En février 1457, Warwick offrait au comte de Charolais un « *hobin d'Irlande* » (A.D.N., *R.G.F.*, n° B 2661, f° 19 v°).

[11] A.D.N., *R.G.F.*, n° B 2026, f° 228 v° : ordre au seigneur de Rubempré, capitaine du Crotoy, de ne pas y participer (janvier 1457).

[12] A.D.N., *R.G.F.*, n° B 2026, f°s 208 v°, 229, 241 v° : janvier et février 1457.

[13] A.D.N., *R.G.F.*, n° B 2026, f°s 195, 238 v°, 240 v°.

tant il craignait un coup de main français [14]. Au cours des négociations menées tantôt à Calais, tantôt à Saint-Omer ou à Gravelines, les députés bourguignons se heurtèrent à l'intransigeance des Anglais dans la question des réparations à prévoir pour chaque cas particulier; ils demandèrent l'avis du comte d'Etampes et du duc lui-même qui se trouvait alors à Hesdin. Celui-ci demanda à son Conseil de délibérer sur ce problème. Il fallait conclure la paix, coûte que coûte; on résolut donc de passer par les exigences anglaises, et de sacrifier les intérêts particuliers — c'est-à-dire économiques — pour le maintien de la bonne entente [15].

De nouvelles entrevues se déroulèrent en octobre à Calais, Saint-Omer et Gravelines, entre les Anglais et les Bourguignons [16]; on y décida sans doute de tenir une importante conférence [17] aux mêmes endroits. Celle-ci s'ouvrit

[14] G. CHASTELLAIN, opus cit., t. III, pp. 318-319; J. DU CLERCQ, opus cit., éd. Reiffenberg, t. II, p. 246; A.D.N., R.G.F., n° B 2026, f°ˢ 160 v°, 175, 195 v°, 208 v°, 266 v°, 277; n° B 2034, f° 162. Citons, parmi les conseillers bourguignons, Jean Postel, Guillebert d'Ausque, Guichard Bournel, Jean bâtard de Renty, Alard de Rabodenghes. Un écuyer d'écurie, Jean Chassal, se rendit même en Angleterre (A.D.N., R.G.F., n° B 2034, f° 193).

[15] G. CHASTELLAIN, opus cit., t. III, pp. 337-339; A.D.N., R.G.F., n° 2030, f° 175. Les prises de bateaux bourguignons en mer n'en continuaient pas moins et même sur l'ordre de Warwick (voir H.J. SMIT, opus cit., t. II, pp. 936 et 937, n°ˢ 1468 et 1470 : 10 mars et 8 juillet 1437).

[16] A.D.N., R.G.F., n° B 2026, f°ˢ 296, 338 v° : les délégués bourguignons étaient le comte d'Etampes, Alard de Rabodenghes, Jean bâtard de Renty, Guillebert d'Ausque. Deux délégués brugeois se trouvaient à Calais au même moment au sujet de la restitution d'un bateau de Kampen (A.G.R., Comptes de Bruges, C.C., n° 32510, f° 47 v°).

[17] Commission délivrée, le 20 avril, par Henri VI à Warwick et d'autres délégués anglais (Henri Bourchier, John Wodehouse et Louis Gallet) pour le règlement des dommages réciproques, et le 28, pour une affaire particulière (Calendar of Patent Rolls, 1452-1461, pp. 436-437; H.J. SMIT, opus cit., t. II, p. 945, n° 1481); T. RYMER, opus cit., t. XI, p. 410 : 14 mai 1458, commission générale pour Warwick, l'évêque de Salisbury (Richard Beauchamp, évêque d'Hereford en 1448, de Salisbury en 1450, chancelier de l'ordre de la Jarretière en 1475, mort en 1481; voir J. GAIRDNER, Dictionary of National Biography, t. IV, 1885, p. 31), Henri, vicomte Bourchier (puis duc d'Essex, beau-frère du duc d'York; son fils Humphrey, dont le nom est cité plus loin, devint lord Cromwell et William, le fils aîné, cité plus loin également, épousa la sœur d'Elisabeth Woodville; voir W. HUNT, Dictionary of National Biography, t. VI, 1886, p. 10), Robert Botell, Henri Lescrope, Vincent Clement (collecteur du pape), William Bourchier, John Stratton, Robert Hall, Thomas Chippenham, Thomas Neville (frère de Warwick tué à la bataille de Wakefield en 1460), John Neville (frère de Warwick, devint marquis de Montaigu et comte de Northumberland; voir J. TAIT, Dictionary of National Biography, t. XL, 1894, pp. 265-269), John Wenlock (d'abord chambellan de Marguerite d'Anjou, devint yorkiste après la bataille de Saint Albans en 1455, suivit Warwick lorsqu'il abandonna Edouard IV et fut tué à la bataille de Tewkesbury en 1471, baron Wenlock depuis 1461; voir W.A.J. ARCHBOLD, dans Dictionary of National Biography, t. LX, 1899, pp. 253-255), Humphrey Bourchier, Thomas Vaughan (yorkiste également; voir W.A.J. ARCHBOLD, dans Dictionary of National Biography, t. LVIII, 1899, pp. 180-181), John Thirsk (maire de l'Etape), Louis Gallet, William Pyrton, John Williamson, Richard Whetehill (plus tard lieutenant de Warwick à Guines), John Wodehouse (ancien maire de l'Etape), William

en mai 1458, en présence du comte d'Etampes et d'un grand concours de conseillers bourguignons[18]. A l'ordre du jour figurait théoriquement la confirmation des trêves, et le règlement des dommages réciproques[19]. En réalité, on s'intéressa surtout à « *aucuns autres secrets entendements* », qui intriguaient fort Charles VII. Le roi d'armes Normandie fut même pris en flagrant délit d'espionnage au profit de son maître alors qu'il rôdait aux environs de Bourbourg et de Gravelines[20]. Le comte de Charolais[21] était

Overay (gouverneur de la Nation d'Angleterre). P.R.O., *Treaty Rolls*, C 76/140/m. 9 (14 mai 1458) : sauf-conduits de Henri VI pour le comte d'Etampes et les délégués bourguignons, Thibaut de Neufchâtel, maréchal de Bourgogne, l'évêque de Toul, Antoine, bâtard de Bourgogne, les seigneurs de Créquy et d'Auxy (Jean, seigneur et ber d'Auxy, glorieux chevalier à qui fut confiée l'éducation militaire du comte de Charolais; voir J. BARTIER, *opus cit.*, p. 253), le souverain bailli de Flandre, Josse de Halewijn, le gouverneur de Lille, Baudouin d'Oignies, Pierre de Goux (excellente biographie de J. BARTIER, *opus cit.*, pp. 241-260; conseiller depuis 1434, avocat fiscal, protégé de Nicolas Rolin, spécialiste de la diplomatie bourguignonne vers 1465, mort en 1471; biographie vieillie de E. VAN ARENBERGH, dans la *Biographie Nationale*, t. VIII, 1884-1885, col. 164-168), le président du Conseil de Luxembourg, Jean Lorfèvre (professeur, puis recteur de l'Université de Louvain, maître de requêtes de l'Hôtel, conseiller au Grand Conseil, président du Conseil de Luxembourg, chancelier de Brabant, conseiller au Conseil de Brabant et président du même Conseil. mort en 1476; voir A. GAILLARD, *Le Conseil de Brabant*, Bruxelles, 1902, t. III, p. 336), Antoine Haneron (trésorier du domaine, prévôt de Saint-Donatien à Bruges, précepteur de Charles le Téméraire; voir H. STEIN, « Un diplomate bourguignon au XVe siècle : A. Haneron », *Bibliothèque de l'Ecole des Chartes*, 1937, pp. 282-303, qui ne signale pas cette mission de Haneron), Richard Pinchon, Pierre Milet (secrétaire, chanoine d'Utrecht, prévôt de Saint-Pierre d'Aire, archidiacre de Brie en l'église de Soissons; voir J. BARTIER, *opus cit.*, p. 129), Thierry de Vitry (maître des écoles de Saint-Jean de Besançon en 1449, secrétaire dès 1457, serviteur de Guillaume Fillastre et de Thibaut de Neufchâtel, chanoine de Tournai; voir J. BARTIER, *opus cit.*, p. 107), Simon de le Kerrest, secrétaire. Il convient de comparer cette liste avec celle de la note suivante.

[18] G. CHASTELLAIN, *opus cit.*, t. III, pp. 427-428; J. DE WAVRIN, *opus cit.*, t. VIII, p. 381. Les étapiers avaient prêté l'argent nécessaire à l'ambassade anglaise (*Calendar of Patent Rolls, 1452-1461*, p. 423 : 16 mai 1458). A.D.N., *R.G.F.*, n° B 2030, f°s 165 v°, 166, 176 v°, 177 v°, 188, 189, 232 v°, 233 v°, 235, 236, 243, 244, 253 v°; n° B 2034, f°s 77, 85 v°; sont signalés les délégués bourguignons suivants : comte d'Etampes, Josse de Halewijn, Simon de le Kerrest, Guillaume Fillastre, Thibaut de Neufchâtel, Jean bâtard de Renti, Thierry de Vitry, Jehan Postel, Richard Pinchon, Alard de Rabodenghes, Pierre Caillette, Pierre de Goux et le seigneur de Blanmont. Des délégués du Franc se trouvaient également au début de juin à Calais : A.G.R., *Comptes du Franc, C.C.* n° 42569, f° 58. Pierre Caillette, maître des requêtes, fut chargé plusieurs fois d'enquêtes en Bourgogne (voir J. BARTIER, *opus cit.*, pp. 170-175 et 336).

[19] Philippe le Bon avait donné ordre de recueillir les plaintes (H.J. SMIT, *opus cit.*, t. II, p. 951, n° 1492); elles furent rédigées par les clercs de Jean Postel et Antoine Haneron (A.D.N., *R.G.F.*, n° B 2034, f° 183). Les arrestations et prises en mer se poursuivaient (H.J. SMIT, *opus cit.*, t. II, pp. 944 et 949, n°s 1480, 1489); enquête au sujet de la prise d'un bateau anglais par une flotte bourguignonne, sur l'ordre des envoyés du duc à Calais : H.J. SMIT, *opus cit.*, t. II, p. 945, n° 1482.

[20] G. CHASTELLAIN, *opus cit.*, t. III, p. 428.

[21] A.D.N., *R.G.F.*, n° B 2030, f° 192 v°.

associé aux pourparlers et ses préférences allaient alors, sous l'influence de sa mère, au parti anglais[22]. Nous ne savons rien de plus des tractations politiques, sinon que l'accord semblait établi tout au moins avec Warwick[23]. Mais Marguerite d'Anjou était-elle prête à ratifier les engagements de ce dernier ? Le faible Henri VI n'avait-il pas déclaré ouvertement, quelques mois auparavant, à un émissaire du duc d'Alençon : « *Le duc de Bourgogne est l'homme du monde avec lequel j'aurois le plus volontiers guerre, parce qu'il m'a abandonné dans ma jeunesse combien qu'il m'ait fait le serment et sans que oncques lui eusse meffait. Si je vis longuement, je lui ferai guerre*[24] ». Au moment des conférences, le comte d'Etampes envoyait des lettres, dont nous ignorons le contenu, à Henri VI, aux ducs d'York, de Somerset et aux maires et « *aldermen* » de Londres[25]. Il touchait ainsi à la fois toutes les autorités du royaume; il s'agissait probablement de questions d'ordre économique puisqu'elles intéressaient la cité de Londres. Les plénipotentiaires réunis à Calais décidèrent de confier à quatre commissaires de chaque parti le soin de mener les enquêtes en vue du règlement des réparations dues par chaque camp. Deux Anglais et deux Bourguignons furent chargés d'effectuer le travail à Londres et quatre autres à Bruges[26].

Alors que se déroulaient ces laborieuses tractations, la situation économique se détériorait aux foires d'Anvers. Les Anglais se plaignaient que leurs privilèges n'étaient pas respectés et ce n'est que plusieurs mois plus tard qu'ils se remirent à fréquenter la ville qu'ils avaient délaissée au profit de Bruges[27].

Cependant, les Bourguignons avaient su donner une telle confiance aux Anglais que ceux-ci se crurent autorisés, à la fin de 1458, à tenter une

---

[22] G. CHASTELLAIN, *opus cit.*, t. III, p. 426.

[23] C.L. SCOFIELD (*The life and reign of Edward the fourth*, Londres, 1923, t. I, p. 28) n'hésite pas à déclarer : « *In the course of the negociations, Warwick succeeded in establishing a secret understanding between Philip and the Yorkist leaders* ».

[24] G. DU FRESNE DE BEAUCOURT, *opus cit.*, t. VI, p. 137 : déclaration, faite au début de 1456, à Edmond Gallet, envoyé du duc d'Alençon et fils de Louis Gallet, l'ambassadeur anglais.

[25] A.D.N., *R.G.F.*, n° B 2030, f° 191 v°.

[26] Sauf-conduits accordés le 12 juillet 1458 par Henri VI à André Colin et Simon de Moerkerke (P.R.O., *Treaty Rolls*, C 76/140/m. 8) et Jacques du Vinage pour se rendre à Londres (T. RYMER, *opus cit.*, t. XI, p. 413). Commission de Henri VI à William Sprever et John Derby (T. RYMER, *opus cit.*, t. XI, p. 414 et P.R.O., *Treaty Rolls*, C 76/140/m. 3 : 20 juillet et 20 août 1458). Sauf-conduit de Philippe le Bon pour Antoine de la Tour et William Caxton (A.D.N., *R.G.F.*, n° B 2030, f° 247 : 1er août 1458) et commission de Henri VI à Henri Sharp et William Overay de se rendre à Bruges (P.R.O., *Treaty Rolls*, C 76/140/m. 3 : 20 août 1458). Lettres de Moerkerke et Vinage au duc (A.D.N., *R.G.F.*, n° B 2030, f° 264 : 4 octobre 1458); convocation de Jean Postel à Bruges à une réunion avec les commissaires anglais (A.D.N., *R.G.F.*, n° B 2030, f° 267 : 24 octobre 1458).

[27] Voir pp. 277-280.

démarche plus amicale. Wenlock, partisan du duc d'York, et Louis Gallet furent chargés, par la cour, de proposer à Philippe le Bon les mariages des fils d'Henri VI, du duc d'York et du duc de Somerset [28] avec les filles du comte de Charolais et des ducs de Bourbon et de Gueldre.

C'était mal connaître le duc de Bourgogne que de le croire capable d'accepter de telles unions qui l'auraient définitivement lié au sort de l'Angleterre. L'alliance anglaise n'était pour lui qu'un artifice politique destiné à contrebalancer les forces qui lui étaient hostiles en France. Aussi, répondit-il à l'ambassade anglaise qu'en vertu de la paix d'Arras, il ne pouvait traiter de pareilles unions sans le consentement du roi [29].

L'entrevue eut lieu à Mons où l'ambassade fut richement reçue [30]; la duchesse en profita pour gagner Wenlock à sa dévotion. Les Anglais, après leur échec, se dirigèrent vers Rouen pour négocier avec les envoyés de Charles VII. Ils briguaient cette fois l'alliance de la fille du roi et des filles du duc d'Orléans et du comte du Maine [31], tout en proposant la conclusion de trêves de courte durée. Charles répondit aimablement mais assez évasivement, tandis que Wenlock tenait Isabelle de Portugal au courant des tractations et lui promettait de lui envoyer le récit des réactions anglaises avant de le faire parvenir en France. Il lui conseillait aussi d'avoir pleine confiance dans le dauphin et affirmait que les Français désiraient vivement des trêves pour empêcher les Anglais de se porter au secours des Bourguignons [32]. Plus modérée, la duchesse répondit qu'elle était prête à poursuivre les pourparlers mais qu'elle attendrait d'être mieux informée des intentions du roi d'Angleterre et du duc d'York [33].

Cette ambassade semble n'avoir eu qu'un seul résultat; encore fut-il très accessoire : les Membres de Flandre avaient insisté auprès d'elle à Mons, puis à Bruges, lors de son retour, pour obtenir une modification des statuts

[28] Il s'agissait en fait du duc de Somerset lui-même dont le père était mort en 1455 et qui n'eut jamais d'enfants légitimes (voir C.L. SCOFIELD, *opus cit.*, t. I, p. 29). Henry Beaufort, duc de Somerset, fut comme son père, un des plus importants seigneurs lancastriens; il se réconcilia momentanément avec Edouard IV, en 1451, puis reprit le parti de Marguerite d'Anjou, ce qui lui valut d'être exécuté par les yorkistes sur le champ de bataille d'Hexham en 1464 (voir A.F. POLLARD, dans *Dictionary of National Biography*, supplément, vol. I, 1901, pp. 157-158).

[29] J. STEVENSON, *opus cit.*, t. I, p. 361, lettres de nouvelles adressées à Charles VII de la cour de Bourgogne; J. DE WAVRIN, *opus cit.*, t. VIII, p. 390; J. DU CLERCQ, éd. Reiffenberg, *opus cit.*, t. II, p. 329. Wenlock avait reçu, le 29 août 1458, un sauf-conduit de Henri VI pour se rendre à Anvers (P.R.O., *Treaty Rolls*, C 76/140/m. 5).

[30] A.D.N., *R.G.F.*, nº B 2030, fº 360 et nº B 2034, fºˢ 53 vº et 233 : du 28 octobre au 13 novembre; les ambassadeurs étaient au nombre de vingt-six; le duc leur offrit de l'argenterie ainsi qu'aux ambassadeurs d'Aragon qui se trouvaient au même moment à sa cour.

[31] Charles d'Anjou, comte du Maine, oncle de Marguerite d'Anjou.

[32] J. STEVENSON, *opus cit.*, t. I, p. 370, lettre de Wenlock à la duchesse de Bourgogne.

[33] IDEM, *ibidem*, t. II, pp. 360-363.

de l'Etape [34]; un mois plus tard, Henri VI autorisait les marchands de Calais à traiter avec le duc et les Quatre Membres de la question des modalités de paiement de la laine [35].

Si, du point de vue économique, la situation se compliquait, sur le plan politique, la partie se jouait plus que jamais à trois et même à quatre en distinguant les deux factions anglaises. Charles VII soutenait sa nièce Marguerite d'Anjou tandis que Philippe le Bon et le dauphin appuyaient le duc d'York et que le comte de Charolais penchait vers le parti Lancastre.

Les héritiers de France et de Bourgogne se désolidarisaient de la politique de leurs pères; il s'agissait d'un conflit de générations où les jeunes, impatients de gouverner, regardaient d'un œil critique l'action de leurs aînés. Arrivés à leur tour au pouvoir, leur optique se modifia et ils furent contraints d'adopter les points de vue de leurs prédécesseurs.

La politique française constituait l'arrière-plan des relations anglo-bourguignonnes, tandis que les échanges commerciaux en restaient la base dans toutes les circonstances; l'accord ou la mésentente régnant entre le suzerain et le vassal conduisaient les négociations avec l'Angleterre dans les limites exigées par l'entrecours.

Or, en 1459, le climat des rapports entre Charles VII et Philippe le Bon ne s'était pas amélioré; la fuite du dauphin à la cour de Bourgogne avait contribué à vicier les relations. Lorsqu'une grande ambassade bourguignonne fut reçue, en février, par le roi à Montbazon, Jean de Croÿ définit la politique anglaise de son maître. Il rappela la prise de Paris, le siège de Calais, présenta la conclusion de trêves avec les Anglais comme un réflexe de défense contre des raids de pillage exécutés par les compagnies d'ordonnance dans les pays du duc, et justifia ces accords par la crainte d'un partage des possessions de Philippe le Bon entre les rois de France et d'Angleterre à la faveur du mariage angevin. Dans sa réponse, le roi minimisa l'importance de l'aide que le duc avait apportée à la conquête du royaume et écarta les raisons évoquées pour expliquer les armistices avec l'Angleterre [36]. A la fin de

---

[34] A.G.R., *Comptes du Franc*, C.C., nº 42570, fos 19, 19 vº, 21 et 26 : 19 novembre 1458.

[35] *Calendar of Patent Rolls*, 1452-1461, p. 500; H.J. Smit, *opus cit.*, t. II, p. 949, nº 1488.

[36] G. Du Fresne de Beaucourt, *opus cit.*, t. VI, pp. 213-225; C.L. Scofield (*opus cit.*, t. I, p. 49) en conclut que Philippe le Bon avait signé une trêve de trois mois avec Warwick lors des pourparlers de 1458; rien de semblable ne ressort du texte et nous pensons plutôt qu'il s'agit d'un grief portant sur la conclusion des trêves de 1443 entre Anglais et Bourguignons qui n'avaient nul besoin d'être prolongées puisqu'elles resteraient en vigueur tant qu'elles ne seraient pas dénoncées et que, pour cela, un délai de quatre ans était exigé depuis 1447. Les troupes du maréchal de Bourgogne, le seigneur de Lille-Adam, étaient entrées dans Paris avec celles du connétable de Richemont, le 13 avril 1436 (G. Du Fresne de Beaucourt, *opus cit.*, t. III, p. 7). Au sujet de Lille-Adam voir p. 377 n. 63.

l'année, une ambassade française fut envoyée à Philippe le Bon; elle lui reprocha à nouveau la signature des trêves avec Henri VI; les mêmes justifications lui furent données qu'à Montbazon [37]. Les positions n'avaient pas évolué et chacun était bien décidé à poursuivre les buts qu'il s'était fixés.

C'est ainsi que le duc resta en rapport avec Warwick à Calais [38] et envoya Jacques du Vinage et Simon de Moerkerke à Londres poursuivre leurs efforts pour arriver à un accord sur la question des dommages causés de part et d'autre [39]. Après une réconciliation momentanée, la reine et le duc d'York étaient de nouveau en opposition violente et l'on s'attendait à une épreuve de force entre les deux camps. Peut-être Warwick avait-il prévenu le duc du danger; en tout cas, dès le mois de mai, Vinage et Moerkerke furent rappelés [40] et la duchesse fit remettre au mois d'août une réunion projetée en mai [41].

C'est dans ces circonstances troublées que les Membres de Flandre s'aperçurent de la nécessité de prolonger l'entrecours qui allait expirer à la Toussaint 1459 [42]. Tandis que les yorkistes se faisaient battre, le 13 octobre 1459, à Ludlow, que le duc d'York gagnait l'Irlande et que Warwick, avec le futur Edouard IV, reprenait le chemin de Calais, Henri VI délivrait, le 1er octobre, une commission pour traiter de la prorogation de l'entrecours [43]. Ceci n'est pas l'épisode le moins étonnant de l'histoire des relations anglo-bourguignonnes. Faut-il y voir une tentative de Marguerite d'Anjou d'abstraire les problèmes économiques des préoccupations politiques, de se concilier, sinon le duc, tout au moins ses sujets ? Ou encore, s'agit-il de « simple routine administrative » ? D'autre part, il était urgent de renouer les négociations car les échanges n'allaient bientôt plus être protégés par aucun instrument. Calais était aux mains des seigneurs rebelles, les comtes de Salisbury,

[37] G. Du Fresne de Beaucourt, opus cit., t. VI, p. 273.

[38] A.D.N., R.G.F., n° B 2034, f° 102 v° : 4 février 1459.

[39] Pouvoirs de Henri VI, en date du 10 avril 1459 : P.R.O., Treaty Rolls, C 76/141/m. 18; des délégués zélandais et hollandais leur furent adjoints (H.J. Smit, opus cit., t. II, p. 954, n°s 1496 et 1498).

[40] A.D.N., R.G.F., n° B 2034, f°s 124 v°, 136 v° : 21 mai 1459. Voir aussi A.D.N., R.G.F., n° B 2058, f° 159 v° : 1er août 1459.

[41] A.D.N., R.G.F., n° B 2034, f° 118 v° : 15 avril 1459; le duc recevait fréquemment des nouvelles de la situation en Angleterre (A.D.N., R.G.F., n° B 2034, f° 127 : 22 mai; f° 133 v° : 8 juillet).

[42] A.G.R., Comptes du Franc, C.C. n° 42570, f°s 34, 34 v°, 35, 37, 45 v° : 27 juillet 1459, 7, 9 et 14 septembre, 9 octobre. Deux Brugeois se trouvaient à Londres, Willem Helyst et Colin de Raet (A.G.R., Comptes de Bruges, C.C., n° 32512, f° 23 v° : 18 octobre 1459).

[43] P.R.O., Treaty Rolls, C 76/142/m. 22 : les députés étaient H. Sharp, J. Danvers, J. Mareney, O. Mountfort, W. Overay, W. Stokton, T. Danvers, R. Heron, P. Hardebone, J. Hunte, J. Clyfton. Au sujet de Heron, qui était étapier, voir W.I. Harward, dans E. Power et M.M. Postan, opus cit., pp. 318-320.

Faucomberg, Warwick et March [44]. C'est en vain que le jeune duc de Somerset, nommé capitaine de la forteresse [45], tenta de s'emparer de la place. Sa flotte se rendit à ses adversaires et il fut contraint de s'enfermer dans Guines [46]. Le conflit anglais se transportait aux frontières mêmes des pays bourguignons. Le ravitaillement en laine était compromis, les villes drapières aux abois [47]. Une réunion des Membres de Flandre se tint à Bruges en présence de trois envoyés ducaux, Pierre Bladelin, Jean Lorfèvre et Simon de le Kerest, et de représentants des marchands anglais [48], ce qui constituait une innovation. La voie à suivre fut, semble-t-il, définie à Bruxelles, au début de novembre 1459, par le duc lui-même devant la délégation flamande [49]. En conséquence, Jean de Lannoy et le maréchal de Bourgogne, Thibaut de Neufchâtel, partirent pour Gravelines et Calais. Ils devaient rencontrer les Anglais, traiter de l'entrecours et « *autrement pour les affaires de monseigneur* » [50]. Ainsi donc, ils étaient chargés d'une double mission : d'une part, sonder les possibilités économiques de l'Etape, et de l'autre, assurer les proscrits de la continuité de l'appui bourguignon. Lors des pourparlers, les ambassadeurs furent amenés à consulter Philippe le Bon lui-même [51]. C'est le moment que choisit Marguerite d'Anjou pour envoyer de la part du roi des missives personnelles au duc et à son fils [52]; de même, Henri VI renouvelait, le 26 novembre, les pouvoirs accordés aux négociateurs [53]. Cette fois, la reine cherchait manifestement à détourner Philippe le Bon de l'alliance yorkiste à la faveur de concessions commerciales, vainement d'ailleurs, car cette tentative n'eut aucun écho; quant à la lettre adressée à Charolais, elle prêchait un converti. Les lords de Calais avaient entre-temps gagné à leur cause le légat du pape Coppini [54], chargé de réconcilier les deux factions, et

---

[44] Edouard, comte de March, fils du duc d'York, était le futur Edouard IV.

[45] T. RYMER, *opus cit.*, t. XI, p. 436 : 9 octobre 1459.

[46] C.L. SCOFIELD, *opus cit.*, t. I, pp. 44 et 61-62.

[47] A.V.L., *Comptes de Louvain*, n° 5087, f° 58 : 9 mars 1460.

[48] A.G.R., *Comptes du Franc*, C.C. n° 42571, f° 18 : 22 octobre et 2 novembre 1459; A.G.R., *Comptes de Bruges*, C.C., n° 32512, f° 24 (22 octobre) : messager envoyé au gouverneur W. Overay (celui-ci était nommé dans la commission de Henri VI du 1er octobre). Bruges remercia Bladelin et Kerrest par un don en argent (A.G.R., *Comptes de Bruges*, C.C., n° 32512, f° 39 : février 1460). A une date non précisée de l'année 1458-1459, eut lieu une réunion, à Anvers, des Membres de Flandre, des Etats de Brabant et de Malines, c'est-à-dire de toutes les parties intéressées au renouvellement de l'entrecours (A.V.M., *Comptes de Malines*, 1458-1459, f° 148). Quelque temps plus tard, Malines eut des contacts avec des membres de la « *nation d'Angleterre* » (A.V.M., *Comptes de Malines*, 1459-1460, f° 110).

[49] A.G.R., *Comptes du Franc*, C.C., n° 42571, f° 35 : 2 novembre 1459.

[50] A.D.N., *R.G.F.*, n° B 2040, f°s 141 et 149 : 6 novembre; n° B 2045, f° 133.

[51] A.D.N., *R.G.F.*, n° B 2040, f° 121 : 6 novembre 1459.

[52] A.D.N., *R.G.F.*, n° B 2040, f° 165 v° : 6 novembre 1459.

[53] P.R.O., *Treaty Rolls*, C 76/142/m. 22 : 26 novembre 1459.

[54] Francesco Coppini, évêque de Terni.

s'employaient à préparer leur retour. Le 2 juillet 1460, ils rentraient triomphalement à Londres et le 10, battaient l'armée royale à Northampton emmenant le roi en captivité dans la capitale; Marguerite d'Anjou avait gagné le Pays de Galles [55]. Cette victoire mit en joie le duc de Bourgogne et le dauphin, d'autant plus que le bruit courait que la reine négociait une trêve avec Charles VII pour attaquer de concert Philippe le Bon. La situation s'était renversée; on s'attendait à la reconquête de la Normandie et de la Gascogne par les Anglais avec l'aide du duc de Bourgogne et des populations mécontentes de la domination française [56]. C'était aller un peu vite... Néanmoins Somerset fut sommé de livrer Guines aux vainqueurs [57]. Lié d'amitié avec le comte de Charolais, il lui proposa, lors d'une entrevue qui eut lieu le 12 août à Ardres, de lui remettre la place. Le jeune Charles aurait volontiers accepté l'offre si son père ne s'y était vivement opposé [58]. Comment, en effet, pouvait-on garder l'amitié de la faction anglaise au pouvoir et sacrifier une ligne de conduite suivie pendant plusieurs années pour obtenir un si faible avantage ? Les contemporains ont vu dans les sympathies lancastriennes du comte de Charolais l'influence d'Isabelle de Portugal [59], Lancastre elle-même par sa mère. Or, jamais la duchesse ne se fit le champion d'une telle politique; c'est même elle, rappelons-le, qui poussa son fils, contre le gré du duc, à un mariage avec une fille du duc d'York [60]. On a dit aussi que Jean de Calabre, frère de Marguerite d'Anjou et ami de Charolais, l'avait entraîné dans le parti Lancastre [61]. Il faut plutôt,

---

[55] Le trésorier d'Angleterre, Henri Bourchier, s'enfuit vers les Pays-Bas à bord d'un bateau génois (A. GRUNZWEIG, *Correspondance*, p. 88, n° 33 : 17 juillet 1460); il se réfugia en Hollande où il fut surveillé par les services de Philippe le Bon (A.D.N., *R.G.F.*, n° B 2048, f° 157). Dès le début de mai, les Bourguignons espéraient le succès complet de Warwick (A.B. HINDS, *opus cit.*, t. I, p. 22, n° 34, 6 mai 1460 : lettre de Otto de Carreto, ambassadeur à la cour pontificale, au duc de Milan).

[56] A. GRUNZWEIG, *opus cit.*, p. 88, n° 33 : 17 juillet 1460; A.B. HINDS, *opus cit.*, t. I, p. 32. Charles VII, au même moment, lors d'un Conseil tenu en Berry chez le comte du Maine, décidait que, puisque les arrêts du Parlement de Paris n'étaient pas appliqués dans les pays bourguignons et que le duc avait pris des trêves avec les Anglais sans l'autorisation du roi, Philippe le Bon « *s'est mis hors son devoir et qu'il a matiere suffisante et juste cause de proceder par voye de fait et puissance d'armes* » (B.N., *Fonds français*, n° 5042).

[57] T. RYMER, *opus cit.*, t. XI, p. 459 : 5 août 1460. Dès le mois de juillet, Somerset avait reçu un sauf-conduit de Charles VII (B.N., *Fonds français*, n° 6967, f° 315, n° 238 : 16 juillet 1460, lettre de Brézé au trésorier de France).

[58] G. CHASTELLAIN, *opus cit.*, t. IV, pp. 68 et 483-484; J. DE WAVRIN, t. VIII, *opus cit.*, p. 291.

[59] G. CHASTELLAIN, *opus cit.*, t. III, p. 426; t. V, p. 311; P. DE COMMINES, *Mémoires*, éd. B. de Mandrot, 1901-1903, t. II, pp. 48-50. C'est encore l'opinion de H. PIRENNE, *Histoire de Belgique*, t. II, p. 323.

[60] Voir p. 162.

[61] C'était l'opinion de Louis XI en 1465 : B. DE MANDROT, *Dépêches des ambassadeurs milanais en France sous Louis XI et François Sforza*, Paris, 1916-1920, t. III, pp. 322-325, lettre de Panigarola au duc de Milan, du 4 septembre 1465.

comme nous l'avons déjà souligné, y voir une nouvelle forme de l'opposition qui dressait le fils contre le père. Quelque temps après cet incident, le comte ne fit-il pas savoir à Charles VII qu'il assumerait volontiers le commandement d'une armée royale destinée à venir au secours de Marguerite d'Anjou [62] ? En revanche, le duc, à l'annonce de la défaite de la reine, envoya aussitôt Philippe de Loan et Jean du Chassal en Angleterre [63] et fit don de deux chevaux à Warwick [64]; il convoqua, quelques jours après, les Quatre Membres [65] devant son Conseil pour y mettre au point la question de la prolongation de l'entrecours.

Venant appuyer le bruit de cette bonne entente, la nouvelle se répandit qu'un mariage entre les maisons de Bourgogne et d'York était à la veille de se conclure [66]. Le dauphin envoyait à Londres son conseiller, le sire de la Barde [67], qui recevait un sauf-conduit lui permettant d'effectuer pendant trois mois, entre le continent et l'Angleterre [68], autant de voyages aller et retour qu'il le désirait. Philippe le Bon coopérait de tout son pouvoir au renforcement du parti yorkiste : deux seigneurs bourguignons, Louis de Gruuthuuse [69] et Josse de Halewijn, furent dépêchés auprès de la reine

[62] G. Du Fresne de Beaucourt, *opus cit.*, t. VI, p. 311.

[63] A.D.N., *R.G.F.*, n° B 2040, f° 144; le voyage de Loan dura du 5 août 1460 au 1er janvier 1461. Il était accompagné de deux archers de corps du duc (A.D.N., *R.G.F.*, n° B 2040, f° 130 v°). Philippe de Loan était lieutenant du sénéchal du Boulonnais, le seigneur de Lille-Adam (voir A.D.N., *R.G.F.*, n° B 2040, f° 235 v°; Jacques de Villers, seigneur de Lille-Adam, conseiller et chambellan du roi, sénéchal de Boulogne, garde de la prévôté de Paris en 1461, capitaine de Gisors, mort en 1473; voir J. du Clercq, éd. Reiffenberg, t. I, p. 265). Le voyage de Chassal commença à Bruxelles le 8 août et finit dans la même ville le 14 décembre (A.D.N., *R.G.F.*, n° B 2040, f° 235).

[64] A.D.N., *R.G.F.*, n° B 2040, f°s 140 et 263 v° : 12 octobre 1460, « *deux chevaulx de poil moreaulx a longues queues* », conduits par Pierre de Hagenbach.

[65] A.G.R., *Comptes du Franc, C.C.*, n° 42572, f° 41 : 6 octobre 1460; A.G.R., *Comptes de Bruges, C.C.*, n° 32513, f° 26 v° : 11 octobre 1460.

[66] A.B. Hinds, *opus cit.*, t. I, p. 30, n° 40 : lettre de Coppini au duc de Milan en date du 6 août 1460; il s'agissait du mariage d'un des jeunes fils d'York et de Marie de Bourgogne (voir p. 372).

[67] Jean d'Estuer, seigneur de la Barde.

[68] P.R.O., *Treaty Rolls*, C 76/143/m. 17 : 15 septembre 1460. C.L. Scofield (*opus cit.*, t. I, p. 114) signale en outre l'octroi au chambellan de la duchesse, Siger le Parmentier, d'un sauf-conduit lui permettant de commercer; elle y voit une preuve d'amabilité envers l'hôte du dauphin, au profit duquel se serait fait le commerce; l'acte ne fait aucune mention de l'intervention du dauphin ni de celle d'Isabelle de Portugal : P.R.O., *Treaty Rolls*, C 76/143/m. 13 : 9 octobre 1460.

[69] Louis de Gruuthuuse; voir à son sujet : L. Van Praet, *Recherches sur Louis de Bruges, seigneur de Gruuthuyse*, Paris, 1831.

douairière d'Ecosse pour prévenir une alliance avec Marguerite d'Anjou [70]; cette mission échoua d'ailleurs [71]. Enfin, on prépara fébrilement l'envoi d'une ambassade à Londres. Jean de Lannoy, le maréchal de Bourgogne, Thibaut de Neufchâtel, le président du Conseil de Flandre, André Colin [72], et peut-être même quelques représentants des Quatre Membres de Flandre devaient en faire partie [73]. L'ambassade ne partit pas car, entre-temps, la situation s'était retournée en Angleterre [74]. Marguerite d'Anjou était descendue d'Ecosse à la tête d'une armée et avait gagné, le 30 décembre 1460, la bataille de Wakefield où fut tué le duc d'York [75]. L'année 1461 s'ouvrit sur des perspectives nouvelles. Les villes flamandes, trompées, cette fois encore, dans leurs espoirs, multiplièrent en vain leurs efforts [76]. Warwick se trouvait toujours à Londres avec Henri VI et se tenait en contact avec Philippe le Bon [77]; celui-ci, fort inquiet, conféra avec le dauphin [78]. L'ambassade bourguignonne reçut un nouveau sauf-conduit [79] mais dut encore renoncer à s'embarquer car, le

---

[70] Sauf-conduits du 25 octobre 1460 aux ambassadeurs bourguignons et à George Abernaty, prieur du collège de Dumbarton, qui devait les guider vers l'Ecosse (P.R.O., *Treaty Rolls*, C 76/143/m. 11, 12, 14). Marie de Gueldre, nièce du duc, était veuve depuis le 4 août 1460, jour où son mari Jacques II fut tué à la bataille de Roxburgh, en se portant au secours de Marguerite d'Anjou; voir C.L. SCOFIELD, *opus cit.*, t. I, pp. 115-116 et 135).

[71] Les ambassadeurs reçurent un sauf-conduit de retour, le 13 février 1461 (P.R.O., *Treaty Rolls*, C 76/143/m. 6).

[72] Sauf-conduit du 25 octobre 1460 : P.R.O., *Treaty Rolls*, C 76/143/m. 14. Le doyen de Sainte-Gudule, Martin Steenberc, et Claude de Rochebaron devaient également faire partie de l'ambassade (A.D.N., *R.G.F.*, n° B 2051, f° 204 v° et n° B 2040, f° 228; voir aussi A.D.N., *R.G.F.*, n° B 2040, f°s 150 à 165). Le duc avait convoqué André Colin à Bruxelles pour lui donner ses instructions (A.D.N., *R.G.F.*, n° B 2045, f° 140).

Des aides extraordinaires furent demandées aux Etats d'Artois pour les frais des ambassades de France, d'Ecosse et d'Angleterre (C. HIRSCHAUER, *opus cit.*, t. II, p. 35).

[73] A.G.R., *Comptes d'Ypres, C.C.*, n° 38684, f°s 10 v° et 11 : 26 octobre et 11 novembre 1460; A.G.R., *Comptes du Franc, C.C.*, n° 42572, f°s 18, 23 et 42 : 26 octobre, 11 novembre et 30 décembre 1460.

[74] Philippe le Bon recevait régulièrement des nouvelles d'Angleterre par Philippe de Loan : A.D.N., *R.G.F.*, n° B 2040, f° 226 : octobre 1460. Il envoyait également des courriers à Calais, au comte de Fauconberg, oncle de Warwick (A.D.N., *R.G.F.*, n° B 2040, f° 163 : 10 novembre 1460).

[75] Le 9 janvier, Philippe le Bon était au courant de la défaite (A.D.N., *R.G.F.*, n° B 2040, f°s 131 et 229 v°).

[76] A.G.R., *Comptes d'Ypres, C.C.*, n° 38685, f° 8 : 4 janvier 1461.

[77] A.D.N., *R.G.F.*, n° B 2040, f° 169 : 19 janvier 1461.

[78] A.D.N., *R.G.F.*, n° B 2040, f°s 171 et 172 : 21 février 1461. L'ambassadeur milanais, Prosper Camulio, écrivait à son maître que le dauphin découragé désirait en secret une réconciliation avec son père (A.B. HINDS, *opus cit.*, t. I, p. 37).

[79] T. RYMER, *opus cit.*. t. XI, pp. 468-469 : 26 janvier 1461. Les sauf-conduits tardant à parvenir, le duc envoya Georges de Poucques, roi d'armes de Flandre, les réclamer à Warwick pour Lannoy et Neufchâtel et également pour Gruuthuse, revenu

17 février, Warwick essuyait une nouvelle défaite à Saint-Albans. Il dut se réfugier au Pays de Galles; les deux plus jeunes fils du duc d'York furent envoyés en Flandre pour se mettre sous la protection du duc de Bourgogne [80] et le légat Coppini gagna la Hollande [81].

La situation était angoissante : le sort de l'Angleterre se jouait et aussi l'équilibre si instable des relations franco-bourguignonnes. Au cours d'une entrevue avec l'ambassadeur milanais Camulio, Antoine de Croÿ déclara qu'en cas de défaite yorkiste, on s'attendait à une offensive française et qu'il fallait dès lors garder par tous les moyens l'amitié du dauphin [82].

A Londres, Warwick fit acclamer comme roi le jeune comte de March et, le 8 avril [83], Philippe le Bon put annoncer au futur Louis XI la nouvelle de la victoire yorkiste de Townton où le seigneur de la Barde avait brandi l'étendard du dauphin [84]. Le poursuivant Warwick était venu porter la bonne nouvelle de la part de son maître [85]. Au même moment, Charles VII massait des troupes sur les frontières de Picardie, sous prétexte de débloquer le

d'Ecosse. Poucques partit le 11 décembre et revint le 23 février (A.D.N., *R.G.F.*, n° B 2040, f°ˢ 140 et 175). Jean de Lannoy dut remettre les avances qu'il avait touchées en prévision de son voyage : A.D.N., *R.G.F.*, n° B 2040, f° 179 v° : avril 1461. Le 23 janvier, le seigneur de la Barde recevait prolongation de son sauf-conduit pour trois mois (P.R.O., *Treaty Rolls*, C 76/143/m. 5).

[80] J. DU CLERCQ, *opus cit.*, éd. Reiffenberg, t. III, p. 121; J. DE WAVRIN, *opus cit.*, t. VIII, p. 357; A.B. HINDS, *opus cit.*, t. I, p. 67. Ils arrivèrent à L'Ecluse le 9 avril avec vingt-trois personnes et logèrent une semaine à l'auberge de la « *Teste d'Or* », puis gagnèrent Bruges (A.D.N., *R.G.F.*, n° 2040, f° 266); du 16 au 22 avril, ils séjournèrent à Bruges en compagnie du duc; ils restèrent dans la ville encore deux jours après le départ de celui-ci, puis, accompagnés de Philippe, bâtard de Brabant, Claude de Toulongeon et Claude de Rochebaron, ils arrivèrent, le 28 avril, à Calais (A.D.N., *R.G.F.*, n° 2040, f° 266 v°).

[81] A.B. HINDS, *opus cit.*, p. 53, n° 69; R. BROWN, *Calendar of state papers and manuscripts, relating to English affairs existing in the archives and collections of Venice and in other libraries of Northern Italy*, vol. I, 1202-1509, Londres, 1864, p. 367 : 20 février 1461. D'autres yorkistes s'embarquèrent également, voir C.L. SCOFIELD, *opus cit.*, t. I, p. 147.

[82] G. DU FRESNE DE BEAUCOURT, *opus cit.*, t. VI, p. 327.

[83] A.D.N., *R.G.F.*, n° B 2040, f° 177 v°. Le duc avait reçu d'autres nouvelles le 22 mars et le 3 avril (A.D.N., *R.G.F.*, n° B 2040, f°ˢ 235 v°, 237 et 237 v°).

[84] T. BASIN, *opus cit.*, t. I, pp. 301-302.

[85] A.D.N., *R.G.F.*, n° B 2040, f°ˢ 237 et 267. Le poursuivant Warwick séjourna 15 jours en Flandre du 2 au 16 avril. La bataille ayant été livrée le 29 mars, il n'a pu en 3 jours couvrir la distance considérable séparant Townton de la Flandre. Il était accompagné de l'écuyer Wiseley qui avait porté l'enseigne de Warwick à Townton (A.D.N., *R.G.F.*, n° B 2040, f° 268). Il était venu sans doute annoncer l'avènement d'Edouard IV. Wiseley arriva probablement par la suite pour faire connaître le résultat de la bataille.

château de Hames assiégé par les Anglais; devant ce danger, le duc dut interrompre le voyage des enfants d'York qui se dirigeaient vers Calais [86].

La Rose Blanche l'avait finalement emporté et l'on se réjouissait franchement dans le camp yorkiste. Aussi fut-ce avec grand plaisir que Philippe le Bon reçut une missive d'Edouard IV; il en fit part immédiatement au dauphin [87]. Le bruit courait de la conclusion prochaine d'un traité d'amitié entre Edouard IV et Philippe le Bon, doublé d'une alliance matrimoniale entre Marie de Bourgogne et l'un des frères du roi [88]. Le duc de Bourgogne était bien trop prudent pour s'engager dans une pareille combinaison. L'ambassadeur milanais Prospero de Camulio remarquait que le père étant yorkiste et le fils partisan des Lancastres, quoi qu'il arrivât, la maison de Bourgogne était assurée de maintenir des rapports cordiaux avec l'Angleterre; sa position serait cependant bien plus forte si Edouard l'emportait définitivement [89].

La difficulté essentielle des relations anglo-bourguignonnes gisait bien là : les impératifs économiques exigeaient le maintien de liens amicaux, mais l'existence de partis ennemis posait de sérieux problèmes à la diplomatie ducale. En dernière analyse, seule l'attitude de son fils permettait à Philippe le Bon d'appuyer sans restriction la cause des yorkistes.

Ces bonnes nouvelles décidèrent la ville d'Ypres à envoyer un message aux capitaine et lieutenant de l'Etape [90]. De son côté, Philippe le Bon dépêcha Philippe de Loan en Angleterre [91] et fit porter des lettres à Edouard IV, à

---

[86] A.D.N., *R.G.F.*, n° B 2040, f° 178 v° : avril 1461. Au sujet du séjour des enfants d'York à Bruges et L'Ecluse, voir note 80 de la page 379 et A.B. HINDS, *opus cit.*, t. I, pp. 71 et 73, n°s 88, 90 et 91; R. BROWN, *opus cit.*, vol. I, n° 375; L. GILLIODTS VAN SEVEREN, *Inventaire*, t. V, p. 531. Au sujet du siège de Hames : C.L. SCOFIELD, *opus cit.*, t. I, p. 205; A.B. HINDS, *opus cit.*, t. I, p. 89, n° 105 : 9 mai 1461.

[87] A.D.N., *R.G.F.*, n° B 2040, f°s 183 et 263 : mai 1461. L'opinion courante était que le duc de Bourgogne avait fortement appuyé le parti yorkiste dans la conquête du pouvoir (A.B. HINDS, *opus cit.*, t. I, p. 56, n° 73 : 10 mars 1461, Charles de Violis à François Sforza). Philippe le Bon avait envoyé un de ses familiers à Warwick; il revint au début de mars avec une lettre de ce dernier (A.B. HINDS, *opus cit.*, t. I, p. 56, n° 70). En mai, Jean Watre, messager du roi d'Angleterre, vint apporter des nouvelles (A.D.N., *R.G.F.*, n° B 2040, f° 238 v°). Le seigneur de Lille-Adam avait envoyé, à la même époque, Malvinet Galvert en Angleterre pour s'informer (A.D.N., *R.G.F.*, n° B 2040, f° 238 v°). Plus tard, en juillet, Guillaume Kerthon, clerc de la chapelle d'Edouard IV, vint porter un message de Warwick (A.D.N., *R.G.F.*, n° 2040, f° 245 v°).

[88] A.B. HINDS, *opus cit.*, t. I, p. 67, n° 82 : 6 avril 1461, lettre de Nicolas O'Flanagan, évêque d'Elphin, à François Coppini.

[89] A.B. HINDS, *opus cit.*, t. I, p. 73, n° 91 : Bruges, 18 avril 1461, lettre de Prospero de Camulio à François Sforza.

[90] A.G.R., *Comptes d'Ypres, C.C.*, n° 38685, f° 9 v° : 21 juin 1461.

[91] A.D.N., *R.G.F., C.C.*, n° B 2040, f°s 156 v°, 185 et 245 v° : 1er juin au 22 décembre 1461. Il reçut 40 livres d'Edouard IV (voir C.L. SCOFIELD, *opus cit.*, t. I, p. 190).

Warwick et à la duchesse de Suffolk, sœur du roi [92]. Le duc reprenait ainsi activement les relations avec la maison d'York. Si l'on en croit l'ambassadeur milanais Camulio, Charles VII préparait une descente en Angleterre pour aider Marguerite d'Anjou, tandis que les yorkistes, le duc de Bourgogne et le dauphin s'apprêtaient à mettre à exécution leur plan de combat contre le roi [93]. Celui-ci réunit effectivement des forces en Normandie, et la reine Marguerite, réfugiée une fois encore en Ecosse, lui délégua le duc de Somerset [94]; l'alliance Lancastre allait ainsi reprendre vigueur et l'on pouvait prévoir une nouvelle épreuve de force entre les deux factions, lorsque, le 22 juillet 1461, Charles VII rendit le dernier soupir.

[92] A.D.N., R.G.F., n° B 2045, f° 212 v° : 8 juillet 1461. Elisabeth était l'épouse de John de la Pole, duc de Suffolk.

[93] B. DE MANDROT, opus cit., t. I, p. 13 : 28 juillet 1461. Au début de juin, Camulio pensait encore que le dauphin et Philippe le Bon allaient se rapprocher de Charles VII (A.B. HINDS, opus cit., t. I, p. 93, n° 109 : 6 juin, lettre à François Sforza).

[94] G. CHASTELLAIN, opus cit., t. IV, pp. 64 et suivantes; A.B. HINDS, opus cit., t. I, p. 90, n° 107 (Saint-Omer, 1er juin 1461, François Coppini à Pie II); pour empêcher cette alliance, le duc de Bourgogne aurait désiré entrer en contact avec sa nièce, la reine d'Ecosse, et aurait même repris l'idée d'un traité avec Edouard IV. Le 18 juin, Camulio écrivit au duc de Milan que Marie de Gueldre avait abandonné le projet de soutenir Marguerite d'Anjou (A.B. HINDS, opus cit., t. I, p. 98, n° 115); il ajoutait que les rapports entre Charles VII, le dauphin et Philippe le Bon dépendaient avant tout de l'issue de la lutte en Angleterre. C.L. SCOFIELD (opus cit., t. I, p. 176) fait même mention d'une mission du seigneur de Gruuthuuse (?) en Ecosse.

LA MEDIATION DE PHILIPPE LE BON ENTRE
LOUIS XI ET EDOUARD IV

Quelles allaient être les réactions du nouveau roi de France ? Poursuivrait-il la politique du dauphin ou au contraire adopterait-il celle de son père ?

L'ambassadeur milanais Prospero de Camulio [95] pensait que le changement de position de l'héritier de France devait manifestement être suivi d'un « ajustement » de sa ligne de conduite. Il conseillait à François Sforza de se rapprocher du roi à moins qu'il ne préférât soutenir sans réserve le dessein anglo-bourguignon d'invasion de la France [96]. Il était évident que ce plan était périmé car il supposait la complicité du dauphin.

L'arrivée d'une ambassade lancastrienne révéla rapidement les intentions véritables de Louis XI.

Les envoyés de Marguerite d'Anjou débarquèrent près d'Eu, pour éviter les pays bourguignons; ils furent rapidement rejoints par des émissaires du roi qui leur confisquèrent leur sauf-conduit. Celui-ci était rédigé au nom de lord Hungerford [97] alors qu'en fait le duc de Somerset dirigeait le groupe. Les délégués royaux avaient fait diligence pour devancer un serviteur du comte de Charolais, Petit Jean de la Porte, qui fut ainsi empêché d'accomplir la mission dont l'avait chargé son maître. Il n'est pas exclu de penser, avec Calmette et Périnelle, que Philippe le Bon était intervenu lui-même pour contrecarrer l'action de son fils. Ce n'est d'ailleurs qu'après le départ du duc de la cour pour ses Etats, que Louis XI eut une entrevue avec les Anglais, grâce à l'initiative de Charolais, qui eut aussi une conversation avec Somerset. Celui-ci, malgré les craintes que lui inspirait le duc de Bour-

---

[95] B. DE MANDROT, opus cit., t. I, p. 13 : 28 juillet 1461. Depuis juin 1460, le pape avait conseillé au duc de Milan de se rapprocher du dauphin, car Charles VII était en mauvaise condition physique (A.B. HINDS, opus cit., t. I, p. 22, n° 35).

[96] Au sujet de ce projet, voir A.B. HINDS, opus cit., t. I, p. 73, n° 91 : 18 avril 1461.

[97] Robert, lord Moleyns et Hungerford, fut toute sa vie lancastrien; voir S. LEE, Dictionary of National Biography, t. XXVIII, 1891, pp. 256-257.

gogne, se fixa à Bruges; en effet, les côtes normandes étaient infestées par la flotte yorkiste et le risque d'y prendre la mer eût été trop grand [98].

Louis XI s'était montré aimable à l'égard des Anglais, sinon enclin à reprendre les desseins de la politique paternelle; il restait nettement dans l'expectative. Chacun des adversaires pouvait s'estimer satisfait. Cependant, Louis XI avait fait savoir au duc de Bourgogne, alors à Paris, par personne interposée, qu'il entendait qu'il rompît les trêves avec les Anglais; il rééditait ainsi les défenses répétées formulées par Charles VII; Philippe le Bon rétorqua sans ambages qu'il répondrait plus tard au roi à ce sujet. En fait, il éludait le problème. Il avait d'ailleurs compris aussitôt qu'on voulait empêcher son départ pour la croisade, car le roi craignait que la régence ne fût confiée à Charolais pendant l'absence de son père. Le duc n'ignorait pas qu'il affaiblirent fortement sa position vis-à-vis du roi en se privant de l'appui anglais. Il ne pouvait, d'autre part, envisager de relâcher les liens avec l'Angleterre, car « *il lui touchoit trop prés a l'honneur et au salut de ses pays* »; Chastellain ajoute : « *Non pas que de cecy il faille entendre que le duc fust Anglois ne de leur faveur mais vray et leal François, mais faut entendre que ce luy mouvoit d'une raison causee en necessité publique touchant ses pays qui ne peuvent l'un sans l'autre et qui de tout temps ancien ont eu habitude l'un avecques l'autre en toutes manières de faire et de vivre* » [99].

Voilà nettement évoqué le fond du problème; la politique bourguignonne est dominée par des impératifs économiques et doit, dans toutes les combinaisons, maintenir les liens commerciaux avec l'Angleterre. Le roi possédait donc un atout considérable dans le duel qui s'amorçait; il jouissait d'une liberté de manœuvre beaucoup plus grande car il n'était pas bridé par des soucis étrangers au jeu diplomatique. Philippe le Bon fut tellement affecté

---

[98] J. CALMETTE et G. PÉRINELLE (*Louis XI et l'Angleterre*, 1461-1483, Paris, 1930, pp. 5-9) donnent un excellent récit des événements. Ils voient dans le séjour de Somerset en Flandre la preuve d'un adoucissement des relations entre Philippe le Bon et son fils; Somerset était encore à Bruges en mars 1462 (A.B. HINDS, *opus cit.*, t. I, p. 107, n° 25, lettre de la Torre à Coppini). Somerset partit à cette époque sur une caravelle écossaise (C.L. SCOFIELD, *opus cit.*, t. I, p. 241); voir aussi J. GAIRDNER, *Paston Letters*, t. II, p. 45, n° 413, 30 août 1461; lettre d'Hungerford et Whityngham à Marguerite d'Anjou; G. CHASTELLAIN (*opus cit.*, t. IV, pp. 64-67) et J. DU CLERCQ (éd. Reiffenberg, t. III, p. 196) insistent tous deux sur l'amitié unissant Somerset à Charolais. Voir « Ancienne Chronique » dans P. DE COMMINES, éd. Godefroy et Lenglet du Fresnoy, t. II, p. 175; (A. DE REILHAC), *Jean de Reilhac, secrétaire, maître des comptes, général des finances et ambassadeur des rois Charles VII, Louis XI et Charles VIII, documents pour servir à l'histoire de ces règnes de 1455 à 1499*, 3 vol., Paris, 1886-1889, t. I, p. 101; A.B. HINDS, *opus cit.*, t. I, p. 101, n° 109 : 28 août 1461, lettre de G. Cagnolla.

[99] G. CHASTELLAIN, *opus cit.*, t. IV, pp. 122-124.

par les exigences de Louis XI que, sans l'insistance de la reine, il aurait immédiatement quitté Paris [100].

Edouard IV, toujours en relation avec le duc, s'apprêtait à lui envoyer une ambassade conduite par Wenlock [101] et dont le porte-parole était le doyen de Saint-Séverin de Bordeaux, Pierre Taster [102]. Celle-ci rejoignit Philippe à Valenciennes où se trouvait déjà le légat du pape Jean Jouffroy, évêque d'Arras. Etampes, Saint-Pol, Croÿ, Lannoy, Créqui, Adolphe de Clèves, Jacques de Bourbon, l'archevêque de Lyon, les évêques de Tournai et de Liège et le maréchal de Bourgogne [103] entouraient le duc. Les Anglais venaient proposer une alliance entre la demoiselle de Bourbon et le roi Edouard [104].

La proposition aurait agréé à Philippe le Bon si la situation d'Edouard IV avait été plus assurée : il ne se souciait pas de conclure une alliance matrimoniale qui le lierait absolument au clan yorkiste, et, en cas de revanche

---

[100] G. CHASTELLAIN, *opus cit.*, t. IV, p. 126.

[101] Au sujet de la date du débarquement de l'ambassade sur le continent, voir J. CALMETTE et G. PÉRINELLE, *opus cit.*, p. 9. Pour son arrivée à Valenciennes, deux dates sont proposées : le 8 octobre par G. CHASTELLAIN (t. IV, p. 155) ou le 12 (jour de l'arrivée du duc) par une « Ancienne Chronique » (dans P. DE COMMINES, éd. Godefroy et Lenglet du Fresnoy, t. II, p. 174). Signalons que la première mention de l'ambassade dans la Recette Générale des Finances date du 13 octobre (A.D.N., *R.G.F.*, n° B 2048, f° 145). H. VANDERLINDEN (*opus cit.*, p. 434) signale la présence de Philippe le Bon à Valenciennes du 12 au 21 octobre. Quatre-vingt-cinq marchands aventuriers avancèrent 92 l. st. 15 s. 4 d. pour l'envoi de l'ambassade : « *for the commyssioners for thentercour of marchaundise* » (L. LYELL and D. WATNEY, *opus cit.*, pp. 51-53).

[102] Commission du 8 août : P.R.O., *Treaty Rolls*, C 76/144/m. 21; elle les chargeait officiellement de reprendre les pourparlers de trêves et d'entrecours et d'envisager «d'autres affaires ». C.L. SCOFIELD (t. 1, p. 191) pense que les ambassadeurs devaient également être accrédités à traiter avec Louis XI, comme le montre la suite des événements. L'ambassade comprenait encore le chevalier John Clay, le héraut York (A.D.N., *R.G.F.*, n° B 2045, f° 255) et Thomas Vaughan. Trois chroniqueurs en ont laissé le récit : G. CHASTELLAIN, *opus cit.*, t. IV, pp. 154-166; J. DE WAVRIN, *opus cit.*, t. VIII, p. 412; « Ancienne Chronique » dans P. *de Comines*, éd. Lenglet-Dufresnoy, t. II, p. 174.

[103] Cf. note 101 et A.D.N., *R.G.F.*, n° B 2045, f°s 151, 152, 172; n° B 2048, f° 145.
Jean Jouffroy, successivement abbé de Luxeuil, évêque d'Arras, cardinal-évêque d'Albi, abbé de Saint-Denis, passa du service de Philippe le Bon à celui de Louis XI. Adolphe de Clèves, seigneur de Ravenstein en 1463, était le neveu de Philippe le Bon, dont il épousa la fille naturelle Anne, en secondes noces.
Jacques de Bourbon, Charles de Bourbon, archevêque de Lyon puis cardinal, et Louis de Bourbon, évêque de Liège (voir H. LONCHAY, dans *Biographie Nationale*, t. XII, 1892-1893, col. 465-490) étaient également des neveux de Philippe le Bon.

[104] G. CHASTELLAIN, *opus cit.*, t. IV, p. 157. Ces propositions furent faites en audience secrète.

de Marguerite d'Anjou, l'empêcherait de maintenir les liens économiques avec l'Angleterre. Au contraire, cette union représentait pour Edouard la consolidation de sa dynastie; il espérait, par ce moyen, détacher Charolais de la faction angevine; la princesse de Bourbon était sœur de la comtesse de Charolais et l'on espérait qu'entre son cousin Somerset et son beau-frère Edouard IV, Charles ne pourrait hésiter [105].

Cependant, l'évêque d'Arras profita de la présence de l'ambassade anglaise pour développer le thème, cher au Saint-Siège, d'une réconciliation générale entre les princes chrétiens qui leur permettrait de tourner leurs forces réunies contre les Turcs. Implicitement, il proposait une médiation pontificale [106]; il avait déjà traité auparavant de cette question à Paris, et avait envoyé l'évêque de Terni en Angleterre pour y appuyer ce projet auprès d'Edouard IV [107].

Pendant ce temps, à Valenciennes, les ambassadeurs anglais se retranchaient derrière l'insuffisance de leurs pouvoirs et se contentaient d'assurer le légat du désir de paix de leur maître [108]. L'évêque de Tournai déclara, au nom du duc, que celui-ci n'avait jamais ménagé ses efforts pour convaincre les autres princes de combattre avec lui les infidèles [109].

Le bilan de l'ambassade fut, malgré tout, positif; à la demande d'alliance anglaise, le duc fit répondre qu'il enverrait les seigneurs de Croÿ et Lannoy à ce sujet à Bruges, Saint-Omer ou Lille pour y rencontrer une nouvelle ambassade anglaise. Louis XI, qui avait probablement été prié de prendre part à la réunion, fut mis au courant de cette décision et s'en montra satisfait [110].

Autre résultat de la mission : on décida de reprendre les négociations en vue du règlement des infractions aux trêves [111]. Les ambassadeurs étaient peut-être encore à Valenciennes au moment où Philippe de Loan partit vers

---

[105] G. CHASTELLAIN, opus cit., t. IV, pp. 158-160.

[106] G. CHASTELLAIN, opus cit., t. IV, pp. 160-161.

[107] B. DE MANDROT, opus cit., t. I, p. 70 : François de Coppini fait part de ces nouvelles, le 23 septembre, au duc de Milan.

[108] G. CHASTELLAIN, opus cit., t. IV, p. 162 : la réponse fut donnée en français par Pierre Taster.

[109] G. CHASTELLAIN, opus cit., t. IV, p. 163 : l'évêque s'était auparavant entretenu avec le duc et le seigneur de Croÿ.

[110] J. DE WAVRIN, opus cit., t. VIII, p. 413.

[111] J. DE WAVRIN (opus cit., t. VIII, p. 413) signale que le doyen de Bordeaux parla des relations économiques; dès le 12 novembre, des pouvoirs étaient délivrés au nom de Robert Botell, prieur de Saint-Jean de Jérusalem, John Wenlock et Pierre Taster (T. RYMER, opus cit., t. XI, p. 478).

Edouard IV « *pour parler et communiquer avec lui d'aucunes matieres et affaires secrétz* » [112]. Philippe le Bon entendait donc exploiter activement les points acquis. La faveur spéciale qu'il montra aux Anglais marquait à la fois sa satisfaction et son désir d'honorer les envoyés d'Edouard IV. Les chroniqueurs ont fortement souligné la chaleur de l'accueil bourguignon et les largesses spectaculaires du duc à l'égard des ambassadeurs.

Non content de les défrayer de tout pendant leur séjour, Philippe le Bon les reçut, honneur suprême, à sa table, en un grand banquet; il leur offrit trois douzaines de tasses d'argent commandées à un orfèvre de Valenciennes et à un autre de Tournai pour la somme énorme de mille deux cent trente-trois livres de gros; enfin, il « *avoit fait appointier les bains pour eux et pour quiconque avoient de famille; voire bains estorés de tout ce qu'il faut au mestier de Venus, a prendre par choix et par election ce que on desiroit mieux* » [113] !

L'entente entre Philippe le Bon et Edouard IV était virtuellement scellée. Nous en avons une preuve dans une démarche que le roi d'Angleterre effectua auprès du duc de Bourgogne. Marguerite d'Anjou négociait en ce moment un mariage entre son fils, le prince de Galles, et Marguerite, fille du feu roi d'Ecosse. La reine était prête à abandonner Berwick aux Ecossais pour cimenter cette union. Edouard IV, effrayé par l'imminence du danger, se tourna vers Philippe le Bon pour lui demander d'intervenir auprès de sa nièce, la reine-régente Marie de Gueldre, afin d'empêcher cette alliance. Une importante ambassade bourguignonne, à la tête de laquelle se trouvait le seigneur de Gruuthuse, gagna l'Ecosse et réussit dans sa mission [114]. La Bourgogne restait l'appui principal de la politique yorkiste.

---

[112] A.D.N., *R.G.F.*, n° B 2045, f° 173 v° : 24 octobre 1461; le 6 novembre, Malvinet Galvert, serviteur de Philippe de Loan, apportait déjà des nouvelles de son maître à Philippe le Bon. Philippe de Loan est-il le chevalier bourguignon qui reçut 35 marcs d'Edouard IV, le 12 novembre (C.L. SCOFIELD, *opus cit.*, t. I, p. 213) ? Scofield pense que celui-ci venait chercher un sauf-conduit pour Gruuthuse.

[113] Voir J. DE WAVRIN, *opus cit.*, t. VIII, p. 413; G. CHASTELLAIN, *opus cit.*, t. IV, pp. 164-166; A.D.N., *R.G.F.*, n° B 2045, f° 253 : Jean de Chassal, échanson du duc, paya douze livres de gros pour les bains qui furent offerts aux ambassadeurs après le départ de Philippe le Bon. A.D.N., *R.G.F.*, n° B 2045, f° 317-317 v° : Jaquemart Driet, orfèvre à Tournai, et Jehan du Bois, orfèvre à Valenciennes. Au sujet des gages dus par Edouard IV à ses ambassadeurs, voir C.L. SCOFIELD, *opus cit.*, t. I, p. 213.

[114] J. DE WAVRIN, *opus cit.*, t. VIII, pp. 355-356; sauf-conduit d'Edouard IV pour traverser l'Angleterre avec 100 personnes, daté du 4 décembre 1461 (P.R.O., *Treaty Rolls*, E 76/145/m. 10); T. RYMER, *opus cit.*, t. XI, p. 481 : un autre sauf-conduit portant la même date autorise la venue de Gruuthuse pour jouter avec sir Ralph Grey. C.L. SCOFIELD (pp. 213-214), ignorant les textes de Wavrin et des Treaty Rolls, ne retient que cette raison du voyage de Gruuthuse en Angleterre.

Les relations entre Edouard IV et Philippe le Bon demeuraient fréquentes : au cœur de l'hiver, lady Camois arriva à la cour ducale « *pour aucunes causes dont icelluy seigneur ne veult cy autre declaracion estre faicte* »[115]; quelques jours plus tard, le héraut Red Cross apportait des lettres du roi[116], tandis que Philippe de Loan, toujours en Angleterre, envoyait lui aussi des nouvelles à son maître[117].

Au début de cette année 1462, la santé de Philippe le Bon chancela; Edouard IV alarmé ordonna des prières et des processions publiques tant il craignait la venue au pouvoir du comte de Charolais[118].

Le duc put cependant recevoir l'ambassadeur milanais Thomas de Rieti. Il lui confia combien il était irrité contre Louis XI qui voulait le détacher du clan yorkiste pour le rallier à celui des Lancastres. Le dessein du roi était visiblement de priver le duc de l'alliance anglaise; il affaiblirait ainsi ses adversaires de l'intérieur et de l'extérieur. Le nouvel intérêt qu'il manifestait pour la cause de Marguerite d'Anjou ne procédait que du désir de brouiller la situation à son profit. Jean de Croÿ, qui revenait de la cour de France, rapporta que le bruit y courait que Rieti s'apprêtait à conclure une alliance avec le duc pour l'inciter à appeler les Anglais et détourner ainsi le roi d'une intervention en Italie. Dans la relation de sa visite à la cour de Bourgogne, Rieti notait que seul Charles de Charolais était de l'avis du roi et qu'il continuait à soutenir la cause des Lancastres, mais il ajoutait que cette inclination était toute platonique, car le comte n'oserait pas contrecarrer ouvertement son père. Il annonçait enfin l'arrivée imminente du comte de Warwick[119] : celui-ci ne parut cependant pas sur le continent, car la situation s'était faite menaçante dans le nord de l'Angleterre[120].

Louis XI avait envoyé néanmoins des ambassadeurs pour rencontrer les Anglais : le sénéchal de Limousin, Philippe de Melun, son fils Charles, seigneur de Nantouillet, Henri de Marle, Jean de Reilhac et Jean de la Loere. Ils arrivèrent auprès du duc alors que celui-ci était au plus mal. Ils le virent deux fois et, lors de la première entrevue, Philippe le Bon était si faible qu'ils ne comprirent pas ce qu'il leur dit. Ils furent reçus au château de

---

115 A.D.N., *R.G.F.*, n° B 2045, f° 257 : 12 janvier 1462.

116 IDEM, *ibidem*, n° B 2045, f° 257 v° : 26 janvier 1462.

117 IDEM, *ibidem*, n° B 2045, f° 181 v° : janvier 1462.

118 G. CHASTELLAIN, *opus cit.*, t. IV, p. 207. Des prisonniers français interrogés par les Anglais déclarèrent que le duc avait été empoisonné et ne guérirait pas (J. GAIRDNER, *Paston Letters*, t. II, p. 93, n° 443).

119 B. DE MANDROT, *opus cit.*, t. I, p. 194 : 8 février 1462. L'arrivée de Warwick était subordonnée, d'après Rieti, à l'état de santé de Philippe le Bon.

120 Philippe le Bon avait été mis au courant de la situation : A.D.N., *R.G.F.*, n° B 2045, f°s 192 et 195 v°, 13 et 30 mars 1462.

Saint-Josse par le seigneur de Croÿ, l'évêque de Tournai, le maréchal de Bourgogne et Jean de Lannoy. Les envoyés français se contentèrent de déclarer que leur arrivée faisait suite à la lettre écrite précédemment par Philippe le Bon [121], et qu'ils se conformeraient aux vues du duc. Comme les Anglais n'étaient pas arrivés, les seigneurs bourguignons leur conseillèrent de déléguer l'un des leurs auprès d'Edouard IV; ce fut Philippe de Melun. Le duc se chargea de lui obtenir un sauf-conduit en écrivant à Warwick. On envisageait pourtant encore de tenir une conférence avec les Anglais à Saint-Omer, le jour de la Saint-Jean-Baptiste (24 juin). Tous ces détails nous sont donnés dans une lettre adressée à Louis XI par Charles de Melun, seigneur de Nantouillet, qui demandait au roi d'envoyer à la conférence « *gens bien notables* »; il ajoutait qu'il lui faisait parvenir des lettres de Croÿ, de Lannoy, du maréchal de Bourgogne et de l'évêque de Tournai, assurant le roi « *qu'ilz aimeroyent mieux mourir qu'ilz ne fussent tous vostres et sont prestz de tousjours vous obeir* ».

Cette missive porte simplement la date du 1er avril, sans millésime. A. de Reilhac, qui la publie, la situe en 1467, ce qui est impossible puisqu'à cette époque, Croÿ et Lannoy avaient quitté les Etats bourguignons depuis deux ans. J. Calmette et G. Périnelle la placent en 1463, comme préliminaire aux conférences de Saint-Omer; la présence de Jean de Lannoy en Angleterre à cette époque [122] nous oblige donc à la dater de 1462 [123].

Warwick avait été empêché de venir lui-même sur le continent, mais des instructions précises avaient été rédigées au nom de John Wenlock, dès le 6 mars 1462. En fait, nous venons de le constater, l'ambassade semble ne pas avoir quitté le territoire anglais [124]. Il n'en est pas moins intéressant de voir quelles étaient les préoccupations d'Edouard IV. Les ambassadeurs espéraient rencontrer à la fois les envoyés du roi de France et ceux du duc de Bourgogne; ils devaient être prudents, et laisser aux autres l'initiative d'ouvrir les débats. Aux Français il faudrait proposer un traité de commerce doublé d'une trêve valable pour trois ans, tout en évoquant les prétentions anglaises à la couronne de France. On revendiquerait les duchés de Norman-

---

[121] Voir p. 385. Le roi répondait à l'invitation que lui avait faite le duc en 1461, après l'entrevue de Valenciennes avec les Anglais, d'envoyer des ambassadeurs pour rencontrer une nouvelle députation anglaise.

[122] Voir p. 394.

[123] [A. DE REILHAC], *opus cit.*, t. I, p. 245; J. CALMETTE et G. PÉRINELLE, *opus cit.*, pp. 16-18.

[124] Nous ignorons où C.L. SCOFIELD (p. 239) et J. CALMETTE et G. PÉRINELLE (p. 15) ont pu trouver la mention de son arrivée en Flandre. Le 25 mars, Antonio de la Torre se contente de prévoir son voyage (A.B. HINDS, *opus cit.*, t. I, p. 107, n° 125) et de craindre que les Français ne viennent pas à la réunion projetée pour l'été.

die et de Guyenne, les comtés d'Anjou et du Maine; cependant, de peur de rompre les ponts, on n'insisterait pas si les Français se montraient intraitables. Il n'empêchait que l'Ecosse devait être exclue de la trêve et que la France devait s'engager à ne pas l'appuyer.

On ferait aux Bourguignons des ouvertures en vue de la conclusion d'une trêve liée à un entrecours pour trois ans; on inclurait toutefois dans le texte l'autorisation royale de traiter avec les Anglais; comme pis-aller, on se contenterait de renouveler les traités antérieurs sans dissocier la trêve de l'entrecours. Pour répondre aux désirs des marchands, les ambassadeurs devraient montrer aux Bourguignons, avec la réponse du roi, la pétition déposée aux Communes à propos de la prohibition de certaines importations bourguignonnes [125], car on devrait obtenir le consentement de Philippe le Bon avant de lui donner force de loi.

L'impression générale, qui se dégage de ces instructions, est le désir de ménager Louis XI. Il est évident qu'Edouard IV était mieux placé que le fils d'Henri V pour abandonner tacitement les prétentions anglaises au trône de France; il s'agissait néanmoins d'une lourde concession, et, fait plus significatif encore, Edouard IV subordonnait la conclusion d'un accord avec un ami sûr, le duc de Bourgogne, à l'autorisation du roi de France. De ce fait, il se pliait aux clauses du Traité d'Arras, ce qui, pour un roi d'Angleterre, pouvait paraître assez extraordinaire. D'autre part, Edouard IV avait peut-être quelque crainte de voir la trêve rompue par la Bourgogne, sous le prétexte qu'elle n'avait pas été autorisée par le roi. Quant à la prohibition de certaines marchandises bourguignonnes, il s'agissait probablement d'une tentative de marchandage : l'annulation de la prohibition des draps anglais en Flandre entraînerait la libre circulation des biens bourguignons, car il était absurde de faire approuver par Philippe le Bon l'interdiction d'exporter en Angleterre les produits de ses propres Etats.

Ce n'est qu'en septembre [126] que John Wenlock reçut les pouvoirs pour proroger les trêves marchandes; les négociations se terminèrent par leur prolongation pour un an [127]. L'acte du 18 décemdre 1462 ne mentionne

[125] p.r.o., *Chancery, Diplomatic Documents* (Foreign), n° 365. Nous ne possédons pas d'indications précises au sujet de cette pétition qui n'est pas reprise dans les *Rotuli Parliamentorum*; voir ce qu'en dit C.L. SCOFIELD, *opus cit.*, t. I, p. 229.

[126] T. RYMER, *opus cit.*, t. XI, p. 491 : 18 septembre; les ambassadeurs sont J. Wenlock, T. Vaughan, écuyer du roi, W. Overay (gouverneur des marchands aventuriers) et maître W. Godeyer. Le 24 octobre, ces mêmes pouvoirs étaient renouvelés au nom de J. Wenlock, T. Vaughan et Louis Gallet (T. RYMER, *opus cit.*, t. XI, p. 493).

[127] En réalité, elles étaient prolongées jusqu'à la Toussaint (T. RYMER, *opus cit.*, t. XI, p. 497); L. GILLIODTS VAN SEVEREN, *Cartulaire de l'ancienne Estaple*, t. II, p. 24, n° 1051.

aucune autorisation royale. Quant aux prohibitions, on n'en trouve aucune trace ni d'un côté ni de l'autre.

Les instructions du 6 mars portent la marque de la peur panique qui s'était emparée d'Edouard IV à ce moment; le 13 mars, il écrivait une missive alarmante à la municipalité de Londres car il craignait une attaque imminente des Français et des Ecossais [128]. Pour tenter d'écarter l'adversaire, il faisait parvenir des lettres « *très humbles* » demandant un sauf-conduit pour son ambassade [129]. Le roi de France en fit aussitôt usage pour essayer de rompre l'alliance anglo-aragonaise et pour prendre l'avis du comte de Charolais afin de pouvoir rejeter sur lui la responsabilité de la rupture [130]. Le 14 avril, Louis XI faisait écrire à Charles par Nantouillet en le provoquant habilement; il lui apprenait que le porteur des lettres, le héraut Warwick, avait avoué que la tentative de rapprochement avec la France procédait de la crainte de le voir succéder bientôt à son père [131]. Un projet audacieux propre à réconcilier les deux adversaires avait germé dans son esprit fertile. Il s'agissait de proposer à Edouard IV un arrangement avec Henri VI : les deux partis se seraient mis d'accord et auraient alors tourné leurs forces contre les Turcs [132]. Une telle conception relevait de la simple utopie puisqu'aucun « *modus vivendi* » ne pouvait intervenir entre des adversaires ayant des prétentions absolument semblables. Le roi ne pouvait l'ignorer mais il désirait s'ériger en champion de la paix et de la chrétienté. Son projet était si habile que l'idée de la croisade entraîna l'adhésion de Philippe le Bon, puisque l'envoyé royal, le sire de la Barde, prit, au début d'avril, la route de l'Angleterre en compagnie du Bourguignon Philippe de Loan [133]. La mission était vouée à l'échec; il n'empêche que lors de son retour, le duc de Bourgogne retint Philippe de Loan près de lui pendant soixante-huit jours

---

[128] J. CALMETTE et G. PÉRINELLE, *opus cit.*, pp. 14-17.

[129] J. CALMETTE et G. PÉRINELLE, *opus cit.*, p. 17. Ces lettres furent reçues avant le 1er avril 1462. Elles provenaient à la fois d'Edouard IV, de Warwick et de Louis Gallet (P. DE COMMYNES, éd. Dupont, t. III, p. 199, pièce 1).

[130] J. CALMETTE et G. PÉRINELLE, *opus cit.*, p. 17.

[131] P. DE COMMYNES, éd. Dupont, t. III, p. 199, pièce 1 : le roi « *se veult conduire et gouverner envers eulx* (les Anglais) *par vous seul* (Charolais) *et non par autre... Pensez hardiment, monseigneur, que vous êtes la personne de tout le monde qu'il ayme le mieux et en qui il se fye le plus* ».

[132] On peut mettre cette initiative en parallèle avec les efforts du pape (voir p. 385) qui tentait, lui plus particulièrement, de réconcilier la France et l'Angleterre dans le même but.

[133] G. CHASTELLAIN, *opus cit.*, t. IV, pp. 220-221; A.D.N., R.G.F., n° B 2045, f° 165. Philippe de Loan quitta Bruxelles le 5 avril pour Boulogne et l'Angleterre, ce qui correspond à la mention de Chastellain : « *vers la fin de cet an soixante et un* » (vieux style). J. CALMETTE et G. PÉRINELLE (p. 12) ont cru qu'il s'agissait de la fin de l'année 1461 (nouveau style). Philippe de Loan fit le voyage en compagnie de la Barde et rentra à

pour lui faire rapport sur les négociations ! C'est dire l'espoir qu'il avait placé en elles[134]. Le lendemain du retour de Philippe de Loan, le duc adressait une lettre à Louis XI pour le mettre au courant des nouvelles qu'il venait de recevoir[135].

La lutte entre les deux factions anglaises se transportait en Flandre même; à Bruges, la situation était tendue entre les gens du duc de Somerset et certains marchands anglais, partisans vraisemblablement d'Edouard IV. La ville fut même obligée de demander des instructions au duc pour trancher le différend[136].

L'échec de la mission du sire de la Barde allait permettre à Louis XI de s'allier ouvertement à Marguerite d'Anjou. Arrivée en France en juin, dès le 24, elle signait un instrument par lequel elle engageait Calais au roi contre vingt mille livres tournois comptant. Aussitôt que Henri VI serait en possession de la ville, il nommerait capitaine son frère utérin Jasper Tudor, comte de Pembroke, ou Jean de Foix, comte de Candale. Si la dette n'était pas apurée endéans un an, il remettrait la place à Louis XI moyennant un versement supplémentaire de mille écus[137]. Le 28 juin, la reine signait à Tours, au nom de Henri VI, une trêve de cent ans par laquelle Louis XI se déclarait l'ennemi d'Edouard IV. Les deux souverains s'engageaient réciproquement à ne pas soutenir les sujets rebelles de l'un ou de l'autre[138].

En paraphant ces accords, le roi de France avait acquis une option sérieuse sur Calais. Jamais les Lancastres n'auraient été en mesure de rembourser le prêt dans les limites de temps prescrites et l'eussent-ils pu, que Louis XI aurait agi de façon à les en empêcher.

Bruxelles le 10 juin; la Barde suivit l'armée de Warwick vers l'Ecosse (C.L. Scofield, opus cit., p. 240). J. Calmette et G. Périnelle pensent que le roi agit ainsi par crainte d'une collusion anglo-aragonaise. Ils ignorent la présence d'un envoyé bourguignon aux côtés de la Barde, car Chastellain n'en fait pas mention. Cependant, C.L. Scofield (t. I, p. 238) signale la présence d'un « lieutenant of Burgundy » (sans doute Burgundy pour Boulogne) auprès de la Barde mais elle place l'arrivée de l'ambassade en Angleterre à la fin de février.

[134] A.D.N., R.G.F., no B 2051, fo 211 vo : du 30 juin au 15 septembre, y compris les déplacements à Bruxelles, Tervuren et Louvain.

[135] A.D.N., R.G.F., no B 2045, fo 205 vo : 11 juin 1462.

[136] A.G.R., Comptes de Bruges, C.C. no 32514, fos 31 et 33 : 11 mars et 5 mai 1462; L. Gilliodts van Severen, Inventaire, t. V, p. 431.

[137] J. Calmette et G. Périnelle, opus cit., pièces justificatives, pp. 283-284, no 10.

[138] Pour plus de détails, voir le texte du traité dans P. de Commines, éd. Godefroy et Lenglet du Fresnoy, t. II, p. 367, pièce XX. Dès le 23 juin, avant même la signature de l'acte, Louis XI annonçait à Philippe le Bon l'accord conclu avec Marguerite d'Anjou en le priant de prendre lui aussi le parti d'Henri VI (J. Calmette et G. Périnelle, opus cit., p. 282, pièce justificative no 8).

Un seul obstacle se dressait encore contre le projet royal : il fallait l'approbation et même l'aide de Philippe le Bon. Après avoir fait convoquer le ban et l'arrière-ban, Louis XI envoya le seigneur de Nantouillet auprès du duc à Bruxelles. Celui-ci avait pour mission de demander à Philippe : 1° l'autorisation pour le comte de Charolais de prendre le commandement de l'armée qui mettrait le siège devant Calais; 2° l'appui de la flotte hollandaise et zélandaises; 3° le passage des troupes à travers ses pays, celles-ci s'y fournissant de vivres moyennant finances.

Comme il fallait s'y attendre, Philippe le Bon repoussa ces demandes en invoquant les trêves qui le liaient aux Anglais [139]. Le duc de Bourgogne ne pouvait souscrire à un tel projet entièrement contraire à ses intérêts. En effet, il ne pouvait admettre l'existence, aux portes de ses Etats, d'une citadelle française de l'importance de Calais, et encore moins la ruine du fragile édifice de sa politique de bonne entente avec l'Angleterre. Rappelons, en outre, qu'il avait lui-même revendiqué Calais en 1436.

Malgré sa souplesse et sa duplicité, Louis XI a parfois trop présumé de ses possibilités, et, à propos de l'événement qui nous intéresse, il avait pris un rêve pour une réalité. On peut cependant penser qu'il avait misé sur la prise du pouvoir par le comte de Charolais qui, vu ses convictions lancastriennes, aurait été plus facile à manœuvrer [140].

Cependant, le roi s'empressa de publier une interdiction formelle, pour **tous ses sujets,** d'entretenir des relations quelconques, commerciales ou autres, avec les Anglais. Pour répondre à la fois à cette ordonnance et à la demande d'aide militaire, Philippe le Bon envoya Jean de Croÿ, seigneur de Chimay, auprès du roi à Bayeux ou Rouen [141].

Citons le texte de Chastellain; il est éloquent en soi : (le seigneur de Chimay s'adressant au roi) « *Voix court et dit-on que vous voulez faire descendre huit mille chevaux en Picardie et en Boulenois, és pays du duc, pour aller rompre une dicque devant Calais et donner vos gens loger sur les terres de monseigneur le duc. Cuydez vous que monseigneur le souffre ? Il ne le souffrira pour mourir. Et le roy respondy : Pourquoi ne le souffrira-t-il ? N'aurai-je pouvoir de faire passer vivres et mes gens parmi mon royaume ? Dea ! sire, ce dit lors le chevalier, vous avez du pouvoir assez, mais il siét a faire toutes choses par raison. Monseigneur ne ses pays ne sont pas de la condition des autres, son peuple n'a pas appris d'estre foulé et luy ne le pourroit porter aussi; mais espere que vous en saurez bien faire et ferez mieux qu'on ne suppose* » [142].

---

[139] G. CHASTELLAIN, *opus cit.*, t. IV, pp. 225-227. En juillet 1462, Th. Playter écrivait à John Paston : « *And as for sege of Kaleys, we here no more therof, blyssed be God* » (J. GAIRDNER, *Paston Letters*, t. IV, p. 50); J. CALMETTE et G. PÉRINELLE, *opus cit.*, p. 22.

[140] J. CALMETTE et G. PÉRINELLE, *opus cit.*, p. 23, sont également de cet avis.

[141] J. DU CLERCQ, éd. Reiffenberg, *opus cit.*, t. III, pp. 226-228.

[142] G. CHASTELLAIN, *opus cit.*, t. IV, pp. 274-275.

Des paroles aussi fermes eurent raison des projets de Louis XI et provoquèrent l'étonnement par leur agressivité [143].

Le roi envisageait aussi une expédition en Angleterre, avec le concours des Ecossais, mais cette fois avec beaucoup moins d'enthousiasme. Il confia le commandement d'une maigre troupe à Pierre de Brézé [144], qu'il n'aimait pas; pour « *espargner ses deniers* », il demanda un secours de cinq cents hommes, pour six semaines, aux Liégeois, mais ceux-ci s'excusèrent. Tout faisait croire que le roi espérait un échec de Brézé qui s'était sacrifié pour la cause de Marguerite d'Anjou; Louis XI ne venait-il pas de l'enfermer au château de Loches pour quatre mois [145] ?

De son côté, Edouard IV se préparait à l'offensive [146]; il réunissait une flotte importante, qui se contenta de dévaster l'île de Ré [147]. Il avait à faire face aussi à des tentatives de débauchage de la garnison de Calais par Marguerite d'Anjou, et devait y envoyer des renforts [148].

A son retour de France, Jean de Croÿ fit part au duc des bruits qui l'accusaient d'être l'instigateur de l'expédition navale anglaise. Philippe le Bon fit connaître son indignation au roi qui, dans une lettre très aimable, rejeta cette allégation sur l'entourage de Marguerite d'Anjou [149]. Devant l'inanité de sa politique, Louis XI avait, en effet, d'autres projets : il se préparait à se rapprocher d'Edouard IV.

Malgré les marques de sympathie que François II de Bretagne et le comte de Charolais avaient témoignées à la reine d'Angleterre, celle-ci ne parvenait pas à entreprendre une action efficace [150]. Les fonds manquaient : Marguerite en était réduite à emprunter de modestes sommes à Brézé qui lui-même n'était pas riche [151]. Aussi, ne faut-il pas trop s'étonner d'une démarche

---

[143] « Ancienne Chronique » dans P. DE COMMINES, éd. Godefroy et Lenglet du Fresnoy, t. II, p. 176.

[144] G. CHASTELLAIN, *opus cit.*, t. IV, pp. 227-228, 230; DE WAVRIN (*opus cit.*, t. VIII, p. 431) ajoute : « *et disoit-on qu'il* (le roi) *l'envoioit en ce voyage pour ce qu'il ne l'aimoit pas, et aussi, par adventure afin qu'il y demourast* ». Louis XI ne donna que huit cents hommes à Brézé.

[145] G. CHASTELLAIN, *opus cit.*, t. IV, p. 228. Louis XI avait envoyé un mémoire aux Liégeois pour les inciter à se déclarer ouvertement pour Henri VI; voir J. CALMETTE et G. PÉRINELLE, p. 281, pièce justificative n° 8.

[146] J. CALMETTE et G. PÉRINELLE, *opus cit.*, p. 27.

[147] J. CALMETTE et G. PÉRINELLE, *opus cit.*, p. 28.

[148] J. GAIRDNER, *Paston Letters*, t. IV, pp. 110-111, 117.

[149] J. VAESEN, *opus cit.*, t. II, p. 81 : 12 octobre 1462.

[150] Voir B.A. POCQUET DU HAUT-JUSSÉ, *François II, duc de Bretagne et l'Angleterre (1458-1488)*, Paris, 1929, p. 51.

[151] J. CALMETTE et G. PÉRINELLE, *opus cit.*, p. 30. Voir les instructions remises à Cousinot pour exploiter la bienveillance de François et de Charles (J. DE WAVRIN, éd. Dupont, t. III, p. 178).

curieuse : un acte de Henri VI, daté d'Edimbourg, le 15 décembre 1462, chargeait le comte de Charolais et le dominicain Robert Gasley de négocier, avec Philippe le Bon et d'autres princes, des emprunts gagés sur les domaines d'Angleterre; ces sommes devaient aider au rétablissement du roi sur le trône [152]. S'agissait-il d'une naïveté de la reine, ou encore le nom du duc de Bourgogne ne figurait-il dans l'acte que « pro memoria », et espérait-elle que le comte de Charolais découvrirait d'autres prêteurs ?

C'est que Marguerite d'Anjou ne pouvait déjà plus compter sur Louis XI; celui-ci revisait ses positions. Calais lui échappait; il allait combler de faveurs les Croÿ, ennemis de l'héritier de Bourgogne; dès le 7 janvier, il donnait commission à Antoine de Croÿ et à Georges Havard d'entrer en contact avec les gens d'Edouard IV [153].

Les Croÿ s'efforcèrent d'amener aussitôt Philippe le Bon à envisager le rôle de médiateur. Dès février, leur neveu, Jean de Lannoy, partait pour l'Angleterre en compagnie du seigneur de la Howardrie, d'Alard de Rabodenghes, de Pierre de Miraumont et de Philippe de Loan [154]. Edouard IV les reçut avec de grands honneurs et prisa si fort Lannoy que, nous dit Chastellain, « eust bien desiré le roy Edouard l'avoir achaté » [155]. Dès ce moment, Jean de Lannoy était gagné à la cause de Louis XI; ne lui écrit-il pas : « Mon souverain seigneur, je vous supplie en toute humilité que de che que j'ay peut faire audit voiage d'Engleterre, il vous plaise de vostre grace estre content, car de tout mon povoir je desire vous faire service

---

[152] A.D.N., n° B 861/16016. C.L. SCOFIELD (t. I, p. 259) signale la présence en novembre d'un envoyé du comte de Charolais à la cour d'Edouard IV.

[153] J. CALMETTE et G. PÉRINELLE, p. 33. A. de Croÿ avait été nommé grand-maître de France et avait reçu le comté de Guines, y compris la partie à conquérir sur les Anglais (voir M.R. THIELEMANS, Les Croÿ, pp. 13-14 et 108-122).

[154] Le 5 février, part un courrier qui devait sans doute annoncer l'arrivée de l'ambassadeur (A.D.N., R.G.F., n° B 2048, f° 192). Voir A.D.N., R.G.F., n° B 1922, f°s 141 v° et 142; n° B 2048, f°s 169 et 193; n° B 2051, f°s 193 v° et 197 v°; les ambassadeurs partirent le 4 février et rentrèrent le 13 mai; Philippe le Bon leur envoya des messages en avril (A.D.N., R.G.F., n° B 2048, f°s 198 v° et 199). Sauf-conduit d'Edouard IV du 5 mars 1463: P.R.O., Treaty Rolls, C 76/147/m. 18. Dès avril, l'envoyé milanais savait que des négociations franco-anglaises étaient entamées par l'intermédiaire de Philippe le Bon (B. DE MANDROT, opus cit., t. I, p. 264). L'intervention d'A. de Croÿ à cette occasion a-t-elle pu donner lieu à l'information envoyée, le 27 mai, au duc de Milan (B. DE MANDROT, opus cit., p. 273), selon laquelle Louis XI envoyait en ambassade en Angleterre Etienne Chevalier et Antoine de Croÿ ? Pour Lion du Chastel, seigneur de la Howardrie, voir P.A. DU CHASTEL DE LA HOWARDRIE, Notices généalogiques tournaisiennes, Tournai. 1881, t. I, p. 447.

[155] G. CHASTELLAIN, opus cit., t. IV, pp. 340 et 381. Au sujet des dépenses occasionnées au budget royal par la réception des ambassadeurs bourguignons, voir C.L. SCOFIELD, opus cit., t. I, p. 278.

agreable » [156] ? Entre-temps, le duc d'Exeter [157], le comte de Pembroke [158], le chancelier Fortescue [159] et d'autres seigneurs, tous du parti des Lancastres, avaient débarqué à L'Ecluse; Charolais et Philippe lui-même leur procurèrent le moyen de passer en France par Tournai, alors que Louis XI, allié officiel d'Henri VI, jonchait leur route de difficultés pour parvenir jusqu'à lui [160].

La faction lancastrienne continuait encore à s'agiter dans les pays mêmes du duc. En avril, aux confins des terres de Marck et Oye, certains partisans de Henri VI, alliés à des sujets bourguignons, avaient projeté une expédition aux dépens de la garnison de Calais; le souverain bailli de Flandre, Josse de Halewijn, fut chargé d'y mettre bon ordre [161].

Guillaume Cousinot, ancien bailli de Rouen et féal de Marguerite d'Anjou, tentait encore d'embarquer, au mois de juillet, de l'artillerie et des armures dans le port de Middelbourg [162]. Cet envoi formait sans doute la contribution du comte de Charolais à la cause des Lancastres. Il avait assuré Henri VI de sa bonne volonté par la bouche de l'un de ses serviteurs. C'est à la suite de cette visite que le roi et son Conseil dépêchèrent des instructions à Cousinot. Celles-ci demandaient que, par l'entremise de la reine, Charles « *envoiast aucun secours à Bambourg d'artillerie ou de vitailles* » [163].

Le château de Bamborough, où était enfermé Somerset, était assiégé par une armée yorkiste; il fut contraint de capituler la veille de la Noël 1464. Les instructions insistaient aussi sur la nécessité d'une entente parfaite entre Charolais, le duc de Bretagne et le roi de Sicile qui pourraient intervenir auprès de Louis XI pour qu'il renonce à conclure des trêves avec Edouard IV.

[156] B. DE LANNOY et G. DANSAERT, *Jean de Lannoy le Bâtisseur, 1410-1493*, Paris-Bruxelles, 1938, p. 281 : 8 juillet 1463.

[157] Henri Holland, duc d'Exeter était l'époux d'Anne, sœur d'Edouard IV; il n'en fut pas moins toujours un partisan des Lancastres.

[158] Jasper Tudor, comte de Pembroke, frère utérin d'Henri VI, devint duc de Bedford; voir W.A.J. ARCHBOLD, *Dictionary of National Biography*, t. LVII, 1899, pp. 288-290.

[159] John Fortescue fut lancastrien jusqu'à la bataille de Tewkesbury; après celle-ci il reçut son pardon d'Edouard IV; voir G.P. MACDONNAL, *Dictionary of National Biography*, t. XX, 1889, pp. 42-45.

[160] A.D.N., *R.G.F.*, n° B 2048, f° 208 : leur voyage d'Ecosse à Lille se place entre le 18 avril et le 1er mai 1463; A.D.N., n° B 2050/63642 : 7 août 1463; J. DE WAVRIN, éd. Dupont, t. III, pp. 169-170. Voir aussi J. CALMETTE et G. PÉRINELLE, *opus cit.*, p. 36, qui ignorent la présence d'Exeter parmi les envoyés.

[161] A.D.N., *R.G.F.*, n° B 2048, f° 154 v° : avril 1463.

[162] A.D.N., *R.G.F.*, n° B 2048, f° 206 v° : 10 juillet 1463.

[163] J. DE WAVRIN, éd. Dupont, t. III, pièce justificative, p. 178, n° 5. C.L. SCOFIELD (t. I, p. 316, note 1) date ce document de 1464 en corrélation avec d'autres instructions qu'elle édite (t. II, pp. 463-466) et qui sont de février 1464. A la lumière de l'envoi d'armes de Cousinot, il semble bien qu'il ne faille pas rapprocher les deux pièces d'autant plus que les instructions publiées par Scofield ne reprennent pas celles publiées par Mlle Dupont.

Dès juin 1463, on attendait avec impatience l'arrivée des ambassadeurs anglais [164]. Les Croÿ, qui étaient les véritables promoteurs de la conférence, tenaient Louis XI au courant des moindres nouvelles. On espérait la présence de Warwick et Wenlock avait écrit à Lannoy que les envoyés anglais viendraient sûrement à la réunion [165]. Tout cela n'empêcha pas la garnison de Calais de faire une sortie vers Boulogne où elle s'attaqua aux halles [166]. Tandis que Philippe le Bon faisait préparer les logis à Saint-Omer, le roi se laissait aller à l'optimisme et déclarait, au début de juin, à l'ambassadeur milanais, que la paix, sous le couvert de trêves, était déjà virtuellement conclue [167].

C'était aller trop vite car, à la fin du mois de juin, Warwick avait gagné les frontières de l'Ecosse par où les partisans d'Henri VI avaient pénétré dans le royaume [168]; ce n'est que le 6 août qu'Edouard IV octroya leurs pouvoirs aux ambassadeurs [169], lorsqu'il fut tout à fait certain de la victoire de Warwick dans le nord du pays [170].

Marguerite d'Anjou, en fuite, débarqua à L'Ecluse avec son fils et Pierre de Brézé. La reine, en piètre équipage et démunie de ressources, jouait sa dernière carte. Elle allait essayer d'inspirer de la pitié à Phliippe le Bon,

---

[164] Certains Anglais vinrent à Saint-Omer sans doute pour inspecter le lieu de la conférence, en juin. Ils étaient accompagnés par Jean de Lannoy, Alard de Rabodenghes et Philippe de Loan; la mission de ce dernier dura du 30 mai au 30 juillet (A.D.N., R.G.F., n° B 2051, f° 210 v°).

[165] Voir la lettre de Rabodenghes à Antoine de Croÿ du 19 juin annonçant l'arrivée prochaine des ambassadeurs (J. DE WAVRIN, éd. Dupont, t. III, pièces justificatives, p. 159, n° 2); les instructions données par Antoine de Croÿ à Warnier, son serviteur, pour se rendre auprès du roi, 20 juin 1463 (B.N., Fonds français, n° 5040, Ancien Baluze, n° 165, f° 70-70 v°); la lettre d'Antoine de Croÿ à Louis XI du 24 juin (B.N., Fonds français, Nouvelles acquisitions, n° 7978, Ancien Fontanieu, n° 881, n° 13).

[166] A.D.N., R.G.F., n° B 2048, f° 203 v° : 10 juin 1463. Le 20 mai, le comte de Charolais s'excusait de ne pouvoir intervenir contre une incursion menée par les Anglais de Calais dans les territoires français car ses pouvoirs de lieutenant du roi étaient expirés (D. PLANCHER [D. MERLE], opus cit., t. IV, col. 241, pièce 236).

[167] B. DE MANDROT, opus cit., t. I, pp. 276-283 et surtout J. CALMETTE et G. PÉRINELLE, opus cit., p. 37, n. 4.

[168] L'amiral de Montauban, qui se trouvait alors à Caen, avait appris le départ de Warwick dès le 3 juillet à la suite de la prise d'une caravelle anglaise (B.N., Fonds français, n° 20600, f° 69).

[169] A.D.N., n° B 575/16040.

[170] Voir le récit de la victoire dans B. DE LANNOY et G. DANSAERT, opus cit., documentation, p. 208, lettre de W. Hastings à Jean de Lannoy du 7 août, et C.L. SCOFIELD, opus cit., t. II, pp. 461-462, appendix I. Voir aussi K. BITTMANN, « La campagne lancastrienne de 1463 », Revue Belge de Philologie et d'Histoire, t. XXVI, n° 4, 1948, pp. 1059-1083.

qu'elle avait combattu, et tenter d'empêcher un accord tripartite [171]. A peine rendue, elle envoya Jean Carbonnel à Boulogne pour annoncer au duc de Bourgogne son arrivée en Flandre. Désirant éviter une telle rencontre, Philippe s'excusa de ne pouvoir venir en personne à sa rencontre et lui conseilla de ne pas bouger, car il craignait une entreprise des yorkistes de Calais si elle tentait de le rejoindre. Il chargea de cette mission Philippe Pot, seigneur de La Roche [172], qui, après avoir vu Brézé à Bruges, se rendit auprès de la reine à L'Ecluse. Marguerite d'Anjou ne voulut pas entendre raison et se mit en route sous les aspects d'une simple bourgeoise [173]. Le duc alerté avertit le roi et s'empressa de faire savoir à la reine d'Angleterre qu'il serait dangereux pour elle de dépasser Saint-Pol [174] où il viendrait lui rendre visite. Philippe le Bon avait dû capituler devant l'opiniâtreté de Marguerite. Celle-ci commença par réfuter les rumeurs selon lesquelles son mari et elle avaient été les ennemis du duc. Philippe répondit avec à-propos : « *Je ne m'arreste point a tout ce que j'oys* » et, écartant le sujet brûlant dont voulait l'entretenir la reine, il ajouta : « *Mais laissons cela, vous prie, et tournons en autre matiere, car aux dames on ne doit parler que de joye* » [175]. Marguerite passa cependant la parole à Brézé; en guise de conclusion à un long discours, il déclara : « *S'il vous* (Philippe le Bon) *eust plu autant favoriser avec eux* (Henri VI et Marguerite d'Anjou) *comme avec le party contraire, il leur en fust de mieux, et ne fussent pas venus à ceste fin* » [176]. Philippe le Bon, cette fois encore, esquiva une réponse directe et se borna à quelques

---

[171] Dès le 13 août, A. de Croÿ écrivait à Jean de Harcourt que c'était le but évident de la reine; voir C.L. Scofield, *opus cit.*, t. I, p. 302. Le lendemain, une nouvelle lettre de Croÿ, adressée à Harcourt, annonçait que Warwick avait écrit à Philippe le Bon qu'il ne pourrait se rendre sur le continent avant six semaines ou deux mois (C.L. Scofield, *opus cit.*, t. I, p. 299).

[172] A.D.N., R.G.F., no B 2048, fo 193 vo : 5 août 1463; J. Calmette et G. Périnelle, *opus cit.*, p. 293, pièce justificative no 20; aussi dans D. Plancher [D. Merle], *opus cit.*, t. IV, preuve no CCXLI, lettre du duc à Louis XI. Pour Philippe Pot, voir l'article vieilli de A. De Ridder dans *Biographie Nationale*, t. XVIII, 1905, col. 74-76. Philippe Pot passa au service de Louis XI après la mort de Charles le Téméraire.

[173] Pour le récit même, G. Chastellain, *opus cit.*, t. IV, pp. 279-299.

[174] A.D.N., R.G.F., no B 2048, fo 195 : 26 août; le 24 août, le duc avait déjà envoyé un message à la duchesse au sujet de la reine (A.D.N., R.G.F., no B 2051, fo 228); au même moment, il fallait surveiller les frontières de l'enclave de Calais pour garantir la sécurité de la reine (A.D.N., R.G.F., no B 2048, fo 195). Deux lettres furent envoyées par Marguerite d'Anjou à Philippe, fin août (A.D.N., R.G.F., no B 2048, fos 195 vo et 228 vo); message d'A. de Croÿ à la reine, le 29 août (A.D.N., R.G.F., no B 2048, fo 195 vo), du duc à Artus de Bourbon, se trouvant près de la reine (A.D.N., R.G.F., no B 2048, fo 195 vo). D. Plancher [D. Merle], *opus cit.*, t. IV, preuve no CCXLI, et J. Calmette et G. Périnelle, *opus cit.*, pièce justificative no 20, p. 293. D'après une « Ancienne Chronique », dans P. de Commines, éd. Godefroy et Lenglet du Fresnoy, t. II, p. 178, l'entrevue eut lieu le 2 septembre.

[175] G. Chastellain, *opus cit.*, t. IV, p. 288.

[176] G. Chastellain, *opus cit.*, t. IV, p. 292.

paroles aimables mais évasives. Après avoir offert à dîner à la reine, le duc la quitta en lui promettant « *d'avoir ses affaires pour recommandees et de non souffrir jamais, en tant qu'il pourroit, qu'aucunes choses fussent faites à Saint-Omer en son prejudice. Mais comme le roy françois mesme y avoit ses ambassadeurs et ses gens, desquels elle se devoit fier, ce disoit, comme qui tenus estoient à elle, ne voulut pas prendre toute la charge sur luy, de peur des aventures et des conclusions qui la seroient prises, ne sçavoient quelles* »[177]. Position habile, qui ménageait l'avenir et n'engageait pas trop Philippe. Marguerite d'Anjou s'en montra pourtant satisfaite puisqu'elle se sépara du duc avec des larmes « *de joye et de pitié* » [178].

Philippe avait envoyé auprès de la reine sa sœur, la duchesse de Bourbon, pour lui tenir compagnie [179]; il lui avait aussi fait don d'un beau diamant accompagné de deux mille écus d'or. Marguerite d'Anjou retourna alors à Bruges où l'attendait son fils, le prince de Galles. Elle fut très honorablement reçue par le comte de Charolais et par la Ville. Puis elle gagna le Barrois gardée par des archers bourguignons, qui l'accompagnèrent depuis Saint-Pol pour la défendre contre une quelconque entreprise des Anglais de Calais [180].

Edouard IV avait désigné les ambassadeurs qu'il enverrait à Saint-Omer; le chef de la délégation était le chancelier d'Angleterre, George Neville [181], frère du comte de Warwick et évêque d'Exeter; le comte d'Essex et lord Wenlock l'accompagnaient avec neuf autres plénipotentiaires de second plan : Pierre Taster, Thomas Wynterbourne, Thomas Kent, Henry Sharp, sir Walter Blounte, Louis Gallet, Thomas Vaughan, William Overay et Richard Whetehill [182].

[177] G. CHASTELLAIN, *opus cit.*, t. IV, p. 299; W. WORCESTER, *opus cit.*, t. II, 2e partie, p. 781.

[178] G. CHASTELLAIN, *opus cit.*, t. IV, p. 299.

[179] Le 2 septembre, la duchesse de Bourbon, ses filles, l'archevêque de Lyon, Jacques de Bourbon, et le seigneur de Ravenstein se trouvaient à Saint-Pol avec Marguerite d'Anjou (A.D.N., *R.G.F.*, n° B 3428 : comptes de l'Hôtel, états journaliers).

[180] G. CHASTELLAIN, *opus cit.*, t. IV, pp. 309-314. Marguerite d'Anjou partit le 5 septembre de Bruges. Un récit du séjour de la reine se trouve dans J. DE WAVRIN, *opus cit.*, t. VIII, pp. 435-437 et dans J. DU CLERCQ, *opus cit.*, éd. Reiffenberg, t. IV, pp. 1-4. La ville de Bruges lui offrit du vin de Beaune et de Gascogne et des chandelles (A.G.R., *Comptes de Bruges*, C.C. n° 32515); voir aussi A.D.N., *R.G.F.*, n° B 2048, f°ˢ 196-197, 197 v°.

[181] Le 4 juillet 1463, Edouard donne ordre de payer leurs gages aux ambassadeurs désignés (T. RYMER, *opus cit.*, t. XI, p. 504). Ce sont ceux cités par Rabodenghes dans sa lettre du 19 juin à A. de Croÿ (J. DE WAVRIN, éd. Dupont, t. III, pièces justificatives, p. 159, n° 2). George Neville devint archevêque d'York et suivit son frère Warwick dans sa politique; voir J. TAIT, *Dictionary of National Biography*, t. XL, 1894, pp. 252-257.

[182] G. CHASTELLAIN, *opus cit.*, t. IV, p. 338 donne ici le titre erroné d'évêque de Canterbury à George Neville.

Le gros de l'ambassade n'arriva cependant à Calais [183] que le 21 août. Elle n'avait pas osé prendre la mer plus tôt car une flotte de guerre française croisait dans le Pas de Calais. Edouard IV envoya Thomas Vaughan à Philippe le Bon pour s'en plaindre, ce qui amena Antoine de Croÿ à écrire à l'évêque de Bayeux et à l'amiral de France qu'il ne comprenait pas cette situation, d'autant plus que le roi les avait chargés tous trois de négocier en son nom avec les Anglais [184]. Il envoya même un messager chercher des informations en Angleterre, sous prétexte de discuter de la libération de prisonniers [185]. Pendant tout ce mois de juillet, Antoine et Jean de Croÿ, Jean de Lannoy, Pierre de Goux, Martin Steenberg, Jean de Schoonhove et tout le Conseil ducal attendirent les Anglais [186]. Enfin, les 23 et 24 août, John Wenlock vint prendre contact avec Philippe le Bon à Boulogne; il désirait obtenir des garanties de sécurité pour l'ambassade. Le duc prévint aussitôt Louis XI que les ambassadeurs seraient à Saint-Omer dès le 29 août,

[183] J. CALMETTE et G. PÉRINELLE, opus cit., pièce justificative n° 20, p. 293 : lettre de Philippe le Bon à Louis XI, 24 août 1463; D. PLANCHER [D. MERLE], opus cit., t. IV, preuves, p. CCXLIX, n° CXCI, 24 août. Au sujet des lettres échangées concernant l'arrivée de l'ambassade, voir la lettre de Philippe de Loan à A. de Croÿ du 16 juillet 1463 (B.N., Fonds français, n° 4054, ancien Baluze, n° 90377, f° 182, publiée par Mlle Dupont, J. DE WAVRIN, opus cit., p. 162, n° 3, à la date fautive du 15 juillet et attribuée erronément à Philippe de Cran); A. de Croÿ envoya le texte de cette lettre au roi, à Louis de Harcourt et à l'amiral (C.L. SCOFIELD, opus cit., t. I, p. 299; J. CALMETTE et G. PÉRI-NELLE, opus cit., p. 291, n° 18). Le 29 juillet, Philippe le Bon envoyait un message à Edouard IV pour hâter la venue des ambassadeurs (A.D.N., R.G.F., n° B 2148, f° 207 v°). Antoine et Jean de Croÿ et Louis de Harcourt tenaient Louis XI au courant de la venue prochaine de l'ambassade et de la visite de Marguerite d'Anjou : voir les lettres de A. de Croÿ du 6 août (B.N., Fonds français, n° 6963, n° 52), du 20 août (IDEM, ibidem, n° 2811, n° 57), de J. de Croÿ du 24 août (C.L. SCOFIELD, opus cit., t. II, p. 303), de Louis de Harcourt du 21 août et du 7 septembre (B.N., Fonds français, n° 2811, n°s 58 et 59); voir aussi les lettres d'A. de Croÿ à Louis de Harcourt du 13 et du 14 août 1463 (IDEM, ibidem, n° 7978, n° 16 et 2811, n° 60).

[184] J. CALMETTE et G. PÉRINELLE, opus cit., pièce justificative n° 17, p. 290 : lettre d'Antoine de Croÿ à Louis de Harcourt, 7 juillet 1463. W. Hastings écrivant, le 7 août, à Jean de Lannoy attribuait ce retard aux opérations menées par Warwick contre les Ecossais et Marguerite d'Anjou dans le Northumberland (B. DE LANNOY et G. DANSAERT, opus cit., documentation n° VIII, p. 282; édité aussi par C.L. SCOFIELD, opus cit., t. II, p. 461, appendix I). Philippe le Bon envoya Henri le Vigoureux porter des lettres en Angleterre probablement au sujet de la mission de Th. Vaughan, puisque, à son retour, Henri le Vigoureux remit à ce dernier, à Bruges, un message d'Edouard IV (A.D.N., R.G.F., n° B 2048, f°s 194 et 207 v° : entre le 29 juillet et le 17 août).

[185] J. CALMETTE et G. PÉRINELLE, opus cit., pièce justificative n° 18, p. 291 : lettre d'Antoine de Croÿ à Louis de Harcourt, 19 juillet 1463.

[186] A.G.R., R.G.F., C.C. n° 1922, f° 142 v° : Martin Steenberc du 9 au 28 juillet, acquit dans A.G.R., Acquits de Lille, carton n° 1151; A.D.N., R.G.F., n° 2051, f° 203 : Jean de Schoonhove du 9 au 31 juillet, tous deux avec Jean de Croÿ, Jean de Lannoy et Pierre de Goux. J. CALMETTE et G. PÉRINELLE, opus cit., pièce justificative n° 18, p. 291.

et qu'il n'aurait qu'à y envoyer ses délégués [187]. Ceux-ci arrivèrent le 7 septembre [188]. C'étaient Louis de Harcourt, patriarche de Jérusalem [189] et évêque de Bayeux, l'amiral Jean de Montauban, le chancelier de Morvilliers, Georges Havard et Antoine de Croÿ, chef de l'ambassade. La mission de ce dernier était particulièrement délicate car il siégeait à la fois au nom de Louis XI et de Philippe le Bon, « *par lesquels servir lealement l'un et l'autre et soy y porter bien, avoit une dangereuse voye à tenir* », comme nous le dit avec raison Chastellain [190]. Au même moment se déroulaient les négociations pour le rachat des villes de la Somme dont Antoine de Croÿ et les siens étaient les promoteurs. Du côté bourguignon, le grand Conseil était au complet; il était dominé, bien entendu, par les Croÿ-Lannoy; Antoine et Jean de Croÿ, Jean de Lannoy, le sire de Rabodenghes, Pierre de Goux et d'autres se trouvaient réunis à Saint-Omer [191]. Les tractations furent pénibles; il fallut plus d'une fois solliciter l'avis de Philippe le Bon; les Anglais reconnaissaient ouvertement qu'ils ne traitaient avec les Français que par complaisance pour le duc de Bourgogne. Il n'empêche qu'ils auraient aimé que celui-ci participât en personne aux pourparlers. Le duc leur fit savoir qu'il ne pouvait s'éloigner de Hesdin car il attendait l'arrivée du roi [192]. Il les invita à venir le voir peu de temps après l'arrivée de Louis XI [193]. Ils arrivèrent en grand arroi, le 30 septembre après-midi, et furent honorablement reçus; le lendemain, ils rendirent visite au duc. George Neville prononça un petit discours latin fort élégamment tourné dans lequel, selon la coutume, il fit le panégyrique de son hôte qui répondit aimablement en l'assurant de sa bonne volonté à l'égard d'Edouard IV [194]. Le duc prit ses dispositions pour ménager une

---

[187] J. CALMETTE et G. PÉRINELLE, *opus cit.*, pièce justificative n° 20, p. 293 : 24 août; Dom PLANCHER [D. MERLE], *opus cit.*, t. IV, preuves, p. CCXLI. J. de Croÿ expédia une lettre au roi le même jour (C.L. SCOFIELD, *opus cit.*, t. II, p. 303). A.D.N., R.G.F., n° B 2048, f° 241 : Wenlock était accompagné de 36 personnes toutes défrayées par le duc.

[188] J. CALMETTE et G. PÉRINELLE, *opus cit.*, p. 12, note 5.

[189] G. CHASTELLAIN le nomme à tort tantôt archevêque de Narbonne (t. IV, p. 337), tantôt patriarche d'Aquilée (t. IV, p. 382).

[190] G. CHASTELLAIN, *opus cit.*, t. IV, p. 337; des récits très rapides de l'ambassade se trouvent dans J. DE WAVRIN, *opus cit.*, t. VIII, p. 419 et *Le Livre des Trahisons de France*, p. 232.

[191] G. CHASTELLAIN, *opus cit.*, t. IV, p. 339.

[192] G. CHASTELLAIN, *opus cit.*, t. IV, pp. 339-340.

[193] Louis XI arriva le 28 septembre : G. CHASTELLAIN, *opus cit.*, t. IV, pp. 359 et 373. Les Anglais, le roi et sa suite furent défrayés par le duc pendant leur séjour (A.D.N., R.G.F., n° 2051, f° 79 v°).

[194] G. CHASTELLAIN, *opus cit.*, t. IV, pp. 373-378; KERVYN DE LETTENHOVE, dans la même édition de Chastellain (t. IV, pp. 375-378, publie, d'après un manuscrit de la B.N., un discours, panégyrique de Philippe le Bon par un ambassadeur anglais; il s'agit sans doute de la traduction en français du discours de G. Neville.

entrevue improvisée entre les ambassadeurs et Louis XI. Il convia les Anglais à une réception dans le parc de Hesdin; il n'était pas présent lui-même, mais Jean de Croÿ et son fils Philippe, Jean de Lannoy, Philippe Pot, Pierre de Miraumont et le seigneur de Rabodenghes firent les honneurs de ce lieu exceptionnel. Le parc renfermait des hardes entières de daims et de cerfs; il y coulait une claire rivière qui alimentait de merveilleuses fontaines, ombragées par de hautes futaies. Tables et dressoirs étaient chargés de victuailles et de vaisselle de vermeil; des pavillons abritaient les ambassadeurs charmés; les principaux d'entre eux avaient pris place dans celui réservé au duc « *qui se tournoit sur quatre roues vers tous les endroits du ciel où on vouloit* » [195]. Antoine de Croÿ, flanqué de l'évêque de Bayeux et de plusieurs conseillers royaux, survint alors et les pria d'excuser le duc de n'avoir pu les accueillir lui-même dans son domaine. Au retour, on s'arrêta au château. Philippe attendait la compagnie et avait prévenu le roi qu'il la conduirait aussitôt vers lui. Le duc leur dit alors qu'il était de leur devoir de saluer le roi; d'ailleurs, Edouard IV (leur maître) « *s'ils avoient fait du contraire, les en devroit reprendre et en seroit mal content* » [196]. Les ambassadeurs, qui avaient mission de ne pas déplaire au duc, acquiescèrent, bien qu'ils n'eussent pas été chargés de rencontrer Louis XI. Philippe les mena au roi et se jeta à ses pieds en tenant George Neville par la main. Il présenta les envoyés d'Edouard IV à Louis XI. Le roi rendit grâce au duc pour sa médiation et ensuite pour tout ce dont il lui était redevable, c'est-à-dire son royaume, sa couronne et sa vie. Il affirma qu'en reconnaissance, il se plierait à tous ses désirs et il ajouta : « *Sy ne souffre Dieu que jamais j'en descognoisse le bien reçu* » [197]. L'évolution favorable des tractations pour le rachat des villes de la Somme mettait le roi d'excellente humeur et l'incitait à ménager son hôte. Il se tourna alors vers les Anglais pour les remercier de leur visite. Neville improvisa une courte réponse latine et le roi répliqua par des paroles aimables pour Edouard IV [198].

Après cette entrevue, les négociations prirent un tour plus rapide et des trêves furent signées pour un an. Elles exceptaient le domaine maritime bien qu'il fût prévu que le commerce se ferait sous sauf-conduit. La clause

[195] G. Chastellain, *opus cit.*, t. IV, p. 381.

[196] Idem, *ibidem*, t. IV, p. 383.

[197] Idem, *ibidem*, t. IV, p. 385.

[198] G. Chastellain, *opus cit.*, t. IV, pp. 385-386 et 388. Chastellain trace dans ce passage un portrait moral de Louis XI mais le place dans la bouche des Anglais : « ... *leur sembloit un tres subtil et merveilleusement agu esprit, caut et dissimulant, visant au sien et bien atteignant a ses fins sous un couvert circuir a l'entour, homme de teste ouvrant de soy mesme sans conseil de nulluy, de langue leger et a craindre et sa variable et multiforme soudaineté de propos plus a luy contraire qua autruy* ». Une allusion aux bonnes paroles du roi à l'égard du duc se trouve dans A.G.R., *Trésor de Flandre*, série I, n° 2591; voir pièce justificative n° 7.

la plus importante était l'engagement des deux parties de ne pas soutenir les ennemis de chacune d'elles, qu'ils fussent de l'intérieur comme de l'extérieur. Une nouvelle conférence était prévue, pour le 21 avril de l'année suivante, à Saint-Omer, afin de permettre à Edouard IV de prendre l'avis du Parlement anglais [199].

L'ambassadeur milanais Albéric Malleta prétendit que les Anglais avaient fait, parallèlement à ces pourparlers, d'autres ouvertures, qui n'ont pas retenu l'attention de Chastellain. Ils auraient demandé la main de la fille de Louis XI pour leur roi; les Français répondirent qu'elle était trop jeune, et proposèrent une des demoiselles de Savoie, belles-sœurs du roi. En effet, celui-ci aurait eu le désir, dès le début des discussions, d'y inclure le duc de Savoie.

Ces renseignements datent du 17 septembre [200]; à ce moment, la conférence n'avait pas encore réellement commencé; c'est dire que ces informations étaient peut-être prématurées; en tout cas, quelques mois plus tard une démarche identique fut tentée.

Si l'on en croit un émissaire milanais, les ambassadeurs anglais seraient repartis mécontents des résultats obtenus [201].

Le duc les avait pourtant comblés de cadeaux. Outre plusieurs chevaux [202], il leur offrit des pièces d'argenterie remarquables achetées à Jean de Lannoy. Le chancelier fut gratifié de deux flacons de vermeil marqués aux armes des Lannoy et dont les pieds et les anses représentaient des personnages; ils valaient cinq cent quarante-neuf livres onze deniers parisis. Le comte d'Essex et lord Wenlock reçurent l'un trois, l'autre deux pots de vermeil au couvercle frappé du même écu. Pierre Taster et le trésorier de Calais, William Blount, se partagèrent une douzaine de tasses en vermeil, tandis que Thomas Kent et Thomas Vaughan reçurent chacun « six tasses d'argent verrees au bors et martelees aux fons ». Le tout valait mille sept cent sept livres un sou et deux deniers parisis [203].

Au cours de ces mêmes négociations, l'entrecours anglo-bourguignon avait été prolongé jusqu'à la Toussaint de l'année suivante [204]. Depuis quelque

---

[199] G. CHASTELLAIN, opus cit., t. IV, p. 389. Proclamation de la trêve à Londres le 27 octobre : Calendar of Close Rolls, 1461-1468, p. 201; T. RYMER, opus cit., t. XI, pp. 508-509 (27 octobre 1463). Voir la lettre de Louis XI au duc de Bretagne annonçant la conclusion de l'accord : J. VAESEN, opus cit., t. II, p. 150.

[200] B. DE MANDROT, opus cit., t. I, p. 294; A.B. HINDS, opus cit., t. I, p. 109, n° 128.

[201] B. DE MANDROT, opus cit., t. I, p. 315 : 18 novembre, lettre de Ludovic Ludovisis; A.B. HINDS, opus cit., t. I, p. 109, n° 129.

[202] A.D.N., R.G.F., n° B 2051, f° 343 v°.

[203] A.D.N., R.G.F., n° B 2051, f° 371; la douzaine de tasses verrées avait été achetée à Baudouin Henry, orfèvre à Bruges (A.D.N., R.G.F., n° B 2051, f° 369 v°).

[204] A.D.N., n° B 575/16033, acte du 7 octobre; la proclamation à Londres est du 26 : T. RYMER, opus cit., t. XI, p. 507.

temps, une certaine xénophobie se développait en Angleterre et les villes flamandes se plaignaient de mesures discriminatoires prises tant à Londres qu'à Calais [205].

Au cours de la session parlementaire du début de l'année, Edouard IV avait approuvé une série de « statuts » très protectionnistes. Pour encourager l'armement anglais, il était défendu aux sujets du roi d'embarquer leurs biens sur des navires étrangers s'ils pouvaient se procurer un bateau anglais; cette mesure contrariait fortement l'activité des bateliers zélandais qui étaient les principaux transporteurs dans la mer du Nord. Les règlements de Calais furent renouvelés bien qu'il eût été souvent question de les assouplir. L'importation des draps étrangers qui, selon les Communes, causait du préjudice aux manufactures anglaises, fut sévèrement prohibée. L'introduction de la soie travaillée fut interdite à la demande des tisserands de soie [206].

La pétition contre l'importation des produits bourguignons fut renouvelée sous une forme différente. Les bonnets de laine, les rubans, les franges, les passements de fil et d'or, les tissus brodés, les gants, les bourses, les ceintures, les chapeaux, les brosses, les marteaux, les poignards, les ciseaux, les rasoirs, les balles de paume, les dés, les cartes à jouer, etc. furent proscrits. Le roi précisait cependant que les prohibitions ne dureraient qu'autant qu'il le souhaiterait [207]. Il ménageait ainsi l'avenir de ses relations avec la Bourgogne. Enfin, les vins de Guyenne et de Gascogne furent eux aussi interdits [208]. En fait, nous l'avons déjà vu, toutes ces mesures tendaient à raffermir la monnaie anglaise en supprimant, autant que possible, les importations et en favorisant les exportations par un ajustement du rapport or-argent [209].

Peu après le départ des ambassadeurs anglais, Philippe le Bon expédia des missives à Edouard IV, à Warwick, au chancelier et à d'autres seigneurs [210], pour demander sans doute un sauf-conduit pour Jean de Lannoy; le document lui fut d'ailleurs délivré le 10 décembre [211], et renouvelé le 10 janvier [212]. Philippe le Bon tint au courant Louis XI, qui se trouvait alors à Doullens, et chargea Lannoy de remettre des lettres à Edouard IV [213]. Un

---

[205] A.G.R., *Comptes de Bruges*, C.C. n° 32516, f° 31 : 21 août 1463; A.G.R., *Comptes du Franc*, C.C. n° 42574, f° 21 v° : 25 novembre 1463.

[206] *Rotuli Parliamentorum*, t. V, pp. 501-504. *Statutes of the Realm*, t. I, pp. 392-397.

[207] *Statutes of the Realm*, t. I, pp. 396-398; *Rotuli Parliamentorum*, t. V, p. 504. Comparez avec l'ordonnance de 1449.

[208] C.L. SCOFIELD, *opus cit.*, t. I, p. 286.

[209] Voir p. 347.

[210] A.D.N., *R.G.F.*, n° B 2051, f° 232 : 6 novembre 1463.

[211] T. RYMER, *opus cit.*, t. XI, pp. 511-512. Quelques jours plus tard, un sauf-conduit était délivré au nom de Vacoquaymodo, archer de corps de Philippe (P.R.O., *Treaty Rolls*, C 76/147/m. 4 : 5 décembre 1463).

[212] P.R.O., *Treaty Rolls*, C 76/147/m. 5 : 15 janvier 1464.

[213] A.D.N., *R.G.F.*, n° B 2051, f° 309 : 15 janvier 1464.

autre problème préoccupait le roi en ce moment; il déclara, en effet, à l'ambassadeur milanais que, grâce à sa politique matrimoniale, il espérait bientôt signer la paix avec l'Angleterre; sitôt celle-ci conclue, il avait la ferme intention de faire la guerre aux Infidèles [214]. Cela n'empêcha pas Louis XI d'envoyer au duc un rapport l'incitant à remettre à plus tard son « *voyage* » en Turquie. Le roi y rappelait les bonnes paroles qu'il lui avait adressées à Hesdin en présence des ambassadeurs anglais, et soulignait qu'il avait traité avec ceux-ci « *pour honneur et amour* » de Philippe. Aussi le priait-il de ne pas l'abandonner à la veille d'un accord définitif. Avant cela, le calme ne régnerait d'ailleurs pas dans le royaume et Philippe, vassal de Louis XI, ne pouvait laisser dans l'embarras son suzerain qui interdirait à ses sujets de suivre le duc. Les Vénitiens n'avaient-ils pas l'intention manifeste de conquérir la Morée ? Ni le pape ni Philippe le Bon ne réuniraient une armée suffisante pour contrebalancer leur influence, et le duc de Bourgogne n'avait-il pas le devoir de protéger d'abord la France contre les Anglais plutôt que de rétablir l'empereur de Byzance sur son trône ? Les gens du duc seraient forcés de liquider trop rapidement leurs biens pour obtenir les sommes nécessaires à leur départ; on leur ferait des offres beaucoup trop basses car on saurait combien le temps les pressait. Au contraire, si Philippe le Bon patientait jusqu'à la conclusion de la paix lors de la « journée » qui s'annonçait, il pourrait compter sur un contingent français de dix mille hommes et il était probable que les Anglais lui enverraient une troupe de même importance pour ne pas être en reste. Ainsi, le duc pourrait résister aux Vénitiens; en attendant, qu'il envoie déjà une armée par mer et qu'il expédie son artillerie à Marseille [215] !

En fait, Louis XI comptait moins sur l'influence de Philippe lors des pourparlers qu'il ne désirait éviter une régence du comte de Charolais; en proie à la même crainte, les Croÿ devaient eux aussi s'efforcer d'empêcher le grand départ. Quant au comte de Charolais, il était plein d'inquiétude : toujours en mésintelligence avec son père, il avait peur d'être lésé dans ses droits d'héritier. Le bruit ne courait-il pas qu'à son départ, le duc mettrait ses pays sous la sauvegarde de Louis XI et que le gouverneur royal en serait Jean de Croÿ, seigneur de Chimay ? Quant aux comtés de Hollande et de Zélande, ils seraient tout simplement confiés au roi Edouard ! Apprenant cela, le comte invita les Etats Généraux à se réunir, à Anvers, le 3 janvier; de son côté, le duc les avait convoqués, pour le 9, à Bruges. Lors de la première réunion, Charolais attaqua violemment les Croÿ et fit part de ses craintes de voir la régence lui échapper. A Bruges, Philippe le Bon tança les Etats d'avoir accepté l'invitation de son fils, défendit ses conseillers et accabla de reproches Charolais et son entourage. Il déclara qu'il était étonné

---

[214] B. DE MANDROT, *opus cit.*, t. II, p. 1 : 30 janvier 1464.

[215] A.G.R., *Trésor de Flandre*, n° 2591, série 1 : 23 février 1464; voir pièce justificative n° 7.

d'entendre parler du projet de partager ses pays; quant à remettre la Hollande, la Zélande et la Frise au roi d'Angleterre, il dit : « *Ce sera la derraine volonté que j'auray jamais* » [216]. Jusqu'au bout, le duc restait fidèle à ses conceptions premières : l'alliance anglaise n'était qu'une nécessité due aux circonstances et il entendait le proclamer bien haut.

Louis XI s'activait à préparer l'ambassade de Lannoy; il restait en contact avec le capitaine de Guines, Richard Whetehill, auquel il envoya, par l'intermédiaire du sire de la Barde, des projets d'articles pour un futur accord et des messages qu'il devait faire parvenir à Edouard IV, à Warwick et au chancelier [217].

Il semble que l'accueil fait à Jean de Lannoy fut plutôt tiède; le peuple murmurait qu'il était Picard, donc Français, et non pas Bourguignon, et on rapporta même à l'ambassadeur milanais qu'il avait été emprisonné, et délivré sur les instances du comte de Warwick [218]. Cependant, le 28 mars,

---

[216] G. Chastellain, *opus cit.*, t. IV, pp. 464-468 et 471-492; J. du Clercq, *opus cit.*, éd. Reiffenberg, t. IV, pp. 24-27. Au sujet de ces réunions, voir J. Cuvelier, J. Dhondt et R. Doehaerd, *opus cit.*, pp. 58-95 et P.A. Meilink, « Dagvaarten van de Staten Generaal, 1427-1477 », *Bijdragen voor de Geschiedenis der Nederlanden*, t. V, 1950-1951, afl. 3-4, pp. 204-205.

[217] Le roi expédia également des sauf-conduits pour qu'une ambassade vînt auprès de lui; Warwick répondit aussitôt à la missive qu'il avait reçue; le roi annonça aussi le départ prochain du seigneur de Lannoy; Whetehill, pour sa part, se porta garant de la joie qu'aurait Warwick à le recevoir : J. Calmette et G. Périnelle, *opus cit.*, p. 296, pièce justificative n° 22, lettre du 19 février de R. Whetehill à Louis XI (C.L. Scofield édite aussi la lettre du 19 février, t. II, p. 467). Voir aussi les mêmes, p. 47, note 1. Louis XI envoya aussi à Guines Jean de Tairemonde dit Le Bègue; voir au sujet de cette mission : C.L. Scofield, *opus cit.*, t. I, p. 322, et la lettre écrite par Tairemonde au roi le 28 février 1464 (B.N., *Fonds français*, n° 2811, n° 53).
Philippe le Bon demanda au trésorier de Calais, Walter Blount, d'apprêter un bateau pour le passage de l'ambassade. Le seigneur de Rabodenghes, bailli de Saint-Omer, le seigneur de la Howardrie et Philippe de Loan accompagnaient Jean de Lannoy; celui-ci reçut du duc six cents livres de gros de Flandre comme avance sur ses frais de déplacement. L'ambassade s'embarqua le 17 mars.
A.D.N., *R.G.F.*, n° B 2051, f° 243 v° : 26 février 1464. Louis XI avait tenté également d'approcher W. Blount (voir C.L. Scofield, *opus cit.*, t. I, p. 322). Voir la lettre de A. de Croÿ à Louis XI du 16 mars 1464, par laquelle il signale qu'il a envoyé deux fois le gruier de Brabant, Jean Bourdon, à la recherche de Blount à Bruges puis à Calais pour le mener auprès du roi (B.N., *Fonds français*, n° 20428, n° 28); celui-ci avait été arrêté pour dettes à Bruges en février et, à la demande du duc, relâché comme ambassadeur et porteur d'un sauf-conduit de Louis XI (L. Gilliodts van Severen, *Cartulaire de l'ancienne Estaple de Bruges*, t. II, p. 126, n° 1056 : 28 février 1464); A.D.N., *R.G.F.*, n° B 2051, f° 211; A.D.N., *R.G.F.*, n° B 2051, f° 225 : 4 mars 1464; J. de Wavrin, éd. Dupont, t. III, p. 182, pièce justificative n° VI : 31 mars 1464.

[218] B. de Mandrot, *opus cit.*, t. II, p. 84 : 27 avril, lettre d'Albéric Malleta. Un envoyé de Louis XI alors en Angleterre, Jean de Tairemonde dit Le Bègue, receveur de Ponthieu, eut également à craindre une arrestation (C.L. Scofield, *opus cit.*, t. I, p. 325).

Edouard IV désigna Warwick et Wenlock pour traiter avec Jean de Lannoy et renouvela leurs pouvoirs le 12 avril [219]. A ce moment déjà, on savait que le chancelier serait désigné pour la prochaine réunion à moins que Lannoy ne négociât si bien, comme l'espérait Whetehill, « *que ne sera besoing de tenir la dite journée* » [220]. Le 12 avril furent signées des « trêves de mer » entre la France et l'Angleterre; elles ne couvraient qu'une courte période s'étendant du 20 mai au 1er octobre et reprenaient les termes de la trêve sur terre du 14 octobre 1463 [221]. La conférence prévue pour le 21 avril fut reportée au 1er juillet, par un autre instrument. Ces actes devaient être confirmés par les deux rois, le premier avant le 1er juin, le second, avant le 1er juillet; les ratifications devaient être remises au duc de Bourgogne. Edouard IV accomplit très rapidement les formalités nécessaires les 20 et 23 avril [222], et Louis XI fit de même le 6 mai [223].

Le bruit courait d'ailleurs que l'on n'obtiendrait pas de résultat plus brillant car l'Angleterre ne désirait pas conclure la paix [224], bien que la venue de Warwick fût annoncée [225].

En sous-main, des tractations se poursuivaient pour la conclusion d'une alliance matrimoniale et Louis XI y mettait tous ses espoirs. Certains doutaient cependant que les négociations pussent aboutir; Edouard IV, prédi-

---

[219] T. RYMER, *opus cit.*, t. XI, pp. 513 et 518.

[220] J. DE WAVRIN, éd. Dupont, t. III, p. 182, n° VI : 31 mars 1464, lettre du receveur du comté de Ponthieu à Louis XI; le receveur envoyait une traduction d'une lettre de Warwick à Whetehill; on y signale aussi la crainte éprouvée par les Anglais d'un siège de Calais. Philippe le Bon envoyait des messages à l'ambassade et en recevait d'autres qu'il communiquait aussitôt au roi (A.D.N., *R.G.F.*, n° B 2051, f°s 249 v° : 8 et 14 avril); le 24 avril, le duc envoya des lettres à Edouard IV et à Lannoy (A.D.N., *R.G.F.*, n° B 2051, f° 250 v°). Signalons que Richard Whetehill, à la même époque, convoquait auprès de lui, à Guines, Le Bègue; celui-ci espérait qu'il s'agissait de parler des « *aliances d'Engleterre et d'Espangne* » (B.N., *Fonds français*, n° 4054 : 19 avril, lettre de Whetehill à Le Bègue; n° 2811, n° 63 : 25 avril 1464, lettre de Le Bègue à Louis XI).

[221] J. CALMETTE et G. PÉRINELLE, *opus cit.*, p. 48.

[222] T. RYMER, *opus cit.*, t. XI, pp. 520-521. Le 24 avril, le shérif de Cornouailles reçut l'ordre de publier la trêve (IDEM, *ibidem*, t. XI, p. 523).

[223] J. CALMETTE et G. PÉRINELLE, *opus cit.*, p. 49. Après avoir annoncé des négociations à Louis XI, le héraut Warwick se rendit auprès de Philippe le Bon (A.D.N., *R.G.F.*, n° B 2051, f° 296 : 30 avril). Philippe le Bon réclama, le 25 mai, les lettres de ratification de Louis XI à Antoine de Croÿ (A.D.N., *R.G.F.*, n° B 2051, f° 252 v°).

[224] B. DE MANDROT, *opus cit.*, t. II, p. 84, lettres d'Albéric Malleta du 27 avril; A. GRUNZWEIG, *Correspondance*, p. 125, lettres de T. Portinari du 29 avril.

[225] A. GRUNZWEIG, *Correspondance*, p. 125, lettres de T. Portinari du 18 avril et du 15 mai. Le 1er juin, T. Portinari émettait des doutes sur l'arrivée de Warwick (A.B. HINDS, *opus cit.*, t. I, p. 110, n° 132); B. DE MANDROT, *opus cit.*, t. II, pp. 116-124. Warwick était attendu pour le 8 juin. Louis XI, par l'intermédiaire de Lannoy, faisait parvenir au comte de Warwick une déposition de Guillaume Cousinot, tenant de Marguerite d'Anjou (B. DE LANNOY et G. DANSAERT, *Documentation*, p. 286, lettre de Lannoy au roi du 3 mai).

sait-on, craindrait de se rendre impopulaire en ce réconciliant avec la France :
son ennemi Henri VI ne s'était-il pas aliéné le cœur des Anglais par son
mariage avec une princesse française ? On disait aussi que Philippe le Bon
présenterait volontiers au roi d'Angleterre, comme future épouse, sa nièce,
une princesse de Bourbon. Cette information reprenait la requête anglaise
repoussée par le duc en 1461; elle était évidemment dénuée de fondement
car Philippe le Bon, toujours sous la coupe des Croÿ, n'aurait certainement
pas contrarié les projets du roi. D'autre part, le comte de Charolais n'aurait
pas préconisé l'union d'une de ses belles-sœurs avec un roi yorkiste alors
qu'il était partisan de Henri VI. D'autre part, Guillaume Fillastre, évêque
de Tournai et président du Grand Conseil en l'absence du chancelier, chaud
partisan de la croisade, envisageait, disait-on, une réconciliation entre
Edouard IV et Henri VI à qui l'on aurait attribué le duché de Lancastre,
apanage de ses ancêtres [226].

Louis poussait cependant le duc de Savoie à donner une de ses filles à
Galeas Sforza et l'autre à Edouard IV [227]: il serait même allé jusqu'à fournir
la dot [228]. Il était si désireux de réussir que, lorsque le héraut de Warwick
vint lui annoncer les résultats de l'ambassade de Lannoy, il s'empressa de
lui montrer ses belles-sœurs en privé et sans chaperon [229].

La réunion de Saint-Omer se préparait; John Wenlock et Richard Whetehill
reçurent leurs pouvoirs le 8 juin [230]. Louis XI avait l'intention de se rendre
à Hesdin pour rencontrer les Anglais et, si l'on en croit le Florentin Thomas
Portinari, s'il ne réussissait par à obtenir la paix, il n'hésiterait pas à attaquer
Calais; en effet, il intriguait toujours avec les Lancastres [231].

D'autre part, certains conseillers de Philippe le Bon refroidissaient le zèle
que montrait le duc dans le rôle de médiateur. Ils lui faisaient remarquer
que Louis XI, en paix avec l'Angleterre, ne manquerait pas de se tourner
contre la Bourgogne et le Bretagne; il avait d'ailleurs déjà dévoilé ce projet [232].
Aussi, le duc n'était-il pas pressé de rejoindre le roi qui séjournait en Picardie,
aux limites des Etats bourguignons. Pour l'obliger à venir à sa rencontre,
Louis XI franchit la frontière et fut reçu à Lucheux par le comte de Saint-Pol
qui y était chez lui [233]. Philippe le Bon eut ainsi la main forcée et se rendit

226 B. DE MANDROT, opus cit., t. II, pp. 68, 70, 84, 116 : 30 janvier, 18 et 27 avril,
10 mai; A. GRUNZWEIG, Correspondance, pp. 108, 109 : 28 mars et 18 avril.

227 B. DE MANDROT, opus cit., t. II, p. 84 : 27 avril.

228 B. DE MANDROT, opus cit., t. II, p. 70 : 18 avril.

229 B. DE MANDROT, opus cit., t. II, p. 68 : 18 avril.

230 T. RYMER, opus cit., t. XI, p. 526.

231 A. GRUNZWEIG, Correspondance, p. 136 : 21 mai 1464 et A.B. HINDS, opus cit.,
t. I, p. 110, n° 132 : 1er juin.

232 G. CHASTELLAIN, opus cit., t. IV, p. 494.

233 IDEM, ibidem, t. IV, p. 493. Lucheux, France, département de la Somme, arr. et
c. de Doullens.

à Saint-Pol où le roi arriva le même jour, le 2 juillet [234]. Ensemble, ils se
rendirent à Hesdin [235]. Le 5 juillet, Jean Wenlock et Richard Whetehill
gagnèrent eux aussi Hesdin où ils avaient été conduits depuis Calais par
Jean de Lannoy et Alard de Rabodenghes [236]. Le soir même de leur arrivée,
ils furent reçus par le roi et le duc. Leur mission consistait à demander
la remise de la conférence du 1er octobre, car Warwick, qui devait y prendre
part, s'employait à recouvrer sur le parti Lancastre la citadelle de Bamborough [237]. Le roi fit contre mauvaise fortune bon cœur; il s'attacha
particulièrement à gagner Wenlock. Il lui dit que pour parvenir à un
accord, il n'épargnerait rien et « *satisferoit et remunereroit hautement ceux
qui l'y serviroient* » [238].

Le duc avait si bien traité les ambassadeurs dans le parc de Hesdin [239]
que le roi ne voulut pas être en reste d'hospitalité; il les invita à Dompierre
où se trouvaient la reine et ses sœurs [240]. Son intention était de leur faire
rencontrer les princesses de Savoie pour les impressionner favorablement.
Les négociations secrètes se poursuivaient en vue d'un mariage et Thomas
Portinari, gouverneur de la filiale des Médicis à Bruges, servait d'intermédiaire [241].

Ici se place un épisode curieux dont C.L. Scofield fut la première à faire
mention [242] : le 17 juin, Warwick quitta Londres pour Calais où il séjourna
sept semaines; il ne regagna la capitale que le 5 août, et en repartit cinq jours
plus tard pour le continent où il resta certainement jusqu'au 30 août. Au
cours de son premier passage, il ne quitta pas Calais; pendant le second,
il s'en éloigna probablement. Sa présence fut tenue rigoureusement secrète;
contrairement à ce qu'affirme Scofield, nous pensons que Lannoy et
Rabodenghes, qui convoyèrent Wenlock et Whetehill depuis Calais, n'ont
pas eu vent de son séjour, car ils n'auraient pas manqué d'en faire part

---

[234] « Ancienne Chronique », dans P. DE COMMINES, éd. Godefroy et Lenglet du Fresnoy, p. 180 : le roi y séjourna du 2 au 9 juillet.
[235] G. CHASTELLAIN, *opus cit.*, t. IV, p. 495.
[236] IDEM, *ibidem*, t. V, p. 20; A.D.N., *R.G.F.*, no B 2051, fo 353 : ils séjournèrent à
Hesdin du 5 au 14 juillet.
[237] G. CHASTELLAIN, *opus cit.*, t. V, pp. 21-22.
[238] G. CHASTELLAIN, *opus cit.*, t. V, p. 23.
[239] A.D.N., *R.G.F.*, no 2051, fo 127 vo : le 8 juillet.
[240] G. CHASTELLAIN, *opus cit.*, t. V, p. 23; A.D.N., *R.G.F.*, no B 2051, fo 353. Dompierre, France, dép. Somme, arr. Abbeville, c. Crécy-en-Ponthieu.
[241] A. GRUNZWEIG, *Correspondance*, p. XIX et p. 138 : 15 juin 1464, lettre de
T. Portinari.
[242] C.L. SCOFIELD, *opus cit.*, t. I, pp. 344 et suivantes; voir surtout C.L. SCOFIELD,
« The movements of the earl of Warwick in the summer 1464 », *English Historical
Review,* 1906, octobre, pp. 732-737, qui publie le compte de ses dépenses. Il y est dit
que Warwick se rendit auprès de Philippe le Bon « *ad secundum tractandum in secretis
materiis* ».

à Louis XI. Quant aux conversations confidentielles que le comte aurait eues en dehors de la forteresse avec Philippe le Bon ou ses envoyés, lors de son deuxième voyage, nous n'en avons gardé aucun témoignage. Comment le secret fut-il si bien gardé et quelle était la mission de Warwick ? Comme la suite des événements le montra, Edouard IV ne pouvait s'engager dans une alliance matrimoniale, bien que le comte en fût le plus grand partisan. Pour quel motif le roi obtint-il, dans ces conditions, le silence de Warwick ? Scofield rapproche ce fait de la formation par le duc de Bretagne et le comte de Charolais d'une ligue contre Louis XI. Il semble plutôt que Warwick était chargé de surveiller les démarches de Wenlock et Whetehill et d'intervenir le cas échéant. Edouard IV avait sans doute insisté auprès du comte sur le mécontentement qui régnait en France au sein des grands feudataires, et lui avait donné ordre de ne rien conclure avant d'être certain de la tournure que prendraient les événements.

Louis XI pria Philippe le Bon de bien vouloir attendre les ambassadeurs jusqu'au 1er octobre [243]. Aucune nouvelle n'arrivant d'Angleterre, le duc se décida à envoyer un de ses chevaucheurs, Henriet le Vigoureux, à Londres pour obtenir des informations. Celui-ci partit le 31 août et revint un mois plus tard pour annoncer que tout était rompu [244].

Un coup de théâtre s'était produit : Edouard IV avait été contraint, par le développement des pourparlers avec la France, d'avouer son union secrète avec Elisabeth Woodville [245], nièce du comte de Saint-Pol. Le clan Woodville était hostile à celui des Neville; aussi ne faut-il guère s'étonner qu'Edouard IV se soit en quelque sorte affranchi par son mariage de la tutelle du « faiseur de rois ». D'autre part, la famille de Luxembourg était en grande intimité avec le comte de Charolais, tandis que Jean de Lannoy et les Croÿ s'étaient acquis l'estime et l'amitié de Warwick et de son frère le chancelier. L'équilibre politique était donc sur le point de se rompre et Louis XI, qui désirait tant s'allier aux Anglais, pouvait déchanter.

Bien que suspect, de par son attachement à Marguerite d'Anjou, Pierre de Brézé ne lui avait-il pas dit : « *Voulez-vous estre bien aimé des François, vos sujets et vassaux ? Ne querez nulle amistié aux Anglois car d'autant que vous y querrez amour, vous serez hay des François* » [246]. Le roi

---

[243] G. CHASTELLAIN, *opus cit.*, t. V, p. 25.

[244] A.D.N., *R.G.F.*, no B 2051, fo 261 vo; G. CHASTELLAIN, *opus cit.*, t. V, pp. 93-94. Le duc envoyait à Rabodenghes et à Lannoy des messages sur l'éventualité de l'arrivée de l'ambassade anglaise (A.D.N., *R.G.F.*, no B 2051, fo 262, 262 vo : 2 et 10 septembre).

[245] Elisabeth Woodville, veuve de Sir John Grey of Groby, était la fille de Jacqueline de Luxembourg, veuve du duc de Bedford, et de Richard Woodville, lord Rivers. Son premier mari avait été tué dans les rangs lancastriens à Saint-Albans; elle était de cinq ans l'aînée du roi et mère de deux fils. Son père s'était rallié depuis peu à la cause yorkiste.

[246] G. CHASTELLAIN, *opus cit.*, t. V, p. 93.

cependant s'entêtait, accusait les Anglais et le duc de Bourgogne de
l'avoir berné de commun accord et il ajoutait qu'il « *feroit tant que s'il luy
devoit couster un million d'or pour distribuer ça et la, sy auroit-il accord
avecques eux* (les Anglais) *et y laboureroit* » [247].

On ne peut nier cependant le profond dépit des conseillers habituels
d'Edouard IV; en annonçant la nouvelle à Antoine de Croÿ ,Wenlock ne
disait-il pas : « *Or est il ainsy que, quant au mariage, le roy en a prise
femme a son plesir, sans le sceue de ceulx qu'on y devroit appeler à conceil
par raison, lequel est a tres grand displesir de plusieurs grans seigneur et
mesmement a la pluspart de toute son conceil; mais, depuis que la matiere
est procedé sy avant qu'on ny peult remedier, on y fault prendre pasciens
maulgré nous* » [248] ?

---

[247] IDEM, *ibidem*, t. V, p. 95.

[248] B. DE LANNOY et G. DANSAERT, *opus cit.*, Documentation, n° XI, p. 287 : 3 octo-
bre 1464, lettre envoyée à Jean de Lannoy; il s'agit en réalité d'une lettre adressée à
Antoine de Croÿ comme en fait foi l'adresse dorsale sur l'original (B.N., *Fonds français,
Nouvelles acquisitions*, n° 7634, f° 69); la même erreur se trouve dans J. CALMETTE et
G. PÉRINELLE, *opus cit.*, p. 62, note 1. La nouvelle du mariage d'Edouard IV avait couru
depuis le début de septembre : B. DE MANDROT, *opus cit.*, t. II, p. 224, lettre d'Albéric
Malleta du 5 septembre. Louis XI espérait encore la venue de Warwick au début d'octobre,
malgré la rumeur concernant le mariage du roi et le bruit d'une rupture entre le roi
et Warwick (B. DE MANDROT, *opus cit.*, pp. 264-277, lettre de A. Malleta des 5 et
8 octobre). Le 14 octobre, Jean de Lannoy d'une part (voir p. 412 n. 253) et
Philippe le Bon de l'autre (A.G.R., *R.G.F.*, C.C. n° 1922, f° 149), lui annonçaient la
rupture des pourparlers. Dès le 10 octobre, la cour de France était au courant (B. DE
MANDROT, *opus cit.*, t. II, p. 291 : lettre de A. Malleta).

LES SYMPATHIES DU COMTE DE CHAROLAIS
POUR LE PARTI YORKISTE ET LE RETOUR A L'ALLIANCE
ANGLO-BOURGUIGNONNE

La conférence avait échoué, mais un envoyé anglais n'en fut pas moins dépêché sur le continent par Edouard IV et Warwick. Robert Neville, serviteur de ce dernier, se rendit d'abord à la cour de France, où il fut dûment endoctriné par le roi qui le confia à son fidèle Tristan l'Hermite. Aussi, lors de son retour en Angleterre, était-il convaincu, à quelques mois de la Guerre du Bien Public, que tous les princes étaient du parti du roi, à l'exception évidemment du duc de Bourgogne et de son fils. Il rencontra ensuite Philippe le Bon qui lui fit un grand éloge de Warwick, lui demanda pourquoi il n'était pas venu à Saint-Omer, et ajouta : « *Je m'estoie fait fort qu'il ne fauldroit point, je suis en mal du roy, mon souverain seigneur, et Lannoy et Crouy, mais il n'y a que demie paix a faire et sera faicte en bref* » [249].

La diplomatie française subit un second revers. Louis XI avait envoyé à Edouard IV des lettres par lesquelles il accusait le comte de Charolais d'intriguer contre le roi d'Angleterre [250], et déclarait qu'il désirait ardemment la paix pour pouvoir tourner ses forces contre l'héritier de Bourgogne et le duc de Bretagne. Après avoir rompu les négociations en cours par l'aveu de son mariage, Edouard IV jugea le moment opportun pour faire parvenir au duc la missive du roi de France. Philippe le Bon indigné s'écria que, malgré les dissensions qui les séparaient, Charolais n'en restait pas moins son

---

[249] *Mémoires de Philippe de Commynes*, éd. Mlle Dupont, preuves, t. III, p. 211 : lettre de Robert Neville à R. Whetehill, lieutenant de Guines, datée du 17 novembre. Ce passage de la lettre prouverait, à moins d'une dissimulation particulière de Philippe le Bon, que le duc n'avait pas rencontré Warwick. Tristan l'Hermite avait demandé un sauf-conduit pour Calais. R. Neville, qui lui avait fait des confidences, avait été mis en garde à son sujet « *car il ne scet rien qui soit, que le tout il ne le dye au roy Loys. A vous en dire, c'est un terrible homme, et s'il parle à nulluy de Calays, il saura bien qu'il a ou corps* ».

C.L. Scofield, (*opus cit.*, t. I, p. 358) pense que Neville était chargé d'une lettre demandant à Louis XI d'autoriser la prolongation de l'entrecours anglo-bourguignon (voir p. 389).

[250] B. de Mandrot, *opus cit.*, t. II, p. 224, lettre d'Albéric Malleta du 21 septembre; G. Chastellain, *opus cit.*, t. V, p. 94.

fils et qu'il entendait qu'on le traitât comme tel [251]. Lannoy, à qui l'on
reprochait d'avoir transmis le message [252], écrivit à Louis XI : « *Dieu scet
comment l'on parle cheans sur monsieur mon oncle et sur moy et quelle
chose l'on dist de nous partout; y faut avoir passiense ou tout ghaster et
soy attendre à la vérité* » [253].

Le comte de Charolais allait aussitôt exploiter cette information contre le
roi. Il écrivit aux ducs d'Orléans et de Bourbon et au roi René que Louis XI
désirait la paix uniquement pour avoir les mains libres contre les princes.
A la Noël, le roi convoqua à Tours une réunion générale des grands du
royaume. Le duc de Bourgogne y envoya une délégation conduite par
l'évêque de Tournai [254]. Louis XI s'y défendit d'avoir jamais eu de telles
intentions. Charolais amorçait ainsi sa campagne du Bien Public. Nous
retrouvons aussi un écho des renseignements communiqués par Edouard IV
à Philippe le Bon dans un fragment d'instructions destinées à des ambassadeurs bourguignons. Elles soulignaient que le duc aspirait plus à l'amitié
du roi d'Angleterre que celui-ci à celle de Philippe le Bon et spécifiaient
que les deux parties devraient s'engager à échanger toute information
concernant des machinations ou traités susceptibles de nuire à leurs personnes
ou à leurs Etats. Enfin, le duc irait jusqu'à promettre de n'offrir ni secours
ni asile à Henri VI et à Marguerite d'Anjou [255], allusion évidente à l'accueil
qu'il avait réservé, en août 1463, à la reine. A quelle ambassade bourguignonne
furent confiées de telles instructions ? Il est possible qu'elles furent remises
à un ambassadeur du comte de Charolais, Jacques de Luxembourg; dès lors,
on comprend mieux la mention d'une aide éventuelle au parti Lancastre;
il ne faut pas s'en étonner, car, en ce moment, la réconciliation était en bonne
voie, et Robert Neville pouvait dire : « *Le pere est le filz et le filz est le pere* ».

Depuis quelques mois, Charolais se rapprochait d'Edouard IV; un de ses
envoyés, Jean de la Porte, avait, dès le 8 juillet [256], reçut un sauf-conduit du

---

[251] B. DE MANDROT, *opus cit.*, t. II, p. 295 : lettres d'Albéric Malleta du 12 octobre;
J. DU CLERCQ, *opus cit.*, éd. Reiffenberg, t. IV, p. 89; «Ancienne Chronique », dans
P. DE COMMINES, éd. Godefroy et Lenglet du Fresnoy, t. II, p. 182.

[252] J. DE WAVRIN, *opus cit.*, t. VIII, p. 263; « Ancienne Chronique », dans P. DE
COMMINES, éd. Godefroy et Lenglet du Fresnoy, t. II, p. 182.

[253] B. DE LANNOY et G. DANSAERT, *opus cit.*, p. 289, Documentation n° XI : 14 octobre;
D. PLANCHER [D. MERLE], *opus cit.*, t. IV, p. CCXLIX, à la date du 13 octobre 1464;
G. CHASTELLAIN, *opus cit.*, t. V, p. 110, n. 3 (fragment avec erreur d'attribution).

[254] J. DU CLERCQ, *opus cit.*, éd. Reiffenberg, t. IV, pp. 84-85; J. DE WAVRIN, *opus cit.*,
t. VIII, p. 453.

[255] A.B. HINDS, *opus cit.*, t. I, p. 112, n° 135. La pièce n'est pas datée mais la critique
interne de son contenu plaide pour son attribution à la fin de 1464.

[256] P.R.O., *Treaty Rolls*, C 76/148/m. 5. Quelques jours auparavant, le 1er juillet, un
autre sauf-conduit était accordé à Jacques de Bresilles, garde des joyaux de Philippe le Bon
(P.R.O., *Treaty Rolls*, C 76/148/m. 17); nous ignorons également tout de cette mission;
La Porte reçut 25 marcs d'Edouard IV; il semble qu'il fit un second voyage au printemps
de l'année suivante (voir C.L. SCOFIELD, *opus cit.*, t. I, p. 349).

roi d'Angleterre pour se rendre auprès de lui. Nous ignorons tout de sa mission, mais il est évident que c'était une preuve du désir qu'avaient les deux parties de prendre contact.

Une autre occasion allait s'offrir de poursuivre le dialogue : le clan Woodville entendait faire montre de ses belles alliances lors des fêtes organisées en l'honneur du mariage royal; aussi, le 8 octobre, Edouard IV donnait-il un sauf-conduit à un oncle d'Elisabeth, Jacques de Luxembourg, pour venir à Londres accompagné de cent personnes [257]. Il était à la fois serviteur de François II de Bretagne, alors en bonne intelligence avec Edouard IV, et du comte de Charolais. Celui-ci lui octroya six cents couronnes et cent à chacun des membres de sa suite. Ils furent bien reçus et prouvèrent, dans les tournois, la valeur de la chevalerie bourguignonne [258].

Ce n'était évidemment pas le but essentiel de cette visite, car, en mars 1465 [259], Warwick et Hastings [260] furent désignés pour négocier une alliance avec le comte de Charolais représenté par Jacques de Luxembourg. A la veille de la Guerre du Bien Public, il s'agissait d'entraîner l'Angleterre dans le camps des princes. Les deux plénipotentiaires anglais étaient hostiles au parti de la reine; ils avaient peut-être été choisis à dessein par Edouard IV qui ne désirait pas conclure ouvertement une alliance avec le comte de Charolais, à qui l'on prêtait toujours des sentiments lancastriens; d'autre part, il ne voulait certainement pas s'engager à fond dans les querelles françaises. Si l'on en croit Jacques du Clercq, le roi d'Angleterre avait néanmoins promis de soutenir l'héritier de Bourgogne « *de gens de guerre et autrement* ». Un fait semble corroborer cette affirmation : Jacques de Luxembourg reçut la ville et le château de Lannoy saisis en mars 1465 [261]. Il va de soi qu'une telle donation récompensait des services rendus et l'on ne conçoit pas que l'échec de sa mission en Angleterre lui ait valu une part des dépouilles de Jean de Lannoy.

Il devenait urgent de négocier une prolongation de l'entrecours, car le traité allait expirer le 1er novembre. La ville de Londres s'inquiétait et

---

[257] P.R.O., *Treaty Rolls*, C 76/148/m. 7; Edouard IV remit à son oncle par alliance un cadeau de 125 livres st. et des bijoux d'une valeur de 108 l. 13 s. 2 d. st. (C.L. SCOFIELD, *opus cit.*, t. I, p. 372). C.L. Scofield ne place pas la visite de Jacques de Luxembourg avant mars 1465. Il n'est pas possible de préciser les dates exactes de son séjour.

[258] J. DU CLERCQ, *opus cit.*, éd. Reiffenberg, t. IV, pp. 88-89, 117-118; J. DE WAVRIN, *opus cit.*, t. VIII, p. 463.

[259] T. RYMER, *opus cit.*, t. XI, pp. 540-541 : 28 mars 1465; *Calendar of Patent Rolls, 1461-1467*, p. 439.

[260] William, lord Hastings, beau-frère de Warwick, resta, à la différence de celui-ci, constamment fidèle à la maison d'York; voir J.G. FOTHERINGHAM, *Dictionary of National Biography*, t. XXV, 1891, pp. 148-149.

[261] J. DU CLERCQ, *opus cit.*, éd. Reiffenberg, t. IV, p. 12.

envoyait une lettre et un émissaire au roi pour qu'il ne perdît pas la chose de vue. Aussi, Edouard IV s'empressa-t-il de faire part au chancelier de son désir de proroger l'entrecours; il avait même demandé à Wenlock et Kent d'envoyer à Louis XI « *a gentle letter* » en français à ce sujet. Sur son ordre, George Neville faisait rédiger, dès le 20 octobre, une commission pour Whetehill et Caxton qui se chargeraient de porter un message à Philippe le Bon.

Le roi n'avait donc pas oublié qu'en vertu du traité d'Arras, il fallait obtenir l'accord de Louis XI pour traiter valablement avec la Bourgogne. Quelques années auparavant, on s'en souvient, Edouard IV avait inclus cette exigence dans des instructions destinées à ses ambassadeurs. Cette fois, on peut s'étonner de le voir reprendre un tel usage, alors que ses relations avec la France étaient loin d'être bonnes. Enfin, il est clair que la puissante classe des marchands londoniens insistait de tout son pouvoir pour que fussent maintenus les échanges avec la Bourgogne, et cela malgré l'interdiction d'importer des marchandises provenant des pays de par-deçà. L'entrecours fut bientôt prolongé; le 28 octobre, le duc signa l'instrument; dès le 21, Edouard avait donné l'ordre de le rédiger à la date du 27. C'est dire qu'il s'agissait d'une simple formalité, sans qu'aucune tractation ait été nécessaire [262].

Cependant, les relations commerciales n'étaient pas excellentes; les marchandises bourguignonnes étaient toujours prohibées en Angleterre et l'ordonnance fut encore renouvelée et même renforcée [263] après que Philippe le Bon eut publié de ce chef l'interdiction des draps anglais, au moment même où l'on prolongeait l'entrecours, c'est-à-dire le 26 octobre, puis le 3 novembre 1464 [264]. Si l'acte reprenait mot à mot le texte du document de 1434, il semble

---

[262] C.L. SCOFIELD, *opus cit.*, t. I, pp. 356-357; Th. RYMER, *opus cit.*, t. XI, p. 536. F. PALGRAVE, *The ancient kalendars... of his Majesty's Exchequer...*, 3 vol., Londres, 1836, t. II, p. 204. Henriet le Vigoureux portait, le 28 octobre, des lettres à Edouard IV « touchant affaires secréz »; probablement s'agissait-il de l'entrecours (A.G.R., *R.G.F.*, C.C., n° 1922, f° 150). William Caxton était à ce moment le gouverneur des marchands aventuriers dans les pays bourguignons.

[263] *Rotuli Parliamentorum*, t. V, pp. 565-566; *Statutes of the Realm*, t. I, pp. 411-413; toutes les marchandises en provenance des pays bourguignons furent prohibées à l'exception des denrées alimentaires et cela jusqu'à l'annulation de l'ordonnance bourguignonne. Les Hanséates conservaient leurs privilèges d'importation et d'exportation de biens bourguignons. Le statut avait force pour autant que c'était là le bon plaisir du roi.

[264] L. GACHARD, *Collection de documents inédits*, 3 vol., Bruxelles, 1833, t. II, p. 176; L. GILLIODTS VAN SEVEREN, *Cartulaire de l'ancienne Estaple*, t. II, p. 129; H.J. SMIT, *opus cit.*, t. II, p. 984, n° 1543; P.A.S. VAN LIMBURG-BROUWER, *opus cit.*, p. 133; F. VERACHTER, *Inventaire... archives de la ville d'Anvers*, Anvers, 1860, p. 472. Le 1er novembre, le duc envoya cette ordonnance au Conseil de Flandre et le 2, aux receveurs de Hollande et de Bewester- et Beoosterschelde en Zélande (A.G.R., *R.G.F.*, C.C., n° 1922, f° 149 et 149 v°). L'acte ne fut publié à Middelbourg que le 14 janvier 1465 (H.J. SMIT, *opus cit.*, t. II, p. 1000, n° 1556). Deux réunions des villes de Hollande au sujet de la prohibition eurent lieu à La Haye, en novembre 1464 et en mars 1465 (N.W. POSTHUMUS, *Bronnen*, n° 348, p. 402).

que cette fois l'influence des villes flamandes n'ait pas pesé sur la décision du prince. Nous avons d'ailleurs vu que le véritable mobile était d'ordre financier [265].

Quoi qu'il en soit, les marchands anglais furent contraints de se réfugier à Utrecht [266], hors d'atteinte du duc de Bourgogne.

En janvier 1465, deux envoyés anglais, John Dom et Thomas Garurt ou de Wilde, huissier de chambre, furent reçus avec un éclat que ne laissait pas prévoir leur modeste rang social. Le duc les invita à sa table en compagnie de sa sœur, la duchesse de Bourbon, et de ses nièces et, en leur honneur, fit ajouter quatre plats à l'ordinaire du jour [267]. C'est la première fois que nous voyons apparaître le nom de ces deux envoyés et nous ignorons tout de leur mission.

En avril 1465, Elisabeth Woodville et ses dames prièrent lord Scales d'être leur chevalier dans un tournoi qui l'opposerait à un noble étranger. Le Grand Bâtard de Bourgogne fut choisi comme adversaire et le poursuivant Chester vint lui porter au mois de mai l'« emprise » du frère de la reine [268]. Le combat fut différé jusqu'en juin 1467 à cause de multiples événements qui accaparèrent l'activité du Bâtard.

A la même époque, une importante ambassade anglaise fut dépêchée sur le continent avec mission d'entrer en contact avec Louis XI, François de Bretagne, Philippe le Bon et Charles de Charolais. Le 8 mai 1465, Edouard IV donnait pouvoir de traiter de la prolongation de l'entrecours des marchandises [269] au comte de Warwick, à William Hastings, John Wenlock, Pierre Taster, Thomas Kent, Thomas Colt et Richard Whetehill, tous fidèles partisans des Neville. En fait, la situation confuse de la France, à la veille

---

[265] Voir p. 347.

[266] Ils obtinrent l'autorisation de se fixer à Utrecht, le 24 novembre 1464 (H.J. SMIT, *opus cit.*, t. II, pp. 985-986, n° 1545). Voir aussi p. 281.

[267] A.G.R., *R.G.F., C.C.*, n° 1922, f⁰ˢ 81 v⁰ et 189 v⁰ : ils séjournèrent à Bruxelles du 13 au 19 janvier inclus et furent reçus à la table du duc le 17 janvier. Philippe le Bon fit don de douze aunes de drap noir à Thomas Garurt (A.G.R., *R.G.F., C.C.*, n° 1922, f⁰ 190) et de deux pots d'argent commandés à Henri de Meulebeke, orfèvre à Bruxelles, et valant 124 l. 11 s. 10 d. de gros (A.G.R., *R.G.F.*, C.C., n° 1922, f⁰ 185 v⁰). John Dom reçut six tasses « *a piéts goudronnés et verreez* » commandées à l'orfèvre Henrixzone de Bruges et valant 118 l. 10 s. 10 d. de gros (A.G.R., *R.G.F.*, C.C. n° 1922, f⁰ 182 v⁰). C.L. SCOFIELD (*opus cit.*, t. I, p. 372), qui ignore leur nom, considère qu'ils venaient annoncer la date du couronnement de la reine.

[268] C.L. SCOFIELD (*opus cit.*, t. I, pp. 373-375) donne un récit détaillé des préliminaires du tournoi. Antony Woodville, baron Scales puis lord Rivers, fut lancastrien jusqu'à la bataille de Towton; voir J. TAIT, *Dictionary of National Biography*, t. LXII, 1900, pp. 414-415.

[269] T. RYMER, *opus cit.*, t. XI, p. 541.

de la Guerre du Bien Public, ne laissait pas d'inquiéter l'Angleterre qui aurait désiré être mieux informée sur la situation. C'est pourquoi la mission était chargée d'entrer en communication avec le roi et les grands feudataires. Depuis avril 1465, Charles de Charolais avait été nommé « *lieutenant général de son seigneur et père* » et, même s'il ne disposait pas encore de tous les pouvoirs dans les pays bourguignons, il était nécessaire d'entretenir des rapports avec lui. Chef du mouvement dirigé contre Louis XI, réconcilié avec Philippe le Bon, de l'entourage duquel il avait chassé les Croÿ et les Lannoy [270], investi d'une autorité grandissante et, enfin, héritier à court terme du duc de Bourgogne, il représentait une puissance que l'on ne pouvait négliger.

A son arrivée à Calais, Warwick reçut des messages de Philippe le Bon [271]. Le duc donna lui-même l'ordre de partir pour Calais [272] et les instructions nécessaires à Louis, seigneur de Gruuthuuse, lieutenant général de Hollande. Il était accompagné du Grand Bâtard Antoine, de Simon du Chasteler, du président du Conseil de Flandre, André Colin, de maître Louis Duchesne, conseiller, de Jean de Molesmes, secrétaire, et de députés des villes de Hollande et Zélande [273]. Ils eurent de longues conversations avec les Anglais au cours des mois de juin et de juillet; en outre, au moins une partie des ambassadeurs bourguignons, sans que l'on puisse préciser avec certitude lesquels, se rendit de Calais à Londres auprès d'Edouard IV. Le vieux duc s'intéressa personnellement au déroulement des pourparlers qui ne semblent pas avoir abouti [274]. Aucune correspondance ne paraît avoir été échangée entre Philippe le Bon et son fils au sujet de l'ambassade anglaise. Le comte de Charolais aurait préféré s'abstenir; il ne subsiste aucune trace de sa participation aux

[270] Ceux-ci avaient été accusés d'avoir traité avec les Anglais au détriment de la Maison de Bourgogne (B. DE MANDROT, *opus cit.*, t. III, p. 127; lettre de J.P. Panigarola du 13 mai). M.M. P. BONENFANT et J. STENGERS ont consacré une excellente étude au « Rôle de Charles le Téméraire dans le gouvernement de l'Etat bourguignon en 1465-1467 », *Annales de Bourgogne*, t. XXV, 1953, pp. 7-29 et 118-133.

[271] Warwick arriva à Calais le 11 mai (C.L. SCOFIELD, *opus cit.*, t. I, p. 378 et J. CALMETTE et G. PÉRINELLE, *opus cit.*, p. 66). Le même jour un courrier bourguignon partait à l'adresse du lieutenant et du capitaine de Calais (A.G.R., *R.G.F.*, C.C. n° 1922, f° 157). Le 20 mai, de Bruxelles, lieu de séjour du duc (H. VANDER LINDEN, *opus cit.*, p. 482), partait un messager vers Warwick (A.G.R., *R.G.F.*, C.C. n° 1922, f° 157).

[272] A.G.R., *R.G.F.*, C.C. n° 1922, f° 158 v° : le 1er juin, ordre à Gruuthuuse de « *prestement venir par devers lui à Bruxelles* ». Le duc renouvela son ordre le 5 juin (A.G.R., *R.G.F.*, C.C. n° 1922, f° 158 v°).

[273] H.J. SMIT, *opus cit.*, t. II, p. 1000, n° 1556 et note 1.

[274] A.G.R., *R.G.F.*, C.C. n° 1922, f°s 139 v°, 141, 145 v°, 159, 161, 161 v°, 162, 179; A.D.N., *R.G.F.*, n° B 2058, f° 167, n° B 2061, f° 123 et f° 169 v°; A.G.R., *Acquits de Lille*, carton n° 1151 : acquits de Louis Duchesne et André Colin. Le départ de certains ambassadeurs de Calais pour Londres est certain. La mission dura du 8 juin au 21 juillet. W. DE WORCESTER (*opus cit.*, t. II, 2e partie, p. 784), confondant ces pourparlers avec ceux de l'année suivante, donne des renseignements inexacts repris par J. CALMETTE et G. PÉRINELLE, *opus cit.*, p. 70.

pourparlers [275]. Faut-il penser que ses sentiments lancastriens l'empêchaient d'intervenir dans les négociations ? Cependant, on peut croire qu'ils ne devaient pas l'embarrasser beaucoup si l'on se souvient des relations qu'il avait entretenues avec Edouard IV, en juillet 1464 et en mars 1465. Peut-être lui fallait-il ménager certains membres angevins de la Ligue du Bien Public [276] ? Le duc de Bretagne, lui aussi, s'abstint d'envoyer des représentants.

Charles aurait laissé ainsi son père supporter tout le poids des conversations et le mince résultat des pourparlers proviendrait à la fois du désir du comte de Charolais de complaire à ses alliés et de la crainte des Anglais de s'engager avec l'un des partis à la veille d'un coup de force. On décida seulement de tenir une nouvelle conférence à Saint-Omer, le 1er octobre [277]. A Calais, les négociations avec la France ne donnèrent pas plus de résultats. Georges Havard avait d'abord été désigné seul pour traiter avec les Anglais. Devant l'importance et le nombre des ambassadeurs, il s'était adjoint l'archevêque de Narbonne et le sire de la Barde. L'échec de cette mission confirme l'opinion selon laquelle Edouard IV préférait rester dans l'expectative [278].

Le temps passa, et Louis XI, profondément touché par la défaite de Montlhéry, échafaudait divers projets pour dresser le roi d'Angleterre contre le comte de Charolais. Par l'entremise de l'agent napolitain en Angleterre, Turcho Cincinello, il tenta d'inciter Edouard à faire une descente militaire en Flandre [279] ou encore, d'accord avec le roi d'Angleterre, il amènerait les alliés de la Guerre du Bien Public à se tourner contre Edouard IV qui le débarrasserait définitivement de ceux-ci [280].

C'était bien là le genre de projets extraordinaires que pouvait concevoir un esprit aussi fécond que celui de Louis XI. Cependant, les Anglais continuaient à écumer la mer [281] et on disait même qu'ils préparaient un débarquement en Normandie [282]. On découvrit aussi, en août, la trahison du châtelain de Boulogne qui avait vendu la place aux Anglais de Calais [283].

---

[275] Il prépara cependant la conférence; voir H.J. Smit, opus cit., p. 1000, note 1.

[276] Parmi les membres angevins de la Ligue du Bien Public citons Edmond Beaufort, duc de Somerset, qui combattit dans les rangs bourguignons à Montlhéry. Le duc d'Exeter vivait d'une petite pension de Philippe le Bon (C.L. Scofield, opus cit., t. I, p. 384; P. de Comines, éd. de Mandrot, t. I, p. 195).

[277] W. Blades, opus cit., t. I, p. 16.

[278] J. Calmette et G. Périnelle, opus cit., pp. 65-66.

[279] B. de Mandrot, opus cit., t. III, p. 266 : lettre de J.P. Panigarola du 8 août.

[280] B. de Mandrot, opus cit., t. III, p. 321 : lettre de J.P. Panigarola du 4 septembre 1465.

[281] B. de Mandrot, opus cit., t. III, p. 310 : lettre de J.P. Panigarola du 3 septembre 1465.

[282] B. de Mandrot, opus cit., t. IV, p. 5 : lettre de J.P. Panigarola du 14 octobre 1465; « Ancienne Chronique », dans P. de Comines, éd. Godefroy et Lenglet du Fresnoy, t. II, p. 186.

[283] J. du Clercq, opus cit., éd. Reiffenberg, t. IV, p. 206; « Ancienne Chronique », dans P. de Comines, éd. Godefroy et Lenglet du Fresnoy, t. II, p. 184.

Charolais tenait d'ailleurs à gagner l'appui total d'Edouard IV pour l'empêcher de s'allier à Louis XI. Le comte n'avait-il pas fait insérer dans le texte du traité, qui avait été signé après Montlhéry et qui le liait à François II de Bretagne, un article réservant pour chacune des deux parties la faculté de rester neutre en cas de conflit de l'une d'entre elles avec l'Angleterre et de poursuivre les échanges économiques [284] ? Une possibilité d'entente existait. Il suffisait de relancer le vieux projet d'union avec une princesse d'York. En effet, le comte était veuf depuis le mois d'août, et pouvait donc aspirer à la main de la sœur du roi Edouard, Marguerite. Il envoya auprès du roi d'Angleterre le protonotaire Guillaume de Cluny mais, si l'on en croit Commines, celui-ci n'était chargé que d'amorcer les pourparlers, et non de les conclure, car Charolais aurait toujours été prévenu contre la maison d'York [285]. Rappelons qu'en 1454, Isabelle de Portugal avait déjà poussé son fils à contracter une union semblable; seule la violente intervention de Philippe le Bon avait fait échouer l'affaire. Il ne faut donc pas s'étonner que Charles ait à nouveau pensé à un mariage anglais, alors que son père n'avait plus la force de s'opposer à sa politique et que l'affaire des villes de la Somme et la Guerre du Bien Public l'avaient rendu sans doute plus accessible à l'idée d'un certain rapprochement avec l'Angleterre.

Cette mission de Guillaume de Cluny se situe vers la fin de 1465 ou le début de 1466 [286]. A la fin de septembre 1465, les ambassadeurs anglais, venus pour participer à la conférence prévue pour le 1er octobre, furent reçus à la table du duc [287]. La réunion n'eut cependant pas lieu : la guerre avec Liège battait son plein et accaparait toute l'attention de Philippe le Bon. Il était pourtant urgent de prolonger l'entrecours, et le roi s'adressa au maire de Londres pour lui demander de désigner une personne pour négocier. Les merciers et les autres compagnies marchandes, que l'on consulta, prièrent le maire de Londres de présenter leur refus et leurs excuses par une lettre aussi aimable que possible, car c'était une charge trop lourde pour eux; le roi devait y pourvoir lui-même. Les merciers s'empressèrent aussitôt de prévenir le gouverneur des marchands aventuriers, Caxton, de mettre à l'abri les personnes et les biens anglais en attendant la prorogation du traité [288]. Il fallut patienter quelques mois. Le 22 mars 1466, Edouard IV délivra

---

[284] P. DE COMMINES, éd. Godefroy et Lenglet du Fresnoy, t. II, p. 490.

[285] P. DE COMINES, opus cit., éd. de Mandrot, t. I, p. 49.

[286] J. CALMETTE, « Le mariage de Charles le Téméraire et de Marguerite d'York », Annales de Bourgogne, t. I, 1929, fasc. III, pp. 193-214. Marguerite était, à cette époque, virtuellement fiancée à Dom Pedro de Portugal, roi proclamé des Catalans et neveu de la duchesse de Bourgogne; il mourut le 29 juin 1466. Guillaume de Cluny passa, après la mort de Charles le Téméraire, au service de Louis XI; il devint évêque de Poitiers en 1479.

[287] A.G.R., R.G.F., C.C., n° 1922, n° 116 : 29 septembre 1465.

[288] W. BLADES, opus cit., t. I, pp. 16-17 : la lettre des merciers à Caxton est datée du 14 octobre.

les pouvoirs nécessaires à Warwick, Hastings, Taster, Kent, Thomas
Montgomery et Thomas Colt pour traiter de deux mariages : celui de
Charles de Charolais avec Marguerite d'York et celui de Marie de Bourgogne
avec son frère Georges, duc de Clarence. Les mêmes plénipotentiaires étaient
chargés de négocier une paix perpétuelle ou des trêves et un entrecours avec
Charolais et Philippe le Bon; avec le duc de Bourgogne, ils devaient discuter
du retrait de l'ordonnance prohibant l'introduction de biens bourguignons
en Angleterre; enfin, avec Louis XI [289], ils devaient parler de la paix ou de
trêves.

Dès le 15 avril, et pendant trois jours, les comtes de Charolais et de
Warwick se rencontrèrent à Boulogne. Warwick était accompagné d'une
suite imposante de trois cents personnes [290]. Ces deux hommes si semblables
par leur orgueil et leur force de caractère ne s'accordèrent pas, si l'on en
croit des sources postérieures [291]. Richard Neville n'était-il pas tout acquis
à l'alliance française ? Il cacha si peu ce penchant que Guillaume de Biche,
principal conseiller du comte de Charolais, intervint dans la discussion et
rappela à Warwick qu'il n'y avait « seureté ne fermeté » dans les promesses
de Louis XI; le comte de Nevers, les Croÿ et les Liégeois n'avaient-ils pas
tour à tour été abandonnés par le roi dès qu'il avait jugé qu'ils ne pouvaient
plus lui être utiles ? Biche termina en mettant Warwick en garde : « Si vous
y fiez, monseigneur de Varuhic, vous en trouverez deceu » [292].

Les pourparlers n'en continuèrent pas moins à un autre échelon. Une
ambassade bourguignonne se rendit à Saint-Omer en mai et juin; elle était
composée du Grand Bâtard Antoine de Bourgogne, des seigneurs de
Gruuthuuse et du Chasteler, d'André Colin, Louis Duchesne, Jean de
Molesme et du marquis de Ferrare, François d'Este [293]. La question de la
prohibition des importations bourguignonnes en Angleterre fut, elle aussi,
abordée. Warwick demanda au gouverneur William Caxton quelle serait

---

[289] T. RYMER, opus cit., t. XI, pp. 562-566 : 22 mars. Th. Portinari fut envoyé à
Calais par Charolais pour préparer la réunion de Boulogne (A. GRUNZWEIG, Correspondance, p. XIX).

[290] « Ancienne Chronique », dans P. DE COMMINES, éd. Godefroy et Lenglet du Fresnoy,
t. II, p. 187. W. WORCESTER, confondant les tractations de 1465 et celles de 1466, place
l'entrevue en mai 1465 (t. II, 2e partie, p. 784). Charolais résida à Boulogne du 19 mars au
21 avril 1466 (H. VANDER LINDEN, opus cit., p. 494).

[291] Historia Croylandis Continuatio et P. Virgile cités par C.L. SCOFIELD, opus cit.,
t. I, p. 405.

[292] B.N., Fonds français, n° 20600, f° 21.

[293] A.D.N., R.G.F., n° B 2058, f°s 119 v°, 121 v°, 131, 143; J. DU CLERCQ, opus cit.,
éd. Reiffenberg, t. IV, p. 255. En mai, deux aides extraordinaires furent demandées aux
Etats d'Artois pour les frais des guerres liégeoises et des ambassades envoyées en France
et en Angleterre; il s'agit en fait de l'ambassade de Saint-Omer (C. HIRSCHAUER, opus cit.,
t. II, p. 37). Rappelons qu'Antoine de Bourgogne était partisan d'un mariage yorkiste
en 1454 (voir p. 162).

l'attitude des marchands devant un adoucissement de la mesure. Au reçu de la lettre de Caxton, les merciers, qui constituaient la corporation la plus puissante au sein des aventuriers, se réunirent et décidèrent le maintien de l'Act of Parliament en préconisant même le renforcement des sanctions pour ceux qui l'enfreindraient; c'était ruiner tout espoir d'accord sur le plan économique [294], alors que les villes de Hollande avaient demandé la levée de la prohibition des draps anglais [295]. Il est évident que les marchands aventuriers voulaient ainsi obtenir la suppression définitive de la prohibition des draps anglais dans toutes les principautés bourguignonnes. Philippe le Bon n'en restait pas moins en contact à la fois avec son fils, ses ambassadeurs et Warwick [296].

De son côté, Louis XI était fort inquiet : il craignait une entente anglo-bourguignonne et donnait à son chancelier, Guillaume Jouvenel, l'ordre de lui envoyer « *l'article contenu au traicté d'Arras par lequel monseigneur de Bourgogne ne peut prendre treves avec les Anglois sans nostre contentement* » [297].

Cependant, les plénipotentiaires français, conduits par le bâtard Louis de Bourbon, amiral de France, avaient signé de nouvelles trêves le 24 mai [298]. Charolais, qui méditait une alliance avec Edouard IV, adressa une lettre à Louis XI, dans laquelle il se plaignait que le roi avait l'intention de céder aux Anglais Rouen, Abbeville et le comté de Ponthieu au cours du congrès franco-anglais qui allait s'ouvrir à Dieppe [299]. La réponse royale réfutait énergiquement ces allégations [300]. Charolais tentait ainsi de cacher ses rapports exacts avec Edouard IV, avec lequel il conclut, le 23 octobre 1466, un traité d'amitié et d'assistance [301]. Deux cédules autographes furent échan-

---

[294] W. Blades, *opus cit.*, t. I, p. 17. Lettre de Caxton du 27 mai, qui parvint à Londres le 3 juin, et à laquelle il fut répondu dès le lendemain. L'attitude des marchands aventuriers était déterminée par l'application sévère de la prohibition des draps anglais dans les pays de par-deçà.

[295] A.D.N., *R.G.F.*, n° B 2058, f° 131 v° : 14 avril 1466.

[296] A.D.N., *R.G.F.*, n° B 2058, f° 138 v° : 5 juin 1466.

[297] J. Vaesen, *opus cit.*, t. III, p. 79.

[298] J. Calmette et G. Périnelle, *opus cit.*, p. 73. Louis XI leur avait donné l'ordre de montrer leurs instructions à Charolais en lui faisant comprendre qu'ils suivraient en toutes choses ses avis (Jean Maupoint, *Journal parisien*, éd. Fagniez, Paris, 1878, p. 101; Jean de Roye, *Journal de Jean de Roye connu sous le nom de Chronique Scandaleuse (1460-1483)*, éd. B. de Mandrot, Paris, 2 vol., 1894-1896, t. I, pp. 155-156; J. Vaesen, *opus cit.*, t. III, pp. 87-89).

[299] J. Calmette et G. Périnelle, *opus cit.*, pièce justificative n° 25, p. 298 : 26 août 1466; A.B. Hinds, *opus cit.*, t. I, p. 118, n° 147 : 15 février 1467.

[300] J. Vaesen, *opus cit.*, t. III, p. 87, p. 91 : 3 septembre; Louis XI envoyait une ambassade nombreuse au comte de Charolais pour appuyer ses dires.

[301] L'acte émis par Edouard IV est édité par P. Bonenfant, « Actes concernant les rapports », *B.C.R.H.*, t. CIX, 1944, p. 105, n° 9 et E. Scott et L. Gilliodts van Severen, *opus cit.*, p. 461, n° CLXXXVII. Celui émis par Charles de Charolais est édité par T. Rymer, *opus cit.*, t. XI, p. 580.

gées entre Edouard et Charles. Cette forme inusitée marque, comme l'ont si bien noté MM. Bonenfant et Stengers [302], le désir de garder l'alliance confidentielle. Il fallait laisser Louis XI dans le doute et ménager Philippe le Bon qui n'aurait peut-être pas admis une entente franche et ouverte avec l'Angleterre.

Quant à lui, Antoine de Bourgogne avait reçu deux sauf-conduits, le premier daté du 6 juin [303], l'autre du 29 octobre [304], pour qu'il pût gagner l'Angleterre, avec une suite de mille personnes, afin de se mesurer avec Antony Woodville, lord Scales, frère de la reine, dans le tournoi projeté depuis si longtemps [305]. Le Grand Bâtard était ainsi en relation amicale avec la famille Woodville qui s'opposait de plus en plus aux Neville. Alors que Warwick était toujours partisan d'une entente avec la France, le clan de la reine penchait pour un accord avec la Bourgogne et, manifestement, son influence l'emportait; ce climat de sympathie ne pouvait qu'accroître les chances du mariage yorkiste. Le siège de Dinant allait une fois encore retarder la visite d'Antoine de Bourgogne. D'autres soucis alourdissaient les relations avec l'Angleterre.

Les problèmes économiques n'avaient pas été résolus et ils étaient fort épineux : 1° les draps anglais se trouvaient toujours interdits dans les pays bourguignons; 2° les importations provenant des pays du duc étaient prohibées en Angleterre; 3° des problèmes d'ordre monétaire se posaient d'une manière aiguë; 4° l'entrecours n'avait toujours pas été prorogé [306].

Aussi, ne faut-il pas s'étonner de voir partir pour l'Angleterre une ambassade bourguignonne spécialement chargée de négocier un entrecours des marchandises. Elle était formée du seigneur de Gruuthuuse, lieutenant de Hollande, de Zélande et de Frise, du grand bailli de Flandre, Josse de Halewijn, du président du Conseil de Flandre, André Colin, d'Alard de Rabodenghes,

---

[302] P. Bonenfant et J. Stengers, opus cit., p. 29.

[303] p.r.o., Treaty Rolls, C 76/150/m. 8; T. Rymer, opus cit., t. XI, pp. 573-574.

[305] Le premier sauf-conduit (en fait « signet of warrant » ou ordre de le rédiger) ne portait pas la mention que les ennemis du roi étaient exclus de la suite du Bâtard, jugée d'ailleurs trop nombreuse; le chancelier George Neville exigea la rédaction d'un second document daté du 7 juin. Il est probable, comme le pense C.L. Scofield (t. I, p. 407) que la démarche du chancelier provenait de son désir d'empêcher la conclusion d'un accord avec la Bourgogne. Voir J.R. Lander, « The Yorkist Council and administration, 1461-1485 », English Historical Review, vol. LXXIII, n° 286, january 1958, p. 38.

[306] Signalons que les Membres de Flandre se réunirent, en mars 1467, pour discuter de la prohibition des draps anglais; ils craignaient sans doute qu'elle ne fut abolie (a.g.r., Comptes d'Ypres, C.C., n° 38691, f° 9 : 25 mars). Au sujet des difficultés d'ordre monétaire, voir p. 347.

Louis Duchesne, Georges de Bul, Pierre de Miraumont et Georges Baert [307].
Soulignons l'importance de cette députation où les délégués flamands et
hollandais avaient voix prépondérante. Les ambassadeurs anglais, qui devaient
les rencontrer, n'étaient plus cette fois conduits par Warwick, mais par son
principal antagoniste, Richard, comte Rivers, père de la reine. Néanmoins,
elle comprenait encore des partisans avérés de Warwick tels que William
Hastings [308]. Le vieux duc, tout comme le comte de Charolais, suivait de
près le développement des négociations [309]. Celles-ci se plaçaient certainement
sur deux plans différents; officiellement, seules les questions de trêve et
d'entrecours étaient envisagées mais une autre préoccupation dominait
l'entrevue : depuis l'accord du mois d'octobre, les tractations préparant le
mariage anglo-bourguignon avaient pris un tour favorable. A la même
époque précisément, une mission anglaise séjournait en Flandre : elle avait
à sa tête l'évêque de Salisbury [310] accompagné de Hathcleff et Vaughan [311].
Elle poursuivait les mêmes buts que les missions d'Angleterre. Ainsi, les
pourparlers se déroulaient parallèlement d'un côté et de l'autre de la mer
du Nord.

---

[307] T. RYMER, opus cit., t. I, p. 574 : 30 octobre 1466; A.G.R., Acquits de Lille,
carton n° 1151, 13 décembre 1466 : paiement anticipé à A. Colin des frais de l'ambassade
projetée; A.D.N., R.G.F., n° B 2061, f°s 121 v°, 122 v°, 127, 132, 134; le poursuivant
Fuzil accompagnait l'ambassade; J. DE WAVRIN, opus cit., t. VIII, p. 542; J. DU CLERCQ,
éd. Reiffenberg, t. IV, p. 292.

[308] T. RYMER, opus cit., t. XI, pp. 576-577 : 9 janvier 1467. Les autres plénipotentiaires étaient l'évêque de Bath and Wells (Robert Stillington), Robert Botell, Pierre
Taster, John Fogge, Thomas Kent, John Sey et Thomas Colt.

[309] Dès avant le départ de l'ambassade, le chancelier adressait à ce sujet une lettre
à Charolais (A.D.N., R.G.F., n° B 2061, f° 88 v° : 11 novembre); le 27 novembre,
Philippe le Bon envoyait une missive à Hastings (A.D.N., R.G.F., n° B 2061, f° 90). Le
10 décembre, il expédiait une lettre sur le même sujet à son fils alors en Hollande
(A.D.N., R.G.F., n° B 2061, f° 92); en janvier, Jehan le Moisne, écuyer d'Edouard IV,
vint porter des nouvelles au duc (A.D.N., R.G.F., n° B 2061, f° 138); le 5 février,
Philippe expédiait à son fils des informations qu'il avait reçues (A.D.N., R.G.F., n° B 2061,
f° 98 v°); enfin, le 11 mars, il envoyait un héraut aux ambassadeurs en Angleterre
(A.D.N., R.G.F., n° B 2061, f° 102 v°).

[310] A.G.R., Comptes de Bruges, C.C., n° 32519, f°s 53, 57 et 60 : 17 mars, 7 juin et
27 août 1467; P.R.O., Treaty Rolls, C 76/150/m. 3 : 14 avril. L'ambassade assista à
l'Ommegang à Bruges : L. GILLIODTS VAN SEVEREN, Inventaire, t. V, p. 462. Les doléances
bourguignonnes contre les règlements de l'Etape et les procédés des marchands anglais
aux foires de Brabant, qui furent présentées à l'ambassade, nous ont été conservées (A.V.A.,
Privilegekamer, n° 1050, f° 167; voir pièce justificative n° 8). Richard Beauchamp devint
évêque de Salisbury en 1450; il fut aussi chancelier de l'ordre de la Jarretière; voir
J. GAIRDNER, Dictionary of National Biography, t. IV, 1885, p. 31.

[311] J. CALMETTE et G. PÉRINELLE, opus cit., p. 80; J. VAESEN, opus cit., t. III, p. 154,
n° CCCX : 24 juin 1467; Louis XI, dans une lettre aux Lyonnais, attribuait un seul but
à cette mission : le mariage anglo-bourguignon. Voir aussi C.L. SCOFIELD, opus cit.,
t. I, p. 412.

Si le roi Edouard activait ainsi le rapprochement avec Charolais, il n'entretenait pas moins des rapports suivis avec Louis XI. Celui-ci était soupçonneux et craignait une collusion anglo-bourguignonne; aussi proposa-t-il au roi d'Angleterre d'autres partis pour sa sœur : Galéas Sforza, René de Perche, Philippe de Bresse ou Philibert de Piémont; de plus, il se chargerait de tous les frais de la noce. Faut-il dire que ces prétendants ne pouvaient se comparer au comte de Charolais, futur duc de Bourgogne [312] ? Edouard vit cependant, dans ces propositions, l'occasion d'éloigner Warwick de la cour en l'envoyant en ambassade en France. A cette nouvelle, Louis XI crut ses rêves réalisés; il confiait aux ambassadeurs milanais que la France et l'Angleterre réconciliées allaient éliminer la Bourgogne de la scène; Marguerite d'York épouserait Philippe de Bresse et Richard de Gloucester, Jeanne de France, qui recevrait en dot la Hollande, la Zélande et le Brabant; la France garderait le reste des territoires bourguignons démembrés [313]. Croyait-il vraiment à ce qu'enfantait son inépuisable imagination ou, au contraire, essayait-il de jeter la suspicion au sein des conversations anglo-bourguignonnes ?

Le Grand Bâtard Antoine partit, à la fin de mai, pour Londres; il allait sans doute parachever l'entente qui s'ébauchait sous le couvert du tournoi auquel l'avait convié lord Scales. Il arriva en nombreuse compagnie; les seigneurs de sa suite avaient été choisis pour leur habileté à la joute, car on ne trouve parmi eux aucun des ambassadeurs bourguignons habituels. Citons Simon de Lalaing, Claude de Thoulongeon, Philippe, bâtard de Brabant, d'autres encore, et deux chroniqueurs bien connus, Jean de Wavrin et Olivier de la Marche [314]. Le second nous conte par le détail toutes les péripéties des faits d'armes, qui furent brusquement interrompus par l'annonce de la mort de Philippe le Bon survenue le 15 juin [315].

---

[312] J. CALMETTE et G. PÉRINELLE, opus cit., p. 81. Cependant, à la date du 1er mai, on ne savait pas encore en Angleterre si le mariage avec Charles aboutirait; preuve en est le curieux contrat signé entre John Paston et Thomas Lomnor. Ce dernier vendait au premier un cheval amble à condition que Paston paierait 6 marcs si le mariage avait lieu avant deux ans et seulement 40 shillings s'il ne s'était pas réalisé (P.J. GAIRDNER, Paston Letters, t. II, p. 305, n° 574).

[313] R. BROWN, opus cit., t. I, p. 117, n° 404 : 18 avril 1467, et A.B. HINDS, opus cit., t. I, p. 119, n° 149.

[314] Olivier de la Marche était en Angleterre depuis janvier; de Londres, il partit pour la Bretagne après le tournoi. Il est évident qu'il avait accompli une mission en rapport avec l'ambassade de Gruuthuuse. Edouard IV récompensa le chroniqueur en lui donnant 6 marcs et une coupe d'argent. Voir H. STEIN, Olivier de la Marche, poète et diplomate bourguignon, Bruxelles, 1888, pp. 38-39; C.L. SCOFIELD, opus cit., t. I, p. 410; A.D.N., R.G.F., n° 2064, f° 91 v°.

[315] J. DE WAVRIN, opus cit., t. VIII, p. 542; O. DE LA MARCHE, opus cit., t. III, pp. 48-57; J. DU CLERCQ, éd. Reiffenberg, t. IV, pp. 296-297; celui-ci signale que les Français surveillaient le départ de L'Ecluse de la flotte du Bâtard, mais celle-ci était solidement

Au même moment, Louis XI, pressé par l'imminence de la conclusion de l'alliance anglo-bourguignonne, proclamait hautement, dans deux lettres adressées aux Lyonnais, qu'il engageait des conversations avec Warwick pour empêcher le mariage de Charles et de Marguerite d'York, en désaccord avec les termes du traité d'Arras[316]. Au cours de ces pourparlers, le roi n'épargna rien pour s'assurer le concours total de Warwick[317], mais celui-ci avait perdu la confiance d'Edouard IV et les Woodville l'avaient emporté. L'annonce de la mort du duc de Bourgogne entraîna automatiquement, le 23 novembre 1467[318], la publication officielle du traité d'amitié. Le 20 septembre, une ambassade anglaise, conduite par l'évêque de Salisbury et Antony Woodville, était chargée de débattre la question du mariage du nouveau duc et de la sœur du roi d'Angleterre[319]. En novembre était signé un entrecours d'une durée de trente ans entre la Bourgogne et l'Angleterre[320].

Le cercle était fermé. Trente-deux ans après la rupture d'Arras, les partenaires du traité de Troyes se retrouvaient; la menace, qui se précisait au flanc méridional des pays bourguignons, avait réalisé les conditions nécessaires à une nouvelle alliance, qui se concrétisait tout autant sur le plan politique et matrimonial que sur le terrain économique.

défendue (le 7 mai, Antoine donnait reçu d'une « *caque* » de poudre à canon : A.D.N., *Acquits*, n° B 3517/124048); elle s'empara de deux écumeurs et parvint sans encombre à destination. Elle entra à Londres en remontant la Tamise. Arrivé le 2 juin, le Bâtard jouta pour la première fois le 11. Il avait reçu 3.000 écus à son départ (A.D.N., *R.G.F.*, n° B 2061, f° 140; A.G.R., *Acquits de Lille*, carton n° 1151 : 5 avril 1467 et A.D.N., *Acquits*, n° B 2066/64823 : 13 avril 1467). Des Espagnols écumaient également la mer et prirent un navire de Bergen-op-Zoom qui, lui aussi, se dirigeait vers l'Angleterre en profitant du départ de la flotte du Bâtard (H.J. SMIT, *opus cit.*, t. II, p. 1012, n° 1572). Le récit le plus complet du tournoi se trouve dans C.L. SCOFIELD, *opus cit.*, t. I, pp. 414-420. Les Bourguignons assistèrent à l'ouverture du Parlement (C.L. SCOFIELD, *opus cit.*, t. I, p. 416).

316 J. VAESEN, *opus cit.*, t. III, p. 143 : 28 mai; p. 154 : 24 juin.

317 J. CALMETTE et G. PÉRINELLE, *opus cit.*, pp. 83-87. Le roi avait l'intention de pousser Warwick à prendre le parti de Marguerite d'Anjou et de rétablir Henri VI sur le trône (A.B. HINDS, *opus cit.*, t. I, p. 120, n° 151).

318 P. BONENFANT, *Actes*, p. 106 : 15 août 1467; E. SCOTT et L. GILLIODTS VAN SEVEREN, pp. 460-461; dès le 17 juillet, Edouard IV donnait l'ordre de rédiger l'acte. Le 25 juillet, Charles le Téméraire promettait de remplir les obligations qui lui incombaient par l'acte du 23 octobre 1466 : A.G.R., *Trésor de Flandre*, 1re série, n° 2000.

319 T. RYMER, *opus cit.*, t. XI, p. 590.

320 T. RYMER, *opus cit.*, t. XI, pp. 592-598 : 24 novembre 1467; A.D.N., n° B 576/16102; L. GILLIODTS VAN SEVEREN, *Cartulaire de l'ancienne Estaple*, t. II, p. 164, n° 1105. La duchesse Isabelle s'était chargée des négociations.

CONCLUSIONS

CONCLUSIONS

Chastellain a dit que le maintien de relations amicales entre l'Angleterre et la Bourgogne était « *une necessité publique* »; ces pays « *ne peuvent l'un sans l'autre* » car « *de tout temps ancien* (ces pays) *ont eu habitude l'un avecques l'autre, en toutes manieres de faire et de vivre* » [1]. Notre étude des rapports économiques et politiques a, nous l'espérons, montré la justesse de cette opinion.

La réconciliation du duc de Bourgogne et de Charles VII était le résultat de longues tentatives de rapprochement. Les avantages considérables accordés à Philippe par le roi, la mort de Bedford, les relations économiques tendues entre la Flandre et l'Angleterre, les instances du pape et du concile, les arguments des conseillers gagnés à la cause française et, enfin, l'évolution de la situation en faveur de Charles VII pesèrent sur la décision du duc. On sait aussi que l'alliance anglaise n'avait jamais été pour lui que la politique du moindre mal, tandis que son cœur le poussait à reprendre sa place à la cour de France. La rupture consommée, la guerre était inévitable. Une explosion de colère parcourut l'Angleterre. Le Conseil anglais était divisé en deux camps : le duc de Gloucester était partisan de l'action directe; le cardinal Beaufort prêchait l'apaisement; il y eut même une tentative anglaise pour calmer les esprits, tentative qui fut repoussée par Philippe le Bon. On s'engagea de part et d'autre dans la guerre. Chaque adversaire leva des troupes, rechercha des alliances. Le duc de Bourgogne exploita aussitôt les ressentiments des Flamands contre l'Etape de Calais; ceux-ci se préparèrent, dans l'enthousiasme, à attaquer Calais. Le siège échoua. La responsabilité en incombait beaucoup moins aux Gantois, comme on l'a trop souvent répété, qu'à l'incapacité de la flotte de bloquer le port et d'attaquer les renforts anglais. Cette flotte, formée hâtivement d'une trentaine de bateaux flamands et étrangers réquisitionnés pour quinze jours dans le port de L'Ecluse, ne comprenait pas un seul navire hollandais ou zélandais car ces principautés avait réussi à se faire dispenser du service de la flotte. Si la Flandre envisageait avant tout l'approvisionnement en laine, la Zélande s'intéressait essentiellement au trafic des foires et n'avait pas sujet de se plaindre. Ainsi donc, au sein des Etats du duc de Bourgogne, se manifestaient de profondes divergences

---

[1] G. Chastellain, *opus cit.*, t. IV, p. 124.

d'opinion sur le plan des relations avec l'Angleterre. Voyant l'inaction de la flotte, les troupes qui assiégeaient Calais se débandèrent sous la conduite des Gantois. Le duc de Gloucester débarqua alors avec une grosse armée et dévasta la West-Flandre, tandis que ses bateaux à vide semaient la panique le long des côtes, mais Gloucester n'exploita pas la victoire à fond. Il s'ensuivit une guerre d'escarmouches. Si l'Etape restait fermée, un an après le siège, les relations économiques normales entre l'Angleterre, la Hollande, la Zélande et le Brabant étaient rétablies. Il fallait donc reprendre les relations diplomatiques, terminer les hostilités et surtout rouvrir le chemin de Calais aux acheteurs de laine. Le contact fut repris par l'entremise d'une mission hollandaise et zélandaise. On reparla même de paix générale. Isabelle de Portugal se chargea de la médiation entre la France et l'Angleterre. Trois conférences se succédèrent, à Gravelines, de 1438 et 1440; elles n'aboutirent pas à la réconciliation des rois de France et d'Angleterre. Mais, dès février 1438, sous prétexte d'une trêve pour favoriser la conférence pour la paix générale, l'Etape rouvrait ses portes. Alors que les tentatives de réconciliation anglo-françaises restaient au point mort, les plénipotentiaires anglais et bourguignons concluaient au plus vite un entrecours. Le duc de Bourgogne y voyait la possibilité de rétablir une vie économique normale dans les centres drapiers et le roi d'Angleterre pensait s'assurer ainsi des ressources financières par la perception de droits de douane; de plus, la compagnie de l'Etape avait toujours soutenu la couronne par des prêts importants. En réalité, l'entrecours ne déterminait pas uniquement la reprise des relations économiques mais constituait un substitut à une paix séparée avec l'Angleterre interdite par les clauses du traité d'Arras. La duchesse Isabelle avait aussi obtenu la libération du duc d'Orléans; celle-ci visait plus à renforcer la position des grands seigneurs contre Charles VII qu'à favoriser une paix générale. Le duc de Bourgogne, rassuré au sujet de ses relations avec l'Angleterre, ne considéra plus la réconciliation entre les deux couronnes comme essentielle : il se rendait compte qu'elle ne pourrait s'opérer qu'à ses dépens. Philippe le Bon, dès lors, visa au maintien des bonnes relations avec l'Angleterre au travers des péripéties multiples de la politique d'équilibre entre les deux royaumes. Le zèle de médiatrice d'Isabelle de Portugal fléchit donc; la diplomatie bourguignonne s'employa plutôt à retarder un éventuel rapprochement entre les Anglais et les Français.

C'est alors que Charles VII entra directement en contact avec les Anglais; cette politique aboutit à la conclusion des trêves de Tours, en 1444, et au mariage de Henri VI et de Marguerite d'Anjou. Pour sa part, le duc avait, déjà auparavant, signé des trêves particulières avec l'Angleterre. La nouvelle reine, qui prit bientôt une influence prépondérante sur la politique anglaise, était fort opposée à toute tentative de rapprochement avec la Bourgogne. Aussi, les années qui suivirent virent-elles surtout des tractations en vue de la prorogation de l'entrecours et des pourparlers concernant l'arbitrage des dommages que s'étaient causés réciproquement les Anglais, les Hollandais et les Zélandais. Il s'agissait, avant tout, de maintenir l'essentiel, c'est-à-dire les échanges commerciaux. En effet, les exportations anglaises vers les pays de par-deçà montaient à plus de la moitié des exportations totales et les importations dépassaient probablement le tiers de l'ensemble des importations.

C'est que les Anglais devaient disposer d'un débouché pour l'écoulement de leurs deux principaux produits d'exportation : la laine et le drap. Or, l'un et l'autre demandaient une région drapière capable à la fois d'absorber les laines et les toisons et d'apprêter les draps anglais qu'on ne pouvait distribuer dans toute l'Europe que dûment finis et prêts à la confection. Les Etats du duc de Bourgogne admirablement situés en face des côtes anglaises offraient ces conditions. Le temps n'était plus cependant où les laines anglaises semblaient seules dignes des métiers flamands; les qualités supérieures — les seules qui se différenciaient des produits d'autres origines — n'étaient plus indispensables à la plupart des draperies, mais l'arrêt des importations de laine anglaise entraînait presque automatiquement l'arrêt des importations de laine par voie maritime, qu'elles vinssent d'Espagne ou d'Ecosse. L'apprêtage des draps se pratiquait dans bien des villes du Brabant, de Zélande et de Hollande. Laine et draps alimentaient l'industrie drapière qui utilisait toutes les qualités de la laine anglaise, même les médiocres, et qui apprêtait en quantité les draps à demi-finis expédiés d'Angleterre. Aussi, une prohibition des draps anglais, tout comme la fermeture de l'Etape de Calais, entraînait le chômage d'une masse d'ouvriers de la draperie. Lorsque des réglementations sévères et très défavorables aux acheteurs bourguignons furent imposées à l'Etape, on recourut à la prohibition des draps anglais, en mesure de rétorsion, sous la pression des villes drapières, ou encore par simple protectionnisme de l'industrie lainière. Si ces mesures furent appliquées continuellement en Flandre depuis le début du xive siècle, elles restèrent pratiquement sans effet dans les autres principautés et particulièrement aux foires de Brabant, grands centres de distribution des draps anglais. Ce n'est qu'en 1464-1465 que l'interdiction sortit son plein effet et cela pour des motifs d'ordre financier, par crainte du drainage du numéraire d'or vers l'Angleterre. Les exportations de draps se trouvaient aux mains des marchands aventuriers et des Hanséates; pour des raisons d'ordre fiscal, les Bourguignons étaient réduits à exporter d'Angleterre l'étain, les peaux, le suif et les chandelles, ce qui les éliminait d'office du grand commerce actif. Celui-ci partait des Bouches de l'Escaut pour se diriger vers Londres et Sandwich; si les sujets de Philippe le Bon y participaient peu en tant que marchands, en revanche, le transport des marchandises était assuré en majeure partie par la flotte zélandaise. Le commerce actif des Bourguignons vers l'Angleterre provenait surtout des petits ports côtiers et atteignait les havres de la côte orientale de la grande île. La toile flamande, brabançonne, hennuyère et hollandaise, les chapeaux, la coutellerie, la garance, les bijoux étaient des articles de grand commerce qui se négociaient sur les marchés des Bouches de l'Escaut, tandis que le poisson, les légumes, la céramique se retrouvaient dans les cargaisons des petits bateaux qui se livraient au commerce actif.

Ce sont donc les villes marchandes des Bouches de l'Escaut, Bruges, Middelbourg, Anvers et Bergen-op-Zoom, qui étaient au centre des activités du grand commerce des marchands aventuriers et des Hanséates vers l'Angleterre. Middelbourg était l'avant-port où se pratiquait le plus souvent une rupture de charge; Anvers et Bergen-op-Zoom étaient des villes de foire où s'écoulaient les divers produits; elles étaient situées à la rencontre des routes de terre et de mer qui unissaient un hinterland qui s'étendait sur tous les pays bourguignons et de la vallée du Rhin jusqu'à l'Angleterre; Bruges, enfin, où le marchand anglais prenait commande, s'approvisionnait en produits de luxe et liquidait les affaires pendantes avec les succursales londoniennes des maisons italiennes fixées à Bruges. A la vérité, on ne peut dire que le développement des foires de Brabant soit dû à la rencontre des Hanséates et des Anglais, les premiers achetant aux seconds leurs draps, car les Hanséates se rendaient directement en Angleterre où ils jouissaient de privilèges spéciaux qui leur permettaient d'introduire des draps en Brabant à meilleur prix que les aventuriers. Les villes marchandes des Bouches de l'Escaut essayaient de retenir par tous les moyens la clientèle anglaise : Middelbourg la protégea dans toutes les circonstances, même contre le duc de Bourgogne; Anvers concéda des privilèges étendus aux Anglais et leur en fit octroyer par Philippe le Bon.

Cependant, les méthodes commerciales étaient encore archaïques : la lettre de change était ignorée des Anglais et des Bourguignons qui utilisaient seulement la lettre de foire, ce qui rendait particulièrement difficile le problème du transfert des devises; le crédit était largement employé tant dans l'armement que dans le simple commerce; les associations, sous forme de sociétés, étaient fréquentes tandis que les commandes se rencontraient également. On note cependant quelques indices de nouveauté : la rédaction de contrats pour la fourniture de marchandises à temps, lieu et prix déterminés et l'existence de gros marchands du type capitaliste, comme on en rencontrera au siècle suivant.

Si les marchands anglais se trouvaient bien traités dans les villes bourguignonnes, les sujets de Philippe le Bon étaient soumis en Angleterre à des tracasseries multiples qui contribuaient à paralyser leur commerce actif. Un important mouvement d'émigration des Pays-Bas vers l'Angleterre s'était produit au cours du premier tiers du xve siècle. Déterminée par des facteurs de vie chère en Hollande et Zélande, de stagnation économique en Brabant, très faible en revanche en Flandre, attirée probablement par des salaires plus élevés, cette émigration, originaire principalement des milieux urbains, s'était concentrée en Angleterre dans les ports et surtout dans la région londonienne où sa densité élevée faisait naître des conflits dans le monde du travail et donnait l'essor à des crises périodiques de xénophobie.

Les relations maritimes étaient fréquemment perturbées par les pirates et les corsaires mais ceux-ci exerçaient surtout leurs ravages le long des routes, fréquentées par les Hanséates, de la Baie de Bourgneuf à la Baltique; les Hollandais paraissent avoir beaucoup souffert des attaques anglaises et aussi avoir rendu coup pour coup, car leur activité semble avoir été dirigée plutôt le long de cette voie que vers l'Angleterre.

Enfin, du point de vue financier, les rois Henri VI et Edouard IV essayèrent d'attirer le numéraire bourguignon en Angleterre pour alimenter un trésor que les guerres intestines et extérieures avaient épuisé; ils usèrent pour cela de deux procédés : le paiement en « bullion » d'or et d'argent de la laine à l'Etape et l'augmentation dans des proportions exagérées du rapport or-argent.

Bien que la balance économique fût favorable à l'Angleterre, le courant commercial était, en définitive, très profitable aux pays bourguignons car il y alimentait de florissantes activités transformatrices. Il est certain, quoique nous ne possédions pas de chiffres précis, que le commerce anglo-bourguignon devait peser lourdement dans la balance économique des pays de par-deçà. C'est ainsi que l'économie des deux contrées était devenue complémentaire [2].

Le roi d'Angleterre et le duc de Bourgogne ne pouvaient ignorer cette situation et l'on peut dire que la tranquillité intérieure de leurs possessions, tout comme l'état de leurs trésoreries, dépendait essentiellement du maintien de bonnes relations entre eux. En effet, si l'arrêt des relations économiques entraînait dans les pays de par-deçà, le chômage, les troubles et créait des difficultés d'ordre financier, sur lesquelles Hugues de Lannoy attirait l'attention de Philippe le Bon, en 1436, la stagnation des exportations de laine ou de draps vers les pays bourguignons privait le trésor du roi d'Angleterre de ressources douanières annuelles que l'on peut évaluer à près de 16.000 livres st. pour la période s'étendant de 1446 à 1448, sans compter les répercussions sociales [3].

Il était donc vital pour les deux contrées de maintenir des relations économiques sans entraves; la Bourgogne devait, d'autre part, ménager la

[2] Voir l'opinion de M. P. BONENFANT (Du Meurtre de Montereau, pp. 12 et 182) qui rejoint la nôtre pour la période qui précède immédiatement celle que nous avons étudiée.

[3] H.L. GRAY, dans E. POWER et M.M. POSTAN, opus cit., p. 18 : 12.800 livres provenaient des taxes sur la laine d'Etape, 1.700 livres des droits sur les draps et 200 livres des droits sur les marchandises diverses exportées par les aventuriers. On peut considérer que la suspension du trafic avec les pays bourguignons privait le trésor des 12.800 livres levées sur la laine et d'environ 1.200 livres levées sur les draps et les marchandises diverses. Il faut aussi ajouter environ 2.000 livres provenant des taxes imposées sur les marchandises diverses importées par les marchands aventuriers.

France. Or, bientôt, les relations entre Charles VII et Philippe le Bon se détériorèrent progressivement; aussi, la duchesse chercha-t-elle, dès 1453, à trouver des alliés en Angleterre. Le bruit courut déjà à cette époque d'un prochain mariage entre une fille du duc d'York et le comte de Charolais. C'est que le duc d'York était l'adversaire de la reine Marguerite d'Anjou toujours fort mal disposée à l'égard de la maison de Bourgogne. Ce projet d'union fut repris en 1455. Philippe le Bon s'y opposa car il craignait, en s'alliant ouvertement aux yorkistes, de s'aliéner définitivement, en France, certains parents de Marguerite d'Anjou. Enfin, s'il avait jadis soutenu la cause anglaise par nécessité, jamais il n'avait envisagé de s'unir par des liens plus étroits aux Anglais.

Il n'empêche que la Bourgogne et l'Angleterre désiraient s'entendre; Henri VI fit engager des pourparlers par Warwick à Calais. Il semble que l'accord était fait; en tout cas, une ambassade anglaise vint proposer trois alliances matrimoniales que le duc repoussa, tout comme il avait refusé l'union de son fils avec une princesse d'York. Ensuite, les Anglais se rendirent auprès de Charles VII pour offrir des unions similaires. Il est manifeste que l'Angleterre voulait se créer des alliances solides sur le continent et donnait la préférence à Philippe le Bon, probablement sous l'influence du négociateur, le comte de Warwick. La position de la Bourgogne était d'autant plus difficile que le trône d'Angleterre se trouvait disputé. Philippe le Bon devait donc louvoyer au travers de bien des écueils, car, si, à l'arrière-plan de la politique anglo-bourguignonne, se profilaient les rapports avec la France, le duc était obligé de maintenir des liens économiques et des relations pacifiques avec l'Angleterre. Il lui fallait donc éviter à la fois la rupture avec le parti au pouvoir, ménager le camp adverse et se refuser à conclure une alliance matrimoniale formelle contraire à la fois au traité d'Arras et aux intérêts bourguignons, au cas où l'autre camp l'emporterait, et au désir sentimental de ne pas se lier à l'Angleterre.

Charles VII soutenait Marguerite d'Anjou; le dauphin, réfugié auprès de Philippe le Bon, appuyait les yorkistes tout comme le duc; le comte de Charolais penchait vers les Lancastres. En réalité, ce n'est pas sous l'influence de sa mère que Charles adopta cette attitude; il semble que, comme le dauphin, c'était simplement pour s'opposer à la politique paternelle qu'il avait pris cette position; il s'agit, en fait, d'un conflit de générations. En définitive, ce conflit était profitable à la diplomatie de Philippe le Bon. Peu importait que la Rose rouge ou la Rose blanche l'emportât : la Bourgogne se retrouverait toujours dans le camp des vainqueurs. C'est ainsi que, lorsque les lords yorkistes se réfugièrent à Calais, Philippe le Bon put prendre ouvertement leur parti; lorsqu'ils furent battus, c'est en Flandre que plusieurs fils du duc d'York se réfugièrent; lorsque Edouard IV devint roi, le duc intervint en sa faveur auprès de sa nièce, la reine d'Ecosse, bien qu'il eût repoussé une alliance matrimoniale entre le roi et une demoiselle de Bourbon.

Louis XI succéda à son père et fut contraint de reprendre la politique de celui-ci; il passa du camp yorkiste dans celui des Lancastres car il n'était pas possible au roi de France de calquer son attitude sur celle du duc de Bourgogne qui était, au sein de ses Etats, le pire ennemi du pouvoir royal. Tout comme Charles VII l'avait fait de son vivant, il reprocha à Philippe le Bon d'avoir conclu des trêves avec les Anglais et s'employa à désagréger la bonne entente qui régnait entre son trop puissant vassal, le duc de Bourgogne, et Edouard IV. Il parvint même à entraîner Philippe le Bon dans un utopique essai de réconciliation des deux factions anglaises, dans le but avoué de permettre au duc de partir en croisade. N'ayant pu réussir à briser l'entente entre la Bourgogne et l'Angleterre, Louis XI s'allia ouvertement aux Lancastres. Il obtint de Marguerite d'Anjou la cession, sous conditions, de Calais, alors aux mains des yorkistes, et tenta, en vain, d'obtenir le libre passage de ses troupes au travers des pays bourguignons. Cette fois encore le roi n'avait pu arriver à ses fins. Aussi, changeant d'avis, tenta-t-il un rapprochement avec Edouard IV. Grâce aux Croÿ, conseillers fort écoutés de Philippe le Bon et ennemis jurés du comte de Charolais, alors en mésentente avec son père, il persuada le duc de servir d'intermédiaire entre lui et le roi d'Angleterre. Au moment même où une ambassade yorkiste arrivait sur le continent, Marguerite d'Anjou débarqua à L'Ecluse dans le but d'empêcher un accord tripartite. Cependant, une trêve d'un an entre la France et l'Angleterre fut signée. Encouragé par ce succès, Louis XI allait essayer de marier une de ses belles-sœurs à Edouard IV; il espérait ainsi sceller une alliance définitive qui aliénerait les sympathies bourguignonnes du roi d'Angleterre. C'est à ce moment que celui-ci annonça son union secrète avec Elisabeth Woodville; les ponts furent alors rompus. Le clan de la reine se trouvait en opposition avec Warwick, partisan du mariage français; en revanche, les Luxembourg, parents d'Elisabeth, étaient fort écoutés par le comte de Charolais. Un rapprochement entre ce dernier et Edouard IV se dessina donc, d'autant plus que le duc et son fils s'étaient réconciliés, que les Croÿ avaient été bannis, que les relations avec la France étaient tendues.

Peu avant la Guerre du Bien Public, une grande ambassade anglaise arriva à Calais; elle eut soin de rester dans l'expectative, attendant les résultats du conflit qui se préparait. Après Montlhéry, Charles de Charolais, pour prévenir une éventuelle alliance entre Louis XI et Edouard IV, présenta au roi d'Angleterre un projet d'union entre lui-même et la sœur de ce dernier, Marguerite. Warwick, toujours partisan d'une alliance avec la France, rencontra le comte de Charolais à Boulogne; les deux hommes ne s'entendirent pas. Cependant, l'influence du « faiseur de rois » déclinait et, grâce au parti de la reine, un traité d'amitié secret fut signé, en 1466, entre Edouard IV et Charolais. Il ne fallait pas, en effet, que Louis XI fut averti de cette entente qui s'opposait aux stipulations du traité d'Arras. Il semble également que le duc n'aurait pas applaudi à une pareille alliance. Aussi, des négociations d'ordre économique masquèrent-elles les pourparlers politiques jusqu'à la mort de Philippe le Bon. Après cet événement, le traité d'amitié fut aussitôt publié et l'on activa les pourparlers en vue du mariage. On en revenait à l'alliance anglo-bourguignonne délaissée depuis le traité d'Arras; c'était l'abandon de la politique prudente menée pendant trente-deux ans par Philippe le Bon; une ère nouvelle s'ouvrait.

PIECES JUSTIFICATIVES

Philippe, duc de Bourgogne, fait part à Henri, roi d'Angleterre, des griefs qu'il nourrit à l'encontre de ses sujets et de lui-même et le prévient qu'il peut s'attendre à des représailles.

Gand, 19 février [1436].

A. Original perdu.

B. Copie incluse dans une lettre de Henri VI à Philippe le Bon du 17 mars 1439, répondant, point par point, aux griefs élevés par le duc. Cette dernière lettre figure en copie dans le manuscrit contemporain de la Bibliothèque Nationale à Paris, *Fonds français*, n° 1278, f°ˢ 116 à 121. La minute de cette lettre, dans laquelle ne figure pas l'acte du 19 février, a été publiée par H. Nicolas, *opus cit.*, t. IV, pp. 329-334.

Trés hault et trés puissant prince, trés chier seigneur et cousin, plaise vous savoir que les durtéz et griefs de nouvelle és puis nagaires faites pour vostre part a l'encontre de moy et de mes subgés, me donnent raisonnable chose de presentement vous en escripre et declarer partie. A ma cognoissance est venu, très hault et trés puissant prince, que, environ la feste saint Andrieu derrainement passee, chincq nefs, parties du royaulme de Portingal pour venir en mon pays de Flandres, furent sur la mer ou destroit de Godmain arestees et prinses par ung nommé Jehan Zelander et ung autre dit Jehan / Cowille, eulx portans voz capitaines de guerre par la mer, et par leurs facteurs et complices, voz subgés de Cornouaille, Falewyc, Plemude et de Pery, et autres, estans en une grosse nef et deux balleniers. Et que les dites chincq nefs furent menees en vostre port de Falemude, et la, entre autres choses, pris hostilement en icelles certains biens et marchandises, appartenans a aucuns de mes subgés de mon dit pays de Flandres, montans à VImVIc pieces entre figues et rosins ou entour. Disans les dits preneurs que ilz vouloient avoir tous les biens des Flamengs qui estoient voz annemis, par ce que je avoye fait paix avec monseigneur le roy, que ce qu'ilz fasoient estoit par vostre commandement, et estoit guerre ouverte et de sancg avec mon pays de Flandres, et que la moitié des ditz biens et marchandises envoyerent au duc de Gloucestre, mon cousin, duquel vint adont la ung escuier qui dist que on delivrast ce qui estoit aux Portingalois, et que on retenist ce qui estoit aux Flamencgs. Nomine que les diz prenneurs deissent que ce fust pour dommaige que vos dits subgés eussent eu en mon dit pays de Flandres, mais seulement pour la guerre de sancg qu'ilz avoient aveuc icellui mon pays de Flandres comme dit est. Aussi, trés hault et trés puissant prince, ay je sceu que voz lettres ont esté envoyees et bailliees a pluiseurs communaultés mes subgets de mes villes de Hollande, de Zeellande et a aucuns particuliers d'iceulx mes pays, contenant les diz lettres pluiseurs choses sedicieuses, comme il samble, et tendans a vouloir mouvoir mes diz subgets a faire, d'eux meismes et sans mon auctorité et sceu, autrement qu'il n'appartiengt a la loyaulté et obeissance qu'ilz me doivent et laquelle, comme j'ay esperance, me veullent et vouldront bien garder. Aveuc ce ay esté et suy advertiz que avez eu propos et faites procurer de requerir, traictier et servir aliances

f° 117   et consideracions / avec cellui qui se dit empereur, qui pieca me a envoyé deffiances et avec pluiseurs autres seigneurs, mes voisins, a l'encontre de moy et pour moy grever et faire guerre et dommaige. D'autre part aucuns voz subjets d'Angleterre ou autres tenans vostre parti ont, de nouvel, contendu et essayé a vouloir prendre et occuper par emblee ma ville d'Ardre. En oultre voz gens et tenant vostre dit parti, en deviers lieux de royaulme de France, ont couru et queurent mes pays et seignouries, pris, raenconné, pillié et robé mes gens et subgets et fait et font tous exploix de guerre que adversaires et ennemis ont acoustumé et pevent faire. Et que plus est, comme renommee coeurt, que mettés secretement et couvertement sus grosses armees pour employer a l'encontre de moy et porter guerre et faire dommaige a moy, mes diz pays et seignouries et subgets. Si vous escripts et signiffie ces choses, trés hault et trés puissant prince, trés chier seigneur et cousin, qui moult samblent dures et estraignes et tant sont griefves et prejudiciables a moy et mes subgets que, pour honneur et devoir, ne doivent estre tues et dissimulees pourquoy s'il advenoit que, de ma part, feust aussi fait aucune chose a l'encontre, nul n'en devroit avoir merveilles ne donner charge a moy ne aux miens, a qui, par ce que dit est et autrement, en est assez et trop d'une occasion et cause raisonnable dont il me prise. Trés hault et trés puissant prince, trés chier seigneur et cousin, je prie mon seigneur qu'il vous ait en sa sainte garde et vous doint bonne vie et longue.

Escript en ma ville de Gand, le XIXe jour de fevrier.

f° 117 v°   Et estoit en icelles lettres soubzscript : Vostre cousin, le duc de Bourgoingne, de Brabant et de Lembourg /, conte de Flandres, d'Artois, de Bourgoingne, de Haynau, de (a) Hollande, de Zeellande et de Namur.

Et en la supscription: A trés hault et trés puissant prince mon trés chier seigneur et cousin, le roy d'Angleterre, seigneur d'Irlande.

(a) Ces deux derniers mots au-dessus de la ligne.

2

Extrait du compte des receveurs de la petite coutume du port de Londres, John Norman et Thomas Chymore. Taxation des marchandises débarquées de l'« Adrean *», bateau dont Jan Cole d'Anvers était capitaine.*

[Londres], 25 octobre [1438].

A. Original, P.R.O., E 122/73/10, fº 11 vº.

De navi Johannis Cole de Andewarp, magistri navis vocate Adrean, XXV die Octobris.

De Clays Strother pro II parvis barellis cum VII mantels gray rubris, VIII ml. pellibus ruskyn, precium in toto .... XII li. X s. } cust. [1] III s. 1 d. ob.

De Hans Hikstene pro I pipa II barellis et dimidio et I sacco cum II fetherbeds et II bolsters veteribus, III parvis candelabris de laton, IIIc lb. canabis, II dosens kirchiffs crenyll, I bristill pro sutoribus, precium in toto .... LIII s. IIII d. } cust. VIII d.

De Laurene Bowmaker pro I barello salis Hollandie, IIIc trowes, I bunch brusshes, precium } XLVI s. VIII d. cust. VII d.

De Hans Huskyn pro I pipa I ffatte cum Xml pellibus ruskyn, IIIml pellibus popl., precium in toto .... XV li. } cust. III s. IX d.

De Jacobo Gerardson pro IIml pavyngtyles (a), I maund cum III dosens ketills XL s., summa III li. VI s. VIII d. } cust. X d.

De Nicholas Olyn pro XVIII barellis shotyn herings (b), I lasto allecium (c), summa VIII li. X s. } cust. II s. 1 d. ob.

De Katerine Thomas pro II baskettis cum VIc L paribus patins, precium .... III li. } cust. IX d.

[1] Custumatis.
(a) Au-dessus de la ligne : XXVI s. VIII d.
(b) Au-dessus de la ligne : IIII li, X s.
(c) Au-dessus de la ligne : IIII li.

De Michaele Williamson pro II dosens dimidio
shetylls, III dosens whiskers, VIII parvis peciis
tele lini continentibus LX alnas, precium in toto
.... XXVI s. VIII d. } cust. IIII d.

De Wyfard van Elmond pro I parvo bundle cum
I beer et I bolster, XXIIII alnis tele lini grossi,
IIII parvis basyns, I dosen linches veteribus,
precium .... XL s. } cust. VI d.

De Gyles Brayndford pro IIIIxxX puntels wold,
IIml Vc pavyngtiles magnis, XVIII carris, II saccis
cum IIIIcL lb. canabis, II barellis, I baskett cum
XXIIII lb. bristills, XXIIII paribus shetills et diver-
sis haberdasheries, precium in toto .... VIII li. } cust. II s.

De Johanne Henrikson pro I barello et I bagge
cum X pellibus martricum stage, II parvis mantells
de peltria vetere debit., C pellibus boge, VI pylaves,
precium in toto .... XLVI s. VIII d. } cust. VII d.

De Hans Hope pro XIX bundles dubles continentibus III sacks, I barello cum XX bundles wyre
ferri, precium in toto .... IIII li. } cust. XI d.

De Waltero Mewson pro XVI alnis tele lini,
precium .... VI s. VIII d. } cust. I d.

De Christiano the Catour pro I corff. cum XXXVI
remis papiri spendabilis, III dufelds, precium in
toto .... IIII li. } cust. XII d.

De Christiano van Bleken pro I barello cum ml.
pellibus ruskyn, precium .... XX s. } cust. III d.

3

*Extrait du compte des receveurs de la petite coutume du port de Londres,
John Norman et Thomas Chymore. Taxation des marchandises embarquées
à bord de l'« Holigost » d'Arnemuiden dont Matys Johnsson était capitaine.*

[Londres], 9 juin [1439].

A. Original, p.r.o., E 122/73/12, fo 40 vo.

In navi Matys Johnsson vocata Holigost de Arnemouth IX° die Juni.

pro indigenis
sine grano

De Thomas Byssett pro II pannis curtis sine grano
.... ind. cust. II s. IIII d.
De Willelmo Gilbert pro I ffardello cum V pannis curtis
sine grano .... ind. cust. V s. X d.

pro alienigena
sine grano

De Clais Woutersson in eodem ffardello pro I panno
curto sine grano .... al. cust. II s. IX d.

pro indigenis
sine grano

De Renniot Pynet de Burdegal pro I balo cum XXII
pannis curtis sine grano ...... ind. cust. XXV s. VIII d.
De Thomas Stanley pro I balo cum XXIII pannis dimidio
curtis sine grano .... ind. cust. XXVII s. V d.
De Johanne Malverne pro I balo cum XIIII pannis curtis
sine grano .... ind. cust. XVI s. IIII d.
De Thomas Staunton pro I balo cum XXVII pannis cur-
tis sine grano .... ind. cust. XLIII s. II d.
De Thomas Norwode pro I balo, I ffardello cum XXII
pannis VIII ulnis curtis sine grano ....
                                        ind. cust. XXVI s. ob. q.
De Constantyno Wilughby pro I balo cum XXVIII pannis
VIII ulnis curtis sine grano ... ind. cust. XXXIII s. ob. q.
De Johanne Langewyth pro I balo cum XXI pannis XVI
ulnis curtis sine grano ...... ind. cust. XXV s. III d. ob.
Et pro I cista cum VIII ulnis pannis largis sine grano
.... ind. cust. IIII d. ob. q.

pro alienigena
sine grano

De Ffranasco Molyn pro I dolio cum I panno curto sine
grano .... al. cust. II s. IX d.

merceria

De Jamyno Lory pro I hogg I barello cum XXI dosens
lb. candelis de cepo, I barello cum I bag cepi multonis,
precium .... XLV s. .... cust. VI d. ob. q.

pro indigenis
sine grano

De Johanne Bacheler pro II balis cum XXVI pannis VIII
ulnis curtis sine grano ... ind. cust. XXX s. VIII d. ob. q.
De Ricardo Ryche pro III balis cum IIIIxxXIX pannis
XX ulnis curtis sine grano ... ind. cust. CXVI s. V d. ob. q.
De Wilelmo Dokete pro I balo cum XXVI pannis XVI
ulnis curtis sine grano... .... ind. cust. XXX s. I d. ob.
De Roberto Yorke pro II ffardellis cum XXVII pannis
curtis sine grano .... ind. cust. XXXI s. VI d.
De Johanne Abbot pro I balo cum XXIIII pannis dimidio
curtis sine grano .... ind. cust. XXVIII s. VII d.
De Willelmo Gronde pro I panno XVI ulnis curtis sine
grano .... ind. cust. XXIII d. ob.

pro alienigena sine grano	De Waltero Claysson pro I ffardello cum VII pannis curtis sine grano .... al. cust. XIX s. III d.
merceria	Et pro III lastis tarr et pix, precium ... VI li. VI s. VIII d. .... cust. XIX d.
pro hanseato sine grano	De Court van Coleyn pro I ffardello cum IX pannis VI ulnis curtis sine grano .... hans. cust. IX s. III d.
merceria	Et pro C pellibus agnorum albis tawed, precium ... XV s. .... cust. II d. q.
pro indigenis sine grano	De Thomas Ffreman pro I balo cum LIIII pannis dimidio curtis sine grano .... ind. cust. LXIII s. VII d. De Johanne Dwygge pro I balo cum XVIII pannis VI ulnis curtis sine grano .... ind. cust. XXI s. III d. ob. De Ricardo Colton pro I balo cum XVI pannis XX ulnis curtis sine grano .... ind. cust. XIX s. VII d. ob. q. De Thomas Hurste pro I balo cum XI pannis curtis sine grano .... ind. cust. XII s. X d. De Johanne Derham pro I balo cum XXVII pannis IIII ulnis curtis sine grano ...... ind. cust. XXXI s. VIII d. ob.
pro alienigena sine grano	De Johanne Ambrose pro I balo cum XVI pannis curtis sine grano .... al. cust. XLIIII s.
pro indigena sine grano	De Johanne Barby pro I ffardello cum IIII pannis curtis sine grano .... ind. cust. IIII s. VIII d.
pro alienigena sine grano	De Johanne Michell pro II ffardellis cum II pannis III ulnis curtis sine grano .... al. cust. V s. X d. q.
pro alienigena dimidio grano	Et pro III pannis IIII ulnis curtis de dimidio grano .... al. cust. XIII s. ob.
merceria	Et pro XII barellis cum XIIII bags sepi, precium ... IX li. .... cust. II s. III d.
pro indigenis sine grano	De Bartholomeo Stratton pro V balis cum CXLIIII pannis VIII ulnis curtis sine grano .... ind. cust. VIII li. VIII s. IIII d. ob. q. De Johanne Bale pro III balis cum LV pannis curtis sine grano .... ind. cust. LXIIII s. II d.
de duplicis ind.	De Thomas Downton pro I cista cum XXV peciis de worsted duplicis continentibus XLI peciis .... ind. cust. VI s. X d.
pro indigena sine grano	De Alexandro Crable pro I balo cum XVII pannis curtis sine grano .... ind. cust. XIX s. X d.

4

Jean, archevêque d'York, Thomas, évêque de Saint-David, Thomas, évêque de Norwich, et d'autres ambassadeurs de Henri VI, roi d'Angleterre, font savoir qu'ils ont conclu, au nom de leur maître, avec Isabelle de Portugal, au nom de son époux, Philippe, duc de Bourgogne, un entrecours entre l'Angleterre, l'Irlande et Calais d'une part, le Brabant, la Flandre et la seigneurie de Malines de l'autre.

Calais, 29 septembre 1439.

A. Original sur parchemin, H. 650 mm., H. du repli 40 mm., L. 590 mm.

Sceaux : 1) sceau de Jean, archevêque d'York, en forme de navette, long. environ 85 mm., larg. environ 55 mm., cire rouge, pendant sur double queue de parchemin; très abîmé; légende entre deux filets, sont seuls lisibles : « **sigillu...us legatus** »; champ : cinq niches d'architecture gothique (la niche centrale a pratiquement disparu), contenant des figures de saints représentés debout et de face.

2) sceau de Thomas, évêque de Saint-David, en forme de navette, long. environ 70 mm., larg. ?, cire rouge, pendant sur double queue de parchemin, très abîmé, deux fragments subsistent, légende entre deux filets illisible; champ divisé en deux horizontalement; dans la partie supérieure, trois niches d'architecture gothique contenant des figures de saints représentés debout et de face; dans la partie inférieure, au centre une niche avec représentation de l'évêque en buste, en habits sacerdotaux et crosse en main, la niche accostée de deux écus armoriés effacés sur champ maçonné.

3) sceau de Thomas, évêque de Norwich, en forme de navette, long. 80 mm., larg. environ 49 mm., cire rouge, pendant sur double queue de parchemin, très abîmé, légende entre deux filets, sont seuls lisibles : « **sigillu : thoms dei : ...gra...i : epi** »; champ divisé en deux horizontalement; dans la partie supérieure, une niche triple d'architecture gothique avec au centre une figure en majesté auréolée; dans la partie inférieure, au centre, une niche avec représentation de l'évêque en habits sacerdotaux et en position d'orant avec la crosse à la saignée du bras droit; la niche est accostée de deux écus armoriés effacés : à senestre peut-être à trois tourteaux ou besants (?), à dextre peut-être à trois ancolies (?), les écus sur champ maçonné.

4) sceau de Nicolas Bildiston, doyen de Salisbury, signet rond, diam. 14 mm. (cire, 30 mm.), cire rouge, pendant sur double queue de parchemin, gravure indistincte.

5) sceau de Jean Popham, chevalier, rond, diam. 39 mm., cire rouge, pendant sur double queue de parchemin, légende entre deux filets, seuls sont lisibles : « **popham militis** »; champ : écu penché, la pointe touchant au filet extérieur du sceau, sommé d'un cimier supporté par deux levrettes; écu fort effacé, écartelé où l'on distingue au 2 et au 3 un chevron accompagné de ?

6) sceau d'Etienne Wilton, rond, diam. environ 13 mm. (cire, environ 27 mm.), pendant sur double queue de parchemin, empreinte octogonale fort effacée.

7) sceau de William Sprever, rond, diam. 15 mm. (cire, 29 mm.), cire rouge, pendant sur double queue de parchemin, légende entre deux cercles de grènetis illisible; dans le champ, écu tout à fait effacé.

8) sceau de Robert Whitingham, trésorier de la ville de Calais, rond, diam. 40 mm.,

cire rouge, pendant sur double queue de parchemin, légende entre deux filets, effacée, seul reste lisible : « **(s) igillum** », champ tout à fait effacé.

Archives départementales du Nord à Lille, nº B 572/15729.

Mentions dorsales : 1) Ecriture du xv⁰ siècle: « Accord par maniere de treves durant III ans pour l'entretenement de la marchandise entre Flandre, Brabant et Malines et le royaume d'Angleterre, pays d'Yrlande et ville de Calais. Donnees en septembre l'an mil IIIC et XXXIX.LIII ». 2) Mention de la main de Jean Godefroy, directeur des archives de la Chambre des Comptes de Lille, fin du xvii⁰ siècle : « Commerce. Angleterre. Bourgogne. 1439. Traitté de la treve marchande faite pour trois ans entre le roy d'Angleterre et le duc de Bourgogne. A Calais, le 29 septembre 1439. 3) Mention probablement de la main de l'archiviste Godefroy, fin du xvii⁰ siècle : « cop » [1].

Jehan, par la permission divine, archevesque de York, Thomas, evesque de Saint David, Thomas, evesque de Norwich, Nicolas Bildiston, doien de Salisbury, Jehan Popham, chevalier, Estienne Wilton, Williame Sprever et Robert Whitingham, tresorier de la ville de Calais, ambassadeurs commiz et deputéz, en ceste partie de trés hault et trés chrestien prince le roy de France et d'Angleterre, nostre souverain seigneur. A tous ceulx qui ces presentes lettres verront, salut. Scavoir faisons que, par vertu du povoir a nous donné par le roy nostre dit souverain seigneur duquel povoir le teneur s'en suit : .... [2].

Nous, aprés pluiseures communicacions eues avec certaines personnes envoiees a Calais de par haulte et puissant princesse ma dame la duchesse de Bourgogne (a) auctorisee et ayant povoir en ceste partie, avons, sur le fait de l'entrecours de la marchandise, de la pescherie de mer et d'autres choses necessaires touchans l'utilité commune des royaume d'Angleterre, seignourie d'Yrlande et ville de Calais d'une part et les duchié et conté de Brabant et de Flandres et seignourie et ville de Malines d'autre part, traittié, appointié, accordé et conclu avec ma dite dame de Bourgogne, pour le terme de trois ans commencans cestassavoir : au regart de la terre, le jour de la date de ces presentes, au regart de la pescherie, le cinqiesme jour du mois d'octobre prouchain venant et au regart du surplus, cestassavoir de la mer, le premier jour de novembre aussi prouchainement venant et finissans le premier jour de novembre qui sera l'an mil quatrecens quarante deux, icelui jour incluz, les points et articles qui s'ensuivent soubz ceste forme :

Premierement que tous marchans, tant du royaume d'Angleterre, d'Irlande et de Calais comme les marchans des duchié, conté et paiz de Brebant, de Flandre, ville et seignourie de Malines soient marchans de laynes, de cuirs, de vitailles ou de quelzconques autres marchandises et leurs facteurs et

---

[1] Nous remercions vivement M. Pietresson de Saint-Aubin pour les précieuses indications qu'il nous a données et qui ont facilité grandement l'édition de ce texte.

[2] On omet le texte des pouvoirs qui est publié par T. RYMER, *opus cit.*, t. X, p. 730, à la date du 23 mai.

(a) Un mot barré.

familliers puissent seurement aler par terre, a pié, a cheval ou autrement et
en passant en et oultre l'eaue de Gravelinghes, de Calais en Brebant, en
Flandres et a Malines et de Brebant, de Flandres et de Malines a Calais,
ensemble leurs biens et marchandises. En tenant leur chemin, entre la mer
et les chasteaulx de Merk et d'Oye, et marchander les ungs avec les autres
de toutes manieres de marchandises, vivres et autres. Et mener et ramener
ou faire mener et ramener de Calais en Brebant, en Flandres, a Malines et
de Brebant, de Flandres et de Malines a Calais leurs dites marchandises,
vivres et autres exceptéz armeures, artilleries, canons, pouldres et autres
choses semblables et invasibles. Et que les diz marchans, leurs facteurs et
familliers puissent chascun d'eulx a qui il sera necessaire acheter et avoir
franchement de ceulx de l'autre costé des vivres et les amener par terre, en
et oultre l'eaue dessus dite, les ungs aux autres, cestassavoir ceulx d'Angleterre et autres de la partie d'Angleterre ou nous entendons Yrlande et Calais
en Brebant, Flandres et Malines et ceulx de Brebant, Flandres et Malines a
Calais, en passant par le chemin dessus dit, sans empeschement, destourbier
ou defense quelconque ne pour ce encourir en aucune peine et sans en estre
reprins en aucune maniere des seigneurs d'ung costé et d'autre ne de leurs
justiciers, officiers et subgétz.

[2]. Item que tous marchans d'Angleterre, d'Yrlande et de Calais soient
marchans de laines, de cuirs, vitailles ou de quelzconques autres marchandises, leurs facteurs et familliers, maistres de neifz et mariniers puissent aler
par mer passer et repasser, commerser, venir, estre et demourer seurement
és diz duchié, conté et paiz de Brebant, Flandres, seignourie et ville de
Malines et dedens les portz et havres d'iceulx; a tout leurs biens, marchandises et neifz et marchander avec tous marchans de Brebant, Flandres et
de Malines et autres marchans quelzconques et leurs facteurs et familliers
de toutes manieres de marchandises tant vivres comme autres; excepté
armeures, artilleries, canons, pouldres et autres choses semblables et invasibles,
et en partir avec leurs dites neifz, biens, marchandises, vivres et autres qu'ilz
pourront ramener et retourner seurement. Et que pareillement tous marchans
des diz paiz et seignouries de Brebant, Flandres et de Malines soient marchans de laines, cuirs, vitailles ou de quelzconsques autres marchandises, leurs
facteurs, familliers, maistres de neifz et mariniers puissent aler, passer et
repasser par mer, commerser, estre et demourer seurement ou royaume
d'Angleterre, en Yrlande et a Calais et dedens les portz et havres d'iceulx
royaume, paiz et ville auctorisiéz par le roy, cestassavoir és portz ou havres
ou coustumiers et autres officiers sont ordonnéz pour vacquer et entendre
sur l'entree et yssue des neifz et marchandises et non en autres avecques leurs
diz biens, marchandises et neifz et marchander avec tous marchans anglois
et autres et leurs facteurs et familliers de toutes manieres de marchandises
tant vivres comme autres; excepté les dictes armeures, artilleries, canons,
pouldres et autres choses semblables et invasibles, et mener és portz dessusdiz

en Angleterre, en Yrlande et a Calais leurs biens propres, vivres et autres et les biens d'autres des diz paiz et seignouries de Brebant, Flandres et de Malines et en partir et retourner seurement a tous leurz diz biens, marchandises et neifz. Et aussi que les diz marchans, leurs facteurs et familliers puissent chascun d'eulx a qui il sera necessaire achater et avoir franchement de ceulx de l'autre partie des vivres et les amener par mer, les ungs aux autres; cestassavoir : les diz d'Angleterre, d'Irlande et de Calais en Brebant, Flandres et a Malines et ceulx de Brebant, de Flandres et de Malines en Angleterre, en Yrlande et a Calais sans estre reprins de ce qu'ilz auroient ainsi fait des seigneurs de l'une partie ne de l'autre ne de leurs officiers ne que par ceulx de la partie d'Angleterre aux marchans de Brebant, de Flandres et de Malines dommaige, empeschement ne destourbier soit fait ne aussi par ceulx des diz paiz de Brebant, Flandres et de Malines aux marchans de la partie d'Angleterre par voye de fait, pour cause de guerre, pillerie, roberie faicte ou a faire ne autrement en aucune maniere pour quelconque cause. En paiant et gardant au regart des marchans d'Angleterre, d'Irlande et de Calais és paiz de Brebant, Flandres et de Malines des marchandises qu'ilz y amenront et remenront, en (a) semblablement au regart des marchans de Brebant, de Flandres et de Malines és diz royaume et paiz d'Angleterre, d'Irlande et de Calais des marchandises qu'ilz y amenront et remeneront les drois, tonlieux et devoirs deuz et acoustuméz quand marchandise a eu cours le temps passé entre les royaume et paiz d'Angleterre, Yrlande et Calais, Brebant, Flandres et Malines sans estre contrains a autres. Et au regart des marchans d'ung costé et d'autre touchant les marchandises qu'ilz meneront et conduiront chascun en son parti; ilz en paieront les tonlieux et devoirs a l'ordonnance de leur prince et seigneur et selon qu'ilz auront cours en leurs paiz. Et par ce n'est point entendu prejudicier au prince ou seigneur d'une partie et d'autre de mettre en ses paiz et seignouries telz tonlieux et devoirs au regart de ses subgetz que bon lui semblera. Parmi ce que les diz marchans d'ung costé et d'autre, leurs facteurs, familliers, maistres de neifz et mariniers ausquelz sera bien loisible d'avoir avec eulx, en leurs neifz, armeures et artillerie; pour la garde et sauvement de leurs corps et biens, en alant par mer et icelles amener avec eulx en quelzconques havres qu'ilz arrivent lesqueles armeures, a l'issir de leurs neifz, ils laisseront en leurs diz neifz ou vaisseaulx excepté coutel, dague ou espee qu'ilz pourront porter, se bon leur semble, jusques a leurs hostelz ou ilz seront tenuz de laissier leurs dites espees. Toutevoies pourra le prince ou seigneur d'ung costé ou d'autre, pour cause raisonnable comme pour necessité ou chierté de vivres, faire deffence au regart de telz manieres de vivres comme il lui semblera estre a fere, pour le bien de lui et de ses subgetz, nonobstant ce present accord. Et s'il avenoit que aucune neifz, par fortune de mer ou par

(a) Sic.

chasse d'ennemis, feussent contraint de prendre aucuns portz ou havres en Angleterre qui ne seroient auctorisiéz comme dit est, en ce cas, elles pourront entrer et estre seurement és diz portz ou havres sans ce que l'en puisse en icelles estans és diz ports ou havres chargier, mettre ne deschargier quelzconques vivres, denrees, marchandises ne autres choses.

[3]. Item que les diz marchans d'Angleterre, leurs facteurs et familliers, maistres de neifz et mariniers puissent estre, commerser et demourer seurement és paiz de Brebant, Flandres et Malines et és portz et havres d'iceulx paiz avec leurs neifz, biens et marchandises quelconques, vivres et autres et semblablement. Les marchans de Brebant, Flandres et de Malines et leurs facteurs et familliers, maistres de neifz et mariniers puissent estre, commerser et demourer seurement ou royaume d'Angleterre, en Yrlande et a Calais et és ports des diz lieux sans ce que par ceulx de Brebant, Flandres ou Malines ne par autres quelzconques, de quelque nacion ou contree qu'ilz soient, soit mesfait ou donné empeschement ne destourbier aux marchans de la partie d'Angleterre; ne par ceulx de cette partie d'Angleterre ou autres quelzconques aux marchans de Brebant, Flandres, et Malines ne a leurs facteurs et familliers, maistres de neifz et mariniers d'ung costé et d'autre par voye de fait, pour cause de guerre, pillerie, roberie faite ou a faire ne autrement en aucune maniere; pourvueu que les marchans d'autres pais quelzconques soient aussi seurement a tout leurs neifz et biens és diz paiz de Brebant, Flandres et Malines et és portz et havres du dit paiz de Flandres; sans ce que par ceulx de la partie d'Angleterre leur soit ilec mesfait ou donné empeschement ne destourbier ne par quelzconques des diz autres paiz fait dommaige ou donné empeschement en corps ou en biens, en quelque maniere que ce soit, a ceulx de la partie d'Angleterre, leurs facteurs, familliers ou biens quelzconques estans és diz paiz de Brebant, de Flandres et seignourie et ville de Malines et és ports et havres d'iceulx. Et aussi que les diz marchans de la partie d'Angleterre, de Brebant, Flandres et Malines et leurs facteurs et familliers, maistres de neifz et mariniers puissent de l'une partie entrer és villes fermees de l'autre partie, sans en demander congié fors pour la premiere fois seulement a chascune venue qu'ilz feront de l'ung paiz en l'autre pourvueu que, aux portes des dictes villes ou il sera besoing que les diz marchans, leurs facteurs et familliers, maistres de neifz et mariniers entrent de demander congié soient miz certaines gens qui ayent povoir de leur donner le dit congié d'entrer, et ou cas qu'ilz ne trouveront aucuns telz gens aus dites portes que ceulx pourront licitement et sans aucun empeschement entrer, chevaucier ou aler jusques a leurs hostelz et ilec demourer sans partir jusques a ce que leurs hostes auront signifié leur venue aux capitaines ou officiers des dites villes, lesquelz hostes ou leurs servans, apréz ce qu'ilz en seront requiz, seront tenuz tantost sur la venue des diz marchans de faire signifiance de leur venue aus diz capitaines ou officiers; et ou cas que, par negligence ou autrement, la dite signifiance ne seroit faicte que les marchans,

dedens deux heures apréz leur venue pourront departir, aler et passer avant
sur leur chemin et en leurs affaires. Et se ilz trouvoyent aus dites portes
aucune personne ou personnes et, par leur congié, ilz feussent entréz és
dictes villes fermees que ilz ne forseront riens; jasoit ce que iceluy ou ceulx
qui leur auroient donné le dit congié n'en eust aucune puissance mais l'eust
fait par simplesse, fraude ou malengin.

[4]. Item que tous pelerins d'ung costé et d'autre, en alant en pelerinage,
et aussi les clers d'Angleterre, d'Irlande et de Calais, en alant vers la court
de Rome ou au concile general et en retournant, puissent entrer par mer et
aussi par terre, a pié, a cheval ou autrement, ceulx de l'une partie ou paiz
de l'autre partie et passer et repasser paisiblement par iceulx et y estre
seurement et franchement. Et aussi aler, passer et repasser par terre, a pié,
a cheval ou autrement de Calais en Flandres et en et oultre l'eaue de
Gravelingues et de Flandres a Calais; en tenant leur chemin entre la mer
et les diz chasteaulx de Mark et d'Oye sans ce que par ceulx de Brebant,
Flandres et Malines ou autre de quelconque nacion soit meffait ou donné
empeschement ne destourbier aux pelerins ou clers de la partie d'Angleterre,
ne par ceulx de celle partie d'Angleterre aux pelerins de Brebant, Flandres
et Malines, par voye de fait, pour cause de guerre, pillerie ou roberie faitte
ou a faire ne autrement en aucune maniere. Pourvueu que, a l'entree des villes
fermees, ilz prendront congié aux gardes des portes, pour y entrer et ne
demourront en une ville fermee ou autre que une nuyt, se n'estoit pour
maladie, pour faulte de vent ou de navire, s'il avenoit sur port ou havre de
mer, ou pour faire ou recepvoir les changes de leur argent, il leur convenist
fere plus longue demeure. Et, se mestier estoit, et ilz en estoient requiz, a
l'entree des dictes villes fermees, ceulx de l'une partie feront serment a
l'autre partie que, pour mal faire ou pourchassier a l'autre partie ses subgéz,
ville ou paiz, ilz ne passent par icelles duquel serment sans autre contrainte
ou empeschement seront creuz. Et pourvueu aussi que, aux portes des dictes
villes fermees, ou il sera besoing aus diz pelerins ou clers de demander
congié, soient miz certaines gens qui ayent povoir de leur donner le dit
congié d'entrer; et de recevoir d'eulx, se mestier est, le dit serment par la
maniere dessus dite. Et, ou cas qu'ilz ne trouveront aucuns telz gens aus
dites portes, qu'ilz pourront licitement et sans aucun empeschement entrer,
chevauchier ou aler jusques a leurs hostelz et ilec demourer sans partir
jusques a ce que leurs hostes auront signifié leur venue, aux capitaines ou
officiers des dites villes. Lesquelz hostes ou leurs servans, apréz ce qu'ilz en
serons requiz, seront tenuz tantost sur la venue des diz pelerins et clers de
faire signifiance de leur venue aus diz capitaines ou officiers. Et ou cas que,
par negligence ou autrement, la dite signifiance ne seroit faitte par les diz
pelerins et clers, dedens deux heures apréz leur venue, pourront departir,
aler et passer avant sur leur chemin et leurs affaires. Et se ilz trouvoient
aus dites portes aucune personne ou personnes et par leur congié, ilz feussent

entréz és dictes villes fermees que ilz ne forseront riens; jasoit ce que celui
ou ceulx qui leur auroient donné le dit congié n'en eust aucune puissance
mais l'eust fait par simple fraude ou malengin.

[5.] Item que tous pescheurs tant d'Angleterre, d'Irlande et de Calais
comme des paiz de Brebant et de Flandres pourront paisiblement aler
partout sur mer, pour peschier et gaingnier leur vivre, sans empeschement
ou destourbier de l'une partie ne de l'autre. Et avec ce, si fortune ou autre
adventure chassoit ou amenoit les diz pescheurs de la partie d'Angleterre
en aucuns des portz, havres, destrois ou dangiers des diz pais de Brebant ou
de Flandres ou les diz pescheurs des diz paiz de Brebant et de Flandres en
aucuns des diz ports, havres, destrois ou dangiers du royaume d'Angleterre,
Yrlande, de Calais qu'ilz y soient paisiblement et franchement receuz et
traittiéz raisonnablement d'ung costé et d'autre, en paiant aux lieux ou ilz
arriveront les tonlieux et devoirs accoustuméz. Et d'ilec puissent liberalment
retourner a tous leurs neifz, apploix et biens sans destourbier, arrest ne
empeschement; pourvueu que par les diz pescheurs d'ung costé et d'autre
ne soit commise aucune fraude ou fait dommaige.

[6.] Item que és diz portz et havres de Brebant ou de Flandres aucuns
escumeurs ne gens labourans sur la guerre soient François, Flamens ou d'autres paiz quelzconques ne seront souffers entrer ne yssir pour faire grevance
a marchans, leurs facteurs, familliers, maistres de neifz et mariniers, aux
pelerins, clers et pescheurs de la partie d'Angleterre ne a leurs biens et
marchandises. Et aussi que aux portz et havres d'Angleterre, d'Irlande et de
Calais aucuns escumeurs ne gens labourans sur la guerre soient Anglois,
Irlandois ou autres ne seront souffers entrer ne yssir pour fere grevance aux
marchans, leurs facteurs, familliers, maistres de neifz, mariniers, pelerins,
clers et pescheurs de Brebant, Flandres et de Malines ne a leurs biens et
marchandises.

[7.] Item, se durant le dit terme de trois ans, aucun dommaige, que Dieu
ne vueille, estoit fait d'ung costé ou d'autre contre cest present accord, par
quoy il en convenist faire requeste ou poursieute que la personne ou personnes de quelconque estat qu'ilz soient jusques au nombre de dix personnes
et autant de chevaulx ou au dessoubz; qui de la partie d'Angleterre, cestassavoir : de par le roy d'Angleterre, de par le capitaine de Calais, de par la
compaingnie de l'estaple au dit lieu de Calais, et de par la partie de Brebant,
Flandres et de Malines pour leur seigneur ou de par les quatre membres
du dit paiz de Flandres ou d'aucun d'iceulx seront par celle cause envoiéz
en Angleterre, a Calais, en Brebant, Flandres ou Malines ou aillieurs d'ung
costé ou d'autre, pourront passer par terre et par mer seurement entrer et
demourer franchement és villes fermees pareillement comme dessous est
declairié des marchans d'ung costé et d'autre et entendre a la poursieute de
leurs besoings par vertu de cet present accord, sans empeschement ne avoir
pour ce autre saufconduit.

[8.] Item, se, par escumeurs ou autres gens labourans sur la guerre, aucuns biens des marchans de la partie d'Angleterre ou de Brebant, Flandres ou Malines estoient prins sur mer et amenéz en aucuns des portz ou havres de l'une partie ou de l'autre, que iceulx biens ne pourront ilec estre venduz ne alienéz sur terre ne miz a terre et s'ilz estoient ainsi venduz, alienéz sur terre ou miz a terre, que restitucion sera faite des diz biens ou de leur valeur aux marchans de quy on les auroit prins. Et auront les officiers des lieux mandement esprés, par lettres patentes, teles qu'il appartendra de faire faire la dite restitucion, toutes les fois que le cas escherra, sur peine de le recouvrer sur eulx, se les diz biens estoient ainsi venduz ou alienéz a terre ou miz a terre de leur sceu ou souffrance, et, avec ce, sera faite defence és ports et havres d'ung costé et d'autre, sur certaines et grosses peines, que aucun de quelque nacion qu'il soit ne achete a terre ne pour mettre a terre aucuns des diz biens.

[9.] Item que és vitailles, marchandises et autres biens venant des parties de l'est vers le royaume d'Angleterre ou a Calais ou devers Brebant, Flandres ou Malines, pour quelconques personnes nos ennemies a l'une partie ou a l'autre et en (a) de vaisseaulx ilz soient menéz ne sera par ceulx de l'une partie ne de l'autre miz empeschement ne destourbier en quelconque maniere.

[10.] Item, se durant le dit terme, aucuns vaisseaulx des marchans de la partie d'Angleterre ou de Brebant, Flandres ou Malines, non ordonnéz pour guerre, chargiéz ou rechargiéz estoient, par fortune de temps, par force d'ennemiz ou autrement chassiéz, ceulx de l'une partie en aucuns des portz ou havres de l'autre partie les diz vaisseaulx avec les marchans et les mariniers estans en iceulx seront receuz seurement et s'en pourront partir franchement, a tout leurs biens et marchandises sans contredit ne destourbier; pourvueu qu'ilz ne mettent a terre ne en autres vaisseaulx leurs diz biens et marchandises sans congié et licence des officiers du prince du paiz ou autres ayans povoir a ce.

[11.] Item que les maistres de neifz et mariniers de la partie d'Angleterre a leur venue és portz et havres des paiz de Brebant, de Flandres et Malines pourront faire licitement lier leurs neifz és diz portz et havres par la maniere que feront François, Hollandois, Zellandois ou Escocois sans encourir pour ce en aucune fourfaiture ou amende et semblablement pourront fere les maistres de neifz et mariniers de Flandres és portz et havres de la partie d'Angleterre.

[12.] Item que, le dit terme durant, les marchans, maistres de neifz et mariniers des diz paiz de Brebant, de Flandres et de Malines ne admenront, par fraude ne couleur quelconque, aucuns biens ou marchandises des enne-

(a) Un mot illisible dans un pli.

miz des Anglois par mer et, ou cas qu'ilz en seront demandéz par aucuns escumeurs ou autres gens de la partie d'Angleterre, ilz en feront juste et plaine confession. Et que pareillement les marchans, maistres de neifz et mariniers de la partie d'Angleterre ne ameneront, par fraude ne couleur quelconque, aucuns biens ou marchandises de estraingiers ennemiz des Brebancons, Flamens et de ceulx de Malines. Et, se ilz en estoient demandéz par aucuns de Brebant, Flandres ou Malines, ilz en feront juste confession comme dit est.

[13.] Item, se durant le temps de ce present accord, aucune neif ou vaisseau de la partie d'Angleterre chargié de biens et marchandises, par fortune ou tempeste de mer ou autrement, touchoit a la terre ou perissoit sur la coste ou és havre des diz paiz de Brebant, de Flandres ou de Malines, se, en icelle neif ou vaisseau, demouroit homme, femme, enfant, chien, chat ou coq vivans, les hommes, biens et marchandises d'icelle demoureroient saufs, a ceulx a qui ilz appartendront en paiant coustaige raisonnable a ceulx qui les auront sauvéz, sans ce que les diz biens puissent estre ditz confisqué ne perduz; pourveu aussi que ce pendant soit fait et observé és paiz et havres d'Angleterre, Yrlande et de Calais au regart des navires de Brabant, Flandres et de Malines, qui, par la maniere dessus dite, toucheroient a terre ou perilleroient.

[14.] Item que, par la dite partie d'Angleterre, sera designé chemin grant et large, entre Calais et Gravelingues, pour les marchans d'ung costé et d'autre et autres comprins en ceste seurté y aler passer et retourner seurement. Et, pour la partie de Flandres, sera fait et designé pour les marchans et autres personnes de la dite partie d'Angleterre dessus dite expriméz grant chemin et large asséz pour aler, passer et retourner seurement par les dunes de Flandres, sans y estre arrestéz ou empechiéz : par ainsi que ilz ne admenront avec eulx aucuns leurs chiens ne feront aucun dommaige ou prinse de conins. Et s'il advenoit que aucun de la partie d'Angleterre, en allant par le chemin designé dedens les dunes, passast par ignorance dehors icelui chemin, de laquelle ignorance ils seront creuz, par leur serement sans autre preuve fere. En ce cas, ilz ne seront empeschiéz, perturbéz ne arrestéz mais procederont oultre en continuant leur chemin seurement et paisiblement. Et pareillement sera fait à ceulx de Brabant, Flandres et Malines en passant par les chemins designéz entre Calais et Gravelingues.

[15.] Item que tout ce qui a esté fait et attempté en quelque maniere que ce soit contre les subgéz du roy d'Angleterre és paiz de Brabant ou de Flandres, depuis la journee de la convencion derrainement tenue a Araz sur la matiere de la paix, contre les viguers et force des saufconduis du seigneur des diz paiz, ottroyéz aus diz subgéz du roy d'Angleterre et aussi certains dommaiges fais en Brabant, en Flandres a maistre Estienne Wylton, docteur en lois, et messire Robert Clifton, chevalier, lors envoyéz en ambassade au concile de Basle et aillieurs, de par le roy d'Angleterre, devant la publicacion ou proclamacion de la guerre ensieuye depuis la dite journee d'Arras, seront deuement et raisonnablement repairéz et restituéz par ceulx de la partie de Brabant et de Flandres pour faire informacion desqueles choses seront commiz et ordonnéz, tant d'ung costé comme d'autre, certains notables personnes qui convendront a Calais (a) le premier jour de quaresme prouchain venant, lesqueles feront faire aux parties ycelles oyes deue et raisonnable reparacion et restitucion dedens le jour de saint Michiel qui sera l'an mil quatrecens et quarante.

[16.] Item que les marchans d'Angleterre auront et pourront avoir et tenir és villes des diz paiz de Brebant, Flandres et de Malines, hostelz pour eulx meismes et joyront illecques de toutes teles et pareilles franchises comme ilz ont joy en quelque temps depuis cinquante ans en ca quand marchandise avoit cours entre la partie d'Angleterre et les diz paiz de Brabant, Flandres et Malines. Et seront traittiéz aussi doulcement et gracieusement comme les autres nacions frequentans iceulx paiz et ville.

[17.] Item s'il advenoit, que Dieux ne vueille que par aucun de l'ung costé ou de l'autre, aucune chose feust faitte ou attemptee contre l'estat de cest present accord et seurté, en quelconque lieu ou par quelconque voye, ja pour tant cest accord ne sera tenu ne entendu enfraint ne pour ce guerre, arrest ne destourbier d'aucunes des personnes touchiéz en cest traitié ne sera fait ne meu, mais sera le fait repairé par les seigneurs de l'une et de l'autre partie et miz en son premier estat et deu.

[18.] Item que les quatre membres de Flandres suffissamment auctorisiéz, comme il appartient, se obligeront par lettres seellees de leurs seaulx de tenir et inviolablement garder de leur part tous les points de cest present traitié et chascun d'iceulx. Et en bailleront leurs lettres souffisans et convenables sans aler ou faire venir au contraire. Lesquelz poins et articles, soubz certaines protestacions par nous faites, levés et baillés par escript ou nom du roy nostre dit souverain seigneur a honnourables personnes maistre Henry Uten Hove et maistre Loys Dommessent, envoyéz de par ma dite dame de Bourgogne pour communiquier avec nous sur la matiere du dit entrecours de marchandises et autres choses dessus escriptes, promettons ou nom que dessuz garder et entretenir et faire garder et entretenir de la partie du roy nostre dit seigneur inviolablement, le dit terme durant, sans faire ou venir ne souffrir estre fait ou venu au contraire en quelque maniere que ce soit et pour plus grand seurté des dites choses (b) ces presentes estre confermees soubz le seel du roy nostre dit seigneur quand requiz en serons. Si donnons en mandement, de par le roy nostre dit seigneur, a tous lieuxtenans, mareschaulx,

(a) Une rature.
(b) Un mot illisible.

admiraulx, visadmiraulx, seneschaulx, bailliz, mayres, eschevins, gardes de portz et passaiges et a tous autres justiciers et officiers d'icelui seigneur ou a leurs lieuxtenans, presens et advenir, et chascun d'eulx, sicomme a lui appartendra, que ces presentes facent sollempnelement publier par tous les lieux ou il appartendra et tous les poins et articles contenuz en icelles tenir et garder et fere tenir et garder, sans enfraindre en quelconque maniere, et tout stelon (a) la fourme et la teneur contenue en ces dites presentes ausqueles, en tesmoing de ce, nous avons miz nos sceaulx. Donné a Calais, le XXIXe jour de septembre, l'an de grace mil CCCC XXXIX.

5

Lettre d'affaires écrite par Ghert de Roe, au nom de son maître, le marchand anglais Thomas Raes, à son père Henri de Roe, marchand à Bergen-op-Zoom.

[Avant le 13 septembre 1442 [1].]

A. Original. Papier. H. 289 mm. L. 222 mm.
   Archives communales de Bergen-op-Zoom, Rentbrieven en Recognitiën, registre n° R281, pièce insérée au f° 39 [1].

Seer vrindelike groete voer screven aen minen lieven ende zere gheminden vrint Heinric de Roe, weet dat ic, Thomas Raes, u zere grute ende ic

(a) Sic.

[1] La date et le motif de la conservation de la pièce sont donnés par la mention suivante au f° 39 du registre n° R 281 :

[Bergen-op-Zoom], 13 september [1442].

Anno predicto, XIII daghe in september, na dat Heinric de Rode, Peters sone, ter eenre zyden, Willem van Aken, ter andere zyden, voere den schoutet ende scepenen van Berghen, comen waeren, thonende de selve Heinric eenen beslotenen brief hem gesonden van .I. Thomas Raes, coepman van Ingelant, die hem de voirs. Willem gebracht hadde, ende die onder de stad liggende blijft, soe waert dair toe soe vele gesproken bij den voirs. schoutet ende scepenen dat de voirs. Willem van Aken, na uuytwisen des voirs. briefs, den voirscreven Heinricke overgaf I cedulle van IX lb. g. Vlaems ende XIIII s.g. voirdane, als vanden XII 1/2 wagen Inghels caes, die den voirs. brief begrijpt. Soe bekende de voirs. Willem dat hij dair af niet meer, in zijnen scepe, inne genomen en hadde, dan X 1/2 waghen ende die hadde hij vercocht zekere personen die hij geloifde in dien te hebbene, dat zij den voirs. Heinrike tghelt doen sullen, dair de case omme vercocht is, oft selven dair af warant te zijne, ende oic mede vanden II wagen caes, die hij seyt min ontfangen te hebbene, eest dat men contrarie bevint, ende bleef voere hem borghe, wart gebreck aen hem, Jan Coeman ende desgelijx sette de voirs. Heinrik borghe alst een sack / ende Heinrike den Rode Janssone dat hij den voirs. Thomaes, na uytwisen des voirs. briefs, contenteren ende vernuegen sal, ende den voirs. Willem ende zynen borghe jegens den voirs. Thomas ende .I. iegelic anders scadeloes ende ongemoeit houden, sonder argelist.

   Le texte est barré; voir à ce sujet p. 357.

bidde iu dat ghy wilt doen voer mij als ghy wet dat ic dede voer iu. Ende weet dat ghy sult ontfanghen van Willem van Akeren . XII. waghen case ende I half van Enghelse waghen, ende also ghy sult ontfanghen van Willem Braen VIIII pont vls. ende XIIII s. grote vls. Ende Willem van Akeren heft enen brief daer of, ende Willem Braen heft enen anderen tene uuiten anderen ghesnede. Ende ghy sult ontfanghen van Willem Braen II waghenen case dat is onbetaelt, ende dan sulen betalen Willem Braen van huis huren VIII s.g.. Ende ist dat zake dat hy meer nemt dan VIII s.g., hy doet onrect. Ende ic bid iu dat ghy wilt ontfanghen al dit ghelt van den casen ende van Willem Braen, stuvers of Rinsse guldene of selctenicht ghelt, als to Calis gaet ende brenc dit ghelt to Calis op minen coest. Ic sal daer wesen ende Ghert, iu sone, in de herrinc tijt; ghy silt ons finden tot Herrij Brun; de welke Heinric Brun, die hier te marten comt tanwerpen, ic peisse, gy silten vinden in Antwerpse maert; vraect de lien van Calis, dar na Herri Brun. Ende ist dat zake, dat ghy niet en vilt comen selve, dan levert Herri dit ghelt, met ghoeden ghetughen, ende mact enen brief hoe vele dat ghy desen voorscreven Heinric (a) Brun levert. Ende ist dat zake, dat Herri Brun wil dit ghelt hier uuit gheven in maert, ende betalen mij .I. Enghels pont voer .I. vls. pont, ende betalen my in de herinc tijt, dan salic daer wesen. Ende ist dat zake, dat Willem van Akeren weder over comen haestscht, dan copet .I. ame of en half Rins, copet alsse goede coep als ghij mocht, ende by iunen raet ende Willem (a) van Akeren; ende ic woude hebben ghecocht vat catoen, copet alsi ghy moghet, het is waert VIIII s.g. I dosine. Ende ist dat sake, dat Willem van Akere veder overcomt, ende ghy besteet VII pont of acte pont, bi Willems raet ende bi den iuuen, ic en binder metevreden ende sentic dander deel tot Calis, of breinget ghit selleve. Dat biddic iu, ic bidde iu dat ghy mij sent enen brief, wiselic hoe ghy daer meede, metten man die over commet, ende sent my enen anderen tot Calis, tot Herry Bruun, ende bijt Herry Bruun dat hieen ghevent enen man van Gosforde, die lieen van Gosford comen dat woetsbrugghe (b) comen dat syn liee van Gosforde.

Item ic, lieve vader, ic, Ghert, iu zone, ic grete iu weel daer, ende, lieve vader, ic bidde iu dat ghy willt breingen dit ghelt tot Calis, ic zal daer wesen ende mij mester tot Calis.

[*In dorso*] An Heinric de Roe wonende to Berghen opten **Zom**.

(a) Une lettre h raturée.

(b) Woetsbrugghe = uit Brugghe ?

[1] Il existe deux Gosforth, un dans le comté de Cumberland, l'autre dans le comté de Northumberland.

6

Sentence rendue par les échevins de Bruges dans le procès opposant William Cottesbrook, marchand anglais, aux héritiers de Claes vander Buerse, marchand brugeois, au sujet de différentes contestations d'ordre commercial.

[Bruges], 25 août 1449.

A. Original, parchemin. Archives de la Ville de Bruges, Registre aux Sentences Civiles, 1447-1453, f°s 102 à 106.

Upte questien ende ghescillen gheresen in de ghemeene camere van scepenen van Brugghe tusschen Willemme Cotesbrocks, coopman van Inghelant, an deen zyde ende Jacop vander Buerse, Janne vander Buerse, joncfrauw Katheline vander Buerse, Jacop Breydels weduwe, Janne Breydel, Jacoppe Breydel, item den vors. Janne vander Buerse, ende Jacop Metteneye als vooghden van Cornelise ende joncvrauwe Kathelinen svors., Jacop Breydels ende joncvrauwe Kathelinen zyns wijfs kinderen, alle als aeldinghers van der rechter helftscheede van wijlen Claise vander Buerse, ende evenverre dat elken angaen mach an dander zyde ter causen van diversschen eesschen, die elc van hemlieden, den anderen anleeden, ende up welke ghescillen, an beeden zijden, diverssche handelinghen gheweist hadden. So was, upten dach van heden, by den ghemeenen college van scepenen van Brugghe, ghehoort relacie van den ghonen die de vors. questien ende gescillen gehandelt hadden ende up al rypelike ghelet, ghezeit, verclaerst (a) ende ghewijst in der manieren hier naer volghende. Ende eerst upte eesschen ghedaen by den vors. Willem Cotesbrouke den vors. aeldinghers : te wetene, up teerste point, daer de vors. Willem gheeescht heift den vors. aeldinghers de helftscheede van XXIIII s. III d.g. als over haerlieden deel ende reste van meerdere somme van eenen coope van LXVI witte Inghelsche lakenen jeghens hem ghecocht bi Obert Thouse, facteur vanden vors. wijlen Claise vander Buerse, up den XXV sten van septembre int jaer M IIIIC XXXIIII, binnen der stede van Antwerpen, te IIII l. XIII s. IIII d.g. elc laken; daer jeghen de vors. aeldinghers verandwoord hebben dat zij, vander vors. scult, noch den vors. Claise vander Buerse, als hij leifde, noch in zyn uterste, niet en hoorden verclaersen dat hij de vors. scult sculdich was, noch ooc bevonden hebben in zyne bouken van rekeninghen, daer of eenich verclaers presenterende daer toe haren eed te doene, ende zegghende dat, naer de wetten van der stede van Brugghe, zy daer toe sculdich zyn ontfanghen te zijne ende daer mede tontstane; den vors. Willem Cotesbrouck repliquerende ende zegghende dat de vors. aeldinghers niet ontfanghelic en waren omme daer af tonstane, by haren eede, by zekeren redenen die hy daer toe zeide. Te wetene want elc juge es sculdich zulke zaken te stellene ten eede van der partie diet best weten mach, ende de vors. Willem macht bet weten, die

(a) Dans la marge : I.

nochtan presenteirt prouve te doene, dan de vors. aeldinghers die van der zake noyt handelinghe en hadden; item, mids dats de vors. zake comt van dooder hand, item dat hij hoopt dat svors. Clais bouken ghevisiteirt zijnde, men daer in meer verclaers vijnden zouden dat de vors. aeldinghers ghekent hebben want zy, in de vors. bouken, in vele zaken angaende den vors. Willemme, vele verclaers ghevonden hebben, zo zy over ghegheven hebben in de articlen van haren eesche, met meer andere redenen; daer jeghen de vors. aeldinghers dupliquierden, blivende by tgoend dat zy ghezeit hadden ende dat niet jeghenstaende de redenen by den vors. Willem voort ghestelt, zy ontfanghelic waren omme van den vors. eesche tontstane, by haren eede naer de wetten, costumen ende usagen van der vors. stede van Brugghe. So was by den vors. ghemeenen college van scepenen van Brugghe ghezeit, verclaerst ende ghewyst dat de vors. aeldinghers sculdich waren ontfanghen te zyne omme hemlieden te zuverne ende tontstane van den vors. eesche, by haerlieden eede, naer de wetten, costumen ende usagen van der vors. stede

f⁰ 102 v⁰

van Brugghe; ende naer dat de vors. Willem gheconsenteirt / hadde dat de vors. Jacop vander Buerse, over hem ende over zyne vors. medepleghers, eed daer of doen zoude, ende de zelve Jacop, over hem ende zelven zynen medepleghers, by zijnen eede, daer op ghestaest als ooc behoorde verclaerst (a), dat hij van der vors. somme van XXIIII s. IIII d.g., daer of de vors. Willem den vors. aeldinghers de rechte helscheede gheheescht hadden, ter causen voorscreven, niet en wiste, noch noyt en hoorde, den vors. Claise vander Buerse daer af eenich verclaers doen, noch in svors. Clais bouken, eenich verclaers ghevonden en hadden, so waren de vors. aeldinghers by den vors. ghemeenen college van scepenen ontsleghen ende quijte ghewijst van svors. Willems eesche.

Item, ten tweesten article (b), daer de vors. Willem gheheescht heift den vors. aeldinghers de helftscheede (c) van hondert LXXV lakenen, bij hem ghelevert, ter Brugghemaerct ende ter Sinxenemaerct, int jaer M. IIIIC XXXV, ende ontfanghen, svors. Clais behouf, inde stede van Antwerpen, achtervolghende der voorwaerde tusschen hemlieden ghesciet, binder vors. stede van Brugghe, upten darden dach van decembre int jaer .M. IIIIC XXXIIII elc laken (d) te IIII l. XIII s. III d.g., tzamen ghedraghende, int gheheele, VIIIC XVI l. XIII s. IIII d.g.; daer up de vors. aeldinghers verandwoordden kennende dat de vors. Clais van den vors. lakenen ontfanghen hadde, bij eenen Ridsaert tsvors. Willems cnape, in de sincxenmaerct, tAntwerpen, int vors. jaer XXXV, in drie packen LXXVIII witte lakenen, ten vors. prise van IIII l. XIII s. IIII d. elc laken, item noch,

---

(a) Un trou cachant probablement le mot *hadde*.

(b) Dans la marge : II.

(c) Une lettre h raturée.

(d) Une lettre d raturée.

in twee packen, vichtich lakenen, ten zelven prise, tzamen ghedraghende hondert XXVIII lakenen, ende makende, int gheheele, de somme van VC XCVII l. VI s. VIII d.g. ende ontkennende de reste, draghende XLVII lakenen, ende waerdich zijnde, ten vors. prise, IIC XIX l. VI s. VIII d.g., bij den vors. Claise ontfanghen zynde, presenterende daer toe eed te doene, ende daer mede tontstane, alzo zij, int vors. eerste article, ghemainteneirt hadden; den vors. Willemme daer jeghen zegghende dat zy, ten vors. eede, niet ontfanghelic en waren, mids dat dese zake kenlic was den makelaere, die daer by ende over was, ende dat men daer of goed verclaers vijnden zoude in zijne bouken, presenterende dat by den vors. makelare ende zyne bouken te doen stane, met meer redenen, die de vors. partien daer toe zeiden ende allegierden, so was bij den vors. ghemeenen college van scepenen van Brugghe ghezeit, verclaerst ende ghewijst dat, ghehoort tverclaers van den vors. makelare, bij zijnen eede, ende over ghezien zijne bouken, ende voort rijpelike daer up ghelet, dat de vors. aeldinghers sculdich zijn ghehouden te zijne jeghen den vors. Willemme in de helftsceede van den vors. hondert LXXV lakenen, ten vors. prise, omme IIII lib. XIII s. IIII d. tstic, alzo hy die gheheescht heift.

Item, te darden article (a), daer de vors. Willem gheheescht heift den vors. aeldinghers de helftscheede van II l. g., als, by hem, den vors. Claise gheleent, ter causen van der vors. lakenen te packene te Middelborch ende te zendene tAntwerpen ende over den tol, daer up de vors. aeldinghers verandwoordt hebben, als ten vors. eersten article, als dat zy van der vors. scult niet en wisten ende noyt en hoorden / daer af den vors. Claise eenich verclaers (b) doen en hadden ooc van dien gheen verclaers vonden in svors. Clais bouken, presenterende daer toe eed te doene ende daer (c) tontstane; daer jeghen de vors. Willem repliquierde, als ten vors. eersten article, met meer redenen, die de vors. partien daer toe zeiden ende allegierden. So was bi den vors. ghemeenen college van scepenen van Brugghe gheseit, verclaerst ende ghewijst dat de vors. aeldinghers sculdich waren ontfanghen te zyne ende hemlieden te zuverne ende tontstane van den vors. eesche, by haerlieder eesche naer de wetten, costumen ende usagen van der vors. stede van Brugghe ende, naer dat de vors. Willem gheconsenteirt hadde dat de vors. Jan vander Buerse, over hem ende over zyne vors. medepleghers, eed daer af doen zoude, ende de zelve Jan, over hem ende zyne vors. medepleghers, eede daer af doen zoude ende de zelve Jan over hem ende zyne vors. medepleghers by zijnen eede daer up ghestaest, als ooc behoorde, verclaerst hadde dat hij, van der vors. somme hemlieden gheheescht by den vors. Willemme ter causen vors., niet en wiste noch noyt en hoorde; den vors. Clais vander Buerse daer af eenich verclaers (c) doen, noch in svors. Clais bouken eenich

fº 103

(a) Dans la marge : III.
(b) Le mot ghewach est raturé.
(c) Un mot illisible caché par un trou.

verclaers ghevonden en hadden, so waren de vors. aeldinghers, bij den vors. ghemeenen college van scepenen, van svors. Willems eessche ontsleghen ende quyte ghewijst.

Item (a), ten vierden article, daer de vors. Willem gheheescht heift den vors. aeldinghers de rechte hefscheede van C XVI l. XVIII s. I. d.g. van verletten verliese ende scade ghecommen op XL lakenen die hy, ter Bamesmaerct, int vors. jaer XXXV, zandt te Middelborch, omme al daer den vors. Claise ghelevert te zyne, als reste van IIC XV lakenen die hij den zelven Claise vercocht hadde; naer tinhouden van eenre cyrographe daer up ghemaect, ende de welke XL lakenen de vors. Clais niet ontfanghen en wilde, zo hij zeide, ende bij zynen ghebreke waren zom te wetene de IIII daer af ghenomen ende gheaenvaerdt bij Janne Rijm, doe rentmeestere van Zeelant, ende dandere XXXVI ghestelt, bij hem Willemme, omme beters wille, in den handen van Willemme Coornemaerct ende Tideman Remeluken, Oosterlinghen, diese vercochten daer af tverlies ende diversche costen ghedaen omme de vors. lakenen te bescuddene, mids der oorlooghe die doe up rees, van huushueren, makelaerdien ende anderssins bedroughen de vors. somme van C XVI lib. XVIII s. I d.g., daer up de vors. aeldinghers verandwoordden als ten vors. eersten article, ende presenterende te doene haren eed naer de wetten, rechten ende costumen van der vors. stede van Brugghe, met meer redenen die de vors. partien daer (b) toe zeiden ende allegierden, so was bi den vors. ghemeenen college van scepenen van Brugghe gheseit, ghewijst ende verclaerst dat ghemerct dat de vors. lakenen noyt en quamen in svors. Clais handen, ende dat se de vors. Willem zelve weder aenvaerde ende stelde in der vors. Oosterlinghen handen, ende ooc dat de zelve Willem, over de vors. lakenen, bi Johannes Hoonin, zijnen weerd, ontfanghen heift zekere pilterie, in betalinghen van den zelven lakenen, ende ooc ghemerct zekere andere redenen, scepenen daer toe porrende dat tverlies ende scade, die upte vors. (c) lakenen ghecommen zijn, de welke hij den vors. aeldinghers gheheescht heift, sculdich zyn te blivene upten vors. Willem Cotesbrouc ende dat hij daer af den vors. de aeldinghers sculdich es te latene onghemoyt.

f° 103 v° Item, te V sten (d) article, daer de vors. Willem gheheescht heift den vors. aeldinghers de heltscheede van L lib. g. als van schaden die hij ghehadt heift mids dat de vors. Clais niet en leverde den vors. Willem / zulc lijnwaet als tusschen hemlieden voorwaerde was, maer dat hij hem leverde ander lijnwaet, daer in dat hij beschadict was in de vors. somme van vichtich l. g.; daer jeghen de vors. aeldinghers verandwoordden, ghelijc ten vors. eersten article, met meer redenen die de vors. partien an beeden zijden zeiden, so

(a) Une lettre d raturée, dans la marge IIII.
(b) Un mot illisible se trouve ici barré.
(c) Dans la marge : +.XV.
(d) Dans la marge : V.

was bij den vors. ghemeenen college van scepenen van Brugghe gheseit, verclaerst ende ghewijst, dat ghemerct dat de vors. Willem ghekent heift tvors. lijnwaet ontfanghen hebbende, zonder daer jeghen te zegghene of te refuserene ten tyden van der leveringhe, dat hi de vors. scade, zulc als hij die gheheescht heift den vors. aeldinghers, sculdich es an hem zelven te houdene ende, de vors. aeldinghers te latene onghemoyt.

Item ten VIsten article (a) daer de vors. Willem gheheescht heift den vors. aeldinghers de heftscheede van der somme van L l. X s.g. mids dat hem de vors. Clais sculdich was te leverne in lijnwade, naer zekere voorwaerde tusschen hemlieden ghemaect, toter waerde van IIIC L. l. g. of meer, bij alzo dat de lakenen die hij den vors. Clais leveren zoude meer bedroughen, ende dat de vors. Clais niet meer ghelevert en heift, in lijnwade, dan toter waerde van IIIC l. g. X s.g. min bedraghende, daer af de reste, L l. X s.g., daer jeghen bi den vors. aeldinghers verandwordt was, ende by den vors. Willem gherepliquiert als boven, ten eersten article, met meer redenen by den vors. partien gheseit ende gheallegiert, so was, bi den vors. ghemeenen college van scepenen van Brugghe, gheseit, verclaerst ende ghewijst dat, ghemerct dat de vors. Willem niet en leverde den vors. Claise alle de lakenen die hij sculdich was te leverne naer haerlieder voorwaerde maer datter ghebraken XL lakenen, zooc vooren blyct int vierde article, dat de vors. Willem gheene cause en heift de vors. somme upte vors. aeldinghers teeschene, ende dat daer af de zelve aeldinghers zyn sculdich te blivene onghemoyt.

Item, ten VIIsten article (b), daer de vors. Willem gheheescht heift den vors. aeldinghers de helftscheede van III l. VI s. VIII d.g., mids dat alle de lakenen, die de zelve Willem mainteneirt ghelevert hebbende den vors. Claise, beloopen zouden ter somme van XC III l. VI s. VIII d.g., ende de coopmanscepe die de vors. Clais hem ghelevert zoude hebben in ysere, in batelrye ende in meede ghesleghen was ende gheestimeirt up VIC L. l. g. ende de reste, te wetene IIIC LIII l. VI s. VIII d.g., zoude hem de vors. Clais ghelevert hebben in lijnwade daer af hij niet meer ontfanghen heift dan IIIC l. X s.g. min, als ooc blijct boven int eerste article, dies zoude hem ghebreken boven den vors. .L. l. X s.g. bij hem gheheescht, int vors. naest article, de vors. somme van III l. VI s. VIII d.g., daer up bij den vors. aeldinghers, verandwoord es ende by den vors. Willem gherepliquiert, ghelijc boven, int vors. eerste article, met meer redenen, bij den vors. partien gheseit ende gheallegiert, so was, bi den vors. ghemeenen college van scepenen van Brugge, gheseit, verclaerst ende ghewijst dat, mids den redenen verhaelt boven, int vierde article, de vors. aeldinghers sculdich zijn quite ende onghehouden te zijne vanden vors. eesche.

(a) Dans la marge : **VI**.
(b) Dans la marge : **VII**.

Item, ten VIIIsten article (a), daer de vors. Willem gheheescht heift den vors. aeldinghers de helftscheede van der somme van IIII l. VI s. VIII d.g. of daer omtrent, ter causen dat hem ghebreken souden van LM ysers, die hem de / vors. Clais sculdich was te leverne, naer haerlieder voorwaerde, IIM IIC XI l. ysers te IIII s.g. elc hondert daer up, bi den vors. aeldinghers verandwordt was, ende bij den vors. Willem gherepliquiert, als boven, ten eersten article, met meer redenen die de vors. partien daer toe zeiden ende allegierden, so was bi den vors. ghemeenen college van scepenen van Brugghe, verclaerst ende ghewijst, mids den redenen boven verhaelt, int vierde article, dat de vors. Willem gheene cause en heift de vors. somme teesschene ende dat, daer af, de vors. aeldinghers sculdich zijn te blivene quite, ontlast ende onghemoyt.

^{fo 104}

Item, ten IXsten article (b), daer de vors. Willem gheheescht heift den vors. aeldinghers de helftscheede vander waerde van XXXVII balen aluuns, die hem ghenomen waren upte zee, bij gebreke dat de vors. Clais tvors. aluun niet en leverde in tijts, alzo hij zeide, naer der voorwaerde tusschen hemlieden ghemaect, daer up, bi den vors. aeldinghers verandwoord, ende bi den vors. Willemme gherepliquiert was, als boven, ten eersten article, met meer redenen bi den vors. partien gheallegiert, so was, bi den vors. ghemeenen college van scepenen van Brugghe, ghezeit, verclaerst ende ghewijst dat, ghemerct dat de vors. Willem de vors. XXXVII balen alluuns eens ontfanghen heift, zo hij zelve kende, zonder daer taeghens te zegghene, al wast tanderen daghe dan de voorwaerde was, dat hij de vors. scade, bij hem den vors. aeldinghers gheeescht, sculdich es an hem zelven te houdene, ende daer af den vors. aeldinghers te latene onghemoyt.

Item, ten Xsten article (c), daer de vors. Willem gheeescht heift den vors. aeldinghers de helftscheede van (d) C LXXXIIII kerken, als reste van allune dat hem ghebreken zoude, also hi zeight, bedraghende, naer suner estimacie, omtrent de vors. CLXXXIIII kerken; daer up bi den vors. aeldinghers verandwoordt was ende bi den vors. Willem gherepliquiert, als boven, int eerste article, met meer anderen redenen, bi den vors. partien gheseit ende gheallegiert, so was bi den vors. ghemeenen college van scepenen van Brugge gheseit, verclaerst ende ghewijst, mids den redenen verhaelt int vierde article, dat de vors. aeldinghers sculdich zijn quite ende onghehouden te zijne van den vors. eesche.

Item, ten XIsten article, daer de vors. Willem gheeescht heift, den vors. aeldinghers, de helftscheede van XX l. gr., als van costen, by hem ghedaen, omme zekere lettren ende certificacien te vercrighene in Inghelant, in Zeelant ende elre, omme den vors. Claise te doene vulcommen de voorwaerde

(a) Dans la marge : VIII.
(b) Dans la marge : IX.
(c) Dans la marge : X.
(d) Le mot hondert barré.

die hij jeghen hem ghemaect hadde; daer up, bi den vors. aeldinghers verandwoordt ende bi den vors. Willem gherepliquiert was, als boven int eerste article, met meer woorden ende redenen, bi den vors. partien, gheseit ende gheallegiert, so was, bi den vors. ghemeenen college van scepenen van Brugghe, gheseit, verclaerst ende ghewijst, mids zekeren redenen hem daer toe porrende, dat de vors. Willem sculdich es te houdene de vors. costen, de vors. aeldinghers gheheescht, an hem zelven ende daer af, te latene den zelven aeldinghers ontlast ende onghemoyt.

Item, ten XIIsten ende laetsten article (a) van svors. Willems eeschen, als over zyne costen, scaden ende verletten die hij ghehadt heift, den termijn van V jaren, dat hij jeghen den vors. aeldinghers vervolghen ghedaen heift, over elc jaer XX l. g., comt te gadere hondert l. g., daer jeghen de vors. aeldinghers verandwoordt hebben, dat zij altoos vulwaerdich ende bereet gheweist hebben, jeghens den vors. Willem te wetten te commene ende dat, mids dien, zij onghehouden zijn van zulken costen ende verletten te gheldene, den vors. Willemme sustinerende, ter contrarien, / dat, bij divers-schen dilayen die de vors. aeldinghers ghenomen hebben, dit proces dus langhe gheduert heift, ende niet bij zynen toedoene, met meer woordenen bij den vors. partien hier toegheseit ende gheallegiert, so was, bi den vors. ghemeenen college van scepenen van Brugghe, ghezeit ende verclaerst dat de costen gheheescht bi den vors. Willem onredelic zyn, ghemerct dat, naer de wetten, costumen ende usaigen van den vors. stede van Brugghe, men niet ghecostumeirt en es eeschen van zulken costen ende verletten tontfan-ghene, maer alleene van wetteliken costen, de welke ooc sculdich zijn te stane, ter taxatie van scepenen, ende dat de vors. Willem sculdich es onverlet ende vry te stane, omme de vors. wettelike costen te moghene eeschen, in tijden ende in wijlen, behouden den vors. aeldinghers haerlieder weere ter contrarien.

Item, upte eeschen ghedaen by den vors. aeldinghers den vors. Willem Cotesbrouc, te wetene, uit eerste article (b), daer de vors. aeldinghers zeg-ghen ende voortstellen dat, int jaer M.IIIIC XXXV den XVsten dach in meye, ghelevert waren den vors. Willemme Cotesbrouke bi den vors. Johannes Hoonin de parceelen hier naervolghende : te wetene, eerst, XXXVIIIM VIIIC XIII lib. ysers, te IIII s.g. thondert, bedraghende LXXVII l. XII s. VI d.g., item noch neghen duust XXIIII l. min, bedra-ghende XVII l. XIX s.g., item noch LXXX kerken CIIII l. roken net, item dat noch ghelevert waren, van vors. Clais weghe, eenen Ritsaert, svors. Willems cnape, omme kanevaets ende coorden, omme zekere lakenen daer mede te packene, XVIII s.g., alzo zij dat zeiden, bliken, bij svors. Clais cleenen boucxkine, int LIIIIste blat, bedraghen de vors. somme te gadere

(a) Dans la marge : XII.
(b) Dans la marge : I.

04 v°

XCVI l. X s. VI d.g., LXXX kerken CIIII l. roken begheerende tgoend dat vors. es payement ende afslach te zijne, enenverre dat het haerlieder helftscheede angaet, up de lakenen die de vors. Clais van den vors. Willemme ontfanghen hadde, daer up, de vors. Willem verandwoordde kennende dat hij, al tvors. ysere ende aluun ontfanghen hadde; in paymente van den vors. lakenen bij hem ghelevert maer ontkennende de vors. XVIII s.g. den vors. Ritsaerde gheleent zijnde, ende emmer dat hij, daer af, niet sculdich en was, mids dat de lakenen, daer mede ghepact, waren tAntwerpen, ende niet sculdich was te leverene, presenterende daer toe te doene zynen eed, met meer woorden die de vors. partien daer toe zeiden ende allegierden, so was, bi den vors. ghemeenen college van scepenen van Brugghe, ghezeit, verclaerst ende ghewijst dat de heltscheede van der vors. parceelen van ysere, ten vors. prise sculdich zijn, den vors. aeldinghers, payement tzijne, van haren deele ende avenante van den lakenen bi den vors. Willeme Cotsbrouc den vors. wijlen Claise ghelevert, ende dat, in sghelijcx, de helft-scheede van den vors. LXXX kerken C ende IIII l. roken aluuns sculdich zijn, afslach ende payement te zijne, den vors. aeldinghers, van haren deele van den zelven lakenen, ter estimacie van den arbiters ende tusschensprekers doe ten tijden ghecoren bij Willem ende wijlen Claise vander Buerse vors. te wetene van Parent Fave ende Johannes Hoonin, noch levende upten dach van heden, ende als van den vors. XVIII s.g., dat de vors. Willem sculdich es, daer af, verclaers te doene, bij zijnen eede, wat hij, daer af, den vors. aeldinghers kent sculdich zijnde ende den zelven Willemme verclaersende, bij zijnen eede daer up ghestaest, alzooc behoorde dat hij, daer af, den vors. aeldinghers niet en kende sculdich zijnde, so was, bi den vors. / ghemeenen college van scepenen van Brugghe, ghezeit, ghewijst ende verclaerst, dat de vors. Willem sculdich es ontsleghen, ontlast ende onghehouden te zyne van den eesche van der helftscheede van den vors. XVIII s.g..

fº 105

Item, ten tweesten article (a) van svors. aeldinghers eeschen, dat de zelve aeldinghers zegghen ende voortstellen dat bij den vors. wijlen Claise vander Buerse, ghelevert was, den vors. Willem Cotsbrouc, in lijnwade, in VIII parceelen, toter somme van IIC XCIX l. IX s. X d.g., begheerende die payement ende afslach tzijne, evenverre dat het haerlieder helftscheede angaet, upte lakenen, bi den vors. Willemme ghelevert, den vors. wijlen Clais, daer up de vors. Willem verandwoordde, kennende tvors. lijnwaet ontfanghen hebbende, maer zegghende dat hem niet en was ghelevert zulc lijnwaet alsinen hem sculdich was te leverne, naer der voorwaerde daer up ghemaect, daer an hy bescadicht was L. l.g., also hij, int Vste article van zijnen eesche, gheseit hadde, presenterende tvors. lijnwaet payement ende afslach te zijne van den vors. lakenen, de vors. L. l.g. daer in niet ghere-kent zijnde, de vors. aeldinghers, daer up, repliquierende dat zij, van der vors. voorwaerde, niet en wisten maer, naer dien dat de vors. Willem tvors.

(a) Dans la marge : II.

lijnwaet ontfanghen hadde, zonder wederzegghen of refuus te doene, dat het gheheel ende al sculdich was tzijne afslach van den vors. lakenen, zonder eeneghe verminderthede of afslach daer in te geschiene, met meer redenen die de vors. partien daer toe zeiden ende allegierden, so was, bi den ghemeenen college van scepenen van Brugghe, gheseit, verclaerst ende ghewyst dat de helftscheede van al den vors. lijnwade, ten prise van der vors. somme van IIC XCIX l. IX s. X d.g. sculdich es, den vors. aeldinghers, van haren deele ende avenante, payement ende afslach te zijne van den vors. lakenen, zonder de vors. L l. g. daer af afslach zijnde, alzo, bi den vors. scepenen, int vors. Vste article van svors. Willems eesche, verclaerst heift ghezijn.

Item, ten derden article (a), daer de vors. aeldinghers segghen ende overgheven dat, van svors. Clais vander Buerse weghe, noch den vors. Willemme ghelevert hebben ghezijn XLVIIM VIIC IIIIXX IX l. ysers, te IIII s.g. thondert, bedraghen XCIII l. XI s. VIII d.g., begheerende die evenverre dat het haerlieder heltscheede angaet, in sghelijcx afslach te zijne van den vors. lakenen, daer up, de vors. Willem (b) verandwoordt heift dat hij noyt meer ysers ontfanghen en heift van den vors. Claise dan de twee parceelen die hij, boven, int eerste article, ghekent heift, ende dat hij mainteneirt dat dit parceel van ysere (c) begrepen es in de vors. twee parceelen, ende es al tzelve ysere wat de zelve twee eerste parceelen beloopen tzamen juuste ten vors. ghetale van XLVIIM VIIC IIIIXX IX l. ende dat, alzo de vors. aeldinghers, by dolinghen, dese somme van ysere tweewaerven overgheven, de vors. aeldinghers, daer up, repliquierende dat zij, al tvors. ysere vinden ghelevert zynde, by svors. Clais bouxkine, te wetene de twee eerste parceelen verclaerst, int eerste article van haerlieder eesche, int LIIIIste blat, ende dit laetste parceel int LXste blat, bij welken bouxkine zij bliven willen want zij, vander zake niet anders en weten noch en bevijnden, daer jeghen de vors. Willem dupliquierde dat het wel claerlike bliken mach dat, int eeschen van desen parceele, / dolinghe es, bi tgoend dat vors. es, ende ooc dat, de vors. Clais, jeghens hem, noyt verbonden was meer ysers te leverne dan LM ysers al (d) dat zeide bliken bij eenre cyrographie, daer up ghemaect, die hy tooghede, zeghende ooc datmen, den vors. cleenen bouxkine, niet sculdich es ghelove te ghevene maer, wilden de vors. aeldinghers tooghen de groote bouken van den vors. Claise, hij hoopte dat men, daer in, meer verclaers vijnde zoude, met meer woorden die de vors. partien daer to zeiden ende allegierden, so was, bi den vors. ghemeenen college van scepenen van Brugghe, gheseit, verclaerst ende ghewijst dat, ghesien de voor-

105 vº

(a) Dans la marge : III.

(b) Lettre d raturée.

(c) Ces deux derniers mots dans la marge.

(d) Un mot se trouvant caché par un trou.

waerde tusschen den vors. wijlen Claise ende Willemme ende ooc ghehoort tverclaers van Johannes Hoonin, als makelare van desen zake, ende van svors. Johannes Hoonins bouke, ende ghemerct de ghelikenesse van desen parceele van ysere metten vors. II eersten parceelen dat de vors. Willem sculdich es te verclaersene, by zijnen eede, hoe vele ysers hij, van den vors. Clais of van zynen weghe ontfanghen heift, ende de vors. Willemme, daer up, verclaersende, bij zynen vors. eede, dat hy niet meer ysers ontfanghen heift dan de twee parceelen van ysers bij hem verkent, int vors. eerste article, te wetene XXXVIIIM VIIIC XIII l. ende IXM XXIIII l. min, so was, bi den vors. ghemeenen college van scepenen van Brugghe, gheseit, verclaerst ende ghewijst dat de vors. aeldinghers gheene (a) cause en hebben tparceel van ysere, in dit point verclaerst, voort te stellene in payemente van den vors. lakenen, ende dat, daer af, de vors. Willem sculdich es te blivene onghemoyt.

Item, ten vierden ende laetsten article (b) van den eeschen vanden vors. aeldinghers, daer de zelve aeldinghers voorstellen ende zegghen dat, bi den vors. Claise, den vors. Willemme noch ghelevert zoude zijn hondert LXVII balen roken, de welke woughen net hondert LXIIII kerken IIC XCV lb., alzo zij dat zeiden bliken, bij svors. Clais bouxkine, begheerende die evenverre dat het haerlieder helftscheede angaet, ooc payement ende afslach tzijne van den vors. lakenen, daer up, de vors. Willem verandwoordde dat hij onder voren ende naer niet meer ontfanghen en hadde, metten vors. eersten LXXX kerken CIIII l. roken dan omtrent de vors. hondert LXV kerken IIC XC l. roken, presenterende dat te betooghene, bij Johannes Hoonin bouke, als makelaere van desen zake, ende alzo zouden de vors. LXXX kerken CIIII l. twee waerf gherekent zijn, alzo hij mainteneirde, den vors. aeldinghers daer up repliquierende dat zijt alzo ghescreven vonden, int vors. Clais bouken, te twee parceelen ende en zouden in gheener manieren eene zake twee waerf eesschen willen daer zijt wisten, met meer redenen bi den vors. partien daer toe ghezeit ende gheallegiert, so was bi den vors. ghemeenen college van scepenen van Brugghe gheseit, verclaerst ende ghewijst dat, ghehoort (c) tverclaers vanden vors. Johannes Hoonin ende van zijnen bouke daer in dat bevonden es dat Willem Cotsbrouc ontfanghen heift van den vors. Claise C LXVI kerken XC l. roken, zonder meer, ende voort up al rijpelike ghelet dat de vors. Willem sculdich es te verclaersene, bij zynen eede, hoe vele aluuns hij ontfanghen hadde van svors. Clais weghe, / ende den vors. Willem verclaersende dat hijs niet meer ontfanghen hadde dan C LXVI kerken XC lb. roken, so was, bi den vors. ghemeenen college van scepenen van Brugghe, gheseit, verclaerst ende ghewijst dat de helftscheede van den vors. C LXVI kerken XC l. roken, zonder meer,

f⁰ 106

(a) Une lettre l barrée.

(b) Dans la marge : IIII.

(c) VI barré.

sculdich zijn den vors. aeldinghers over haerlieder deel payement te zijne,
upte vors. lakenen affghesleghen, daer af int gheheele, in dit article, LXXX
kerken C IIII l. roken mids datse, int vors. eerste article, eens verclaerst
zijn afslach ende payement te zyne. Actum XXXVta augusti anno XLIX°
presenti Nieuwenhove, Heldebolle, Artrike, Ritsaert, Witte, Brandereel,
Barvoet, Handvate, Brantere, Male.

7

Remontrance adressée par Louis, roi de France, à Philippe, duc de Bour-
gogne, au sujet des projets de départ pour la croisade de ce dernier, avant
la conclusion de la paix ou d'une longue trêve avec l'Angleterre.

Lille, 23 février 1464 n.s.

A. Original perdu.

B. Copie authentifiée par Denis-Joseph Godefroy, directeur des archives de la Chambre
   des Comptes de Lille, 2e moitié du xviiie; à la fin de l'acte : « conforme à l'original
   (s.) Godefroy (avec paraphe) ».
   Cahier de 8 folios de papier, H. 334 mm., L. 210 mm.
   A.G.R., *Trésor de Flandre*, 1re série, n° 2591.
   La pièce porte en tête 1) dans la marge : « 1463.23 février a Lille (a) mélange (b) »;
   (2) « Remontrance que Philippe 2d fit faire à Philippe, duc de Bourgogne, des
   inconveniens qui pourroient arriver dans son royaume au cas qu'il allât à la croisade
   contre les Turcs sans être sur d'une paix ou du moins d'une longue treve avec le
   roi d'Angleterre ».
   Mention dorsale : « 1463, 23 février » (avec paraphe).

Ainsy que le roy a eu tousiours sa parfaite fiance en vous, monseigneur,
il a maintenant necessairement a vous remonstrer que, comme vous scavez
assés, les anciennes guerres de France et d'Angleterre ont esté cause de la
totale destruction, povreté et misere en quoy est ce royaume.

Et ainsy que l'autre jour, par Havart, le roy vous fist remonstrer, quand
il eut les nouvelles de Messieurs de Tournay et de Montigny[1], vous avez
montré au roy par les grans services que luy avez fais en sa necessité que
vous ne le vouldrez habandonner au besoing. Et aussy comme votre allee ne
f° 1 v° touche / pas seulement vous mais le roy et tout son royaume et, se, par
votre moyen, paix ou treve n'y est mise, devant votre departement, il n'est
pas a esperer qu'il y ait jamais bonne conclusion, veu mesmement que,
graces a Dieu, par vous, elle est, a ceste heure, la plus aprouchee qu'elle fut

___

(a) Le mot croisade est barré.
(b) Ces mots sont soulignés.
[1] Guillaume Fillastre et Simon de Lalaing.

depuis l'an mil IIICXXXVII que le roy Edouart prinst la querelle et tiltre de roy de France a la requeste des Flamens.

Et ainsy que avez peu cognoitre, par les paroles que le roy dit a Hesdin, en votre presence, aux chancellier et ambaxadeurs d'Angleterre, c'est a scavoir qu'il s'en remettoit du tout en vous de sa part, et les dits chancelliers et ambaxadeurs disrent pareillement de leur part et y furent aucunement recitéz les biens que avez fais a tous les deux roys.

f° 2

Ces choses considerees, et les inconvenients qui peuvent obvenir par la guerre, tant ou royaume que en vos pays, et les biens qui pevent venir de la paix ou treve longue / et le grant besoing qu'il est d'avoir ceste paix ou longue treve, si vous voulez que le service que vous entreprenez faire a Dieu ait aucun bon effet, ce que autrement le roy ne voit point qu'il puisse avoir.

Il vous requiert et neantmoins commande, sur toute l'amour que vous avez a luy et a l'ostel dont vous estes issu, et a toute la chose publique de son royaume ou vous avez, graces a Dieu, de grans interets, et attendu que vous avez eté commainceur de ceste journee et que, pour honneur et amour de vous, le roy y a entendu et, ja, en sa personne, l'a dit, en votre precence, a Hesdin, comme dessus est recree, et sur toute la fiance qu'il a en vous.

f° 2 v°

Que vous ne veuillez pas l'abandonner, tant que ceste journee par vous entreprise soit tenue, et bonne conclusion prinse en icelle, laquelle est si briefve que, a bien l'entendre, et pour les raisons qui s'ensuivent, elle ne impugnent point votre entreprise mais sera cause de luy donner entiere et parfaite conclusion au service et a l'honneur de Dieu et de vous, du roy et de toute la maison de France, dont vous estes yssu, ce que vous devez desirer car, quant vous vouldriez plustost partir, il ne luy plairoit point.

La première raison pourquoy vous devez attendre la journee est que, si vous en allez devant que y prendre aucune conclusion, vous laisserez le roy, le royaume et vos pays meisme en dangier; ce que ne devez pas faire par votre veu, car il porte par exprés que vous devez laisser vos dits pays en seurté et semble ceste cause de delay estre bien raisonnable.

f° 3

Item vous, monseigneur, estes homme du roy, et par le serment et hommage que luy avez fait, ne le pouvez habandonner mais le devez servir contre ses ennemis et estes a ce tenu et abstraint bien autrement que n'estiés au roy son pere auquel vous n'aviez fait jamais hommage et duquel vous estiez exempt.

Et quant les Anglois feront guerre au roy, il est impossible que vox pais et subgiés demeurent en paix et sureté, ce qui est trés apparent de venir quant vous partirez devant la dite journee, car il n'y eut, passé il y a bien longtems, deux rois és deux royaumes qui ayent tant congneu comme ceulx cy, ne qui se soient ainsy montrés de leurs personnes par tout la ou ils se sont trouvés, ne qui si chaudement ne sitost entreprissent la guerre l'un contre l'autre, si ce n'etoit pour vous, a qui il sont tenus d'obeir et aussy il n'y a celuy qui ne montre de le vouloir faire, comme ils feroient eulx d'eulx, car je crois qu'il n'y a celuy des deux roys qui ne se y mist le premier en personne et qui n'eut grant honte se ung de ses / gens l'avoit passé et esté plus avant que luy : or povez penser, quant deux tels princes y seroient en personne, quel feu il s'allumeroit par la faute de votre presence et quel dommaige ce seroit à la chretienté, car il y a plus de revenche pour la ditte chretienté és dits deux royaumes, qu'il n'y a eu tout le demeurant d'icelle.

fo 3 vo

Item la chose demourant en ce danger, le roy, auquel appartient la garde et deffense de son royaume, et luy en a Dieu donné la charge ne pourroit bonnement laisser partir d'icelluy les nobles et vaillants hommes qui sont establis et ordonnés pour la défense de son dit royaume, et quant il le feroit, seroit a luy grant charge d'onneur et de conscience. Item et, avec ce feroit grant mal ausdits subgiés du royaume de lesser les nobles leurs terres et seignouries, et les autres leurs pays et villes ou dangier des / Anglois et n'est point a croire que la plus part d'entre eulx voulsissent ainsy habandonner leur roy et tous leurs biens, quant la guerre seroit ouverte, et mesmement ceulx des pays voisins et de la mer et des Anglois.

fo 4

Item est a presupposer l'entention des Venecians touchant cette matiere, car ils ne tachent que a conquerir la Morée, pour eulx et puis s'en retourner dont peu de fruit puet venir a la chretienté et s'ils voyent qu'ils ne le puissent faire, de prendre paix avec le Turcq, laquelle chose seroit contre votre intention et, si ne seriez pas puissant pour ceste heure pour y contredire, car il n'y a, en ce voiage, que trois puissances, celle du pape, la votre et celle des Venetians et non obstant que le pape fasse son compte de Xm, il n'en aura pas le tiers, et ainsy celle des Venetians sourmontra toutes les deux / par quoy vous ne pourrez faire que ce qu'il leur plaira, et ainsy ne pourriez faire service selon votre intention a la chretienté mais a eulx seulement et aussy l'assemblee se fait en leur terre.

fo 4 vo

Item et quant ils devroient tirer oultre et recouvrer l'empire de Constantinople, si etes vous trop plus tenus au roy et a ses pays et subgiés que vous n'estes à l'empereur de Grece et autres seigneurs de Levant et ne seroit pas grant honneur a vous de les vouloir remettre sus et laisser destruire le roy et le royaume aux Anglois qui plus y ont fait de maux par cy devant que n'ont fait les Turcqs ou pays qu'ils ont conquis.

Item aussy seroit detruit la pluspart de vos gens, car tous ne sont pas fourny d'argent comptant, en si grant somme qu'il leur fait besoin pour si long voyage / et pour en recouvrer faudra qu'ils vendent de leurs meubles ou heritages, dont ils ne trouveront pas le quart de ce qu'il vauldra, quant on scaura qu'il leur sera force de faire finance ainsy hastivement.

fo 5

Item devez considerer que, en tous les grands affaires qu'avez eu a conduire par cy devant vous vous y etes si sagement gouverné que tousiours vous en est bien prins et n'y auroit point de raison que, en cestuy qui est le plus grant, que vous entreprinstes oncques y eult aucune faulte, dont le grant los et bonne renommee que avez eu par cy devant, peust en rien amendrir et en effect monseigneur, touchant vostre partement, il gist en la hastiveté beaucoup plus de peril que d'honneur.

fº 5 vº   Aussy est a considerer que, si vous, monsieur, tenez ceste dite journee, vous pouvez faire, par ce moyen, une plus / grant armee que si vous estiez roy d'un des deux royaumes de France ou d'Angleterre; car vous ne vous pourriez aider que de l'un des deux royaumes et, si vous attendés, la ditte journee en faisant paix ou treve longue, vous vous pouvez aider de tous les deux amplement et sans nul contredit car vous avez aprés Dieu et Notre Dame et les Saints, esté seul cause d'avoir fait les deux roys, tant de France que d'Angleterre, et leur povez remonstrer qu'ils vous doivent aider, car vous ne les requerrez ne pour ambition de seigneurie, ne pour haine ou vengeance particulière que vous ayez, ne contre nuls de leurs amis, non obstant que devés bien avoir la fiance en eulx qu'ils ne vous y faul-droient pas, et y seroient bien tenus, mais vous les requerrés pour le service de Dieu et de toute la chretienté et ne vous pevent escondire.

fº 6   Et en tant que touche le roy, la paix / ou treve souffisant prise, il vous accompagnera de Xm combattans et les paiera du sien pour III ou IIII mois, sans toucher ung blanc ne ung denier de tout l'argent qui sera levé en quelque facon que ce soit de par l'eglise en tout le royaume, et n'est pas a croire que les Anglois n'en facent autant puisque les Francois le feront, car il se tiennent aussy puissans de gens et souvent osent bien envahir le royaume et leur seroit honte s'ils en faisoient moins.

Et quant on verra telle compaignie partir avec votre personne, il se y en mectra plusieurs par devocion a y aller, ausquels le roy est content donner congié, pour autant qu'il en vouldra aller oultre le nombre dessus dit, et serés hors de tous les inconveniens qui vous pourroient avenir par la malice des Venetians, se vous y alliez faible, et que vous ne peussiez faire entre-
fº 6 vº   prinse de vous mesmes /, qui sont choses a craindre et a doubter veu ce qu'ils ont accoustumé de faire en toutes leurs matieres, car il tiennent une oppinion publiquement et sans honte nulle que, quelques promesses qu'ils facent, quant ils voyent leur prouffit, ils la pevent rompre sans reproche nuls; et ne seroit pas honneste chose que ung si prouchain parent du roy comme vous, allast si peu accompagné qu'il faillist qu'il fist son armee soubs celle des Venetians, car il ne faillit oncques de la maison de France passé a cinq cens ans, un si riche prince ne si honnoré ne tant renommé comme vous, par quoy devez peser ceste matiere comme chose qui ne touche pas a vous seulement mais au roy et a tout son royaume et a la renommee perpetuelle de l'ostel dont vous estes yssu.

Et pour satisfaire a tout, sembleroit que devriez faire deux choses en attendant / votre partement, la premiere envoyer une armee par mer, pour satisfaire aux demandes que pour le present on vous fait, et envoyer votre artillerie devant vous attendre a Marseille, en attendant la belle et grosse armee que vous ferez au plaisir Dieu et de Notre Dame, ceste journee tenue, car l'armee que vous meyneriez maintenant ne seroit pas souffisant a faire entreprinse pour vous seul, et servira autant ceste cy, qui ira devant a satisfaire aux demandes dessus dittes, comme celles que mayneriez en partant maintenant, et se donnera esperance de grant secours ce que celle que y maineriez, quant on verroit votre personne a si petit compaignie, osteroit de tout point. Et pour ce, veu les raisons que l'autre jour, par ledit Havart, vous furent bien au long remonstrees et qui cy dessus aucunement sont touchees cest la droicte / maniere possible pour grever les mescreans et faire service a Dieu, a l'onneur de vous, du roy et de tout l'ostel de France, et affin que Dieu et tout le monde cognoisse la grant affection que avez de faire service a toute la chretienté, et par effect et comme vous le voulez entreprendre, en si bonne forme et maniere que la chose soit conduisable. Le roy et vous monseigneur devez envoyer vos ambaxadeurs, tant devers notre saint pere que les autres princes chretiens, leur remonstrer ces choses et les raisons dessus dittes, par lesquelles ils verront clerement que avez grant cause et raisonnable de prendre ce delay et en ce faisant, vous satisferez beaucoup plus grandement, que par la premiere ouverture n'estoit possible, au recouvrement et a la resource totale de la chretienté car la grant hastivité pourroit trop plus / retarder l'onneur que y devés avoir de l'avanser, et y a grand difference de Xm combattans, que vous pourriez a present mener, a la puissance des deux royaumes dont, la journee tenue, vous vous pouvés aider avec la votre, et estes ja asseuré de Xm combattans, tout a un coup, du roy, sans ceulx qui iront a leur devotion, et, par ce moyen, vendrez a bout, a votre grant honneur, de la plus haulte euvre qui oncques fust entreprinse depuis cinq cens ans en ca.

Fait a Lille lez Flandres, le vingt troisieme jour de fevrier l'an mil CCCCLXIII.

(signé) Bourré.

8

Doléances présentées par les représentants du duc de Bourgogne à une ambassade anglaise, conduite par l'évêque de Salisbury, au sujet des relations commerciales entre les Etats bourguignons et l'Angleterre.

[1467]

A. Original. Papier, H. 299 mm., L. 215 mm. Petit cahier de 4 folios numérotés fo 267 à 270 vo relié dans un recueil reposant aux Archives de la ville d'Anvers, Privilegekamer, no 1050. Le fo 270 est vierge, au fo 270 vo figure la mention en écriture du xve siècle : « gebreken aengaende den entrecours vanden coopmanscapen tusschen den cooplieden uit Engelant ende myns genadigen heeren desen jare ».

En ensuivant ce que par monseigneur de Salesbiry et autres d'Engleterre d'une part, et aucuns commis de par monseigneur le duc d'autre part, pour entretenir bonne communicacion de marchandise entre les pays de l'une seigneurie et de l'autre, et oster toutes matieres qui y porroient donner empeschement, a esté advisé que d'ung costé et d'autre seroient bailliéz, par escript, les plaintes, doleances, difficultéz et interesséz que ceulx de l'un costé pevent pretendre sur l'autre, affin de le tout veu y trouver quelque bonne et admiable yssue dont chascun se doye par raison contenter tousiours, au bon plaisir des princes d'un costé et d'autre; de la part des dits commis de mon dit seigneur le duc ont esté bailliéz les poins et articles qui s'ensuivent :

[1.] Et premiers, semble aus dits commis que, comme les marchans d'Engleterre pevent aler et comerser és pays de mon dit seigneur par tout ou il leur plaist, et y acheter telz marchandises en denrees qu'ilz y treuvent a eulx propices, a telz pris dont ilz pevent convenir avec les vendeurs, et icelles emmener en leur pays, en payant seulement les tonlieux accoustuméz, pareille franchise devoit estre aux marchans de par deca pour aler et commerser és marches d'Engleterre, et y acheter les denrees a eulx convenables, comme laynes, peaulx, estaing, plomb et semblables, et icelles faire amener par deca, en payant les coustumes et tonlieux accoustumees ou dit pays, sans ce qu'ilz soient constrains de telles denrees prendre en certain lieu que l'on nomme estapple et non ailleurs, car, a parler en toute raison, equalité doit estre gardé pour l'un costé et pour l'autre.

[2.] Et come par deca ne se font quelques ordonnances, restrictions ou limitacions sur les marchans des pays de mon dit seigneur qu'ilz ne puissent vendre aux Angloix leurs denrees et marchandises ainsi qu'il leur plaist, et a telz pris qu'ilz en pevent convenir ensemble, pareillement devoit estre fait par de la que les marchans d'Engleterre eussent telz franchises de vendre leurs denrees a ceulx de par dela.

[3.] Item et s'il semble a mes dits seigneurs les commis de la part d'Engleterre / que possible ne soit de mectre jus l'estapple de Calays qui, par l'ordonnance du roy d'Engleterre, et de tout le royalme, a esté si long temps entretenu s'y fault il et est de necessité que les marchans qui amenent leurs denrees au dit estapple ayent franchise de les vendre a telz pris qu'ilz en pourront avoir, et que pareille franchise soit aux acheteurs de les acheter a telz pris qu'ilz en pourront accorder, et que toutes ordonnances ou restrictions au contraire, tant sur les ungs que sur les aultres, qui toutes sont contraires au bien publicque de la communicacion de la marchandise, soient ostees et mises jus et qu'il soit deffendu au dit de l'estapple d'en plus user pour le temps advenir.

[4.] Et pour ce mieulx declarer les dits de l'estapple ordonnent quant il leur plaist certaines charges sur les laynes que l'on amene ou dit estapple,

267 vº

oultre et par dessus les drois que le roy prent, qui sont de XVIII nobles
sur chascune sarpléz, comme environ ung noble pour chascune sarpléz, tant
pour le clerc du roy que pour les dits de l'estapple comme autrement.

[5.] Item les dits de l'estapple ordonnent souvent, et quant il leur plaist,
le pris des laynes qui sont a l'estapple, tellement que les marchans d'Engleterre qui les ont fait venir ne les oseroient donner a moindre pris, ja voulsissent ilz estre contens de moindre gaing; et fault que le vendeur et
l'acheteur facent serement solempnel de non avoir transgressé la dite ordonnance, qui est grant reculement de la marchandise aussi bien pour les
vendeurs que pour les acheteurs.

[6.] Item ordonnent encores souvent que l'argent venant de la vendicion
des laynes se delivre és mains des collecteurs du dit estapple, et non au
vendeur; si non certaine porcion au regart de la generalité des laynes qui
sont ou dit estapple, en distribuant le residu du dit argent aux aultres qui
y ont laynes non vendues, a chascun selon sa quantité, qui est aussi grant
reculement aus dits marchans anglois de y amener leurs laynes, qui conse-
quemment redonde au dommaige des marchans de par deca. /

[7.] Item ordonnent iceulx de l'estapple, quant il leur plaist, que nul
marchant d'Angleterre ne puist vendre ses laynes aux marchans de par
deca, si non en argent comptant, sans riens laissier a creance, ne tout ne
en partie et sans povoir user de changement ou commutacion a autre denree,
ja feussent les dits Anglois bien contens de croyre jusques a certains termes,
en tout ou en partie, ou aussi de changier a aultre denree, qui est grant
reculement de la vendicion des dites laynes et de la marchandise.

[8.] Item ordonnent aussi, quant il leur plaist, sur la maniere des paye-
mens des laynes, que partie du pris sera billon, et se l'acheteur ne peult
finer de billon, ilz se recompensent et prendent de l'acheteur, au lieu de tel
billon, quelque somme environ d'un noble pour sarplier.

[9.] Item par fois font les dits de l'estapple ordonnance que nulz des
subgéz de mon dit seigneur n'y plut acheter layne, s'il ne paye le pris du
dit achat, en monnoye courant és pays de mon dit seigneur, et refusant a
recevoir la monnoye du roy d'Engleterre, leur seigneur, au mesme pris
qu'elle a cours ou dit royaume, et tiennent de present ceste ordonnance qui
semble chose bien deraisonnable.

[10.] Item les dits de l'estapple mectent avant souvent, et quant il leur
plaist, certaines ordonnances sur la distinction des laynes : assavoir que
oultre les laynes des marchans, ilz en nomment aucunes laynes d'estapple
ou laines vielles, et ja soit ce qu'elles ne soient meilleurs que les aultres,
mais soient pires et de moindre pris, si constraingnent ilz les marchans de
par deca a ce que, aprés ce qu'ilz ont fait leur marchié des laynes avec les
marchans d'Engleterre, a tel pris dont ilz ont accordé ensemble, ilz prendent
des dites laynes de l'estapple une quantité a tel pris qu'il leur plaist ordonner,

lequel pris est souvent si desraisonnable, que, aucune fois, les marchans de
par deca offrent bailler et donner, en argent comptant, la moictié de la
valeur des dites laynes, pour estre quictes de les prendre, qui est grant
grief pour les marchans de par deca, et aussi pour les marchans de par dela,
et grant reculement du fait de la marchandises. /

f° 268 v°

[11.] Item les dits de l'estapple de Calais, par fois et encore de present,
constraingnent les subgéz de mon dit seigneur, qui y vont pour acheter
laynes ou peaulx, que incontinent qu'ilz y sont arrivéz, ilz mectent tout leur
argent en la main du tresorier de l'estapple qui le reçoit et seelle de son
signet, et ne pevent ravoir ne recouvrer leur dit argent que a tout le moings
les deux pars n'y demeurent pour paiement du total, ou des deux pars des
laynes ou peaulx qu'ilz y achectent, et la tierce part y demeure pour seureté
de ceulx ausquelz ilz doivent du temps passé, et sez ne doyvent riens, et
qu'ilz vueillent ravoir le demourant de leur dit argent, il ne leur sera rendu
si non parmi payant la courtoisie.

[12.] Item les subgéz de mon dit seigneur sont fort grevéz par les pac-
quiers des laynes, és quelles ilz se treuvent souvent frauldéz, quant ilz font
ouvrir par deca les dites pacquures, ou que aultres, ausquelz ilz les ont vendu
par deca, les font ouvrir; a laquelle ouverture ilz treuvent souvent grans
faultez par ce qu'il y a laynes entremeslees qui ne sont pas de telle sorte
comme le tiltre de l'empaquure le porte, ou qu'il y a entremeslees laynes
pourries, dont ilz devroient par raison avoir recours sur les marchans qui
les ont vendu a Calais, ou sur ceulx de l'estapple. Mais quant ilz se trayent
devers le dit de l'estapple, pour remonstrer la faulte qu'ilz ont trouvé en la
dite pasquure, en baillant sur ce certifficacion pertinente, s'y n'en pevent
ilz avoir raison, et quant ilz ont trouvé le marchant par deca qui a vendu
icelle pacquure, et qu'ilz ont trait devant les loix de par deca, ou ilz ont
obtenu condempnacion sur le dit marchant s'ilz sont depuis trouvéz ou dit
Calais, ilz y sont constrains rembourser icelluy marchant de tout ce qu'il
en a payé, et pour oster toutes telles poursuites que les dits marchans de
par deca porroient faire de telles faulses pacquures, les dits de l'estapple
se sont adviséz de mectre avant une ordonnance que les dits marchans de
pardeca ne leveront illec quelques laynes si non qu'ilz recongnoissent par
leur seelle qu'ilz se sont tenuz pour bien contens de l'empacquure.

f° 269

[13.] Item les marchans subgéz de mon dit seigneur, alans acheter laynes / et peaulx a l'estapple, sont constrains de paier, pour leur despens de
bouche et de leur chevaulx, la tierce partie plus que les aultres communs
passans qui est aussi reboutement des dits marchans de par deca.

Et au regart des autres marchans d'Engleterre, au dehors du dit estapple,
ilz usent pareillement de restrictions et ordonnances generales et prejudiciables aux marchans de par deca, et pour ce declairer, ilz usent de trois
manieres de restrinctions, lesquelles, ja soit ce qu'ilz les adressent directement

contre ceulx d'Engleterre, si sont elles contraires au bien publicque de marchandise et aux marchans de par deca.

[1.] Premierement, quant ilz viennent és foires qui se tiennent par deca, et qu'ilz y voyent grant habondance de denrees des pays de mon dit seigneur, et grant multitude de marchans d'Engleterre pour les acheter, le court-maistre et aucuns particuliers avec lui font restriction et limitacion sur les pris des dites denrees, en ordonnant sur grans peines a tous leurs marchans que nul ne passe tel pris pour telle denree acheter, vueillans par ce constraindre les marchans de par deca, pour bailler leurs denrees a moindre pris qu'elles ne valent, en quoy aussi ilz font tort aux marchans d'Engleterre qui vouldroient bien donner plus grant pris et eulx contentant de gaing raisonnable.

[2.] Secondement ilz font souvent restrinctions contre certaines villes ou certaines personnes de par deca, en ordonnant que nul d'Engleterre ne achete les denrees de telle ville ou de telle personne, pour leur faire dommaige, a cause que par adventure on ne les a voulu par icelle ville ou icelle personne bailler les denrees a leur plaisir, sy les vueillent aussi adommagier pour donner crainte aux aultres. /

269 v°

[3.] Tiercement font souvent restriction sur le temps de foire, en ordonant que nul d'Engleterre n'achate a icelle foire quelque denree devant la fin de la foire, ou acune ffois jusques aprés l'yssue d'icelle, quant ilz espeirent le povoir ralongier et ce affin de plus annuyer noz marchans et que par tel annuy et tannance d'estre si longuement hors de leurs hostelz, ilz baillent leurs denrees a bas pris, lesquelles choses sont voyes de soutineté cauteleuse qui ne fait a tollerer.

Par toutes lesquelles ordonnances et restrinctions, les marchans de par deca sont fort grevéz et interesséz, et le bien de marchandise fort reculé, sur tous lesquelx inconveniens peult estre remedié par un seul point : assavoir que plaine et entiere franchise et liberté soit aux marchans d'un costé et d'autre de marchander les ungs avec les autres, en vendant et achetant, tant ou fait de l'estapple comme ailleurs, a leur bon gré et plaisir, et a leur meilleur prouffit, ainsi qu'ilz se saront accorder ensemble, en mectant jus toutes les ordonnances et restrinctions, et que deffendu soit, tant d'un costé que d'autre, de plus fere sur iceulx marchans, non plus sur ceulx d'Engleterre, que sur ceulx de par deca, quelques telles ou semblables restrinctions et limitacions, mesmement se mon dit seigneur le duc en vouloit ainsi user par deca, toute marchandise entre les dits pays amenriroit de jour en jour, et finablement cherroyt a neant, car il est tout certain que, pour entretenir les charges cy dessus escriptes, les subgéz de mon dit seigneur auroient a supporter a telle charge sur chascune sarplier de layne, qu'est celle que le roy y prent, ou plus, par quoy seroit forcé de fere cesser la drapperie des pays de mon dit seigneur, ou qu'ilz preinssent laynes ailleurs, et se depportassent les dites laynes d'Engleterre.

9

Plaintes des bourgeois d'Anvers au sujet des injustices qu'ils subissent tant
en qualité de marchands que de capitaines de bateaux.
s.d. [milieu du xvᵉ s.].

A. Original. Papier. H. 304 mm., L. 290 mm. Feuille reliée dans un recueil reposant
aux Archives de la ville d'Anvers, Privilegekamer, nº 1050, fº 295.
Au dos : mention en écriture des xviᵉ-xviiᵉ s. : « Clachten dier van Antwerpen
aengaende tgene daer mede in Engelant beswaert ende verongelijct worden ».

Dit syn eenige van den punten daer mede de poerteren van Antwerpen
veronrecht ende beswaert worden in de conincryke van Yngelant .

[1.] In den yersten, hebben zy van ouder gewoenten altyt gegeven XV. d.
van elken ponde vander costumen ende niet meer en plagen zy te gevene,
maer nu moeten zy geven, boven de voirs. XV d., IIII d. vanden ponde,
ende die syn nieuwelinge op comen ende heeten dat oestgelt, ende in dierse
plach de weerd dese IIII d. te heffenen doen zy op geset warden, maer nu
worden die verpacht zekeren personen diese heffen ende regeren.

[2.] Item geven zy noch, boven doude gewoente stedegelt, te wetene van
eenre tonnen zeepen oft smouts oft dies gelike III d. sterlinx, ende voert,
van allen anderen goeden na avenant.

[3.] Item als de poerteren van Antwerpen daer met hoeren goede comen,
so en mogen zy dat goet niemende vercoepen dan vryen mannen van
Lonnen, ende desgelycx en moegen zy oic gheenrande goet weder in coepen,
dan jegens hen, ende dit en plach also niet te zine dwelc een grote bezwaer-
nisse ende eyngenheit is, ende als men de contrarie dair af bevyndt, soe
wordt den poertere van Antwerpen dat goet ter stont genomen dat hy
vercocht oft gecocht heeft.

[4.] Item als een scipper van Antwerpen aldaer comt met sinen scepe, ende
geloft heeft ende weder geladen omme te zeilene, soe comen dofficiers
vanden coninc ende beslaen dat scep seggende dat de coninc hebben moet
tsinen dienste ende moet de scipper dat jegens hen verdingen ende geven
VI.X.XII oft XVI nobele, som meer som min, eer zy van den officiers orlof
hebben moegen, ende dit wordt den scippers telker reysen gedaen, ende
hoe langer hoe meer, ende dit gebuert hen altyd hoe wel dats de coninc
gheenen noot en heeft, ende als hijs behoeft, ende zy here dienen soe en
wordt hen den cost niet te vollen gegeven, maer grote slage en gebreken,
daer niet daer mede menich goet scipper verderft wordt ende goedeloes
gemaect.

[5.] Item als de scipper van Antwerpen al gereet leeght, met des coep-
mans goet, van daer te zeilene, soe plach een gewoente tzine dat zy ghingen
by des conincx tharsers die de coninc, daertoe setten plach ende solarys
te gevene, ende betaelden daer VIII d. voere haren bood, maer nu moeten
zy twee oft drie dage volgen, en de maeltyden geven, ende gelt daer toe,
eer zy van hen geraken comen, daer af zy dat wile IIII oft V nobele te
coste hebben, ende dit hueren zy nu jegens den coninc, ende geven hem
groot goet daer af daer zy solarys vanden coninc plagen te hebbene omme
de vremden scipman alsoe te beschattene.

[6.] Item soe en plagen de poerteren van Antwerpen van waterbaelliu
geen gelt te gevene noch oic anckerage gelt, dwelc den selven poerteren
noch wel kenlic is, ende noch opten dach van huden tot somigen plaetsen
in Yngelant vry zyn, ende aldaer niet en nemen, mids dat zy wel weten
dat men vry daer af is, dwelc zy nu geven moeten ende vele gelts gedraecht.

Item syn daer noch vele punten daer mede zy veronrecht worden, van
dage te dage, die te lanc te verhalen waren, daer mede de poerteren van
Antwerpen zeere belast worden, in contrarien der ouder gewoenten, want
tot vele plaetsen in Yngelant, gemeyn fame is dat de poerteren van Antwerpen also vry souden wesen, in Yngelant, als dingelsche tAndwerpen syn,
ende dat daer af zegele ende brieve syn in Yngelant ende tAndwerpen die
voertyden van beiden zyden gemaect syn geweest.

ANNEXES

1. — L'ENTRECOURS ET SES PROLONGATIONS

Date de l'acte	Expiration	Références
29. 9.1439	1.11.1442	*Pièces justificatives*, n° 4.
21. 1.1440	1.11.1447	P.R.O., *Treaty Rolls*, C 76/122/m. 22-24.
4. 8.1446	1.11.1459	T. RYMER, *opus cit.*, t. XI, pp. 140-146.
18.12.1462	1.11.1463	T. RYMER, *opus cit.*, t. XI, p. 497.
7.10.1463	1.11.1464	A.D.N., n° B 575/16033.
27.10.1464	27.10.1465	Mention dans F. PALGRAVE, *opus cit.*, t. II, p. 204.
24.11.1467	24.11.1497	T. RYMER, *opus cit.*, t. XI, pp. 592-598.

2. — EXPORTATIONS DE LAINE PAR LES MARCHANDS ANGLAIS [1]

Dates	Nombre de sacs (toisons et laine)	Dates	Nombre de sacs (toisons et laine)
1446-1447	798	1457-1458	7.725
1447-1448	11.096	1458-1459	6.512
1448-1449	181	1459-1460	90
1449-1450	14.351	1460-1461	9.579
1450-1451	6.070	1461-1462	2.682
1451-1452	7.768	1462-1463	4.556
1452-1453	5.843	1463-1464	8.365
1453-1454	1.241	1464-1465	6.666
1454-1455	10.877	1465-1466	6.389
1455-1456	6.923	1466-1467	9.066
1456-1457	2.244		

[1] D'après H.J. GRAY, dans E. POWER et M.M. POSTAN, *opus cit.*, pp. 402-404.

3. Graphique des exportations de laine par des marchands anglais   1446 - 146?

SACS
15.000
14.000
13.000
12.000
11.000
10.000
9.000
8.000
7.000
6.000
5.000
4.000
3.000
2.000
1.000
0

1446-1447
1447-1448
1448-1449
1449-1450
1450-1451
1451-1452
1452-1453
1453-1454
1454-1455
1455-1456
1456-1457
1457-1458
1458-1459
1459-1460
1460-1461
1461-1462
1462-1463
1463-1464
1464-1465
1465-1466
1466-1467

4. — EXPORTATIONS DE LAINE AU DEPART DE NEWCASTLE [1]

Années	Laine (sacs)	Toisons (sacs)	Total (sacs)	Remarques
12. 9.1421/31. 8.1422	149	10	159	
1. 9.1422/29. 9.1423	218	12	230	
29. 9.1423/29. 9.1424	339	16	355	
29. 9.1424/29. 9.1425	221	18	239	
29. 9.1425/29. 9.1426	196	12	208	
29. 9.1426/29. 9.1427	191	5	196	
29. 9.1427/29. 9.1428	286	44	330	
29. 9.1428/29. 9.1429	288	65	353	
29. 9.1429/29. 9.1430	—	—	—	
29. 9.1430/29. 9.1431	—	—	—	
29. 9.1431/15. 7.1432	—	—	—	
15. 7.1432/29. 9.1433	441	71	512	
3.11.1433/12. 5.1434	33	26	59	
12. 5.1434/29. 9.1435	201	11	212	
29. 9.1435/29 .9.1436	—	—	—	
29. 9.1436/25.12.1437	—	—	—	
25.12.1437/29. 9.1438	—	—	—	
29. 9.1438/29. 9.1439	—	—	—	
29. 9.1439/29. 9.1440	—	—	—	
29. 9.1440/29. 9.1441	144	7	151	
29. 9.1441/29. 9.1442	346	23	369	
29. 9.1442/31. 9.1443	216	35	251	
31. 9.1443/29. 9.1444	343	39	382	
29. 9.1444/29. 9.1445	609	69	678	
29. 9.1445/29. 9.1446	693	97	790	
29. 9.1446/29. 9.1447	393*	127	520	* 17 « *aliens* » figurent parmi les exportateurs
29. 9.1447/29. 9.1448	643	59	702	
29. 9.1448/22.12.1449	59	42	101	
22.12.1449/29. 9.1450	—	20	20	
29. 9.1450/29. 9.1451	—	35	35	
29. 9.1451/29. 9.1452	11	3	14	
29. 9.1452/30. 8.1453	186	127	313	
30. 8.1453/29. 4.1455	343	292	635	
29. 4.1455/13. 6.1455	—	—	—	
13. 6.1455/23.10.1456	299	176	475	
23.10.1456/10. 3.1458	213	106*	319	* dont 79 « *aliens* » parmi les exportateurs
10. 3.1458/21.12.1458	247	19*	266	* dont 5 « *aliens* » parmi les exportateurs
21.12.1458/24.12.1459	228	127	355	
24.12.1459/20. 9.1460	—	—	—	lacune dans la documentation
10. 5.1461/18. 2.1462	225	169	394	
18. 2.1462/ 1. 8.1463	157	258	415	
1. 8.1463/ 3. 5.1464	128	66	194	
3. 5.1464/ 4. 3.1465	133*	11	144	* dont 89 « *aliens* » parmi les exportateurs
4. 3.1465/11. 4.1466	50	124	174	
18. 3.1467/28. 3.1468	100	18	118	

[1] D'après L. Gray, dans E. Power et M.M. Postan, *opus cit.*, pp. 351-352.

5. — COMPARAISON ENTRE LES EXPORTATIONS DE LAINE
PAR LES MARCHANDS ANGLAIS
ET LES ACHATS A L'ETAPE PAR LES BOURGEOIS DE LEYDE

Achats par les bourgeois de Leyde [1]

Exportations de laine par
les marchands anglais [2]

Dates	Nombre de toisons	ou en sacs	Toisons évaluées en sacs	Sacs de laine	Dates
1453	315.704	1.311	1.126	4.717	1452-1453
1454	123.496	514½	492	749	1453-1454
1455	273.416	1.139	1.487	9.390	1454-1455
1456	384.167	1.600	2.405	4.518	1455-1456
1457	220.339	918	695	1.549	1456-1457
1458	278.903	1.162	1.215	6.510	1457-1458
1459	348.047	1.450	1.765	4.747	1458-1459
1460	292.704	1.219	1	89	1459-1460
1461	311.300	1.297	3.600	5.979	1460-1461
1462	336.662	1.402	813	1.869	1461-1462
1463	349.922	1.458	1.015	3.541	1462-1463
1464	182.080	758	2.036	6.329	1463-1464
1465	235.068	979	1.401	5.265	1464-1465
1466	256.972	1.070	1.279	5.110	1465-1466
1467	176.731	736	1.336	7.730	1466-1467
	Total	15.563½	20.666	68.092	

Moyenne annuelle :
les bourgeois de Leyde achetaient environ 1.037 sacs de toisons à l'Etape

Moyenne annuelle :
les marchands anglais exportaient environ 4.539 sacs de laine et 1.377 sacs de toisons, soit en tout 5.916 sacs de laine et de toisons.

Leyde concourait donc pour 1/6e dans les achats de laine aux marchands anglais.

[1] N.W. POSTHUMUS, *Geschiedenis*, t. I, pp. 421-422.
[2] H.L. GRAY dans E. POWER et M.M. POSTAN, *opus cit.*, pp. 402-404.

GRAPHIQUE DE L'EXPORTATION DE TOISONS PAR LES MARCHANDS ANGLAIS
ET DE L'ACHAT DE TOISONS A L'ETAPE PAR LES MARCHANDS DE LEYDE.

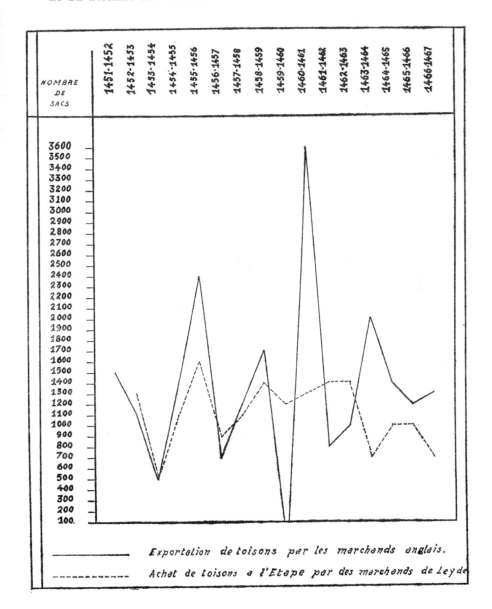

_____ Exportation de toisons par les marchands anglais.

_ _ _ _ _ _ _ _ Achat de toisons a l'Etape par des marchands de Leyde

7. — TABLEAU DES LAINES CONFISQUEES POUR FRAUDE

Date	Origine du propriétaire de la laine	Origine du bateau transporteur	Port d'embarquement	Destinatio
1436	Hollandais	Beverley	Yorkshire	Hollande
1437	Hollandais	—	Southwark	Zierikzee
1437	Hollandais	Hornes, Schoonhoven	Newcastle	—
1437	Anglais	Schiedam, Gouda	Grimsby (Kingston)	—
1437	Anglais	Brouwershaven	Great Yarmouth	—
1437	Anglais	Zélande	Cromer	—
1437	Flamand	—	Great Yarmouth	—
1438	—	Flandre	Castelbury	—
1438	Hollandais	Hollande	Londres	—
1438	—	Flandre	Lincoln	—
1439	—	—	Hornsburton	—
1439	—	Bergen-op-Zoom	Great Yarmouth	—
1439	Anglais	Vere	Barton-up-Humber	Zélande
1439	Anglais	Vere	Kingston	—
1439	Zélandais	Egmond	Great Yarmouth	Hollande
1439	Anglais	Vere	Barton (Kingston)	Zélande
1439	Anglais	Anglais	Boston	Amsterdam
1440	Anglais	Noordwijk	Boston	—
1441	Anglais	Lynn, York, Newark	Lynn	Vere
1444	Anglais	Orford	Great Yarmouth	Arnemuider
1446	Anglais	Brouwershaven	Kingston	—
1446	Anglais	Zélande	Kingston	—
1447	Anglais	Zélande	Kingston	—
1448	Anglais	Vere	Hedon Holderness	—
1448	Anglais	Hollandais	Hedon	Hollande
1449	Anglais	Dordrecht	Kingston	—
1449	Hollandais	Dordrecht	Kingston	—
1449	Hollandais	Gouda	Rochester	
1450	Anglais	Westenschouwen	—	—
1450	Anglais	Westenschouwen	—	—
1450	Anglais	Vere	Hedon Holderness	—
1450	Anglais	Hull	Kingston	Zélande
1450	—	Zélande		Zélande
1452	Anglais	Vere	Weymouth	—
1453	Anglais et Hollandais	Schiedam	Newcastle	—
1453	Anglais	Arnemuiden	Newcastle	—
1453	Anglais	Schiedam	Newcastle	—
1455	Hollandais	Vere	—	—
1456	Anglais	Gouda	Clyff by Lewes	—
1457	Anglais	Anvers, Middelbourg	Londres	—
1457	—	Westenschouwen	Kingston	—

| d'étape | Laine de Newcastle | | Agnelin | Slyght-wolle | Références |
Toisons	Sacs	Toisons	Toisons	Sacs	
600	—	—	—	—	H.J. Smit, *op. cit.*, t. II, p. 857, nº 1326
—	—	—	2600	—	P.R.O., *E 159/213*
—	16	1900	—	—	H.J. Smit, *op. cit.*, t. II, p. 685, nº 1109
500	—	—	—	—	H.J. Smit, *op. cit.*, t. II, p. 689, nº 1117
—	—	—	1000	—	H.J. Smit, *op. cit.*, t. II, p. 683, nº 1107
1200	—	—	—	—	H.J. Smit, *op. cit.*, t. II, p. 701, nº 1132
300	—	—	—	—	P.R.O., E 159/213
—	—	—	—	—	P.R.O., E 159/214
300	—	—	—	—	P.R.O., E 159/236
—	—	—	—	—	P.R.O., E 159/216
400	—	—	—	—	P.R.O., E 159/216
—	—	—	407	—	P.R.O., E 159/215
300	—	—	—	—	H.J. Smit, *op. cit.*, t. II, p. 734, nº 1185
600	—	—	—	—	H.J. Smit, *op. cit.*, t. II, p. 752, nº 1216
—	—	—	800	—	H.J. Smit, *op. cit.*, t. II, p. 777, nº 1249
200	—	—	—	—	H.J. Smit, *op. cit.*, t. II, p. 735, nº 1186
—	—	—	—	—	H.J. Smit, *op. cit.*, t. II, p. 743, nº 1195
1014	—	—	—	—	H.J. Smit, *op. cit.*, t. II, p. 748, nº 1208
50000	—	—	—	—	H.J. Smit, *op. cit.*, t. II, p. 749, nº 1209
6633	—	—	—	—	H.J. Smit, *op. cit.*, t. II, p. 838, nº 1297
1000	—	—	—	—	H.J. Smit, *op. cit.*, t. II, p. 849, nº 1312
1600	—	—	—	—	H.J. Smit, *op. cit.*, t. II, p. 882, nº 1363
—	—	—	—	—	H.J. Smit, *op. cit.*, t. II, p. 882, nº 1363
1000	—	—	—	—	H.J. Smit, *op. cit.*, t. II, p. 926, nº 1449
400	—	—	—	—	H.J. Smit, *op. cit.*, t. II, p. 882, nº 1364
2025	—	—	—	—	H.J. Smit, *op. cit.*, t. II, p. 867, nº 1343
900	—	—	—	—	H.J. Smit, *op. cit.*, t. II, p. 866, nº 1342
50	—	—	50	—	H.J. Smit, *op. cit.*, t. II, p. 865, nº 1341
—	—	—	—	—	P.R.O., E 159/228
1200	—	—	—	—	P.R.O., E 159/228
1000	—	—	—	—	P.R.O., E 159/228
—	—	—	—	—	H.J.Smit, *op. cit.*, t. II, p. 884, nº 1369
—	—	—	—	—	P.R.O., E 159/228
700	—	—	—	—	H.J. Smit, *op. cit.*, t. II, p. 900, nº 1405
—	7	—	—	—	H.J. Smit, *op. cit.*, t. II, p. 905, nº 1417
—	2	—	—	—	H.J. Smit, *op. cit.*, t. II, p. 905, nº 1416
—	5	—	—	—	H.J. Smit, *op. cit.*, t. II, p. 912, nº 1422
100	—	—	—	—	P.R.O., E 159/231
2400	—	—	—	—	H.J. Smit, *op. cit.*, t. II, p. 934, nº 1464
—	—	—	—	220	H.J. Smit, *op cit.*, t. II, p. 943, nº 1478
625	—	—	820	—	H.J. Smit, *op. cit.*, t. II, p. 938, nº 1471

8. — EXPORTATION DE DRAPS ANGLAIS

Port de Londres [1]			Toute l'Angleterre [2]		
Date	Deniz.	Hans.	Date	Deniz.	Hans.
Mich.[3] 1446 - 21. 7.47	7827	6531	Mich. 46 - Mich. 47	31.300	13157
21. 7.47 - 21. 7.48	4413	6785	» 47 » 48	27.966	9421
27. 7.48 - 10. 3.50	8444	4761	» 48 » 49	19.516	6470
10. 3.50 - Mich. 50	4249	2658	» 49 » 50	18.033	5387
Mich. 50 - Mich. 51	8048	6938	» 50 » 51	22.876	7349
Mich. 51 - 6. 5.52	3519	2972	» 51 » 52	15.969	3279
6. 5.52 - Mich. 53	16132	9191	» 52 » 53	28.678	11634
Mich. 53 - Mich. 54	4113	7136	» 53 » 54	16.065	8721
Mich. 54 - 8. 6.55	8160	5238	» 54 » 55	18.123	7428
8. 6.55 - 22.10.56	10848	10078	» 55 » 56	24.085	12800
22.10.56 - Mich. 57	4983	5996	» 56 » 57	15.653	7751
Mich. 57 - 2. 9.58	9887	9209	» 57 » 58	21.522	12558
2. 9.58 - Mich. 59	10739	9033	» 58 » 59	22.317	10560
Mich. 59 - 31. 7.60	4000	4985	» 59 » 60	10.976	7214
31. 7.60 - Mich. 61	7962	8317	» 60 » 61	13.875	10708
Mich. 61 - 16.10.62	13553	9050	» 61 » 62	23.000	11482
16.10.62 - Mich. 63	9300	4274	» 62 » 63	18.108	6256
Mich. 63 - 5.12.64	14389	8734	» 63 » 64	21.029	10110
5.12.64 - Mich. 65	776	2850	» 64 » 65	6.696	5106
Mich. 65 - Mich. 66	8131	3816	» 65 » 66	15.132	8720
Mich. 66 - Mich. 67	8134	6437	» 66 » 67	12.153	7261
Mich. 67 - Mich. 68	15052	6877	» 67 » 68	20.640	8033
Mich. 68 - 6.11.69	24260	697	» 68 » 69	33.684	864

[1] H.L. GRAY, dans E. POWER et M.M. POSTAN, opus cit., pp. 345-346.

[2] H.L. GRAY, dans E. POWER et M.M. POSTAN, opus cit., pp. 402-404.

[3] Michaelmas, la Saint-Michel (le 29 septembre).

9. — GREAT YARMOUTH [1]

Exportations de grains

En quarters. Espèces : froment (F), « brai » (B), grains mêlés (M), avoine (A),
orge (O), seigle (S).

	F.	B.	M.	A.	O.	S.	T.
I							
E. 122/194/9 : 10 septembre 1447 au 8 avril 1449							
Anglais	—	—	—	20	154	—	174
Bourguignons	12	343	—	703	989	—	2047
Total	12	343	—	723	1143	—	2221
II							
E. 122/151/75 : 1er octobre 1457 - 1er septembre 1458							
Anglais	24	395	20	20	1458	6	1923
Bourguignons	70½	110	128	14	1234	60	1616½
Hanséates	22	—	—	—	447	—	469
Total	116½	505	148	34	3139	66	4008½
III							
E. 122/151/77 : 21 octobre 1458 - 29 septembre 1459							
Anglais	120	435	63	170	560	8	1356
Bourguignons	16½	90½	8	237	334	7½	693½
Totale	136½	525½	71	407	894	15½	2049½
IV							
E. 122/151/78 : 2 octobre 1459 - 9 mai 1460							
Anglais	32	100	35	60	305	10	542
Bourguignons	179	75	10	402	800	62	1528
Total	211	175	45	462	1105	72	2070
V							
E. 122/97/3 : 9 avril 1461 - 18 novembre 1461							
Anglais	—	30	—	30	112	—	172
Bourguignons	—	—	—	—	—	100	100
Total	—	30	—	30	112	100	272
VI							
E. 122/97/2 : 9 septembre 1462 - 5 février 1463							
Anglais	—	—	—	—	—	—	—
Bourguignons	—	—	—	—	80	—	80
Total	—	—	—	—	80	—	80
VII							
E. 122/87/7 : 12 avril 1466 - 2 novembre 1466							
Anglais	152	115	50	—	—	—	320
Bourguignons	65	295	9	100	142	—	611
Hanséates	28	—	30	—	—	—	58
Total	245	410	89	100	142	—	989

[1] Voir la remarque de la p. 222.

10. — LYNN

Exportations de grains en quarters [1]

I

E. 122/96/37 : 6 mars 1456 au 23 janvier 1457

	F.	B.	M.	A.	O.	S.	T.
Anglais	180	65	179	652½	1540	—	2616½
Bourguignons	2	—	7	281	1242	—	1532
Hanséates	440	240	190	600	180½	—	1650½
Total	622	305	376	1533½	2962½	—	5799

II

E. 122/96/40 : 29 septembre (7 novembre) 1458 au 22 septembre 1459

	F.	B.	M.	A.	O.	S.	T.
Anglais	—	75	10	480	740	—	1305 + 4 lasts de farine d'orge
Bourguignons	—	—	10	78	115	—	203
Total	—	75	20	558	855	—	1508

III

E. 122/96/41 : *a)* 3 octobre 1459 - 7 mai 1460; *b)* 7 août 1460 - 2 mars 1461

a)

	F.	B.	M.	A.	O.	S.	T.
Anglais	—	30	—	800	100	—	930 + 3 lasts de farine d'orge
Bourguignons	—	20	—	1726	180	—	1926
Total	—	50	—	2526	280	—	2856

b)

	F.	B.	M.	A.	O.	S.	T.
Anglais	—	—	—	—	480	—	480
Bourguignons	—	—	—	60	50	—	110
Total	—	—	—	60	530	—	590

IV

E. 122/151/79 : 24 juin 1460 - 1er septembre 1460

	F.	B.	M.	A.	O.	S.	T.
Anglais	30	50	15	20	25	—	140
Bourguignons	255	200	25	15	6	21	522
Total	285	250	40	35	31	21	662

V

E. 122/152/3   }   du 16 mai 1462 au 29 septembre 1462 : pas de céréales.
E. 122/152/4   }

VI

E. 122/ : 22 septembre 1464 au 20 mars 1465

	F.	B.	M.	A.	O.	S.	T.
Anglais	243	—	—	—	—	—	243
Bourguignons	305	—	35	—	40	—	380
Total	548	—	35	—	40	—	623

avec lacunes.

[1] Les chiffres que nous donnons ici ne correspondent pas avec ceux recueillis par N.S.B. GRAS, *The Evolution of the English Cornmarket from the twelfth to the eighteenth Century*, Londres, 1926, p. 289. L'auteur déclare lui-même d'ailleurs : « The errors that may be found in the statistics presented both in the text and in the appendices have probably arisen at least to some extent through the necessity of rapid work upon documents often only partly legible » (p. 260).

Nous avons établi les nôtres d'après les microfilms des *Customs Accounts*.

16. — COMMERCE DES DINANTAIS A LONDRES

Dates	Importation de batterie	Dates	Exportation d'étain et de draps	Sources
30- 9-1435 22- 9-1436	371 £	4-10-1435 20- 4-1436	67 £ 6s.	P.R.O., *C.A.*, E 122/76/34
4-10-1437 28- 7-1438	303 £ 7s. 4d.	—	375 £ 2s. 10d.	P.R.O., *C.A.*, E 122/73/3
30- 9-1438 22- 9-1439	—	—	269 £ 11s. 4d.	P.R.O., *C.A.*, E 122/73/12
1-10-1438 3- 8-1439	282 £	—	—	P.R.O., *C.A.*, E 122/73/10
13- 5-1440 6- 9-1440	780 £	14- 5-1440 28- 9-1440	110 £	P.R.O., *C.A.*, E 122/76/38
27- 1-1446 29- 8-1446	1057 £	—	718 £ 6s. 10d.	P.R.O., *C.A.*, E 122/73/20
1449-1450	nil	—	nil	P.R.O., *C.A.*, E 122/73/23 E 122/73/25

17. — SCEAUX DE LA VILLE DE NIEUPORT

1399   1472

18. — MOUVEMENT PORTUAIRE
Londres, P.R.O., E 122/73/12 : 30 septembre 1438 - 22 septembre 1439

Sorties

	Anglais	Hollandais	Zélandais	Brabançons	Hanséates	Divers	Total
Septembre	3	0	0	0	0	0	3
Octobre	0	6	9	1	3	3	22
Novembre	6	0	1	1	8	1	17
Décembre	2	0	3	0	0	0	5
Janvier	2	0	4	0	0	2	8
Février	1	10	6	2	0	2	21
Mars	8	6	7	0	0	0	21
Avril	1	0	2	0	0	3	6
Mai	1	9	0	0	1	1	12
Juin	5	0	5	0	2	2	14
Juillet	2	0	0	0	0	0	2
Août	7	0	2	0	4	0	13
Septembre	3	1	3	0	0	0	7

N.B. — On n'a pas tenu compte des bateaux anglais destinés à d'autres ports insulaires où ils allaient porter des marchandises pour charger des navires en partance pour le continent.

Londres, P.R.O., E 122/203/2 : 30 septembre 1439 - 25 septembre 1440

Sorties

	Anglais	Hollandais	Zélandais	Brabançons	Flamands	Hanséates	Divers	Total
Septembre	1	0	0	0	0	0	0	1
Octobre	1	0	0	0	0	0	0	1
Novembre	1	2	6	1	2	0	1	14
Décembre	0	0	1	0	6	0	0	7
Janvier	3	5	3	1	10	1	6	29
Février	2	1	2	0	3	0	1	9
Mars	4	4	2	0	8	0	2	20
Avril	4	2	0	0	2	0	1	9
Mai	5	1	2	0	4	1	8	21
Juin	0	7	0	0	1	0	6	14
Juillet	3	0	4	1	1	0	0	9
Août	4	0	1	1	3	0	0	9
Septembre	2	0	1	0	0	0	3	6

Londres, P.R.O., E 122/73/20 : 22 janvier 1446 - 25 septembre 1446

Sorties

	Anglais	Hollandais	Zélandais	Brabançons	Flamands	Hanséates	Divers	Total
Janvier	2	0	0	0	0	0	2	4
Février	0	0	0	2	2	0	0	4
Mars	3	5	3	0	0	2	0	18
Avril	4	0	2	0	0	0	7	13
Mai	2	0	2	0	0	0	1	5
Juin	5	1	0	0	1	2	6	15
Juillet	1	0	3	0	1	3	5	13
Août	1	0	4	0	1	0	2	8
Septembre	3	0	1	0	1	0	3	8

27 janvier 1446 - 19 août 1446

Entrées

	Anglais	Hollandais	Zélandais	Brabançons	Flamands	Hanséates	Divers	Total
Janvier	0	7	8	3	3	2	3	26
Février	0	0	1	0	0	0	2	3
Mars	7	2	6	0	5	0	8	28
Avril	2	0	1	0	4	0	0	7
Mai	1	0	1	0	1	0	3	6
Juin	2	1	5	2	1	9	4	24
Juillet	0	0	5	2	1	0	3	11
Août	3	1	0	0	2	2	3	11

Londres, P.R.O., E 122/194/18 et E 122/194/17 :

26 novembre 1465 - 30 avril 1466

Entrées

	Anglais	Hollandais	Zélandais	Brabançons	Flamands	Divers	Total
Novembre	3	1	0	0	0	1	5
Décembre	5	4	0	0	0	2	11
Janvier	4	2	6	0	2	3	17
Février	13	1	19	4	7	1	45
Mars	3	3	4	1	6	1	18
Avril	4	0	1	2	5	5	17

Sorties

	Anglais	Hollandais	Zélandais	Brabançons	Flamands	Divers	Total
Novembre	3	0	3	0	2	0	8
Décembre	2	0	0	0	0	2	4
Janvier	0	0	8	0	1	1	10
Février	5	0	7	2	4	3	21
Mars	3	6	5	2	3	5	24
Avril	2	1	3	1	2	0	9

TRAFIC MENSUEL DU PORT DE LONDRES

30 septembre 1438 - 25 septembre 1440

SORTIES

D'après P.R.O., C.A., E 122/73/12 et 203/2

NOMBRE DE NAVIRES	SEPTEMBRE	OCTOBRE	NOVEMBRE	DÉCEMBRE	JANVIER	FÉVRIER	MARS	AVRIL	MAI	JUIN	JUILLET	AOÛT	SEPTEMBRE	OCTOBRE	NOVEMBRE	DÉCEMBRE	JANVIER	FÉVRIER	MARS	AVRIL	MAI	JUIN	JUILLET	AOÛT	SEPTEMBRE

29
28
27
26
25
24
23
22
21
20
19
18
17
16
15
14
13
12
11
10
9
8
7
6
5
4
3
2
1
0

———— Total des navires   ·············· Navires zélandais et brabançons

-·-·-·- Navires hollandais   - - - - - Navires flamands

TRAFIC MENSUEL DU PORT DE LONDRES.

Entrées : 27 janvier 1446 — 19 août 1446.

Sorties : 22 janvier 1446 — 25 septembre 1446.

D'après P.R.O., C.A., E 122/73/20

——— Total des navires   · · · · · Navires zélandais et brabançons

— · — Navires hollandais   — — Navires flamands

TRAFIC MENSUEL DU PORT DE LONDRES

Entrées et sorties :

26 novembre 1465 - 30 avril 1466

D'après P.R.O., C.A., E / 22/ 194/ 18 et
E / 22/ 194/ 17

——— Total des navires

——— Navires hollandais

——— Navires zélandais et brabançons

——— Navires flamands

NOMBRE DE NAVIRES

NOVEMBRE · DÉCEMBRE · JANVIER · FÉVRIER · MARS · AVRIL

ENTRÉES

SORTIES

19. — LISTE DES GOUVERNEURS DES MARCHANDS AVENTURIERS

1421-1430 : John Wareyn [1].

1445, 8 mars : John Pickering [2].
17 septembre : Thomas Donton [3].

1457-1459 : William Overey [4].

1460-1461 : John Pickering [5].

1462   : William Overey [6].

1462-1469 : William Caxton [7].

[1] H.J. Smit, *opus cit.*, t. I, p. 983; voir p. 271.

[2] G. Schanz, *opus cit.*, t. II, p. 377.

[3] W.S. Unger, *Bronnen*, t. II, p. 328.

[4] Voir p. 278 n. 649.
a.g.r., *Comptes de Bruges*, C.C., n° 32512, f° 24 : 22 octobre 1459, envoi par le magistrat de Bruges de Zegher Wittebaert à Middelbourg auprès de W. Overey « *gouverneur vanden natie van Yngheland* ». En 1460, Overey fut emprisonné à la demande du gouverneur Pickering au château de Bruges pour dettes. On lui réclamait, en 1461, le paiement de 120 couronnes dues aux Français Michel Poulain et Guillaume de Chalon (a.v.b., *S.C.*, 1453-1460, f° 128 v°, f° 335 v°). Au 1er avril 1458, Roger Chadwyc était trésorier (a.v.b., *S.C.*, 1453-1460, f° 216 v°). Une certaine animosité devait opposer Overey et Pickering; ce dernier se porta pleige contre Overey pour Thomas Schalis de Londres en 1460 (a.v.a., *S.R.*, n° 62, f° 210 v° : 17 juin 1460).

[5] a.v.b., *S.C.*, 1453-1460, f° 335 v° : septembre 1460 et f° 370 v° : 26 juillet 1461. Il ne s'agit pas du John Pickering précédent, car celui-ci est mort en 1448. (O. De Smedt, t. II, p. 73). En 1461, Henry Bomstid était le lieutenant du gouverneur.

[6] Voir pp. 220, 278, 279, 330, 371, 374, 375, 389, 398.

[7] Voir pp. 261, 262, 274, 281, 300, 326, 371, 414, 418-420.

20. — LISTE ALPHABETIQUE, PAR PRINCIPAUTES, DES LOCALITES
DES PAYS-BAS D'OU PROVENAIENT LES EMIGRES
FIXES EN ANGLETERRE [1]

A. Emigrés originaires des pays bourguignons

*Emigrés originaires des comtés d'Artois, de Guines, de Boulogne
et des villes de la Somme (Picardie, Ponthieu) : 12.*

ABBEVILLE, France, dép. Somme : 1.
Southwark, co. Surrey, 1.

ALEMBON, France, dép. Pas-de-Calais : 1.
Langley Abbots, co. Hertford, 1.

BALINGHEM, France, dép. Pas-de-Calais : 1.
Dartford, co. Kent, 1.

BOULOGNE, France, dép. Pas-de-Calais : 1.
Londres, 1.

MARCELLY (?), en Picardie : 1.
Fairford, co. Gloucester, 1.

RUE, France, dép. Somme : 1.
Norwich, co. Norfolk, 1.

SAINT-OMER, France, dép. Pas-de-Calais : 3.
Deddington, co. Oxford, 1;
Holtmarket, co. Norfolk, 1;
Windsor, co. Berks, 1.

THEROUANNE, France, dép. Pas-de-Calais : 2.
Canterbury, co. Kent, 1;
Sandwich, co. Kent, 1.

SANS INDICATION D'ORIGINE : 1.
Southwark, co. Surrey, 1 (Picard).

Emigrés originaires du duché de Brabant : 385.

AFFLIGEM, dép. d'Hekelgem, pr. Brabant : 2.
Londres, 2.

ANVERS, pr. Anvers : 29.
Bristol, co. Bristol, 2;
Cley, co. Norfolk, 1;
Congham, co. Norfolk, 1;
Cranley, co. Surrey, 1;
Hedingham, co. Essex, 1;
Hythe, co. Kent, 1;
Ipswich, co. Suffolk, 2;
Langley, co. Hertford, 1;
Leighton Buzzard, co. Bedford, 1;
Londres, 2;
Lynn, co. Norfolk, 3;
Northbourne, co. Kent, 1;
Norwich, co. Norfolk, 3;
Orwell, co. Cambridge, 1;
Outwell, co. Norfolk, 1;

Southwark, co. Surrey, 2;
Uxbridge, co. Middlesex, 2;
Windsor, co. Berks, 1;
Winslow, co. Buckingham, 1;
Yarmouth (Great), co. Norfolk, 1.

BAARLE, divisé aujourd'hui entre Baarle-Hertog, pr. Anvers et Baarle-Nassau, Pays-Bas, pr. Brabant septentrional : 1.
Londres, 1.

BALEN, pr. Anvers : 1.
Goldhanger, co. Essex, 1.

BAREGEGE (Bergen-op-Zoom ?) : 1.
Luppitt, co. Devon, 1.

BARLADE (Berlaar ?) : 1.
Thorpithe (?), 1.

BELE (?) : 1.
Horndorn (West), co. Essex : 1.

---

[1] Pour l'identification des noms de lieux anglais nous avons suivi les indications de la table des *Calendars of Patent Rolls*. C'est ainsi que Bristol, qui faisait jadis partie du Gloucestershire, et Londres, du Middlesex sont classés à part; de même, les *Calendars* utilisent la dénomination de comté de Southampton pour Hampshire. D'autre part, lorsque plusieurs solutions se présentaient pour l'identification de certains noms de lieux, tant en Angleterre qu'aux Pays-Bas, il a été jugé préférable de ne pas trancher la question.

BERGEN-OP-ZOOM, Pays-Bas, pr. Bra-
bant septentrional : 17.
Boston, co. Lincoln, 1;
Bury St. Edmunds, co. Suffolk, 1;
Colchester, co. Essex, 1;
Hatfield (Bishop's), co. Hertford, 1;
Isle of Thanet, co. Kent, 1;
Londres, 1;
Mellis, co. Suffolk, 1;
Norwich, co. Norfolk, 1;
Nottingham, co. Nottingham, 2;
Oxford, co. Oxford, 1;
Prittlewell, co. Essex, 1;
Ramsbury, co. Wiltshire, 1;
Southwark, co. Surrey, 1;
Westminster, co. Middlesex, 1;
Woburn Chappell, co. Bedford, 1;
Yarmouth (Great), co. Norfolk, 1.

BERINGEN, dép. de Kester, pr. Brabant [1] : 1.
Londres, 1.

BERLAAR, pr. d'Anvers : 1.
Luppitt, co. Devon, 1.

BOIS-LE-DUC, Pays-Bas, pr. Brabant
septentrional : 42.
Abingdon, co. Berks, 1;
Acton (?), 1;
Barnstaple, co. Devon, 1;
Boston, co. Lincoln, 1;
Brampton (?), 1;
Bristol, co. Bristol, 1;
Cambridge, co. Cambridge, 1;
Chelmsford, co. Essex, 1;
Crawley, co. Sussex, 1;
Dorton, co. Buckingham, 2;
Exeter, co. Devon, 1;
Fobbing, co. Essex, 1;
Greenstead, co. Essex, 1;
Hatfield (Bishop's), co. Hertford, 1;
Ipswich, co. Suffolk, 1;
Londres, 8;
Lynn, co. Norfolk, 1;
Metfeld, co. Somerset, 1;
Northbourne, co. Kent, 1;
Norwich, co. Norfolk, 2;
Somerleyton, co. Suffolk, 1;
Southwark, co. Surrey, 5;
Welby (?), 1;
Winslow, co. Buckingham, 1;

Wycombe, co. Buckingham, 2;
Sans domicile indiqué, 3.

BREDA, Pays-Bas, pr. Brabant septentrio-
nal : 13.
Canterbury, co. Kent, 2;
Fenny Stratford, co. Buckingham, 1;
Hastings, co. Sussex, 1;
Horsham St. Faith, co. Norfolk, 1;
Londres, 5;
Plymouth, co. Devon, 1;
Southwark, co. Surrey, 1;
Westminster, co. Middlesex, 1.

BRETHAM (Breda ?) : 1.
Southwark, co. Surrey, 1.

BRIA [1], 1.
Watlington (?), 1.

BRUXELLES : 32.
Acre (West), co. Norfolk, 1;
Ardleigh, co. Essex, 1;
Brenchley, co. Kent, 1;
Brentford, co. Middlesex, 1;
Downham Market, co. Norfolk, 1;
Ely, co. Cambridge, 1;
Ipswich, co. Suffolk, 2;
Laughton, co. Sussex, 1;
Lewes, co. Sussex, 1;
Londres, 5;
Ludgarshall (?), 1;
Lynn, co. Norfolk, 2;
Maldon, co. Essex, 1;
Northbourne, co. Kent, 1;
Norwich, co. Norfolk, 3;
Southwark, co. Surrey, 4;
Westminster, co. Middlesex, 2;
Winchelsea, co. Sussex, 1;
Wisbech, co. Cambridge, 1;
Sans domicile indiqué, 1.

BRYAN [1] : 1.
Dornom (?), 1.

CONDUKE (Contich ?) : 1.
Capell (?), 1.

CREDA (?) : 1.
Londres, 1.

DIEST, pr. Brabant : 22.
Barnet, co. Hertford, 1;

---

[1] Beringen faisait partie du Brabant et
Kester du Hainaut.

[1] Les toponymes Bria et Bryan doivent
s'appliquer sans doute à la même localité
qui n'a pu être identifiée.

Boston, co. Lincoln, 1;
Cambridge, co. Cambridge, 1;
Canterbury, co. Kent,1;
Cotton, co. Suffolk, 1;
Downham, co. Essex, 1;
Erith, co. Kent, 1.
Exning, co. Suffolk, 1;
Hempton(?), 1;
Londres, 2;
Queniborough, co. Leicester, 1;
Raydon, co. Suffolk, 1;
Salisbury, co. Wilts, 1;
Scoulton, co. Norfolk, 1;
Southwark, co. Surrey, 3;
Staines, co. Middlesex, 1;
Watford, co. Hertford, 1;
Wendower, co. Buckingham, 1;
Sans domicile indiqué : 1.

DINTER, Pays-Bas, pr. Brabant septen-
trional : 2.
Londres, 1;
Winchelsea, co. Sussex, 1.

DUFFEL, pr. Anvers : 2.
Mileham, co. Norfolk, 1;
Oakhill, co. Somerset, 1.

EINDHOVEN, Pays-Bas, pr. Brabant
septentrional : 1.
Londres : 1.

EKEREN, pr. Anvers : 1.
Barnell (?), 1.

GEEL, pr. Anvers : 7.
Bicester, co. Oxford, 1;
Boston, co. Lincoln, 1;
Leicester, co. Leicester, 1;
Lincoln, co. Lincoln, 1;
Londres, 1;
Walton (East), co. Norfolk, 1;
Worde (?), 1.

GRAVE, Pays-Bas, pr. Brabant septen-
trional : 6.
Ipswich, co. Suffolk, 2;
Londres, 1;
Northampton, co. Northampton, 2;
Sans domicile indiqué, 1.

GRELE (?) : 1.
Northampton, co. Northampton, 1.

HARBOWENESPOLDER [1] : 1.
Londres, 1.

HELMOND, Pays-Bas, pr. Brabant septentrional : 1.
Castle Hedingham, co. Essex, 1.

HERENTALS, pr. Anvers : 8.
Babcary, co. Somerset, 1;
Barnstaple, co. Devon, 1;
Ely, co. Cambridge, 1;
Londres, 2;
Northampton, co. Northampton, 1;
Shouldham, co. Norfolk, 1;
Twyford (?), 1.

HIRLDAUS (?) : 1.
Colchester, co. Essex, 1.

HOOGSTRATEN, pr. Anvers : 10.
Barking, co. Essex, 1;
Londres, 6;
Milton, co. Kent, 1;
Ware, co. Hertford, 1;
Sans domicile indiqué : 1.

ITEGEM, pr. d'Anvers : 1.
Ucton, Marches of Wales, 1.

KORTENAKEN, pr. Brabant : 1.
Londres, 1.

LEOLEN (?) : 1.
Bicester, co. Oxford, 1.

LEWE, LEWES, LEE ou LUWE (Léau
ou Leeuw-Saint-Pierre ?) : 6.
Amersham, co. Buckingham, 1;
Hilton (?), 1;
Nottingham, co. Nottingham, 1;
Shouldham, co. Norfolk, 1;
Southwark, co. Surrey, 2.

LEYSHOWETE (?) : 1.
Southwark, co. Surrey, 1.

LIERRE, pr. Anvers : 17.
Bedfield, co. Suffolk, 1;
Blythburgh, co. Suffolk, 1;
Dalby (Great), co. Leicester, 1;
Debenham, co. Suffolk, 1;
Downham, co. Essex, 1;
Hoo, co. Kent, 1;
Lincoln, co. Lincoln, 1;
Lindfield, co. Sussex, 2;

---

[1] Il s'agit peut-être de 's Heer-Boudewijnsland, actuellement Auvergnepolder
près de Bergen-op-Zoom.

Londres, 2;
Luton, co. Bedford, 1;
Milton by Peterborough, co. Northampton, 1;
Ocull (?), 1;
Walkern,co. Hertford, 1;
Watford, co. Hertford, 1;
Sans domicile indiqué, 1.

LINDEN, pr. Brabant : 1.
Londres, 1.

LIXTE (?) : 1.
Bicester, co. Oxford, 1.

LOMMEL, pr. Limbourg : 1.
Kingston (?), 1.

LOUVAIN, pr. Brabant : 22.
Boston, co. Lincoln, 1;
Brent Eleigh, co. Suffolk, 1;
Cheshunt, co. Hertford, 1;
Covehithe, co. Suffolk, 1;
Diss, co. Norfolk, 1;
Fincham, co. Norfolk, 1;
Greenwich (East), co. Kent, 1;
Londres, 7;
Massingham (Great), co. Norfolk, 1;
Michelmersh, co. Southampton, 1;
Northampton, co. Northampton, 1;
Norwich, co. Norfolk, 2;
Snailwell, co. Cambridge, 1;
Southampton, co. Southampton, 1;
Sans domicile indiqué, 2.

LUMMEN [1], pr. Limbourg : 2.
Barking, co. Essex, 1;
Gravesend, co. Kent, 1.

MAUGHAM (?) : 1.
Southwark, co. Surrey, 1.

MEERBEEK (?) : 1.
Bicester, co. Oxford, 1.

MEERHOUT, pr. Anvers : 5.
Bledlow, co. Buckingham, 1;
Luppitt, co. Devon, 1;
Lynn, co. Norfolk, 2;
Spaldwick, co. Huntingdon, 1.

[1] Lummen relevait pour une moitié du Brabant, pour l'autre, de l'évêché de Liège. Nous avons indiqué ici les émigrés qui se sont déclarés Brabançons; les autres qui se sont déclarés Liégeois, se trouvent indiqués sous la rubrique Liège.

MEGEN, Pays-Bas, pr. Brabant septentronal : 2.
Lynn (South), co. Norfolk, 1;
Southwark, co. Surrey, 1.

MERED (?) : 1.
Greenwich (East), co. Kent, 1.

MIERLO, Pays-Bas, pr. Brabant septentrional : 1.
Leighton Buzzard, co. Bedford, 1.

MOL, pr. Anvers : 4.
Hill (East) (?), 1;
Litlington, co. Cambridge, 1;
Londres, 1;
Wimpole, co. Cambridge, 1.

NEERLANDEN, pr. Brabant : 1.
Exeter, co. Devon, 1.

NETHERMYORD [2] : 1.
Westminster, co. Middlesex, 1.

NIEUWENBOS, dép. d'OUDENBOS, Pays-Bas, pr. Brabant septentrional : 1.
Strumpshaw, co. Norfolk, 1.

NIVELLES, pr. Brabant : 1.
Towcester, co. Northampton, 1.

OIRSCHOT, Pays-Bas, pr. Brabant septentrional : 1.
Swineshead (?), 1.

OISTERWIJK, Pays-Bas, pr. Brabant septentrional : 1.
Colchester, co. Essex, 1.

OSTT (?) : 1.
Southwark, co. Surrey, 1.

OUDENBOS, Pays-Bas, pr. Brabant septentrional : 3.
Londres, 2;
Salisbury, co. Wilts, 1.

PARK (?) : 1.
Horndon (West), co. Essex, 1.

PITTE ou PYTHE (Putte ?) : 2.
Winchester, co. Southampton, 1.
Sans domicile indiqué, 1.

RETIE, pr. Anvers : 2.
Peterborough, co. Northampton, 1;
Torksey, co. Lincoln, 1.

[2] Peut-être Lage Mierde, dépendance de Mierde, Pays-Bas, pr. Brabant septentrional.

ROSENDAAL, Pays-Bas, pr. Brabant septentrional :1.
Westerham, co. Kent, 1.

ROTSELAAR, pr. Brabant : 1.
Londres, 1.

RUISBROEK, pr. Anvers ou Brabant : 1.
Nottingham, co. Nottingham, 1.

SKEVELOMBEEK (?) : 1.
Winchelsea, co. Sussex, 1.

STEENBERGEN, Pays-Bas, pr. Brabant septentrional : 2.
Ferneham, co. Surrey, 1;
Sandwich, co. Kent, 1.

THURPP (?) : 1.
Londres, 1.

TILBURG, Pays-Bas, pr. Brabant septentrional : 2.
Castle Hedingham, co. Essex, 1;
Norwich, co. Norfolk, 1.

TIRLEMONT, pr. Brabant : 22.
Boston, co. Lincoln, 1;
Bovey, co. Devon, 1;
Croydon, co. Surrey, 1;
Dunwich, co. Suffolk, 1;
Hoo, co. Kent, 1;
Horndon (West), co. Essex, 1;
Leicester, co. Leicester, 1;
Londres, 3;
Luton, co. Bedford, 1;
Maidestone, co. Kent, 1;
Missenden, co. Buckingham, 1;
Northampton, co. Northampton, 1;
Norwich, co. Norfolk, 1;
Oundle, co. Northampton, 1;
Peterborough, co. Northampton, 2;
Rochester, co. Kent, 1;
Tattingstone, co. Suffolk, 1;
Wandsworth, co. Surrey, 1.

TURNHOUT, pr. Anvers : 3.
Langley, co. Hertford, 1;
Londres, 2.

TYLBY [1] : 1.
Londres, 1.

UTERBEK (?) : 1.
Londres, 1.

[1] Peut-être Tubize, pr. Brabant.

VILVORDE, pr. Brabant : 3.
Amersham, co. Buckingham, 1;
Harlyngton (?), 1;
Ingrave, co. Essex, 1.

WARTE (?) : 1.
Barnet, co. Hertford, 1.

WAVRE, pr. Brabant : 1.
Hickling, co. Norfolk, 1.

WEELDE, pr. Anvers : 2.
Dunwich, co. Suffolk, 1;
Gosberton, co. Lincoln, 1.

WENNESRIGH (?) : 1.
Sandwich, co. Kent, 1.

WEORT (?) : 1.
Londres, 1.

WESTRYLL (?) : 1.
Hengrave, co. Suffolk, 1.

WYSSYNGBURGHT (?) : 1.
Northampton, co. Northampton, 1.

ZICHEM, pr. Brabant : 5.
Bledlow, co. Buckingham, 2;
Elstow, co. Bedford, 1;
St. Osyth, co. Essex, 2.

ZUNDERT, Pays-Bas, pr. Brabant septentrional : 1.
Londres, 1.

BRABANÇONS DONT LE LIEU D'ORIGINE N'EST PAS INDIQUE : 36.
Bedford, co. Bedford, 1;
Cadbury (South), co. Somerset, 1;
Cambridge, co. Cambridge, 2;
Chelmsford, co. Essex, 1;
Crane, co. Northampton, 1;
Dartford, co. Kent, 1;
Enfield, co. Middlesex, 1;
Faversham, co. Kent, 1;
Ilchester, co. Somerset, 1;
Londres, 6;
Newcastle-upon-Tyne, co. Northumberland, 1;
Peterborough, co. Northampton, 1;
Poynings, co. Sussex, 1;
Rainham (?), 1;
Sevenoaks, co. Kent, 1;
Southwark, co. Surrey, 10;
Thorpe (?), 1;
Sans domicile indiqué, 4.

Émigrés originaires du comté de Flandre : 94.

AARDENBURG, Pays-Bas, pr. Zélande :
1.
Woodham, co. Essex, 1.

AUDENARDE, pr. Flandre orientale : 2.
Southwark, co. Surrey, 2.

BERGUES-SAINT-WINNOC, France,
dép. Nord : 1.
Londres, 1.

BOURBOURG, France, dép. Nord : 1.
Kemsing, co. Kent, 1.

BRUGES, pr. Flandre occidentale : 23.
Bridport, co. Dorset, 1;
Bromley, co. Kent, 1;
Canterbury, co. Kent, 3;
Hartfield, co. Sussex, 1;
Lewes, co. Sussex, 1;
Londres, 10;
Lynn, co. Norfolk, 1;
Maldon, co. Essex, 1;
Sandwich, co. Kent, 1;
Southwark, co. Surrey, 2;
Spalding, co. Lincoln, 1.

COURTRAI, Flandre occidentale :3.
Cambridge, co. Cambridge, 1;
Londres, 1;
St. Ives, co. Huntingdon, 1.

DAMME, pr. Flandre occidentale :1.
Chertsey, co. Surrey 1,

DENDERWINDEKE, pr. Flandre orientale : 1.
Dartmouth, co. Devon, 1.

DUNKERQUE, France, dép. Nord : 2.
Southwark, co. Surrey, 1;
Sans domicile indiqué : 1.

ECLUSE (L'), Pays-Bas, pr. Zélande : 6.
Holton, co. Suffolk, 1;
Londres, 3;
Narborough, co. Norfolk, 1;
Yarmouth, co. Norfolk, 1.

FERON (?) : 1.
Londres, 1.

GAND, pr. Flandre orientale : 12.
Corton, co. Suffolk, 1;
Hilton (?), 1;
Huntingdon, co. Huntingdon, 1;

Londres, 4;
Plumstead, co. Kent, 1;
Sittingbourns, co. Kent, 1;
Southwark, co. Surrey, 3;

HAMERIJCK (?) : 1.
Guildford, co. Surrey, 1.

HOLTER (?) : 1.
Londres, 1.

IRKELOWE (?) : 1.
Ellingham, co. Norfolk, 1.

KIELDRECHT, pr. Flandre orientale : 1.
Sandwich, co. Kent, 1.

KRUISHOUTEM, pr. Flandre orientale :
1.
Cambridge, co. Cambridge, 1.

LEFFINGE, pr. Flandre occidentale : 1.
Londres, 1.

LEKE, pr. Flandre occidentale : 1.
Londres, 1.

LILLE, France, dép. Nord : 2.
Londres, 2.

MOERBEKE (?) : 1.
Londres, 1.

NIEUWKERKE, NIEUWERKERKEN ou
NIEUWKERKEN (?) : 1.
Charford(South), co. Southampton, 1.

NEWEGE (?) : 1.
Aylesbury, co. Buckingham, 1.

NUKERKE, pr. Flandre orientale : 2.
Newington, co. Kent, 2.

OSSENISSE, dép. de Vogelwaarde, Pays-
Bas, pr. Zélande : 1.
Ipswich, co. Suffolk,1.

SAINT-NICOLAS, pr. Fl. orientale : 1.
Brasted, co. Kent, 1.

SYKLING (?) : 1.
Londres, 1.

TERMONDE, pr. Flandre orientale : 3.
Heytesbury, co. Wilts, 1;
Ipswich, co. Suffolk, 1;
Londres, 1.

TIELT, pr. Flandre occidentale : 1.
Londres, 1.

WARNETON, pr. Fl. occidentale : 1.
Langley, co. Norfolk, 1.

WERVICQ, pr. Flandre occidentale : 4.
Aylesbury, co. Buckingham, 1;
Guildford, co. Surrey, 1;
Londres, 1;
Northampton, co. Northampton, 1.

YPRES, pr. Flandre occidentale :2.
Londres, 1;
Woodham Ferrers, co. Essex, 1.

EMIGRES FLAMANDS DONT LE LIEU
D'ORIGINE N'EST PAS INDIQUE :
12.
Chesterton, co. Cambridge, 1;
Londres, 7;
Lynn, co. Norfolk, 1;
St. Mary Matfelon, co. Middlesex, 1;
Southwark, co. Surrey, 1;
Waltham, co. Essex, 1.

Emigrés originaires du comté de Hainaut : 14.

ATH, pr. Hainaut : 1.
Sans domicile indiqué, 1.

ENGHIEN, pr. Hainaut : 5.
Colchester, co. Essex, 1;
Londres, 2;
Northampton, co. Northampton, 1;
Southwark, co. Surrey, 1.

HAL, pr. Brabant, 1.
Litchborough, co. Northampton, 1.

KESTER, pr. Brabant : 1.
Harwood, co. Devon, 1.

MONS, pr. Hainaut : 2.
Aylesford, co. Kent, 1;
Londres, 1.

LE QUESNOY, France, dép. Nord :1.
Southwark, co. Surrey, 1.

SOIGNIES, pr. Hainaut : 1.
Bungay, co. Suffolk, 1.

VALENCIENNES, France, dép. Nord :
2.
Londres, 1;
Pulham, co. Norfolk, 1.

Emigrés originaires du comté de Hollande : 534.

AKERSLOOT, pr. Hollande septentrionale : 4.
Londres, 4.

ALBLAS (OUD), pr. Hollande méridio-
nale : 2.
Colchester, co. Essex, 1;
Saxmundham, co. Suffolk, 1.

ALKMAAR, pr. Hollande septentriona-
le : 15.
Burnham, co. Essex, 1;
Cambridge, co. Cambridge, 1;
Holton, co. Suffolk, 1;
Litcham, co. Norfolk, 1;
Londres, 6;
Manningtree, co. Essex, 1;
St. Albans, co. Hertford, 1;
Winchester, co. Southampton, 1;
Wetheringsett, co. Suffolk, 1;
Yarmouth (Great), co. Norfolk,1.

ALMKERK, pr. Brabant septentrional : 2.
Stanford le Hope, co. Essex, 1;
Westminster, co. Middlesex, 1.

AMSTERDAM, pr. Hollande septentrio-
nale : 13.
Beccles, co. Suffolk, 1;
Cambridge, co. Cambridge, 1;
Hereford, co. Hereford, 1;
Kenarton, co. Kent, 1;
Londres, 3;
Moulton, co. Lincoln, 1;
Plymouth, co. Devon, 1;
Southampton, co. Southampton, 1;
Southwark, co. Surrey, 1;
Uckfield, co. Sussex, 1;
Wrotham, co. Kent, 1.

ASPEREN, pr. Hollande méridionale : 1.
Londres, 1.

BERGEN, pr. Hollande septentrionale : 2.
Colchester, co. Essex, 1;
Winchelsea, co. Sussex, 1.

LA BRIELLE, pr. Hollande méridiona-
le : 12.
Blakeney, co. Norfolk, 1;
Boston, co. Lincoln, 1;

Buckenham Castle, co. Norfolk, 1;
Ipswich, co. **Suffolk, 1;**
Londres, 3;
Sosewell, co. Suffolk, 1;
Southampton, co. Southampton, 1;
Southwark, co. Surrey, 1;
Yarmouth (Great), co. Norfolk, 2.

BURG, pr. Hollande septentrionale : 1.
Londres, 1.

CAPELLE-AAN-DEN-IJSSEL, pr. Hollande méridionale : 1.
Londres, 1.

DELFT, pr. Hollande méridionale : 30.
Canterbury, co. Kent, 1;
Dartmouth, co. Devon, 1;
Dorking, co. Surrey, 1;
Dunwich, co. Suffolk, 1;
Gorsleston, co. Suffolk, 1;
Hallesford, co. Suffolk, 1;
Hamble, co. Southampton, 1;
Londres, 3;
Lynn, co. Norfolk, 1;
Norwich, **co. Norfolk, 2;**
Orpington, co. Kent, 1;
Plymouth, co. Devon, 1;
Rochford, co. Essex, 1;
Salisbury, co. Wilts, 1;
Southwark, co. Surrey, 2;
Stamford, co. Lincoln, 1;
Wells (?), 1;
Winchelsea, co. Sussex, 1;
Wing, co. Buckingham, 1;
Wokingham, co. Berks, 1;
Wulfale, co. **Wilts, 1;**
Yarmouth (Great), co. Norfolk, 5.

DORDRECHT, pr. Hollande méridionale : 38.
Bagenderby, co. Lincoln, 1;
Bristol, co. Bristol, 1;
Cambridge, co. Cambridge, 1;
Coggeshall, co. Essex, 1;
Colchester, co. Essex, 2;
Douvres, co. Kent, 1;
Dunster, co. Somerset, 1;
Farnham (?), **1;**
Ipswich, co. Suffolk, 2;
Kessingland, co. **Suffolk, 1;**
Leicester, **co. Leicester, 1;**
Lewes, co. Sussex, 1;
Londres, 7;
Manningtree, co. Essex, 1;
Northampton, co. Northampton, 1;

Norwich, co. Norfolk, 1;
Rochester, co. Kent, 1;
Sandwich, co. Kent, 1;
Shirbourne (?), 1;
Southampton, co. Southampton, 1;
Southwark, **co. Surrey, 3;**
Spalding, co. Lincoln, 1;
Sudbury (?), 1;
Westminster, co. Middlesex, 1;
Winchester, co. Southampton, 2;
Yarmouth (Great), co. Norfolk, 2.

EGMOND, pr. Hollande septentrionale :
1.
Paston, co. Norfolk, 1.

EDAM, pr. Hollande septentrionale : 1.
Ipswich, co. Suffolk, 1.

EMERK (?) : 3.
Elmested (?), 1;
Londres, 1;
Taunton, co. Somerset, 1.

ENKHUIZEN, pr. Hollande septentrionale : 2.
Londres, 1;
Lynn, co. Norfolk, 1.

GEERTRUIDENBERG, pr. Brabant septentrional : 4.
Ipswich, co. Suffolk, 1;
Londres, 1;
Lynn, co. Norfolk, 1;
Lynn (South), co. Norfolk, 1.

GEERVLIET, pr. Hollande méridionale :
1.
Walberswick, co. Suffolk, 1.

GIESSENBURG, pr. Hollande méridionale : 2.
Kirton in Holland, co. Lincoln, 2.

GORINCHEM, pr. Hollande méridionale : 5.
Blythburgh, co. Suffolk, 1;
Bristol, co. Bristol, 1;
Hickling, co. Norfolk, 1;
Londres, 1;
Winchester, co. Southampton, 1.

GOUDA, pr. Hollande méridionale : 49.
Boston, co. Lincoln, 1;
Bristol, co. Bristol, 1;
Cambridge, co. Cambridge, 1;
Canterbury, co. Kent, 4;
Colchester, co. Essex, 1;
Dorchester, co. Dorset, 2;
Dorking, co. Surrey, 1;

Gravesend, co. Kent, 1;
Horndon (West), co. **Essex, 1;**
Horsham, co. Essex, 1;
Ingrave, co. Essex, 1;
Ipswich, co. Suffolk, 1;
Kingston-upon-Thames, co. Surrey, 1;
Layenham, co. Suffolk, 1;
Leighton Buzzard, co. Bedford, 1;
Lincoln, co. Lincoln, 1;
Londres, 7;
Luton, co. Bedford, 1;
Lynn(South), co. Norfolk, 1;
Oakham, co. Rutland, 1;
Rye, co. Sussex, 1;
Shaftesbury, co. Dorset, 4;
Scoulton, co. Norfolk, 1;
Southwark, co. Surrey, 3;
Westminster, co. Middlesex, 1;
Wimhorne Minster, co. Dorset, 1;
Winchelsea, co. Sussex, 2;
Wisbech, co. Cambridge, 1;
Woodham, co. Essex, 1;
Yarmouth (Great), co. Norfolk, 3;
Sans domicile indiqué, 1.

HAARLEM, pr. Hollande septentriona-
le : 61.
Abingdon, co. Berks, 2;
Barnet, co. Hertford, 1;
Bedford, co. Bedford, 1;
Boston, co. Lincoln, 3;
Bristol, co. Bristol, 4;
Cambridge, co. Cambridge, 1;
Canterbury, co. Kent, 2;
Charford (South), co. Southampton, 1;
Chichester, co. Sussex, 1;
Clandon, co. Surrey, 1;
Fornham, co. Suffolk, 1;
Gravesend, co. Kent, 1;
Hallesford, co. Suffolk, 1;
Kenarton, co. Kent, 1;
Leigh-upon-Mendip, co. Somerset, 1;
Londres, 17;
Lowestoft, co. Suffolk, 1;
Lynn, co. Norfolk, 1;
Norwich, co. Norfolk, 1;
Prittlewell, co. Essex, 1;
Reigate, co. Surrey, 1;
Southwark, co. Surrey, 5;
Stockbury, co. Kent, 1;
Tenby, co. Pembroke, 1;
Tottenham, co. Middlesex, 1;
Westbury (?), 1;
Westminster, co. Middlesex, 4;

Worsted, co. Norfolk, 1;
Yarmouth (Great), co. Norfolk, 1;
Sans domicile indiqué, 1.

HARDEWERDT, localité disparue de la
pr. Hollande méridionale : 1.
Rye, co. Sussex, 1.

HATHERHOWE (?) : 1.
Sans domicile indiqué : 1.

LA HAYE, pr. Hollande méridionale :
14.
Arundel, co. Sussex, 2;
Canterbury, co. Kent, 1;
Colchester, co. Essex, 1;
Hereford, co. Hereford, 1;
Langley, co. Hertford, 1;
Londres, 2;
Lynn, co. Norfolk, 1;
Norwich, co. Norfolk, 1;
Southampton, co. Southampton, 1;
Southwark, co. Surrey, 1;
Winchelsea, co. Sussex, 1;
Wookey, co. Somerset, 1.

HEILOO, pr. Hollande septentrionale : 1.
Londres, 1.

HERON (?) : 1.
Hurstpierpont, co. Sussex, 1.

HEUKELUM, pr. Hollande méridionale :
1.
St. Albans, co. Hertford, 1.

HEUSDEN, pr. Hollande méridionale :
10.
Bristol, co. Bristol, 1.
Buckenham (New), co. Norfolk, 1;
Chertsey, co. Surrey, 2;
Ely, co. Cambridge, 1;
Gosberton, co. Lincoln, 1;
Harpenden (?), 1;
Londres, 1;
Salisbury, co. Wilts, 1;
Sandwich, co. Kent, 1.

HOORN, pr. Hollande septentrionale : 10.
Cley, co. Norfolk, 1;
Huntingdon, co. Huntingdon, 1;
Londres, 2;
St. Albans, co. Hertford, 2;
Salisbury, co. Wilts, 1;
Westminster, co. Middlesex, **1;**
Winchelsea, co. Sussex, 1;
Yarmouth (Great), co. Norfolk, **1.**

HUCLONE (?) : 1.
Grinstead (East), co. **Sussex, 1.**

HUIZEN, pr. Hollande septentrionale : 1.
Southwark, co. Surrey, 1.

KENOTE (?) : 1.
Ash, co. Kent, 1.

KROMMENNIEDIJK, pr. Hollande septentrionale : 1.
Londres, 1.

LEEN (?) : 4.
Canterbury, co. Kent, 1;
Haddenham, co. Cambridge, 2;
Salisbury, co. Wilts, 1.

LEIGHEN (?) : 1.
Paston, co. Norfolk, 1.

LEYDE, pr. Hollande méridionale : 54.
Beccles, co. Suffolk, 2;
Berkhampstead, co. Hertford, 1;
Bicester, co. Oxford, 1;
Bishop's Stortford, co. Hertford, 1;
Bridport, co. Dorset, 1;
Bristol, co. Bristol, 1;
Bulwick, co. Northampton, 1;
Canterbury, co. Kent, 1;
Colchester, co. Essex, 1;
Cranfield, co. Bedford, 1;
Douvres, co. Kent, 2;
Eye, co. Suffolk, 2;
Guildford, co. Surrey, 1;
Harleston, co. Norfolk, 2;
Holditch, co. Dorset, 1;
Kingston-upon-Thames, co. Surrey, 3;
Lewisham, co. Kent, 1;
Londres, 4;
Luton, co. Bedford, 1;
Lynn, co. Norfolk, 1;
Maidenhead, co. Berks, 1;
Northampton, co. Northampton, 2;
Rochester, co. Kent, 1;
Romney Marsh, co. Kent, 1;
St. Albans, co. Hertford, 2;
Salisbury, co. Wilts, 4;
Saxmundham, co. Suffolk, 1;
Scarborough, co. York, 1;
Shepland (?), 1;
Southwark, co. Surrey, 2;
Uckfield, co. Sussex, 1;
Warham (?), 1;
Wells (?), 1;
Westminster, co. Middlesex, 2;
Weymouth, co. Dorset, 1;
Winchelsea, co. Sussex, 1;
Sans domicile indiqué, 2.

LEYER (?) : 1.
Douvres, co. Kent, 1.

LEYGH (?) : 1.
Londres, 1.

LISSE, pr. Hollande méridionale : 1.
Londres, 1.

LYNE (?) : 1.
Sans domicile indiqué, 1.

MEDEMBLIK, pr. Hollande septentrionale : 4.
Hatfield (Bishop's), co. Hertford, 1;
Londres, 1;
Southwark, co. Surrey, 2.

MONNIKENDAM, pr. Hollande septentrionale : 4.
Dartford, co. Kent, 1;
Londres, 1;
Ipswich, co. Suffolk, 1;
Fletching, co. Sussex, 1.

NAALDWIJK, pr. Hollande méridionale : 1.
Southwark, co. Surrey, 1.

NAARDEN, pr. Hollande septentrionale : 1.
Winchelsea, co. Sussex, 1.

NOORDWIJKERHOUT, pr. Hollande méridionale : 1.
St. Neots, co. Huntingdon, 1.

OLDENERP (?) : 1.
Londres, 1.

OUDEWATER, pr. Hollande méridionale : 11.
Canterbury, co. Kent, 2;
Havering Atte Bower, co. Essex, 1;
Londres, 3;
Smallhythe, co. Kent, 1;
Southwark, co. Surrey, 1;
Westminster, co. Middlesex, 1;
Wierton (?), 1;
Winchelsea, co. Sussex, 1.

PURMEREND, pr. Hollande septentrionale : 3.
Londres, 3.

RAMESDONG (?) : 1.
Sans domicile indiqué, 1.

RIJNSBURG, pr. Hollande méridionale : 1.
Londres, 1.

RIJSWIJK, pr. Hollande méridionale : 1.
Londres, 1.

ROTTERDAM, pr. Hollande méridionale : 12.
Brenzet, co. Kent, 1;
Bromley, co. Kent, 1;
Dunstable, co. Bedford, 1;
Hurstpierpont, co. Sussex, 1;
Londres, 4;
Westminster, co. Middlesex, 1;
Winchelsea, co. Sussex, 1;
Worstead, co. Norfolk, 1;
Sans domicile indiqué : 1.

RUTTON (?) : 1.
Aldeby, co. Norfolk, 1.

SASSENHEIM, pr. Hollande méridionale : 1.
Lincoln, co. Lincoln, 1.

SCHAGEN, pr. Hollande septentrionale : 2.
Lowestoft, co. Suffolk, 2.

SCHELLINGHOUT, pr. Hollande septentrionale : 1.
Londres, 1.

SCHIEDAM, pr. Hollande méridionale : 14.
Abingdon, co. Berks, 1;
Ampthill, co. Bedford, 2;
Ingrave, co. Essex, 1;
Londres, 1;
Ludborough, co. Lincoln, 1;
Lynn, co. Norfolk, 1;
Norwich, co. Norfolk, 2;
Romsey, co. Southampton, 1;
Stalham, co. Norfolk, 1;
Wells (?), 1;
Winchelsea, co. Sussex, 1;
Yarmouth (Great), co. Norfolk, 1.

SCHOONHOVEN, pr. Hollande méridionale : 12.
Chelmsford, co. Essex, 1;
Exeter, co. Devon, 1;
Londres, 4;
Penshurst, co. Kent, 1;
Salisbury, co. Wilts, 2;
Southwark, co. Surrey, 1;
Wells (?), 1;
Westminster, co. Middlesex, 1.

SCHOORL, pr. Hollande septentrionale : 2.
Londres, 1;
Totington, co. Kent, 1.

'S GRAVEZANDE, pr. Hollande méridionale : 1.
Wells (?), 1.

TEXEL, pr. Hollande septentrionale : 4.
Cheshunt, co. Hertford, 1;
Londres, 2;
Westminster, co. Middlesex, 1.

TOVY (?) : 1.
Writtle, co. Essex, 1.

UPPON THE BERGHT (?) : 1.
Londres, 1.

VIANEN, pr. Hollande méridionale : 3.
Buckenham (New), co. Norfolk, 1;
Lynn, co. Norfolk, 1;
Norwich, co. Norfolk, 1.

WALDERWIJK (?) : 1.
Winchelsea, co. Sussex, 1.

WASPIK, pr. Brabant septentrional : 1.
Londres, 1.

WASSENAAR, pr. Hollande méridionale : 2.
Greenwich, co. Kent, 1;
Kessingland, co. Suffolk, 1.

WATYR (?) : 1.
Hickling, co. Norfolk, 1.

WIERINGEN, pr. Hollande septentrionale : 9.
Abingdon, co. Berks, 1;
Banbury, co. Oxford, 1;
Londres, 4;
Milton (?), 1;
Queenborough, co. **Kent, 1;**
Yarmouth (Great), co. Norfolk, 1.

WOERDEN, pr. Hollande méridionale : 1.
Londres, 1.

WORMER, pr. Hollande septentrionale : 1.
Londres, 1.

ZEVENBERGEN, pr. Brabant septentrional : 7.
Lewes, co. Sussex, 1;
Londres, 2:
Norwich, co. Norfolk, 1;
Sandwich, co. Kent, 2;
Southwark, co. Surrey, 1.

ZOETERMEER, pr. Hollande méridionale : 1.
Londres, 1.

HOLLANDAIS DONT LE LIEU D'ORI-
GINE N'EST PAS INDIQUE : 70.
Boston, co. Lincoln, 1;
Bristol, co. Bristol, 1;
Brokes (?), 1;
Bury St. Edmunds, co. Suffolk, 1;
Cambridge, co. Cambridge, 5;
Chelmsford, co. Essex, 1;
Danbury, co. Essex, 1;
Edmanton, co. Middlesex, 1;
Fotheringhay, co. Northampton, 1;
Hanningfield, co. Norfolk, 1;
Huntingdon, co. Huntingdon, 1;
Istleworth, co. Middlesex, 1;
Londres, 11;

Northfleet, co. Kent, 1;
Norwich, co. Norfolk, 1;
Rochester, co. Kent, 2;
Romford, co. Essex, 2;
Salisbury, co. Wilts, 1;
Shalford, co. Surrey, 1;
Southampton, co. Southampton, 2;
Southwark, co. Surrey, 21;
Sproughton, co. Suffolk, 1;
Walberswick, co. Suffolk, 1;
Waltham, co. Essex, 1;
Ware, co. Hertford, 1;
Watford, co. Hertford, 1;
Westminster, co. Middlesex, 5;
Sans domicile indiqué, 2.

Emigré originaire du duché de Limbourg : 1.

HENRI-CHAPELLE, pr. Liège : 1.
Southwark, co. Surrey, 1.

Emigrés originaires de Maastricht : 37 [1].

MAASTRICHT, Pays-Bas, pr. Limbourg :
37.
Aldwinkle, co. Northampton, 1;
Aylesbury, co. Buckingham, 1.
Brentford, co. Middlesex, 1;
Bromley (?), 1;
Bungay, co. Suffolk, 1;
Coggeshall, co. Essex, 1;
Fordham, co. Cambridge, 1;
Freethorpe, co. Norfolk, 1;
Greenwich (East), co. Kent, 1;
Langley, co. Hertford, 1;
Layenham, co. Suffolk, 1;
Londres, 5;
Maldon, co. Essex, 1;

Melbourn, co. Cambridge, 1;
Northampton, co. Northampton, 4;
Oakhill, co. Somerset, 1;
Sible Hedingham, co. Essex, 1;
Southwark, co. Surrey, 1;
Staines, co. Middlesex, 1;
Stretham (?), 1;
Taunton, co. Somerset, 1;
Tonbridge, co. Kent, 1;
Tring, co. Hertford, 2;
Walsham (South), co. Norfolk, 1;
Warningcamp, co. Sussex, 1;
Woodbridge, co. Suffolk, 1;
Sans domicile indiqué, 2.

Emigrés originaires de la seigneurie de Malines : 37.

HEIST-OP-DEN-BERG, pr. Anvers : 3.
Fenny Stratford, co. Buckingham, 1;
Londres, 1;
Yateley, co. Southampton, 1.
MALINES, pr. Anvers : 34.
Ampthill, co. Bedford, 1;
Benfleet (South), co. Essex, 1;
Bicester, co. Oxford, 1;
Cambridge, co. Cambridge, 1;
Colchester, co. Essex, 1;
Deddington, co. Oxford, 1;

Dunstable, co. Bedford, 1;
Exeter, co. Devon, 1;
Fenny-Stratford, co. Buckingham, 1;
Hatfield(Bishop's), co. Hertford, 1;
Herstmonceux, co. Sussex, 1;
Horning, co. Norfolk, 1;
Hurst, co. Berks, 2;
Ipswich, co. Suffolk, 1;
Kingston-upon-Thames, co. Surrey, 1;
Lewes, co. Sussex, 1;
Londres, 4;

[1] La souveraineté sur le territoire de Maastricht se trouvait partagée entre le duc de
Brabant et le prince-évêque de Liège; nous avons préféré compter à part les émigrés
originaires de Maastricht, tout en indiquant la ville parmi les pays bourguignons car la
partie brabançonne l'emportait sur la partie liégeoise.

Missenden, co. Buckingham, 1;
Northampton, co. Northampton, 1;
Oakham, co. Rutland, 1;
Risburgh (?), 1;
Sevenoaks, co. Kent, 1;
Southwark, co. Surrey, 2;

Stradbroke, co. Suffolk, 1;
Wesenden (?), 1;
Winchelsea, co. Sussex, 1;
Yarmouth (Great), co. Norfolk, 2;
Sans domicile indiqué, 1.

Emigrés originaires du comté de Zélande : 145

BELE (?) : 1.
Londres, 1.
BIERVLIET, pr. Zélande : 1.
Southampton, co. Southampton, 1.
BIEZELINGE, dép. de Kapelle, pr. Zélande : 3.
Chelmsford, co. Essex, 1;
Sidmouth, co. Devon, 1;
Southwark, co. Surrey, 1.
BROUWERSHAVEN, pr. Zélande : 2.
Canterbury, co. Kent, 1;
Lynn, co. Norfolk, 1.
CREEK, pr. Zélande, localité disparue : 1.
Southwark, co. Surrey, 1.
DUIVELAND, île de Zélande : 2.
Londres, 1;
Southwark, co. Surrey, 1.
DURBAROWE (?) : 1.
Bristol, co. Bristol, 1.
ELLEMEET, pr. Zélande : 1.
Thorpithe (?), 1.
EMELISSE, pr. Zélande, localité disparue : 4.
Londres, 2;
Southwark, co. Surrey, 2.
EVERSWAARD, pr. Zélande, localité disparue : 1.
Southampton, co. Southampton, 1.
FLESSINGUE, pr. Zélande :1.
Westminster, co. Middlesex, 1.
GOES, pr. Zélande : 8.
Buckingham, co. Bucks, 1;
Colchester, co. Essex, 1;
Hertford, co. Hertford, 1;
Hoddestone, co. Hertford, 1;
Massingham (Great), co. Norfolk, 1;
Southampton, co. Southampton, 1;
Southwark, co. Surrey, 1;
Tottenham, co. Middlesex, 1.
GRONYNG (?) : 1.
Bristol, co. Bristol, 1.

HAAMSTEDE, pr. Zélande : 5.
Colchester, co. Essex, 1;
Hickling, co. Norfolk, 1;
Londres, 1;
Stutton, co. Suffolk, 1;
Windsor, co. Berks, 1.
HENFLETE (?) : 1.
Londres, 1.
KLOETINGE, pr. Zélande : 2.
Curry (North), co. Somerset, 1;
Dunwich, co. Suffolk, 1.
KRUININGEN, pr. Zélande : 2.
Horndon (West), co. Essex, 1;
Southwark, co. Surrey, 1;
MIDDELBOURG, pr. Zélande : 29.
Axbridge, co. Somerset, 1;
Bray, co. Berks, 1;
Canterbury, co. Kent, 1;
Colchester, co. Essex, 1;
Ipswich, co. Suffolk, 1;
Londres, 9;
Northampton, co. Northampton, 1;
Oxborough, co. Norfolk, 1;
Poynings, co. Sussex, 1;
Rollesby, co. Norfolk, 2;
Ryspele (?), 1;
St. Mary Cray, co. Kent, 1;
Southampton, co. Southampton, 1;
Southwark, co. Surrey, 3;
Tottenham, co. Middlesex, 1;
Winchelsea, co. Sussex, 2;
Windsor, co. Berks, 1.
NESCARK (?) : 1.
Ware, co. Hertford, 1.
NIEUWLAND, pr. Zélande, localité disparue lors d'une inondation en 1404 : 1.
Langley (?), 1.
REIMERSWAAL, pr. Zélande, localité disparue : 10.
Barking, co. Essex, 1;
Beccles, co. Suffolk, 1;
Boston, co. Lincoln, 1;

Henstead, co. Norfolk, 1;
Lewes, co. Sussex, 1;
Londres, 1;
Lynn, co. Norfolk, 1;
Maidestone, co. Kent, 1;
Snape, co. Suffolk, 1;
Wytham (?), 1.

SANDEWIJK (?) : 2.
Tottenham, co. Middlesex, 2.

SCHORE, dép. Kapelle, pr. Zélande : 1.
Warham (?), 1.

'S HEER ARENDSKERKE, pr. Zélande : 1.
Sans domicile indiqué : 1.

SIMONSKERKE, pr. Zélande, localité disparue : 1.
Hereford, co. Hereford, 1.

SINT-MARTENS-DIJK (?) : 1.
Plymouth, co. Devon, 1.

VALKENISSE, pr. Zélande : 1.
Rye, co. Sussex, 1.

WEST-SOUBURG, pr. Zélande : 1.
Beccles, co. Suffolk, 1.

WISSEKERKE, pr. Zélande : 1.
Londres, 1.

YERSEKE, pr. Zélande : 1.
Huntingdon, co. Huntingdon, 1.

ZIERIKZEE, pr. Zélande : 43.
Abingdon, co. Berks, 1;
Ampthill, co. Bedford, 1;

Blakeney alias Snyterle, co. Norfolk, 1;
Brandon Ferry, co. Suffolk, 1;
Bristol, co. Bristol, 2;
Canterbury, co. Kent, 4;
Carlton Colville, co. Suffolk, 1;
Colchester, co. Essex, 1;
Dunwich, co. Suffolk, 1;
Exeter, co. Devon, 2;
Faversham, co. Kent, 1;
Huntingdon, co. Huntingdon, 1;
Ipswich, co. Suffolk, 1;
Lincoln, co. Lincoln, 1;
Londres, 8;
Lynn, co. Norfolk, 1;
Missenden, co. Buckingham, 1;
Norwich, co. Norfolk, 2;
Romney Marsh, co. Kent, 1;
Sandwich, co. Kent, 2;
Sidmouth, co. Devon, 2;
Southampton, co. Southampton, 2;
Stradbroke, co. Suffolk, 1;
Weymouth, co. Dorset, 1;
Winchelsea, co. Sussex, 1;
Wydehome (?), 1;
Sans domicile indiqué, 1.

ZELANDAIS DONT LE LIEU D'ORIGI-
NE N'EST PAS INDIQUE : 14.
Brentwood, co. Essex, 1;
Downham, co. Essex, 1;
Sandwich, co. Kent, 2;
Southampton, co. Southampton, 2;
Southwark, co. Surrey, 6;
Ware, co. Hertford, 1;
Sans domicile indiqué, 1.

B. Emigrés originaires des pays limitrophes.

Emigrés originaires de Frise : 14

BOLSWARD, pr. Frise : 1.
Tonbridge, co. Kent, 1.

IJPECOLSGA, dépendance de Wijmbritseradeel, pr. Frise : 1.
Lynn, co. Norfolk, 1.

LEYWORD (?) : 1.
Lowestoft, co. Suffolk, 1.

OLDEKERK, pr. Groningen : 2.
Lowestoft, co. Suffolk, 1;
Southwark, co. Surrey, 1.

SNEEK, pr. Frise : 2.
Exeter, co. Devon, 1;
Tonbridge, co. Kent, 1.

WIERUM, dépendance de Westongeradeel, pr. Frise : 1.
Plymouth, co. Devon, 1.

WORKUM, pr. Frise : 5.
Dorchester, co. Dorset, 1;
Winchester, co. Southampton, 4.

SANS INDICATION D'ORIGINE : 1.
Southwark, co. Surrey, 1.

Emigrés originaires du duché de Gueldre : 125

ALFEN, Pays-Bas, pr. Gueldre : 1.
Leicester, co. Leicester, 1.

ARNHEM, Pays-Bas, pr. Gueldre : 9.
Ampthill, co. Bedford, 1;
Canterbury, co. Kent, 1;
Londres, 1;
Norwich, co. Norfolk, 1;
Rochester, co. Kent, 1;
Waltham, co. Essex, 1;
Wells (?), 1;
Winchester, co. Southampton, 1;
Sans domicile indiqué, 1.

ASPEREN, dépendance d'Herwijnen,
Pays-Bas, pr. Gueldre : 2.
Canterbury, co. Kent, 1;
Londres, 1.

BATENBURG, Pays-Bas, pr. Gueldre : 1.
Walcot (?), 1.

BERSOLA (?) : 1.
Colchester, co. Essex, 1.

BOMAN (?) : 1.
Cambridge, co. Cambrigde, 1.

BRAKEL, Pays-Bas, pr. Gueldre : 1.
Londres, 1.

BREY (?) : 1.
Southwark, co. Surrey, 1.

BULE (?) : 1.
Guildford, co. Surrey, 1.

BUREN, Pays-Bas, pr. Gueldre : 1.
Wilton, co. Wilts, 1.

DOESBURG, Pays-Bas, pr. Gueldre :1.
Canterbury, co. Kent, 1.

DORTMUND, Allemagne, Rhénanie : 8.
Bovey, co. Devon, 1;
Hoby, co. Leicester, 1;
Newport Pagnell, co. Buckingham, 1;
Robertsbridge, co. Sussex, 1;
Towcester, co. Northampton, 1;
Ugborough, co. Devon, 1;
Winchester, co. Southampton, 1;
Sans domicile indiqué, 1.

DRIEL, Pays-Bas, pr. Gueldre : 1.
Westminster, co. Middlesex, 1.

EGH (?) : 1.
Hatfield Peverel, co. Essex, 1.

ELBURG, Pays-Bas, pr. Gueldre : 2.
Arundel, co. Sussex, 1;
Bury St. Edmunds, co. Suffolk, 1.

ELYNGHAM (?) : 1.
Exeter, co. Devon : 1.

GOCH, Allemagne, Rhénanie : 5.
Canterbury, co. Kent, 1;
Greenwich, co. Kent, 1;
Londres, 3.

GUELDRE, Allemagne, Rhénanie : 4.
Salisbury, co. Wilts, 1;
Stony Stratford, co. Buckingham, 1;
Trowbrigde, co. Wilts, 1;
Westminster, co. Middlesex, 1.

HARDERWIJK, Pays-Bas, pr. Gueldre :3.
Londres, 1.
Luton, co. Bedford, 1;
St. Albans, co. Hertford, 1.

HATTEM, Pays-Bas, pr. Gueldre : 1.
Lindfield, co. Sussex, 1.

HEIMER, Allemagne, Rhénanie : 1.
Lewes, co. Sussex, 1.

HERWEN, dépendance de Herwen en
Aerdt, Pays-Bas, pr. Gueldre : 1.
Hasbury, co. Worcester, 1.

HUMMELO, dépendance d'Hummelo en
Keppel, Pays-Bas, pr. Gueldre : 1.
Londres, 1.

HURST, Allemagne, Rhénanie : 1.
Kidlington, co. Oxford, 1.

IJSENDOORN, dépendance d'Echteld,
Pays-Bas, pr. Gueldre : 1.
Cambridge, co. Cambridge, 1.

LOWEHOME (?) : 1.
Southwark, co. Surrey, 1.

MEERLO, Pays-Bas, pr. Limbourg : 1.
Londres, 1.

NEWETON (?) : 2.
Berkhampstead, co. Hertford, 1;
Eynesford, co. Kent, 1.

NIMEGUE, Pays-Bas, pr. Gueldre : 20.
Canterbury, co. Kent, 1;
Hartley (?), 1;
Henley, co. Oxford, 1;
Lewes, co. Sussex, 1;
Londres, 8;
Paston, co. Norfolk, 1;
Smallhythe, co. Kent, 1;
Southwark, co. Surrey, 2;
Tottenham, co. Middlesex, 1;
Ware, co. Hertford, 2;
Wimpole, co. Cambrigde, 1.

RAVENSTEIN, dépendance de Gelderma-
sen, Pays-Bas, pr. Gueldre : 1.
 Hamble le Rice, co. Southampton, 1.

ROWEY (?) : 1.
 Londres, 1.

ROY (?) : 1.
 Londres, 1.

RUREMONDE, Pays-Bas, pr. Limbourg :
4.
 Bishop's Stortford (Hadham), co.
  Hertford, 1;
 Southwark, co. Surrey, 1;
 Stony Stratford, co. Buckingham, 1;
 Thornton (?), 1.

SUTER (?) : 1.
 Reydon, co. Suffolk, 1.

TAWENES (?) : 1.
 Sans domicile indiqué, 1.

TIEL, Pays-Bas, pr. Gueldre :5.
 Boston, co. Lincoln, 1;
 Fakenham, co. Norfolk, 1;
 Londres, 2;
 Salisbury, co. Wilts, 1.

TORON (?) : 1.
 Woodham Ferrers, co. Essex, 1.

TRELBRIGHT (?) : 1.
 Londres, 1.

VAGHTONDOW (?) : 1.
 Reigate, co. Surrey, 1.

VENLOO, Pays-Bas, pr. Limbourg : 3.
 Cambridge, co. Cambridge, 1;
 Southwark, co. Surrey, 1;
 Sans domicile indiqué, 1.

WALBECK, Allemagne, Rhénanie : 1.
 Canterbury, co. Kent, 1.

WEERT, Pays-Bas, pr. Limbourg : 3.
 Exeter, co. Devon, 1;
 Ilminster, co. Somerset, 1;
 Uxbrigde, co. Middlesex, 1.

ZALTBOMMEL, Pays-Bas, pr. Gueldre :
4.
 Bury St. Edmunds, co. Suffolk, 1.
 Purle (?), 1;
 Londres, 2.

ZUTPHEN, Pays-Bas, pr. Gueldre : 5.
 Canterbury, co. Kent, 1;
 Dunwich, co. Suffolk, 1;
 Hythe, co. Kent, 1;
 Londres, 1;
 Sans domicile indiqué, 1.

SANS INDICATION D'ORIGINE : 17.
 Boston, co. Lincoln, 2;
 Chepstow, co. Monmouth, 1;
 Grinsted (East), co. Sussex, 1;
 Ipswich, co. Suffolk, 1;
 Istelworth, co. Middlesex, 2;
 Londres, 5;
 Norwich, co. Norfolk, 1;
 Southwark, co. Surrey, 4.

Emigrés originaires de la principauté de Liège : 84

BERINGEN, pr. Limbourg : 2.
 Croydon, co. Surrey, 1;
 Leighton Buzzard, co. Bedford, 1.

BILZEN, pr. Limbourg : 2.
 Kingston-upon-Thames, co. Surrey, 1;
 Londres, 1.

BOKET (?) : 1.
 Londres, 1.

BREE, pr. Limbourg : 1.
 Ware, co. Hertford, 1.

CURANGE, pr. Limbourg : 1.
 Barking, co. Essex, 1.

DINANT, pr. Namur : 1.
 Winchester, co. Southampton, 1.

FLEREMERE (?) :1.
 Watlington (?), 1.

GRETLET (?) : 1.
 Sans domicile indiqué, 1.

HAMONT, pr. Limbourg : 1.
 Winchester, co. Southampton, 1.

HARLE (?) : 1.
 Appledore, co. Kent, 1.

HASSELT, pr. Limbourg : 3.
 Leicester, co. Leicester, 1;
 Reydon, co. Suffolk, 1;
 Sans domicile indiqué, 1.

HERCK-LA-VILLE, pr. Limbourg :8.
 Appledore, co. Kent, 1;
 Brentford, co. Middlesex, 1;
 Glatton, co. Huntingdon, 1;
 Hatfield Peverel, co. Essex, 1;
 Ipswich, co. Suffolk, 1;

Northampton, co. Northampton, 1;
Tattingstone, co. Suffolk, 1;
Wakering, co. Essex, 1.

HOUGARDE, pr. Brabant : 1.
Framlingham, co. Suffolk, 1.

LIEGE, pr. Liège : 8.
Bury St. Edmunds, co. Suffolk, 1;
Londres, 1;
Northampton, co. Northampton, 4;
Southwark, co. Surrey, 1;
Strumpshaw, co. Norfolk, 1.

LOOZ, pr. Limbourg : 1.
Ipswich, co. Suffolk, 1.

LUMMEN, pr. Limbourg : 2.
Brentford, co. Middlesex, 1;
Soon (?), 1.

MAASEIK, pr. Limbourg : 4.
Brasted, co. Kent, 1;
Kingston (?), 1;
Sevenoaks, co. Kent, 1;
Southwark, co. Surrey, 1.

PELDE (?) : 1.
Londres, 1.

PEER, pr. Limbourg : 3.
Berkhampstead, co. Hertford, 1;
Kingston-upon-Thames, co. Surrey, 1;
Londres, 1.

SAINT-TROND, pr. Limbourg : 23.
Beccles, co. Suffolk, 1;
Blakeney (?), 1;
Boston, co. Lincoln, 1;
Cambridge, co. Cambridge, 1;
Colchester, co. Essex, 1;

Croydon, co. Surrey, 1;
Deeping, co. Lincoln, 2;
Istleworth, co. Middlesex, 1;
Londres, 5;
Needham Market, co. Suffolk, 1;
Norwich, co. Norfolk, 2;
Romney Marsh, co. Kent, 1;
Shirbourne (?), 1;
Smallhythe, co. Kent, 1;
Southwark, co. Surrey, 1;
Weymouth, co. Dorset, 1;
Wycombe, co. Buckingham, 1.

STEVOORT, pr. Limbourg : 1.
Southwark, co. Surrey, 1.

TONGRES, pr. Limbourg, 6.
Brentford, co. Middlesex, 2;
Londres, 2;
Northampton, co. Northampton, 1;
Towcester, co. Northampton, 1.

VELONE [1] : 1.
Sans domicile indiqué : 1.

WEERT, dépendance de Meeswijk, pr.
Limbourg : 1.
Benacre, co. Suffolk, 1.

SANS INDICATION D'ORIGINE : 9.
Bury St Edmunds, co. Suffolk, 2;
Londres, 1;
Petworth, co. Sussex, 3;
Southwark, co. Surrey, 2;
Sans domicile indiqué, 2.

[1] Il s'agit peut-être de Fologne, dans
ce cas, l'émigré aurait dû se déclarer
Brabançon.

Emigrés originaires du Tournaisis : 2

MARQUAIN, pr. Hainaut : 1.
Southwark, co. Surrey, 1.

TOURNAI, pr. Hainaut : 1.
Londres, 1.

Emigrés originaires du « sticht » Utrecht : 62

AMERSFOORT, Pays-Bas, pr. Utrecht : 5.
Exning, co. Suffolk, 1;
Londres, 2;
Westminster, co. Middlesex, 1;
Yarmouth (Great), co. Norfolk, 1.

DERMAYE (?) : 1.
Londres, 1.

DEVENTER, Pays-Bas, pr. Overijssel, 2.
Londres, 2.

EMENES (?) : 1.
Londres, 1.

IJSSELSTEIN, Pays-Bas, pr. Utrecht : 3.
Colchester, co. Essex, 1;
Smallhythe, co. Kent, 1;
Weymouth, co. Dorset, 1.

KAMPEN, Pays-Bas, pr. Overijssel : 5.
  Cambridge, co. Cambridge, 1;
  Canterbury, co. Kent, 1;
  Fotheringhay, co. Northampton, 1;
  Kingston (?), 1;
  Lynn, co. Norfolk, 1.

MONTFOORT, Pays-Bas, pr. Utrecht : 3.
  Canterbury, co. Kent, 1;
  Norwich, co. Norfolk, 1;
  Southwark, co. Surrey, 1.

RHENEN, Pays-Bas, pr. Utrecht : 1.
  Londres, 1.

UTRECHT, Pays-Bas, pr. Utrecht : 28.
  Ashford, co. Kent, 1;
  Ashwell, co. Hertford, 1;
  Blakeney alias Snyterle, co. Norfolk, 1;
  Brentwood, co. Essex, 1;
  Bristol, co. Bristol, 1;
  Bromley (?), 1;
  Canterbury, co. Kent, 3;
  Crewkerne, co. Somerset, 1;
  Croydon, co. Surrey, 1;
  Hythe, co. Kent, 1;
  Londres, 4;
  Norwich, co. Norfolk, 2;
  Rye, co. Sussex, 1;
  Shaftesbury, co. Dorset, 1;
  Smallhythe, co. Kent, 1;

  Southwark, co. Surrey, 4;
  Stoke Ferry, co. Norfolk, 1;
  Westminster, co. Middlesex, 1;
  Winchester, co. Southampton, 1.

VIANEN, Pays-Bas, pr. Hollande méri-
  dionale [1] : 2.
  Londres, 1;
  Norwich, co. Norfolk, 1.

ZWOLLE, Pays-Bas, pr. Overijssel : 2.
  Prittlewell, co. Essex, 1;
  St. Albans, co. Hertford, 1.

SANS INDICATION D'ORIGINE : 9.
  Barnet, co. Hertford, 1;
  Bourne (?), 1;
  Londres, 3;
  St. Osyth, co. Essex, 1;
  Waltham, co. Essex, 1;
  Westminster, co. Middlesex, 1;
  Sans domicile indiqué, 1.

Emigré originaire du duché de Gueldre
ou de la principauté de Liège : 1.
  Southwark, co. Surrey, 1.

[1] Dépendait à la fois du comté de
Hollande et du « sticht » d'Utrecht. Ici
se trouvent indiqués ceux qui se considéraient comme sujets de l'évêque.

21. — LISTE ALPHABETIQUE PAR COMTES [1]
DES LOCALITES ANGLAISES OU S'ETAIENT FIXES DES EMIGRES
ORIGINAIRES DES PAYS-BAS

Emigrés fixés dans le comté de Bedford : 21
dont 18 originaires des pays bourguignons

AMPTHILL : 5.
  a) Pays bourguignons : 4.
    Hollande : 2.
      Schiedam, 2.
    Malines : 1.
      Malines, 1.
    Zélande : 1.
      Zierikzee, 1.
  b) Pays limitrophes : 1.
    Gueldre : 1.
      Arnhem, 1.

BEDFORD : 2.
  Pays bourguignons : 2.

[1] Voir note 1, p. 494.

  Brabant : 1.
  Sans origine indiquée, 1.
  Hollande : 1.
    Haarlem, 1.

CRANFIELD : 1.
  Pays bourguignons : 1.
  Hollande : 1.
    Leyde, 1.

DUNSTABLE : 2.
  Pays bourguignons : 2.
  Hollande, 1.
    Rotterdam, 1.
  Malines : 1.
    Malines, 1.

ELSTOW : 1.
    Pays bourguignons : 1.
      Brabant : 1.
        Zichem, 1.

LEIGHTON BUZZARD : 4.
  a) Pays bourguignons : 3.
      Brabant : 2.
        Anvers, 1;
        Mierlo, 1.
      Hollande : 1.
        Gouda, 1.
  b) Pays limitrophes : 1.
      Liège : 1.
        Beringen, 1.

LUTON : 5.
  a) Pays bourguignons : **4.**
      Brabant : **2.**
      Lierre, 1;
      Tirlemont, 1.
      Hollande : 2.
        Gouda, 1;
        Leyde, 1.
  b) Pays limitrophes : 1.
      Gueldre : 1.
        Harderwijk, 1.
WOBURN CHAPELL : 1.
    Pays bourguignons : **1.**
      Brabant : 1.
        Bergen-op-Zoom, 1.

Emigrés fixés dans le comté de Berks : 15
tous originaires des pays bourguignons

ABINGDON : 6.
    Pays bourguignons : 6.
      Brabant : 1.
        Bois-le-Duc, 1.
      Hollande : 4.
        Haarlem, 2;
        Schiedam, 1;
        Wieringen, 1.
      Zélande : **1.**
        Zierikzee, 1.
BRAY : 1.
    Pays bourguignons : 1.
      Zélande : 1.
        Middelbourg, 1.
HURST : 2.
    Pays bourguignons : 2.
      Malines : 2.
        Malines, 2.

MAIDENHEAD : 1.
    Pays bourguignons : 1.
      Hollande : 1.
        Leyde, 1.

WINDSOR : 4.
    Pays bourguignons : 4.
      Artois : 1.
        Saint-Omer, 1.
      Brabant : 1.
        Anvers, 1.
      Zélande : 2.
        Haamstede, 1.
        Middelbourg, 1.

WOKINGHAM : 1.
    Pays bourguignons : 1.
      Hollande : 1.
        Delft, 1.

Emigrés fixés dans le comté de Bristol : 18
dont 17 originaires des pays bourguignons

BRISTOL : 18.
  a) Pays bourguignons : 17.
      Brabant : 3.
        Anvers, 2;
        Bois-le-Duc, 1.
      Hollande : 10.
        Dordrecht, 1;
        Gorinchem, 1;
        Gouda, 1;
        Haarlem, 4;

        Heusden, 1;
        Leyde, 1;
        Sans origine indiquée, 1.
      Zélande : 4.
        Durbarowe (?), 1;
        Gronyng (?), 1;
        Zierikzee, 2.
  b) Pays limitrophes : 1.
      Utrecht : 1.
        Utrecht, 1.

Emigrés fixés dans le comté de Buckingham : 28
dont 24 originaires des pays bourguignons

AMERSHAM : 2.
   Pays bourguignons : 2.
     Brabant : 2.
      Lewe (?), 1;
      Vilvorde, 1.

AYLESBURY : 3.
   Pays bourguignons : 3.
     Flandre : 2.
      Newege (?), 1;
      Wervicq, 1.
     Maastricht : 1.
      Maastricht, 1.

BLEDLOW : 3.
   Pays bourguignons : 3.
     Brabant : 3.
      Meerhout, 1;
      Zichem, 2.

BUCKINGHAM : 2.
   Pays bourguignons : 2.
     Maastricht : 1.
      Maastricht, 1.
     Zélande : 1.
      Goes, 1.

DORTON : 2.
   Pays bourguignons : 2.
     Brabant : 2.
      Bois-le-Duc, 2.

FENNY STRATFORD : 3.
   Pays bourguignons : 3.
     Brabant : 1.
      Breda, 1.
     Malines : 2.
      Heist-op-den-Berg, 1;
      Malines, 1.

MISSENDEN : 3.
   Pays bourguignons : 3.
     Brabant : 1.
      Tirlemont, 1.
     Malines : 1.
      Malines, 1.
     Zélande : 1.
      Zierikzee, 1.

NEWPORT PAGNELL : 1.
   Pays limitrophes : 1.
     Gueldre : 1.
      Dortmund : 1.

STONY STRATFORD : 2.
   Pays limitrophes : 2.
     Gueldre : 2.
      Gueldre, 1;
      Ruremonde, 1.

WENDOVER : 1.
   Pays bourguignons : 1.
     Brabant : 1.
      Diest : 1.

WING : 1.
   Pays bourguignons : 1.
     Hollande : 1.
      Delft, 1.

WINSLOW : 2.
   Pays bourguignons : 2.
     Brabant : 2.
      Anvers, 1;
      Bois-le-Duc, 1.

WYCOMBE : 3.
   Pays bourguignons : 2.
     Brabant : 2.
      Bois-le-Duc, 2.
   Pays limitrophes : 1.
     Liège : 1.
      Saint-Trond, 1.

Emigrés fixés dans le comté de Cambridge : 37
dont 31 originaires des pays bourguignons

CAMBRIDGE : 22.
   a) Pays bourguignons : 17.
     Brabant : 4.
      Bois-le-Duc, 1;
      Diest, 1;
      Sans origine indiquée, 2.
     Flandre : 2.

      Courtrai, 1;
      Kruishoutem, 1.
     Hollande : 10.
      Alkmaar, 1;
      Amsterdam, 1;
      Dordrecht, 1;
      Gouda, 1;

Haarlem, 1;
Sans origine indiquée, 5.
Malines : 1.
Malines, 1.
b) Pays limitrophes : 5.
Gueldre : 3.
Boman (?), 1;
IJsendoorn, 1;
Venloo, 1.
Liège : 1.
Saint-Trond, 1.
Utrecht : 1.
Kampen, 1.

CHESTERTON : 1.
Pays bourguignons : 1.
Flandre : 1.
Sans origine indiquée :1.

ELY : 3.
Pays bourguignons : 3.
Brabant : 2.
Bruxelles, 1;
Herentals, 1.
Hollande : 1.
Heusden, 1.

FORDHAM : 1.
Maastricht : 1.
Maastricht, 1.

HADDENHAM : 2.
Pays bourguignons : 2.
Hollande : 2.
Leen (?), 2.

LITLINGTON : 1.
Pays bourguignons : 1.
Brabant : 1.
Mol, 1.

MELBOURN : 1.
Pays bourguignons : 1.
Limbourg : 1.
Maastricht, 1.

ORWELL : 1.
Pays bourguignons : 1.
Brabant : 1.
Anvers, 1.

SNAILWELL : 1.
Pays bourguignons : 1.
Brabant : 1.
Louvain, 1.

WIMPOLE : 2.
a) Pays bourguignons : 1.
Brabant : 1.
Mol, 1.
b) Pays limitrophes : 1.
Gueldre : 1.
Nimègue, 1.

WISBECH : 2.
Pays bourguignons : 2.
Brabant : 1.
Bruxelles, 1.
Hollande : 1.
Gouda, 1.

*Emigrés fixés dans le comté de Devon : 28
dont 22 originaires des pays bourguignons*

BARNSTAPLE : 2.
Pays bourguignons : 2.
Brabant : 2.
Bois-le-Duc, 1.
Herentals, 1.

BOVEY : 2.
a) Pays bourguignons : 1.
Brabant : 1.
Tirlemont, 1.
b) Pays limitrophes : 1.
Gueldre : 1.
Dortmund, 1.

DARTMOUTH : 2.
Pays bourguignons : 2.
Flandre : 1.
Denderwindeke, 1.
Hollande : 1.
Delft, 1.

EXETER : 9.
a) Pays bourguignons : 6.
Brabant : 2.
Bois-le-Duc, 1;
Neerlanden, 1.
Hollande : 1.

Schoonhoven, 1.
Malines : 1.
Malines, 1.
Zélande : 2.
Zierikzee, 2.
b) Pays limitrophes : 3.
Frise : 1.
Sneek, 1.
Gueldre : 2.
Elingham (?), 1;
Weert, 1.

HARWOOD : 1.
Pays bourguignons : 1.
Hainaut : 1.
Kester, 1.

LUPPITT : 3.
Pays bourguignons : 3.
Brabant : 3.
Baregege (?), 1;
Berlaar, 1;
Meerhout, 1.

PLYMOUTH : 5.
a) Pays bourguignons : 4.
Brabant : 1.
Breda, 1.
Hollande : 2.
Amsterdam, 1;
Delft, 1.
Zélande : 1.
Sint-Martensdijk (?), 1.
b) Pays limitrophes : 1.
Frise : 1.
Wierum, 1.

SIDMOUTH : 3.
Pays bourguignons : 3.
Zélande : 3.
Biezelinge, 1;
Zierikzee, 2.

UGBOROUGH : 1.
Pays limitrophes : 1.
Gueldre : 1.
Dortmund, 1.

*Emigrés fixés dans le comté de Dorset :16
dont 12 originaires des pays bourguignons*

BRIDPORT : 2.
Pays bourguignons : 2.
Flandre : 1.
Bruges, 1.
Hollande : 1.
Leyde, 1.

DORCHESTER : 3.
a) Pays bourguignons : 2.
Hollande : 2.
Gouda, 2.
b) Pays limitrophes : 1.
Frise : 1.
Workum, 1.

HOLDITCH : 1.
Pays bourguignons : 1.
Hollande : 1.
Leyde, 1.

SHAFTESBURY : 5.
a) Pays bourguignons : 4.

Hollande : 4.
Gouda, 4.
b) Pays limitrophes : 1.
Utrecht : 1.
Utrecht, 1.

WEYMOUTH : 4.
a) Pays bourguignons : 2.
Hollande : 1.
Leyde, 1.
Zélande : 1.
Zierikzee, 1.
b) Pays limitrophes : 2.
Liège : 1.
Saint-Trond, 1.
Utrecht : 1.
IJsselstein, 1.

WIMHORNE MINSTER : 1.
Pays bourguignons : 1.
Hollande : 1.
Gouda, 1.

Emigrés fixés dans le comté d'Essex : 83
dont 70 originaires des pays bourguignons

ARDLEIGH : 1.
    Pays bourguignons : 1.
      Brabant : 1.
        Bruxelles, 1.

BARKING : 4.
    a) Pays bourguignons : 3.
      Brabant : 2.
        Hoogstraten, 1;
        Lummen, 1.
      Zélande : 1.
        Reimerswaal, 1.
    b) Pays limitrophes : 1.
      Liège : 1.
        Curange, 1.

BENFLEET (SOUTH) : 1.
    Pays bourguignons : 1.
      Malines : 1.
        Malines, 1.

BRENTWOOD : 2.
    a) Pays bourguignons : 1.
      Zélande : 1.
        Sans origine indiquée, 1.
    b) Pays limitrophes : 1.
      Utrecht : 1.
        Utrecht, 1.

BURNHAM : 1.
    Pays bourguignons : 1.
      Hollande : 1.
        Alkmaar, 1.

CASTLE HEDINGHAM : 2.
    Pays bourguignons : 2.
      Brabant : 2.
        Helmond, 1;
        Tilburg, 1.

CHELMSFORD : 5.
    Pays bourguignons : 5.
      Brabant : 2.
        Bois-le-Duc, 1;
        Sans origine indiquée, 1.
      Hollande : 2.
        Schoonhoven, 1;
        Sans origine indiquée, 1.
      Zélande : 1.
        Biezelinge, 1.

COGGESHALL : 2.
    Pays bourguignons : 2.
      Hollande : 1.

        Dordrecht, 1.
      Maastricht : 1.
        Maastricht, 1.

COLCHESTER : 19.
    a) Pays bourguignons : 16.
      Brabant : 3.
        Bergen-op-Zoom, 1;
        Hirldaus, 1;
        Oisterwijk, 1.
      Hainaut : 1.
        Enghien, 1.
      Hollande : 7.
        Alblas, 1;
        Bergen, 1;
        Dordrecht, 2;
        Gouda, 1;
        La Haye, 1;
        Leyde, 1.
      Malines : 1.
        Malines, 1.
      Zélande : 4.
        Goes, 1;
        Haamstede, 1;
        Middelbourg, 1;
        Zierikzee, 1.
    b) Pays limitrophes : 3.
      Gueldre : 1.
        Bersola (?), 1.
      Liège : 1.
        Saint-Trond, 1.
      Utrecht : 1.
        IJsselstein, 1.

DANBURY : 1.
    Pays bourguignons : 1.
      Hollande : 1.
        Sans origine indiquée, 1.

DOWNHAM : 3.
    Pays bourguignons : 3.
      Brabant : 2.
        Diest, 1;
        Lierre, 1.
      Zélande : 1.
        Sans origine indiquée, 1.

FOBBING : 1.
    Pays bourguignons : 1.
      Brabant : 1.
        Bois-le-Duc, 1.

GOLDHANGER : 1.
   Pays bourguignons : 1.
      Brabant : 1.
         Balen, 1.
GREENSTEAD : 1.
   Pays bourguignons : 1.
      Brabant : 1.
         Bois-le-Duc, 1.
HANNINGFIELD : 1.
   Pays bourguignons : 1.
      Hollande : 1.
         Sans origine indiquée, 1.
HATFIELD PEVEREL : 2.
   Pays limitrophes : 2.
      Gueldre : 1.
         Egh (?), 1.
      Liège : 1.
         Herck-la-Ville, 1.
HAVERING ATTE BOWER : 1.
   Pays bourguignons : 1.
      Hollande : 1.
         Oudewater, 1.
HEDINGHAM : 1.
   Pays bourguignons : 1.
      Brabant : 1.
         Anvers, 1.
HORNDON (WEST) : 5.
   Pays bourguignons : 5.
      Brabant : 3.
         Bele (?), 1;
         Park (?), 1;
         Tirlemont, 1.
      Hollande : 1.
         Gouda, 1.
      Zélande : 1.
         Kruiningen, 1.
INGRAVE : 3.
   Pays bourguignons : 3.
      Brabant : 1.
         Vilvorde, 1.
      Hollande : 2.
         Gouda, 1;
         Schiedam, 1.
MALDON : 3.
   Pays bourguignons : 3.
      Brabant : 1.
         Bruxelles, 1.
      Flandre : 1.
         Bruges, 1.
      Maastricht : 1.
         Maastricht, 1.

MANNINGTREE : 2.
   Pays bourguignons : 2.
      Hollande : 2.
         Alkmaar, 1;
         Dordrecht, 1.
PRITTLEWELL : 3.
   a) Pays bourguignons : 2.
      Brabant : 1.
         Bergen-op-Zoom, 1.
      Hollande : 1.
         Haarlem, 1.
   b) Pays limitrophes : 1.
      Utrecht : 1.
         Zwolle, 1.
ROCHFORD : 1.
   Pays bourguignons : 1.
      Hollande : 1.
         Delft, 1.
ROMFORD : 2.
   Pays bourguignons : 2.
      Hollande : 2.
         Sans origine indiquée, 2.
ST. OSYTH : 3.
   a) Pays bourguignons : 2.
      Brabant : 2.
         Zichem, 2.
   b) Pays limitrophes : 1.
      Utrecht : 1.
         Sans origine indiquée, 1.
SIBLE HEDINGHAM : 1.
   Pays bourguignons : 1.
      Maastricht : 1.
         Maastricht, 1.
STANFORD LE HOPE : 1.
   Pays bourguignons : 1.
      Hollande : 1.
         Almkerk, 1.
WAKERING : 1.
   Pays limitrophes : 1.
      Liège : 1.
         Herck-la-Ville, 1.
WALTHAM : 4.
   a) Pays bourguignons : 2.
      Flandre : 1.
         Sans origine indiquée, 1.
      Hollande : 1.
         Sans origine indiquée, 1.
   b) Pays limitrophes : 2.
      Gueldre : 1.
         Arnhem, 1.
      Utrecht : 1.
         Sans origine indiquée, 1.

WOODHAM : 2.
    Pays bourguignons : 2.
       Flandre : 1.
          Aardenburg, 1.
       Hollande : 1.
          Gouda, 1.
WOODHAM FERRERS : 2.
  a) Pays bourguignons : 1.
       Flandre : 1.

           Ypres, 1.
  b) Pays limitrophes : 1.
       Gueldre : 1.
          Toron (?), 1.
WRITTLE : 1.
    Pays bourguignons : 1.
       Hollande : 1.
          Tovy (?), 1.

Emigré fixé dans le comté de Gloucester : 1
originaire des pays bourguignons

FAIRFORD : 1.
    Pays bourguignons : 1.
       Picardie : 1.
          Marcelly (?), 1.

Emigrés fixés dans le comté de Hereford : 3
tous originaires des pays bourguignons

HEREFORD : 3.
    Pays bourguignons : 3
       Hollande : 2.
          Amsterdam, 1;

           La Haye, 1.
       Zélande : 1.
          Simonskerk, 1.

Emigrés fixés dans le comté de Hertford : 44
dont 34 originaires des pays bourguignons

ASHWELL : 1.
    Pays limitrophes : 1.
       Utrecht : 1.
          Utrecht, 1.

BARNET : 4.
  a) Pays bourguignons : 3.
       Brabant : 2.
          Diest, 1;
          Warte (?), 1.
       Hollande : 1.
          Haarlem, 1.
  b) Pays limitrophes : 1.
       Utrecht : 1.
          Sans origine indiquée, 1.

BERKHAMPSTEAD : 3.
  a) Pays bourguignons : 1.
       Hollande : 1.
          Leyde, 1.

  b) Pays limitrophes : 2.
       Gueldre : 1.
          Neweton (?), 1.
       Liège : 1.
          Peer, 1.
BISHOP'S STORTFORD (HADHAM) : 2.
  a) Pays bourguignons : 1.
       Hollande : 1.
          Leyde, 1.
  b) Pays limitrophes : 1.
       Gueldre : 1.
          Ruremonde, 1.
CHESHUNT : 2.
    Pays bourguignons : 2.
       Brabant : 1.
          Louvain, 1.
       Hollande : 1.
          Texel, 1.

HATFIELD (BISHOP'S) : 4.
   Pays bourguignons : 4.
      Brabant : 2.
         Bergen-op-Zoom, 1;
         Bois-le-Duc, 1.
      Hollande : 1.
         Medemblek, 1.
      Malines : 1.
         Malines, 1.
HERTFORD : 1.
   Pays bourguignons : 1.
      Zélande : 1.
         Goes, 1.
HODDESDON : 1.
   Pays bourguignons : 1.
      Zélande : 1.
         Goes, 1.
LANGLEY : 4.
   Pays bourguignons : 4.
      Brabant : 2.
         Anvers, 1;
         Turnhout, 1.
      Hollande : 1.
         La Haye, 1.
      Maastricht : 1.
         Maastricht, 1.
LANGLEY ABBOTS : 1.
   Pays bourguignons : 1.
      Guines : 1.
         Alembon, 1.
ST. ALBANS : 8.
   a) Pays bourguignons : 6.
      Hollande : 6.
         Alkmaar, 1;
         Heukelum (?), 1;

         Hoorn, 2;
         Leyde, 2.
   b) Pays limitrophes : 2.
      Gueldre : 1.
         Harderwijk, 1.
      Utrecht : 1.
         Zwolle, 1.
TRING : 2.
   Pays bourguignons : 2.
      Maastricht : 2.
         Maastricht, 2.
WALKERN : 1.
   Pays bourguignons : 1.
      Brabant : 1.
         Lierre, 1.
WARE : 7.
   a) Pays bourguignons : 4.
      Brabant : 1.
         Hoogstraten, 1.
      Hollande : 1.
         Sans origine indiquée, 1.
      Zélande : 2.
         Nescark (?), 1.
         Sans origine indiquée, 1.
   b) Pays limitrophes : 3.
      Gueldre : 2.
         Nimègue, 2.
      Liège : 1.
         Bree, 1.
WATFORD : 3.
   Pays bourguignons : 3.
      Brabant : 2.
         Diest, 1;
         Lierre, 1.
      Hollande : 1.
         Sans origine indiquée.

Emigrés fixés dans le comté de Huntingdon : 9
dont 8 originaires des pays bourguignons

GLATTON : 1.
   Pays limitrophes : 1.
      Liège : 1.
         Herck-la-Ville, 1.
HUNTINGDON : 5.
   Pays bourguignons : 5.
      Flandre : 1.
         Gand, 1.
      Hollande : 2.
         Hoorn, 1;
         Sans origine indiquée, 1.
      Zélande : 2.
         Yerzeke, 1;
         Zierikzee, 1.

ST. IVES : 1.
   Pays bourguignons : 1.
      Flandre : 1.
         Courtrai, 1.

ST. NEOTS : 1.
   Pays bourguignons : 1.
      Hollande : 1.
         Noordwijkerhout, 1.

SPALDWICK : 1.
   Pays bourguignons : 1.
      Brabant : 1.
         Meerhout, 1.

Emigrés fixés dans le comté de Kent : 128
dont 100 originaires des pays bourguignons

APPLEDORE : 2.
    Pays limitrophes : 2.
      Liège : 2.
        Harle (?), 1;
        Herck-la-Ville, 1.

ASH : 1.
    Pays bourguignons : 1.
      Hollande : 1.
        Kenote (?), 1.

ASHFORD : 1.
    Pays limitrophes : 1.
      Utrecht : 1.
        Utrecht, 1.

AYLESFORD : 1.
    Pays bourguignons : 1.
      Hainaut : 1.
        Mons, 1.

BRASTED : 2.
    a) Pays bourguignons : 1.
      Flandre : 1.
        Saint-Nicolas, 1.
    b) Pays limitrophes : 1.
      Liège : 1.
        Maaseik, 1.

BRENCHLEY : 1.
    Pays bourguignons : 1.
      Brabant : 1.
        Bruxelles, 1.

BRENZET : 1.
    Pays bourguignons : 1.
      Hollande : 1.
        Rotterdam, 1.

BROMLEY : 2.
    Pays bourguignons : 2.
      Flandre : 1.
        Bruges, 1.
      Hollande : 1.
        Rotterdam, 1.

CANTERBURY : 37.
    a) Pays bourguignons : 25.
      Artois : 1.
        Thérouanne, 1.
      Brabant : 3.
        Breda, 2;
        Diest, 1.
      Flandre : 3.

        Bruges, 3.
      Hollande : 12.
        Delft, 1;
        Gouda, 4;
        Haarlem, 2;
        La Haye, 1;
        Leen (?), 1;
        Leyde, 1;
        Oudewater, 2;
      Zélande : 6.
        Brouwershaven, 1;
        Middelbourg, 1;
        Zierikzee, 4.
    b) Pays limitrophes : 12.
      Gueldre : 7.
        Arnhem, 1;
        Asperen, 1;
        Doesburg, 1;
        Goch, 1;
        Nimègue, 1;
        Walbeck (?), 1;
        Zutphen, 1.
      Utrecht : 5.
        Kampen, 1;
        Montfoort, 1;
        Utrecht, 3.

DARTFORD : 3.
    Pays bourguignons : 3.
      Brabant : 1.
        Sans origine indiquée, 1.
      Guines : 1.
        Balinghem, 1.
      Hollande : 1.
        Monnikendam, 1.

DOUVRES : 4.
    Pays bourguignons : 4.
      Hollande : 4.
        Dordrecht, 1;
        Leyde, 2;
        Leyer (?), 1.

ERITH : 1.
    Pays bourguignons : 1.
      Brabant : 1.
        Diest, 1.

EYNESFORD : 1.
    Pays limitrophes : 1.
      Gueldre : 1.
        Neweton (?), 1.

FAVERSHAM : 2.
  Pays bourguignons : 2.
    Brabant : 1.
      Sans origine indiquée, 1.
    Zélande : 1.
      Zierikzee, 1.

GRAVESEND : 3.
  Pays bourguignons : 3.
    Brabant : 1.
      Lummen, 1.
    Hollande : 2.
      Gouda, 1;
      Haarlem, 1.

GREENWICH : 2.
  a) Pays bourguignons : 1.
    Hollande : 1.
      Wassenaar, 1.
  b) Pays limitrophes : 1.
    Gueldre : 1.
      Goch, 1.

GREENWICH (EAST) : 3.
  Pays bourguignons : 3.
    Brabant : 2.
      Louvain, 1;
      Mered (?), 1.
    Maastricht : 1.
      Maastricht, 1.

HOO : 2.
  Pays bourguignons : 2.
    Brabant : 2.
      Lierre, 1;
      Tirlemont, 1.

HYTHE : 3.
  a) Pays bourguignons : 1.
    Brabant : 1.
      Anvers, 1.
  b) Pays limitrophes : 2.
    Gueldre : 1.
      Zutphen, 1.
    Utrecht : 1.
      Utrecht, 1.

KEMSING : 1.
  Pays bourguignons : 1.
    Flandre : 1.
      Bourbourg, 1.

KENARTON : 2.
  Pays bourguignons : 2.
    Hollande : 2.
      Amsterdam, 1;
      Haarlem, 1.

LEWISHAM : 1.
  Pays bourguignons : 1.
    Hollande : 1.
      Leyde, 1.

MAIDESTONE : 2.
  Pays bourguignons : 2.
    Brabant : 1.
      Tirlemont, 1.
    Zélande : 1.
      Reimerswaal, 1.

MILTON : 1.
  Pays bourguignons : 1.
    Brabant : 1.
      Hoogstraten, 1.

NEWINGTON : 2.
  Pays bourguignons : 2.
    Flandre : 2.
      Nukerke, 2.

NORTHBOURNE : 3.
  Pays bourguignons : 3.
    Brabant : 3.
      Anvers, 1;
      Bois-le-Duc, 1;
      Bruxelles, 1.

NORTHFLEET : 1.
  Pays bourguignons : 1.
    Hollande : 1.
      Sans origine indiquée, 1.

ORPINGTON : 1.
  Pays bourguignons : 1
    Hollande : 1.
      Delft, 1.

PENSHURST : 1.
  Pays bourguignons : 1.
    Hollande : 1.
      Schoonhoven, 1.

PLUMSTEAD : 1.
  Pays bourguignons : 1.
    Flandre : 1.
      Gand, 1.

QUEENBOROUGH : 1.
    Pays bourguignons : 1.
      Hollande : 1.
        Wieringen, 1.

ROCHESTER : 6.
  a) Pays bourguignons : 5.
    Brabant : 1.
      Tirlemont, 1.
    Hollande : 4.
      Dordrecht, 1;
      Leyde, 1;
      Sans origine indiquée, 2.
  b) Pays limitrophes : 1.
    Gueldre : 1.
      Arnhem, 1.

ROMNEY MARSH : 3.
  a) Pays bourguignons : 2.
    Hollande : 1.
      Leyde, 1.
    Zélande : 1.
      Zierikzee, 1.
  b) Pays limitrophes : 1.
    Liège : 1.
      Saint-Trond, 1.

ST. MARY CRAY : 1.
    Pays bourguignons : 1
    Zélande : 1.
      Middelbourg, 1.

SANDWICH : 12.
    Pays bourguignons : 12.
    Artois : 1.
      Thérouanne, 1.
    Brabant : 2.
      Steenbergen, 1.
      Wennesrigh (?), 1.
    Flandre : 2.
      Bruges, 1;
      Kieldrecht, 1.
    Hollande : 3.
      Dordrecht, 1;
      Heusden, 1;
      Zevenbergen, 1.

    Zélande : 4.
      Zierikzee : 2.
      Sans origine indiquée, 2.

SEVENOAKS : 3.
  a) Pays bourguignons : 2.
    Brabant : 1.

    Sans origine indiquée, 1.
    Malines : 1.
      Malines, 1.
  b) Pays limitrophes : 1.
    Liège : 1.
      Maaseik, 1.

SITTINGBOURNE : 1.
    Pays bourguignons : 1.
    Flandre : 1.
      Gand, 1.

SMALLHYTE : 5.
  a) Pays bourguignons : 1.
    Hollande : 1.
      Oudewater, 1.
  b) Pays limitrophes : 4.
    Gueldre : 1.
      Nimègue, 1.
    Liège : 1.
      Saint-Trond, 1.
    Utrecht : 2.
      IJsselstein, 1;
      Utrecht, 1.

STOCKBURY : 1.
    Pays bourguignons : 1.
    Hollande : 1.
      Haarlem, 1.

THANET (Isle of) : 1.
    Pays bourguignons : 1.
    Brabant : 1.
      Bergen-op-Zoom, 1.

TONBRIDGE : 3.
  a) Pays bourguignons : 1.
    Maastricht : 1.
      Maastricht, 1.
  b) Pays limitrophes : 2.
    Frise : 2.
      Bolsward, 1;
      Sneek, 1.

TOTINGTON : 1.
    Pays bourguignons : 1.
    Hollande : 1.
      Schoorl, 1.

WESTERHAM : 1.
    Pays bourguignons : 1.
    Brabant : 1.
      Rosendaal, 1.

WROTHAM : 1.
    Pays bourguignons : 1.
    Hollande : 1.
      Amsterdam, 1.

Emigrés fixés dans le comté de Leicester : 8
dont 5 originaires des pays bourguignons

DALBY (Great) : 1.
  Pays bourguignons : 1.
    Brabant : 1.
      Lierre, 1.

HOBY : 1.
  Pays limitrophes: 1.
    Gueldre : 1.
      Dortmund, 1.

LEICESTER : 5.
  a) Pays bourguignons : 3.
    Brabant : 2.

      Geel, 1;
      Tirlemont, 1.
    Hollande : 1.
      Dordrecht, 1.
  b) Pays limitrophes : 2.
    Gueldre : 1.
      Alfen, 1.
    Liège : 1.
      Hasselt, 1.

QUENIBOROUGH : 1.
  Pays bourguignons : 1.
    Brabant : 1.
      Diest, 1.

Emigrés fixés dans le comté de Lincoln : 35
dont 29 originaires des pays bourguignons

BAGENDERBY (?) : 1.
  Pays bourguignons : 1.
    Hollande : 1.
      Dordrecht, 1.

BOSTON : 17.
  a) Pays bourguignons : 13.
    Brabant : 6.
      Bergen-op-Zoom, 1;
      Bois-le-Duc, 1;
      Diest, 1;
      Geel, 1;
      Louvain, 1;
      Tirlemont, 1.
    Hollande : 6.
      La Brielle, 1;
      Gouda, 1;
      Haarlem, 3;
      Sans origine indiquée, 1.
    Zélande : 1.
      Reimerswaal, 1.
  b) Pays limitrophes : 4.
    Gueldre : 3.
      Tiel, 1;
      Sans origine indiquée : 2.
    Liège : 1.
      Saint-Trond, 1.

DEEPING : 2.
  Pays limitrophes : 2.
    Liège : 2.
      Saint-Trond, 2.

GOSBERTON : 2.
  Pays bourguignons : 2.
    Brabant : 1.
      Weelde, 1.
    Hollande : 1.
      Heusden, 1.

KIRTON-IN-HOLLAND : 2.
  Pays bourguignons : 2.
    Hollande : 2.
      Giessenburg, 2.

LINCOLN : 5.
  Pays bourguignons : 5.
    Brabant : 2.
      Geel, 1;
      Lierre, 1.
    Hollande : 2.
      Gouda, 1;
      Sassenheim, 1.
    Zélande : 1.
      Zierikzee, 1.

LUDBOROUGH : 1.
  Pays bourguignons : 1.
    Hollande : 1.
      Schiedam, 1.

MOULTON : 1.
  Pays bourguignons : 1.
    Hollande : 1.
      Amsterdam, 1.

SPALDING : 2.
   Pays bourguignons : 2.
     Flandre : 1.
      Bruges, 1.
     Hollande : 1.
      Dordrecht, 1.

STAMFORD : 1.
   Pays bourguignons : 1.
     Hollande : 1.
      Delft, 1.
TORKSEY : 1.
   Pays bourguignons : 1.
     Brabant : 1.
      Retie, 1.

Emigrés fixés à Londres : 325
dont 266 originaires des pays bourguignons

LONDRES : 325.

  a) Pays bourguignons : 266.
    Boulogne : 1.
     Boulogne, 1.
    Brabant : 72.
     Affligem, 2;
     Anvers, 2;
     Baarle, 1;
     Bergen-op-Zoom, 1;
     Beringen, 1;
     Bois-le-Duc, 8;
     Breda, 5;
     Bruxelles, 5;
     Creda (?), 1;
     Diest, 2;
     Dinter, 1;
     Eindhoven, 1;
     Geel, 1;
     Grave, 1;
     Harbowenespolder (?), 1;
     Herentals, 2;
     Hoogstraten, 6;
     Kortenaken, 1;
     Lierre, 2;
     Linden, 1;
     Louvain, 7;
     Mol, 1;
     Oudenbos, 2;
     Rotselaar, 1;
     Thurpp (?), 1;
     Tirlemont, 3;
     Turnhout, 2;
     Tylby (?), 1;
     Uterbeek (?), 1;
     Weort (?), 1;
     Zundert, 1;
     Sans origine indiquée : 6.
    Flandre : 38.
     Bergues-Saint-Winoc, 1;
     Bruges, 10;
     Courtrai, 1;
     L'Ecluse, 3;
     Féron (?), 1;
     Gand, 4;
     Holter (?), 1;
     Leffinge, 1;
     Leke, 1;
     Lille, 2;
     Moerbeke (?), 1;
     Sykling (?), 1;
     Termonde, 1;
     Tielt, 1;
     Wervicq, 1;
     Ypres, 1;
     Sans origine indiquée, 7.
    Hainaut : 4.
     Enghien, 2;
     Mons, 1;
     Valenciennes, 1.
    Hollande : 116.
     Akersloot, 4;
     Alkmaar, 6;
     Amsterdam, 3;
     Asperen, 1;
     La Brielle, 3;
     Burg, 1;
     Cappelle-aan-den-Yssel, 1;
     Delft, 3;
     Dordrecht, 7;
     Emkerk (?), 1;
     Enkhuizen, 1;
     Geertruidenberg, 1;
     Gorinchem, 1;
     Gouda, 7;
     Haarlem, 17;
     La Haye, 2;
     Heiloo, 1;
     Heusden, 1;

Hoorn, 2;
Krommeniedijk, 1;
Leyde, 4;
Leygh (?), 1;
Lisse, 1;
Medemblik, 1;
Monnikendam, 1;
Oldenerp (?), 1;
Oudewater, 3;
Purmerend, 3;
Rijnsburg, 1;
Rijswijk, 1;
Rotterdam, 4;
Schellinghout, 1;
Schiedam, 1;
Schoonhoven, 4;
Schoorl, 1;
Texel, 2;
Uppon-the-Bergt (?), 1;
Waspik, 1;
Wieringen, 4;
Woerden, 1;
Wormer, 1;
Zevenbergen, 2;
Zoetermeer, 1;
Sans origine indiquée, 11.

Maastricht : 5.
Maastricht, 5.

Malines : 5.
Heist-op-den-Berg, 1;
Malines, 4.

Zélande : 25.
Bele (?), 1;
Duiveland, 1;
Emelisse, 2;
Haamstede, 1;
Henflete (?), 1;
Middelbourg, 9;
Reimerswaal, 1;

Wissekerke, 1;
Zierikzee, 8.

b) Pays limitrophes : 59.

Gueldre : 30.
Arnhem, 1;
Asperen, 1;
Brakel, 1;
Goch, 3;
Harderwijk, 1;
Hummelo, 1;
Meerlo, 1;
Nimègue, 8;
Rowey (?), 1;
Roy (?), 1;
Tiel, 2;
Trelbright (?), 1;
Zaltbommel, 2;
Zutphen, 1;
Sans origine indiquée, 5.

Liège : 13.
Bilzen, 1;
Boket (?), 1;
Liège, 1;
Peer, 1;
Pelde, 1;
Saint-Trond, 5;
Tongres, 2;
Sans origine indiquée, 1.

Tournaisis : 1.
Tournai, 1.

Utrecht : 15.
Amersfoort, 2;
Dermaye (?), 1;
Deventer, 2;
Emenes (?), 1;
Rhenen, 1;
Utrecht, 4;
Vianen, 1;
Sans origine indiquée, 3.

Emigrés fixés dans le comté de Middlesex : 54
dont 40 originaires des pays bourguignons

BRENTFORD : 6.
a) Pays bourguignons : 2.
Brabant : 1.
Bruxelles, 1.
Maastricht : 1.
Maastricht, 1.
b) Pays limitrophes : 4.
Liège : 4.

Herck-la-Ville, 1;
Lummen, 1;
Tongres, 2.

EDMANTON : 1.
Pays bourguignons : 1.
Hollande : 1.
Sans origine indiquée, 1.

ENFIELD : 1.
    Pays bourguignons : 1.
        Brabant : 1.
            Sans origine indiquée, 1.

ISLEWORTH : 4.
    a) Pays bourguignons : 1.
        Hollande : 1.
            Sans origine indiquée, 1.
    b) Pays limitrophes : 3.
        Gueldre : 2.
            Sans origine indiquée, 2.
        Liège : 1.
            Saint-Trond, 1.

ST. MARY MATFELON : 1.
    Pays bourguignons : 1.
        Flandre : 1.
            Sans origine indiquée, 1.

STAINES : 2.
    Pays bourguignons : 2.
        Brabant : 1.
            Diest, 1.
        Maastricht : 1.
            Maastricht, 1.

TOTTENHAM : 6.
    a) Pays bourguignons : 5.
        Hollande : 1.
            Haarlem, 1.
        Zélande : 4.
            Goes, 1;
            Middelbourg, 1;
            Sandewijk (?), 2.
    b) Pays limitrophes : 1.
        Gueldre : 1.
            Nimègue, 1.

UXBRIDGE : 3.
    a) Pays bourguignons : 2.
        Brabant : 2.
            Anvers, 2.
    b) Pays limitrophes : 1.
        Gueldre : 1.
            Weert, 1.

WESTMINSTER : 30.
    a) Pays bourguignons : 25.
        Brabant : 5.
            Bergen-op-Zoom, 1;
            Breda, 1;
            Bruxelles, 2;
            Nethermyord (?), 1.
        Hollande : 19.
            Almkerk, 1;
            Dordrecht, 1;
            Gouda, 1;
            Haarlem, 4;
            Hoorn, 1;
            Leyde, 2;
            Oudewater, 1;
            Rotterdam, 1;
            Schoonhoven, 1;
            Texel, 1;
            Sans origine indiquée, 5.
        Zélande : 1.
            Flessingue, 1.
    b) Pays limitrophes : 5.
        Gueldre : 2.
            Driel, 1;
            Gueldre, 1.
        Utrecht, : 3.
            Amersfoort, 1;
            Utrecht, 1;
            Sans origine indiquée, 1.

Emigré fixé dans le comté de Monmouth : 1

CHEPSTOW : 1.
    Pays limitrophes : 1.
        Gueldre : 1.
            Sans origine indiquée : 1.

Emigrés fixés dans le comté de Norfolk : 138
dont 122 originaires des pays bourguignons

ACRE (WEST) : 1.
    Pays bourguignons : 1.
      Brabant : 1.
        Bruxelles, 1.

ALDEBY : 1.
    Pays bourguignons : 1.
      Hollande : 1.
        Rutton (?), 1.

BLANKENEY alias SNYTERLE : 3.
  a) Pays bourguignons : 2.
      Hollande : 1.
        La Brielle, 1.
      Zélande : 1.
        Zierikzee, 1.
  b) Pays limitrophes : 1.
      Utrecht : 1.
        Utrecht, 1.

BUCKENHAM (NEW) : 2.
    Pays bourguignons : 2.
      Hollande : 2.
        Heusden, 1;
        Vianen, 1.

BUCKENHAM CASTLE : 1.
    Pays bourguignons : 1.
      Hollande : 1.
        La Brielle, 1.

CLEY : 2.
    Pays bourguignons : 2.
      Brabant : 1.
        Anvers, 1.
      Hollande : 1.
        Hoorn, 1.

CONGHAM : 1.
    Pays bourguignons : 1.
      Brabant : 1.
        Anvers, 1.

DISS : 1.
    Pays bourguignons : 1.
      Brabant : 1.
        Louvain, 1.

DOWNHAM MARKET : 1.
    Pays bourguignons : 1.
      Brabant : 1.
        Bruxelles, 1.

ELLINGHAM : 1.
    Pays bourguignons : 1.
      Flandre : 1.
        Irkelowe (?), 1.

FAKENHAM : 1.
    Pays limitrophes : 1.
      Gueldre : 1.
        Tiel, 1.

FINCHAM : 1.
    Pays bourguignons : 1.
      Brabant : 1.
        Louvain, 1.

FREETHORPE : 1.
    Pays bourguignons : 1.
      Maastricht : 1.
        Maastricht, 1.

HARLESTON : 2.
    Pays bourguignons : 2.
      Hollande : 2.
        Leyde, 2.

HENSTEAD : 1.
    Pays bourguignons : 1.
      Zélande : 1.
        Reimerswaal, 1.

HICKLING : 4.
    Pays bourguignons : 4.
      Brabant : 1.
        Wavre, 1.
      Hollande : 2.
        Gorinchem, 1;
        Watyr (?), 1.
      Zélande : 1.
        Haamstede, 1.

HOLTMARKET : 1.
    Pays bourguignons : 1.
      Artois : 1.
        Saint-Omer, 1.

HORNING : 1.
    Pays bourguignons : 1.
      Malines : 1.
        Malines, 1.

HORSHAM ST. FAITH : 1.
    Pays bourguignons : 1.
      Brabant : 1.
        Breda, 1.

LANGLEY : 1.
    Pays bourguignons : 1.
      Flandre : 1.
        Warneton, 1.

LITCHAM : 1.
    Pays bourguignons : 1.
      Hollande : 1.
        Alkmaar, 1.

LYNN : 23.
  a) Pays bourguignons : 21.
      Brabant : 8.
        Anvers, 3;
        Bois-le-Duc, 1;
        Bruxelles, 1;
        Meerhout, 2.
      Flandre : 2.
        Bruges, 1.
        Sans origine indiquée, 1.
      Hollande : 8.
        Delft, 1;
        Enkhuizen, 1;
        Geertruidenberg, 1;
        Haarlem, 1;
        La Haye, 1;
        Leyde, 1;
        Schiedam, 1;
        Vianen, 1.
      Zélande : 3.
        Brouwershaven, 1;
        Reimerswaal, 1;
        Zierikzee, 1.
  b) Pays limitrophes : 2.
      Frise : 1.
        IJpecolsga, 1.
      Utrecht : 1.
        Kampen, 1.

LYNN (SOUTH) : 3.
    Pays bourguignons : 3.
      Brabant : 1.
        Megen, 1.
      Hollande : 2.
        Geertruidenberg, 1;
        Gouda, 1.

MASSINGHAM (GREAT) : 2.
    Pays bourguignons : 2.
      Brabant : 1.
        Louvain, 1.
      Zélande : 1.
        Goes, 1.

MILEHAM : 1.
    Pays bourguignons : 1.
      Brabant : 1.
        Duffel, 1.

NARBOROUGH : 1.
    Pays bourguignons : 1.
      Flandre : 1.
        L'Ecluse, 1.

NORWICH : 36.
  a) Pays bourguignons : 28.
      Brabant : 14.
        Anvers, 3;
        Bergen-op-Zoom, 2;
        Bois-le-Duc, 2;
        Bruxelles, 3;
        Louvain, 2;
        Tilburg, 1;
        Tirlemont, 1.
      Hollande : 11.
        Delft, 2;
        Dordrecht, 1;
        Haarlem, 2;
        La Haye, 1;
        Schiedam, 2;
        Vianen, 1;
        Zevenbergen, 1;
        Sans origine indiquée, 1.
      Picardie : 1.
        Rue, 1.
      Zélande : 2.
        Zierikzee, 2.
  b) Pays limitrophes : 8.
      Gueldre : 2.
        Arnhem, 1;
        Sans origine indiquée, 1.
      Liège : 2.
        Saint-Trond, 2.
      Utrecht : 4.
        Montfoort, 1;
        Utrecht, 2;
        Vianen, 1.

OUTWELL : 1.
    Pays bourguignons : 1.
      Brabant : 1.
        Anvers, 1.

OXBOROUGH : 1.
    Pays bourguignons : 1.
      Zélande : 1.
        Middelbourg, 1.

PASTON : 3.
  a) Pays bourguignons : 2.
      Hollande : 2.
        Egmond, 1;
        Leighen (?), 1.

b) Pays limitrophes : 1.
  Gueldre : 1.
    Nimègue, 1.
PULHAM : 1.
  Pays bourguignons : 1.
    Hainaut : 1.
      Valenciennes, 1.
ROLLESBY : 1.
  Pays bourguignons : 2.
    Zélande : 2.
      Middelbourg, 2.
SCOULTON : 2.
  Pays bourguignons : 2.
    Brabant : 1.
      Diest, 1.
    Hollande : 1.
      Gouda, 1.
SHOULDHAM : 2.
  Pays bourguignons : 2.
    Brabant : 2.
      Herentals, 1;
      Lewe (?), 1.
STALHAM : 1.
  Pays bourguignons : 1.
    Hollande : 1.
      Schiedam, 1.
STOKE FERRY : 1.
  Pays limitrophes : 1.
    Utrecht : 1.
      Utrecht, 1.
STRUMPSHAW : 2.
  a) Pays bourguignons : 1.
    Brabant : 1.
      Nieuwenbos, 1.
  b) Pays limitrophes :1.
    Liège : 1.
      Liège, 1.

WALSHAM (SOUTH) : 1.
  Pays bourguignons : 1.
    Maastricht : 1.
      Maastricht, 1.

WALTON (EAST) : 1.
  Pays bourguignons : 1.
    Brabant : 1.
      Geel, 1.

WORSTEAD : 2.
  Pays bourguignons : 2.
    Hollande : 2.
      Haarlem, 1;
      Rotterdam, 1.

YARMOUTH (GREAT) : 23.
  a) Pays bourguignons : 22.
    Brabant : 2.
      Anvers, 1;
      Bergen-op-Zoom, 1.
    Flandre : 1.
      L'Ecluse, 1.
    Hollande : 17.
      Alkmaar, 1;
      La Brielle, 2;
      Delft, 5;
      Dordrecht, 2;
      Gouda, 3;
      Haarlem, 1;
      Hoorn, 1;
      Schiedam, 1;
      Wieringen, 1;
    Malines : 2.
      Malines, 2.
  b) Pays limitrophes : 1.
    Utrecht : 1.
      Amersfoort, 1.

Emigrés fixés dans le comté de Northampton : 40
dont 31 originaires des pays bourguignons

ALDWINKLE : 1.
  Pays bourguignons : 1.
    Maastricht : 1.
      Maastricht, 1.

BULWICK : 1.
  Pays bourguignons : 1.
    Hollande : 1.
      Leyde, 1.

CRANE : 1.
  Pays bourguignons : 1.
    Brabant : 1.
      Sans origine indiquée, 1.

FOTHERINGHAY : 2.
  a) Pays bourguignons : 1.
    Hollande : 1.
      Sans origine indiquée, 1.

b) Pays limitrophes : 1.
    Utrecht : 1.
      Kampen, 1.

LITCHBOROUGH : 1.
    Pays bourguignons : 1.
      Hainaut : 1.
        Hal, 1.

MILTON BY PETERBOROUGH : 1.
    Pays bourguignons : 1.
      Brabant : 1.
        Lierre, 1.

NORTHAMPTON : 25.
  a) Pays bourguignons : 19.
      Brabant : 8.
        Grave, 2;
        Grele (?), 1;
        Herentals, 1;
        Louvain, 1;
        Tirlemont, 2;
        Wyssyngburght (?), 1.
      Flandre : 1.
        Wervicq, 1.
      Hainaut : 1.
        Enghien, 1.
      Hollande : 3.
        Dordrecht, 1;
        Leyde, 2.
      Maastricht : 4.

        Maastricht, 4.
      Malines : 1.
        Malines, 1.
      Zélande : 1.
        Middelbourg, 1.
  b) Pays limitrophes : 6.
      Liège : 6.
        Herck-la-Ville, 1;
        Liège, 4;
        Tongres, 1.

OUNDLE : 1.
    Pays bourguignons : 1.
      Brabant : 1.
        Tirlemont, 1.

PETERBOROUGH : 4.
    Pays bourguignons : 4.
      Brabant : 4.
        Retie, 1;
        Tirlemont, 2;
        Sans origine indiquée, 1.

TOWCESTER : 3.
  a) Pays bourguignons : 1.
      Brabant : 1.
        Nivelles, 1.
  b) Pays limitrophes : 2.
      Gueldre : 1.
        Dortmund, 1.
      Liège : 1.
        Tongres, 1.

Emigré fixé dans le comté de Northumberland : 1
originaire des pays bourguignons

NEWCASTLE-UPON-TYNE : 1.
    Pays bourguignons : 1.
      Brabant : 1.
        Sans origine indiquée : 1.

Emigrés fixés dans le comté de Nottingham : 4
originaires des pays bourguignons

NOTTINGHAM : 4.
    Pays bourguignons : 4.
      Brabant : 4.
        Bergen-op-Zoom, 2;
        Lewe (?), 1;
        Ruisbroek, 1.

Emigrés fixés dans le comté d'Oxford : 12
dont 10 originaires des pays bourguignons

BANBURY : 1.
    Pays bourguignons : 1.
      Hollande : 1.
        Wieringen, 1.
BICESTER : 6.
    Pays bourguignons : 6.
      Brabant : 4.
        Geel, 1;
        Leolen (?), 1;
        Lixte (?), 1;
        Meerbeek (?), 1.
      Hollande : 1.
        Leyde, 1.
      Malines : 1.
        Malines, 1.
DEDDINGTON : 2.
    Pays bourguignons : 2.

      Artois : 1.
        Saint-Omer, 1.
      Malines : 1.
        Malines, 1.
HENLEY : 1.
    Pays limitrophes : 1.
      Gueldre : 1.
        Nimègue, 1.
KIDLINGTON : 1.
    Pays limitrophes : 1.
      Gueldre : 1.
        Hurst, 1.
OXFORD : 1.
    Pays bourguignons : 1.
      Brabant : 1.
        Bergen-op-Zoom, 1.

Emigré fixé dans le comté de Pembroke : 1
originaire des pays bourguignons

TENBY : 1.
    Pays bourguignons : 1.
      Hollande : 1.
        Haarlem, 1.

Emigrés fixés dans le comté de Rutland : 2
originaires des pays bourguignons

OAKHAM : 2.
    Pays bourguignons : 2.
      Hollande : 1.
        Gouda, 1.
      Malines : 1.
        Malines, 1.

Emigrés fixés dans le comté de Somerset : 15
dont 13 originaires des pays bourguignons

AXBRIDGE : 1.
    Pays bourguignons : 1.
      Zélande : 1.
        Middelbourg, 1.
BABCARY : 1.
    Pays bourguignons : 1.
      Brabant : 1.
        Herentals, 1.

CADBURY (SOUTH) : 1.
    Pays bourguignons : 1.
      Brabant : 1.
        Sans origine indiquée, 1.
CREWKERNE : 1.
    Pays limitrophes : 1.
      Utrecht : 1.
        Utrecht, 1.

CURRY (NORTH) : 1.
  Pays bourguignons : 1.
    Zélande : 1.
      Kloetinge, 1.

DUNSTER : 1.
  Pays bourguignons : 1.
    Hollande : 1.
      Dordrecht, 1.

ILCHESTER : 1.
  Pays bourguignons : 1.
    Brabant : 1.
      Sans origine indiquée, 1.

ILMINSTER : 1.
  Pays limitrophes : 1.
    Gueldre : 1.
      Weert, 1.

LEIGH-UPON-MENDIP : 1.
  Pays bourguignons : 1.
    Hollande : 1.
      Haarlem, 1.

METFELD : 1.
  Pays bourguignons : 1.
    Brabant : 1.
      Bois-le-Duc, 1.

OAKHILL : 2.
  Pays bourguignons : 2.
    Brabant : 1.
      Duffel, 1.
    Maastricht : 1.
      Maastricht, 1.

TAUNTON : 2.
  Pays bourguignons : 2.
    Hollande : 1.
      Emkerke (?), 1.
    Maastricht : 1.
      Maastricht, 1.

WOOKEY : 1.
  Pays bourguignons : 1.
    Hollande : 1.
      La Haye, 1.

*Emigrés fixés dans le comté de Southampton [1] : 36
dont 26 originaires des pays bourguignons*

CHARFORD (SOUTH) : 2.
  Pays bourguignons : 2.
    Flandre : 1.
      Nieuwkerke, Nieuwerkerken
      ou Nieuwkerken, 1.
    Hollande : 1.
      Haarlem, 1.

HAMBLE : 1.
  Pays bourguignons : 1.
    Hollande : 1.
      Delft, 1.

HAMBLE-LE-RICE : 1.
  Pays limitrophes : 1.
    Gueldre : 1.
      Ravenstein, 1.

MICHELMERSCH : 1.
  Pays bourguignons : 1.
    Brabant : 1.
      Louvain, 1

ROMSEY : 1.
  Pays bourguignons : 1.
    Hollande : 1.
      Schiedam, 1.

SOUTHAMPTON : 15.
  Pays bourguignons : 15.
    Brabant : 1.
      Louvain, 1.
    Hollande : 6.
      Amsterdam, 1;
      La Brielle, 1;
      Dordrecht, 1;
      La Haye, 1;
      Sans origine indiquée, 2.
    Zélande : 8.
      Biervliet, 1;
      Everswaard, 1;
      Goes, 1;
      Middelbourg, 1;
      Zierikzee, 2;
      Sans origine indiquée, 2.

WINCHESTER : 14.
  a) Pays bourguignons : 5.
    Brabant : 1.
      Pitte (?), 1.
    Hollande : 4.
      Alkmaar, 1;
      Dordrecht, 2;
      Gorinchem, 1.

[1] Hampshire, voir note 1 de la p. 494.

b) Pays limitrophes : 9.
    Frise : 4.
      Workum, 4.
    Gueldre : 2.
      Arnhem, 1;
      Dortmund, 1.
    Liège : 2.
      Dinant, 1;

      Hamont, 1.
      Utrecht : 1.
      Utrecht, 1.

YATELEY : 1.
    Pays bourguignons : 1.
      Malines : 1.
      Heist-op-den-Berg, 1.

Emigrés fixés dans le comté de Suffolk : 95
dont 75 originaires des pays bourguignons

BECCLES : 6.
  a) Pays bourguignons : 5.
    Hollande : 3.
      Amsterdam, 1;
      Leyde, 2.
    Zélande : 2.
      Reimerswaal, 1;
      West-Souburg, 1.
  b) Pays limitrophes : 1.
    Liège : 1.
      Saint-Trond, 1.
BEDFIELD : 1.
  Pays bourguignons : 1.
    Brabant : 1.
      Lierre, 1.
BENACRE : 1.
  Pays limitrophes : 1.
    Liège : 1.
      Weert, 1.
BLYTHBURGH : 2.
  Pays bourguignons : 2.
    Brabant : 1.
      Lierre, 1.
    Hollande : 1.
      Gorinchem, 1.
BRANDON FERRY : 1.
  Pays bourguignons : 1.
    Zélande : 1.
      Zierikzee, 1.
BRENT ELEIGH : 1.
  Pays bourguignons : 1.
    Brabant : 1.
      Louvain, 1.
BUNGAY : 2.
  Pays bourguignons : 2.
    Hainaut : 1.
      Soignies, 1.
    Maastricht : 1.
      Maastricht, 1.

BURY ST. EDMUNDS : 7.
  a) Pays bourguignons : 2.
    Brabant : 1.
      Bergen-op-Zoom, 1.
    Hollande : 1.
      Sans origine indiquée, 1.
  b) Pays limitrophes : 5.
    Gueldre : 2.
      Elburg, 1;
      Zaltbommel, 1.
    Liège : 3.
      Liège, 1;
      Sans origine indiquée, 2.
CARLTON COLVILLE : 1.
  Pays bourguignons : 1.
    Zélande : 1.
      Zierikzee, 1.
CORTON : 1.
  Pays bourguignons : 1.
    Flandre : 1.
      Gand, 1.
COTTON : 1.
  Pays bourguignons : 1.
    Brabant : 1.
      Diest, 1.
COVEHITHE : 1.
  Pays bourguignons : 1.
    Brabant : 1.
      Louvain, 1.
DEBENHAM : 1.
  Pays bourguignons : 1.
    Brabant : 1.
      Lierre, 1.
DUNWICH : 6.
  a) Pays bourguignons : 5.
    Brabant : 2.
      Tirlemont, 1;
      Weelde, 1.

Hollande : 1.
Delft, 1.
Zélande : 2.
Kloetinge, 1;
Zierikzee, 1.
b) Pays limitrophes : 1.
Gueldre : 1.
Zutphen, 1.

EXNING : 2.
a) Pays bourguignons : 1.
Brabant : 1.
Diest, 1.
b) Pays limitrophes : 1.
Utrecht, 1.
Amersfoort, 1.

EYE : 2.
Pays bourguignons : 2.
Hollande : 2.
Leyde, 2.

FORNHAM : 1.
Pays bourguignons : 1.
Hollande : 1.
Haarlem, 1.

FRAMLINGHAM : 1.
Pays limitrophes : 1.
Liège : 1.
Hougarde, 1.

GORLESTON : 1.
Pays bourguignons : 1.
Hollande : 1.
Delft, 1.

HALLESFORD : 2.
Pays bourguignons : 2.
Hollande : 2.
Delft, 1;
Haarlem, 1.

HENGRAVE : 1.
Pays bourguignons : 1.
Brabant : 1.
Westryll (?), 1.

HOLTON : 2.
Pays bourguignons : 2.
Flandre : 1.
L'Ecluse, 1.
Hollande : 1.
Alkmaar, 1.

IPSWICH : 22.
a) Pays bourguignons : 19.
Brabant : 7.

Anvers, 2;
Bois-le-Duc, 1;
Bruxelles, 2;
Grave, 2;
Flandre : 2.
Ossenisse, 1;
Termonde, 1.
Hollande : 7.
La Brielle, 1;
Dordrecht, 2;
Edam, 1;
Geertruidenberg, 1;
Gouda, 1;
Monnikendam, 1.
Malines : 1.
Malines, 1.
Zélande : 2.
Middelbourg, 1;
Zierikzee, 1.
b) Pays limitrophes : 3.
Gueldre : 1.
Sans origine indiquée, 1.
Liège : 2.
Herck-la-Ville, 1;
Looz, 1.

KESSINGLAND : 2.
Pays bourguignons : 2.
Hollande : 2.
Dordrecht, 1;
Wassenaar, 1.

LAYENHAM : 2.
Pays bourguignons : 2.
Hollande : 1.
Gouda, 1.
Maastricht : 1.
Maastricht, 1.

LOWESTOFT : 5.
a) Pays bourguignons : 3.
Hollande : 3.
Haarlem, 1;
Schagen, 2.
b) Pays limitrophes : 2.
Frise : 2.
Leyword (?), 1;
Oldekerk, 1.

MELLIS : 1.
Pays bourguignons : 1.
Brabant : 1.
Bergen-op-Zoom, 1.

NEEDHAM MARKET : 1.
Pays limitrophes : 1.
Liège : 1.
Saint-Trond, 1.

RAYDON : 1.
  Pays bourguignons : 1.
    Brabant : 1.
      Diest, 1.
REYDON : 2.
  Pays limitrophes : 2.
    Gueldre : 1.
      Suter (?), 1.
    Liège : 1.
      Hasselt, 1.
SAXMUNDHAM : 2.
  Pays bourguignons : 2.
    Hollande : 2.
      Alblas (Oud), 1;
      Leyde, 1.
SNAPE : 1.
  Pays bourguignons : 1
    Zélande : 1.
      Reimerswaal, 1.
SOMERLEYTON : 1.
  Pays bourguignons : 1.
    Brabant : 1.
      Bois-le-Duc, 1.
SOSEWELL : 1.
  Pays bourguignons : 1.
    Hollande : 1.
      La Brielle, 1.
SPROUGHTON : 1.
  Pays bourguignons : 1.
    Hollande : 1.
      Sans origine indiquée, 1.

STRADBROKE : 2.
  Pays bourguignons : 2.
    Malines : 1.
      Malines, 1.
    Zélande : 1.
      Zierikzee, 1.
STUTTON : 1.
  Pays bourguignons : 1.
    Zélande : 1.
      Haamstede, 1.
TATTINGSTONE : 2.
  a) Pays bourguignons : 1.
    Brabant : 1.
      Tirlemont, 1.
  b) Pays limitrophes : 1.
    Liège : 1.
      Herck-la-Ville, 1.
WALBERSWICK : 2.
  Pays bourguignons : 2.
    Hollande : 2.
      Geervliet, 1;
      Sans origine indiquée, 1.
WETHERINGSETT : 1.
  Pays bourguignons : 1.
    Hollande : 1.
      Alkmaar, 1.
WOODBRIDGE : 1.
  Pays bourguignons : 1.
    Maastricht : 1.
      Maastricht, 1.

Emigrés fixés dans le comté de Surrey : 165 dont 134 originaires des pays bourguignons

CHERTSEY : 3.
  Pays bourguignons : 3.
    Flandre : 1.
      Damme, 1.
    Hollande : 2.
      Heusden, 2.

CLANDON : 1.
  Pays bourguignons : 1.
    Hollande : 1.
      Haarlem, 1.

CRANLEY : 1.
  Pays bourguignons : 1.
    Brabant : 1.
      Anvers, 1.

CROYDON : 4.
  a) Pays bourguignons : 1.
    Brabant : 1.
      Tirlemont, 1.
  b) Pays limitrophes : 3.
    Liège : 2.
      Beringen, 1;
      Saint-Trond, 1.
    Utrecht, 1;
      Utrecht, 1.

DORKING : 2.
  Pays bourguignons : 2.
    Hollande : 2.
      Delft, 1;
      Gouda, 1.

FERNEHAM : 1.
    Pays bourguignons : 1.
      Brabant : 1.
        Steenbergen, 1.

GUILFORD : 4.
    a) Pays bourguignons : 3.
      Flandre : 2.
        Hameryck (?), 1;
        Wervicq, 1.
      Hollande : 1.
        Leyde, 1.
    b) Pays limitrophes : 1.
      Gueldre : 1.
        Bule (?), 1.

KINGSTON-UPON-THAMES : 7.
    a) Pays bourguignons : 5.
      Hollande : 4.
        Gouda, 1;
        Leyde, 3.
      Malines : 1.
        Malines, 1.
    b) Pays limitrophes : 2.
      Liège : 2.
        Bilzen, 1;
        Peer, 1.

REIGATE : 2.
    a) Pays bourguignons : 1.
      Hollande : 1.
        Haarlem, 1.
    b) Pays limitrophes : 1.
      Gueldre : 1.
        Vaghtondow (?), 1.

SHALFORD : 1.
    Pays bourguignons : 1.
      Hollande : 1.
        Sans origine indiquée, 1.

SOUTHWARK : 138.
    a) Pays bourguignons : 112.
      Brabant : 31.
        Anvers, 2;
        Bergen-op-Zoom, 1;
        Bois-le-Duc, 5;
        Breda, 1;
        Bretham (?), 1;
        Bruxelles, 4;
        Diest, 3;
        Lewe (?), 2;
        Leyshowete (?), 1;
        Maugham (?), 1;

        Megen, 1;
        Ostt (?), 1;
        Sans origine indiquée, 10.
      Flandre : 9.
        Audenarde, 2;
        Bruges, 2;
        Dunkerque, 1;
        Gand, 3;
        Sans origine indiquée, 1.
      Hainaut : 2.
        Enghien, 1;
        Le Quesnoy, 1.
      Hollande : 46.
        Amsterdam, 1;
        La Brielle, 1;
        Delft, 2;
        Dordrecht, 3;
        Gouda, 3;
        Haarlem, 5;
        La Haye, 1;
        Huizen, 1;
        Leyde, 2;
        Medemblik, 2;
        Naaldwijk, 1;
        Oudewater, 1;
        Schoonhoven, 1;
        Zevenbergen, 1;
        Sans origine indiquée, 21.
      Limbourg : 1.
        Henri-Chapelle, 1.
      Maastricht : 1.
        Maastricht, 1.
      Malines : 2.
        Malines, 2.
      Picardie : 2.
        Abbeville, 1;
        Sans origine indiquée, 1.
      Zélande : 16.
        Biezelinge, 1;
        Creek, 1;
        Duiveland, 1;
        Emelisse, 2;
        Goes, 1;
        Kruiningen, 1;
        Middelbourg, 3;
        Sans origine indiquée, 6.
    b) Pays limitrophes : 26.
      Frise : 2.
        Oldekerk, 1;
        Sans origine indiquée, 1.
      Gueldre : 10.
        Brey (?), 1;

Lowehome (?), 1;
Nimègue, 1;
Roy (?), 1;
Ruremonde, 1;
Venloo, 1;
Sans origine indiquée, 4.
Liège : 7.
  Liège, 1;
  Maaseik, 1;
  Saint-Trond, 1;
  Stevoort, 1;
  Sans origine indiquée, 3.
Tournaisis : 1.

Marquain, 1.
Utrecht : 5.
  Montfoort, 1;
  Utrecht, 4.

Un émigré signalé comme orignaire de la principauté de Liège ou du duché de Gueldre.

WANDSWORTH : 1.
  Pays bourguignons : 1.
  Brabant : 1.
    Tirlemont, 1.

*Emigrés fixés dans le comté de Sussex : 57
dont 49 originaires des pays bourguignons*

ARUNDEL : 3.
  a) Pays bourguignons : 2.
    Hollande : 2.
      La Haye, 2.
  b) Pays limitrophes : 1.
    Gueldre : 1.
      Elburg, 1.
CHICHESTER : 2.
  Pays bourguignons : 2.
    Hollande : 2.
      Haarlem, 2.
CRAWLEY : 1.
  Pays bourguignons : 1.
    Brabant : 1.
      Bois-le-Duc, 1.
FLETCHING : 1.
  Pays bourguignons : 1.
    Hollande : 1.
      Monnikendam, 1.
GRINSTEAD (EAST) : 2.
  a) Pays bourguignons : 1.
    Hollande : 1.
      Huclone (?), 1.
  b) Pays limitrophes : 1.
    Gueldre : 1.
      Sans origine indiquée, 1.
HARTFIELD : 1.
  Pays bourguignons : 1.
    Flandre : 1.
      Bruges, 1.
HASTINGS : 1.
  Pays bourguignons : 1.
    Brabant : 1.
      Breda, 1.

HERSTMONCEUX : 1.
  Pays bourguignons : 1.
    Malines : 1.
      Malines : 1.
HORSHAM : 1.
  Pays bourguignons : 1.
    Hollande : 1.
      Gouda, 1.
HURSTPIERPONT : 2.
  Pays bourguignons : 2.
    Hollande : 2.
      Heron (?), 1;
      Rotterdam, 1.
LAUGHTON : 1.
  Pays bourguignons : 1.
    Brabant : 1.
      Bruxelles, 1.
LEWES : 8.
  a) Pays bourguignons : 6.
    Brabant : 1.
      Bruxelles, 1.
    Flandre : 1.
      Bruges, 1.
    Hollande : 2.
      Dordrecht, 1;
      Zevenbergen, 1.
    Malines : 1.
      Malines, 1.
    Zélande : 1.
      Reimerswaal, 1.
  b) Pays limitrophes : 2.
    Gueldre : 2.
      Heimer (?), 1;
      Nimègue, 1.

LINDFIELD : 3.
  a) Pays bourguignons : 2.
      Brabant : 2.
        Lierre, 2.
  b) Pays limitrophes : 1.
      Gueldre : 1.
        Hattem, 1.

PETWORTH : 1.
  Pays limitrophes : 1.
      Liège : 1.
        Sans origine indiquée, 1.

POYNINGS : 2.
  Pays bourguignons : 2.
      Brabant : 1.
        Sans origine indiquée, 1.
      Zélande : 1.
        Middelbourg, 1.

ROBERTSBRIDGE : 1.
  Pays limitrophes : 1.
      Gueldre : 1.
        Dortmund, 1.

RYE : 4.
  a) Pays bourguignons : 3.
      Hollande : 2.
        Gouda, 1;
        Hardewerdt, 1.
      Zélande : 1.
        Valkenisse, 1.
  b) Pays limitrophes : 1.
      Utrecht : 1.
        Utrecht, 1.

UCKFIELD : 2.
  Pays bourguignons : 2.
      Hollande : 2.
        Amsterdam, 1;
        Leyde, 1.

WARNINGCAMP : 1.
  Pays bourguignons : 1.
      Maastricht : 1.
        Maastricht, 1.

WINCHELSEA : 19.
  Pays bourguignons : 19.
      Brabant : 3.
        Bruxelles, 1;
        Dinter, 1;
        Skevelombeek (?), 1.
      Hollande : 12.
        Bergen, 1;
        Delft, 1;
        Gouda, 2;
        La Haye, 1;
        Hoorn, 1;
        Leyde, 1;
        Naarden, 1;
        Oudewater, 1;
        Rotterdam, 1;
        Schiedam, 1;
        Walderwijk (?), 1.
      Malines : 1.
        Malines, 1.
      Zélande : 3.
        Middelbourg, 2;
        Zierikzee, 1.

*Emigrés fixés dans le comté de Wilts : 20
dont 16 originaires des pays bourguignons*

HEYTESBURY : 1.
  Pays bourguignons : 1.
      Flandre : 1.
        Termonde, 1.

RAMSBURY : 1.
  Pays bourguignons : 1.
      Brabant : 1.
        Bergen-op-Zoom, 1.

SALISBURY : 15.
  a) Pays bourguignons : 13.
      Brabant : 2.
        Diest, 1;
        Oudenbos, 1.
      Hollande : 11.

        Delft, 1;
        Heusden, 1;
        Hoorn, 1;
        Leen (?), 1;
        Leyde, 4;
        Schoonhoven, 2;
        Sans origine indiquée, 1.
  b) Pays limitrophes : 2.
      Gueldre : 2.
        Gueldre, 1;
        Tiel, 1.

TROWBRIDGE : 1.
  Pays limitrophes : 1.
      Gueldre : 1.
        Gueldre, 1.

WILTON : 1.
    Pays limitrophes : 1.
      Gueldre : 1.
        Buren, 1.

WULFALE : 1.
    Pays bourguignons : 1.
      Hollande : 1.
        Delft, 1.

Emigré fixé dans le comté de Worcester : 1

HASBURY : 1.
    Pays limitrophes : 1.
      Gueldre : 1.
        Herwen, 1.

Emigré fixé dans le comté de York : 1
originaire des pays bourguignons

SCARBOROUGH : 1.
    Pays bourguignons : 1.
      Hollande : 1.
        Leyde, 1.

Emigrés dont le lieu de domicile en Angleterre
n'a pas été identifié : 61 dont 48 originaires des pays bourguignons

ACTON (?) : 1.
    Pays bourguignons : 1.
      Brabant : 1.
        Bois-le-Duc, 1.

BARNELL (?) : 1.
    Pays bourguignons : 1.
      Brabant : 1.
        Ekeren, 1.

BLAKENEY (?) : 1.
    Pays limitrophes : 1.
      Liège : 1.
        Saint-Trond, 1.

BOURNE (?) : 1.
    Pays limitrophes : 1.
      Utrecht : 1.
        Sans origine indiquée, 1.

BRAMPTON (?) : 1.
    Pays bourguignons : 1.
      Brabant : 1.
        Bois-le-Duc, 1.

BROKES (?) : 1.
    Pays bourguignons : 1.
      Hollande : 1.
        Sans origine indiquée, 1.

BROMLEY (?) : 2.
  a) Pays bourguignons : 1.
      Maastricht : 1.
        Maastricht, 1.

  b) Pays limitrophes : 1.
      Utrecht : 1.
        Utrecht, 1.

CAPELL (?) : 1.
    Pays bourguignons : 1.
      Brabant : 1.
        Conduke (?), 1.

DORNOM (?) : 1.
    Pays bourguignons : 1.
      Brabant : 1.
        Bryan (?), 1.

ELMESTED (?) : 1.
    Pays bourguignons : 1.
      Hollande : 1.
        Dordrecht, 1.

FARNHAM (?) : 1.
    Pays bourguignons : 1.
      Hollande : 1.
        Dordrecht, 1.

HARLYNGTON (?) : 1.
    Pays bourguignons : 1.
      Brabant : 1.
        Vilvorde, 1.

HARPENDEN (?) : 1.
    Pays bourguignons : 1.
      Hollande : 1.
        Heusden, 1.

HARTLEY (?) : 1.
    Gueldre : 1.
      Nimègue, 1.

HEMPTON (?) : 1.
  Pays bourguignons : 1.
    Brabant : 1.
      Diest, 1.
HILL (EAST) (?) : 1.
  Pays bourguignons : 1.
    Brabant : 1.
      Mol, 1.
HILTON (?) : 2.
  Pays bourguignons : 1.
    Brabant : 1.
      Lewe (?), 1.
    Flandre : 1.
      Gand, 1.
KINGSTON (?) : 3.
  a) Pays bourguignons : 1.
    Brabant : 1.
      Lommel, 1.
  b) Pays limitrophes : 2.
    Liège : 1.
      Maaseik, 1.
    Utrecht : 1.
      Kampen, 1.
LANGLEY (?) : 1.
  Pays bourguignons : 1.
    Zélande : 1.
      Nieuwland, 1.
LUDGARSHALL (?) : 1.
  Pays bourguignons : 1.
    Brabant : 1.
      Bruxelles, 1.
MILTON (?) : 1.
  Pays bourguignons : 1.
    Hollande : 1.
      Wieringen, 1.
OCCULL (?) : 1.
  Pays bourguignons : 1.
    Brabant : 1.
      Lierre, 1.
PURLE (?) : 1.
  Pays limitrophes : 1.
    Gueldre : 1.
      Zaltbommel, 1.
RAINHAM (?) : 1.
  Pays bourguignons : 1.
    Brabant : 1.
      Sans origine indiquée, 1.
RISBURGH (?) : 1.
  Pays bourguignons : 1.
    Malines : 1.
      Malines, 1.

RYSPELE (?) : 1.
  Pays bourguignons : 1.
    Zélande : 1.
      Middelbourg, 1.
SHEPLAND (?) : 1.
  Pays bourguignons : 1.
    Hollande : 1.
      Leyde, 1.
SHIRBOURNE (?) : 2.
  a) Pays bourguignons : 1.
    Hollande : 1.
      Dordrecht, 1.
  b) Pays limitrophes : 1.
    Liège : 1.
      Saint-Trond, 1.
SOON (?) : 1.
  Pays limitrophes : 1.
    Liège : 1.
      Lummen, 1.
STRETHAM (?) : 1.
  Pays bourguignons : 1.
    Maastricht : 1.
      Maastricht, 1.
SUBBURY (?) : 1.
  Pays bourguignons : 1.
    Hollande : 1.
      Dordrecht, 1.
SWINESHEAD (?) : 1.
  Pays bourguignons : 1.
    Brabant : 1.
      Oirschot, 1.
THORNTON (?) : 1.
  Pays limitrophes : 1.
    Gueldre : 1.
      Ruremonde, 1.
THORPE (?) : 1.
  Pays bourguignons : 1.
    Brabant : 1.
      Sans origine indiquée, 1.
THORPITHE (?) : 2.
  Pays bourguignons : 2.
    Brabant : 1.
      Barlade (?), 1.
    Zélande : 1.
      Ellemeet, 1.
TWYFORD (?) : 1.
  Pays bourguignons : 1.
    Brabant : 1.
      Herentals, 1.

UCTON (?) : 1 [1].
  Pays bourguignons : 1.
    Brabant : 1.
      Itegem, 1.
WALCOT (?) : 1.
  Pays limitrophes : 1.
    Gueldre : 1.
      Batenburg, 1.
WARHAM (?) : 2.
  Pays bourguignons : 2.
    Hollande : 1.
      Leyde, 1.
    Zélande : 1.
      Schore, 1.
WATLINGTON (?) : 2.
  a) Pays bourguignons : 1.
    Brabant : 1.
      Bria (?), 1.
  b) Pays limitrophes : 1.
    Liège : 1.
      Fleremere (?), 1.
WELBY (?) : 1.
  Pays bourguignons : 1.
    Brabant : 1.
      Bois-le-Duc, 1.
WELLS (?) : 6.
  a) Pays bourguignons : 5.
    Hollande : 5.
      Delft, 1;

[1] « Marches of Wales ».

      Leyde, 1;
      Schiedam, 1;
      Schoonhoven, 1;
      's Gravezande, 1;
  b) Pays limitrophes : 1.
    Gueldre : 1.
      Arnhem, 1.
WESENDEN (?) : 1.
  Pays bourguignons : 1.
    Malines : 1.
      Malines, 1.
WESTBURY (?) : 1.
  Pays bourguignons : 1.
    Hollande : 1.
      Haarlem, 1.
WIERTON (?) : 1.
  Pays bourguignons : 1.
    Hollande : 1.
      Oudewater, 1.
WORDE (?) : 1.
  Pays bourguignons : 1.
    Brabant : 1.
      Geel, 1.
WYDEHOME (?) : 1.
  Pays bourguignons : 1.
    Zélande : 1.
      Zierikzee, 1.
WYTHAM (?) : 1.
  Pays bourguignons : 1.
    Zélande : 1.
      Reimerswaal, 1.

Emigrés dont le lieu de domicile en Angleterre est inconnu : 44
dont 33 originaires des pays bourguignons

a) Emigrés originaires des pays bourgui-
  gnons : 33.
  I. Emigrés originaires du duché de
    Brabant : 15.
      Bois-le-Duc, 3;
      Bruxelles, 1;
      Diest, 1;
      Grave, 1;
      Hoogstraten, 1;
      Lierre, 1;
      Louvain, 2;
      Pitte (?), 1;
      Sans origine indiquée, 4.
  II. Emigré originaire du comté de
    Flandre : 1.
      Dunkerque, 1.

  III. Emigré originaire du comté de
    Hainaut : 1.
      Ath, 1.
  IV. Emigrés originaires du comté de
    Hollande : 10.
      Gouda, 1;
      Haarlem, 1;
      Hatherhowe (?), 1;
      Leyde, 2;
      Lyne (?), 1;
      Ramesdong (?), 1;
      Rotterdam, 1;
      Sans origine indiquée, 2.
  V. Emigrés originaires de Maas-
    tricht : 2.
      Maastricht, 2.

VI. Emigré originaire de la seigneurie de Malines : 1.
   Malines, 1.

VII. Emigrés originaires du comté de
Zélande : 3.
   's Heer Arendskerke, 1;
   Zierikzee, 1;
   Sans origine indiquée, 1.

b) Emigrés originaires des pays limitrophes : 10.

I. Emigrés originaires du duché de
Gueldre : 5.
   Arnhem, 1;

Dortmund, 1;
Tawenes (?), 1;
Venloo, 1;
Zutphen, 1.

II. Emigrés originaires de la princi-
pauté de Liège : 5.
   Gretlet (?), 1;
   Hasselt, 1;
   Velone (?), 1;
   Sans origine indiquée, 2.

III. Emigré originaire du « sticht »
Utrecht : 1.
   Sans origine indiquée, 1.

22. — LISTE ALPHABETIQUE PAR PROFESSIONS DES EMIGRES ORIGINAIRES DES PAYS-BAS FIXES EN ANGLETERRE

AIGUISEUR DE COUTEAUX
(*Sheregrynder*) : 1.
   Pays bourguignons : 1.
   Hollande : 1.
      Woerden, demeurant à Londres.

ARMURIER (*Armurer*) : 1.
   Pays limitrophes : 1.
   Utrecht : 1.
      Utrecht, demeurant à Rye, co.
      Sussex.

BARBIER (*Barbour*) : 1.
   Pays bourguignons : 1.
   Brabant : 1.
      Sans origine indiquée, demeu-
      rant à Southwark, co. Surrey.

BIJOUTIERS-JOAILLIERS (*Goldsmith,
jeweler*) : 15.

a) Pays bourguignons : 7.
   Brabant : 3.
      Anvers, demeurant à Bristol.
      2 sans origine indiquée, demeu-
      rant à Southwark, co. Surrey.
   Flandre : 1.
      Sans origine indiquée, demeu-
      rant à Southwark, co. Surrey.
   Hollande : 2.
      La Haye, deumeurant à Nor-
      wich, co. Norfolk.
      Sans origine indiquée, demeu-
      rant à Southwark, co. Surrey.
   Zélande : 1.
      Yerseke, demeurant à Hunting-
      don, co. Huntingdon.

b) Pays limitrophes : 8.
   Frise : 2.
      Oldekerk, demeurant à South-
      wark, co. Surrey.
      Sans origine indiquée, demeu-
      rant à Southwark, co. Surrey.
   Gueldre : 3.
      Nimègue, demeurant à Lon-
      dres.
      Sans origine indiquée, demeu-
      rant à Southwark, co. Surrey.
   Utrecht : 2.
      Utrecht, demeurant à Bristol,
      co. Bristol.
      Sans origine indiquée, demeu-
      rant à Southwark, co. Surrey.
   Gueldre ou Liège : 1.
      Sans origine indiquée, demeu-
      rant à Southwark, co. Surrey.

BONNETIER (*Hosyer* [1]) : 1.
   Pays limitrophes : 1.
   Tournaisis : 1.
      Marquain, demeurant à South-
      wark, co. Surrey.

BRASSEURS (*Bierbruers*) : 4.
   Pays bourguignons : 4.
   Brabant : 1.
      Sans origine indiquée, demeu-
      rant à Londres.
   Hollande : 3.
      Leyde, demeurant à Scar-
      borough, co. York.
      Sans origine indiquée, demeu-
      rant à Boston, co. Lincoln.

---

[1] Fabricant ou marchand de bas.

Sans origine indiquée, demeurant à Walberswick, co. Suffolk.

BRODEURS *(Brouderer)* : 5.
a) Pays bourguignons : 4.
Hollande : 3.
3 sans origine indiquée, demeurant à Southwark, co. Surrey.
Picardie : 1.
Sans origine indiquée, demeurant à Southwark, co. Surrey.
b) Pays limitrophes : 1.
Liège : 1.
Sans origine indiquée, demeurant à Southwark, co. Surrey.

CHAPELAINS *(Chaplain)* : 2.
Pays bourguignons : 2.
Brabant : 1.
Louvain, demeurant à Michel-
mersh, co. Southampton.
Hollande : 1.
Delft, demeurant à Wulfale,
co. Wilts.

CHAPELIERS *(Cappemaker, capper, hat-maker)* : 7.
a) Pays bourguignons : 5.
Flandre : 4.
Sans origine indiquée, demeurant à Chesterton, co. Cambridge.
3 sans origine indiquée, demeurant à Londres.
Hollande : 1.
Lisse, demeurant à Londres.
b) Pays limitrophes : 2.
Gueldre : 1.
Sans origine indiquée, demeurant à Londres.
Liège : 1.
Sans origine indiquée, demeurant à Southwark, co. Surrey.

CHARPENTIER *(Carpenter)* : 1.
Pays bourguignons : 1.
Brabant : 1.
Sans origine indiquée, sans in-
dication de domicile.

CLERC *(Clerk)* : 1.
Pays bourguignons : 1.
Hollande : 1.
Schoonhoven, demeurant à
Penshurst, co. Kent.

CORDONNIERS *(Cordwaner, cobeler, corveser)* : 52.
a) Pays bourguignons : 39.
Artois : 1.
Thérouanne, deumeurant à
Sandwich, co. Kent.
Brabant : 6.
Bois-le-Duc, demeurant à
Southwark, co. Surrey.
Bois-le-Duc, sans indication de
domicile.
Bretham (?), demeurant à
Southwark, co. Surrey.
Ostt (?), demeurant à South-
wark, co. Surrey.
Sans origine indiquée, demeu-
rant à Faversham, co. Kent.
Sans origine indiquée, demeu-
rant à Sevenoaks, co. Kent.

Flandre : 1.
Lille, demeurant à Londres.

Hollande : 26.
Bergen, demeurant à Winchel-
sea, co. Sussex.
Gouda, demeurant à Londres.
Heusden, demeurant à Bristol,
co. Bristol.
Hoorn, demeurant à West-
minster, co. Middlesex.
Leyde, demeurant à Harleston,
co. Norfolk.
Leyde, demeurant à Westminster, co. Middlesex.
Leygh (?), demeurant à Londres.
Oudewater, demeurant à Havering Atte Bower, co. Essex.
Oudewater, demeurant à Londres.
Oudewater, demeurant à Southwark, co. Surrey.
Oudewater, demeurant à Westminster, co. Middlesex.
Schagen, demeurant à Lowestoft, co. Suffolk.
Wormer, demeurant à Londres.
Sans origine indiquée, demeurant à Huntingdon, co. Huntingdon.
Sans origine indiquée, demeurant à Londres.
2 sans origine indiquée, de-

meurant à Southampton, co. Southampton.

7 sans origine indiquée, demeurant à Southwark, co. Surrey.

Sans origine indiquée, demeurant à Waltham, co. Essex.
Sans origine indiquée, demeurant à Ware, co. Hertford.
Maastricht : 1.
Maastricht, demeurant à Londres.
Zélande : 4.
2 sans origine indiquée, demeurant à Southwark, co. Surrey.

Sans origine indiquée, demeurant à Ware, co. Hertford.
Sans origine indiquée, sans indication de domicile.

b) Pays limitrophes : 13.
Frise : 1.
Leyword (?), demeurant à Lowestoft, co. Suffolk.

Gueldre : 5.
Harderwijk, demeurant à St. Albans, co. Hertford.
Heimer, demeurant à Lewes, co. Sussex.
Venloo, demeurant à Cambridge, co. Cambridge.
Sans origine indiquée, demeurant à Chepstow, co. Monmouth.
Sans origine indiquée, demeurant à Southwark, co. Surrey.
Liège : 3.
Saint-Trond, demeurant à Londres.

Sans origine indiquée, demeurant à Southwark, co. Surrey.
Sans origine indiquée, demeurant à Petworth, co. Sussex.
Utrecht : 4.
Kampen, demeurant à Cambridge, co. Cambridge.
Utrecht, demeurant à Croydon, co. Surrey.
Vianen, demeurant à Londres.
Sans origine indiquée, demeurant à Waltham, co. Essex.

CORROYEUR (Coryour) : 1.
Pays bourguignons : 1.
Hollande : 1.
Sans origine indiquée, demeurant à Londres.
CULTIVATEUR (Husbondman) : 1.
Pays limitrophes : 1.
Liège : 1.
Herck-la-Ville, demeurant à Hatfield Peverel, co. Essex.
DUBBER [1].
Pays bourguignons : 1.
Flandre : 1.
Sans origine indiquée, demeurant à Lynn, co. Norfolk.
EPINGLIER (Pynner) : 1.
Pays bourguignons : 1.
Malines : 1.
Malines, demeurant à Southwark, co. Surrey.

FABRICANTS DE BOURSES (Pursmaker, purser) : 4.
a) Pays bourguignons : 3.
Brabant : 2.
2 Bruxelles, demeurant à Southwark, co. Surrey.
Hollande : 1.
Haarlem, demeurant à Boston, co. Lincoln.
b) Pays limitrophes : 1.
Utrecht : 1.
Utrecht, demeurant à Southwark, co. Surrey.

FACTEUR D'ORGUES (Organmaker) : 1.
Pays bourguignons : 1.
Brabant : 1.
Bruxelles, demeurant à Westminster, co. Middlesex.

FORGERONS (Smith) : 7.
a) Pays bourguignons : 5.
Brabant : 3.
Bergen-op-Zoom, demeurant à Southwark, co. Surrey.
Louvain, demeurant à Covehithe, co. Suffolk.
Sans origine indiquée, demeurant à Southwark, co. Surrey.
Flandre : 1.

[1] Ouvrier spécialisé dans la préparation du cuir et son dégraissage.

Sans origine indiquée, demeurant à Londres.
Hollande : 1.
Dordrecht, demeurant à Southwark, co. Surrey.
b) Pays limitrophes : 2.
Gueldre : 2.
Sans origine indiquée, demeurant à Grinstead (East), co. Sussex.
Sans origine indiquée, demeurant à Norwich, co. Norfolk.

GARDE CHASSE (Warenner) : 1.
Pays bourguignons : 1.
Maastricht : 1.
Maastricht, sans indication de domicile.

MAÇONS (Mason) : 2.
Pays limitrophes : 2.
Gueldre : 2.
2 sans origine indiquée, demeurant à Istleworth, co. Middlesex.

MERCIERS (Haberdasher) : 22.
a) Pays bourguignons : 19.
Brabant : 4.
Bois-le-Duc, demeurant à Southwark, co. Surrey.
Sans origine indiquée, demeurant à Londres.
2 sans origine indiquée, demeurant à Southwark, co. Surrey.
Flandre : 4.
2 Audenarde, demeurant à Southwark, co. Surrey.
Gand, demeurant à Southwark, co. Surrey.
Sans origine indiquée, demeurant à Londres.
Hollande : 7.
Oudewater, demeurant à Winchelsea, co. Sussex.
Zevenbergen, demeurant à Southwark, co. Surrey.
Sans origine indiquée, demeurant à Londres.
3 sans origine indiquée, demeurant à Westminster, co. Middlesex.

Maastricht : 1.
Maastricht, demeurant à Southwark, co. Surrey.
Malines : 1.
Malines, demeurant à Southwark, co. Surrey.
Zélande : 2.
Sans origine indiquée, demeurant à Sandwich, co. Kent.
Sans origine indiquée, demeurant à Southampton, co. Southampton.
b) Pays limitrophes : 3.
Gueldre : 2.
Nimègue, demeurant à Southwark, co. Surrey.
Sans origine indiquée, demeurant à Southwark, co. Surrey.
Liège : 1.
Sans origine indiquée, demeurant à Londres.

OUVRIER (Laborer) : 1.
Pays bourguignons : 1.
Hollande : 1.
Sans origine indiquée, demeurant à Istleworth, co. Middlesex.

PEINTRE (Peyntour) : 1.
Pays bourguignons : 1.
Hollande : 1.
Sans origine indiquée, demeurant à Southwark, co. Surrey.

PELLETIERS (Skynner) : 7.
a) Pays bourguignons : 6.
Brabant : 1.
Tirlemont, demeurant à Rochester, co. Kent.
Flandre : 3.
Bruges, demeurant à Southwark, co. Surrey.
Termonde, demeurant à Ipswich, co. Suffolk.
Sans origine indiquée, demeurant à St. Mary Matfelon, co. Middlesex.
Hollande : 2.
Haarlem, demeurant à Lowestoft, co. Suffolk.
Haarlem, demeurant à Southwark, co. Surrey.
b) Pays limitrophes : 1.
Liège : 1.

Liège, demeurant à Southwark, co. Surrey.

PORTIER *(Porter)* : 1.
  Pays bourguignons : 1.
    Zélande : 1.
      Sans origine indiquée, demeurant à Sandwich, co. Kent.

SABOTIERS *(Patynmaker)* : 2.
  Pays bourguignons : 2.
    Flandre : 1.
      Gand, demeurant à Londres.
    Hollande : 1.
      Sans origine indiquée, demeurant à Norwich, co. Norfolk.

SCIEURS *(Sawyer)* : 3.
  a) Pays bourguignons : 2.
    Brabant : 1.
      Tylby (?), demeurant à Londres.
    Hollande : 1.
      Sans origine indiquée, demeurant à Southwark, co. Surrey.
  b) Pays limitrophes : 1.
    Utrecht : 1.
      Utrecht, demeurant à Londres.

TAILLEURS *(Taillour)* : 29.
  a) Pays bourguignons : 21.
    Brabant : 7.
      Bois-le-Duc, demeurant à Somerleyton, co. Suffolk.
      Bois-le-Duc, sans indication de domicile.
      Nethermyord (?), demeurant à Westminster, co. Middlesex.
      Sans origine indiquée, demeurant à Cadbury (South), co. Somerset.
      Sans origine indiquée, demeurant à Chelmsford, co. Essex.
      Sans origine indiquée, demeurant à Londres.
      Sans origine indiquée, demeurant à Thorpe (?).
    Hollande : 6.
      Amsterdam, demeurant à Cambridge, co. Cambridge.
      Leyde, demeurant à Colchester, co. Essex.
      Leyde, demeurant à Bristol, co. Bristol.
      Sans origine indiquée, demeurant à Hanningfield, co. Essex.

Sans origine indiquée, demeurant à Londres.
Sans origine indiquée, demeurant à Southwark, co. Surrey.
Limbourg : 1.
  Henri-Chapelle, demeurant à Southwark, co. Surrey.
Malines : 2.
  Malines, demeurant à Londres.
  Malines, sans indication de domicile.
Zélande : 5.
  Goes, demeurant à Southwark, co. Surrey.
  Haamstede, demeurant à Colchester, co. Essex.
  's Heer Arendskerke, sans indication de domicile.
  Sans origine indiquée, demeurant à Southwark, co. Surrey.
  Sans origine indiquée, demeurant à Downham, co. Essex.
b) Pays limitrophes : 8.
  Frise : 1.
    Oldekerk, demeurant à Lowestoft, co. Suffolk.
  Gueldre : 4.
    Buren, demeurant à Wilton, co. Essex.
    Nimègue, demeurant à Londres.
    Tiel, demeurant à Boston, co. Lincoln.
    Sans origine indiquée, demeurant à Ipswich, co. Suffolk.
  Liège : 2.
    Maaseik, demeurant à Southwark, co. Surrey.
    Sans origine indiquée, demeurant à Bury St. Edmunds, co. Suffolk.
  Utrecht : 1.
    Utrecht, demeurant à Southwark, co. Surrey.

TERRASSIER *(Dychemaker* [1]*)* : 1.
  Pays bourguignons : 1.
    Flandre : 1.
      Gand, demeurant à Southwark, co. Surrey.

----

[1] Littéralement faiseur de fossé(s) *(ditch)*.

TISSERANDS *(Wever, webbe)* : 20.

a) Pays bourguignons : 15.

Brabant : 7.

Diest, demeurant à Erith, co. Kent.

Grave, demeurant à Ipswich, co. Suffolk.

Tirlemont, demeurant à Hoo, co. Kent.

Wavre, demeurant à Hickling, co. Norfolk.

Sans origine indiquée, demeurant à Londres.

Sans origine indiquée, demeurant à Southwark, co. Surrey.

Hainaut : 2.

Ath, sans indication de domicile.

Enghien, demeurant à Southwark, co. Surrey.

Hollande : 2.

Sans origine indiquée, demeurant à Danbury, co. Essex.

Sans origine indiquée, demeurant à Southwark, co. Surrey.

Maastricht : 3.

Maastricht, demeurant à Bromley (?).

Maastricht, demeurant à Coggeshale, co. Essex.

Maastricht, demeurant à Maldon, co. Essex.

Zélande : 1.

Haamstede, demeurant à Hickling, co. Norfolk.

b) Pays limitrophes : 5.

Gueldre : 1.

Nimègue, demeurant à Wimpole, co. Cambridge.

Liège : 4.

Herck-la-Ville, demeurant à Appledore, co. Kent.

Saint-Trond, demeurant à Needham Market, co. Suffolk.

Weert, demeurant à Benacre, co. Suffolk.

Sans origine indiquée, demeurant à Bury St. Edmunds, co. Suffolk.

TISSERANDS DE TOILE *(Lynwever)* : 2.

a) Pays bourguignons : 1.

Brabant : 1.

Sans origine indiquée, demeurant à Southwark, co. Surrey.

b) Pays limitrophes : 1.

Liège : 1.

Sans origine indiquée, demeurant à Southwark, co. Surrey.

TONNELIERS *(Couper)* : 3.

Pays bourguignons : 3.

Hollande : 3.

La Brielle, demeurant à Southwark, co. Surrey.

Gorinchem, demeurant à Hickling, co. Norfolk.

Schagen, demeurant à Lowestoft, co. Suffolk.

VALET DE CHIENS *(Bernere)* : 1.

Pays bourguignons : 1.

Hollande : 1.

Sans origine indiquée, demeurant à Londres.

23. TABLEAU STATISTIQUE DE L'EMIGRATION DES PAYS-BAS VERS L'ANGLETERRE

Comtés anglais	Artois Picardie	Brabant	Flandre	Hainaut	Hollande	Limbourg	
Bedford	—	7	—	—	8	—	
Berks	1	2	—	—	6	—	
Bristol	—	3	—	—	10	—	
Buckingham	—	14	2	—	1	—	
Cambridge	—	11	3	—	14	—	
Devon	—	9	1	1	4	—	
Dorset	—	—	1	—	10	—	
Essex	—	24	4	1	27	—	
Gloucester	1	—	—	—	—	—	
Hereford	—	—	—	—	2	—	
Hertford	1	11	—	—	14	—	
Huntingdon	—	1	2	—	3	—	
Kent	3	24	12	1	42	—	
Leicester	—	4	—	—	1	—	
Lincoln	—	10	1	—	16	—	
Londres	1	72	38	4	116	—	
Middlesex	—	10	1	—	22	—	
Monmouth	—	—	—	—	—	—	
Norfolk	2	41	6	1	55	—	
Northampton	—	16	1	2	5	—	
Northumberland	—	1	—	—	—	—	
Nottingham	—	4	—	—	—	—	
Oxford	1	5	—	—	2	—	
Pembroke	—	—	—	—	1	—	
Rutland	—	—	—	—	1	—	
Somerset	—	5	—	—	4	—	
Southampton	—	3	1	—	13	—	
Suffolk	—	22	4	1	33	—	
Surrey	2	37	12	2	58	1	
Sussex	—	10	2	—	27	—	
Wilts	—	3	1	—	12	—	
Worcester	—	—	—	—	—	—	
York	—	—	—	—	1	—	
Domiciles non identifiés	—	21	1	—	16	—	
Domiciles inconnus	—	15	1	1	10	—	
	12	385	94	14	534	1	37

[1] Un émigré du duché de Gueldre ou de la principauté de Liège n'a pu être indiqué dans le tableau que dans cette colonne.

	Zélande	Total des Bourguignons	Frise	Gueldre	Liège	Tournai	Utrecht	Total des pays limitrophes	Total général[1]
	1	18	—	2	1	—	—	3	21
	4	15	—	—	—	—	—	—	15
	4	17	—	—	—	—	1	1	18
	2	24	—	3	1	—	—	4	28
	—	31	—	4	1	—	1	6	37
	6	22	2	4	—	—	—	6	28
	1	13	1	—	1	—	2	3	16
	9	69	—	4	4	—	5	14	83
	—	1	—	—	—	—	—	—	1
	1	3	—	—	—	—	—	—	3
	4	34	—	5	2	—	3	10	44
	2	8	—	—	1	—	—	1	9
	14	100	2	12	6	—	9	28	128
	—	5	—	2	1	—	—	3	8
	2	29	—	3	3	—	—	6	35
	25	262	—	30	13	1	15	63	325
	5	40	—	6	5	—	3	14	54
	—	—	—	1	—	—	—	1	1
	12	122	1	4	3	—	8	16	138
	1	31	—	1	7	—	1	9	40
	—	1	—	—	—	—	—	—	1
	—	4	—	—	—	—	—	—	4
	—	10	—	2	—	—	—	2	12
	—	1	—	—	—	—	—	—	1
	—	2	—	—	—	—	—	—	2
	2	13	—	1	—	—	1	2	15
	8	26	4	3	2	—	1	10	36
	11	77	2	5	11	—	1	19	95
	16	132	2	12	11	1	6	33	165
	6	49	—	6	1	—	1	8	57
	—	16	—	4	—	—	—	4	20
	—	—	—	1	—	—	—	1	1
	—	1	—	—	—	—	—	—	1
	6	48	—	5	5	—	3	13	61
	3	33	—	5	5	—	1	11	44
7	145	1.259	14	125	84	2	62	288	1.547

24. TABLEAU STATISTIQUE PAR PRINCIPAUTES
DU NOMBRE DES LOCALITES DES PAYS-BAS
D'OU PROVENAIENT LES EMIGRES

	Nombre de localités	Nombre loca-lités qui ont envoyé plus de 10 émigrés	Nombre total provenant des localités qui en ont envoyé plus de 10	Nombre total des émigrés
Artois	8	—	—	—
Brabant	82	10	227	385
Flandre	32	2	35	94
Hainaut	8	—	—	14
Hollande	74	14	345	534
Limbourg	1	—	—	1
Maastricht	1	1	37	37
Malines	2	1	34	37
Zélande	31	3	82	145
	239	31	780	1.259
Frise	7	—	—	14
Gueldre	44	1	20	125
Liège	24	1	23	84
Tournaisis	2	—	—	2
Utrecht	11	1	28	64
	88	3	71	288
	327	34	851	1.547

25. TABLEAU STATISTIQUE PAR COMTES ANGLAIS
DU NOMBRE DES LOCALITES
OU S'ETAIENT FIXES LES EMIGRES

Comtés anglais	Nombre de localités	Nombre de localités où se trouvaient fixés plus de 10 émigrés	Nombre total d'émigrés dans les localités où ils sont plus de 10	Nombre total d'émigrés
Bedford	8	—	—	21
Berks	6	—	—	15
Bristol	1	1	18	18
Buckingham	13	—	—	28
Cambridge	11	1	22	37
Devon	9	—	—	28
Dorset	6	—	—	16
Essex	32	1	19	82
Gloucester	1	—	—	1
Hereford	1	—	—	3
Hertford	15	—	—	44
Huntingdon	5	—	—	9
Kent	44	2	49	128
Leicester	4	—	—	8
Lincoln	11	1	17	35
Londres	1	1	325	325
Middlesex	9	1	30	54
Monmouth	1	—	—	1
Norfolk	42	3	76	139
Northampton	10	1	25	40
Northumberland	1	—	—	1
Nottingham	4	—	—	4
Oxford	6	—	—	12
Pembroke	1	—	—	1
Rutland	1	—	—	2
Somerset	13	—	—	15
Southampton	8	2	29	36
Suffolk	41	1	22	95
Surrey	11	1	138	165
Sussex	20	1	19	57
Wilts	6	1	15	20
Worcester	1	—	—	1
York	1	—	—	1
Localités non identifiées	48	—	—	61
Domiciles inconnus	—	—	—	44
	382	18	819	1.547

26. TABLEAU PAR PRINCIPAUTES DES LOCALITES DES PAYS-BAS DONT PLUS DE DIX HABITANTS SE SONT EXPATRIES EN ANGLETERRE

	Entre 10 et 20 émigrés	Entre 20 et 30 émigrés	Entre 30 et 40 émigrés	Entre 40 et 50 émigrés	Entre 50 et 60 émigrés	Plus de 60 émigrés
Brabant	Bergen-op-Zoom 17 Breda 13 Hoogstraten 10 Lierre 17	Anvers 29 Diest 22 Louvain 23 Tirlemont 22	Bruxelles 32	Bois-le-Duc 43		
Flandre	Gand 12	Bruges 23				
Hollande	Alkmaar 15 Amsterdam 13 La Brielle 12 La Haye 14 Heusden 10 Hoorn 10 Oudewater 11 Rotterdam 12 Schiedam 14 Schoonhoven 12		Delft 30 Dordrecht 38	Gouda 49	Leyde 54	Haarlem 61
Maastricht			Maastricht 37			
Malines			Malines 34			
Zélande	Reimerswaal 10	Middelbourg 29		Zierikzee 43		
Gueldre		Nimègue 20				
Liège		Saint-Trond 23				
Utrecht		Utrecht 28				

27. TABLEAU DES LOCALITES ANGLAISES OU PLUS DE DIX EMIGRES ORIGINAIRES DES PAYS-BAS SE SONT FIXES

Entre 10 et 20 émigrés	Entre 20 et 30 émigrés	Entre 30 et 40 émigrés	Plus de 100 émigrés	Plus de 300 émigrés
Boston 17 (co. Lincoln)	Cambridge 22 (co. Cambridge)	Canterbury 37 (co. Kent)	Southwark 138 (co. Surrey)	Londres 325
Bristol 18 (co. Bristol)	Ipswich 22 (co. Suffolk)	Norwich 36 (co. Norfolk)		
Colchester 19 (co. Essex)	Lynn 23 (co. Norfolk)	Westminster 30 (co. Middlesex)		
Salisbury 15 (co. Wilts)	Northampton 25 (co. Northampton)			
Sandwich 12 (co. Kent)	Yarmouth 23 (co. Norfolk)			
Southampton 15 (co. Southampton)				
Winchelsea 19 (co. Sussex)				
Winchester 14 (co. Southampton)				

28. TABLEAUX STATISTIQUES PAR PROFESSIONS DE L'EMIGRATION DES PAYS-BAS VERS L'ANGLETERRE

a) *Répartition par professions et par lieux d'origine*

Métiers	Artois Picardie	Brabant	Flandre	Hainaut	Hollande	Limbourg	
Aiguiseur de couteaux	—	—	—	—	1	—	
Armurier	—	—	—	—	—	—	
Barbier	—	1	—	—	—	—	
Bijoutiers-joailliers	—	3	1	—	2	—	
Bonnetier	—	—	—	—	—	—	
Brasseurs	—	1	—	—	3	—	
Brodeurs	1	—	—	—	3	—	
Chapelains	—	1	—	—	1	—	
Chapeliers	—	—	4	—	1	—	
Charpentier	—	1	—	—	—	—	
Clerc	—	—	—	—	1	—	
Cordonniers	1	6	1	—	26	—	
Corroyeur	—	—	—	—	1	—	
Cultivateur	—	—	—	—	—	—	
« *Dubber* »	—	—	1	—	—	—	
Epinglier	—	—	—	—	—	—	
Fabricants de bourses	—	2	—	—	1	—	
Facteur d'orgues	—	1	—	—	—	—	
Forgerons	—	3	1	—	1	—	
Garde-chasse	—	—	—	—	—	—	
Maçons	—	—	—	—	—	—	
Merciers	—	4	4	—	7	—	
Ouvrier	—	—	—	—	1	—	
Peintre	—	—	—	—	—	—	
Pelletiers	—	1	3	—	2	—	
Portier	—	—	—	—	—	—	
Sabotiers	—	—	1	—	1	—	
Scieurs	—	1	—	—	1	—	
Tailleurs	—	7	—	—	6	1	
Terrassier	—	—	1	—	—	—	
Tisserands	—	7	—	2	2	—	
Tisserands de toile	—	1	—	—	—	—	
Tonneliers	—	—	—	—	3	—	
Valet de chiens	—	—	—	—	1	—	
	2	40	17	2	65	1	
Nombre des émigrés	12	385	94	14	534	1	

[1] Ajouter un individu originaire de la Gueldre ou de la principauté de Liège

Zélande	Total des Bourguignons	Frise	Gueldre	Liège	Tournai	Utrecht	Total des pays limitrophes	Total général
—	1	—	—	—	—	-—	—	1
—	—	—	—	—	—	1	1	1
—	1	—	—	—	—	—	—	1
1	7	2	3	—	—	2	6 [1]	17
—	—	—	—	—	1	—	1	1
—	4	—	—	—	—	—	—	4
—	4	—	—	1	—	—	1	5
—	2	—	—	—	—	—	—	2
—	5	—	1	1	—	—	2	7
—	1	—	—	—	—	—	—	1
—	1	—	—	—	—	—	—	1
4	39	1	5	3	—	4	13	52
—	1	—	—	—	—	—	—	1
—	—	—	—	1	—	—	1	1
—	1	—	—	—	—	—	—	1
—	1	—	—	—	—	—	—	1
—	3	—	—	—	—	1	1	4
—	1	—	—	—	—	—	—	1
—	5	—	2	—	—	—	2	7
—	1	—	—	—	—	—	—	1
—	—	—	2	—	—	—	2	2
2	19	—	2	1	—	—	3	22
—	1	—	—	—	—	—	1	1
—	1	—	—	—	—	—	—	1
—	6	—	—	1	—	—	—	7
1	1	—	—	—	—	—	—	1
—	2	—	—	—	—	—	—	2
—	2	—	—	—	—	1	1	3
5	21	1	4	2	—	1	8	29
—	1	—	—	—	—	—	—	1
1	15	—	1	4	—	—	5	20
—	1	—	—	1	—	—	1	2
—	3	—	—	—	—	—	—	3
—	1	—	—	—	—	—	—	1
14	154	3	20	15	1	10	49	203
145	1.259	14	125	84	2	62	288	1.547

B. Répartition par professions et par lieux de domicile en Angleterre

Nom du comté	Nom de la localité	Aiguiseur de couteaux	Armurier	Barbier	Bijoutiers-joailliers	Bonnetier	Brasseurs	Brodeurs	Chapelains	Chapeliers	Charpentier	Clerc	Cordonniers	Corroyeur
Bristol	Bristol				2								1	
Cambridge												1	2	
	Cambridge												2	
	Chesterton											1		
	Wimpole													
Essex													3	
	Chelmsford													
	Coggeshale													
	Colchester													
	Danbury													
	Downham													
	Hanningfield													
	Hatfield Peverel													
	Havering Atte Bower												1	
	Maldon													
	Waltham												2	
Hertford													3	
	St. Albans												1	
	Ware												2	
Huntingdon				1									1	
	Huntingdon			1									1	
Kent												1	3	
	Appledore													
	Dartford													
	Erith													
	Faversham												1	
	Hoo													
	Penshurst											1		
	Rochester													
	Sandwich												1	
	Sevenoaks												1	
Lincoln									1					
	Boston									1					
Londres	Londres	1			1	1				5			9	1
Middlesex													3	
	Istleworth													
	St Mary Matfelon													
	Westminster												3	
Monmouth													1	
	Chepstow												1	

Facteur d'orgues	Forgerons	Garde-chasse	Maçons	Merciers	Ouvrier	Peintre	Pelletiers	Portier	Sabotiers	Scieurs	Tailleurs	Terrassier	Tisserands	Tisserands de toile	Tonneliers	Valet de chiens	Totaux	Nombre total des émigrés	Pourcentage des professions indiquées
											1						4	18	22 %
											1		1				5	37	13 %
											1						3	22	13 %
																	1	1	100 %
													1				1	2	50 %
											5		3				12	83	14 %
											1						1	5	20 %
													1				1	2	50 %
											2						2	19	10 %
													1				1	1	100 %
											1						1	3	33 %
											1						1	1	100 %
																	1	2	50 %
																	1	1	100 %
													1				1	3	33 %
																	2	4	50 %
																	3	44	6 %
																	1	8	12 %
																	2	7	30 %
																	2	9	22 %
																	2	5	40 %
			1				1	1					4				11	128	9 %
													1				1	2	50 %
													1				1	3	33 %
													1				1	1	100 %
																	1	2	50 %
													1				1	2	50 %
																	1	1	100 %
							1										1	6	16 %
			1							1							3	12	25 %
																	1	3	33 %
											1						3	35	8 %
													1				3	17	17 %
	1		4						1	2	4		1			1	32	325	10 %
1		2	1	1			1				1						10	54	9 %
		2			1												3	4	75 %
							1										1	1	100 %
1			1					1			1						6	30	20 %
																	1	1	100 %
																	1	1	100 %

B. Répartition par professions et par lieux de domicile en Angleterre (suite)

Nom du comté	Nom de la localité	Aiguiseur de couteaux	Armurier	Barbier	Bijoutiers-joailliers	Bonnetier	Brasseurs	Brodeurs	Chapelains	Chapeliers	Charpentier	Clerc	Cordonniers	Corroyeurs
Norfolk				1									1	
	Harleston												1	
	Hickling													
	Lynn													
	Norwich			1										
Somerset														
	Cadbury (South)													
Southampton										1			2	
	Southampton												2	
	Michelmersch									1				
Suffolk									1				2	
	Benacre Bury St. Edmunds Covehithe Ipswich Lowestoft Needham Market Somerleyton Walberswick								1				2	
Surrey				1	10	1		5			1		16	
	Croydon												1	
	Southwark			1	10	1		5			1		15	
Sussex			1										3	
	Grinstead (East)													
	Lewes												1	
	Petworth												1	
	Rye		1											
	Winchelsea												1	
Wilts										1				
	Wilton													
	Wulfale									1				
York									1					
	Scarborough								1					
Domiciles non identifiés	Bromley (?) Thorpe (?)													
Domiciles inconnus												1	2	

Facteur d'orgues	Forgerons	Garde chasse	Maçons	Merciers	Ouvrier	Peintre	Pelletiers	Portier	Sabotiers	Scieurs	Tailleurs	Terrassier	Tisserands	Tisserands de toile	Tonneliers	Valet de chiens	Totaux	Nombre total des émigrés	Pourcentage des professions indiquées
1									1				2		1		8	138	5 %
																	1	2	50 %
													2		1		3	4	75 %
																	1	23	4 %
1									1								3	36	8 %
											1						1	15	6 %
											1						1	1	100 %
				1													4	36	11 %
				1													3	15	20 %
																	1	1	100 %
1							2				4		4		1		15	95	15 %
													1				1	1	100 %
											1		1				2	7	30 %
1																	1	1	100 %
								1			1		1				3	22	13 %
								1			1					1	5	5	100 %
													1				1	1	100 %
											1						1	1	100 %
																	1	2	50 %
	3		14		1		3			1	6	1	3	2	1		73	165	44 %
																	1	4	25 %
	3		14		1		3			1	6	1	3	2	1		72	138	52 %
1			1														6	57	10 %
1																	1	2	50 %
																	1	8	12 %
																	1	1	100 %
																	1	4	25 %
			1														2	19	10 %
											1						2	20	10 %
											1						1	1	100 %
																	1	1	100 %
																	1	1	100 %
																	1	1	100 %
											1		1				2	61	3 %
													1				1	2	50 %
											1						1	1	100 %
		1									3		1				8	44	18 %

NOTE COMPLEMENTAIRE

Ce livre était déjà à l'impression lorsque la publication de certains travaux apporta des précisions nouvelles sur quelques points particuliers qui y étaient traités.

Nous n'avons pas cru devoir modifier notre texte; nous avons donc arrêté la bibliographie au mois de juin 1963.

Cependant, un ouvrage de la plus haute importance avait paru : celui de Misses E.M. Carus-Wilson et O. Coleman (*England's export trade, 1275-1547*, Oxford, 1963). Il nous a semblé indispensable d'ajouter à notre travail une note relative à l'acception que donnent ces auteurs du terme « *panni sine grano* ». Pour ces derniers, il signifie toutes les espèces de draps, apprêtés ou non, à l'exception de ceux teints, en tout ou en partie, au kermès, alors que toute la bibliographie antérieure considère qu'il s'agit de draps non apprêtés et non teints. Misses Carus-Wilson et Coleman appuient leur opinion sur un texte postérieur à l'époque que nous étudions (p. 15, note 2). Nous signalons, sans mettre en doute leur affirmation, que les textes relatifs aux Pays-Bas ne mentionnent pas l'importation de draps anglais prêts à l'emploi, à l'exception des « *scarletts* »; ils sont muets à cet égard. En revanche, nous avons relevé d'innombrables témoignages d'apprêtage de draps anglais et de vente de draps non apprêtés.

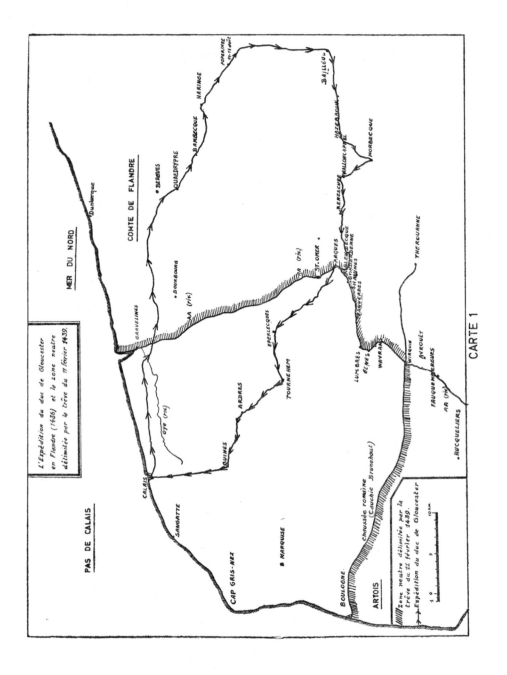

L'Expédition du duc de Gloucester
en Flandre (1436) et la zone neutre
délimitée par la trève du 11 février 1439.

MER DU NORD

PAS DE CALAIS

COMTE DE FLANDRE

ARTOIS

Dunkerque

GRAVELINES
BERGUES
QUAEDYPRE
BAMBECQUE
HARINGE
FORNAINE
(10-11 août)
BAILLEUL
HAZEBROUCK
WALLON-CAPPEL
NORBECQUE
RENESCURE
ST.OMER
ARQUES
BLENDECQUE
HELFAUT
ESQUERDES
WIZERNES

BOURBOURG
AA (riv.)
EPERLECQUES
TOURNEHEM
ARDRES
GUINES
OYE (riv.)
CALAIS
SANGATTE
CAP GRIS-NEZ
MARQUISE
BOULOGNE

THEROUANNE
WIRQUIN
AVROULT
FAUQUEMBERGUES
AA (riv.)
HUCQUELIERS
LUMBRES
ELNES
WAVRANS

Chaussée romaine
(Cauchie Brunehaut)

Zone neutre délimitée par la
trève du 11 février 1439.
Expédition du duc de Gloucester

10 km.
0 5 10

CARTE 1

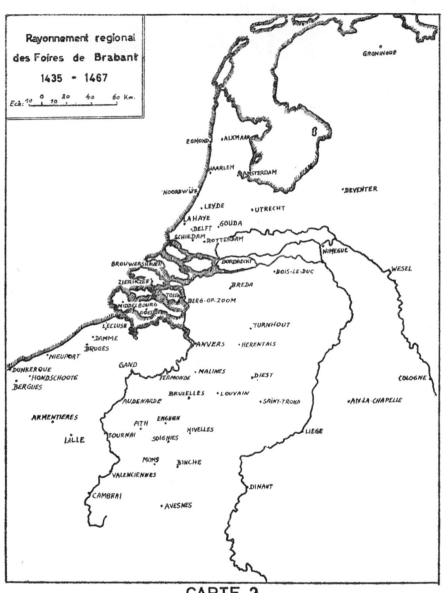

Rayonnement regional
des Foires de Brabant
1435 — 1467

Ech: 10 0 20 40 60 Km.
10

GRONINGUE

EGMOND ALKMAAR

HAARLEM AMSTERDAM

DEVENTER

NOORDWIJK

LEYDE UTRECHT

LA HAYE GOUDA

DELFT

SCHIEDAM ROTTERDAM

NIMEGUE

BROUWERSHAVEN DORDRECHT

WESEL

ZIERIKZEE BOIS-LE-DUC

TOLEN BREDA

MIDDELBOURG BERG-OP-ZOOM

GOES

TURNHOUT

L'ECLUSE

DAMME ANVERS HERENTALS

BRUGES

NIEUPORT GAND

DUNKERQUE MALINES DIEST COLOGNE

HONDSCHOOTE TERMONDE

BERGUES BRUXELLES LOUVAIN

AUDENARDE SAINT-TROND AIX-LA-CHAPELLE

ARMENTIERES ATH ENGHIEN

NIVELLES LIEGE

LILLE TOURNAI SOIGNIES

MONS BINCHE

VALENCIENNES

DINANT

CAMBRAI

AVESNES

CARTE 2

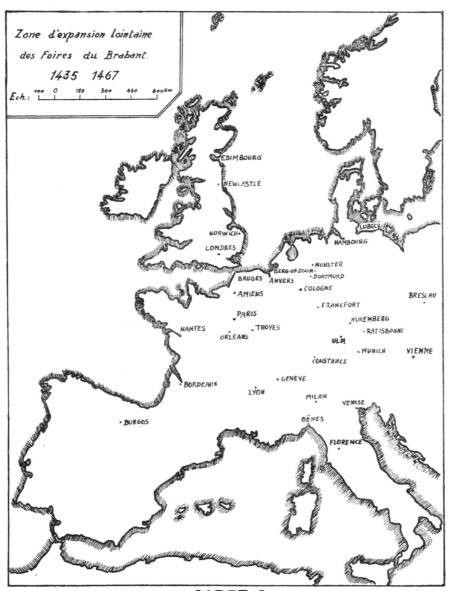

Zone d'expansion lointaine
des Foires du Brabant.
1435   1467
Ech.:   100   0   150   300   450   600 Km

EDIMBOURG
NEWCASTLE
NORWICH
LONDRES
LUBECK
HAMBOURG
BERG-OP-ZOOM
BRUGES   ANVERS
MUNSTER
DORTMUND
COLOGNE
BRESLAU
AMIENS
FRANCFORT
PARIS
NUREMBERG
NANTES
TROYES
RATISBONNE
ORLEANS
ULM
MUNICH
VIENNE
CONSTANCE
GENEVE
BORDEAUX
LYON
MILAN
VENISE
BURGOS
GÊNES
FLORENCE

CARTE 3

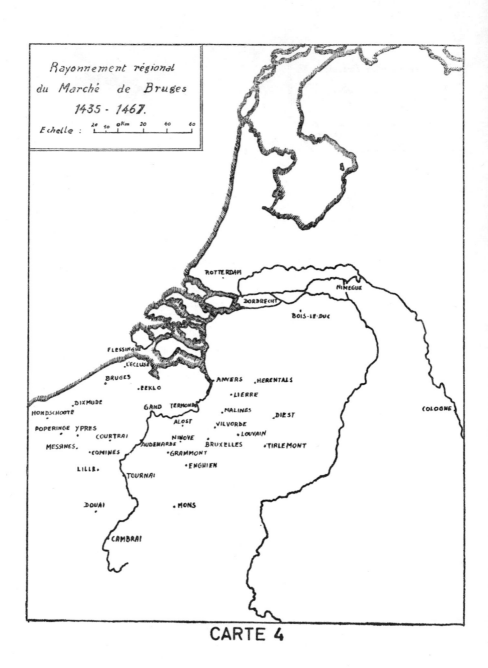

Rayonnement régional
du Marché de Bruges
1435 - 1467.

Echelle : 20 10 0Km 20 40 60

ROTTERDAM

NIMEGUE

DORDRECHT

BOIS-LE-DUC

FLESSINGUE

L'ECLUSE

BRUGES   ANVERS   • HERENTALS
        • EEKLO
                    • LIERRE
    • DIXMUDE   • MALINES   DIEST
HONDSCHOOTE   GAND TERMONDE   COLOGNE
POPERINGE YPRES   ALOST   VILVORDE
                    NINOVE   • LOUVAIN
        COURTRAI AUDENARDE BRUXELLES   • TIRLEMONT
MESSINES.
    • COMINES   • GRAMMONT
    LILLE.   • ENGHIEN
        TOURNAI

    DOUAI   • MONS

    CAMBRAI

CARTE 4

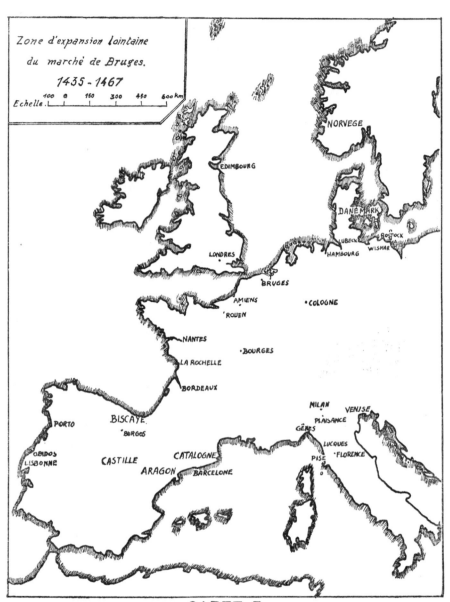

Zone d'expansion lointaine
du marché de Bruges.
1435 - 1467
Echelle.

NORVEGE

EDIMBOURG

DANEMARK

LUBECK ROSTOCK
WISMAR
HAMBOURG

LONDRES

BRUGES

AMIENS •COLOGNE
'ROUEN

NANTES

•BOURGES

LA ROCHELLE

BORDEAUX

MILAN VENISE
BISCAYE. •
PLAISANCE
PORTO GÊNES
LUCQUES
•BURGOS PISE •FLORENCE
OBIDOS
LISBONNE CASTILLE CATALOGNE
ARAGON BARCELONE

CARTE 5

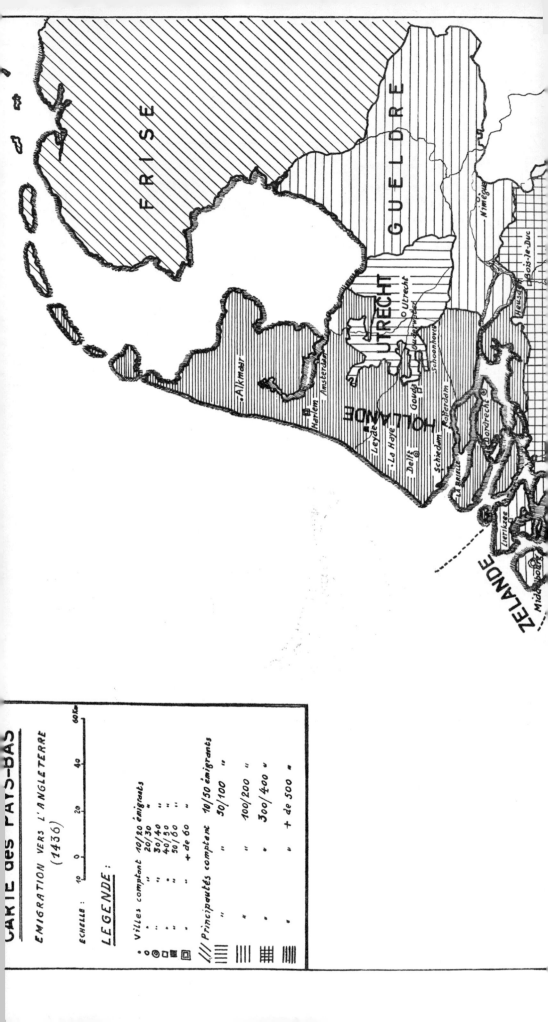

CARTE DES PAYS-BAS

EMIGRATION VERS L'ANGLETERRE
(1436)

ECHELLE :

10   0   20   40   60 Km.

LÉGENDE :

- Villes comptant 10/20 émigrants
- " 20/30 "
○ " 30/40 "
◉ " 40/50 "
▢ " 50/60 "
▣ " + de 60 "

/// Principautés comptant 10/50 émigrants
≡ " " 50/100 "
▤ " " 100/200 "
▦ " " 300/400 "
▥ " " + de 500 "

FRISE

GUELDRE

UTRECHT

HOLLANDE

ZÉLANDE

Nimègue

Bois-le-Duc

Meuse

Alkmaar

Amsterdam

Harlem

Utrecht

Oudewater

Gouda

Schoonhoven

Rotterdam

Schiedam

Leyde

La Haye

Delft

La Brielle

Dordrecht

Zierikzee

Middelb.

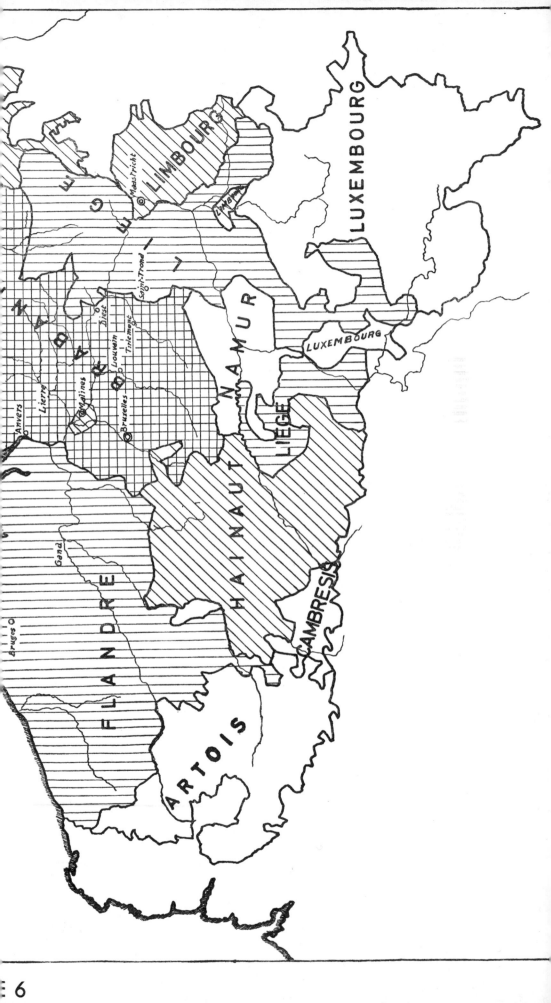

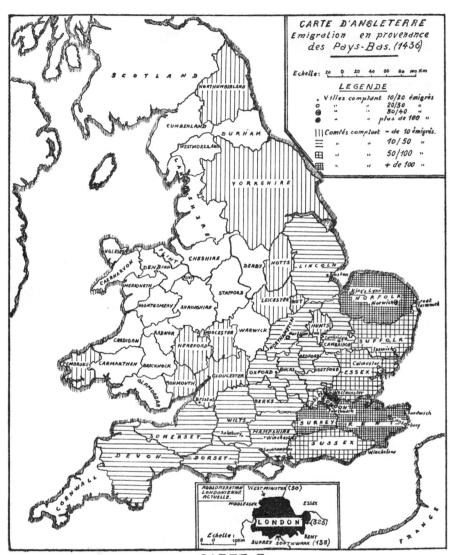

CARTE 7

TABLE DES NOMS DE PERSONNES ET DE LIEUX[1]

A

---

[1] Des renvois sont faits à l'Index rerum (I.R.).

Asperen, dép. d'Herwijnen, Pays-Bas, pr. Gueldre, 508, 525.

Ath, Belgique, pr. Hainaut, 252, 500, 541, 547. — voir, I.R., *s.v.* Toile.

Atlantique, 307.

Audenarde, Belgique, pr. Flandre orientale, 93, 115, 288, 499, 536, 545. — confrérie de Saint-Georges, 91. — voir I.R., *s.v.* Fil, Toile.

Augsbourg, Allemagne, Bavière, 232. — marchands, voir Fugger, Höchstetter.

Ausque (Guillebert d'), ambassadeur bourguignon, 369.

Auvergne, duc, voir Charles Ier de Bourbon.

Auvergne Polder, Pays-Bas, pr. Brabant septentrional, 496.

Auxerre, France, dép. Yonne, 53.

Auxy (Jean d'), seigneur et ber, ambassadeur bourguignon, 92, 370.

Avesnes, France, dép. Nord, 252.

Axbridge, Angleterre, co. Somerset, 506, 531.

Aylesbury, Angleterre, co. Buckingham, 499, 500, 505, 513, 520.

Aymar (Nicolas), ambassadeur français, 138.

Azincourt, France, dép. Pas-de-Calais, 91, 113.

B

Baarle, voir Baarle-Hertog, Baarle-Nassau.

Baarle-Hertog, Belgique, pr. Anvers, 494, 524.

Baarle-Nassau, Pays-Bas, pr. Brabant septentrional, 494, 524.

Babcary, Angleterre, co. Somerset, 496, 531.

Bach (Alure de), chevalier et chambellan de Philippe le Bon, 77, 92.

Bacheler (John), marchand anglais, 441.

Baert (Georges), ambassadeur bourguignon, 422.

Bagenderby, Angleterre, co. Lincoln, 501, 523.

Bagot (Clement), armateur anglais, marchand de Bristol, 325.

Baie, voir Bourgneuf (baie de).

Bailleul, France, dép. Nord, 93, 101, 190, 191. — abbaye Saint-Antoine, 101.

Bâle, *Basle*, Suisse, concile, 50, 53, 54, 85, 126, 134, 452. — ambassadeur du concile, voir Loysthere (Nicolas), Lusignan (Hugues de), Òrnos (Georges de).

Bale (John), marchand anglais, 442.

Balen, Belgique, pr. Anvers, 494, 517.

Balinghem, France, dép. Pas-de-Calais, 92, 95, 494, 520.

Baltique, 200, 221, 336, 337.

Bambecque, France, dép. Nord, 101.

Bamborough, *Bambourg*, Angleterre, co. Northumberland, 395, 408.

Bambourg, voir Bamborough.

Banbury, Angleterre, co. Oxford, 504, 531.

Bar, duc, voir Louis de Bar.

Barbançon (Jean de), capitaine bourguignon, 92.

Barbarigo, famille de marchands vénitiens, 183. — (Lorenzo), 183.

Barbour (Guillaume), facteur d'orgues bruxellois, 295.

Barby (John), marchand anglais, 442.

Barcelone, Espagne, c.l.pr. — voir I.R., *s.v.* Bateaux.

Barde, sire de la, voir Estuer (Jean d').

Bardi, famille de marchands florentins, 255. — filiales à Bruges et à Londres, 264. — (Adrien de'), 297. — (Bernardo de'), 199, 255, 256, 263, 297, 321, 322. — (Giovanni de'), 235. — (Ubertino ou Wertin de'), 255, 256.

Baregege, localité brabançonne non identifiée (Bergen-op-Zoom ?), 494, 515.

Bareneste (Dirk van), 115.

Bari, Italie, c.l.pr. — reliques de Saint-Nicolas (*Sinte-Claes-ten-Oestene*), 280.

Barking, Angleterre, co. Essex, 496, 497, 506, 508, 516.

Barlade, localité brabançonne non identifiée (Berlaar ?), 494, 540.

Barnell, localité anglaise non identifiée, 140.

Barnet, Angleterre, co. Hertford, 495, 498, 502, 511, 518.

Barnstaple, Angleterre, co. Devon, 495, 496, 514.

Baroncelli (Pietro), marchand florentin, 264.

Baroncelli (Pietro) et Lusiano (Antonio de'), compagnie florentine à Londres, 264.

du pays de, voir MEREN (Jean vander).
— échevins, voir POTTER (Jan de), ROE
(Henri de). — *Ingelschestraat*, 349. —
maison dite *Inghelant*, 349. — marchands, voir COELGEENSONE (Pierre),
POTTER (Jan), ROE (Geert de), ROE
(Henri de, fils de Jan), ROE (Henri de,
fils de Pieter), ROE (Jan de), ROE (Pieter de). — rue de l'Hôpital, 349. — rue
du Saint-Esprit, 349. — pays, 279. —
seigneur, voir GLYMES (Jean de). —
voir I.R., *s.v.* FOIRE, TOILE.

BERGUES-SAINT-WINOC, France, dép. Nord,
85, 100, 101, 252, 288, 499, 524. —
métier, 101.

BERINGEN, dép. de Kester, Belgique, pr.
Brabant, 495, 524.

BERINGEN, Belgique, pr. Limbourg, 509,
512, 535.

BERKHAMSTEAD, Angleterre, co. Hertford,
503, 508, 510, 518.

BERKS, Angleterre, comté, 494, 495, 501-
507, 512, 548, 551.

BERLAAR, Belgique, pr. Anvers, 494, 495,
515.

BERNARD D'ARMAGNAC, comte de Pardiac,
vicomte de Lomogne, ambassadeur français, 122, 145.

BERRY, 376. — (Marie de), voir MARIE DE
BERRY, comtesse d'Eu.

BERSOLA, localité de Gueldre non identifiée,
508, 516.

BERTI (Guillaume), gouverneur de la compagnie florentine à Londres Antonio de
Rabata et Bernardo Cambi, 264, 265.

BERUTSON (Bertold), batelier hollandais,
304.

BERWICK, Angleterre, co. Northumberland,
178, 386. — voir I.R., *s.v.* LAINE.

BESANÇON, France, dép. Doubs. — maître
des écoles de Saint-Jean, voir VITRY
(Thierry de).

BEST (Philippe), étapier, 156, 169.

BÉTHUNE, France, dép. Pas-de-Calais, 137.

BETTENZ. (Meeus Jan), corsaire d'Amsterdam, 334.

BEVERLEY, Angleterre, co. Yorkshire, 482.

BEWESTERSCHELDE, receveur, 161, 414.

BÉZIERS, France, dép. Hérault, évêque, voir
MONTJOYE (Guillaume de).

BICESTER, Angleterre, co. Oxford, 496, 497,
503, 505, 531.

BICHE (Guillaume de), conseiller de
Louis XI, 419.

BIEN PUBLIC, guerre, 411-413, 416-418,
433. — ligue, 417.

BIERVLIET, Pays-Bas, pr. Zélande, 72, 105,
106, 237, 506, 532.

BIEZELINGE, dép. de Kapelle, Pays-Bas, pr.
Zélande, 506, 515, 516, 536.

BILDISTON (Nicolas), voir BYLLESDON (Nicolas).

BILZEN, Belgique, pr. Limbourg, 290, 509,
525, 536.

BINCHE, Belgique, pr. Hainaut, 252.

BISCARO (G.), historien, 264, 344.

BISCAYE, 260.

BISHOP'S STORTFORD (HADHAM), Angleterre,
co. Hertford, 503, 509, 518.

BISSCHOP (Aelbrecht), marchand hanséate,
309.

BISSCHOP (Wouter), marchand hanséate,
309.

BLACKBORN (John), marchand londonien,
242.

BLADELIN (Pierre), trésorier de la Toison
d'Or, 150, 375.

BLAKENEY, localité anglaise non identifiée,
510.

BLAKENEY alias SNYTERLE, Angleterre, co.
Norfolk, 500, 507, 511, 527, 539.

BLANCHE DE LANCASTRE, comtesse palatine
du Rhin, 74.

BLANKENBERGE, Belgique, pr. Flandre occidentale, 93, 309.

BLANMONT, seigneur, 370.

BLANQUETAQUE, France, dép. Somme, gué
sur la Somme près de Noyelles-sur-Mer,
103.

BLEDLOW, Angleterre, co. Buckingham, 497,
498, 513.

BLEKEN (Christian van), marchand, 440.

BLENDECQUES, France, dép. Pas-de-Calais,
101.

BLOCK (Jean), 279.

BLOMMAERT (Jan), batelier anversois, 309,
321.

BLOUNT ou BLOUNTE (Walter), trésorier de
Calais, ambassadeur anglais, 398, 402,
405.

BLYTHBURGH, Angleterre, co. Suffolk, 496,
501, 533.

BOCHOUTS (Caline, veuve de Josse), hôtesse
de l'auberge « *in de Sterre* », à Bruges,
355.

BURNHAM, Angleterre, co. Essex, 500, 516.
BURWASH (D.), historienne, 307, 310, 311, 324.
BURY ST. EDMUNDS, Angleterre, co. Suffolk, 494, 505, 508, 509, 510, 533, 546, 547, 558.
BUYSSERE (Jorys de), marchand de Bruges, 350.

BUZECOURT, seigneur, voir HUMIÈRES (Dreux, seigneur d').
BYLLESDON ou BILDISTON (Nicolas), doyen de Salisbury, ambassadeur anglais, 119, 125, 126, 443, 444.
BYSSETT (Thomas), marchand anglais, 441.
BYZANCE, empereur, 404.

C

CADBURY (South), Angleterre, co. Somerset, 498, 531, 546, 558.
CAEN, France, dép. Calvados, 396. — (Robert de), voir WEMYNGTON (Robert).
CAGNOLA (G.), 383.
CAILLETTE (Pierre), ambassadeur bourguignon, 370.
CALABRE (Jean de), voir JEAN DE CALABRE.
CALAIS, Calaiz, Kaleys, France, dép. Pas-de-Calais, 11, 59-61, 67, 71, 74, 76, 78-82, 84-92, 94-102, 105-107, 111, 113-115, 117-126, 128, 129, 131, 132, 134-136, 138, 140-144, 146, 150, 152, 153-156, 159-162, 167-175, 177-181, 184-186, 188, 189, 192-198, 216, 217, 219, 220, 231, 235, 310, 314, 324, 325, 328, 334, 339, 341, 345, 346, 349, 361, 367-371, 373-375, 378-380, 391-399, 403, 405-408, 411, 416, 417, 419, 427, 428, 432, 433, 443-454, 472. — bateau, voir MARIE. — lieutenants, voir HUMPHREY DE LANCASTRE, RADCLIFF (John), REMPSTON (Thomas), WHETEHILL (Richard), WOODVILLE (Richard). — marché, 87, 121, 122, 127, 134, 145, 146, 148, 169, 196. — monnaie, 193, 194. — trésorier, voir BLOUNT (Walter), WHITINGHAM (Robert). — voir I.R., s.v. ETAPE, ETAPIERS, LETTRE.
Calaiz, voir CALAIS.
CALMETTE (J.), historien, 8, 382, 383, 388, 391.
CALOEN (Lodewijk van), délégué du Franc de Bruges, 120. — (Roeland van), délégué du Franc, 120.
CALVADOS, France, département, 120.
CAMBI, famille de marchands florentins. — (Bernardo) et Antonio de Rabata, filiale à Bruges, 264. — filiale à Bruges, 264. — (Reinero), 199.
CAMBRAI, France, dép. Nord, 66, 254. — voir I.R., s.v. PAPIER, TOILE.
CAMBRIDGE, Angleterre, c.l.co., 291, 292, 495, 496, 498-502, 505, 508-511, 513,

514, 544, 546-548, 551, 553, 556. — collège Sainte-Marie, 300. — collège Saint-Nicolas ou King's College, 300. — comté, 494-503, 505, 508-511, 513-514, 543, 544, 546-548, 551, 553, 556. — université, 13.
CAMOIS, lady, 387. — lord, 97.
CAMPE (John), pirate anglais, 340, 342.
Campveer, voir VERE.
CAMULIO (Prospero de), ambassadeur milanais, 378-382.
CANAZOLL (Guillaume de), marchand de Bourgogne (?), 301.
CANDALE, comte, voir FOIX (Jean de).
CANIGIANI (Gérard), gouverneur de la filiale des Médicis à Londres, 235.
CANTALOWE ou CANTELOWE (John), marchand aventurier, 303, 304, 350. — (William), étapier, 183.
CANTERBURY, Angleterre, co. Kent, 102, 291, 292, 398, 494-496, 501-503, 506-509, 511, 520, 553. — archevêques, voir KEMP (John), STAFFORD (John). — reliques de saint Thomas Becket, 115.
CANYNGES (Thomas), « grocer », marchand d'épices de Londres, 183, 334.
CAPELL, localité anglaise non identifiée, 495, 539.
CAPELLE-AAN-DEN-IJSSEL, Pays-Bas, pr. Hollande méridionale, 501, 524.
CARBONNEL (Jean), 397.
CARLOS DE NAVARRE, prince de Navarre et de Viane, 204.
CARLTON COLVILLE, Angleterre, co. Suffolk, 507, 533.
CARRETO (Otto), ambassadeur milanais à la cour pontificale, 376.
CARUS-WILSON (E.), historienne, 10, 207, 561.
CASSEL, France, dép. Nord, 86, 93. — métier, 101.
CASTELBURY, localité anglaise non identifiée, 482.

D

DRIET (Jacquemart), orfèvre à Tournai, 386.

DRINCHAM, France, dép. Nord, 93, 101.

Drinkwater, nom de bateau, 320.

Drinkwijn, nom de bateau, 320.

DROOM (Herman), délégué des villes de Hollande et Zélande, 140.

DUBLIN, Irlande, pr. Leinster, 186.

Duchelond, voir ALLEMAGNE.

DUCHESNE (Louis), ambassadeur bourguignon, 416, 419, 421.

DUDLEY (John, lord), voir SUTTON (John).

DUFFEL, Belgique, pr. Anvers, 496, 528, 532.

DUFFELE (Elisabeth van), femme de Gielis Vranx, 198. — (Jan van), marchand malinois, 195, 196, 199.

DUIVELAND, Pays-Bas, île de Zélande, 506, 525, 536.

Dulnonie, vicecomes episcopatus Dulnonie, voir MIDDELTON (Galfridus).

DUMBARTON, Ecosse, c.l.co. — prieur du collège, voir ABERNATY (George).

DUNKERQUE, France, dép. Nord, 85, 88, 100, 101, 106, 156, 223, 239, 252, 288, 311, 312, 315-317, 319, 322-324, 329, 331, 332, 499, 536, 541.

DUNOIS, comte de, voir JEAN D'ORLÉANS.

DUNSTABLE, Angleterre, co. Bedford, 504, 505, 511.

DUNSTER, Angleterre, co. Somerset, 501, 502.

DUNWICH, Angleterre, co. Suffolk, 498, 501, 506, 507, 509, 533.

DUPONT (Mlle), éditrice de textes, 395, 399.

DURBAROWE, localité zélandaise non identifiée, 506, 512.

DURCOOP (Jan), marchand de la Hanse, 360.

DUREMORT (Gilles de), abbé de Beaupré, puis de Beaubec, enfin de Fécamp, évêque de Coutances, ambassadeur anglais, 125.

DURHAM, Angleterre, c.l.co. — évêché, 178. voir I.R., *s.v.* LAINE.

Duytschen Landen, voir ALLEMAGNE.

DWYGGE (John), marchand anglais, 442.

DWYSSOK (Dame), marchand de Saint-Omer, 301.

DYNTER (Ed.), chroniqueur, 74.

E

EASTBOURNE, Angleterre. — église Notre-Dame à, 300.

ECHTELD, Pays-Bas, pr. Gueldre, 508.

ECLUSE (L'), *Lescluze*, Pays-Bas, pr. Zélande, 77, 86, 93, 95, 96, 98, 103-106, 118, 122, 152, 157, 158, 160, 162, 175, 176, 217, 223, 247, 248, 252, 259, 262, 272, 288, 313, 315-319, 329, 331, 334, 340, 379, 380, 395-397, 423, 427, 433, 499, 524, 528, 529, 534. — auberge de la « *Teste d'Or* », 379. — bailli de l'eau, voir FAVE (Parent), OLIVIER (Bonore). — bateau, voir CHRISTOPHE. — batelier, voir GEORGESSON (Paul). — capitaine, voir UUTKERKE (Roland d'). — voir I.R., *s.v.* TONLIEU.

ECOSSE, 71, 75, 114, 150, 154, 178, 256, 339, 378, 379, 381, 386, 389, 391, 395. — Ecossais, *Escocois*, 132, 255, 260, 262, 386, 390, 393, 399, 450. — rois, voir JACQUES Ier, JACQUES II. — reine, voir MARIE DE GUELDRE. — (Marguerite d'), voir MARGUERITE D'ECOSSE. — voir I.R., *s.v.* BATEAUX, ETAPE, DRAP, LAINE.

EDAM, Pays-Bas, pr. Hollande septentrionale, 501, 534.

Edewart, voir EDOUARD IV.

EDGECOT, Angleterre, co. Northampton. — bataille d', 75.

EDIMBOURG, Ecosse, c.l.co., 255, 394.

EDLER (F.), historienne, 251.

EDMANTON, Angleterre, co. Middlesex, 505, 525.

EDOUARD Ier, roi d'Angleterre, 132.

EDOUARD II, roi d'Angleterre, 296.

EDOUARD III, roi d'Angleterre, 112, 180, 293, 299, 301, 466.

EDOUARD IV, *Edewart*, d'abord comte de March puis roi d'Angleterre, 54, 75, 125, 135, 167, 180, 181, 209, 215, 231, 239, 278, 347, 369, 372, 374, 375, 379-382, 384-391, 393-396, 398-407, 409-418, 420-424, 431-433.

EDOUARD DE LANCASTRE, prince de Galles, 386, 398.

EGH, localité de Gueldre non identifiée, 508, 517.

EGMOND, Pays-Bas, pr. Hollande septentrionale, 253, 313-315, 331, 482, 501, 528.

F

H

HAAMSTEDE, Pays-Bas, pr. Zélande, 506, 512, 516, 525, 527, 535, 546, 547.

HAARLEM, Pays-Bas, prov. Hollande septentrionale, 72, 82, 120, 140, 253, 312, 314, 316, 317, 332, 341, 342, 502, 511, 512, 514, 517, 518, 521-524, 526, 528, 529, 531, 532, 534, 535-537, 541, 544, 545, 552. — bateliers, voir ALBERT (Symon), SIBOTSON (Clays). — voir I.R., s.v. TOILE.

HADDENHAM, Angleterre, co. Cambridge, 503, 514.

HAGENBACH (Pierre de), 377.

HAINAUT, *Haynau*, 52, 73, 82, 99, 124, 136, 225, 227, 228, 229, 260, 271, 273, 284, 438, 500, 515, 516, 520, 524, 529, 530, 533, 536, 541, 547, 548, 550, 554. — Hennuyers, 92, 95, 252, 262, 284. — grands baillis, voir CROŸ (Jean de), LALAING (Guillaume de). — commandeur de l'ordre de Saint-Jean de Jérusalem, voir ROCHECHOUART (Foucault de). — comte, voir GUILLAUME DE BAVIÈRE. comtesse, voir JACQUELINE DE BAVIÈRE. — province, 500, 510. — voir I.R., s.v. TOILE.

HAIRE (Jean), marchand brugeois, 206.

HAKLUYT (R.), 114.

HAL, Belgique, pr. Brabant, 500, 530.

HALDON (John), marchand anglais, 219.

HALEWIJN (Josse de), conseiller puis souverain bailli de Flandre, ambassadeur bourguignon, 82, 370, 377, 395, 421.

HALL (Robert), ambassadeur anglais, 369.

HALLE (Lodewijk), délégué brugeois, 120.

HALLESFORD, Angleterre, co. Suffolk, 501, 502, 534.

HAM, *Hem*, France, dép. Somme, 90, 97.

HAMAIDE (Jacques de la), 92.

HAMBLE, Angleterre, co. Southampton, 501, 532.

HAMBLE LE RICE, Angleterre, co. Southampton, 509, 532.

HAMBOURG, Allemagne, 255.

HAMERIJCK, localité flamande non identifiée, 499, 536.

HAMES (Hugues de), 92.

HAMES-BOUCRES, France, dép. Pas-de-Calais, 92, 169, 380.

HAMONT, Belgique, pr. Limbourg, 509, 533.

HAMPSHIRE, voir SOUTHAMPTON, comté.

HAMPTON (Gilles), marchand de Londres, 218.

HANDVATE (N.), échevin de Bruges, 465.

HANE (Hans), marchand de Spire, 242.

HANE (Jacob vanden), échevin de Gand, 120.

HANERON (Antoine), prévôt de Saint-Donatien à Bruges, ambassadeur bourguignon, 370.

HANNINGFIELD, Angleterre, co. Norfolk, 505, 517, 546, 556.

HANSE, 74, 85, 106, 114, 132, 155, 157, 221, 222, 245, 257, 314, 318, 336, 339. — Hanséates, *Hanseati*, Osterlins, 58-61, 74, 75, 85, 86, 117, 129, 141, 152, 191, 202-204, 207-209, 211, 213-216, 227, 231, 242, 244, 246, 248, 251, 255, 257-260, 262, 263, 303, 305, 309, 312, 319, 321, 322, 324, 326, 329, 330, 333, 337, 339, 362-364, 414, 429-431, 442, 458, 484-486, 490-491. — marchands, voir BISSCHOP (Aelbrecht), BISSCHOP (Wouter), COLEYN (Court van), COORNEMAERCT (Willem), DASSE (Hans), DURCOOP (Jan), GROUNBEKE (Herman), HOFFEN (Matis van ther), REMELUKEN (Tideman). — voir I.R.,s.v. ALDERMÄNNER, BATEAUX.

HANTOEN (Pierre), de Lincoln, 322.

HANTVLIET (Cornelius), d'Ossendrecht, 321.

HARBOWENESPOLDER, 's Heer-Boudewijnsland (?), Pays-Bas, pr. Brabant septentrional, 496, 524.

HARCOURT (Jean de), archevêque de Narbonne, ambassadeur français, 78, 124, 138, 397, 417. — (Jeanne de), voir JEANNE DE HARCOURT, comtesse de Namur. — (Louis de), évêque de Bayeux, patriarche de Jérusalem, ambassadeur français, 399-401. — comte, voir BEAUFORT (Edmond).

HARDEBONE (P.), ambassadeur anglais, 374.

HARDERWIJK, Pays-Bas, pr. Gueldre, 316, 508, 512, 519, 525, 544.

HARDEWERDT, Pays-Bas, localité disparue, pr. Hollande méridionale, 502, 538.

HARFLEUR, France, dép. Seine-Maritime, 209.

HARINGE, Belgique, dép. de Roesbrugge, pr. Flandre occidentale, 101.

I

J

K

L

M

MAASEIK, Belgique, pr. Limbourg, 290, 510, 520, 522, 537, 540, 546.

MAASTRICHT, Pays-Bas, pr. Limbourg, 58, 285, 505, 513, 514, 516, 517, 519, 521, 522, 525-527, 529, 530, 532-536, 538-541, 544, 545, 547, 552. — territoire, 505, 513, 514, 516, 517, 519, 521, 522, 525-527, 529, 530, 532, 533-536, 538-541, 544, 545, 547, 548, 550, 552, 554.

MÂCON, France, dép. Saône-et-Loire, 84. — chapitre, 52. — conférence, 84.

MAIDENHEAD, Angleterre, co. Berks, 503, 512.

MAIDESTONE, Angleterre, co. Kent, 498, 507, 521.

MAILLY (Jean II de), seigneur, 80, 92.

MAINE, 76, 148, 389. — comte, voir CHARLES D'ANJOU.

MALDON, Angleterre, co. Essex, 495, 499, 505, 517, 547, 556.

MALE (N.), échevin de Bruges, 465.

MALINES, Belgique, pr. Anvers, 9, 20, 58-60, 83, 115, 129, 131, 132, 152, 189, 195, 198, 205, 252, 288, 295, 375, 444-452, 505, 511-516, 519, 522, 525, 527, 529-531, 534-538, 540-542, 544, 545, 546, 552. — seigneurie, 129, 226, 443, 444, 446, 505, 511-516, 519, 522, 525, 527, 529-531, 533-538, 540-542, 544-546, 549, 550, 552, 555. — Malinois, 60, 132, 152, 195, 198, 199, 205, 284, 446, 451. — marchands, voir DUFFELE (Jan van), VRANX (Gielis). — table du Saint-Esprit de Saint-Rombaut, 198. — voir I.R., s.v. DRAPERIE, ETATS, TOILE,

MALLETA (Albéric), ambassadeur milanais, 402, 405, 406, 410-412.

MALLIÈRE (Robert), ambassadeur français, 119, 124.

MALÖ, Norvège, 337.

MALVERNE (John), marchand anglais, 441.

MANCHE, 67, 122, 154, 192, 333. — Outre Manche, 133, 177, 192, 226, 233, 295.

MANDRE (Gauthier de la), secrétaire et ambassadeur bourguignon, prévôt de l'église Notre-Dame à Bruges, 120, 122, 123, 147, 149, 150.

MANFIELD (Robert), ambassadeur anglais, 146.

MANNINGTREE, Angleterre, co. Essex, 500, 501, 517.

MANSION (Collard), imprimeur à Bruges, 301.

MARCELLY, localité picarde non identifiée, 494, 518.

MARCH, comte, voir EDOUARD IV, roi d'Angleterre.

MARCHE (Olivier de la), chroniqueur, 423.

MARCK, Mark, Merk, France, dép. Pas-de-Calais, 81, 92, 94, 120, 129, 368, 395, 445, 448.

MARENEY (John), ambassadeur anglais, 154, 157, 374.

MAREZ (G. Des), historien, 357, 358.

MARGUERITE D'ANJOU, reine d'Angleterre, 70, 76, 125, 147, 149, 153, 162, 163, 278, 369, 371-378, 381-383, 385-387, 391, 393-399, 406, 409, 412, 424, 428, 432, 433.

MARGUERITE DE BOURGOGNE, comtesse de Richemont, duchesse de Bretagne, 51.

MARGUERITE D'ECOSSE, 386.

MARGUERITE D'YORK, duchesse de Bourgogne, 240, 260, 281, 418, 419, 423, 424.

MARIE, bateau d'Arnemuiden, 348. — bateau de Bergen-op-Zoom, 312. — Marie de Calais, bateau de Zélande, 323.

MARIE DE BERRY, comtesse d'Eu, 51.

MARIE, duchesse de Bourgogne, 377, 380, 419.

MARIE DE BOURGOGNE, bâtarde, femme de Pierre de Bauffremont, seigneur de Charny, 79.

MARIE DE BOURGOGNE, duchesse de Savoie, 50.

MARIE DE CLÈVES, duchesse d'Orléans, 137.

MARIE DE GUELDRE, reine d'Ecosse, 154, 378, 381, 386, 432.

Marieknight, bateau d'Amsterdam, 339.

Mark, voir MARCK.

MARLE (Henri de), ambassadeur français, 387.

MAROC, détroit du, 263.

MARQUAIN, Belgique, pr. Hainaut, 510, 537, 542.

MARSDIEP, détroit entre l'île de Texel et le continent, 334, 336.

MARSEILLE, France, dép. Bouches-du-Rhône, 404, 469.

MARSHALL (John), marchand anglais, 265.

MARTIN V, Otto Colonna, pape, 50, 53.

Mary, bateau de Londres, 324.

Maryknight, nom de bateau, 320.

MASSINGHAM (Great), Angleterre, co. Norfolk, 497, 506, 528.

MATHIJSZ. (Cornelius), batelier de Westenschouwen, 322.

MATHYS (Pieter), maître, délégué du Franc, 120, 272.

MAUGHAM, localité brabançonne non identifiée, 497, 536.

MEDEMBLIK, Pays-Bas, pr. Hollande septentrionale, 503, 519, 525, 536.

MÉDICIS, famille de marchands florentins, 197, 199, 233, 234, 255. — filiale à Bruges, 260, 264, 345, 408. — filiale à Londres, 263, — gouverneur de la filiale à Londres, voir CANIGIANI (Gérard). — (Piero de'), 162. — représentant à Bruges, voir PORTINARI (Thomas), TANI (Agnolo).

MÉDITERRANÉE, 214, 307.

MEERBEEK, localité brabançonne non identifiée, 497, 531.

MEERE (Pieter vander), 298. — (Wouter vander), 298.

MEERHOUT, Belgique, pr. Anvers, 497, 513, 515, 519, 528.

MEERLO, Pays-Bas, pr. Limbourg, 508, 525.

MEESWIJK, Belgique, pr. Limbourg, 510.

MEGEN, Pays-Bas, pr. Brabant septentrional, 497, 528, 536.

MELBOURN, Angleterre, co. Cambridge, 505, 514.

MELBOURNE (John), marchand anglais, 219, 303.

MELLIS, Angleterre, co. Suffolk, 495, 534.

MELUN (Charles de), seigneur de Nantouillet, ambassadeur français, 387, 388, 390, 392. — (Philippe de), sénéchal de Limousin, ambassadeur français, 387, 388. — (Jean de), seigneur d'Antoing, gouverneur de Douai, connétable de Flandre, 80.

MEMLING (Hans), peintre, 308.

MERED, localité brabançonne non identifiée, 497, 521.

MEREN (Jean Vander), drossard du pays de Bergen-op-Zoom, 279.

MÉRIADEC (Hervé de), écuyer bourguignon, 156.

Merk, voir MARCK.

MERKEM, Belgique, pr. Flandre occidentale, 93. — seigneur, 93.

MERVILLE, France, dép. Nord, 93.

METFELD, Angleterre, co. Somerset, 495, 532.

METTENEYE (Jacop), 455.

METZ, France, dép. Moselle. — archidiacre, voir HUGUES (Guillaume).

MEULEBEKE (Henri de), orfèvre à Bruxelles, 415.

MEURS, comte, voir FRÉDÉRIC III, dit Waleran. — (Thierry de), voir THIERRY DE MEURS, archevêque de Cologne.

MEUSE, 77.

MEWSON (Walter), marchand, 440.

MEYERUS (Jacques), chroniqueur, 73.

MICHELE (Giovanni), marchand milanais, 182, 183.

MICHELL (Johannes), marchand, 442.

MICHELMERSH, Angleterre, co. Southampton, 295, 497, 532, 543, 558.

MIDDELBOURG, Belgique, pr. Flandre orientale, 150.

MIDDELBOURG, *Middelburch*, Pays-Bas, pr. Zélande, 12, 57, 72, 82, 83, 103, 104, 112, 117, 120, 130, 152, 153, 161, 178, 182, 183, 186, 196, 201, 205, 206, 210, 213, 215, 217, 242, 247-249, 253, 259, 265-269, 271, 277-279, 290, 312, 314-317, 319, 325-327, 331, 332, 336, 356-358, 368, 395-414, 430, 457, 458, 482, 493, 506, 512, 516, 520, 522, 525-526, 528, 529, 530-532, 534, 536, 538, 540, 552. — bateau, voir GREENEWOL. — bateliers, voir JOHNSON (Mathieu), THOMASSON (Laurence), WILLEMSZ. (Pieter). — chapelle Saint-Thomas Becket, 267. — délégué, voir OELERTS (Heynric), ROSE (Heynric). — voir I.R., *s.v.* FOIRE.

Middelburch, voir MIDDELBOURG.

MIDDELTON (Galfridus), *vicecomes episcopatus Dulnonie*, 184.

MIDDLESEX, Angleterre, comté, 291, 494-498, 500-511, 525, 543-546, 548, 551, 553, 556.

MIDDLETON (John), marchand anglais, 72.

MIERDE, Pays-Bas, pr. Brabant septentrional, 497.

MIERLO, Pays-Bas, pr. Brabant septentrional, 497, 512.

MILAN, Italie, c.l.pr., 182, 199, 344. — Milanais, 199. — ambassadeurs, voir CAMULIO (Prospero), CARRETO (Otto), MALLETA (Albéric), PANIGAROLA (Jean-Pierre), RIETI (Thomas de), TEBALDI (Tommasso), TORRE (Antonio de la),

N

O

OLDEKERK, Pays-Bas, pr. Groeningen, 507, 534, 536, 542, 546.

OLDENERP, localité hollandaise non identifiée, 503, 525.

OLE (Guillaume), marchand brabançon, 305.

OLE (Hayn), batelier de Cologne, 330.

OLÉRON, France, Charente-Maritime. — rôles, 132, 320, 324.

OLIVIER (Bonore), bailli de l'eau à L'Ecluse, 175.

OLYN (Nicholas), marchand, 439.

OOSTBURG, Pays-Bas, pr. Zélande, 93, 98, 103, 104. — voir I.R., *s.v.* TOILE.

ORCHIES, France, dép. Nord, 285.

ORFORD, Angleterre, co. Suffolk, 482.

ORIENT, 260.

ORLÉANS, France, dép. Loiret, 52, 91, 135. — (Jean d'), bâtard, voir JEAN D'ORLÉANS, comte de Dunois. — ducs, voir CHARLES DE FRANCE, LOUIS DE FRANCE. — duchesse, voir MARIE DE CLÈVES. — maison, 136.

ORNÓS (Georges de), évêque de Vich, légat du Concile de Bâle, 126.

ORPINGTON, Angleterre, co. Kent, 501, 521.

ORWELL, Angleterre, co. Cambridge, 122, 494, 514.

OSNABRÜCK, Allemagne, Basse-Saxe. — voir I.R., *s.v.* TOILE.

OSSENDRECHT, Pays-Bas, pr. Brabant septentrional, 321.

OSSENISSE, dép. de Vogelwaarde, Pays-Bas, pr. Zélande, 499, 534.

OSTENDE, Belgique, pr. Flandre occidentale, 86, 93, 95, 103, 105, 262, 311, 317, 323, 329, 333.

OSTERLINS, voir HANSÉATES.

OSTREVANT, comte, voir BORSELEN (Frank van).

OSTT, localité brabançonne non identifiée, 497, 536, 543.

OTHÉE, Belgique, pr. Liège, 91.

OUDENBOS, Pays-Bas, pr. Brabant septentrional, 294, 497, 524, 538.

OUDENBURG, Belgique, pr. Flandre occidentale, 93, 262.

OUDEWATER, Pays-Bas, pr. Hollande méridionale, 289, 503, 517, 520, 522, 525, 526, 536, 538, 541, 543, 545, 552.

OUNDLE, Angleterre, co. Northampton, 498, 530.

OUTRE-MEUSE, pays d', 58, 59, 277.

OUTREMONT, 182, 263.

OUTWELL, Angleterre, co. Norfolk, 494, 528.

Ouveray (William), voir OVEREY (William).

Ouvray (William), voir OVEREY (William).

OVEREY (William), *Ouveray, Ouvray*, poissonnier londonien, gouverneur des marchands aventuriers, ambassadeur anglais, 220, 278, 279, 330, 371, 374, 375, 389, 398, 493.

OVERIJSSEL, Pays-Bas, province, 510, 511.

OXBOROUGH, Angleterre, co. Norfolk, 506, 528.

OXFORD, Angleterre, co. Oxford, 495, 505, 531. — comté, 494-497, 503, 504, 508, 531, 548, 551. — comte, voir VERE (John de).

OYE, France, dép. Pas-de-Calais, 92, 94, 120, 129, 136, 368, 395, 445, 448.

P

PAELDING (Joris), avoué, délégué yprois, 120.

PAERHAERS (Henri), d'Ossendrecht, 321.

PALESTRINA, Italie, prov. Rome. — cardinal, voir LUSIGNAN (Hugues de).

PALLESTRELLO (Allessandro), marchand de Plaisance, 182.

PANIGAROLA (Jean-Pierre), ambassadeur milanais, 376, 416, 417.

PARDIAC, comte, voir BERNARD D'ARMAGNAC.

PARIS, 9, 15, 20, 49, 50, 127, 135, 255, 266, 373, 383-385. — doyen, voir TUDERT (Jean). — échevin, voir GALLET (Louis). — garde de la prévôté, voir

VILLERS (Jacques de). — voir I.R., *s.v.* PARLEMENT.

PARK, localité brabançonne non identifiée, 497, 517.

PARMENTIER (Siger le), chambellan de la duchesse de Bourgogne, 377.

PAS-DE-CALAIS, France, département, 76, 88, 102, 103, 169, 494.

PAS DE CALAIS, détroit, 114, 168, 399.

PASSE (Lambe van), batelier d'Anvers, 326.

PASTON, Angleterre, co. Norfolk, 501, 503, 508, 528.

PASTON (John), marchand anglais, 392, 423.

PATTESBY (John), maire de Londres, 303.

S

T

U

V

W

WESTMORELAND, Angleterre, comté, 178. — comte, voir NEVILLE (Ralph). — voir I.R., *s.v.* LAINE.

WEST-NIEUWKERKE, localité flamande non identifiée, 293.

WESTONGERADEEL, Pays-Bas, pr. Frise, 507.

WESTPHALIE, 226, 227, 254. — voir I.R., *s.v.* TOILE.

WESTRYLL, localité brabançonne non identifiée, 498, 534.

WEST-SOUBURG, Pays-Bas, pr. Zélande, 507, 533.

WETMERINGSETT, Angleterre, co. Suffolk, 500, 535.

WETTON (Richard), ambassadeur anglais, 154.

WEYMOUTH, Angleterre, co. Dorset, 335, 482, 503, 507, 510, 515.

WEZ (Georges de), 87, 93.

WHEELER (John), secrétaire des marchands aventuriers, 267.

WHETEHILL (Richard), lieutenant de Calais, capitaine de Guines, ambassadeur anglais, 158, 361, 369, 398, 405-409, 411, 414, 415.

WHETEL (Richard), de Calais, 361.

WHITE (John), batelier de Bristol, 325.

WHITINGHAM ou WHITYNGHAM (Robert), trésorier de Calais, ambassadeur anglais, 119, 125, 126, 134, 135, 140, 144, 146, 383, 443, 444.

WIELANT (Florent), pensionnaire d'Ypres, 120.

WIELINGEN, 247, 249, 267, 268, 341.

WIERINGEN, Pays-Bas, pr. Hollande septentrionale, 504, 512, 522, 525, 529, 531, 540.

WIERTON, localité anglaise non identifiée, 503, 541.

WIERUM, dép. de Westongeradeel, Pays-Bas, pr. Frise, 507, 515.

WIGHT, île, 337.

WIJK, Pays-Bas, pr. Hollande septentrionale, 313-315, 317, 331.

WIJMBRITSERADEEL, Pays-Bas, pr. Frise, 507.

Wilberd, nom de bateau, 320.

WILDE (Goswin de), voir SAUVAGE (Goswin le).

WILDE (Thomas de), voir GARURT (Thomas).

WILLAERT (John), marchand anglais (aventurier), 360.

WILLEMSONE (Jan), voir COLE (Jan).

WILLEMSZ. (Pieter), batelier de Middelbourg, 326.

WILLIAMSON (John), marchand de l'Etape, 158, 369.

WILLIAMSON (Michaele), marchand, 440.

WILLIAMSONE (Johannes), batelier, 320.

Wilraversyde, voir RAVERSIJDE.

WILTON, Angleterre, co. Wilts, 508, 539, 546, 558.

WILTON ou WYLTON (Stephen, Etienne), ambassadeur anglais, 73, 74, 119, 122, 125, 126, 133-135, 139, 144-146, 443, 444, 451.

WILTS ou WILTSHIRE, Angleterre, comté, 295, 495-497, 499, 501-505, 508, 509, 538, 543, 548, 551, 553, 558.

WILUGHBY (Constantin), marchand anglais, 441.

WIMHORNE MINSTER, Angleterre, co. Dorset, 502.

WIMPOLE, Angleterre, co. Cambridge, 497, 508, 514, 547, 556.

WINCHELSEA, Angleterre, co. Sussex, 237, 291, 299, 324, 329, 335, 341, 495, 496, 498, 500-504, 506, 507, 538, 543, 545, 553, 558.

WINCHESTER, Angleterre, co. Southampton, 122, 201, 291, 292, 497, 500, 501, 507-509, 511, 532, 553. — évêque, voir HENRI DE LANCASTRE.

WINDSOR, Angleterre, co. Berks, 494, 506, 512.

WING, Angleterre, co. Buckingham, 501, 513.

WINSLOW, Angleterre, co. Buckingham, 494, 495, 513.

WISBECH, Angleterre, co. Cambridge, 495, 502, 514.

WISBY, Suède, pr. Gotland. — droit maritime, 132.

WISELEY, écuyer anglais, 379.

WISSEKERKE, Pays-Bas, pr. Zélande, 507, 525.

WISSENKERKE (Gilles de), ambassadeur bourguignon, 140.

WITTE (N.), échevin de Bruges, 465.

WITTEBAERT (Zegher), Brugeois, 493.

WOBURN CHAPPELL, Angleterre, co. Bedford, 495, 512.

WODEHOUSE (John), maire de l'Etape, ambassadeur anglais, 154, 157, 369.

Y

358, 380, 500, 518, 524. — Yprois, 82, 93, 99, 115, 176. — capitaine des Yprois, voir COMMINES (Jean de). — délégué, voir PAELDING (Joris). — échevin, voir

BRYDE (Joos). — pensionnaire, voir WIELANT (Florent). — voir I.R., *s.v.* DRAP, LETTRE, TOILE.

Yrlande, voir IRLANDE.

Z

ZADELAIRE (Guillaume de), conseiller de Flandre, 82, 104, 119.

ZALTBOMMEL, Pays-Bas, pr. Gueldre, 509, 525, 533, 540.

Zeeland, Zeelande, voir ZÉLANDE.

ZÉLANDE, *Selond, Zeeland, Zeelande, Zellande*, 8, 9, 57, 60, 72, 78, 79, 82, 83, 85, 103, 112, 115-120, 126, 128, 139-142, 144, 152, 154, 156, 157, 173, 174, 186, 194, 196, 203, 205, 207, 219, 221-223, 227, 228, 233, 234, 237, 241, 248-250, 256, 266, 269, 277, 279, 284, 285, 290, 291, 297, 299, 307, 309, 318, 319, 322-325, 328, 334-336, 340, 342, 361, 404, 405, 414, 416, 423, 427-430, 438, 460, 482, 506, 511-521, 523, 525-542, 544-547, 549, 552, 555. — Zélandais, 104, 106, 111, 112, 116, 117, 123, 126, 132, 140-143, 155, 172, 176, 177, 215, 218, 237, 253, 260, 284, 295, 301, 331, 333, 336, 338, 339, 343, 429, 450, 482, 490-492, 507. — bateau, voir MARIE. — batelier, voir HENRIKSON (Tony). — JOHNSON (Mathys). — comte, voir GUILLAUME DE BAVIÈRE. — comtesse, voir JACQUELINE DE BAVIÈRE. — gouverneur, voir LANNOY (Hugues de). — lieutenant général, voir GRUUTHUUSE (Louis de). — pirate, voir SCHENGEN (Jan van). —

stadhouder, voir LALAING (Guillaume de). — province, 499, 506, 507. — voir I.R., *s.v.* BIÈRE, CONSEIL, CORSAIRES, ETATS, PIRATES, TOILE, TONLIEU. — receveur, voir RIJM (Jan).

ZELANDER (Jehan), corsaire anglais, 437.

Zellande, voir ZÉLANDE.

ZEVENBERGEN, Pays-Bas, pr. Brabant septentrional, 289, 504, 522, 525, 528, 536, 537, 545.

ZICHEM, Belgique, pr. Brabant, 498, 512, 513, 517.

ZIERIKZEE, Pays-Bas, pr. Zélande, 72, 152, 194, 247, 253, 290, 329, 331, 332, 340, 482, 507, 511-513, 515, 516, 519-523, 525, 527, 528, 532-535, 538, 541, 542, 552.

ZOETERMEER, Pays-Bas, pr. Hollande méridionale, 504, 525.

ZUNDERT, Pays-Bas, pr. Brabant septentrional, 498, 524.

ZUTPHEN, Pays-Bas, pr. Gueldre, 290, 509, 520, 521, 525, 534, 542.

ZWIETEN (Willem van), greffier du Conseil de Hollande, 18.

ZWOLLE, Pays-Bas, pr. Overijssel, 290, 511, 517, 519.

ZWIJN, *Swene, Swin*, 59, 86, 106, 236, 247. — voir I.R., *s.v.* TONLIEU.

INDEX RERUM [1]

A

Abstinences de guerre, voir Trêves.

Accises, 190, 205, 270, 276, 278, 280, 288.

Admiralty (Court of), 303.

Adventurers, voir Marchands.

Agio, 345.

Agneaux, voir Peaux, Toisons.

Agnelin, voir Laine.

Aide, 82, 106, 155, 177, 180. — demi-aide, 84.

Aiguille, *bristill*, 440. — pour cordonniers (*pro sutoribus*), 439.

Aiguiseur de Couteaux, *sheregrynder*, 452, 554, 556, 558.

Ail, 242, 328. — voir Botte.

Aime, *ame*, 276, 351. — mesure pour le vin, 454.

Aldermänner, hanséatiques à Bruges, 255.

Aldermen, de Londres, 117, 141, 142, 293, 304, 356, 371.

Ale, 241, 242.

Alienigenae, voir Aliens.

Aliens, *alienes, alienigenae*, 130, 168, 170, 171, 202, 207, 215, 296-298, 301-303, 305, 328, 333, 362, 363, 441, 442, 480, 488.

Allec, voir Harengs.

Allèges, voir Bateaux.

Alna, voir Aune.

Alun, *aluun*, 245, 263, 265, 460. — de Phocée, 245. — de roche, *roken aluun*, 245, 461, 462, 464, 465. — voir Kerken.

Aluun, voir Alun.

Ambassadeurs, voir T.N.P.L., *s.v.* Angleterre, Bourgogne, France, Milan.

Ame, voir Aime.

Amirauté, 142.

Amiraux, voir T.N.P.L., *s.v.* Angleterre, Flandre, France.

Anckerage Gelt, voir Ancrage.

Ancrage, *anckerage gelt*, taxe anglaise, 305, 475.

Ange, voir Monnaie.

Anguille, 238, 304.

Appointers, 319.

Archers, *archiers*, 75, 91, 105, 368.

Archiers, voir Archers.

Arcs-Boutants de Beaupré, *whiskers*, 439.

Argent, 240, 346-348. — espèces, 170, 171. — étalon, 344. — monnaie, 344. — pièces, 170. — voir Bullion, Ciboire, Coupe, Drap, Pots, Retables, Tasses, Vases.

Argenterie, 240.

Argile, 300.

Armateurs, 322-325, 352. — voir T.N.P.L., *s.v.* Bagot (Clement).

Armement Naval, 12, 247, 323, 324, 326, 352, 353, 430. — anglais, 403.

Armes, 84, 87, 98, 129, 130, 246.

Armeures, voir Armures.

Armurer, voir Armurier.

Armures, *armeures*, dans le sens d'armement, 112, 445, 446.

Armurier, *armurer*, 542, 554, 556, 558.

Arras, voir Tapisseries.

Artillerie, 71, 82, 90, 130, 395, 404, 445, 446.

Assurance Maritime, 320-321.

Atelier Monétaire, voir Monnaie.

Auditors, 319.

Aunage, 228, 231, 232.

---

[1] Des renvois sont faits à la Table des noms de personnes et de lieux (T.N.P.L.).

C

E

F

G

Galées, voir Bateaux.
Galee, voir Bateaux.
Galères, voir Bateaux.
Galiote, voir Bateaux.
Gantier, 296. — voir T.N.P.L., *s.v.* Payn (John).
Gants, 403.
Garance, 211, 233, 234, 235, 246, 253, 277, 304, 308, 328, 332, 334, 339, 359-361, 430, 459. — de Reimerswaal, 233. — de Tolen, 233.
Garde-Chasse, *warenner*, 545, 554, 557, 559.
Gelte, mesure pour le vin, 274.
Gilde, 206, 280, 293.
Glazier, voir Verrier.
Goldsmiths, voir Bijoutiers-Joailliers.
Goudron, *tarr*, 442. — voir Last.

Grain, 130, 190, 221-223, 242, 450, 485, 486. — grains mêlés, 485, 486. — voir Boisseau, Quarter.
Grain, voir Drap.
Graissier, voir T.N.P.L., *s.v.* Hony (Nicolas).
Grande Charte, 75.
Gray Ruber, voir Fourrures.
Grindstone, voir Pierre.
Grocer, marchand d'épices, 183, 234. — voir T.N.P.L., *s.v.* Canynges (Thomas), Kerville (Eemont), Yong (John).
Groetentolle, voir Tonlieu.
Grosse, mesure, 244.
Gruier, de Brabant, voir T.N.P.L., *s.v.* Bourdon (Jean).
Guède, pastel, *waide*, 233, 235, 236, 246, 360. — pastel toulousain, 235.
Gutting, voir Toile.

H

Haberdasher, voir Mercier.
Haberdasherie, voir Mercerie.
Habst., voir Toile.
Half Double, voir Drap.
Haquenées, voir Chevaux.
Hareng, voir Poisson.
Hareyl, voir Toile.
Hatmakers, voir Chapeliers.
Henstr., voir Toile.
Herford, voir Toile.
Hermines, *ermines*, 246, 262. — voir Timbre.
Herrinc, voir Hareng.
Herring, voir Hareng.
Heude, mesure pour le houblon, 242.
Hinderlond, voir Toile.
Hobin, voir Chevaux.
Hogg, mesure de capacité, 441.
Hoste, voir Hôte.

Hosyer, voir Bonnetier.
Hôte, *hoste*, 130, 131, 301-304, 349, 447, 448. — londonien, 304.
Hôtelier-Courtier, *weerd*, 354, 355, 458, 474.
Houblon, 241-242, 295, 301, 308, 328-330, 332. — voir Heude.
Houckebot, voir Bateaux.
Houille, 187, 218, 219, 233, 333. — voir Chaudron.
Hourques, voir Bateaux.
Householders, 297.
Hoys, voir Bateaux.
Hoyscepen, voir Bateaux.
Huescepen, voir Bateaux.
Huile, 260, 276. — de navette, 304. — voir Baril.
Hulk, voir Bateaux.
Husbondman, voir Cultivateur.
Hustr., voir Toile.

I

Iersekeroord, voir Tonlieu.
Imprimerie, anglaise, 301.
Indigène, voir *Denizens*.

Interprète, *Taelspreker*, 355, 359.
Ivoire, voir Retables.

M

N

O

Q

R

S

T

TABLE DES MATIERES